D1550298

DE EEUW VAN SARTRE

Vertaald door Henk Jonker, Hanneke Los, Mart Grisel, Karina van Santen
en Martine Vosmaer

Bernard-Henri Lévy

De eeuw van Sartre

Een filosofische zoektocht

2004 Uitgeverij Bert Bakker Amsterdam

Voor mijn moeder

Education and Culture

Culture 2000

Deze uitgave kwam mede tot stand dankzij subsidie van de Europese Commissie, Kaderprogramma 'Cultuur 2000'.

Gepubliceerd met steun van het Franse ministerie van Buitenlandse Zaken, het Franse ministerie van Cultuur – Centre National du Livre, het Institut Français des Pays-Bas/Maison Descartes en de Banque Nationale de Paris.

Oorspronkelijke titel *Le siècle de Sartre. Enquête philosophique*

Eindredactie Henk Jonker
Omslagontwerp Marten Jongema
Foto omslag Henri Cartier-Bresson
ISBN 90 351 2312 3

Inhoud

III De waan van het tijdperk

Proloog

Die dag op Montparnasse was er alleen nog de verwachting in een vaag geroezemoes, zacht en onrustig. Heldere voorjaarslucht. April. De sfeer van Parijs zonder auto's. En overal in de buurt de besluiteloze opwinding van een menigte die zich met tegenzin verspreidt. Hier en daar kruiste je gezichten met een vreemde emotionele uitdrukking. Er vormden zich kleine groepjes in de cafés op de boulevard Raspail en in de rue Didot. Er waren ook mannen en vrouwen die bleven lopen, alleen, doelloos, en met het verlangen, misschien, het moment voort te laten duren. Ik was, net als zij, gekomen voor de begrafenis van Sartre. En wat was begonnen in een feeststemming eindigde nu, op het trottoir, als een demonstratie die afgekapt werd.

Ik herinner me dat ik over de boulevard Edgar Quinet naar het kleine, sombere huis ben gelopen waar hij gewoond had. Mensen drongen er samen. Een groep Pakistani die een oude discussie leek voort te zetten. Een Russische dissident die ik een beetje kende. Mensen uit de provincie op wie een touringcar stond te wachten. Een jonge vrouw, alleen, die eruitzag alsof ze vreselijk had gehuild. En net als in de glorietijd, een ordedienst van vakbondslui en studenten, die snel een wacht hadden gevormd en de nieuwsgierigen het recht betwistten zich op dat nu al heilige stukje macadam op te houden. Een ogenblik keek ik langs de gevel omhoog. Mijn blik telde tot de negende verdieping, waar ik wel eens was geweest. Ik zag het kleine appartement weer voor me, de werktafel, de grijze, smerige stoel waar zijn laatste secretaris was gaan zitten, de half lege boekenkast.

Had de illustere man daar nu gewoond? Waren vandaar de woorden uitgegaan die alle hoeken van de aarde hadden gezien en nu bij ons terug waren gekomen, die middag, op het kerkhof, als een hardnekkige bijenzwerm? Zouden er andere Sartres zijn – of was hij enig in zijn soort, een dier zonder soort of misschien het laatste dier van een soort die met hem uitgestorven was? Waarom was ik daar zelf? Vanwaar die behoefte, die ook ik gevoeld had, om de laatste eer te bewijzen aan deze man, van wie ik niet met zekerheid kon zeggen dat ik van hem gehouden had, en al evenmin dat dit niet zo was? En dan de plechtigheid zelf... Al die duizenden mannen en vrouwen, misschien wel tienduizenden, uit alle streken van de wereld, vulden binnen enkele minuten de paden van het kerkhof. Al die levenden. Al die spoken. Al die opstandelingen en kleinburgerlijken, broederlijk verenigd in een ingehouden geroezemoes. Al die links-radicalen. Al die kinderen. Die afvaardiging van de high society gemaskeerd door de rood met zwarte vlaggen van de postbeambtes van Paris-Brune. Kransen van de Nouvelle Revue Française en de Amicale des Algériens de France. Al die paparazzi met hun camera's in de aanslag. Al die vrouwen in tranen. Al die jongelui die waarschijnlijk nooit iets van hem gelezen hadden maar erbij wilden zijn en als trossen in de bomen hingen. Afrikanen. Aziaten. Vietnamezen, zowel aanhangers van Ile de Lumière als van Ho Tsji Minh – ze hadden elkaar natuurlijk graag gemeden, maar de menigte, wars van dit soort gebakkelei, smeet ze op één hoop. Bekende gezichten. Onbekende. Stellen die in het gedrang gescheiden waren en van ver naar elkaar riepen maar elkaar vervolgens helemaal uit het oog verloren. De vroegere tegenstanders, de één met een glimmende schedel, de ander met een melancholieke blik – ze zagen er zo bewogen uit dat het maar weinig scheelde of je was vergeten hoe sarcastisch en wild ze tegen hem van leer getrokken waren, vroeger. En dan natuurlijk, verdronken in de massa, heen en weer geslingerd, soms meegevoerd door de stroom, soms buiten de stoet geduwd, de slagorde van de intimi, de apostelen, van wie de namen werden gemompeld met de eerbied en het respect dat hoort bij de aanhangers van het ware geloof – en nog verder, op een klapstoeltje voor het gapende graf, haren in de war, haast onder de voet gelopen, ook zij, ondanks de trouwe aanhanger die met zijn vuisten wat ruimte om haar heen probeerde te stompen, een mooie, bedroefde vrouw, gedompeld in rouw. Wie was die man die dát voor elkaar kon krijgen? Door welke raadselachtige verleiding was één leven voldoende geweest om zo veel uiteenlopende hartstochten bijeen te brengen? Hoe, waarom was één stem, één enkele stem, de droge, metalige stem van Sartre, erin geslaagd zich in zo veel talen te laten horen en voor zo veel hoogst aparte bestemmingen? Was het ook een heel groot schrijver? Een apparaat om gevoel en verstand te versmelten? Een toevlucht voor zijn tijdgenoten? Een kompas? En bij zijn verscheiden, het middel om afscheid te nemen van een tijdperk door van hem afscheid te nemen?

Ik was dertig jaar.

Ik had een eeuwigheid aan idealen, illusies, ontgoochelingen, voor me.

Ik wist, of hoopte althans, dat me genoeg tijd gegeven zou zijn om, samen met mijn generatie, dat schemerverhaal dat zijn dood onafgemaakt achterliet, te doorgronden.

Ik wist ook – en ik wist het meteen op dat moment – dat ik daarvoor, ooit op een dag, de man en zijn boeken die zich achter zo veel vragen verborgen, zou moeten weerzien. Ik wist dat ik vroeg of laat zou moeten proberen dat ingewikkelde, paradoxale, ondoorzichtige avontuur dat de naam Sartre draagt, de maat te nemen.

Ik heb lang met dit boek geleefd zonder het vorm te geven. Ik droomde ervan. Herkauwde het. Liet het zitten. Pakte het weer op. Ik schreef het zonder het te schrijven. Vergat het, maar gaf het niet op. Het was er, lag voor me als een vormeloos, vaag project, waarvan ik wel dacht dat ik het ooit uit de schaduwen te voorschijn zou halen, maar dat voor het moment een dode letter bleef.

Iedere dag die voorbij ging, trouwens, iedere gebeurtenis in ons lange fin de siècle, leek me net zo veel reden te verschaffen om het uit te stellen als om er haast mee te maken, om het helemaal niet te schrijven of er onmiddellijk mee te beginnen.

De revolutie die, en hoe, het leven en werk van Sartre magnetiseerde en uitging als een nachtkaars.

Het communisme, sartriaanse passie bij uitstek, minstens dertig jaar het object van zijn verlangen, dat zonder strijd, zonder discussie in elkaar zakte.

Zei Sartre niet altijd dat een tekst alleen waarde heeft naar gelang van de omstandigheid die aan zijn ontstaan voorafgaat? De omstandigheid was er niet meer. De hele omgeving leek om zijn eigen as te draaien, weg te glijden in het niets. En hele stukken van zijn werk verdwenen met hem of stortten krakend als brandhout in elkaar.

Het was in die tijd – en is dat niet nog zo? – onbestaanbaar dat je belangstelling voor Sartre had, sterker nog, bezig-zijn met een boek waarin je je afvroeg, via hem, wat de twintigste eeuw te zeggen had, kon echt niet. Malraux? Zeker. Camus? Als het dan zo nodig moest. Maar Sartre... Nee, Sartre niet... Sartre kon echt niet... Ik stel me de verbijsterde gezichten van mijn leermeesters uit de jaren zeventig voor als ik ze had verteld dat ik met het plan rondliep een boek over Sartre te schrijven. Mijn leermeesters waren er niet meer. Ook aan hun leven kwam een einde. Maar het verbod bleef. In de winkel waar ze literaire kostuums van deze eeuw verkopen en maskers, is het masker van Sartre ontegenzeglijk en verreweg het minst gangbare, het minst gevraagde...

Ik las dus. Ik las en ik herlas. Ik herinner me de dag dat ik in Parijs *La Nausée* opnieuw ontdekte. Ik herinner me dat een vriend in Londen tegen me zei dat *Les Chemins de la liberté* zo slecht nog niet was – en ik vond dat hij geen ongelijk had. Ik herinner me hoe verwonderd ik was toen ik, voor de eerste keer, heel laat dus, *L'Être et le néant* las – en mijn verbijstering toen ik daarna *Critique de la raison dialectique* las en ontdekte dat er hier sprake was van een filosofische wedergeboorte, even spectaculair als de multiple dichterlijke persoonlijkheid van Pessoa of het dubbele oeuvre van Romain Gary.

Ik vond het een aangename situatie.

Ik vond het een aangenaam idee, nu niemand er echt warm voor liep, mijn Sartre in het geheim tot rijping te laten komen.

Verdediger van de rechten van de mens, volgeling van Camus, zeiden ze, en van Malraux natuurlijk, vanwege zijn hang naar heldendom en avontuur, en ook naar 'groots en meeslepend leven' dat maakt dat vorm en vent samenvallen en de vent een verlengstuk is van het werk... Ik liet ze praten... Ook al wist ik dat het echte 'groots en meeslepend leven', het prototype van dé schrijver, van dé intellectueel, waar het in de nieuwe tijd vreselijk aan zou ontbreken, allereerst in Sartre zijn belichaming vond.

Tot de dag dat twee omstandigheden, onder andere, alles in een stroomversnelling brachten.

Allereerst in 1989 de ontmoeting in Berlijn met die oude communistische schrijver, vriend van Ulbricht en Honecker, die nog altijd het stalinisme bewierookte, bij hem thuis de dag na de val van de Muur. Hij had alle misdaden van het regime goedgekeurd. Hij bleef ze toedekken met zijn wankelende gezag. Op een dag, zei hij, zullen we in het gelijk worden gesteld. Op een dag komt men erachter dat wij, de antifascisten van oudsher, die de vorsten van de Rode Kerk waren geworden, de allerbeste democraten waren. En hij pakte, als om zijn woorden kracht bij te zetten, een exemplaar van *L'Age de raison* uit zijn boekenkast, met daarin de opdracht – 'voor Stephan Hermlin die (ik citeer uit mijn hoofd) van zijn vrijheid een gewilde vrijheid wist te maken, met vriendelijke groet, Jean-Paul Sartre'.

Drie jaar later in Sarajevo, het eerste jaar van de oorlog, de Bosnische academici die hadden besloten in de belegerde hoofdstad te blijven en iedere woensdagavond de Servische scherpschutters trotseerden om uit alle delen van de stad naar de kelder van Dobrinya te komen, niet ver van de frontlinie, waar ze bladzij voor bladzij, in een uiterst meditatieve sfeer, *Questions de méthode*, bespraken: sartrianen van de catacomben, sartrianen onder de bommen, Sartre lezen om niet te sterven, uit Sartre de kracht putten om te denken maar ook om weerstand te bieden, te vechten...

Hoe konden doorgewinterde stalinisten en waarachtige verzetslieden zich op hetzelfde werk beroepen?

Wat was dat voor een werk, dat tien, vijftien jaar na de dood van de auteur, niet meer alleen de nabestaanden, maar ook zulke radicaal verschillende wereldvisies met elkaar verbond?

Was het omdat het aan het begin had gestaan van wat de tweede helft van de twintigste eeuw aan goed en slecht had gekend? Was het mogelijk, aan hetzelfde werk de meest hoogstaande leefregels te ontlenen, de regels die mannen en vrouwen die ten einde raad en van alles beroofd zijn, in staat stellen in verzet te komen – en regels van onderworpenheid?

Het deed er opeens helemaal niet meer toe of ik van Sartre had gehouden of dat ik een pesthekel aan hem had gehad. Of dat ik van hem gehouden had en toch een pesthekel aan hem had gehad, of omgekeerd.

Alleen die gemengde gevoelens telden nog, waartoe hij zijn tijd inspireerde en, meer nog, waarmee hij haar bezielde.

Alleen die januskoppige passie telde nog, die meer dan ooit aan het sartriaanse nageslacht kleefde en die het werk op zijn beurt opriep.

Vaak brengt de dood rust. Gevoelens komen tot bedaren. Teksten moeten natuurlijk niet stollen, niet opgesloten worden in een of andere betekenis waarmee ze door de dood van de schrijver zijn te bekleden. Maar de dood draagt in ieder geval wel bij tot het bijleggen van het woordenspel, het beslechten van de voornaamste ruzies. In het geval van Sartre leek het wel of het omgekeerde het geval was en of hij, op het moment dat hij aan zijn seizoen in de hel begon, inzet werd van conflicterende politieke en metafysische belangen die nog nooit zo tegenstrijdig waren geweest.

Op dat moment dus namen de zaken een wending.

En zo kreeg het boek zijn vorm in een reeks van jaren waarin het mij meer en meer kostte om uit dat onmetelijke, monsterlijke werk, levend als een kankergezwel, in oorlog met zijn tijd en misschien nog wel meer met zichzelf, datgene te lichten wat toekomstige barbarijen dreigde te vergezellen of juist het hoofd zou kunnen bieden.

Kracht van gemengde gevoelens.

Verdienste van die onvaste mengelingen van haat en liefde, van bewondering en wantrouwen, van een soort ongewisheden die als u het mij vraagt meer dan wat ook zeggen over de boeken, en over onszelf.

Sartre als opengeslagen tijd. Sartre of de bundeling van alle manieren om de eeuw door te gaan, zich erin te verliezen, de schaduwkanten ervan te bezweren – en dan de nieuwe eeuw binnen te gaan. Het is geen eenduidig beeld, maar dat is, zoals altijd, alleen maar een voordeel.

1

De man van de eeuw

I

Sartres roem

Sartre is veertig jaar.

Hij heeft twee korte fenomenologische verhandelingen op zijn naam staan en een roman, *La Nausée*, die eerst door Gallimard werd afgewezen. Hij heeft de oorlog achter de rug, die minder oneervol was dan wel wordt beweerd, maar ook minder roemvol dan hij zich had voorgesteld. Dan publiceert hij, vlak na elkaar, *L'Être et le néant* en *Les Chemins de la liberté*, en vestigt hij met buitengewoon groot gezag zijn naam op het toneel van het bezette en later bevrijde Parijs.

Hij is niet de eerste schrijver die na een periode van stilte weer opbloeit en als het ware voor een tweede keer in hetzelfde leven geboren wordt. Veel minder vaak komt het voor dat iemand een zo ingrijpende gebeurtenis als de overgang van het ene tijdperk naar het andere overleeft, de overstap, zeg maar, van de periode van het 'Volksfront' naar het 'post-Auschwitz'-tijdperk, met één voet op de ene oever en één voet op de andere, en dat die spreidstand hem niet deert, dat hij geen terrein verliest, sterker nog dat hij de afstand weet te overbruggen, zijn gezag doet gelden en zonder slag of stoot de positie van grote denker inneemt.

Morand verlaat Frankrijk na de bevrijding. Céline krijgt de rol van foute schrijver toebedeeld en trekt zich uit de openbaarheid terug. Montherlant en Chardonne herkauwen hun mislukking verbitterd. Breton keert terug uit Amerika – maar ook al wil hij het opnieuw proberen, het publiek is verdwenen, net als zijn surrealistische vrienden van het eerste uur. Het klimaat is veranderd. En zelfs Malraux, de grote Malraux, die er in tegenstelling tot de anderen voor koos actief deel te nemen aan het verzet, komt merkwaardig minnetjes uit het avontuur te voorschijn. Gelauwerd als Spaanse 'coronel' ging hij de oorlog in. Hij was het idool van de jongeren, de man van alle grote gevechten. Maar nu hij gaullist is, schelden zijn vroegere kameraden hem uit voor verrader van de arbeidersklasse, nationalist, afvallige – het ziet er zo vreemd uit, zoals hij aan de zijde van Jacques Soustelle de spreektribunes van de RPF (Rassemblement du peuple français, de Gaullistische Partij) bestijgt of zich door Jacques Baumel 'kameraad' laat noemen.

Maar dan Sartre. Niets van dit al. Hij triomfeert. Hij vestigt zijn naam. Hij staat in alle tijdschriften en richt zijn eigen tijdschrift op. Hij heeft het voor het zeggen – en niemand legt hem een strobreed in de weg – in de zuiveringscommissies. Hij schrijft liedteksten voor Juliette Gréco. Theaterstukken voor zijn vriendinnetjes. Met de vrouw van zijn leven, Simone de Beauvoir, ontwikkelt hij een levensstijl die meteen legendarisch wordt.

Hij is veertig jaar.

Hij heeft er nooit zo jong en gelukkig uitgezien als in het Saint-Germain-des-Prés van die jaren.

Niet eerder, niet in de decennia daarvoor en niet in de decennia daarna, heeft een schrijver een dergelijke soevereiniteit en vrijheid aan de dag gelegd.

Sartre, de schrijver, introduceert een nieuw soort existentie. Hij wordt op zijn beurt het idool van jongeren, die zijn uitspraken en zijn overtuiging, zijn gretigheid om taboes te doorbreken, om heilige huisjes omver te werpen, uit zijn boeken in zich opzuigen, net als zijn gevoel voor tot leven geworden denken, en die het gevoel hebben dat ze dankzij hem de zaken, de wereld, de mensen, bezagen als was het voor de allereerste keer. Sartre, de voorganger.

Sartre en de vrouwen: een liefde genaamd Castor

Korte opmerking over de relatie met de vrouw van zijn leven, Simone de Beauvoir, bijgenaamd 'Castor', bever.

Liefde en vrijheid. Open maar niet netjes willen zijn. Ieder zijn eigen dromen, schrijven voor elkaar. Niet beknibbelen op de eigen verlangens, en niet op die van de geliefde. Alles door de vingers zien. Extreme vertrouwelijkheid en toch twee aparte mensen. Trouwens, Sartre spreekt de Beauvoir met 'vous' aan. Jan en alleman tutoyeert hij, maar de Beauvoir vousvoyeert hij. Bewijs van afstand? Van achterdocht? Of juist teken van uitverkiezing? Uitverkiezing natuurlijk. Vaste ster. Je moet Sartre horen als hij zegt: 'Bij mijn leven hoort dat ik van één iemand met hart en ziel zal houden, zonder grote passie, zonder vlinders in de buik, maar van binnen uit.' En hij gaat door met: 'Het moest zo zijn dat u dat werd, mijn liefste – iemand met wie ik zo één ben dat je niet meer weet wie wie is, ik houd van u.'[1] Of ergens anders: 'Ik kan niet van u gescheiden zijn, want u bent de consistentie van mijn persoon.'[2] En weer ergens anders: 'Mijn leven dat ben ik niet alleen', u bent 'altijd mij', het is niet mogelijk om 'meer één te zijn dan wij', zoals u en ik.[3]

Het is een groot woord, 'consistentie'. Het is een woord dat, als de woorden een betekenis hebben – en je kan je toch niet voorstellen dat ze die voor Sartre niet zouden hebben – betekent: u, mijn liefste, u bent het zijn van mijn zijn, het hart van mijn hart; u bent degene door wie deze kluwen van contingentie, misverstand en toeval, die mijn bestaan, zoals bij iedereen, is, toch een rode draad van noodzakelijkheid bevat. Cocteau schrijft in *Le Po-*

tomak[4]: 'Bevers (in het Frans: castors), nobele bouwers; ik wil voor mezelf een onvermijdelijk huis bouwen.' Castor in die jaren: architect van het Sartre-huis; onvermijdelijk vrouw, noodzakelijke liefde.

'Een zijn', ook dat is een groot woord. Ook niet erg sartriaans, dat voel je wel. Waarom zou je het dan niet zijn volle gewicht toekennen? Waarom zou je het dan niet serieus nemen, dat verbond van trouw, dat contract, dat tijdens hun leven en daarna, die vrouw en die man verbonden heeft? Waarom zou je je dan niet, midden in de twintigste eeuw, maar helemaal in de stijl van de achttiende, verbazen over die verbintenis, die gelukkig en tegelijkertijd gevaarlijk is, helder en geheimzinnig, gebaseerd op zielsverwantschap en toch zo libertijns? De ene keer, in oktober 1939, vertelt hij haar van zijn laatste verovering: 'U weet wel, zo'n studente met puistjes die slecht eet en zich niet goed verzorgt, dat vertedert mij'[5] – en je moet denken aan Valmont die het in zijn brieven aan Mme de Merteuil over Cécile Volanges heeft. En de andere keer: 'Als ik met verlof kom dan pakken wij samen de pen op, u met uw dagboek en ik met mijn notitieboek, 's avonds voor het slapen gaan' – en je moet glimlachen, net zo goed als wanneer je de laatste brieven van Laclos aan Marie-Soulanges leest.

Want Sartre heeft andere vrouwen. Hij verkeerde altijd, zoals iedereen weet, 't liefst in het gezelschap van vrouwen. Hij heeft altijd gezegd dat hij zich 'wezenloos' verveelde met mannen, dat die helft van alle mensen, voor hem, nauwelijks bestond en dat hij liever 'met een vrouw over koetjes en kalfjes sprak dan over filosofie met Aron'.[6] Er zijn dus anderen. Heel veel anderen. Zij zijn de heldinnen van zijn romans. De actrices van zijn stukken. Een hele zwerm vrouwen die er, volgens een wet die sindsdien, althans sinds Diderots *Les Bijoux indiscrets* geldt, onophoudelijk en vol ongeduld op azen opgevoerd te worden in de roman. Zijn aangenomen dochter. Françoise Sagan, ten slotte. Allerlei vrouwen, voor allerlei gebruik. En wat er zo mooi aan is, dat is dat niet een van hen – zelfs Dolorès niet, zijn grote Amerikaanse liefde – hem ooit van die trouw aan Castor, die van alle tijden is, afbrengt. Zoals Castor zich van haar kant nooit van de man van haar leven laat afbrengen door haar 'transatlantische liefde' Nelson Algren, die model stond voor Lewis Brogran in *Les Mandarins*.

Sartre en de vrouwen, nogmaals. Andere vrouwen. Zijn relaties met die vrouwen hebben slechts betekenis, ja haast bestaansrecht, voorzover hij ze aan Castor vertelt. Hij slaapt met Olga, maar dat doet hij om haar neer te vlijen op het papier van een van zijn 'brieven aan Castor' waarin hij geen detail, hoe intiem ook, onbeschreven laat. Hij verleidt Wanda of Michelle, maar dat doet hij om ze op te voeren in weer een andere brief die hem, Sartre, onder Castors ogen brengt. Sartre neukt. Hij bevoelt. Je weet eigenlijk niet zo precies, om in zijn eigen bewoordingen[7] te blijven, of hij nou 'meer een neuker' was of 'meer een rukker is'. Je weet niet of hij niet eerder – zoals Camus veronderstelde[8] – een 'gluurder' of een 'voyeur' was, gefascineerd door impotentie, homoseksualiteit en de perverse spelletjes die hij in 1937 beschrijft in *Dépaysement*, een novelle die zich in een bordeel afspeelt. Om de waarheid te zeggen, je vraagt je af of hij wel zo'n bedreven minnaar was, of hij niet eerder iemand was die, zoals Cocteau al zei, 'beter met vriendschap uit de voeten kon dan met de vleselijke liefde'. Onder de vele getuigenissen is er die van Bianca Lamblin, de 'Louise Védrine' uit de 'Brieven', die lang nadat de verhouding was beëindigd, instemde met Castor dat hij 'een armzalige minnaar' was en niet erg 'talentvol op dat gebied'.[9] En wie zal zeggen dat het niet die hang naar het 'angelieke' is, zoals Nizan het zo mooi uitdrukt, wanneer hij zijn oude klasgenoot van de École Normale Supérieure in *Le Cheval de Troie* treffend opvoert als 'Monsieur Lange'? Maar één ding staat vast. En dat is dat een van de drijfveren van zijn genot het vooruitzicht is dat hij, in wat voor scenario dan ook, het uiterst gedetailleerde verhaal ervan aan zijn Castor[10] kwijt kan. Duizelingen van de letter. Roes van de betekenaar. Genieten, in alle betekenissen van het woord. De waanzinnige obsceniteit van zijn verhalen – en het naar ik aanneem, gedeelde plezier – waarin niets verzwegen wordt van de goede stemming van een lichaam, zijn pracht of verborgen gebreken: 'van die benen (het gaat over een meisje) die prikken als een ongeschoren mannenkin'; van die 'billen als waterdruppels, stevig maar zwaar, peervormig zo je wilt',[11] of het ongelooflijk nauwkeurig relaas van de ontmaagding van Tania of de 'kleine Bourdin'. Klaarkomen, niet metterdaad maar door tussenkomst van woorden: prachtig nietwaar, als de Portugese non dat zo doet, maar is het niet minstens zo mooi als de hoofdpersonen Sartre en Simone de Beauvoir heten? Castorisatie van de liefde en absolute liefde van Castor. Sartre neukt met Bianca maar bij de Beauvoir komt hij klaar.

Sartre en de vrouwen, ten derde. Gebedel om een plaats in de roman. In de dubbelroman, noodzakelijkerwijs, van literatuur en leven. De dubbele dubbelroman zelfs, omdat ze met zijn tweeën zijn, Sartre en de Beauvoir, in de positie dat ze gunsten, vergiffenis en zicht op eeuwige roem kunnen schenken. Maar er zijn van die dagen dat het gejengel belachelijke vormen aanneemt. Neem Bianca Lamblin, de jonge vrouw die Sartre verweet een miezerige minnaar te zijn en die, het wachten op zijn roman beu, op een middag beiden oproept te verschijnen in de Jardins du Ranelagh – ja beiden, wat ze hun te zeggen heeft is belangrijk, en ze heeft er dus op aangedrongen dat ze allebei aanwezig zijn. Ze is zwanger, en dat is voor elk van de twee het meest weerzinwekkende en vast ook het meest komische dat met een vrouwenlichaam kan gebeuren. Ze is razend en daardoor maakt zij zich, zo stel ik mij voor, enigszins belachelijk. 'Hoe zit het met dat boek? Dat romanpersonage? Komt het er nog van?' En omdat ze er nogal beteuterd uitzien, of verbaasd, en klaarblijkelijk absoluut niet van plan haar nog een keer de betoverde wereld van de roman binnen te voeren: 'Ik verbied het jullie, hoor je, ik verbied het jullie, nu de zaken er zo voorstaan, me ooit ergens te citeren, of iets van mijn persoon te gebruiken voor een personage in een van jullie gore boeken.' En ze laat ze daar staan – een absurde, aandoenlijke vertoning, een beetje zielig ook – uiteraard heeft ze geen steekje losgetornd van hun geheim verbond[12]. 'Slachtoffer', Bianca Lamblin? Zeker, en de daders komen, wanneer ze in hun levensavond terugdenken aan haar en aan al die andere passies die zij in hun leven hebben aangestoken om ze daarna weer te doven en ten slotte als evenzovele lijkjes te lozen, eensgezind tot de slotsom: 'Niets om trots op te zijn.' Maar goed... Ze is ook niet meer of minder 'slachtoffer' dan de kleine Volanges. En zij heeft op de hoofdpersoon van Laclos voor dat zíj weet waaraan ze zich blootstelt als ze in handen valt van dat tweetal. Laclos, ja. Steeds weer Laclos. Van de relatie van Sartre en de Beauvoir, met al het mooie – de boeken die dat heeft opgeleverd – en minder mooie, valt niets te begrijpen als je niet het model, en voorganger, Laclos voor ogen houdt... 'Ik neem afscheid, mijn aanbiddelijke Castor. Ze is net binnengekomen en ik schrijf deze laatste regels onder haar ogen. U kent mijn gevoelens, maar ik durf ze niet op te schrijven want je kan de woorden op z'n kop lezen.'[13] Dat is een scène uit *Les Liaisons* of het leven van Casanova.

Sartre en zijn boeken. Sartre schrijft. Hij schrijft onophoudelijk. Die brieven, dus. Die fabelachtige roman in brieven, als een waar gebeurde *Liaisons*. Maar ook de rest, natuurlijk, al die romans, essays, theater – ik kom er nog op. Maar hij weet pas wat hij schrijft, hij weet pas wat het waard is wat hij geschreven heeft als Castor het kan lezen en er een oordeel over kan vellen. 'U, mijn kleine rechter,' schrijft hij haar als hij aan *L'Être et le néant* werkt. U, mijn eerste lezer, mijn 'censor', mijn 'goede raadgever'. U, mijn 'kleine morele bewustzijn'. U, mijn oog, mijn oor, mijn 'getuige'. Was er maar 'een klein zegel dat u zou hechten aan alles wat ik beleef'. Beoordeel me naar waarde. Onthoud me uw geselende kritiek niet, als ik dat verdien. U bent meer ik dan ik. U bent mijn Boven-Ik. Ik ben overgeleverd aan uw 'vonnis', aan uw 'decreet'. Wat ik schrijf bestaat slechts bij de gratie van uw 'oordeel', uw 'wet'. Je kunt erom lachen. Je kunt je vrolijk maken over dat sartriaanse 'masochisme'. Je kunt kanttekeningen plaatsen bij die rol van heerseres in Sartres rijk en lelijke woordgrappen bedenken over de castrerende rol van Castor. Maar je kan je ook gewoon verwonderen over die nauwe verwantschap. Je kan bedenken dat iedere schrijver, zoals Sartre zelf zei, één of meerdere 'uitverkoren lezers' heeft en dat zij die lezer was. En je kunt er bewondering voor hebben dat hij helemaal aan het einde van de rit, voorafgaande aan het definitieve laatste woord, (ik houd heel veel van u, mijn kleine Castor) kon zeggen: 'Castor heeft me in mijn leven honderden bladzijden, ja hele stukken, opnieuw doen schrijven; zij is de enige criticus die voor mij telde.'[14]

En dan zij, Castor... Ook zij heeft haar boeken. Zij heeft haar eigen oeuvre, dat niet mis is. Maar een gedeelte van dat oeuvre bestaat slechts voorzover het stilzwijgend geleid wordt door het oeuvre van haar partner. *La Force de l'âge*, bijvoorbeeld, *La Force des choses* en *Tout compte fait*: de 'Mémoires' die Sartre niet schreef. *Pour une morale de l'ambiguïté*: Sartres 'Ethiek' waarvan hij blijft zeggen dat hij eraan komt, maar die hij niet op papier zet – en dan doet zij het maar in zijn plaats. Hoe ze zich, in 1941-1942, iedere ochtend bij de kachel in Café de Flore verdiept in *Die Phänomenologie des Geistes* omdat ze weet dat haar partner als een bezetene *L'Être et le néant* aan het schrijven is en dat hij Hegel nodig zal hebben. En dan, later, heel veel later, als hij vrijwel niets meer kan zien en dus niet meer schrijft, *Cérémonie des Adieux*, dat zo slecht ontvangen werd en toch, geheel in de lijn van hun leven ligt: de bijna laatste gesprekken, waarheid van een oeuvre en van een leven, doorgaan met filosoferen, zien en denken voor twee, 'beau voir', mooi zien, door de ogen van een vrouw, teken van absolute liefde.

Hoe kan het dat de wereld zo veel moeite had dat te begrijpen?

Hoe kan het dat de wereld een van de vreemdste maar ook mooiste liefdesgeschiedenissen van de twintigste eeuw zo hardnekkig karikaturiseert, ridiculiseert en bagatelliseert?

Waarom la Grande Sartreuse?

Waarom Simone de Bavoir?

Waarom die grauwe analyses over de mannelijke vorm van haar bijnaam, Castor?

Waarom, bij Sartres dood, die haatkreet tegen die vrouw, vooral toen ze het waagde de gedenkwaardige *Lettres au Castor et à quelques autres* te publiceren?

Ja, dat 'quelques autres, enige anderen'... Daar heeft iedereen zich vreselijk over opgewonden, over dat 'enige anderen'! Het is, tot op de dag van vandaag, een van de hoofdaanklachten in het proces tegen Castor! Maar is het niet domweg de waarheid? Waren er niet inderdaad in het leven van Jean-Paul Sartre een noodzakelijke hoofdpersoon, namelijk Castor, en, onzichtbaar achter haar verborgen, 'enige andere' inwisselbare jonge vrouwen die slechts bestonden in haar schaduw, of bij de gratie van het licht dat zij hun vergunde?

Hoe kan het dat men in die postume publicatie een daad van 'toe-eigening' wilde zien?

Hoe kan het dat men te hoop liep tegen de putsch van de regentes, terwijl de constatering dat zij met de publicatie van de brieven rechtstreeks het waarheidsprogram uitvoerde waartoe Sartre zelf besloten had, toch veel meer voor de hand lag?

Hoe kan het dat de publicatie van het eerste deel van *La Cérémonie*, dat lange, nauwkeurige, haast klinische relaas, waarin ze, zonder enige terughoudendheid, over de laatste dagen van haar partner vertelt, al meteen zo veel deining veroorzaakte? Natuurlijk, niets van de wederwaardigheden van het sartriaanse lijf bleef onverhuld. Natuurlijk wordt ons niets bespaard van zijn aangrijpende verval: Sartre verdwaasd, Sartre vertwijfeld, Sartre die niet meer uit zijn woorden komt, Sartre incontinent en zich daarvoor verontschuldigend: 'Kijk nou eens... het lijkt wel of er een kat op me gepiest heeft...' Maar wat nou? Dat hoorde toch ook bij hun overeenkomst? Was ze niet, tot op het laatst, net als met de *Lettres*, dat verbond van onsterfelijkheid trouw dat haar van meet af aan tot eeuwige secretaris van de door Sartre gewenste, gefundeerde, bezongen transparantie maakte?

Je kunt – ik kom er nog op terug – die doorzichtigheid obsceen of terroristisch vinden. Je kunt je afvragen – en dat heb ik ook gedaan – wat er toch verborgen zit achter die wens alles te laten zien, zich helemaal bloot te geven, niets in de schaduw te laten, niet van zichzelf, niet van de anderen. Je kunt doorzichtigheid net zo 'gevaarlijk' vinden als zuiverheid en er onvermoeibaar op blijven hameren dat vrijheid zijn geheimen behoeft. En feit is dat je de rillingen over de rug lopen als je een van die minnaressen over haar eerste afspraakje met Sartre hoort vertellen, in de rue Cels, in een kleine hotelkamer waarvan hij de gordijnen niet wil dichtdoen[15]: 'wat wij gaan doen moet gedaan worden in het volle licht'; waarop hij zich uitkleedt, zijn voeten wast in de wasbak en open en bloot vertelt hoe hij de dag ervoor nog in hetzelfde bed een ander meisje ontmaagde. Symbolisch geweld, puritanisme met een libertijns gezicht en, aan de horizon, een oproep om 'te voorschijn te komen', niet meer te 'liegen', zich te onderwerpen aan het oordeel, niet van God, maar van de gemeenschap van vrijgemaakte burgermannetjes..

Maar waarom dit er allemaal bij gehaald?

We hebben het hier over Castor.

Zij wordt ervan beschuldigd dat ze, in *La Cérémonie*, de geheimen en intimiteit van haar partner schendt.

Welnu, Sartres geloof laat op dit punt geen twijfel bestaan. Dat wordt in 1971 opnieuw bevestigd: 'Het zou niet in me opkomen brieven, documenten uit mijn persoonlijk leven weg te gooien; alles moet geweten worden; des te beter als ik op die manier net zo transparant ben voor het nageslacht – als dat al belangstelling voor mij heeft – als Flaubert dat voor mijn generatie is.'[16] Zoals ook, later, in *Autoportrait à soixante-dix ans*[17]: het onderscheid tussen privé-leven en publiek leven bestaat niet; 'het geheim waarvan men in sommige tijden meende dat het de eer van man en vrouw was' komt me als 'een dwaasheid' voor; ik denk dat 'transparantie te allen tijde in de plaats moet komen van het geheim en ik zie de dag voor me dat twee mensen geen enkel geheim meer voor elkaar hebben omdat ze voor niemand meer geheimen hebben...'. Wat kon Castor anders dan dit engagement, deze wens, letterlijk nemen?

Maar misschien boezemt hun verhaal wel angst in.

Misschien bestond er tussen hen een geheim genootschap voor twee, een organisatie van erotische criminelen: Laclos weer; kunst van de losbandigheid; maximum aan helderheid van geest en vrijheid; die niet samenviel met de schemertijd van de oude orde, maar met het voorvoelen van een nieuw regime, een soort hoogtepunt van aristocratische moraal.

Misschien is dat soort verbintenis onuitstaanbaar; misschien voelt het aan als bedreiging, verraad, in de steek laten; misschien is het niet om aan te zien dat een man en een vrouw geheel naar eigen inzicht hun wachtwoorden kiezen, of eigenlijk gewoon hun eigen woorden, hun symbolische uitwisselingen, hun levend wisselgeld, hun codes, hun manier om alleen de waarheid te zeggen in hun eigen mysterieuze taal en zo, samen, de regels van de kwezels en de schijnheiligen te dwarsbomen.

Misschien zijn ze zelf ook slachtoffer van dat verschrikkelijke verlangen naar transparantie waarvan zij de voorzangers wilden zijn en die zich tegen hen zou keren – misschien is het onvergeeflijk dat ze een levende belediging waren van de andere transparantie, die de maatschappij voor geen prijs opgeeft omdat het de transparantie tussen geliefden en de transparantie zelf betreft en niet die tussen geliefden onderling: de seksualiteit van Castor, bijvoorbeeld... Zaza... Olga... Nathalie Sorokine, Lise genaamd... hoe heeft zij zo lang de andere kant van haar verlangens voor ons verborgen kunnen houden? Hoe heeft ze het telkens weer klaargespeeld door de vangnetten van de literaire politie te glippen? Om zo haar geheim te bewaren, om voor elkaar te krijgen wat Aragon niet lukte, als ze niet had kunnen profiteren van een hooggeplaatste en nabije medeplichtigheid, namelijk die van Sartre, haar medesamenzweerder?

De 'Republikeinen' van 1793 wantrouwden iedereen die geen 'vrienden' had, maar van vriendschappen eisten zij dat zij zich 'kenbaar' maakten voor het openbaar gezag, want elke intimiteit die zich onttrekt aan de openbaarheid vonden zij scandaleus, een occulte macht, een schaduwzone, die hun eigen macht trotseerde.

Hetzelfde gold voor geliefden: in iedere grote liefde, en in deze liefde wel heel in het bijzonder, zit wel een dermate ontbindende kracht, een dusdanig zich terugtrekken in het geheim, een zo met voeten treden van de geboden van de gemeenschap, dat de eeuwige Republikeinen geen keus hebben: voor het vuurpeloton, die verliefden! De kogel, voor Sartre en de Beauvoir, die duivels, die onruststokers! Voor de draad ermee! Ophouden met die tweeslachtigheid! Waren ze trouw of niet? Hetero of homo? Tot wanneer hebben ze elkaar precies bemind? Was Castor een viezerik? Hield ze echt van meisjes met veel lichaamshaar en -geur? Droeg ze echt bovenlijfjes die met elastiek bij elkaar werden gehouden? Was haar vlecht niet echt? En Nelson Algren? Hoe zat dat nou met die Nelson Algren? Kwam ze bij hem klaar? Hoe dan? En hoe vaak? In welk tempo? Wat deden ze als hij haar meenam, nachtenlang, naar de slachthuizen van Chicago? Trouwens, als het op liefde aankomt, en nu we het toch over Algren hebben: was het werkelijk Sartre met zijn paddenlijf, zijn gelige huid, zijn verrotte tanden, zijn loensend oog, die haar tot vurige liefdesverklaringen inspireerde – 'mijn mond daalde langs zijn borst af; beroerde zijn kinderlijke navel, zijn dierlijke vacht, zijn geslacht waarin zijn hartje klopte'?[18] Wat stelt een 'liefdesgeschiedenis' voor als de vrouwelijke protagonist kan schrijven[19]: 'een geheime kwaal vrat aan mijn botten, [...] ik was genoodzaakt een waarheid te erkennen die ik sinds mijn adolescentie had gepoogd te verbloemen: de neigingen van mijn vlees onttrokken zich aan mijn wil [...] mijn eenzame verlangens gingen uit naar iedereen, het deed er niet toe naar wie. In de nachttrein van Tours naar Parijs kon de aanraking van een anonieme hand op mijn been een verwarring in mij opwekken van een schokkende intensiteit'? Hoe bedoelt u, zult u zeggen, 'een van de vreemdste maar ook mooiste liefdesgeschiedenissen van de twintigste eeuw' als de heldin, die eindelijk het genot ontdekt in de armen van haar 'blonde man', de Amerikaan, kan schrijven: 'mijn lichaam verhief zich tussen de doden... mijn hele leven was slechts een lange ziekte geweest'? En Lanzmann dan? De aangrijpende ontmoeting met Claude Lanzmann – 'nog een keer opnieuw geboren worden [...] ik had weer een lichaam gevonden...'?[20]

Ah! De ijselijke kreten van haat... de gapende afgronden van boosaardigheid... De woeste gifstromen die hen beide tot aan hun dood toe hebben vergezeld... Nee, dan Scott en Zelda die, dat is wel duidelijk, hem wilde beletten te schrijven, en hem te gronde wilde richten. Of Aragon en Elsa, dé vrouw voor het aangezicht van de Eeuwige. Of het gearrangeerde huwelijk van Bowles en Jane – zij zonder mannen en hij zonder vrouwen, en zo vaart het levensbootje. Gide en Madeleine, desnoods, die als pakweg 'toevallige en noodzakelijke' geliefden zo veel elegantie en kuisheid aan de dag legden! En dan die twee daar... Dat voortdurende kabaal... Dat gescheld op het puriteinendom... Die verbintenis die des te luidruchtiger werd bevestigd naarmate het voor elk duidelijk was hoe onzinnig hij was... Weinig liefdesgeschiedenissen in de twintigste eeuw waren zo bizar: weinige, zo blijkt maar weer, werden zo systematisch door idioten door het slijk gehaald.

Een modeverschijnsel?

En denk je de roem van Sartre eens in in die jaren.

Roemvol, hij zal het altijd zijn. Zelfs aan het eind van zijn leven, als zijn boeken niet meer verkocht worden, als het existentialisme zijn tijd heeft gehad en de jonge intellectuelen in de personen van Foucault, Althusser of Lacan nieuwe denkmeesters hebben gevonden, straalt de roem nog steeds van hem af, verbleekt, dat wel, maar voldoende in ieder geval om bij hém aan te kloppen wanneer het er, voor de maoïsten, op aan komt het licht te zoeken van een eeuwig schijnende intellectuele zon.

Maar het is meer dan het aura van de roem, het is een apotheose.

Het is meer dan geestdrift, het is bezetenheid.

Zijn naam is een vlag. Zijn lezingen lopen op rellen uit. Keer op keer gedrang, kapotte stoelen, onder de voet gelopen ordediensten, beginnende vechtpartijen, mensen die flauwvallen, hysterisch gegil – de mensen komen naar het Maison des Centraux om de kleine man met het loensende oog en de nasale stem uit te horen leggen dat het existentialisme in wezen een humanisme is, alsof ze naar Harry Belafonte of Frank Sinatra komen luisteren in het Olympia.

De mensen lezen zijn filosofische boeken, of doen alsof, als waren het 'lifestyle'-boeken, boeken die de weg wijzen: is niet zijn stoutste stukje dat hij van filosofie maakt 'wat mensen ervan denken'? Is niet de echte ommekeer die hij teweegbrengt, dat hij de brui gaf aan de aloude, sinds Descartes gehanteerde regel die onderscheid meende te moeten maken tussen objecten of uitspraken al dan niet waardig om overdacht te worden? En verzoent het verheffen van de gewone dagelijkse dingen, de zorgen van alledag, tot metafysische waardigheid, niet eenieder, zowel de man van de straat als de geleerde, met de zoektocht naar de waarheid?

De mensen lezen zijn romans. Ze verslinden ze. Met de personages van *Les Chemins* gebeurt wat met romanfiguren het beste gebeuren kan. Niet: 'Hé, Boris lijkt op Bost, Ivich op Olga, Mathieu op Sartre zelf' – klassieke logica van de 'sleutelroman'. Maar: 'Ik, lezer, ik bén de broer van Boris en Mathieu; ik drink thee als Ivich; ik voel en bemin als Lola; het leven heeft dezelfde smaak, dezelfde geur, of dezelfde smakeloosheid juist, als voor Daniel Sereno.' Helden als modellen. Verzonnen figuren als leef- en denkmeesters.[21] Papieren mannen en vrouwen die alles hebben gezien, alles beleefd en zich aaneenschakelen tot een lange lijst levens en bestemmingen. Voorbeelden. Maatstaven. De menselijke maat. Een spiegel voor iedereen. Heet Mathieu niet Delarue – Van-de-straat, een willekeurige man, jij, hij, een van de jongens die uitgehongerd terugkwamen uit de oorlog, begerig naar zin en leven? Jorge Semprun heeft eens gezegd dat hij zonder *La Nausée* en *Le Mur* – en voor de goede orde ook *L'Espoir* en *La Condition humaine* van Malraux – 'nooit geweest' zou zijn wat hij is 'geworden'. Kracht van de sartriaanse roman. Gids van passies, roepingen, verlangens. Niet zoals wel eens gezegd wordt, een 'bijbel' – maar eerder een 'imitatio'.

Een modeverschijnsel? Vast wel. Maar dat is zo slecht nog niet als het de expressie is van een moraal in daden, van een filosofie die zich vertaalt in leven – als die nageprate woorden, die afgekeken, becommentarieerde en geïmiteerde gebaren het alfabet worden van een democratische levens- en denkkunst.

Een personage? Natuurlijk een personage. Maar een prachtig personage, want het werk van kunstenaar én filosoof verenigd in één persoon, die van zijn eigen bestaan een kunstwerk maakt en het samen met zijn boeken voor de exegese en imitatie van die tijd aanbiedt. Gedachteconcentraat. Bloemlezing van de mensheid. Sterke of intense momenten die zich losmaken van een lichaam en op zoek gaan naar andere lichamen, in een soort half-irreële, half-reële zwenking – volgens Deleuze de andere waarheid van de literatuur. Hoe lang nog zal men de ingebeelde 'waarheid' van de persoon stellen tegenover de doorleefde fictie van een goed in elkaar gezet en dus geslaagd personage? Waarom, in naam van welk puritanisme zou je een bestraffende vinger heffen tegen die paar schrijvers (Malraux, Camus, Mauriac – en meer dan wie dan ook, die eerste, Sartre) die hun werk en hun roem ingezet hebben op het dubbele register van een geschreven leven en echt beleefde boeken?

Het fenomeen Sartre was als een verschijning, zeggen mensen die erbij waren, een explosie, een ontploffing, de geboorte van een wereld, een geweldige gebeurtenis, een breuk in de wijze van waarneming, een aardbeving.

Het is een morele revolutie zoals die sinds de romantiek niet meer is vertoond – sterker nog! De romantiek kwam toch niet op straat? Greep toch niet zo in, in het dagelijks leven? Echode toch niet zo door tot in de donkerste hoeken van de ziel?

Het is een theoretische revolutie – de eerste in Frankrijk sinds het marxisme: wie had kunnen denken dat Sartre, zo rond 1955, tien jaar na de 'explosie', Garaudy, die op dat moment de officiële ideoloog van de PCF (Parti Communiste Français) is, kan uitdagen met de beroemde woorden: 'Laten we een schrijver nemen, het doet er niet toe wie, Flaubert bijvoorbeeld, en laten we die schrijver, ieder met onze eigen methodiek, onder de loep nemen, u met het marxisme en ik met het existentialisme!' Noch Garaudy, noch de Partij, vindt klaarblijkelijk, een weerwoord op dit duel 'met gelijke wapenen'! Is er sindsdien ook maar één filosofie geweest die heeft durven dromen van een dergelijke allure? Zie je het structuralisme al zijn leerstelsel aanbieden als een geloofwaardig alternatief voor de gecombineerde leerstelsels van het marxisme en van Freud?

Vergeten is die sartriaanse ambitie.

Vergeten is die Sartre-schok, breuk, beving, overstroming, vloedgolf.

Vergeten is, in het verlengde daarvan, de vonk die het woordenboek in vuur en vlam zette, de plotselinge galvanisering van een taal die zich over de hele wereld verspreidt.

Vergeten is, in één woord, de spanwijdte van deze manier van denken en spreken die, voor de eerste keer in de geschiedenis van de literatuur en de filosofie, tegelijkertijd *populair en mondiaal* wil zijn en dat ook is.

Sartre als Staat

Want vergeten is ook Sartre de wereldreiziger – New York, Cuba, algauw Peking, Moskou, het Nabije Oosten, Latijns Amerika, Spanje, nog een keer

Cuba. Ik mag hem graag, de reizende Sartre. Hij vergist zich natuurlijk wel eens. Maar hij heeft een buitengewoon oog voor de dingen. Weergaloos is zijn beschrijving van het 'echte leven' van Venetië, de 'enorme carnivore existentie' van Napels, de 'verdronken zonnen' van Rome, de 'aangrijpende' kant van Peking, die stad 'te vreemd om er alleen maar van te houden' of ook in *Ouragan sur le sucre* (de reportage over de Cubaanse revolutie die hij maakte voor *France-Soir*) – jawel! – de 'nacht' die, op Cuba, 'gonst tot het ochtendgloren', dat 'vreemde en voortdurende geritsel', van 'insecten', en 'doorzichtige vleugels', het 'gekwaak van een buffelpad' dat 'opklinkt uit het moeras'. En ik ben ervan overtuigd, maar dit ter zijde, dat op de dag dat men eindelijk de ideologie van het massatoerisme aan de kaak zal stellen, op de dag dat men eindelijk wil inzien hoe obsceen die mentaliteit en die praktijk zijn die, onder het voorwendsel dat men recht heeft op een andere omgeving, niet meer te bieden hebben dan een armzalig folklorisme dat, in één klap reiziger en gastheer te niet doet, en in plaats van die volstrekt nieuwe situaties die de passie waren van de echte reizigers, een landschap biedt dat pittoresk mag zijn maar waar juist daarom niets nieuws aan is – ik ben ervan overtuigd dat men op die dag in die postduif Sartre een meester zal erkennen. Dan zal men het jammer vinden van zijn *Reine Albemarle ou le dernier touriste*, het boek waarvan Simone de Beauvoir zei dat het, als hij het afmaakte, *La Nausée* van zijn rijpe jaren zou zijn en waarvan hij zelf dacht dat het een punt zou zetten achter de moderne reisliteratuur, dat het Venetië compleet opnieuw zou ontdekken tegen alle clichés in en dat het op de manier van *Promenades* van Stendhal of wellicht ook, wie weet, tégen de in het Colosseum rondwandelende Stendhal, het portret zou schetsen van de 'laatste toerist', die 'mens van verbittering', die 'koning van de negatieve manier van begrijpen', specialist in 'het vergelijken van dingen die hij op schilderijen heeft gezien' en in 'het doden van het echte leven van de steden, om te dromen van de doden en dat wat er niet meer is'. En dan zal men zijn fantastische voorwoord herlezen dat hij schreef bij het fotoboek van Henri Cartier-Bresson over China, dat een 'kennisgeving' wilde zijn en ons wilde vertellen, tegen alle 'toeristisch-mythische beelden van China' in, tegen het exotisme van bijvoorbeeld Pierre Loti of de van de dood doortrokken poëzie van Maurice Barrès in, dat 'de ellende zijn pittoreske schoonheid verloren heeft' en die gelukkig ook nooit meer zal krijgen – Sartre tegen het massatoerisme! Sartre de wonderbaarlijke nomade, die zich verzet tegen de planetaire eenheidsworst van het toerisme! Wat een triomf voor een man die de naam had niets te zien, voor die absolute theoreticus die uit pure behaagzucht beweerde de dingen alleen te zien als Simone de Beauvoir ze hem vertelde!

Maar mij interesseert iets anders. En wel de stijl, niet van de verhalen, maar van zijn reizen. De manier waarop hij gezien, ontvangen, gefêteerd, bejubeld wordt. Hun geweldige echo, hun weerklank over de planeet. Het buitengewone spektakel van die Sartre in beweging: een soort Partij in zijn eentje, een Staat, een Staatshoofd, een continue Spektakelstaat met hem als acteur, auteur, regisseur en met de hele wereld als repetitieruimte, bühne, toneel – een Staat zonder grondvesten, een Vaticaan van de Idee, Rome is waar ik ben, de Sartre-Kerk heeft geen grondgebied.

Nu eens, zoals in Peking in september 1955, wordt hij behandeld als de officiële vertegenwoordiger van Frankrijk, wordt hij in die hoedanigheid uitgenodigd om op de eretribune de feestelijkheden bij te wonen ter ere van de herdenking van de revolutie van '49 – en hetzelfde gebeurt in New York, Tokio, Mexico, Cuba.

Dan weer, zoals in Brazilië, verschijnt hij als een 'tegen-geweten', één jaar na Malraux, in diens voetsporen, en terwijl Malraux als minister zonder portefeuille het Algerijnse beleid van het gaullisme had verdedigd, komt hij de zaak van een onafhankelijk Algerije bepleiten – zijn voordracht in São Paulo loopt uit (kun je je iets vleienders voorstellen voor een schrijver? wie kon of kan voor en na hem ooit prat gaan op een dergelijk succes?) op een demonstratie in de straten voor het FLN (Front de Libération Nationale).

Of, zoals in het Nabije Oosten, waar hij van de een naar de ander gaat, van Tel-Aviv naar Caïro, als het niet andersom is – en je ziet hem zijn kansen berekenen, zijn zegeningen doseren, je ziet hem doen wat in principe op het terrein van de Staten ligt maar wat geen Staat tegenwoordig nog schijnt te ambiëren – politiek met een hoofdletter bedrijven: De Sartre-Staat, ook hier weer; Sartre en zijn Bivakstaat; Sartre, hij wordt niet alleen ontvangen, er wordt niet alleen naar hem geluisterd alsof hij een Staatshoofd is, maar hij leeft zelf als een soort wandelende Staat...

In alle gevallen is hij de man met het gouden woord. De belichaming van de vrijheid, de waarheid. Hij is een wereldwijde morele autoriteit naar wiens welwillend oordeel men dingt. Feit is dat er in de jaren vijftig en zelfs in de jaren zestig geen nationale bevrijdingsbeweging, geen revolutionaire groepering of splinter, geen lobby van slachtoffers of verzetsstrijders, geen vereniging van opstandige, vervolgde en beschoten studenten was die niet op een goed moment probeerde hem een afgevaardigde te sturen[22]: geweldige echo in februari 1948, van zijn groet aan de 'Franse Liga voor een vrij Palestina'; het tergen van de Amerikanen, van de wereld, buitenlandministeries en ambassades in alle staten staan op hun kop, als men verneemt dat hij naar Cuba gaat; Frantz Fanon die Lanzmann uitlegt dat Sartre voor hem een levende God is en tegen François Maspero zegt: vraag aan Sartre of hij een voorwoord voor me schrijft! Zeg hem dat ik zijn gezicht, zijn naam, in mijn hoofd heb iedere keer als ik in Rome, Tunis, Blida of Algiers aan mijn schrijftafel ga zitten en probeer de woede van de 'verworpenen der aarde' in woorden te vertalen! Omgekeerde woede van Josie Fanon, zijn weduwe, – woede en ontgoocheling – als zij hem zes jaar later, de Zesdaagse Oorlog is in volle gang, in een interview met de *Moudjahid* verwijt zich te scharen bij die 'hysterische schreeuwers van Frans links' voor Israël, dat hij dus 'naar het andere kamp is overgelopen', dat van de 'moordenaars', en dat hij haar daardoor dwingt van de uitgever te eisen dat bij alle herdrukken van de 'Verworpenen' (oorspronkelijke uitgave: *Les Damnés de la terre*) zijn fameuze voorwoord niet meer afgedrukt wordt.

Die Sartre is geen schrijver meer, maar een label.

Geen label meer, maar een symbool.

Een stem van Frankrijk, een tegenstem, wiens geringste woord een weergaloze weerklank vindt.

In die rol heeft hij maar één rivaal: er is een Fransman, ééntje maar, die in de wereld een vergelijkbaar aanzien geniet en dat is Generaal de Gaulle.

Tegen de Gaulle

Sartre, een andere de Gaulle.

De Gaulle, een Sartre die Geschiedenis zou schrijven.

Was dat niet het enige ware koppel schrijver-politicus van de Franse twintigste eeuw?

Werd hier niet, meer dan in de relatie de Gaulle-Malraux, de grote roman van de verhoudingen tussen pen en zwaard, intelligentsia en macht geschreven?

Staatsmannen en gemankeerde schrijvers – en diep in het binnenste van de heel grote literaire roem de spijt van een mislukte politieke carrière? Ik denk dat altijd.[23] Behalve in dit geval, waar de beide draden van die elkaar kruisende levenspaden in de knoop raken en waar de mimetische rivaliteit de vorm aanneemt van een frontale botsing en genadeloos geweld.

Er zijn twee gekroonde hoofden in het Frankrijk van die jaren.

Wanneer men in het buitenland 'Frankrijk' denkt, wanneer men het 'beeld' of de 'grootheid' van Frankrijk aanroept, wanneer men zich, in New York of Cuba, bij de Spaanse republikeinen in ballingschap of in Jeruzalem, afvraagt niet waarin Frankrijk groot of beminnelijk is, maar waartoe zij in staat is en wat zij de wereld te bieden heeft, dan zijn het die twee namen, en alleen die twee, die in de hoofden van de mensen opkomen.

De Gaulle weet het, het is de betekenis van de beroemde zin: 'Een Voltaire arresteer je niet.'

Sartre weet het ook – anders laat zich die vreemde haat niet verklaren waarmee hij zijn grote rivaal, de Generaal, zijn leven lang achtervolgt. De 'Spreekbuis van *Les Temps modernes*' die in oktober 1947, voor de radio, beweert dat hij hem op Hitler vindt lijken. Het affiche van de Rassemblement Démocratique Révolutionnaire (RDR), een jaar later, waarop zijn snor zwart gemaakt is om de 'gelijkenis' nog meer te benadrukken. De aanvallen in 1958 op de 'persoonlijke macht': de artikelen 'Le prétendant' (De man die op de troon wil), en 'La Constitution du mépris' (de Grondwet van de minachting) – en, agressiever, 'Les grenouilles qui demandent un roi' (Kikkers die om een koning vragen en 'L'analyse du référendum'.[24] 'Maître ben ik alleen voor de kelners die weten dat ik schrijf', als antwoord op de brief van 1967, waarin de Gaulle de bijeenkomst van het Russell-tribunaal in Frankrijk verbood en hem inderdaad met 'maître' had aangesproken. In *On a raison de se révolter* bekent hij Victor en Gavi: 'ik was blij', in '68, dat ze 'de macht van de Gaulle omverwierpen', want ik 'haatte hem net zoveel als Pétain tijdens de Bezetting – u las het goed: net zoveel als Pétain...' en 'tijdens de Bezetting'... want, inderdaad, zijn aversie was grenzeloos! En bij de dood van de man van het vrije Frankrijk zijn uitspraak: 'Ik heb nooit (hij zegt echt nooit) enige achting voor die man gehad.' En dan de beroemde uitzendingen in opdracht van Marcel Jullian, voor het tweede net van de Franse televisie: voor de tien uur durende uitzending van wat 'zijn' saga van de eeuw moest worden, was afgesproken dat er een heel uur besteed zou worden aan Mei '68, drie aan de 'strijd' na Mei, niet één aan elf jaar gaullisme aan de macht en op zijn Oproep aan de Fransen van 18 juni 1940 werd alleen even gezinspeeld. '68 tegenover '58. Mei tegenover Mei. Links tegenover wat nog over is van het gaullisme. Haat van een tijdperk? Vast wel. Haat van een hele generatie, die – met opmerkelijke uitzondering van Bataille, uit wiens mond Sollers de volgende uitspraak optekent, op een toon, zo zegt hij, van opgewekte welwillendheid: 'voor een katholieke generaal vind ik hem wel "grappig"'[25] – in de 'persoonlijke macht' de 'essentiële perversie' van de politiek zal zien (Blanchot), die veelvuldige petities het licht laat zien tegen de 'schande' van deze perversie (Mascolo), er hele tijdschriften aan wijdt (*Quatorze Juillet*, van Mascolo en Blanchot, die het tussen 1958 en 1959 leiden). Sartre blaast zijn partijtje mee. Hij speelt, hoe kan het ook anders, in zijn afschuw ook een beetje mee met het aan die tijd gebonden vooroordeel dat aan Blanchot de woorden ontlokt, eveneens bij de dood van de grote man: 'Ik moet bekennen dat ik me er een ogenblik op betrapte vrijer adem te halen en me, toen ik 's nachts wakker werd, afvroeg "maar wat is dat? waarom voelt het zoveel lichter? o ja, de Gaulle".' Het gewicht van de schuld... Bij Sartre is er verder nog dat duisterder gevoel dat alleen bij hem hoort: de mimetische rivaliteit met de Gaulle. Het besef, tegenover zijn politieke macht, een vorm van geestelijke macht te belichamen. Het idee dat er tussen die twee machten alleen maar antagonisme, concurrentie, strijd op leven en dood kon zijn om erkenning door de Geschiedenis, en om hun plaats daarin. 'Ik neem het mezelf kwalijk,' zal hij in 1964[26] zeggen, 'dat ik de Gaulle in mijn artikelen veel te veel respect betoond heb...'

Kortom, nooit zal een intellectueel een dergelijk aanzien hebben.

Nooit, zelfs niet in de eeuw van Voltaire of Hugo, kon een schrijver een dergelijke plaats innemen in de verbeelding van zijn tijd.

Kwam het speciaal door de Gaulle?

Kwam het doordat er een grote kracht nodig was om een grote tegenkracht op te roepen?

En als de intellectuelen niet meer de oude glans hebben, als het zo moeilijk is je nog een Sartre voor te stellen die in de eenentwintigste eeuw zou zijn wat hij in de twintigste was, komt dat dan door de algehele ontideologisering van de maatschappij? Doordat al haar begoochelingen en profetieën hun betovering hebben verloren? Is het dan zo dat de beide krachten gemeenschappelijk het slachtoffer zijn van de teloorgang van de mystiek in onze cultuur?

Ja en nee. Je zou zelfs de omgekeerde stelling kunnen verdedigen. Je zou zelfs een nieuwe 'wet van Boyle' op het vlak van autoriteit en aanzien kunnen poneren, gebaseerd op een nulsomspel van politieke en symbolische machten: als de Staat op zijn sterkst is, is de Kerk op zijn zwakst. Je ziet dat onder de Jacobijnen, onder Napoleon, bij de bolsjewieken in Rusland of bij de nazi's de intellectuele macht ofwel met de politiek fuseert, ofwel er integraal aan onderworpen is, ofwel onder een schrikbewind en dus in de illegaliteit leeft. En omgekeerd is het zo dat als de politieke macht verzwakt de intellectuelen de kop opsteken en het estafettestokje overnemen – je ziet dat in tijden van geringe politieke pressie, als het wapengekletter ophoudt en de Vorst de vlag strijkt, de 'geletterde heren', zoals Tocqueville al zei in het eerste hoofdstuk van Boek III, van *L'Ancien régime et la révolution*, de 'belangrijkste politieke heren van het land' worden en 'een ogenblik' de 'plaats' innemen die 'in vrije landen over het algemeen door partijleiders wordt bezet'. Sartre, en Camus, hoe machtig ten tijde van de kleurloze Henri Queuille... De terugkeer van de Gaulle en de bescheiden opstelling van de structuralistische intellectueel... Nieuw reveil van de denkers onder het schrale orléanisme van Giscard... Het begin van het tijdperk Mitterrand, met zijn hernieuwde legitimatie van de politieke macht – en, wederom, de 'stilte van de intellectuelen'...

In het geval van Sartre, in ieder geval, is het heel duidelijk. Hij is de absolute intellectueel. Men verwacht van hem wat men nog nooit verwacht had, en wat men vast nooit meer zal verwachten, van niemand meer.

Dat is zijn heel grote kracht: men verwachtte iets van hem. Hij was het object, niet alleen van een geloof, maar van een vurige hartstocht, van een heftig ongeduld. Nooit meer zullen een dergelijke verwachting, een dergelijk ongeduld een kunstenaar of schrijver omkleden.

Voor Sainte-Beuve

Roem, dus.

Er zijn de jongensdromen, zoals vermeld in *Les Mots*[27]: 'Ik had mijn graf op Père-Lachaise en misschien in het Panthéon, mijn Avenue in Parijs, mijn parken en mijn pleinen in de provincie, in het buitenland.'

De brief uit zijn jeugd aan Simone Jollivet, waarin hij zich voorstelt hoe zijn leven eruit zal zien[28]: 'Een danszaal vol heren in rok en dames in decolleté die het glas heffen ter ere van mij; het is zo'n ouderwets Epinalplaatje, maar ik heb dat beeld al sinds ik een klein kind was...' (arme versie van dezelfde scène in *Les Mots*[29]: glazen 'ranja' en glazen 'nepchampagne'; de 'mannen in rok' hebben geen 'dames in decolleté' aan hun zijde; de zaal is 'muf' en stinkt naar 'gehuurd'.)

Er is het citaat van Töpffer, overgeschreven in zijn boekje met gedachten, in le Havre, toen hij al vol ongeduld was en, gelukkig, nog niet wist dat hij zo lang zou moeten wachten: 'Hij die niet beroemd is op zijn achtentwintigste moet voor altijd afzien van roem' (precies de woorden van Paul Bowles, de eerste keer dat we elkaar ontmoetten in Tanger! en zijn vriend Choukri schampert: 'Beroemd op je vijftigste, wat een ellende! zoals het spreekwoord zegt, het is als brood krijgen als je geen tanden meer hebt'...).

Er is die hele oneindige eerste periode, waarin de jonge Sartre, daarin lijkend op Raymond Roussel, zo vertelt Janet[30], vervuld van een grenzeloos gevoel van 'roem' en 'sterrendom', dat pas verdween met de flop van *La Doublure* – de beroemde scène waarin hij, als hij de straat op gaat en merkt dat de verschijning van dit eerste boek niet het onmiddellijke effect heeft dat men zich omdraait als hij voorbijkomt, in een 'waarlijk diepe depressie' raakt – er is die lange periode van latentie, dus, waarin de jonge Sartre zich verveelt, Castor popelt, uitgevers hun teksten niet moeten, afwijzen, slechts gedeeltelijk publiceren, zoals Alcan, of, zoals Gallimard bij *La Nausée*, er de obscene of anarchistische zinnen uit schrappen. Kortom, ieder ander zou er in hun plaats mee opgehouden zijn. Ieder ander zou genoegen hebben genomen met de – in wezen klassieke – status van plaatselijke profeet, zoals zovele grote namen uit de onderwijswereld: Lagneau, Beaufret, Alain, de vroege Clavel, Jean-Louis Bory. Maar nee; geen sprake van. Voor geen geld ter wereld werd er gewanhoopt. Het 'absolute vertrouwen' in de 'toekomst'[31], de haast lijfelijke zekerheid dat de engel van de roem met Sartre is, altijd al geweest is en altijd zal zijn – geen moment, vertelt Castor, hebben die ons verlaten.

Maar weinig Franse schrijvers hebben hem gewild, die roem, hebben er met zo veel verbetenheid en tegelijk met zo veel krachtige eenvoud in geloofd.

Maar weinig schrijvers hebben met zo weinig omhaal van woorden gezegd: 'Roem is goed, ook op je veertigste of vijftigste. Roem is begerenswaardig. Het is gelukzalig, genotvol, zo in het licht te staan.'

Maar weinigen hebben, zoals hij in zijn prachtige 'Portrait de l'aventurier'[32], recht gedaan aan die begeerte naar roem, die zoals hij zegt, 'je geheel vervult van je toekomstige begrafenis', naar die toestand waarin 'je voor iedereen bestaat zonder dat je er zelf minder van wordt' – hoe verschillend van de geestelijke habitus die weldra, in zijn tweede levenshelft, tot het ideaal van 'militante broederschap' zal leiden.

Ik houd van die eenvoud.
Ik houd van die vreugde – hij zegt soms zelfs 'extase'.
Ik houd niet zo van die hunkering naar erkenning, maar wel van die astrale verbinding met het licht.
Je kunt natuurlijk ook de tegenovergestelde keuze maken.
Je kunt die roem en dat licht *niet* willen.
Je kunt Bataille verkiezen, verscholen achter zijn pseudoniemen, die er meer dan twintig jaar over doet om *Le Bleu du ciel* te publiceren en bij zijn dood een groot stuk onuitgegeven werk nalaat: niet gezien zijn, niet gevierd zijn, ontsnappen, uit principe, aan het te heldere, te vele licht – 'ik schrijf om mijn naam uit te wissen'...
Je kunt Salinger verkiezen, de onzichtbare man van de hedendaagse literatuur, tot het einde toe trouw aan dat principe van onzichtbaarheid: 'Ik ga iets zeggen wat ook verdacht kan lijken: de anonimiteit van de duisternis of, zo men wil, de duisternis van de anonimiteit, is voor een schrijver een van de meest waardevolle ressources die hem gedurende zijn productieve jaren ter beschikking staan.'[33]
Je denkt aan Spinoza die, op zijn manier, van hetzelfde soort was: een enkel boek op zijn naam! En wat voor een boek! Het minst 'spinozaans' van allemaal! *René Descartes. De beginselen van de wijsbegeerte*, gedicteerd aan Casearius, zijn 'lievelings'-leerling, die hij echter ook 'wantrouwt', hij 'durft het nog niet aan' hem zijn 'echte ideeën' kenbaar te maken, 'hij moet eerst wat rijper zijn'! Voor de rest, geen naam van de auteur. Ja, helemaal geen publicaties. De *Korte verhandeling*, de *Tractatus (theologico-politicus)*, de *Ethica*, verschijnen pas, net als *Le Mort* van Bataille, of *Ma Mère*, als de auteur overleden is.
Je denkt ook aan Hegel, nog zo'n 'pantheïst', van wie een groot gedeelte van het jeugdwerk – vlijmscherp en arrogant, te beginnen bij de teksten geschreven tussen Frankfurt, Bern en Tübingen, waarin hij pleitte voor het 'cosmopolitisme' en tegen de duurzaamheid van de 'Staat' – tot het einde toe onuitgegeven blijft: wie zou er geloofd hebben dat de strenge, afgemeten, Berlijnse professor, die goed aangeschreven staat bij het hof, de schrijver kon zijn van een biografie over Jezus, die hem in de kerker had kunnen doen belanden? Bij wie van zijn jonge leerlingen zou het ook maar een ogenblik zijn opgekomen te denken dat hij de maker kon zijn van een geannoteerde vertaling van de duivelse *Lettres* van Jean-Jacques Cart? En dan zwijgen we maar over de pamfletten en andere opruiende vlugschriften, verspreid onder een paar vrienden of 'medeplichtigen' en die tezamen een klein ondergronds oeuvre vormen.
De redenen van die andere keuze?
Het waarom van die afwijzing van vuur en licht?
Voorzichtigheid, in het geval van Bataille. En je kunt je inderdaad niet goed voorstellen dat de brave medewerker van de Bibliothèque Nationale,

open en bloot, *Madame Edwarda*, *Le Petit* of *Histoire de l'oeil*, voor zijn rekening neemt.

Voorzichtigheid van Hegel en nog meer van Spinoza. En vroeg Descartes zich ook niet af of hij de *Discours* en de *Méditations* wel kon publiceren? Staan de gruwelijke beelden van het proces van Galilei, van Vanini en Jean Fontainier op de brandstapel, op het moment dat de *Ethica* verschijnt, niet op het netvlies van de mensen? Spinoza, dat is zeker, is bang. En dat is goed te begrijpen als men het huiveringwekkende vonnis leest dat hem op 23-jarige leeftijd tot levenslange eenzaamheid veroordeelt: 'Bij decreet van de Engelen, naar het oordeel van de Heiligen, verbannen wij, verwijderen wij, vervloeken wij en spreken wij de banvloek uit over Baruch de Espinoza met alle geschreven vervloekingen in de Wet. Vervloekt zij hij overdag en vervloekt zij hij des nachts, vervloekt zij hij als hij gaat slapen en vervloekt zij hij als hij opstaat, vervloekt zij hij als hij de deur uit gaat en vervloekt zij hij als hij binnenkomt. Moge de Heer hem niet vergeven, moge alzo de bliksem en toorn van de Heer op hem neerdalen. En wij verwittigen u dat niemand het woord tot hem mag richten, hetzij mondeling, hetzij schriftelijk, noch hem enige gunst mag verlenen, noch onder hetzelfde dak mag verblijven als hij, noch enig papier opgesteld of geschreven door hem mag lezen.'

Maar er is nog iets anders.

Een andere reden dan alleen angst voor vervolging.

Zie hoe Spinoza, alweer, zich in de kaart laat kijken als hij, grosso modo, over de *Ethica*, die hij net af heeft, zegt: hoe zou ik mijn naam onder een dergelijk boek kunnen zetten? Hoe zou ik dat durven? Die onberispelijke bladzijden, is dat niet de stem van de rede die ze gedicteerd heeft? Wat ben ik meer dan de spreekbuis, de getuige, in de oerbetekenis van het woord 'martyr'...?

Trots, deze keer. Geveinsde nederigheid, die slechts zeer grote verwatenheid verhult. Bescheiden, de 'stillen'? Hoofd omlaag? Afzien van literaire roem en hun stoet ijdelheden? Men hoeft maar een beetje te graven, te wroeten, te luisteren, om het pathos van de andere stem te horen: 'Nee, nee; dat ben ik niet; het is veel te mooi om van mij te zijn; het is de goddelijke Rede die door "mij" heeft gesproken; het is de "men" van de mensheid, het is zijn onpersoonlijk gemurmel, waarvan ik slechts de nederige priester ben en die me onderwerpt. Klerikale logica. Klerikale grondhouding die door middel van de vervoering door het woord het oude mechanisme van de nabijheid van het "Heilige" nabootst.' Spinoza is nog godvruchtig. Blanchot ook, als hij zegt: 'Weg met schrijvers die "schrijven om te kunnen sterven" – leve een literatuur die het risico durft te nemen om "te sterven om te kunnen schrijven".' Bowles ook, als hij uitlegt (toon van een magiër! van een hogepriester!) dat een schrijver 'een spion is die het leven in gestuurd is door de krachten van de dood', dat het zijn taak zal zijn de 'aan de andere kant van de grens bijeengesprokkelde informatie over te brengen naar dat dodenrijk' en dat het daarom is, vanwege die rol van veerman en van die haast heilige missie, dat hij net als alle spionnen 'stiekem en zoveel mogelijk anoniem'[34] behoort te zijn. Sartre is een atheïst. Een echte atheïst. Hij is vast wel gelovig geweest – en het is zelfs hét onderwerp van *Les Mots*, zoals we zullen zien. Maar hij is het niet meer. Hij heeft zich losgemaakt van alles wat in het schrijversvak doet denken aan reflexen van de Kerk. Ik mag dat graag, dat atheïsme van Sartre. Die roem die een van de gezichten van zijn atheïsme is, doet mij deugd. Het spreekt mij aan dat die 'paus van het existentialisme' zo duidelijk breekt met de grondbeginselen van de sacristie.

Maar er is nog een andere reden, een derde reden, om het licht te vrezen. En deze keer is het Sartre die die reden uitspreekt – Sartre die vol in het licht er meteen ook de gevaren van inziet: de naam, zegt hij, de faam, de schaduw van de faam als die over het werk valt en het verduistert – het risico, voor een naam, niet de bondgenoot van het werk te zijn, maar iets wat ontmoedigt erin binnen te gaan en het lezen blokkeert.

Voorbeeld uit het leven van Sartre zelf, zoals de Beauvoir het optekent in *La Force des choses*. Een deel van hem, zegt ze, ervaart de roem die hem bij de Bevrijding ten deel is gevallen als een 'totale catastrofe', en als het equivalent – sic – van 'de dood van God'. 'De verspreiding van zijn boeken' biedt hem niet 'de zekerheid van de waarde ervan', maar verontrust hem, brengt hem in de war, maakt hem aan het twijfelen. Heeft deze 'idiote roem', vergeleken met de 'duisternis van Baudelaire' – het zijn de woorden van de Beauvoir – 'niet iets tergends'? Als je ziet 'hoeveel middelmatige boeken stof doen opwaaien', is stof als zodanig dan niet 'haast' een 'teken van middelmatigheid'? Is dan niet juist die schrijver te benijden die bescheiden blijft, zijn werk geen geweld aandoet en zijn romans laat spreken – Cervantes ondergeschikt aan zijn *Quichot*, Molière aan *Tartuffe*, Joyce aan *Finnegans Wake*, of de wijze Baltasar Gracián aan zijn gevaarlijke *Homme de cour*? Sartre zelf daarover, in het verhaal van zijn vriendschap met Merleau-Ponty: 'Ik was een bekende Fransman en ik liet me er niet op voorstaan. Het was de tijd van de kelderratten en existentialistische zelfmoorden. De fatsoenlijke pers smeet met stront en de roddelpers net zo; bekend uit misverstand...'[35]

En er is het voorbeeld van Tintoretto, zoals hij te voorschijn komt in *Le Séquestré de Venise*, maar evenzeer in die lange reeks teksten die Sartre verspreid over zijn hele leven aan hem heeft gewijd – het voorbeeld van dat 'Tintoretto'-boek in brokstukken, dat, zoals *La Reine Albemarle La Nausée* van zijn rijpe jaren was, *L'Idiot de la famille* van zijn jonge jaren had kunnen zijn en waarin Sartre, zoveel is zeker, over zichzelf spreekt terwijl hij het zogenaamd over een schilder heeft. Tintoretto als volksschilder, Sartre schrijft 'kruidenier' of 'ververtje', genegeerd door de hoge kringen van Venetië, die liever Titiaan zien. Een deel van hem meent overtuigd: 'Je moet roemvol zijn, er met kop en schouders bovenuit steken, in deze wereld, Titiaan op eigen terrein verslaan.' Een deel van hem is waarschijnlijk meer de overtuiging toegedaan dat 'maatschappelijk succes het enige duidelijke teken van de mystieke overwinning is'. Als de kunstenaar het ondermaanse verovert, als hij zijn doeken verkoopt, dan zal hij ook in het hiernamaals zegevieren. Niets is belachelijker, gewaagder dan de valse bescheidenheid van de persoon die huichelachtig beweert: 'Roem... ach, waar dient dat toe? Zo gewonnen zo geronnen! Ik schilder voor mezelf, ik ben mijn eigen getuige, wat kunnen mij mijn tijdgenoten schelen?' Maar een ander deel zegt: pas op voor 'stomme roem'! Laat ze, met hun 'Nationaal Cultuurgoed' of 'Overheidsinstelling' genaamd Titiaan! Ze zetten iemand op een voetstuk, ze bewonderen niet meer; ze bewieroken – een manier om iemand te laten verstarren. Ga maar eens kijken naar de 'twee graftombes'. Zie maar eens hoe het 'stoffelijk overschot' van de één, 'ter aarde besteld' (dat is zijn poëtische straf) is in de basiliek van de Frari onder een 'hoop reuzel', van 'suiker' en van 'noga', terwijl de kleine Jacopo 'rust onder een steen, in het vage halfduister van een buurtkerk', la Madonna dell'Orto – ere aan de kale steen! Enkel met zijn naam erop! En omdat hij miskend leefde, omdat hij zijn leven doorbracht in de schaduw van de 'baobab van het Rialto' en meer dan een halve eeuw heeft rondgedoold 'in een labyrint waarvan de muren bespat zijn met roem', omdat hij leefde als een 'nachtdier opgejaagd door de schijnwerpers, verblind door de meedogenloze beroemdheid van een ander', daarom wacht 'Tintoretto-de-Mol' de ware eeuwige roem...[36]

Naam, dus. Faam. Het gevaar, voor een werk, overschaduwd te worden door die faam. Het risico genomen door schrijvers als Drieu, Malraux, Camus, en zovele anderen – en niet in de laatste plaats Sartre zelf... die hun naam hebben laten groeien, en hun faam, tot op het punt dat ze hun romans concurrentie aan gingen doen. De ziekelijke afwijking van degenen die hun talent in hun boeken hebben gestopt en hun genialiteit in hun leven, en wier levenskunst en de luister die die kunst werd bijgezet, de kunst simpelweg overschaduwde. Er is geen reden om aan te nemen dat Sartre niet oprecht is als hij het gevaar van die keuze aanstipt. En er is ook geen reden om eraan te twijfelen dat hij er ten slotte toch voor gekozen heeft, bij zijn volle verstand, in het besef van de risico's en de gevaren. Maar waarom? Waarom heeft hij die zo helder zag en zo in het oog lopend gefascineerd was door het halfduister, zich toch laten overhalen door de tegenpartij? Waarom – en dan denk ik nog niet eens aan die laatste, vreselijke episode van de geschiedenis met Sartres ogen, wanneer hij echt in een duisternis gedompeld zal zijn, die ten slotte plaatsmaakt voor totale blindheid... – ja waarom heeft hij ondanks alles en klaarblijkelijk zonder al te veel wroeging, gekozen voor Titiaan en niet voor Tintoretto? De hang naar die roem en, noodgedwongen, naar dat licht, deed het hem. Ook het voorgevoel, dat de regel in zijn tegendeel kan verkeren en dat men er soms in kan slagen, door zich te laten zien, door het licht een kunstje te flikken, zichzelf ontoegankelijk te maken. Maar ook, simpeler, omdat hij niet echt een keuze had. Hij speelt het spel op de beide speeltafels van het leven (die van de literatuur en de wereld, de boeken en de actie, het domein van het 'ordelijke' product van de menselijke geest en dat van de weerbarstige wereld), van nature zowel belust op de handeling (geste) als op de haar beschrijvende tekst (de mix die ik in mijn *Comédie* 'gexte' noemde en waarvoor in mijn ogen alle grote avonturiers een voorliefde hebben – degenen die, zoals Romain Gary, de splitsing van die twee levens en die twee 'ikken' voor elkaar krijgen), en hij kan onmogelijk ontsnappen aan het licht, welke verleiding daartoe hij ook gevoeld moge hebben.

Sainte-Beuve of niet Sainte-Beuve?

Dat is zoals gewoonlijk de kern van de zaak.

Want het is van tweeën één.

Ofwel men speelt het spel van het leven ondergronds, in de schaduw: men onderscheidt dan de noëtische ik van de levende ik, de denkende ik van het zichtbare lichaam, de ik die het boek schrijft van de ik die de naam draagt – men gelooft dan op de een of andere manier in de proustiaanse fictie van de scheiding van de twee ikken en dat van die twee de literaire ik de boventoon voert. Het is voor Sartre een ware beproeving. Het is in ieder geval de beproeving voor Roquentin waar hij optekent 'je moet kiezen: leven of vertellen' want 'als je leeft gebeurt er niets'. Het is de beproeving van de schrijver die op zijn werk de totaliteit van zijn belevenissen als mens in mindering brengt en die niet alleen zijn naam, maar ook zijn lichaam, zijn gezicht, en, in feite, zijn subjectiviteit ontwijkt om er uitsluitend van te laten flonkeren wat de literatuur voedt.

Ofwel men speelt het tegenovergestelde spel, het dubbele spel van het werk en het leven, de boeken en de vrouwen, de vrienden, het theater, de cafégesprekken, een bijeenkomst van de RDR, een reis naar Florence of Peking. Anders gezegd, men vecht de juistheid aan van het proustiaanse *vooroordeel* van het Boek als ascese en het je losmaken van het wereldse bestaan, van de Kunst als plicht die je afhoudt van de orde van het verlangen. Men verwerpt het beeld van de kunstenaar, die, door in plaats van een uur te werken een uur te gaan kletsen met een vriend, 'een werkelijkheid' zou opofferen, 'voor iets wat niet bestaat' en aldus slechts 'de gigantische opgave' zou dwarsbomen 'die hem wacht': en je komt er alleen maar uit als je inzet, tegen Proust, op de ultieme eenheid van de ikken – het zijn er een boel, zeker. Ze bestrijden elkaar op leven en dood. En weinig schrijvers, ik kom daar nog op terug, hebben zo briljant als Sartre die 'vampirisatie' van het ik door de stemmen die het belegeren en bewonen in scène gezet. Weinigen hebben, als hij, die 'versnippering' van stemmingen beschreven, die turbulentie, die haast eindeloze afsplitsingen, die tezamen een bewustzijn vormen. Maar die veelheid is toch niet alleen maar pure uitstrooiing of homonymie. Hij is niet, ook daar kom ik nog op terug, het laatste woord van het ik of van zijn intieme strategieën. Aan het eind komt hij samen, verzamelt hij zich, verdicht hij zich in een naam die gelijk komt te staan met het aanvechten van onduidelijkheid. En Sartre is de anti-Proust, omdat hij zich ten slotte te binnen heeft gebracht dat het een en dezelfde man is die *L'Être et le néant* schept en tegelijkertijd, maar in de zon van Porquerolles, voor Olga, *Les Mouches* schrijft.

L'Idiot de la famille: op dezelfde leest geschoeid van een dubbele serie tekens – tekens die zich in een tekst laten opschrijven en tekens die zich in lichamen kerven.

Lettres au Castor, ten tijde van de schemeroorlog – de tijd waarin hij, naar het schijnt, *Was ist Metaphysik?* van Heidegger ontdekt en zich afvraagt wat de rol van de filosofie in zijn leven is: 'Ik tracht niet mijn leven achteraf door een filosofie te beschermen, wat schofterig is, ik tracht ook niet mijn leven aan mijn filosofie te conformeren, wat verwaand is, maar heus, leven en filosofie vormen één geheel.'[37]

Sartre op en top: een avontuur waarvan we zullen zien dat het in verschillende versnellingen verloopt (literatuur, politiek, weer literatuur, theater) – maar de scheidslijn tussen leven en werk wordt nooit getrokken, en die zorg om het werk, of zelfs politieke actie, heeft de auteur er nooit van weerhouden te zeggen en te laten zien hoe hij leefde.

Jammer dat Sartre ons niet zijn *Pour Sainte-Beuve* gegeven heeft.

Weg uit het rijk der tranen

Het plezier dan.

Ik houd van dat sartriaanse plezier.

Ik houd van het idee dat filosofie niet in tegenspraak is met een plezier dat soms blij en soms woest is.

Ik houd van dat beeld van de grote filosoof, goedlachs, lichtzinnig, altijd in voor een goeie grap, lol trappen, een klucht, een grotesk of kras verhaal, de clown uithangen, een parodie, de mensen foppen.

Ik vind het heerlijk me voor te stellen hoe hij, in de salon van Zette en Michel Leiris, in maart 1944, samen met Picasso en de anderen, *Le Désir attrapé par la queue*, speelt: Leiris in de rol van 'Gros-Pied' (Dikkepoot), de Beauvoir in de rol van 'La Cousine' (Het nichtje), Dora Maar als 'l'Angoisse-Grasse' (De Vette-Angst), Queneau als 'Oignon' (Ui), Camus als toneelmeester die de decorwisselingen aankondigt, en Bataille, en Sylvia Bataille, en Limbour, en Jean-Louis Barrault, en hij, Sartre, in de rol van 'Bout-Rond' (Rondkont), gezeten, op de beroemde foto van Brassaï, aan de voeten van Picasso.

Ik geniet als ik mij voorstel hoe hij, altijd bij Leiris, als 'morele pias' en 'sublieme nar', als Cyrano, Jacasse, met Bataille buitenmatig drinkt en danst – 'cheek to cheek', zoals de laatste zegt, 'in een potlatch van absurditeit', met, als halfgare getuige, 'een etalagepop gemaakt van een paardenhoofd en een wijde, geel met paars gestreepte, ochtendjas'.[38] Koddig? Zeker. Vreemd? Wel een beetje. Want je moet wennen aan het idee van een grappige, niet serieuze Sartre. Tegen het cliché van een plechtige Sartre, woordhakker, heil van de mensheid, vruchtbaarheid, pedagogie, mijn hoop is uw welzijn, ieder verkocht exemplaar van *L'Être et le néant* is een ziel voor wie het licht aangaat en een kind dat zijn honger wegeet, naast het beeld van een Sartre als seismograaf en profeet, man van de eeuw, orgels van Hugo, podia, stem als een banier en groot engagement, moet je wennen aan de vanzelfsprekendheid van die zeer draaglijke lichtheid. Ik zou alleen maar kunnen geloven, zei Nietzsche, in een God die kon dansen. Sartre gelooft daar niet in. Hij danst zelf.

Ik vind het prachtig dat hij chansons voor Gréco heeft geschreven, en toneelstukken voor actrices. Ik vind het prachtig dat hij durfde te zeggen, zelfs al was het maar voor de helft waar, dat hij uitsluitend en alleen – toneelstukken, maar ook romans en filosofische verhandelingen – schreef om vrouwen te versieren. Ik vind het prachtig dat hij met Vian en Mouloudji net zo bevriend was als met Merleau-Ponty. Ik vind dat ongedwongen gedrag, die vrijgevochtenheid, prachtig. Ik vind het prachtig, die lange neus naar de huichelaars, naar de professionele huilebalken, naar de zuurpruimen, naar de Alcestissen, naar de luie leerlingen van de religie van de serieuzigheid – want dat is het schouwspel van dit leven dat geleid wordt in driedubbele galop.

'Vervloekt zij de lach!' zei Plato. Op dit punt, en op de andere, is hij anti-Plato.

'Oorlog aan het plezier!' zei Rousseau. 'De waarheid zit in de tranen, de weemoed, het verdriet, de eenzaamheid, de dood!' Op dit punt, en op enkele andere, is hij radicaal anti-Rousseau.

'Melancholie' menen jachtige lezers... Angst voor het niets... Had *La Nausée* niet lang, als eerste titel, *Melancholia*? En werd het boek, met deze romantische, sombere titel, aanvankelijk niet door Gallimard geweigerd? Foutje, wederom. Verkeerde conclusie. Want wie kan melancholieker geweest zijn dan die vrolijke kwant, vol goeie zin, met z'n 'mooie, klankrijke tenorstem' die Merleau-Ponty[39], merkwaardig genoeg hij, zich herinnert (heel veel later, na zijn dood, zal ook Serge July het over 'zijn obsederend stemgeluid' hebben – hij zal zeggen: 'Sartres charme is zijn stem, die mooie hese stem, de korte adempauzes en de puntige frasering, waardoor het leek of hij lucht tekortkwam.'[40]). Niemand – met alle respect voor de hogepriesters van de piepkleine Kerk der cultuur, voor zijn deerniswekkende geestelijkheid, voor zijn weerzinwekkende kerkbewaarders – heeft minder het gevoel van verbittering gecultiveerd dan hij.

Zijn familie, zijn echte familie, is elders.
Nietzsche, weer: jacht op droeve passies en al wat negatief is. De goden 'kunnen hun lachen niet houden, zelfs in de heilige plechtigheden niet'.
Bergson: hang naar een filosofie waarvan het doel was ons 'vrolijker en sterker' te maken. De filosofie, school van de lach. De filosofie, school van de 'pure vreugde'.
Spinoza: afwijzing van alles wat de levenskracht zou kunnen verminderen. Afwijzing, dus, van de droefheid – afwijzing zelfs, door de jonge Sartre, van het beroemde 'Caute', het 'wees op uw hoede' van Spinoza's lakstempel, dat in zijn oren veel te voorzichtig, veel te verbitterd geklonken moet hebben.
Het leven is geen tranendal.
Filosofie is geen soort tranenkunde.
'Als er al sprake is van enige eenheid in mijn leven, zegt hij in 1940, dan is het dat ik nooit in ernst wilde leven.'
En, even verder: 'Nooit, nooit, heb ik ernst gekend; mijn hele leven is een groot spel geweest, soms lang en langdradig, soms niet erg verheffend, maar altijd een spel.'[41]
Is dat voor ons niet eens een ander geluid dan die kleingeestige, nihilistische literatuur die ons, op het moment dat ik schrijf, aan het einde van de donkere twintigste eeuw, zegt: een grote schrijver is een droeve schrijver – de kwaliteit van literatuur is af te meten aan de hoeveelheid ellende, ongeluk, weemoed, melancholie, wanhoop, zorgen die zij vermag te bewerkstelligen en op te roepen bij de lezers?
Sartre, tegen de verbittering.
Sartre, het beste medicijn tegen de literaire en politieke overgevoeligheid.
Sartre zal – en hoe! – een 'geëngageerde' intellectueel zijn. Hij zal dus, noodzakelijkerwijs, de kunst van de schuldgevoelens, van het slechte geweten, van de kwade trouw bedrijven. Maar niets zal hem vreemder zijn dan die 'ascetische' of 'priesterlijke' toer, die zo vaak gekoppeld is aan het beeld van het engagement.
Portret van de intellectueel als vrolijke condottiere. Van de rol van de intellectueel, om de gordiaanse knoop van de weemoed en het verlangen te ontwarren.
Spinoza weer, in de *Korte verhandeling*: 'Haat en wroeging zijn de beide aartsvijanden van de menselijke soort.'
Het programma van Sartre: tranenschrijvers aller landen, vervlieg!

Over de haat

Tegelijkertijd, en het een staat natuurlijk niet los van het ander, moet je je voorstellen van wat voor haatgevoelens hij het voorwerp is.[42]
Hij is natuurlijk niet de eerste en ook niet de laatste.

En het is maar de vraag of Malraux, die in diezelfde tijd voor fascist werd uitgemaakt, onder het voorwendsel dat hij het gaullisme had omarmd, zoveel beter af was.

Maar de haat die Sartre treft is van een ander kaliber.

Het is niet de gewone politieke haat, die bijvoorbeeld in de jaren dertig het geweten van jong links trof – Breton, Aragon.

Het is niet de haat van het type 'wraak van de stam' – die de verraders van hun komaf, de overlopers, zal achtervolgen: Mauriac of Bernanos, voor rechts; Camus, Malraux, voor naoorlogs links.

Het is zelfs niet het soort haat, ad hominem, dat iemand als Gide achtervolgt, ja zelfs een Cocteau of, om weer andere redenen, de Céline van na de vlugschriften.

Nee. Het is een totale haat. Het is een haat die dwars door alle heersende meningen heen loopt en hem tot in het graf achtervolgt. En het is bovenal een haat die zowel tot uiting komt in het smijten met drek als in dodelijk geweld, en ik weet niet of daar zo veel andere voorbeelden van zijn.

Hoeveel schrijvers zijn er, in de tweede helft van de twintigste eeuw, in Frankrijk, wier werk op de Index is gezet, tijdens hun leven, door de Curie, wier lezers in de ban zijn gedaan, wier naam vervloekt is vanaf de kansel door de pastoors? (Gide is op de Index gezet, maar na zijn dood, in wanhoop en alsof ze er, zolang hij leefde, tot op het laatst op hadden gerekend dat hij zich zou bekeren...)

Is er een andere filosoof over wie men heeft durven schrijven, zoals Pierre Brisson, directeur van *Le Figaro*, dat het tijd wordt 'de duivel uit hem te drijven, hem in te smeren met zwavel en hem in brand te steken op het plein voor de Notre-Dame, wat de meest barmhartige manier zou zijn om zijn ziel te redden'. Zoals *La France au combat*, dat hij 'de triomf van wilszwakte en smeerlapperij' vertegenwoordigt, dat het niet langer 'existentialisme' genoemd moet worden maar 'excrementalisme' en dat 'de beweging dada' wordt opgevolgd door 'de beweging caca' – of zoals Raymond Las Vergnas, toekomstig rector magnificus van de universiteiten van Parijs, dat zijn filosofie – beslist! – vergelijkbaar is met paden vol drek waar je je beter alleen met stelten op kunt wagen?

Zie je voor je dat nu, in onze tijd, de directeur van *France-Soir* – toentertijd, Pierre Lazareff – hakkelend uit zou brengen: 'ik zal het existentialisme de nek omdraaien'?

Is er één andere roman geweest waarover men, bijna eenstemmig, heeft durven schrijven dat het 'een walgelijk boek' is waar 'een smerige latrinegeur' uit opstijgt (*Le Monde*)? Dat 'als boeken een geur hadden', je 'je neus dicht moest knijpen' bij het lezen van dit geval (*Etudes*)? Dat 'de problemen van het leven slechts aan de orde gesteld worden bij de gratie van zijn excrementen, het bestaan verlaagd wordt tot het niveau van de goot en de vuilnisbelt, dat is precies Sartres opzet' in *Les Chemins de la liberté* (*Etudes*, ook)?

Is er één andere schrijver, één, in de hele geschiedenis van de Franse roman, wiens lezers (Emile Henriot) men bestempeld heeft als een troep 'wilde beesten geleid door hun instincten', 'beroepsapplaudisseurs' – 'jongelui en oude impotente mannen' die iedere keer als de meester 'zijn poot optilt', of dat nou 'in een boek of op het toneel' is, eerst komen 'snuffelen' alvorens van hun 'blijdschap' blijk te geven door 'met hun pen op papier te krassen'?

Ze hebben hem privé aangevallen.

Ze hebben zich bemoeid met wat ze dachten te weten van zijn gewoonten, zijn smaak.

Ze hebben hun gram uitgekraaid over die 'vreemde filosofieleraar' die sinds *Le Mur* en *La Nausée* alleen 'gespecialiseerd' was in een 'diepgravende studie naar de slipjes van zijn leerlingen'.

Ze hebben hem van alles verweten – dat hij op handen en voeten schreef, zich wentelde in de drek, zich aftrok op de wc, jonge vrouwen versierde, niet om ze te neuken, maar om ze de geur van vieze stinkkaas te laten ruiken.

Ze hebben afgegeven op de schildering van de dronken Ivich, aan het einde van *L'Age de raison* – 'een zuur luchtje van braaksel kwam uit haar zo zuivere mond, Mathieu ademde die geur hartstochtelijk in' – en ze zijn tot de conclusie gekomen (Kléber Haedens[43]) dat hij 'een weerzinwekkende voorliefde voor alles wat goor en lelijk was aan de dag legde', dat zijn 'wereld, de wereld van verdachte hotels en pogingen tot vruchtafdrijving' was en dat 'schoonheid, lichtheid, licht, geluk, fantasie, natuur, voor hem iets onverdraaglijks hebben'.

Ze hebben de vrouwen in zijn leven erbij gehaald.

Ze hebben hen laten vertellen over de dikke buik, de witte, behaarde kuiten, de hoge gebogen schouders, het slappe genitaal, van de paus van de nieuwe filosofie.

Ze hebben buren laten verklaren, met de hand op het hart, dat ze hem, met trillende neusvleugels, hebben zien rondhangen, bij de openbare urinoirs op de boulevards.

Ze hebben 's nachts zijn vuilnisbak doorzocht, op zoek naar de eigendomspapieren van Café de Flore, dat hij, naar men zei, gekocht had.

Ze hebben een douanebeambte opgespoord die, in de *France-Soir* nog wel, vertelde dat hij de grote man bij de grens had aangehouden en hem zijn koffer had laten openmaken, maar dat er zo'n vreselijke stank uit zijn ondergoed kwam dat hij hem dicht heeft geslagen zonder hem te doorzoeken.

Ze hebben hem ervan beschuldigd Frankrijk te bezoedelen en de jeugd te bederven.

Ze verlieten restaurants als hij binnenkwam.

Ze hebben hem uitgemaakt voor 'geile adder', 'tikkende hyena', 'jakhals gewapend met een vulpen', 'slijmerige rat', 'rooie kanker van de natie'.

Ze hebben *Les Mains sales* verboden in Helsinki en *Huis clos* in Engeland.

Ze hebben twee keer met een kneedbom een aanslag gepleegd op zijn appartement en een keer op de lokalen van *Les Temps modernes*.
Ze hebben gedemonstreerd op de Champs-Elysées en gescandeerd: 'Fusilleer Sartre!'
Ze hebben geschreven in de *Paris-Match*, dat hij, helemaal in zijn eentje, 'een burgeroorlog ontketende'.
Ze hebben durven schrijven, in de *Samedi-Soir* natuurlijk: 'wonderlijke schimmel van haat, van jaloezie, van stupiditeit en van de meest platvloerse seksualiteit', dat is 'het gezicht van de existentialisten', dat is 'het credo van hun leven'.
Ze hebben hem aangevallen in de naam van God en de wetenschap, van de moraal en het fatsoen, van de jeugd, de ouderdom, van rechts en van links, van extreem-rechts, van extreem-links, van het bedrogen conformisme, van het communisme en van het anticommunisme, van de nationale eer en van de met voeten getreden vlag, van de burgerlijke ongehoorzaamheid, van het verzet, van de collaboratie.
Voor sommigen was hij een nepschrijver, voor anderen een filosoof van likmevestje. Ze hebben hem zijn liefde voor Céline verweten en Céline heeft hem uitgemaakt voor 'geest uit de fles'. Ze hebben hem zijn alliantie met 'de hitleriaanse Heidegger' aangerekend en 'de hitleriaan' verkoos de hooggeleerde Merleau-Ponty boven hem. Queneau verklaart het succes van *L'Être et le néant* uit het feit dat het precies één kilo weegt en door kruideniers als tegengewicht bij het afwegen wordt gebruikt en een ander verwijt hem de rode garde verdedigd te hebben bij terugkeer van een reis naar China, tien jaar voordat zelfs maar de eerste 'rode-gardist' zijn schaduw vooruitwierp. Claudel maakt hem uit voor 'duivelse romanschrijver' en schrijft aan Gaston Gallimard[44] dat de publicatie van *Le Saint Genet* voor zijn uitgeverij een 'onuitwisbare' schande is – wat zullen uw kleinkinderen wel niet denken wanneer ze dat boek onder ogen krijgen? Horkheimer maakt hem uit voor 'oplichter' en 'zwendelaar'. Céline voor 'lintworm' en 'drol' (hetzelfde woord als Mauriac gebruikt in *Le Figaro* om het werk van Genet[45] te typeren). Ze verwijten hem de 'beschermheer' van de herrieschopper en homoseksueel Genet te zijn. Claude Lévi-Straus bestempelt hem als 'obsceen' en als 'smeerlap' en zegt – tegen Dolorès – dat je hem, als je leest hoe de Beauvoir in *L'Invitée* zijn dubbelganger Pierre Labrousse afschildert, wel verfoeilijk, onuitstaanbaar moet vinden. Althusser, mijn leermeester Louis Althusser, schrijft in een van zijn *Lettres à Franca* dat 'hij uit zijn gelukkige psychose gehaald moet worden' en dat 'dat alleen kan met harde hand': hem 'in het gezicht slaan met zijn eigen stokken', is zijn aanbeveling! 'Ik weet geen ander middel om die huichelarij het zwijgen op te leggen dan hem op zijn smoel te slaan.'[46] En dan vergat ik nog de grote Malaparte, die hij tot de volgende beschamende tekst inspireert: 'De stank van vieze billen, van natte oksels van het zweet en ongewassen geslachtsdelen,

steeg op van de trottoirs, kwam uit cafédeuren gewolkt, uit kelders, uit groepjes mensen rond de tafels van Café de *Flore* en *Deux Magots.* [...] Het leger van Jean-Paul Sartre kon slechts een leger van schapen en ooien zijn... negers en negertjes... met roze, vieze, vochtige handen... de stank van geslachtsdelen en van met zaad aan elkaar plakkende schaamharen, die van die negers, die seksmaniakken af kwam... de krachteloze, vreselijke kudde kinderen van de vrijheid...'[47]

Of Sartre zich verlustigd heeft aan deze uitbarsting, het is mogelijk.

Of hij die haat gezocht heeft, zich er opzettelijk aan heeft blootgesteld, of er in de wijze van sartriaans zijn, in de permanente act van het filosofische en existentiële subject, of er tot in zijn verlangen naar transparantie of, zoals Mauriac het later zegt, in 'zijn dorst naar martelaarschap' een aanzetten tot radicale haat zit, ik sluit het niet uit.

Liever: dat haat als zodanig op de ladder van satriaanse grootheden een waarde op zich geweest is, dat een schrijver in zijn ogen des te groter was naarmate hij meer gehaat werd, valt op te maken, behalve uit de vele getuigenissen, uit dat prachtige *Gide vivant,* waarin hij van meet af aan hooglijk verrukt is over het feit dat de auteur van *Corydon* tot op heel hoge leeftijd kans heeft gezien 'de conformisten van links en van rechts' als één 'blok' tegen zich 'in te nemen' – klasse, vindt Sartre het, en hij zwaait hem roem en opperste waardigheid toe, dat hij zo veel gevoelens van 'gegeneerdheid' en 'verbittering' wist op te roepen, die nog op de begrafenisplechtigheid 'doorschemeren onder de grafkransen die men met tegenzin voor hem gevlochten heeft' en die 'laten zien dat hij ergerde en nog heel lang zal blijven ergeren'!

En natuurlijk weet ik dat in algemenere zin, buiten het geval Sartre en het geval Gide bezien door Sartre, er voor iedere gehate of uitgestoten schrijver twee mogelijkheden zijn. Ofwel hij is zich er min of meer pijnlijk van bewust dat een rijzende ster en haat samen op gaan, dat je geen bekendheid kunt genieten zonder de haat erbij cadeau te krijgen, schaduw en licht, voor- en keerzijde, de kroon en zijn doornen, ja, ja, zo stom is het met die kroon en de doornen die erbij horen. Ofwel hij maakt zich stiekem vrolijk, ja geniet er haast van – en in dat geval een wel heel krasse bevestiging van de dubbele kroon: het aristocratische genoegen te ergeren, komediant en martelaar, hun woede als een getuigenis, gal en venijn index van de waarheid, 'ik heb de universele haat verdiend van de maatschappij van mijn tijd en ik zou kwaad geweest zijn als ik andere verdiensten had gehad in de ogen van een dergelijke maatschappij'![48]

Maar dat doet niets af aan de extreme vreemdheid van het fenomeen. Alle schrijvers, ik herhaal het nog maar eens, alle schrijvers hebben vijanden. Sommige van hen zijn het voorwerp geweest van een zeer heftige, soms onverdraaglijke animositeit. En sinds La Bruyère in ieder geval kennen we de wet: de hele wereld verheft zich tegen een man die naam maakt. Maar die geïrriteerdheid, die genadeloze afschuw, dat eindeloze bestoken dat hem over het graf heen blijft achtervolgen en in zulke mate overtreft wat er met Gide is gebeurd, dat is het voorrecht van maar heel weinigen. Spinoza, misschien. Of Voltaire. Hoewel men noch over Spinoza noch over Voltaire ooit dergelijke schandaligheden heeft geschreven. En hoewel men van Spinoza noch Voltaire, na hun dood, midden in Parijs het standbeeld is gaan ontmantelen in een heuse postume aanslag.[49] Dood op krediet. Ik zal u achtervolgen tot in het graf.

De as Spinoza-Voltaire-Sartre.

De besloten club van grote verafschuwden.

Grote waarheidslievenden die de soort haten, mannen die er niet voor zijn om ons de pil te vergulden en die daarvoor de tol betalen.

Ontzaglijke eer een zo grote haat opgewekt te hebben.

Een jonge Sartre

Ondanks dat alles moeten we ons realiseren wat voor geweldige kracht zijn stem had.

Moeten we ons realiseren hoe fris, hoe sterk – hoe buitengewoon jong zijn stemgeluid was vlak voor zijn dood, toen hij blind en bedlegerig was, bij de laatste gesprekken.

We zijn de jeugdige onverschrokkenheid van die naoorlogse Sartre vergeten – en dat is jammer! en daarom moeten we hem ons proberen voor te stellen! – zijn onstuimige en vrolijke scherpte, zijn geweld, zijn onbeschaamdheid.

We zijn vergeten hoe mooi die stem was, echt mooi als een innerlijke stem, en hoeveel kracht hij bezat om, zodra hij klonk, de andere stemmen van dat moment te overweldigen, een toontje lager te laten zingen, tot zwijgen te brengen: er zijn stemmen die stilte af kunnen dwingen, andere zaaien juist storm, waarbij er, als hij overgetrokken is, nog meer herrie opklinkt dan daarvoor, Sartres stem is om zo te zeggen van beiderlei kunne. En bovendien verstaat hij de kunst stemmen die hem hinderen belachelijk te maken, terug te sturen naar hun veronderstelde niets, ze te bestempelen als verlopen en de macht over te nemen.

Voor de oorlog had hij Mauriac te grazen genomen. De grote katholieke schrijver had net *La Fin de la nuit* gepubliceerd. Het was een klassieke roman. Hij werd bewierookt door de kritiek. Goed ontvangen door de lezers. Het is, terugblikkend, een van de echt mooie romans van Mauriac. En dan verschijnt Sartre ten tonele, die in een artikel in de *NRF*[50] uitlegt dat heel de schrijverskunst van zijn oudere beroepsgenoot berust op het postulaat dat de romancier voor zijn creaties is 'wat God is voor zijn schepselen' en dat hij, Sartre, die uitsluitend en alleen aan de publicatie van *La Nausée*, het jaar daarvoor, recht van spreken ontleent, mag beweren: er is hier sprake van een onvergeeflijke 'technische fout', in combinatie met een filosofische fout. De romanschrijver 'is God niet'. Hij 'heeft niet het recht van die absolute oordelen te vellen' en hij mag ook zijn personages niet op die manier naar zijn pijpen laten dansen. Hij heeft niet het recht binnen te dringen in hun overwegingen, dwaasheden, hun armzalige tegenstrijdigheden terwijl zijn bijbedoelingen als alwetende verteller er zo duimendik bovenop liggen. En dus velt hij het genadeloze vonnis: *La Fin de la nuit* 'is geen roman', want 'God is geen kunstenaar en Meneer Mauriac ook niet'. De betrokkene incasseert de klap. Hij reageert niet, hij incasseert en is zelfs niet te beroerd, zo sportief zelfs, bijvoorbeeld bij het voorwoord bij *Aden Arabie*, het talent van zijn tegenstander eer te betuigen. Maar het duurt wel dertig jaar voor hij zich weer aan de publicatie van een nieuwe roman waagt. Sartre, zal hij zeggen, 'heeft meteen aan het begin, twintig jaar geleden, [...] geprobeerd m'n strot dicht te knijpen'[51]. En bij een andere gelegenheid tegen een journalist van de *France-Soir*, die hem vroeg naar het waarom van die lange stilte: *La Fin de la nuit* is 'door Sartre afgekraakt', die toen 'niet alleen een heel jonge schrijver' was, maar ook 'de glorie van zijn generatie'; ik wil niet zover gaan dat die 'aanval' me 'alle moed ontnomen' heeft, maar hij heeft me wel 'stof tot nadenken gegeven'[52]. Sartre betreurt dat afmaken. Hij zal in 1960[53] toegeven dat 'alle manieren trucjes zijn' en dat de bewuste 'Amerikaanse methoden' die hij toentertijd in stelling meende te moeten brengen tegenover het literaire interventionisme van Mauriac nauwelijks minder gekunsteld waren. Maar goed, we zijn waar we wezen willen. Tijdspanne waarin iemands schrijverschap afkraken in een tijdschrift desbetreffende schrijver dertig jaar stof tot nadenken geeft. Tijdspanne, in 1939, bijna halverwege de twintigste eeuw, waarin de heel jonge Sartre reeds de kracht bezit een romanschrijver te slopen...

We zijn zes jaar verder. Sartres stem is nog helderder, vechtlustiger, gezaghebbender geworden. En het is alsof de oorlogsjaren, het lange herkauwen in stilte, de publicatie van *L'Être et le néant*, de eerste toneelstukken, de haat ook, de algemene afkeuring, de sombere geest van verdeeldheid en het effect dat dat op hem heeft, zijn kracht vertienvoudigd hadden, de vonken uit zijn redevoeringen deden slaan. Het is alsof zijn verschijning alleen al, het simpele feit dat hij zijn stem verheft, genoeg was om het landschap om hem heen een ander aanzien te geven en van het merendeel van de beroemdheden van toen afgeleefde figuren te maken.

Als hij het 'portret van de collaborateur' schetst of gewoon van de kleinburgerlijke romanschrijver, als hij de Franse romanschrijvers uitlegt dat 'wij, zonder dat we het ons bewust waren, verpletterd waren, onder het gewicht van onze tradities en onze cultuur', als hij erop hamert dat 'ieder woord zijn weerklank heeft, iedere stilte ook', krijgt hij geen weerwoord.

Als de anderen hem aanvallen, als Boutang zich, in een pamflet dat dodelijk moet zijn, afvraagt *Sartre est-il un possédé?*[54], als Jacques Laurent hem vergelijkt met Paul Bourget en probeert hem dezelfde hak te zetten als hij het Mauriac deed – loodzwaar proza, holle ideeën, tendensliteratuur, enzovoort –, als een ander boosaardig meent zich cynisch uit te moeten laten over 'de longen van Camus en de schouders van Sartre' die al bewijs genoeg zijn van de bloedarmoede van de Franse literatuur, heeft hij niet eens tijd om te reageren, voelt hij zelfs de behoefte niet om de vloer aan te vegen met die 'kleine dandies die schrijven als slagers'.[55] Het is voor iedereen duidelijk: hij is de coming man. Lef, moderniteit, geestelijke vrijheid blazen hem in de rug. En zij, de huzaren, hebben, met hun valse pretenties, hun geforceerde jeugdigheid, hun gemaakte maniertjes, plots een ranzig luchtje om zich heen. Oudere jongeren, jonge ouderen, benauwde lucht van mottenballen en Vichy – 'verstikkend stof', 'mottige bigotten', zal Bernard Frank[56] later zeggen...

En als Gide dan, ten slotte, nieuwsgierig geworden door de toon van een 'nieuwe filosofie' waarin hij al voor de oorlog, bij de verschijning van *Le Mur*, verwantschap met de zijne zag ('Wie is die nieuwe Jean-Paul?' had hij aan Paulhan gevraagd. 'Ik denk dat we veel van hem kunnen verwachten; en wat zijn boek betreft, voor mij is dat een meesterwerk...') – als Gide dus in zijn *Journal* vraagt of er nu niet een 'aandachtige lezer' is, eentje maar, die, zich verbazend over de 'ophef' die gemaakt wordt rondom die jonge apostel van een zogenaamd 'existentialisme', tegenwerpt: 'Gide zei dat al voor Sartre', dan voel je zijn ergernis, zijn ongeduld, maar ook zijn berusting.[57] Hij weet dat het te laat is, dat die 'aandachtige lezer' niet meer komt, dat de macht op Sartre aan het overgaan is en dat hij geen andere uitweg heeft, ook hij niet, dan zich vriendelijk aan hem over te geven. 'Voor mij is *La Putain respectueuse* een soort meesterwerk,' herhaalt hij in 1947 in zijn *Journal*.[58] Waarna de twee beroemde ontmoetingen plaatsvinden, voor de camera van Marc Allégret, in Cabris, en voor de film van Nicole Védrès.[59] Ik kijk naar die beelden. Ik speur hun gezichten af. De oude literaire paus die voor de laatste keer – hoewel... – voor het nageslacht poseert dat hem allang van zijn voetstuk heeft gehaald. De ontspannen uitdrukking van de ander die weet dat hij de tijd heeft, alle tijd, want het leven begint inderdaad morgen. En de werkelijkheid springt in het oog: de dominanties zijn omgedraaid, het is niet meer de jonge en getalenteerde leerling die aan zijn leermeester wordt gepresenteerd, zoals in 1939, tijdens het diner dat hij, de oudste, Adrienne Monnier gevraagd had te organiseren. Het is niet meer de kleine Sartre die hij in 1941 ontvangt in een café in Grasse en die hem probeert over te halen, zoals hij probeerde Daniel Mayer over te halen en zoals hij zal proberen Malraux over te halen, bij het Verzet te gaan. Het is de oudste die zich gewonnen geeft en de jongste die zegeviert.

Ik heb deze scènes altijd prachtig gevonden. Ik heb de momenten waarop een oude schrijver, in plaats van te zeggen: 'ik ben de laatste schrijver', of: 'het is gedaan met de filosofie', een opvolger lijkt aan te wijzen, de fakkel, het estafettestokje overgeeft, altijd heel ontroerend gevonden. Soms is het met de bedoeling te blijven voortbestaan en via de opvolger een soort verlenging of uitstel te verkrijgen (Morand, die het stokje aan Nimier overgeeft). Soms is het in het kader van een algemene strategie, van een oorlog, waarbinnen de nieuwkomer wordt gerekruteerd (Clavel en de 'nieuwe filosofen' ten tijde van 'Apostrophes', in 1977). Soms ook is het een gebaar zonder bijbedoelingen, puur enthousiasme, fascinatie (Barrès onder de bekoring van een jonge onbekende van 24 jaar, schrijver van *Mains jointes*, François Mauriac). Al die elementen zijn terug te vinden in de gideaanse ridderslag. Er is die mengeling van geslepenheid en verwarring, van tactiek en roes – Sartre had gezegd 'van sluwheid en vermetelheid'[60] – plus, misschien, het gevoel bij Gide, dat hij, de grote Gide, de gunst van de muze min of meer kwijt is. Het spel is uit. Er is niets meer om weerstand te bieden. Hij is er, de 'exemplarische tijdgenoot', die men met de grootste spoed voorrang moet geven en die hem inderdaad van de troon zal stoten.

2

Stendhal en Spinoza

Een 'groot' intellectueel, wat is dat? Hoe komt het dat nu juist Sartre, en Sartre alleen, de fakkel van Gide overneemt? Hoe komt het dat op een bepaald moment, bij een bepaalde stand van zaken, een bepaald iemand en niet iemand anders de touwtjes volledig in handen heeft? Hoe komt het dat hij zich zo doet gelden, ten opzichte van de oude garde, maar net zo goed zijn tijdgenoten. Hoe krijgt Sartre die onmiddellijke overgave voor elkaar? Niet alleen van zijn volgelingen, van de jongeren en het (semi)thuisfront, maar – en dat is heel wat moeilijker – ook van zijn rivalen, die zonder verdere discussie de wapens neerleggen en hun loyaliteit betonen?

Raadselachtig is de houding van Raymond Aron, die zo gefascineerd is dat het bijna een obsessie is.[1] Aron vindt het kennelijk niet meer dan normaal dat hij in de loop der jaren drie boeken – *L'Opium des intellectuels*, *Marxismes imaginaires* en *Histoire et dialectique de la violence* – aan zijn 'petit camarade' wijdt, terwijl die niet eens de moeite neemt te antwoorden, ja, ze zelfs niet eens leest! 'Ach nee. Ik wil geen discussie met Raymond Aron, dat leidt toch tot niets.'[2] Eén keer slechts, heel veel later, verwaardigt hij zich te reageren en op zijn beurt de naam van zijn oude klasgenoot af te drukken – maar dat is om hem uit te foeteren, in 'Les Bastilles de Raymond Aron', op de hoge toon van een 'Rode-Gardist', waar de aangesprokene, overigens, nog steeds geen aanstoot aan lijkt te nemen: 'Nu heel Frankrijk de Gaulle in zijn blote kont heeft gezien, nu moeten de studenten Raymond Aron in zijn blote kont kunnen aanschouwen; en hij krijgt zijn kleren pas terug als hij terug wil vechten...'[3]

Raadselachtig is ook de houding van Merleau-Ponty[4], de grote filosoof van dat moment, als je de mandarijnen (Guéroult, Vuillemin, Hippolyte, Canguilhem, Jean Wahl) mag geloven. Streng, serieus en, bovenal, de enige met een grondige kennis van de Duitse filosofie in het algemeen en van Hegel en Marx in het bijzonder: 'Sartre? Ach, laten we het liever over Merleau hebben! Die heeft echt wat te zeggen, dat is niet zo'n snobistische beuzelaar!' Welnu, ook Merleau manoeuvreert zich meteen in een afhankelijke, wat heet, onderdanige positie. Hij becommentarieert in 1936 *L'Imagination*, snelt tijdens de Bezetting *Les Mouches* te hulp, kiest, vanaf 1945, in *Les Temps modernes*, de kant van *L'Être et le néant* tegen de katholieken en de marxisten, hij springt in de *Figaro littéraire* op de bres voor de 'terpentijnpissende' schrijver die Sartre is geworden. En als hij vervolgens afstand neemt, als hij *Les Temps modernes* verlaat om *Les Aventures de la dialectique* te schrijven waarin hij voor eens en altijd breekt met het sartriaanse 'ultrabolsjewisme', heeft hij Sartre met zo veel aandacht gelezen, zijn zijn tekstanalyses zo precies, zo geduldig, dat ook dat weer een eerbetoon is, een andere manier van respect betonen en van toekennen van initiatief en soevereiniteit aan zijn vriend. De aangesprokene vertrekt om dit alles geen spier, maakt zich niet druk, geeft geen sjoege, het deert hem niet (pas bij de dood van Merleau, in zijn grafrede, zal hij 'de onmin' noemen 'die niet plaats had... onze vriendschap', en dan de ruzie, de redenen daarvoor, de gevoelens van spijt waartoe die hem inspireerde, – de 'deining' die 'ons' in die jaren 'met de koppen tegen elkaar sloeg en meteen daarna ieder van ons lijnrecht tegenover de antipoden van de ander deed staan'[5]...).

Raadselachtig is ook de houding van Bataille, Blanchot, en niet te vergeten Camus. Ook Camus peinst er niet over, zelfs niet in het heetst van de strijd, als Sartre en de zijnen hem voor rotte vis uitmaken, die sartriaanse onschendbaarheid aan te vechten: de gekwetste toon van zijn 'antwoord', het verdriet om de 'breuk', en nooit, nee nooit, niet in zijn repliek aan 'Meneer de directeur van *Les Temps modernes*' en niet in latere teksten, tornt hij aan de principiële dominantie van de ander. (Een anekdote, die onder meer vermeld wordt door Jean Daniel en die, boven de legendarische 'grootheid van geest' en 'elegantie' van Camus uit, getuigt van het onwrikbaar vastliggen van de machtsverhoudingen: lange conversatie met Grenier, beginnend in de rue Madame en eindigend in de Rhumerie Martiniquaise op de Boulevard Saint-Germain; Grenier, die in hem een luisterend oor meent te vinden, maakt een spottende opmerking over de auteur van *Les Communistes et la paix*, en tot een ieders verbazing neemt Camus het op voor zijn vroegere vriend. Hij heeft Sartre nooit op heterdaad betrapt, zegt hij, op intellectuele onbeschaafdheid – 'hij heeft iets krankzinnigs, die man en dat is verontrustend, maar hij heeft ook noblesse...'[6])

Wat is het dus, een groot intellectueel?

Waar komt dat onaantastbare overwicht bij die intellectueel vandaan?

Hoe zit dat, dat raadsel van de ongelijke verdeling, van die goddelijke genade, die zich hechten aan een stem, een stijl, een avontuur, aan het spoor van een subject en het kielzog van een unieke figuur?

Dat is het raadsel – het eerste raadsel – van die lange eeuw van Sartre.

De totale intellectueel

Eerste verklaring, meest elementaire, in het oog springende verklaring. Sartres talent of liever zijn grenzeloze ambitie. Zijn gretigheid. Zijn onstilbare nieuwsgierigheid. Zijn universele intellectuele reikwijdte, zijn vastbeslotenheid, hij zei het zo vaak, om 'de hele wereld' te bezitten en om zich de middelen te verschaffen voor die fabelachtige opperheerschappij. Het feit, met andere woorden, dat hij de enige is die alle beschikbare disciplines beoefent, en vaak meesterlijk.

Filosofie, natuurlijk. Maar ook politiek. Literatuur. Journalistiek. Literaire kritiek. Reportages. En of dat allemaal nog niet genoeg is en hij er zeker van moest zijn, niet alleen dat hij alles geprobeerd had, maar ook dat hij erin geslaagd was het hele terrein uit te diepen: theater, liedteksten, conferences, radioprogramma's, film...

'Er is tegenwoordig een literaire kunst van radio en film, van hoofdartikelen en reportages!' roept hij. 'We moeten leren spreken in beelden, de ideeën van onze boeken in nieuwe talen te gieten.' En al in Le Havre laat hij bij een prijsuitreiking zijn leerlingen en hun beduusde ouders weten: leve de cinema, deze school van beschaving, dit monument van levende filosofie, deze kunst! Leve de cinema die jullie 'de schoonheid van de wereld waarin jullie leven' zal leren, 'de poëzie van de snelheid, van de machines, de onmenselijke, prachtige noodwendigheid van de industrie, ga er vaak heen'.[7] (Is het trouwens niet heel vreemd dat men zo vaak in termen van mislukking denkt over de ontmoeting met de film van een schrijver die het niet genoeg is als geen ander de film te kennen, te begrijpen en te analyseren – 'ik denk dat de film bezig is zwijgrecht te kopen...' – en die toch in diezelfde tijd het scenario van *Les Jeux sont faits* schreef, meeschreef aan het script van *Les Orgueilleux* en van plan was om samen met Huston een film te maken over het leven van Freud.)

Sartre in alle genres.

Sartre in alle registers van het tijdsgewricht.

Een Sartre die alweer de enige van zijn generatie is die, met een energie die volstrekt enig in zijn soort is en die je na hem ook bij niemand meer aantreft, het waagstuk onderneemt van een totaal oeuvre.[8]

Bataille bijvoorbeeld is een even belangrijk schrijver. Maar hij is alleen schrijver. Hij is niet echt een filosoof. En hoewel hij in de jaren dertig bij alle surrealistische of crypto-surrealistische protestacties tegen het fascisme betrokken was, de *Contre-Attaque* had opgericht en vele geschriften tegen Hitler had geschreven, stopt hij na de oorlog opeens met de politiek.

Blanchot doet aan politiek. Hij heeft dat altijd gedaan (zoals zijn warmlopen voor extreem-rechts in de jaren dertig) en hij doet het meer dan ooit (het Manifest van de 121 waarvan hij een van de opstellers is). Maar hij is geen filosoof. Hij is dat zelfs op een bepaalde manier nog minder dan zijn vriend Bataille. En als hij het al is, dan is hij het op een soort literaire, wilde manier, die hem bepaald niet tot 'geestelijk leidsman' stempelt: Heidegger reduceren tot een filosofie van 'geworteldheid' of tot 'een lichtelijk beschaamd denken van het onzijdige', in *Sein und Zeit* een theorie lezen dat het zijn in ontologisch opzicht voorafgaat aan het zijnde, van Hegel ten slotte een geestverwant van Mallarmé maken die in de kern zou hebben betoogd dat taal gelijk is te stellen aan 'moord' en de handeling van het 'benoemen' met Joost mag weten wat voor 'rondsluipende dood'. Wat een misverstaan! Wat een oppervlakkigheid![9]

Merleau is filosoof. Hij is meer nog dan Sartre de filosofische waarborg van *Les Temps modernes* (Vuillemin wil alleen meedoen omdat Merleau meedoet en zegt zijn medewerking op op het moment dat Merleau ermee kapt). Merleau is bovendien een briljant politicus. Hij is zelfs dé politiek leider van het blad. Hij is de man die een Sartre 'bekeert' die 'diep in zijn hart'[10] een 'ouderwetse anarchist' blijft. Uit zijn pen vloeien tot 1950 de meeste hoofdartikelen, ondertekend met 'TM', en hij bepaalt dus de gemeenschappelijke lijn. Om 'te leren wat hij wist, had ik nog een lustrum nodig',[11] zal Sartre over hem zeggen, na zijn dood, in zijn *Merleau-Ponty vivant*. En dan publiceert hij nog niet eens de eerste versie van de tekst, die Castor censureerde omdat ze hem te flatteus voor de overledene, te masochistisch voor de overlevende vond. Hij rakelt daarin een publiek debat op waarin zijn vriend zijn filosofische vlag had verdedigd tegen Aron en Sartre zich ten opzichte van Merleau de rol van grappenmaker én bedrieger aanmat... Maar... Merleau is geen schrijver. Ook geen theaterman. Ook geen kunstenaar. Hij bleef, ondanks al zijn wanhopige pogingen, de professor.

Aron. Zelfde verhaal. Ook hij is filosoof. Hem valt zelfs de eer te beurt, in de ogen van Sartre, die dat in *La Critique* ruiterlijk zal erkennen, de man te zijn achter zijn bekering tot de historiciteit, dat wil zeggen zijn initiatie in Husserl en wellicht Heidegger. Hij is de schrijver van een *Introduction à la philosophie de l'histoire*, die vijf jaar voor *L'Être et le néant* verscheen en met enige goede wil gezien kan worden als het grote pionierswerk van het existentialisme. En zijn politieke bewustzijn is minstens zo scherp als dat van zijn 'kleine kameraad' én van Merleau-Ponty: zet hij niet meteen na de Tweede Wereldoorlog voet aan land met het dubbele aureool van de man die tussen 1930 en 1933 in Keulen en Berlijn verbleef, die daar de hitleriaanse verschrikking de maat nam en 'tegelijkertijd' de 'zin van zijn leven', de 'tragiek van de politiek', de 'broosheid van de vrijheid' ontdekte – en die vervolgens, terwijl Sartre *L'Être et le néant* schreef, zichzelf als joods schrijver getroffen zag door een publicatieverbod van de bezetter en zonder een smet op zijn blazoen de oorlog doormaakte in het gevolg van generaal de Gaulle, bij wie hij zich eind juni 1940, in Londen, had gevoegd, oorspronkelijk met de bedoeling dienst te doen bij de gevechtseenheden van het vrije Frankrijk? Maar ook hij heeft geen literair talent. Net als Merleau ontbreekt het hem eraan dat hij schrijver is.

En ten slotte Camus. Met hem is het omgekeerde aan de hand. Hij ís schrijver. Journalist, politiek geëngageerd, theaterman, maar ook schrijver. En wat voor schrijver! Een geweldige romanschrijver! Is *L'Etranger* niet naar het oordeel van Sartre zelf een van de belangrijkste boeken van de 'moderne tijd'? Meursault, een andere Roquentin? Roquentin, een andere Meursault? En wie zal zeggen in welke van de twee romans, in die tijd, de frisse wind van de nieuwe tijdgeest blaast? Maar ook nu weer is er een probleem. En deze keer ligt het probleem in de filosofische hoek. Amateurisme van Camus. Theoretische lichtheid van *L'Homme révolté,* waarvan de tegenstanders helaas vrij spel hebben de 'povere bronnenkennis' aan de kaak te stellen en van wie het metafysische substraat nauwelijks loskomt van sterke politieke intuïties. Ook Sartre was zeker geen Franse Heidegger. Maar hij heeft er tenminste wel wat aan gedaan. Hij heeft tenminste geprobeerd zich op te werken tot het hoge niveau van de Duitse meesters en voorbeelden. Zijn rivaal lijkt zich in die tijd tevreden gesteld te hebben met het grootmeesterschap van het essay, van de proeve...

Om kort te gaan, Sartre is de enige van zijn generatie die in alle genres investeert. Als enige bezet hij het terrein, al het beschikbare terrein. Als enige, 'schrijft hij', zoals hij het later zelf zal zeggen, zo schitterend geformuleerd, 'in zo veel talen dat de dingen een uitstapje maken van de ene taal naar de andere'.[12]

Misschien is het net zo goed een erkenning van zwakte als een vertoon van kracht. Misschien moeten we van Sartre wel zeggen wat zo vaak van Cocteau gezegd is, namelijk dat hij niet alle disciplines had uitgeprobeerd als hij zeker had geweten in één ervan uit te blinken – dat hij eeuwige tweede was, universeel virtuoos, geniale veelzijdige man, monarch zonder echte kroon, die van de ene troon naar de andere rende, jonglerend met de scepters, omdat hij diep in zijn hart wist dat dat ene koninkrijk, het in één genre, in eentje maar, maar dan wel aboluut, met kop en schouders boven iedereen uitsteken, voor hem niet was weggelegd. En natuurlijk komt bij die keuze ook een deel duistere rationaliteit om de hoek kijken die, zoals we later zullen zien, te maken heeft met de heel bijzondere structuur van het sartriaanse ik, met zijn vloeibaarheid, met zijn onvermogen te stollen tot essentie, en ook, tot een vorm, een specialiteit of een genre... Maar goed, zo liggen de zaken. Sartre is de enige die erin is geslaagd de literaire en culturele ruimte van zijn tijd te verzadigen, en dat, zo moet ik wel geloven, op een manier die althans voor een deel bewust en uitgekiend is. Sartre is de enige van alle naoorlogse intellectuelen die de krachttoer volbrengt in zijn manifestaties en interventies het rijk der mogelijkheden volledig uit te putten – hij heeft alle touwtjes in handen; mijn theater en mijn rijk zijn deze wereld zelf, heel deze wereld; niets van wat deze wereld is, is mij of mag mij vreemd zijn. Dat is de eerste verklaring van zijn dominantie.

Maar er is nog een tweede.

Op de keper beschouwd beoefent Sartre niet alleen maar nu eens het ene genre, dan weer het andere, naar het hem uitkomt, naar inspiratie of luim. Want hij is Cocteau niet. En hij is ook niet het omgekeerde, een moderne Leonardo, kunstenaar met honderd talenten, god met duizend armen, die niet meer weet waar hij heen moet met al zijn genialiteit en er iedere keer weer, wat hij ook aanvat, zeker van is dat hij de beste is. Nee. Hij doet iets veel opmerkelijkers. En daarvan kan ik nu weer niet geloven dat hij het uit berekening doet: hij zet op alle genres tegelijk in. Heus en in concreto: tegelijk. Hij doet het één dóór het ander. Hij laat ze op elkaar reageren. Hij kruist ze, verminkt ze. Neem alleen maar de literatuur en de filosofie. Dat is niet vandaag roman, morgen verhandelingen, in een grillige of geregelde afwisseling. Het is filosofie en roman door elkaar, vervlochten, elkaar versterkend, versmolten haast. Als ergens zijn originaliteit en kracht ligt, dan is het in de beoefening van beide genres tegelijk, in een verbinding – een versmelting? – die niet alleen in zijn tijd maar in de hele eeuw alleen van hem zal zijn.

Wat is een filosofische roman?

Sartres literatuur.

Gemeenplaats: Sartre is een slechte romancier en dat komt omdat hij tevens filosoof is en hij de gaten in zijn verhalen volstort met filosofie.

Waarop ik twee dingen wil antwoorden.

Primo (maar dat is niet te bewijzen): heel goeie schrijver juist, schandalig ondergewaardeerd, een van de beste van zijn en onze tijd. Ach, het grote raadsel van al die boeken die iedereen kent en die niemand gelezen heeft...

Secundo (en dat is wel te bewijzen): originele schrijver, uitvinder van nieuwe vormen en stijlen, juist omdat hij filosoof is en zijn filosofie doorwerkt in zijn schrijfkunst – anders gezegd niet ondanks maar juist dankzij zijn filosofie.

Bewijs?

Neem, zoals Michel Contat en Michel Rybalka[13] zeggen, zijn allereerste romans.

Neem die lieve zoete verdichtsels, zoals *Une défaite* of *Jésus la chouette*. Neem bovenal *La Légende de la vérité*, een sprookje in drie bedrijven – van 'het zekere', 'het waarschijnlijke', en 'verhaal van de allenige mens' – gekunsteld en hoogdravend, als het opstel van een eerstejaars.

Het is literatuur van voor de filosofie.

Het zijn teksten van de hand van een 'vrije' Sartre die, als je meegaat met de analyse dat zijn filosofie de invulling van zijn fictie is, nog niet doortrokken is van het theoretische apparaat van *La transcendance de l'Ego* of *L'Être et le néant*.

Wat opvalt is dus niet alleen hoe zoetig, hoe kinderlijk, hoe zwaar die eerste teksten soms zijn, maar vooral dat ze zo middelmatig, zo weinig inventief, zo schools zijn: Sartre is nog geen filosoof. Hij is nog niet gestempeld door existentialisme. Hij schrijft als Paul Bourget.

Nog een bewijs.
Neem daarentegen *La Nausée*.
Neem dat onbetwiste meesterwerk dat het 'Dagboek' van Roquentin is.
Wat is er gebeurd dat middelmaat verandert in meesterwerk?
Wat heeft er moeten gebeuren dat de niet-publicabele leerling-roman uitstroomt in dat onmetelijke boek?
Sartre is ouder geworden, oké. Rijper. Maar alleen zeggen dat hij ouder en wijzer geworden is zegt niets als je er niet bij zegt dat hij bovenal filosoof geworden is of, preciezer, dat hij van filosofie veranderd is.
Hij had een geleende filosofie. Hij heeft nu een eigen filosofie.
Hij hing de filosofie van de *Ecole normale supérieur* aan: Lalande, Brunschvicq & Co. – de 'waakhonden' van Nizan. Hij stapt over naar een complexe filosofie: Husserl, Heidegger, hun synthese wellicht – de hoekstenen van het existentialisme in aanbouw.
En die overstap verzwaart zijn schrijfkunst niet; anders dan al vijftig jaar schering en inslag is, is het geenszins zo dat de filosofie de fictie vermorzelt, verstikt of zelfs blokkeert, het is juist de filosofie die hem haar beste middelen aanreikt, het is juist de filosofie die dat 'optische instrument' nog krachtiger maakt, dat volgens Proust de schrijver zijn lezer aanbiedt en waardoor deze in staat is te onderscheiden wat hij, zonder dat boek, 'in zijn eentje misschien niet had gezien'.[14]
Het stuk van de spiegel, aan het begin van het boek, waarvan je zou zeggen dat het rechtstreeks overgenomen is van een opmerking uit *La transcendance de l'Ego*: 'Zo en niet anders, het ik blijft voor ons ongekend.'[15]
De tekening van de zondagse menigte in Bouville, de langzame tred, de begroetingen en het zich voorstellen, gebonden aan strikte regels als ware rituelen, het runderachtige gesnuif: dat is al de Sartre van de grote domme massa's die hij weldra seriële collectiviteiten zal noemen.
Dat duizelingwekkende moment aan het eind, wanneer de held bij zichzelf te rade gaat over zijn verloren en hervonden identiteit. 'Ik geeuw zachtjes,' zegt hij. 'Niemand. Voor Niemand betaat Antoine Roquentin. Dat vind ik vermakelijk. Wat is Antoine Roquentin voor iets? Het is iets abstracts. Een flauwe herinnering aan mijn Ik flakkert op in mijn bewustzijn...' Hij vervolgt: 'Plotseling verbleekt het Ik, het is weg, het dooft uit.' En twee bladzijden verderop, terwijl voor de laatste keer het befaamde jazzdeuntje klinkt, veranderd in een innerlijke stem: hé, toch!, daar is mijn Ik weer, dat 'in mijn bewustzijn opwelt'. Ik ben het, Antoine Roquentin, 'ik vertrek straks naar Parijs, ik kom afscheid nemen van de bazin!'.[16] Die variaties rond het uitgedoofde, verduisterde en weer tot leven gekomen Ik, dat ballet van het uit elkaar gebarsten, gefantaseerde en ten slotte weer hervonden bewustzijn, dat beeld van de opeens lege mens, overgeleverd aan een veelheid van stemmen die hem belegeren, in zijn oren gonzen, hem verslinden, de transformatie van het geluid van de dingen in een innerlijke stem

en van de innerlijke stem in het niets zou dat allemaal bedacht kunnen zijn zonder de theorema's van *L'imaginaire* en *La transcendance de l'Ego*?

En ten slotte de lijfelijke aanwezigheid van de personages. Een extreem opdringerige aanwezigheid. Want ook hier weer is Sartre, in weerwil van zijn reputatie, juist een heel *fysieke* schrijver, die op grond van het uiterlijk van zijn personages prachtige portretten neerzet: neef Adolphe in 'hemdsmouwen' en 'bretels', die staat te slapen achter de tapkast; de Autodidact met zijn 'grote kinnebak als van een ezel', 'die altijd stonk naar tabak en spoelwater'; en later in *Les chemins*, Marcelle en 'haar mooie verzakte borsten', de 'schilferige wangen' en 'obscene ogen' van Zézette, de draaimolen van gezichten van Ivich – haar 'nette' gezicht, haar 'nepgezicht', haar 'omgedraaide' gezicht, haar duizend-en-één gezichten die Mathieu iedere keer van de wijs brengen en waarvan de opeenvolging een van de aanjagers van de plot is... Sartre zegt daar zelf in een interview in 1956 het volgende over[17]: 'Als wij het hebben over het lijf tot in zijn nederigste functies, is dat omdat wij niet moeten doen alsof we vergeten dat de geest afdaalt in het lichaam, het psychische in het fysieke, met andere woorden. Naar mijn idee moet de schrijver heel de mens vatten.' Maar hij heeft zich hierover vooral al uitgelaten in *L'Être et le néant,* waar hij, tegen het spiritualisme van dat moment in, tegen het etherische bergsonisme in dat heerst in de Franse universitaire wereld en waarvan hij en zijn hele generatie zich zullen gaan bevrijden, met Husserl pleit voor een terugkeer naar de dingen zelf (zurück zu den Sachen selbst), naar hun doffe, zware en bedwelmende stoffelijkheid. De literaire schoonheid is ook hier weer het effect van de filosofische trefzekerheid. Het denkbeeld regeert het beeld, het theoretische het esthetische – als Sartre ziet, laat zien en beschrijft, komt dat in de eerste plaats omdat hij *begrepen* heeft.

Nog een ander bewijs.

Les Chemins de la liberté.

Ik ga het hier niet hebben over de vraag of *Les Chemins de la liberté* nu wel of niet die grote onverteerbare, oersaaie enzovoort roman is, zoals nu al dertig jaar lang beweerd wordt door een minne en vaak luie kritiek, belust om de zo wrede woorden aan het adres van Mauriac nu voor te houden aan de auteur van *Les Chemins* zelf: 'God is geen kunstenaar, Mijnheer Sartre ook niet'...

Ik constateer daarentegen – want het betreft hier een feit – dat het een van de meest vernieuwende literaire ondernemingen van de twintigste eeuw is. Ik stel vast dat in *Les Chemins*, en dan met name in *Le sursis*, het merendeel van de vormvernieuwingen te vinden is die we altijd aan de Amerikanen hebben toegeschreven en die, dichter bij huis, een Milan Kundera weer heeft opgepakt, gesystematiseerd en voor een deel heeft laten aanhaken bij de 'Oostenrijks-Hongaarse' groten Musil en Broch. En ik beweer dat als die vernieuwingen er zijn, als die kunst van het romanschrijven overduidelijk in het oog springt in *Le Sursis* en ook in *La Mort dans l'âme*, als die kunst ten slotte, en in tegenstelling tot wat maar al te vaak gezegd is, niet alleen maar al die vernieuwingen wil herhalen, aanpassen, verfransen, en niet simpelweg een Franse 'Dos Passos' of 'Einstein op de manier van Heisenberg'[18] oplevert, maar 'iets' toevoegt aan de Amerikaanse technieken, dan is dat omdat nu juist in de literaire tekst filosofische principes doorwerken die het verhaal niet verzwaren, maar het juist licht, luchtig en levendig maken, en het tien keer zo veel energie geven.

Voorbeeld. Zijn impliciete kritiek op het psychologisme. Het breken, tien jaar voor de Nouveau Roman, met de *roman intimiste* met zijn stoet onwaarachtigheden en onnozelheden. Die personages bij Sartre zonder 'innerlijkheid', zonder 'programma', waarvan de 'karakters' ontstaan naarmate het verhaal vordert en van wie je nooit weet wat ze *zijn* voordat ze iets *gedaan* hebben. Is dit niet duidelijk een toepassing van de theorie van de intentionaliteit? Moeten we niet erkennen dat het de directe consequentie is van het beroemde 'existentie gaat aan essentie vooraf'? De traditionele filosofie zei: 'Gegeven een karakter, een hele rits potentialiteiten en karaktertrekken, dan heb je ook de handelingen, attitudes, gedragingen en woorden die daaruit voortvloeien.' En daarop was het hele klassieke concept van het verhaal gestoeld. Sartres filosofie keert de stelling om: 'Gegeven handelingen, attitudes, bedoelingen, gedragingen; zij zijn er het eerst. Zij vormen het karakter van een personage dat in den beginne niets was en in ieder geval qua vorm noch qua inhoud in het bewustzijn van de schrijver was.' En het is precies die omkering die zijn creaturen met hun vreemde charme hun belichaming geven, absoluut uniek in het literaire landschap van die tijd. Soms zijn ze geheel ondoorzichtig, soms juist weer transparant, maar ze zetten je altijd op het verkeerde been, vinden zich voortdurend opnieuw uit, improviseren wie ze zijn, vrije bestaanskunstenaars, dat zijn het, de personages van *Les Chemins*.

Voorbeeld. De wisseling van perspectief. De kunst van de meervoudige visie en de kleine perceptie. Die vermenigvuldiging van perspectief waardoor het verhaal van *Les Chemins* nu eens door Mathieu, dan weer door Brunet of Daniel wordt verteld – zonder dat ooit de blik van de een verheven is boven de ander en zonder dat ooit één verteller precies weet hoe de zaak in elkaar steekt. Dat is het advies dat de pamflettist van *M. François Mauriac et la liberté* de auteur van *La Fin de la nuit* gaf. Maar advies geven is één ding. Doen is een tweede. En het is Sartres talent dat hij het doet zoals geen enkele Fransman het voor of na hem gedaan heeft. Zijn kracht, zijn absolute originaliteit maken dat je werkelijk het gevoel hebt, zoals bij de grote meesters in dit genre, Dos Passos of Faulkner, dat de manier van schrijven, keer op keer, samenvalt met de verschillende perceptiesystemen en dat er tussen die systemen een absoluut evenwicht bestaat. Hoe legt hij dat aan? De film, oké. Het kubisme. Er is wel gezegd,[19] en dat is niet onwaar, dat je in *Le Sursis* dezelfde veranderingen van focus, hoek of beeldinstelling ziet als in de film, en ook dat in deze roman de analytische techniek van het kubisme, die ode aan de lappendeken, dat loflied op het brokstuk, het kruimeltje, die promotie van de caleidoscoop tot de Idee van de wereld, zijn introductie in de literatuur krijgt. Of heeft men er wel de toepassing van de joyciaanse techniek in gezien, het 'grove realisme' met zijn 'subjectiviteit zonder tussenkomst of afstand', zijn manier om de lezer vast te pakken en hem 'binnen te laten gaan' in de verschillende bewustzijnen. Maar het is als met de geschiedenis der exacte wetenschappen volgens Canguilhem. Nooit, zo zei deze, kan een technisch snufje het aanzien van de wetenschap veranderen als het niet vergezeld gaat van en voorafgegaan wordt door een filosofische intuïtie. De uitvinding van de microscoop zou de celtheorie hebben voortgebracht zonder het voorafgaande, en waanzinnige, bedenksel dat de structuur van het menselijk lichaam veel weg heeft van de versplinterde maatschappij in de democratische visie van de Duitse romantiek. Wel, evenmin kon de liefde voor de film of het kubisme, ofwel de triomf van de techniek, in z'n eentje die revolutie in de romankunst teweegbrengen als de auteur niet geobsedeerd was geweest door veel fundamentelere kwesties dan de problematiek van de verteltechniek: het vraagstuk van 'Tijd', van 'Ruimte' en, wat hij noemt, de noodzakelijke overgang in ons denken over de fenomenologie van de perceptie, van de 'newtoniaanse mechanica' naar de 'algemene relativiteitstheorie'. Geen 'alwetende getuige', pleit in 1947 de auteur – filosoof – van *Qu'est-ce que la littérature?* Geen 'uitverkoren perspectief' dat de wereld en de ruimte-tijd-structuren van andere bewustzijnen domineert. Er zijn alleen maar 'situaties', zal hij steeds weer zeggen. 'Half heldere' en 'half duistere' bewustzijnen, waarvan de gezichtspunten elkaar in evenwicht houden en die allemaal hun blinde vlek hebben. Er zijn alleen monaden, die stuk voor stuk interfereren met de andere, zonder dat één ervan aanspraak kan maken op een ontologische voorrang. Deze filosofische leerstelling ligt ten grondslag aan zijn technische en literaire originaliteit. Die metafysische aanname maakt niet alleen de overgang van de ene verteller naar de andere mogelijk, maar zorgt er ook voor dat er geen hiërarchie is in de opeenvolging van vertellers. Omdat Sartre filosoof is kun je *La Mort dans l'âme* openslaan en bladzijden vinden waar wel zes perspectieven dwars door elkaar hun visie op dezelfde situatie geven: Gomez in New York, Sarah in Parijs, Boris in Marseille, klaar om naar Engeland te vertrekken, Daniel weer in Parijs, Odette op de vlucht en Mathieu op het platteland – omdat hij díe filosoof is, omdat hij dat filosofische concept produceert van een wereld die versplinterd is in oneindig veel bewustzijnen die ieder voor zich een eigen universum zijn, omdat hij in één woord die leibniziaan zonder God is of die pascaliaan zonder geloof die zich het universum voorstelt als een versplinterd geheel waarvan het middelpunt overal kan zijn en de omtrek nergens, is hij in staat, in navolging van de Amerikanen, en na Proust en Céline, de Franse polyfone roman opnieuw uit te vinden.

Nog een voorbeeld. De vertelling alleen al van *Le Sursis*. Die stemmen, zo veel en zo dwars door elkaar heen. Hun polyfonie én hun kakofonie. Het feit dat er verschillende rivaliserende vertellers zijn, maar ook dat die vertellers samen spreken, dat hun verhalen door elkaar lopen, zich in elkaar verstrikken, om zichzelf heen draaien, zich laten aflossen door een ander of bezit nemen van de lippen van die ander om diens verhaal af te maken. Een zin uit de mond van Mathieu eindigt op de lippen van Brunet. Woorden die van Mathieu of Daniel zijn, maar door de centrifugerende kracht van het verhaal aan het einde van het liedje Boris in de schoot worden geworpen. De gesprekken van Pitteaux en de psychiater, van Georges en de ober, door elkaar halen. Een redevoering van Hitler vermengen met een innerlijke monoloog van Brunet. Tegelijk Philippe in beeld brengen die op de boulevards tegen vrouwen loopt te roepen: 'Weg met de oorlog, weg met Daladier, leve de vrede!', en de Ivichen, vader en dochter, in het kantoor in Laon, terwijl ze naar de radio zitten te luisteren: 'Buiten, zegt Ivich... alles speelt zich buiten af... haar kamer was een gevangenis...' – en het verhaal gaat ook inderdaad naar buiten, maar dat is om Mathieu te treffen, die, nu niet meer in Laon maar in Parijs, op de brugleuning van de Pont-Neuf zit en het water van de Seine onder zich ziet stromen en denkt aan die 'duistere zelfmoord' die 'tegelijk iets absoluuts' zou zijn. Mathieu en Irene. Mathieu 'kwam zachtjes overeind en gleed boven op haar'. Maar het is Lola die aan het einde van het liedje verschijnt, 'op haar rug liggend, met de ogen dicht', terwijl Boris 'zich plotseling terugtrekt, de lakens terugslaat en aan de kant gaat liggen'. En dan meneer en mevrouw Birnenschatz gekluisterd aan hun radiotoestel. En de gesprekken van Hitler en Chamberlain die van begin tot einde, als een achtergrondgeluid, door het hele boek lopen. En die 'pleegeur' in de 'neus van Maurice', in dezelfde zin waarin gezegd wordt dat de oorlog 'rondom de muren van Marrakech waart'... Tegenover wat je eigenaardige verteltechnieken zou kunnen noemen, tegenover dat spel van stemmen die door elkaar heen spreken, steeds weer onderbroken worden en die, zoals het er op de eerste bladzijde van het boek staat, op hetzelfde moment opklinken in Angoulême, Marseille, Berlijn, Dover, Gent, Londen, Praag, tegenover die elliptische tekst, dat zigzaggen, die draaikolk van woorden en gesprekken die afbreken om in de onderbrekingen andere onderliggende gesprekken te laten passeren die ze storen maar niet uitvreten, tegenover die 'instantzielen', zoals Sartre, alweer in navolging van Leibniz, zegt, die dialogen voeren zonder met elkaar te praten en elkaar antwoorden zonder elkaar te horen, tegenover die stortbui aan woorden die uit de lege hemel van het boek naar beneden tuimelen, die woordatomen of woorden als stofdeeltjes, waarvan niemand meer weet bij wie ze horen en die in de lucht drijven die helemaal verzadigd van fictie is, tegenover die weerwoorden die tegen elkaar aan botsten, elkaar raken en weer terugkaatsen en die pas door hun geweldige weerklank het geluid van de roman produceren, kan je nogmaals de eerder genoemde Dos Passos of de Virginia Woolf van *Mrs Dalloway* aanvoeren – en dat doet Sartre trouwens ook in het begeleidend schrijven bij het presentexemplaar van zijn boek. Maar het is nog steeds hetzelfde verhaal. Sartre had Viginia Woolf of Dos Passos niet gelezen, of ze niet op dezelfde manier gelezen, of had er in ieder geval niet dezelfde persoonlijke conclusies uit getrokken, als hij niet al een vooropgezette filosofische intuïtie had gehad, en wel die van de historiciteit. Het is de gedachte, geïnspireerd op Heidegger en opnieuw uiteengezet in *L'Être et le néant* dat ons 'leven als individu' 'tot in de kleinste puntjes geregeerd wordt door duistere en collectieve krachten'. Het is het idee van 'creaturen', wier realiteit bestaat in 'het verwarde en tegenstrijdige weefsel van oordelen die ieder voor zich over de anderen heeft' en 'allen over eenieder'. Het is met andere woorden de veronderstelling dat 'de meest privéje' gevoelens de 'weerspiegeling' zijn van de 'toestand van de hele wereld' en 'de toestand van de wereld' op zijn beurt weer een soort massa of brij in beweging is, waar zo nu en dan, alvorens weer geabsorbeerd te worden en opnieuw los te raken, dat heel kleine extra stukje materie van losraakt, dat kleine klontje, dat we een bewustzijn noemen. Plus het soevereine subject, voor eens en altijd. Plus de onverschillige vrijheid, waardoor het subject zich onder alle omstandigheden volgens zijn eigen wet kan bepalen. Bekering tot het nieuwe begrip van verantwoordelijkheid van ieder voor ieder en voor de wereld in zijn totaliteit. Zonder deze overtuiging geen *Le Sursis*. Zonder deze filosofie geen roman. Er is een eerste sartriaanse filosofie waarin je tot in detail moet binnengaan, maar die ten grondslag ligt aan de buitengewone romantische explosie van *Les Chemins de la liberté*.

De schoonheid van die van filosofie doortrokken romans.

De grootsheid van een filosofie die dergelijke boeken heeft weten voort te brengen.

Ik zeg niet dat die boeken het *bewijs* van Sartres filosofie zijn. Maar er zijn niet veel andere filosofieën in de Geschiedenis die de proef van het romaneske vuur hebben doorstaan, zoveel is zeker. Ik zou er zelfs zo gauw niet één weten die geschikt zou zijn voor een dergelijk *mise en oeuvre*: denk je eens in, een roman geïnspireerd op de *Ethica*! De *Kritik der praktischen Vernunft* verwerkt tot roman. De *Logische Untersuchungen* of de *Cartesianische Meditationen* bewezen of uitgekleed door de literatuur![20] Dat is de eerste grote originaliteit van Sartre ten opzichte van zijn tijdgenoten: dat hij van de filosofie – overigens conform aan een van zijn oudste, maar tevens meest vergeten roepingen – een optisch apparaat heeft weten te maken, een innerlijk oog dat de blik richt, en in het verlengde van die blik, een richter van ideeën en waarheid.

Sartres filosofie.

En omgekeerd, het aandeel van de literatuur in zijn filosofie.

Zijn manier van filosofie bedrijven, niet alleen als filosoof maar vooral als schrijver.

Artikel één. Alle filosofen zijn schrijvers. De allergrootste filosofen zijn ook grote schrijvers. En ik zou inderdaad niet zo gauw iemand weten die niet in de theorie een eigen deel fictionaliteit heeft gestopt.[21] Het verhaal van de Grot van Plato. Het verhaal van de atomen van Epicurus. Descartes en zijn 'kwade genius', Pascal en zijn 'weddenschap'. De 'dialectiek van de meester en de slaaf'. Husserls fenomenologie, waar de handeling van het schrijven voorafgaat aan de geboorte van de zin, en bij diezelfde Husserl, de enigszins dwaze, maar in ieder geval zeer romaneske beschouwingen over de 'kat' en zijn 'dubbeling-van-de-muis', het 'paard' en zijn 'delen', de 'speelkaarten'. Socrates, een romanfiguur. Kallikles, denkbeeldig personage. Hylas. Philonoüs. De 'Ik' van de *Cartesianische Meditationen*. Van alle *Meditaties* eigenlijk, met name die van Descartes zelf, die grote autobiografische roman, die aangrijpende 'geschiedenis van mijn geest', bij vlagen geschreven in de stijl van Gongora, zijn tijdgenoot, zijn barokke geestverwant. Het boek over het gelaat van Levinas en over het lijf van Merleau-Ponty. Het epos over de Substantie bij Spinoza. De Meester van de Stoïcijnen en de Priester van Nietzsche. *Zarathustra. Dionysos.* Ook bij Nietzsche de adelaar en zijn lichtheid, de kameel symbool van de geest van logheid, de slang en alle dubbelzinnigheden van de betekenis van de aarde. De poëtische voorstelling van de werkelijkheid van Heidegger. De poëzie in *Sein und Zeit* opgevat als aflossing van het denken. Dat 'theoretische romantiek' waarbij het dichterlijke de ontzagwekkende taak krijgt toebedeeld een versleten, kaalgeslagen, uitgeholde, vernielde taal nieuw leven in te blazen. Literatuur of filosofie? Literatuur en filosofie. Filosofie door middel van de literatuur en dwars door de literatuur heen. Filosofen mogen het hier niet mee eens zijn. Ze mogen zich, net als de tweede Plato, degene die zijn gedichten verbrandt, de dichters uit de stad bant en ons voorhoudt dat alleen dialectiek naar de waarheid leiden kan, keren tegen deze idee, er zelfs het bewijs van de overwinning van het sofisme in zien. Omdat waarheid en onwaarheid, wetenschap en verzinsel, de triomferende logos en de mythos heel wat dichter bij elkaar liggen dan je zo zou aannemen en dan de positivisten zeggen, bestaat er geen zuivere kennis en ook geen waarheid zonder illusie, bestaat er geen filosoof die niet ook schrijver is – ik ken geen filosofisch systeem (dat van Plato incluis) dat niet op een bepaald moment de literatuur aan het roer heeft gezet.

Artikel twee. Zo er een tijdperk is dat deze logica tot zijn hoogtepunt heeft gedreven, zo er een eeuw is die lering heeft getrokken uit deze filosofische passie voor fictie en dus ook voor taal, dan is dat natuurlijk de twintigste eeuw. Heidegger dus. Husserl. Maar ook de symptomale lezingen van Althusser. Het werk over taal, vóór Heidegger en tegelijk met hem, van Freud. Het onderbewuste 'als een taal gestructureerd', van Lacan. Zijn 'het spreekt'. Zijn overtuiging – van Lacan nog steeds – dat de taal, in tegenstelling tot wat Wittgenstein van de *Tractatus* dacht, meer mogelijkheden biedt dan het denken en dat dat wat zich helder noch duister denken laat, altijd nog gezegd kan worden. De lacaniaanse theorie van de 'dit-mension', de idee 'vóór het spreken was er niets wat was of niet was' want 'alleen met het spreken zijn er dingen die waar of onwaar zijn, ofwel dingen die zijn en dingen die niet zijn' – de idee dat 'met de dimensie van het spreken de waarheid zich in de werkelijkheid ingraaft'.[22] Foucault en zijn 'archeologie' van een weten als neerslag van manieren van denken en spreken (discoursen). De genetische 'code' van de biologen. De 'syntaxis' van economische modellen. De geestesziekte die, volgens Foucault weer, ontstaat door het elkaar kruisen van de discoursen, die haar hebben omsingeld, overdekt, verstikt en ten slotte gedefinieerd. Het fascisme dat, volgens Faye, gestructureerd is door een rondedans van woorden, afkortingen en namen. De Engels-Amerikaanse filosofieën. De ontwikkelingen van taaltechnologieën. Levinas en zijn primaat van de letter en zijn verzet van de letter tegen de geest. Barthes: taal is 'fascistisch'. De Freudianen: nee nee, het is juist omgekeerd, taal heeft een bevrijdende kracht! De discussie tussen voor- en tegenstanders van Heidegger over de vraag of de woorden tot de dingen leiden of juist de toegang ertoe versperren. Kortom, en om met Frege te spreken, de grote 'wending tot de taal' van de hedendaagse filosofie. De verheffing van de taal zelf tot het hoogste filosofisch object. De transformatie van de ontologie in logologie en van de beoefening van het denken in een 'fundamentele hermeneutiek' of een 'gegeneraliseerde filologie'. De twintigste eeuw was de eeuw van de taal. De eeuw waarin de taal de transcendentaal van het denken is, het centrum, het cruciale midden, het unieke object, het subject[23] ervan is. Er zijn, ik zeg het nog maar weer eens, twee grote verlokkingen, die, tot op de dag van vandaag, de geschiedenis van de filosofie verdelen. Aan de ene kant het kamp van Plato dat dus zijn dichters wegjaagt en droomt van zuivere dialectiek. Aan de andere kant het romantische – of sofistische – partij kiezen voor een laten-zien door taalgebruik, voor een kunst en dus voor een taal die het werkelijke lichaam van het ware zouden worden. De twintigste eeuw zal vanuit dat gezichtspunt de antiplatonische eeuw bij uitstek zijn.[24] Het is het moment in de geschiedenis van het denken waarop de sofistische en romantische stromingen het glansrijk gewonnen hebben. En daarom zijn de taalkunst, en kunst in het algemeen, hét medium van de waarheid geworden. Eén voorbeeld van velen – maar waarvan je direct zult zien dat ik het niet zomaar aanhaal: Bergson die in *Le Rire* beweert dat 'kunst heel direct zicht op de realiteit' biedt, omdat de perceptie er 'ruimer' van wordt...

Artikel drie. Er is een filosoof in de twintigste eeuw die schijnbaar slecht toegerust is om die 'wending tot de taal' te maken. En die filosoof is Sartre. We zullen zijn politieke aarzelingen zien – maar kun je hier de politiek scheiden? – jegens alles wat zweemt naar verafgoding van de vorm. En we zullen de verbetenheid zien die hij aan de dag legt, van *Les Mots* tot 'Mao', om de literator in hem om zeep te helpen, de literaire verlokking te doden, het zo aan te leggen dat de literatuur en, in nog sterkere mate, de filosofie weer worden wat ze 'nooit opgehouden zijn te zijn', namelijk een puur 'sociale aangelegenheid'. Zoals in zijn brief aan Brice Parain: 'De taal kan weerbarstig zijn, me op het verkeerde been zetten, maar ze neemt me niet in het ootje als ik dat niet wil.' De o zo bekende bladzijden van *Qu'est-ce que la littérature?*: 'Het is de taak van de schrijver de dingen bij hun naam te noemen. Als de woorden ziek zijn moeten wij ze beter maken. Maar in plaats daarvan leven velen van die ziekte. De moderne literatuur is in veel gevallen een kankergezwel van woorden...' Enige tijd later het gesprek met Pierre Verstraeten, dat zijn grote theoretische stellingname over de kwestie is en waarin hij met name 'de mensen van *Tel Quel*' rekenschap vraagt: vaak denken de mensen dat 'er woorden in hun hoofd zitten'. Ik geloof juist het omgekeerde. Ik heb 'de indruk dat ze buiten ons zijn, als een soort groot electronisch systeem'. 'Je raakt dingen aan' en 'daar komt iets van', zo heb ik de indruk – een indruk die, dat zal iedereen beamen, een doodeenvoudige, maar zeer doelmatige conceptie van taal oplevert.[25] En dan is er niet te vergeten *Saint Genet*, Sartres grote studie waarin hij zich heel serieus bezighoudt met het vraagstuk van de taal, de functie van de literatuur, de kracht en macht die zij heeft – en waarin hij beurtelings drie totaal onbevredigende, diep treurige standpunten inneemt.[26] Allereerst een prozaïsche, plat-conventionele en utilitaristische visie – de visie van een man die *niet heeft nagedacht* over de macht en de kracht en de valkuilen van de taal: het teken is 'een conventioneel verband waardoor een aanwezig object als subsituut optreedt van een afwezig object'. Het is een 'leugen', een manier van 'liegen om de waarheid te spreken' (herhaling, nauwelijks verhuld, van de platoniaanse veroordeling van de poëzie en de poëten). Daarnaast een romantische, al even afschuwelijk platte visie, die, uit schuldgevoel, als tegenwicht zou moeten dienen van de eerste, – maar die niets anders doet dan zijn naïveteit omkeren, en dus versterken: 'wonder' van het Woord en 'redding' door de literatuur; 'woorden als gedichten' en 'heilig object'; 'het spreken is een daad en het woord is ding' (duidelijke echo van de uitspraken uit de koker van Hugo – 'car le mot c'est le verbe et le verbe c'est Dieu...' ('want het woord is Het Woord en Het Woord is God...'). Metafysica van het teken, ten slotte, die zich expliciet op Blanchot baseert, die de taal bezingt die 'in z'n eentje klinkt' als 'een nachtelijk woud': taal, 'dat is tegelijkertijd de vlucht van het zijn in de betekenissen, de verdamping van die betekenissen, kortom de vernietiging – en taal is zijn, lucht die door een stem in beweging is gebracht, geschreven, gebeitelde woorden'). Blanchot en Breton... Plato en Hugo... Niets wat hier getuigt van een werkelijke belangstelling voor de taal. Niets wat ook maar lijkt op een hedendaagse, originele, persoonlijke reflectie over een oertekst als dé plaats voor de betekenis en haar waarheid. Omdat hij zo obsessief husserliaan is, omdat hij aan de uitspraak 'terugkeer naar de dingen zelf' zijn meest elementaire betekenis heeft gegeven, omdat hij zich baseert op de meest conventionele vorm van alle theorieën van het teken die er sinds de Saussure in omloop zijn, kan zonder overdrijving gesteld worden dat Sartre in en uit principe van de hedendaagse filosofen degene is die er het minst toe genegen is de taal, dus de literatuur, de taken van het denken te laten leiden of zelfs te vervalsen. Schaart hij in de *Critique de la raison dialectique* taal niet onder het 'praktisch-inerte' – stoffelijkheid, onpersoonlijke herhaling, misleidend gereedschap? En deed hij ten tijde van 'Flaubert', na *Les Mots* dus en op het hoogtepunt van zijn 'Mao'-tijd, niet die merkwaardige uitspraak: waarom 'tijd verknoeien met het maken van mooie zinnen'?[27]

Artikel vier. Zeggen is één ding, doen is iets anders. Wat Sartre verkondigt, of meent dat juist is te verkondigen, is één ding – wat hij schrijft is iets anders. En omdat hij ook kunstenaar is, of omdat Poulou, de kleine fantast uit *Les Mots*, altijd een beetje in hem is blijven voortleven of misschien ook omdat hij écht aanhanger van Husserl is en de husserliaanse opvatting van de 'terugkeer naar de dingen zelf' toch complexer is dan een simpele argwaan jegens de verlokkingen van de taal, omdat dat allemaal zo is, verraadt Sartre zichzelf, verloochent hij zijn eigen principes en ontpopt hij zich, vreemd genoeg door een geweldige paradox, in de werkelijkheid van zijn werk tot de moderne filosoof wiens fantaserend vermogen waarschijnlijk het verst doorgevoerd is. Zijn biografieën lezen als romans, niet minder dan als essays. De beroemde woorden 'zo is het gebeurd of anders, wat doet het er toe' van de dief-in-wording van Jean Genet. Dat boek over Flaubert waarvan hij opgebiecht heeft 'het personage gedeeltelijk verzonnen' te hebben, waarvoor hij 'op ieder moment verbeelding nodig' had, waarover hij trouwens uitdrukkelijk zegt dat hij wil dat het 'als een roman beschouwd wordt' en dat het het beste zou zijn 'als de mensen zeggen dat het een echte roman is'.[28] Het feitelijk arbitraire, dus romaneske karakter van een flink aantal veronderstellingen van het boek: het portret van dokter Flaubert bijvoorbeeld, vader van de schrijver, van wie hij bij gebrek aan informatie, een dubbelganger van grootvader Schweitzer heeft gemaakt. De precieze aard van de beroemde 'zenuwziekte' waarin hij absoluut een 'neurose' wenst te zien om de principes van zijn 'existentiële psychoanalyse' te kunnen toepassen en dus geen 'epilepsie' – en jammer dan als Du Camp, de Goncourts, Bouilhet, de doktoren, het tegenovergestelde zeggen! Of wat betreft de kindertijd van de kleine 'idioot', het niet minder bekende 'ik geef toe dat het een verzinsel is, niets bewijst dat het zo is geweest'[29], waarin zeker de echo te horen valt van het 'dit geschrift slechts voordragende als een verhaal of een fabel' van zijn leermeester Descartes in het begin van de *Discours de la méthode* maar waarin vooral de bevestiging van het literaire, absoluut en definitief literaire karakter gezien moet worden van zijn 'Flaubert zoals ik me hem voorstel'. Zijn filosofische verhandelingen zelf zitten tjokvol literatuur. Zijn beschrijvingen van het verlangen in *L'Être et le néant* als 'verkleving (empâtement)' van het bewustzijn in het lichaam en 'verlijming (engluement) van het lichaam' in de wereld zijn boekentaal. Boekentaal zijn ook de bladzijden over 'obesitas' als overdadige en excessieve 'feitelijkheid' (facticiteit) van het vlees of over het lachwekkende van een schommelende kont die plotseling een 'los kussen' lijkt of een door de benen gedragen 'ding'. Boekentaal, nog steeds, de bladzijden over de 'contingentie' van het lijf, als hij vertelt dat het lijf 'gewoonlijk verhuld wordt door kleding, make-up, haardracht of baard, gezichtsuitdrukking' maar dat er altijd een moment komt 'als je maar lang genoeg omgaat met iemand' waarop 'alle maskers afvallen' en waarop 'ik me in aanwezigheid bevind van de pure contingentie van de aanwezigheid'. En wat dacht je van de passage over het sadisme, ergens achteraf in het derde deel van het boek en in andere vorm opgenomen in *Qu'est-ce que la littérature?*[30], die gruwelijke analyses waarbij je ziet dat het verlangen 'zich ontdoet' van zijn verwarring en het sadistisch subject er ijskoud plezier in heeft de ander tot object te maken, hem te manipuleren als een ding, hem houdingen of handelingen op te leggen die niet bij hem horen en die hem ontregelen, hem te dwingen zich te herkennen in dat bezoedelde, zwetende, vernederde, stuiptrekkende beeld van zijn arme gefolterde lichaam en ten slotte in zijn ontstelde blik de tekenen van de ultieme zwakte te bespeuren, die analyses zouden zo van Bataille kunnen zijn en zeggen tussen twee haakjes misschien wel meer over Sartres seksuele fantasieën dan de meest gewaagde passages van zijn *Lettres* of zijn *Carnets* (Doubrovsky: de boodschap 'zit verstopt achter de schmink van het filosofisch discours'...[31]). Zelfs een essay laat zich vertellen, zei hij tegen Castor, toen hij met de *Carnets* bezig was. En je zag hem *l'Être et le néant* in wording vertellen, haar precies uitleggen hoe hij het deed, op dezelfde manier als hij het voor zijn roman (*Les Chemins*) deed, hoe hij zijn effecten zorgvuldig aanbracht en het verhaal opsierde met voorbeelden, gekke verhaaltjes, apologieën, anekdotes, hoe hij de aandacht van de al half afgehaakte lezer ging vangen, hoe hij hem in de val lokte door zijn boek te laten eindigen met een ontsnapping in het 'gat' en het 'slijmerige, het kleverige'. 'Het waren grillige invallen, mijn ideeën,' zal hij heel wat later zeggen, uitkijkend over de rokende puinhopen van zijn filosofisch oeuvre. Hij zegt dus: het waren wat rare ideeën, bevliegingen, komische of overdreven hypotheses, tegen onzin aan, gedachtespinsels. En hij bedoelt daar natuurlijk, tussen de regels, een taalgebuik mee dat net als in fictie of poëzie, deel uitmaakt van de afdwaling van de geest, de fantasie, het onverstand, de waanzin of de associaties van een bezetene. Het schrijven laten zien. Schrijven als pathos en de pathetische structuur van de taal. De handeling zelf van het schrijven gezien als fysieke ervaring, waar het lichaam bij betrokken is. Het bewustzijn van de filosoof opgevat als een ontketende subjectiviteit, worstelend met zijn demonen. Sartre pleit, zoals zo vaak, nadrukkelijk voor één bepaalde opvatting om zich vervolgens naar een andere te gedragen. Hij theoretiseert over een bepaald gebruik van de woorden, instrumenteel en non-fictioneel – maar hij pakt zijn pen nog niet op of hij doet precies het tegenovergestelde. Hij was schrijver want filosoof en nu filosoof want schrijver. Uit de filosofie haalt hij voor zijn romans zijn meest verrassende vormprincipes – uit zijn schrijverstalent haalt hij de meest gewaagde en sterkste hypotheses van zijn ontologie en zijn moraal. Het teken van een juiste gedachte? Een goed klinkende zin. Het bewijs dat een concept goed in elkaar zit? De harmonie van de taal waarin het uiteen wordt gezet.

En dan kunnen er wel journalisten zijn die hem belachelijk maken en laaghartige zielen die hem in discrediet proberen te brengen.

En dan kunnen mensen als een Jules Vuillemin of een Jean Wahl wel vinden dat Merleau-Ponty heel wat serieuzer is – en anderen die *L'Arrêt de mort* verkiezen boven *La Nausée*.

In dat avontuur, in die enting van de filosofie op de roman en van de roman op de filosofie, in die manier zijn werk als filosoof te ondervinden als een literair avontuur en zijn werk als schrijver als een uitkomst van zijn filosofische bestemming, en zeker ook in zijn definitie van de filosofie als provincie van de literatuur en de literatuur als provincie van de filosofie, is hij volstrekt uniek en duldt hij geen enkele vergelijking.

Simone de Beauvoir heeft dat prachtig verwoord. Ze heeft verschillende keren[32] gezegd en dat is zoals steeds de beste omschrijving van die eerste Sartre: 'Spinoza en Stendhal... toen ik je net had ontmoet zei je me dat je zowel Spinoza als Stendhal wilde zijn...' Er zijn schrijvers in de twintigste eeuw die Stendhal wilden zijn of niets. Er zijn filosofen die Spinoza hebben willen zijn of anders niet zijn. Maar beiden willen zijn, Stendhal en Spinoza, Spinoza en Stendhal, de een in de ander, de een door de ander, Spinoza die Stendhal bezoedelt, Stendhal die Spinoza vervreemdt, de combinatie van die twee namen, de kruising van die twee registers en die twee reputaties, dat nu zou, volgens haar, alleen bij Sartre horen en zou datgene zijn wat zijn meesterschap uniek maakt.

Bergson liet aan Proust de zorg om zijn boeken te schrijven.

Voltaire, een erbarmelijk filosoof, verliet zich op d'Holbach wat betreft de al te lastige taak zijn metafysica af te grendelen.

Sartre is de eerste – de enige – die zich wist op te splitsen, zonder te versnipperen, in een man van de theorie en een geniale verhalenverteller.

Wat is literatuur?

En dan is er tot slot dé geniale Sartre-truc.

Er is zijn grote gedachte, zijn gekste ingeving en tegelijkertijd voor de tijd waarin hij leeft de allervruchtbaarste.

Er is dat simpele idee dat, omdat ze meetrilt met wat die jaren vaag verwachten, omdat ze als door een wonder antwoord geeft op de vragen die een hele generatie zich, vlak na de oorlog, stelt over schrijvers als persoon, over hun gewicht en dat van hun stilzwijgen, de meest vurige bijval oplevert.

Er is, al te bondig gezegd, zijn theorie van het engagement.

Want er zijn *twee* sartriaanse theorieën van het engagement.

Er is die ene theorie, die in de jaren vijftig en zestig triomfen zal beleven en die helaas in de herinnering domineert: Sartre de fellow-traveller, aanschurkend tegen de communisten, vertrouwde en vreselijke beelden van Sartre en de Beauvoir in de USSR of op Cuba. Het stranden van een grootse filosofie en van een niet minder grootse literatuur die zich, we zullen zien hoe, waarom en onder invloed van welke gedrevenheid, in dienst stellen van een propagandamachine en zich offeren op het altaar van totalitaire machten. Het engagement opgevat als gelijkschakeling, vernedering en vernietiging van, en haat tegen, de literatuur.

Maar er is er nog één, een heel andere – er is een eerste sartriaanse theorie van het engagement, die niet veel van doen heeft met deze karikatuur. Er is een eerste Sartre, een jonge Sartre, die zich, in 1944, tegen het einde van de beproeving zonder precedent die het Europese bewustzijn net had doorstaan, in wezen dezelfde soort vragen stelt als Blanchot in *Le Dernier homme*, of Bataille in zijn laatste geschriften. En dat doet hij in een prachtig, maar slecht gelezen boekje, dat slecht aangeschreven staat omdat het over het algemeen wordt bezien in de achteruitkijkspiegel van de laatste periode van het sartrisme, terwijl je het juist moet plaatsen in die context van het einde van de oorlog en de werkelijke discussies van toen waarvan het de werkelijke weerklank is. Dat boekje heet *Qu'est-ce que la littérature?* Het is onder de teksten van Sartre een van de meest constant belasterde. Het is, Sartre ten spijt, dé tekst geworden die – zie, aan het einde van de jaren zeventig, het ontstaan van Pierre Nora's *Débat*, expliciet erop gericht de sartriaanse intellectueel ten grave te dragen – is gaan staan voor het idee van een dienstbaar zijn van de literatuur en de geestelijke waarden. Terwijl je het alleen maar hoeft te lezen om in te zien wat een enorm misverstand dat is.

Wat *Qu'est-ce que la littérature?* niet zegt is dat literatuur zich móet engageren, dat dat voor haar een verplichting, een marsroute, een missie is. En als het dat niet zegt, als het 'oproept' tot engagement, als het niet tegen schrijvers zegt: 'Hé, wakker worden! In actie komen! Ik ben de politie van de letteren en ik spoor jullie aan je te engageren!', dan is dat stomweg omdat literatuur van nature, spontaan en om dat woord maar te gebruiken automatisch 'geëngageerd' is. Het 'predikt' het engagement niet, het maakt er, in tegenstelling tot wat op haast pavlovachtige wijze meer dan vijftig jaar steeds maar weer herhaald is, niet een heilige plicht, een gebod, een richtlijn van. Er is absoluut geen kwestie van dat je moeite moet doen om je te engageren, je ertoe te verplichten of verplicht te worden, en dat komt omdat engagement niets anders dan het gevolg is van het feit dat literatuur nu eenmaal met woorden wordt geschreven en dat een woord op een ding zetten dat ding nu eenmaal zijn 'onschuld' laat verliezen, het 'verandert', het een ander soort 'existentie', een nieuwe 'dimensie' geeft, het 'transformeert' en het daarom alleen al 'engageert'. Geëngageerd betekent voor Sartre in de eerste plaats: 'bewust van de macht van het woord'. Een geëngageerd werk is in *Qu'est-ce que la littérature?*[33] niets anders dan een werk dat ter harte heeft genomen wat niet alleen voor schrijvers maar ook voor waarnemers van de menselijke ziel evident is: woorden hebben macht, het zijn net geladen pistolen – zoals Graaf Mosca verzucht bij het rijtuig dat Fabrice en la Sanseverina wegvoert: 'Als het woord Liefde tussen hen opduikt, ben ik verloren...' Zodat het enige wat de theoreticus van het engagement van de prozaschrijver desnoods mag verwachten, het enige verzoek dat hij eventueel tot hem mag richten, zou zijn: als het zo is dat spreken, of je het nu wilt of niet, meebrengt 'erbij zijn', of er 'deel aan hebben' of, zoals Pascal zei, 'ingescheept zijn', als het zo is dat literatuur, omdat ze met woorden gemaakt wordt, de onontkoombare macht bezit in te werken op de wereld en die te veranderen, dan verwacht ik, theoreticus, van de schrijver dat hij zich rekenschap geeft van de status die hem ten deel gevallen is; dan verwacht ik dat hij die ervaring van de 'onmiddellijke spontaniteit' overbrengt naar het 'weldoordachte', dat hij 'tracht zich zo helder mogelijk bewust te zijn' van het feit dat hij 'ingescheept' is en dat zijn woorden 'gecompromitteerd' zijn (Malraux zei: 'dat hij transformeert in bewustzijn'); dan verlang ik dat hij schrijft 'met kennis van zaken', zonder te proberen, zoals de aanhangers van een escapistische literatuur 'zijn lampje te verduisteren' en verlang ik dat hij er niet voor terugdeinst het pistool te grijpen en de trekker over te halen, en dat hij dat dan doet 'als een man die zijn doel in het vizier neemt, en niet als een kind, dat in het wilde weg schiet, met de ogen dicht, en alleen om het plezier de knallen te horen'.[34] Het concept van het engagement is geen politiek concept dat de sociale plichten van de schrijver onderstreept. Het is een filosofisch concept dat de metafysische machten en krachten van de taal benoemt. Praten over engagement is niet 'beslag leggen' op schrijvers. Het is hen herinneren aan wat ieder voor zich allang weet of zou moeten weten: dat iedere daad van benoemen 'opgenomen wordt in de objectieve geest', dat hij, zo doende, aan het woord en aan het ding een 'nieuwe dimensie' geeft, dat ieder uitgesproken woord bijdraagt aan het onthullen van de wereld en dat de wereld onthullen altijd is en was, hem 'veranderen'...

Wat *Qu'est-ce que la littérature?* ook niet zegt, wat het, wederom, nooit heeft gezegd en wat men het alleen heeft kunnen laten zeggen dankzij een semantische aardverschuiving, is dat de literatuur zich heel in het bijzonder in dienst zou moeten stellen van de *politieke* zaak en het *politieke* gevecht – dat men van haar gedichten, romans zou mogen verwachten die strijden voor het Juiste, het Ware, het Goede. Dat schrijvers tevens heel sterke politieke standpunten moeten innemen, dat ze de plicht hebben, net als gewone burgers, actie te voeren tegen Franco of tegen de naweeën van de Vichygeest, tegen de martelingen en tegen het rascisme in de VS, dat ze in de jaren die daarop volgen opgeroepen worden te ageren tegen de komst van de Amerikaanse generaal 'Ridgway-de-Pest' naar Parijs, tegen de dood van de Algerijnse arbeider Belaïd Hocine, tegen de arrestatie van Duclos, tegen de terdoodveroordeling van Julius en Ethel Rosenberg, tegen de eerste massamoorden in Algerije, tegen het boek van Henri Alleg over martelen, tegen de executie van Fernand Yveton, tegen de compromissen van netjes links, tegen het in staat van beschuldiging stellen van Abdelkader en Jacqueline Guerroudj, de vermeende 'handlangers' van Yveton, dat er veel later weer stof moet en kan zijn om over te praten en over te denken in het verschijnen van Russische dissidenten op het Europese politieke toneel, in de onderdrukking in Polen of Chili, dat het dringende noodzaak is zich op al die fronten te engageren en dat het tijdsgewricht van zijn 'intellectuelen' een luid en duidelijk bericht verwacht, dat is allemaal evident en Sartre zal de eerste zijn die de stoute schoenen aantrekt. Maar er zijn plaatsen voor om dat te doen, zegt hij. Fora. Er is een stijl voor, een retoriek – oproep, petitie, krantenartikel, spreekbeurt – die daar speciaal voor bedoeld is en waarmee hij zeer scheutig is geweest. Maar romans, dat is iets anders. Die hebben zich met dit soort zaken niet bezig te houden. Die zijn in ieder geval absoluut niet de aangewezen plek om de kwestie van Franse smet in Algerije of de met pest besmette beesten – Amerikanen – te behandelen. Aragon, die heeft wel van dat soort boeken geschreven. Zijn *Les Communistes* is een geëngageerde roman in de triviale betekenis. Anatole France heeft, vóór Aragon, de tendensroman uitgevonden en uitgedragen. Fernandez, de Doriot-man, predikt, hoewel in een aanzienlijk andere betekenis, de roman 'met een boodschap'[35]. Sartre daarentegen heeft nooit echt tendensromans of romans met een boodschap geschreven. Sartre verdedigt in zijn eerste boeken geen 'lijn'. Hij komt niet met een eenduidige en eenvoudige 'moraal'. *Les Chemins de la liberté* heeft geen hoofdverteller, geen centraal thema – hoe zouden zij een 'lijn' moeten verdedigen? Door wiens stem? Van welk personage zou zij de stelling zijn? De wereldvisie? Het standpunt?

Er is in die tijd wel een voor stellingname aangewezen genre. En dat is het theater. En het theater zal voor Sartre na *Bariona* een heel grote passie blijven, die hem in *Les Séquestrés d'Altona* bijvoorbeeld in de gelegenheid stelt de kwestie van de martelingen in Algerije uit zijn context te lichten, een ander gezicht te geven, te veralgemeniseren en uiteindelijk met geduchte doeltreffendheid te behandelen. Maar kijk, het theater is in de sartriaanse karakterologie van de genres niet helemaal een literair genre. Het heeft zeker aanknopingspunten met het denkbeeldige. Het is zelfs, zoals *Saint Genet* in herinnering roept, een van de plekken bij uitstek voor de ont-werkelijking van de wereld, die de literatuur eigen is. En daar komt ook, sinds de tijd dat de Grieken stenen wierpen naar Thespis, sinds de tijd, niet zo heel lang geleden, dat de christelijke Kerken weigerden acteurs te begraven, het doffe wantrouwen vandaan dat het opwekte bij 'mierenmaatschappijen', die 'een duister gevaar vermoeden' in voorstellingen waarvan het laatste woord altijd is: 'Dat bestaat niet.'[36] Feit blijft dat het zich onttrekt aan het 'domein' van de literatuur, door een kenmerk dat doorslaggevend is. Literatuur is afwezigheid. Is de radicale scheiding van schrijver en lezers, en van lezers onderling. Zij is, in voor- en tegenspoed, een bewerker van splijting en splitsing, of zoals sommigen zouden zeggen van Derrida's *différance*. Terwijl het theater – zoals Rousseau, nog zo'n liefhebber, goed had gezien en Sartre, in zijn voetsporen, steeds weer heeft gezegd – volkomen tegenovergestelde eigenschappen heeft: fysieke aanwezigheid van de toeschouwers, communicatieve warmte van die aanwezigheid, het verzameld zijn van wat normaliter lezers zijn tot een dichte en reële menigte die de boodschap ontvangt, niet alleen in het vuur van die communicatie, maar direct, zonder uitstel. Kortom het dubbele gebod van broederschap en doeltreffendheid, vóór dat van het Mooie of het Ware. Je kunt het fijn vinden, je kunt het betreuren. Sartre zal er, naar gelang het seizoen, al naar gelang hij nu de pet van de 'kunstenaar' of die van de 'militant' op heeft, een reden om het theater te 'vernederen', of het bewijs van zijn uitnemendheid, in zien. Eén ding is zeker. En dat is dat het niet meer een kunst apart is. Dat het, om preciezer te zijn, een grensgenre is tussen de literatuur en de niet-literatuur. Dat is een van de grote verschillen met Camus, die in het theater wel 'het allerhoogste der literaire genres zal zien en in ieder geval het meest universele'.[37] En het is tussen twee haakjes ook een van de redenen van de nogal sterke 'boulevard'-sfeer van het sartriaanse theater[38]: hoe kan een filosoof, een kunstenaar die zich, ach hoezeer, bekommerd heeft om de vernieuwing van de romankunst, hoe kan die avant-gardist, die zo goed op de hoogte is van de theaterwereld dat hij het in een lezing aan de Sorbonne in 1960 kan betreuren dat er geen nieuwe Brecht is opgestaan om de toneelkunst weer te vernieuwen, hoe kan die verlichte liefhebber theater gemaakt hebben dat meer in de richting gaat van Bernstein en Guitry, of de stichtelijke stukken van Diderot, dan in die van Brecht, of van Pirandello, van wie hij een groot bewonderaar was? Dit is de verklaring. Theater is geen kunst, maar een gereedschap. Het is geen genre, maar een medium. Het is een wonderbaarlijk doeltreffende, maar prozaïsche, haast ordinaire, manier om zich te mengen in de zaken van de eeuw. En de platte grollen van het boulevardtheater, van zijn komedies, van zijn larmoyante of stichtelijke politieke tragedies, zijn uitstekend geschikt voor die taak.

Om kort te gaan, er is de schrijver en er is de intellectueel. Er is de schrijver die zijn weg gaat en de intellectueel die zich van tijd tot tijd door middel van krantenartikelen of theaterstukken met misstanden in de wereld bemoeit. Er is de intellectueel die zich, met intervallen, naar het evenbeeld van de democraat van wie Plato's *Republiek* zei dat hij de ene dag fluit speelde, de andere gymnastiek deed, de derde dag zaken deed, de vierde niets, de vijfde filosofie bedreef of oorlog voerde, wel of niet betrokken voelt bij de gebeurtenissen in de wereld – en er is de schrijver die, ongevoelig voor de waan van de dag, opgaat in het duistere avontuur van *Les Chemins*, van *La Nausée* of van *L'Idiot de la famille*. Die Sartre is genegen te denken dat wanneer een schrijver zich in engere zin engageert, wanneer hij op de bres springt voor een onschuldige of actie voert tegen de martelingen in Algerije, hij dat nou juist niet doet als schrijver: hij verandert van pen of doopt zijn pen in andere inkt. Als hij al voor iets pleit, die Sartre, dan is het, zoals welbeschouwd surrealisten dat doen, voor de onverbondenheid van literatuur en politiek, de scheiding van de genres en ordes: de ontkoppeling van de bezinkingssnelheden en van de graden van virulentie van de beide taalsystemen. Zodat de theorie van het engagement, niet, zoals kwade tongen altijd beweerd hebben, en Sartre nota bene zelf ook gezegd heeft ten tijde van *Les Mots*, *L'Idiot* en zijn maoïstische draai, een bewijs van wantrouwen aan het adres van de literatuur is, maar in zekere zin juist het tegenovergestelde – een lofzang op, een pleidooi voor de literatuur.

Want wat is dat engagement, op de keper beschouwd?

Wat is het in positief opzicht en qua proposities?

Als *Qu'est-ce que la littérature?* ons vertelt wat het niet is, vertelt het ons dan ook wat het wel is?

Het zegt in wezen drie dingen – het zegt (en dat is heel wat boeiender en gewaagder dan de rij 'militante' platitudes die men Sartre gewoonlijk toedicht) dat de problematiek van het engagement het duidelijke antwoord is op drie duidelijke vragen.

Eerste vraag: waar schrijft men over? Antwoord: over vandaag. Over die tijd en geen andere. Ik zei dat Sartre geen aanbevelingen deed. Dat is niet helemaal waar. Want hij mag schrijvers dan wel niet aanzetten de politieke arena te betreden en in hun boeken de ene lijn boven de andere te verdedigen, hij doet hun wel de aanbeveling de tijd die met al zijn gewicht op hen drukt te omarmen. Hij spoort ze aan het tijdsbestek te omarmen dat het hunne is en waar geen ontsnappen aan is als zij de literatuur willen redden. Kortom, hij nodigt ze uit hun hoofd uit de wolken te halen waarin de literatuur graag verkeert, om te praten over wat haar situeert en daarmee ook ons. Geëngageerd is voor een roman het tegenovergestelde van historisch. Zich engageren is voor een schrijver weigeren in te gaan op die andere verlokking van Aragon, symmetrisch eigenlijk aan de eerste: die van de historische roman, die in *La Semaine sainte* claimt zich van een ander tijdperk te bedienen om beter over het onze te kunnen praten. Een geëngageerde roman is een roman die ons niet over de Grieken of de Middeleeuwen vertelt, of over de tijd van Géricault of Delacroix, maar over Bouville vandaag de dag, over de stank van de metro en de nachtclubs van het vrije Parijs, over de gemoedstoestanden van een leraar die de stad afzoekt naar een aborteur voor zijn maîtresse, over de ontreddering en ontsteltenis van een homoseksueel, over München, over *appeasement*, over het proletariaat, over joden, over locomotieven – dat tijdsgewricht, ons tijdsgewricht, het enige wat ons is toegevallen en dat wij schrijvers met beide handen moeten aanpakken en niet tot mythe moeten maken. Dit is zo waar, Sartre vereenzelvigt wat dit aangaat roman en levende, gloeiende tijd, waarin het hem gegeven is tot bloei te komen en te leven, en hij is op dit punt zo vast overtuigd van de aaneenklinking van literatuur en tijdsgewricht dat hij durft te beweren dat romans met de jaren slechter worden, met de eeuwen vervliegen en dat bijvoorbeeld *Silence de la mer*, dat in 1941, het jaar van verschijning, toen Frankrijk nog in shock verkeerde over de nederlaag en de eerste tijd van de Bezetting, in Parijs een bepaalde betekenis had, in New York of Londen of ook in Parijs het jaar daarop niet meer dezelfde betekenis had, in de context van een veel radicalere Bezetting en Verzet: het publiek van Vercors 'was de mens van 1941'; het jaar daarop, 'eind 42', 'was' hij 'zijn publiek kwijt' en dientengevolge 'zijn doeltreffendheid'...[39] Oftewel een levend boek. Oftewel een boek geschreven door een levend iemand over de passies, woede, angsten van de tijd waarin hij leeft. Laat enige tijd verstrijken. Geef het de tijd zich een plaats te verwerven op de stoffige planken van een bibliotheek, naast de grote boeken uit het verleden. Het 'raakt in verval en zakt in elkaar'. Er blijft alras niet veel meer van over dan 'wat inktvlekken op verweerd papier'. En de helden van vlees en bloed, de rauwe, doenerige personages, aanwezig als levende mensen, zullen op het uitgestrekte kerkhof van de 'voorbeeldige gemoedsaandoeningen' en de zogenaamd eeuwige 'waarden', de Swanns, de Bergottes, de Testes ontmoeten...[40]

Tweede vraag: waarvoor, of liever voor wie, schrijft men? Antwoord: voor vandaag. Voor deze tijd en geen andere. Voor dit tijdsgewricht waarvan we net gezien hebben dat hij besloten heeft het tot zijn object te maken. De geëngageerde schrijver is een schrijver die ferm, vastberaden en helder besluit zich niet tot een toekomstig, ver en dus droomtijdperk te richten maar tot het tijdperk waar hij deelgenoot van is. Hij is de schrijver die zich niet tevreden stelt met praten óver die tijd die de zijne is, nee, hij kiest er ook voor als spreekbuis vóór die tijd te dienen. Hij is de schrijver die zich, anders dan Balzac, niet tevreden stelt met de gedachte dat 'boeken de opdracht' hebben 'de rampzalige gevolgen te laten zien van de veranderende zeden' en schrijft juist in de vaste overtuiging druk uit te oefenen op de zeden van die tijd. Er zijn schrijvers die de tegenovergestelde keus maken. Er zijn schrijvers die zeggen[41]: 'Ik schrijf voor een toekomstig en nog onzichtbaar publiek – het echte leven is elders; het echte gericht ook; mijn werk zal daarginds, in hoger beroep, beoordeeld worden, alleen het nageslacht telt.' En ook Sartre denkt natuurlijk wel eens zo. Ook hij zal later, net als alle grote schrijvers, zijn verbeelding de loop laten over dat gedoe met het nageslacht, over dat mystieke verbond met de grote doden, over eeuwige roem. En van die droom, van die verzoeking, van die manier die hij in de loop der tijd zal hebben om zich, net als de anderen, te laten inpakken door dat idee van het voortleven van het werk van de schrijver of zelfs de ziel van de schrijver, zijn er bij wie ik de 'tweede Sartre', of de 'voorlaatste Sartre' zal noemen, een heleboel uitingen te vinden. Getuige John Gerassi[42], die zegt dat 'Sartre beweerde niet bang voor de dood te zijn, omdat zijn schrijfsels hem de onsterfelijkheid garandeerden'. Dezelfde Gerassi voert een Sartre ten tonele die hem niet zonder cynisme zijn overlevingsstrategie[43] uit de doeken doet: 'alles wat ik van de toekomst vraag, wat die ook wezen moge, is dat ze me lezen' en 'daarom' heb ik niet zozeer 'behoefte aan een Gorz die het zoveelste keurige boek over me maakt' als wel aan een gesprekspartner als Benny Lévy, die suggereert dat 'ik sinds lang onder invloed van de talmoed, de kabbala of, dat kan er nog wel bij, de Koran heb gestaan'. Neem het interview met Contat en Rybalka[44] bij de verschijning van *L'Idiot de la famille*, waarin hij, op de vraag of hij 'geen enkele angst heeft voor het oordeel van latere generaties' met een ontwapenende en serene eerlijkheid antwoordt: 'Nee, geen enkele', en dan, als wilde hij er zeker van zijn dat hij gehoord werd: 'Niet dat ik ervan overtuigd ben dat het goed is, dat oordeel, maar ik hoop dat 't er komt.' Zie *Autoportrait à soixante-dix ans*[45], waarin hij herhaalt: 'Ik hoop dat ze me over honderd jaar nog lezen – hoewel ik daar niet zo zeker van ben.' Een hele serie bekentenissen dus, in een tijd waarin hij met zijn maoïstische vrienden juist gesprekken voert in de trant van: 'Ik heb het beroep van schrijver gekozen tegen de dood en omdat ik niet gelovig ben.' Of: 'Dat idee van literair leven na de dood, waar ik allang weer van afgestapt ben, is in het begin zeker de kern van mijn investeringen geweest.'[46] Of neem, in *On a raison de se révolter*, het interview met Gavi en Victor: we hebben 'een heleboel middelen' gezocht om ons tegen de dood 'te wapenen' en het is duidelijk dat ook ik 'in mijn zin om te schrijven mijn verlangen om voort te leven heb gestopt'[47]. Maar vooralsnog gelooft hij er niet in. Hij wil er niet in geloven. Deze Sartre, de Sartre van *Qu'est-ce que la littérature?* en van de eerste theorie van het engagement, deze Sartre is zelfs van alle moderne schrijvers degene die het meest gedaan heeft om in zichzelf, maar ook in ons en in ieder geval bij zijn tijdgenoten, het idee te laten besterven van een oeuvre dat in hoger beroep op zoek gaat naar het laatste oordeel. En dat doet hij met een metafoor die, in dat boek en elders,[48] met zeer grote regelmaat terugkeert, de metafoor van de bananen. 'Bananen,' zegt hij, 'heb ik altijd beschouwd als dode vruchten waarvan de echte levende smaak me ontging.' Of: 'Om te weten wat dat zijn – bananen – moet je ze meteen, als ze net geplukt zijn, eten.' Of ook: 'Boeken die meegaan van de ene tijd naar de andere zijn dode vruchten. Ze hebben in een andere tijd een andere, wrange en uitgesproken smaak gehad. Boeken als *Emile* of *Les Lettres persanes* moesten gelezen worden toen ze net geplukt waren.' Of ten slotte: 'Het schijnt zo te zijn dat bananen het lekkerst smaken als ze net geplukt zijn – vruchten van de geest moeten evenzo direct genuttigd worden.' Wat wil hij eigenlijk zeggen met dat gedoe met die bananen? Dat literatuur, net als bananen, aan bederf onderhevig is. Dat literatuur, net als bananen, bederft als de consumptie te lang op zich laat wachten. Dat hij een eindige literatuur wil, verankerd in de tijdelijkheid van het nu, die niets verwacht van een komende tijd waarin van boeken net als van bananen slechts een treurige geur, een bedorven, verschaalde smaak blijft. Dat hij weigert, hier en bij andere gelegenheden, de wereld met 'toekomstige ogen' te bekijken. Dat hij het principe verwierp van de klassieke tijden, dat erop berust zich gesprekpartners aan te meten 'die nog niet eens geboren zijn'.[49] Moet je Nietzsche zien, gromt hij! En Baudelaire! En zelfs Nizan! Moet je ze zien, die zelfdoders van de maatschappij, die wanhopigen! Moet je zien wat een schande die 'postume rehabilitaties' zijn – ze 'pakken een van ons, laten hem doodgaan van woede of verdriet om een kwart eeuw later een standbeeld voor hem op te richten, en het zijn dezelfden die praatjes houden bij zijn beeltenis, dezelfde jakhalzen...'.[50] Nee. Literatuur wordt alleen nu geschreven, moet alleen nu geschreven worden, op dit moment, voor dit moment, zonder ontsnappingsmogelijkheid uit de beslotenheid van dat moment en zonder uitweg dus ook. Literatuur is een vitale, wezenlijke, hartstochtelijke bezigheid – die niets waard is, absoluut niet hartstochtelijk is, als ze niet meteen, ogenblikkelijk, verzengend is, bij 'eerste lezing', die voor hem 'het zwaarste weegt'.[51] Iedere zin, blijft hij zeggen, hoort 'op alle niveaus van de mens en de samenleving iets los te maken', als hij dat niet doet, als hij niet 'alles' wil zijn, dan is hij 'alle moeite niet waard'.[52] Maar pas op! Literatuur is ook en tegelijkertijd een hachelijke, contingente bezigheid, want volstrekt en volledig ingebed in het huidige moment. Kortom, voor een roman betekent 'geëngageerd': illusies van tijdloosheid opgeven. Helemaal gaan voor 'engagement' wil zeggen de verleiding weerstaan bij leven, zoals Valéry, 'postume boeken' te schrijven.

Geëngageerde schrijvers zijn schrijvers die 'levend' zijn 'voor ze dood zijn'. Engagement verdedigen is niets anders dan afzien van de illusies van latere generaties.

Laatste vraag, ten slotte: tot wie richt je je als je schrijft? Antwoord: tot de grote massa, tot de heel grote massa. Filosofie en literatuur in nog sterkere mate, zijn, nogmaals, niets waard als ze zich niet tot het heel grote publiek, ja tot iedereen desnoods, richten. Dat is de mediageile Sartre. Dat is de Sartre die van de kranten houdt. Dat is de Sartre die die kranten leest, maar ook degene die – net als Marx met de *Frankfurter*, of Hegel die, na zijn vertrek uit Jena, haast in zijn eentje de redactie voert van zijn *Bamberger Zeitung* – vanaf *Les Temps modernes* tot aan de *Libération* zonder onderbreking of teleurstelling, de drang voelt kranten te maken. Dat is een Sartre die zich zo met de media, en dus het publiek, bemoeit dat hij wel moet geloven, en dat ook zegt, nog altijd in *Qu'est-ce que la littérature?*, dat als hij het mooiste genre zou moeten kiezen, als hij per se het genre zou moeten noemen waar die mooie kwaliteiten van eindigheid, onmiddellijkheid, inbedding in het heden, zoals van een in zijn ogen geëngageerde literatuur, dan zou dat de journalistiek zijn – en dan liefst journalistiek met de stijl, de toon, van de literaire reportages van Hemingway... Die Sartre is bepaald niet het tegenovergestelde van de 'slecht geëngageerde' intellectueel uit de fellow-travellerperiode. Hij is al de van het rechte pad afgedwaalde schrijver die achter de arbeidersklasse of de jeugd, of allebei, aan loopt. Hij is de wat beschamende intellectueel die de eerste helft van de hem nog resterende levensjaren boete probeert te doen voor zijn veronderstelde infame komaf en zich uit alle kracht poogt te versmelten met het echte volk – en de tweede helft, als hij begrepen heeft dat hij een hersenschim heeft nagejaagd, probeert alles stop te zetten en, omdat hij nu eenmaal niet met iedereen kon praten, met helemaal niemand meer praatte. En dan als laatste in die obsessie van de tegenwoordigheid, in die manier van dromen van boeken die de afstand tussen letter en lezer of tussen de letter en zichzelf vrijwel helemaal teniet zouden doen, in dat idee van een letter die een handeling zou zijn en van een handeling die, zoals Derrida al eens gezegd had, zichzelf zou zijn zonder 'différance', in al zijn volheid, ligt de verleiding de afstand van daarstraks tussen literatuur en theater op te heffen, de literaire genres in overeenstemming te brengen met dit non-genre, of dit half-genre, dat het sartriaanse boulevardtheater was en zichzelf in overeenstemming te brengen met een gangbaar rousseauisme, waarin al de aankondiging te vinden is van de totalitaire waanbeelden aan het einde (als hij het heeft over boeken die direct, meteen, als bananen, geconsumeerd dienen te worden, komt dan niet iedere keer het voorbeeld van *Emile* om de hoek kijken?). Maar goed, zover is het nog niet. Eerst is er een echt gelukzalig moment waarin hij alleen hardop droomt van een sterke en lastige literatuur die de belachelijke schutting waarachter de happy few zich verschanst omverhaalt, en hij neemt het op zich de principes ervan te verdedigen, in *Les Temps modernes* of de *France-Soir*, om het even. Is er een filosoof buiten de muren van de ivoren toren der filosofie, die in restaurantjes zit te schrijven, op straat haast, en die je iedere dag tegen kan komen op het kruispunt van de rue Saint-Benoît en de boulevard Saint-Germain, terwijl hij kranten aan het kopen is, waarvan hij er een grote hoeveelheid verslindt: filosoferen over de abrikozencocktail van Raymond Aron is hem te min, hij maakt er een erezaak van, en schept daar zichtbaar veel plezier in, te filosoferen over de plekken waar de cocktail, net als bananen, genuttigd wordt – publieke schrijver van een nieuw soort, voor iedereen toegankelijk, open, niet boven maar midden in de woelige mensenmassa, en die droom is niet middelmatig. De transparantie, nog steeds. De hang naar het licht, van het uiterlijk vertoon, van het opzien. Het bezeten verlangen zich helemaal bloot te geven voor een publiek dat gekomen is voor die doorlopende voorstelling, die demonstratie haast, die zijn leven en de enscenering van zijn pralende ik geworden zijn. De bizarre maar verbeten overtuiging ook, dat zichtbaar maken, zichzelf-laten-zien, niet anders betekenen kan, wanneer je Sartre bent, dan de anderen te helpen zien, dan de wereld van de schaduwen te overspoelen met licht. Maar ook, waarom het niet zeggen?, heuse vrijgevigheid, een overvloed aan zijn, een overdaad – en dus, een vorm van moed.

De as Mallarmé-Debord

Ik ga nog even door. In de ogen van die eerste Sartre zijn er twee houdingen mogelijk. Aan de ene kant, grofweg, Mallarmé en zijn project van een religieuze, of liever, sektarische literatuur, verboden voor wat hij het plebs noemt. Aan de ene kant, diezelfde kant, de mallarmeaanse beschrijvingen van het grote publiek als een 'rioolkolk' die zelfingenomen woorden loost, met daarnaast het idee van een 'smetteloze taal', bestaande uit 'priesterlijke formuleringen die de leek verblinden als hij ze, vruchteloos, bestudeert', en waaruit men met de grootste zorg de 'lastige lezers' dient te 'verwijderen' (moderne versie van deze houding, Debord die beweert: 'In welk tijdperk dan ook, is niets belangrijks gecommuniceerd door een publiek bij de hand te nemen, als bestond het uit tijdgenoten van Pericles', en wat dit tijdperk in het bijzonder aangaat, 'dat publiek, dat zo volkomen beroofd is van zijn vrijheid en dat zoveel doorstaan heeft, verdient het minder dan wat ook bij de hand te worden genomen'.[53] En aan de andere kant, lijnrecht daartegenover, Sartre, de anti-Mallarmé die, lang voor de 'Flaubert', enige jaren van zijn leven besteedt om zich te meten, zo niet met Mallarmé zelf, dan toch met die religie van de duisternis, waarvan hij, volgens het tijdsgewricht, de geestelijke vader is, en die Proust in een gedenkwaardig artikel[54], en in haast dezelfde bewoordingen, op de korrel heeft genomen. Sartre of, tegen Mallarmé en waarschijnlijk dus tegen Debord (hoewel er voorzover ik weet in het hele corpus sartrianus geen spoor te vinden is van een ontmoeting, of zelfs van het noemen van de naam van die andere tijdgenoot waar je niet omheen kon), de wil, de voorkeur om het publiek 'bij de hand te nemen'.

Zo eenvoudig is het niet? Dat is waar. En Sartre heeft overigens zo 'zijn eigen idee'[55] over het geval Mallarmé. 'Heel anders, zegt hij, dan men hem afgeschilderd heeft.' Een 'gepassioneerd mens' in de eerste plaats. Een 'razende, onbeheerste man die zich kon doden met een eenvoudige beweging van de huig'. Een man wiens echte droom het was 'de wereld te laten springen' en die het 'terrorisme van de beleefdheid' slechts koos bij gebrek aan beter, omdat hij wist dat het andere terrorisme hem verboden was. Anders gezegd, er is een 'engagement' van Mallarmé. Een 'poëtisch' engagement, zeker, maar Sartre zegt toch 'engagement' en lijkt hem met het grootst mogelijke respect te behandelen. Mallarmé, zal hij steeds weer zeggen, is iemand wiens droom het was te schrijven voor 'de menigte', of voor 'de massa'. Maar daarvoor was wel een andere menigte nodig geweest. Hij had een menigte 'verbonden aan het volk' moeten hebben. En tegenover die menigte, dus, tegenover die met dat 'volk verbonden' menigte, zou hij ermee hebben ingestemd dat 'donker licht wordt'. Heeft hij dat trouwens niet toch gedaan, is hij er niet heel dicht bij geweest 'licht te worden', in de jaren waarin hij, voorvechter van de 'universele reportage', zich onder merkwaardige pseudoniemen als Zizi, Olympe, Marguerite de Ponty, Miss Satin gestort heeft in het merkwaardige avontuur van zijn vrouwenkrant *La Dernière mode*? Feit is dat ook toen die menigte niet bestond. Feit is dat Mallarmé, bij gebrek aan zijn droommenigte, *La Dernière mode* opgeeft en 'in stilte staakt'.[56] En Sartre, welke nuance hij ook aanbrengt in zijn veroordeling, welke bewondering hij ook voelt voor de auteur van de *Tombeau d'Anatole*, hoe vervuld hij ook is door zijn taal, zo dicht als hij soms, zo sterk is de empathie, bij de pure en simpele pastiche is – zoals, een voorbeeld uit vele, dat fragment van het gesprek met Verstraeten[57] waarin hij, in een poging zijn opvatting van 'communicatie', in de zuiverste mallarmeaanse zin van het woord, te omlijnen, en in bewoordingen die zo uit *Vers et prose* lijken te komen, maar dan zonder aanhalingstekens, pleit voor 'woorden' die 'door hun wederzijdse betrekking' en 'door de manier waarop zij elkaar aansteken', de lezer 'de tafel' zullen geven 'die er niet is, niet alleen als teken maar als opgeroepen tafel' –, die Sartre, dus, heeft wel degelijk *Qu'est-ce que la littérature?* geschreven tegen het buitenmatige aristocratisme van wat het best de mallarmeaanse houding genoemd kan worden. De twintigste eeuw, zegt hij met Proust, moet niet de eeuw van Mallarmé zijn! Literatuur heeft alleen maar betekenis, en Mallarmé weet dat heel goed, als ze, athans in principe, universeel overdraagbaar is! Anders gezegd, zijn ideaal is de verzoening van de dubbele figuur van liefhebber en geleerde, van de eenvoudige lezer en de discipel, in de orde van wat een andere Mallarmé-aanhanger, Jacques Lacan, het mathema zal noemen!

Schrijven over zijn tijd... Voor zijn tijd... En, zich in die tijd richten tot het grootste aantal... De gevaren van dat soort formules zijn duidelijk. Er is geen kwestie van, natuurlijk, ze een of andere sacramentele waarde te geven. En je past wel op dat je, *in het absolute*, een scheiding maakt tussen die sartriaanse ondergeschiktheid aan de gebeurtenis en de heel wat hooghartiger houding van de man – Debord – die er zich, in plaats van 'van mening te veranderen' met 'de verandering der tijden', op liet voorstaan eerder de tijden te hebben zien veranderen 'naar zijn opvattingen'...[58] Maar ik probeer gewoon hun breekspanning voelbaar te maken in hun eigen conjunctuur. Ik probeer ze juist te hersitueren in hun eigen tijd en me voor te stellen welk geweldig en geslaagd schandaal ze in die tijd onmiddellijk veroorzaakt moeten hebben.

Moet je je het Frankrijk van Anouilh en Giraudoux voorstellen tegen wie gezegd wordt: 'Afgelopen met die Grieken! Afgelopen met die hoogdravende verhalen, de Orestessen, de Trojaanse Oorlogen! Dat was goed voor Vichy! Maar Vichy is niet meer en de literatuur is ervoor om ons over de wereld van nu te vertellen, in zijn grootsheid en in zijn ellende!'

Moet je je Gide voorstellen, wiens hele schrijfkunst, zijn hele hang naar het classicisme, er nu juist op gericht waren zo min mogelijk voor zijn tijd te schrijven. De Kongo, zeker. Terug uit de USSR. Maar spreken we dan nog steeds over literatuur? Genieten die teksten binnen zijn hele oeuvre niet een status aparte? En is de positie die Gide inneemt ten aanzien van de 'echte' literatuur niet precies tegenovergesteld aan het sartriaanse beklemtonen van tijdsgewricht en ogenblik. De formulering 'in hoger beroep beoordeeld worden' is van Gide. Van hem ook het beeld van het gericht van de latere generaties. Hij denkt en zegt dat in de krant schrijven je pen verkopen en je talent verspillen is. Hij is medeoprichter van de *NRF* 'tegen de journalistiek en de Amerikaanse invloeden'.[59] En moet je je het schokkende schandaal voorstellen, voor een gideaans oor, van die filosofie van de eindigheid, van die literatuur van de tegenwoordige tijd – moet je je de onbetamelijkheid voorstellen, voor een willekeurige lezer uit de school van Gide (net als die van Péguy trouwens: 'Niets is ouder dan de krant van vanmorgen en Homerus is nog altijd jong...'), van die 'Jean-Paul' die net uit de VS terugkomt met een literatuurtheorie die neerkomt op een lofzang op de journalistiek en Amerikaanse schrijvers.

Moet je je Julien Benda voorstellen, ten slotte, apostel van het Eeuwige, maniakale minnaar van de zogenaamd transcendente waarden, dat wil nu juist zeggen, onttrokken aan de tijd. Moet je je voorstellen hoe hij haast stikt van woede over wat hij wel moet zien als het laatste, afschuwelijke gezicht van het verraad van de intellectuelen. Benda, dat is niet niks, in die tijd. Sartre citeert hem niet, dat is zo. Hij citeert Gide wel maar Benda niet. En toch! De voor hem, met hem, meest gehate intellectueel van de eeuw... Dat grote, belangrijke, eindeloos becommentarieerde, met hoon overladen of juist geplagieerde boek dat *La Trahison des clercs* was, eind jaren twintig... Zijn eigen verraad in 1947, als hij net als Sartre de laatste Stalin-processen goedpraat... Dat andere boek, *La Jeunesse d'un clerc*, waarop *Les Mots* misschien wel geïnspireerd is...[60] Thema's, hele motieven, waarvan ik niet geloven kan dat die onvermoeibare lezer die Sartre was, daar geen kennis van had en zich daar niet, bewust of onbewust, door heeft laten inspireren: neem het thema van de genofobie, en voortplantingsschuwheid. Die grote provocateur, die midden in de morele neo-orde, midden in het natalistische, op het gezin gerichte Frankrijk van de jaren dertig, kan zeggen – en je denkt dat je de Sartre van *La Nausée* of *Les Chemins de la liberté* hoort – dat 'de aanblik van een zwangere vrouw, van een kind in de luiers, van een moeder die haar kind de borst geeft, zaken zijn die [hem] tegenstaan' of dat hij 'de Katharen aanbidt (ook hier weer puur Sartre, zoals we zullen zien) met hun banvloek over de voortplantingsdaad'... En moet je je dan Benda's reactie voorstellen als *Qu'est-ce que la littérature?* verschijnt en hij bijvoorbeeld het einde van het tweede hoofdstuk ontdekt, waar hij uitdrukkelijk geciteerd en bespot wordt: 'Gaat het aan, jezelf tot hoeder van ideale waarden te maken, zoals de intellectueel van Benda, vóór het verraad?' Of het begin van het volgende hoofdstuk waar hij ronduit voor 'leuteraar' wordt uitgemaakt die het 'in fraaie volzinnen' en zonder 'iemand te hinderen' heeft over een 'eeuwige vrijheid die zowel door het nationaal-socialisme, het stalinistische communisme als door de kapitalistische democratieën wordt geclaimd'.[61] Wat een gotspe! Hij stikt er haast in. Wat een schande! En vooral wat een kwade trouw passend bij de foutste der foute geesten! Want Sartre is al te listig. Hij kan dan wel vertellen[62] dat hij, strijdend voor een levende, 'steeds weer opnieuw begonnen' vrijheid, haar veroverend op de 'passies' die verbonden zijn met de 'omstandigheden van het ogenblik', partij kiezend in de 'uniciteit van ons tijdperk', het voor elkaar krijgt 'een glimp te laten zien van de waarden der eeuwigheid die in die sociale en politieke debatten op het spel staan' en 'zich aan te sluiten bij het eeuwige' – maar ho even. Maar hij houdt ons voor de gek. Hij keert alles – hij geeft het zelf toe – wat zou kunnen lijken op een 'begrijpelijke hemel' de rug toe. En die manier van schrijven voor zijn tijd, in het voorbijgaande, het vergankelijke, het vluchtige dus, is het middel bij uitstek om de geesteswaarden waarmee we vergroeid zijn, de 'uitgemergelde principes' – hoe durft hij – 'die leeg en waardeloos genoeg zijn om de overstap van de ene eeuw naar de andere te hebben gemaakt', de rug toe te keren.

Zo. Alles is aanwezig. De hele sartriaanse revolutie is aanwezig. En ik bedoel het in die zin als ik zeg dat de theorie van het engagement deel uitmaakt van die schok, die aardbeving, die de naam Sartre dragen. Je bent twintig jaar in 1945: volg je Benda de centenbijter, met zijn ressentimenten, zijn verbitteringen, en zijn kop als een vertoornde opperpriester – of liever die onruststoker, die dwaas, die zegt dat boeken samenvallen met het leven?

3

Afrekenen met Gide

Maar het is niet genoeg. Opnieuw de vraag, wat is een 'groot' intellectueel? Wat is een 'man van de eeuw'? Waarom neemt juist Sartre en niet iemand anders de fakkel van Gide over en domineert hij vanaf dat moment het tijdsgewricht?

Natuurlijk, zijn talent maakt het hem mogelijk alle beschikbare genres te beoefenen. Die kwestie van stijl en houding. De kracht van literatuur die is aangetast door filosofie en van filosofie die doorbroken wordt door literatuur. Het theater opgevat als platform waar zijn filosofie wordt uitgebeeld, de journalistiek als appendix van zijn theater. Die manier, kortom, om de verscheidenheid van stemmen en uitingsvormen, van de methoden en tempo's van interventie alsmaar op te voeren – en ook, om met die theorie van het engagement te komen, waar zijn tijdgenoten zo naar uitzagen.

Maar er is nog iets anders dat niet met retoriek te maken heeft maar met wat Valéry, of Sainte-Beuve vóór hem, zijn 'situatie' genoemd zouden hebben: dat is die speciale manier van hem om altijd daar te zijn waar niet alleen de genres maar ook de ideeën van zijn tijd samenvloeien – die manier van hem om niet alleen de beschikbare stijlen, maar ook de inhoud van de geesteswerelden, hun zichtbare en onzichtbare intensiteit, hun denken, hun niet-denken, de figuren van het imaginaire die erin besloten liggen, hun gevoelens en vermoedens, hun zorgen, hun dromen, hun energie, hun geheime lessen, hun blunders, naar zich toe te trekken, kortom, die manier van hem om midden in het verstaan van die tijd te zijn, waarvoor hij vindt dat een schrijver moet schrijven.

'Groot intellectueel' hij die zich, instinctief of uit berekening, weet te plaatsen in het geestelijk middelpunt waar de meest magnetische krachten van dat moment samenkomen.

'Groot', bij de 'grote intellectueel', is de kunst, ook al is hij zich dat niet altijd bewust, om in één woord de krachtigste woorden van een tijdperk te vangen.

Sartre is groot, de grootste, omdat de wereld steeds maar weer ronddraait om een onzichtbare as – en omdat volgens een alchemie waarin onmogelijk onderscheiden kan worden wat gedetermineerd is en wat aan het toeval toegeschreven moet worden, maar waarbij het tenminste in principe mogelijk moet zijn de doseringen, de verschillende bewegingen, bezinksels en bewerkingen te achterhalen, hij van al zijn tijdgenoten degene is die zich het dichtst bij de geheime as bevindt.

Alchemie van Sartre.

Archeologie van Sartre als alchemist.

De reeks bewerkingen waardoor het hem mogelijk was de substantie van het tijdperk naar binnen te werken, te verteren, te transformeren en er weer uit te gooien.

De reeks ontmoetingen (want die 'bewerkingen' hebben per slot van rekening altijd de vorm van een ontmoeting en die ontmoetingen hebben iedere keer een eigen naam) die hem tot een samenvatting van zijn tijd hebben gemaakt.

Je kan niet meer zeggen dat hij 'de plaats' van Gide 'ingenomen' heeft. Hij heeft zijn eigen troon gefabriceerd. Zijn eigen scepter gegoten. Hij heeft een nieuwe plaats ontworpen in dezelfde beweging die hij maakte om zich er te gaan installeren. Dier zonder soort, meteoor zonder echt voorteken, de grote intellectueel 'volgt' niet de vorige op. Hij neemt niet plaats op de zetel waar vóór hem Gide, Malraux, Mauriac en waarom Barrès niet, nu we het er toch over hebben, hadden getroond en die leeg gebleven was bij gebrek aan erfgenamen. Hij is die geïnspireerde landmeter wiens verschijning niet alleen als effect heeft dat er een nieuw landschap ontworpen wordt en in dat landschap een nieuwe zetel, maar ook dat het geheel van de ruimte, en van de landschappen en de zetels om hem heen, zoetjesaan helemaal opnieuw ingericht wordt.

Chemie, dus, en metriek.

Alchemie, maar ook topografie.

Maar dan wel een bezielde topografie, niet meer van plaatsen of instanties maar van woorden en teksten.

Het is dit soort half-chemisch, half-topografisch werk en deze gelijktijdige voortbrenging van een ziel en een zetel, die zich, in hun tijd, ook voltrokken rond de namen van Gide, Barrès, Zola, Hugo, Voltaire – die andere 'mannen van de eeuw', die net als hij hun tijd hebben verdicht of op één noemer hebben gebracht.

En die zich opnieuw voltrekt rondom de naam en de stem van de allerlaatste titelhouder. Je droomt van een nieuwe 'nieuwe kritiek' die deze roman, niet van de zielen maar van de boeken, kan vertellen en dus, naar believen, de gebaande paden, de omzwervingen, piraterij, ontsnappingen midden in de tekst, vluchtwegen, kan laten zien waarvan deze roman het theater was. Je droomt van een chemie van teksten, onderhevig aan de processen van verbranding, samenstelling, kristallisatie, distillatie, samensmelting, omzetting, waarvan hij, zowel op het gebied van de literatuur als dat van de filosofie, het geheimzinnige laboratorium was.

De eeuw van Gide

Literatuur.

In den beginne was er Gide.

Niet alleen de rivaliteit, maar ook het feit dat hij helemaal van Gide doortrokken was.

Niet alleen de overdracht van het estafettestokje, de ridderslag, maar ook het feit dat Sartre, net als zijn hele tijd, en voordat hij wordt wat hij is, geboren is in de Gide-traditie.

Hij zal de modernist bij uitstek zijn, de intellectuele vedette van de jaren vijftig en zestig, de marxist, de rivaal van de structuralisten, de man die Freud op het matje roept en Faulkner in Frankrijk introduceert, de getuige van de Chinese, Cubaanse en zelfs Cambodjaanse revolutie, de laatste der humanisten, de eerste der posthumanisten. Maar één ding wordt altijd vergeten, dat, als je het wel mee laat wegen, alle perspectieven verandert, namelijk dat hij wel met één been in de nieuwste moderne tijd mag staan, maar met zijn andere been nog in de jaren dertig staat, wat zeg ik?, in de eerste jaren van de eeuw, en met één been in die jaren staan, geboren zijn, zoals hij in *Les Mots*[1] vertelt, in een Frankrijk van vóór 1914, gevormd door een grootvader die een man van de negentiende eeuw was, met 'ideeën' in zijn kop 'die gangbaar waren onder Louis-Philippe', kortom, zijn intellectuele en morele wortels hebben in de tijd – nog steeds volgens *Les Mots* – tussen de twee Russische revoluties, is, in zijn geval, of je nu wilt of niet, en wat hij ook gedaan moge hebben om zich ervan los te rukken, vervuld, betoverd zijn geweest en dat nog steeds zijn, van en door André Gide.

Het wordt tijd dat de geschiedenis van het gideïsme in Frankrijk geschreven wordt.

Het wordt tijd dat verteld wordt wat voor geweldige invloed de schrijver van *Les Nourritures terrestres* en *Paludes* op de knapste knoppen van de eeuw heeft gehad.

Het wordt eens tijd dat we ons proberen te herinneren hoezeer onze 'grote' nationale 'schrijver', de 'voorbeeldige tijdgenoot' was van een tijdperk dat niet ophoudt, verre van dat, bij de horizon van de jaren twintig en dertig.

Het wordt eens tijd in herinnering te brengen hoezeer die eeuw, voor hij van Sartre werd, van Gide was.

Een voorbeeld. Gilles Deleuze. Hedendaagse denker die hij is. Schrijver, altijd op drift, van *L'Anti-Oedipe* en *Mille plateaux*. Hij verschijnt op de televisie op het kunstkanaal Arte, een van de zeer weinige televisieoptredens overigens en dat na zijn dood is uitgezonden.[2] Hij praat over zichzelf. Over zijn filosofische adolescentie in Deauville. Over de eerste boeken, de eerste geluksgevoelens. De kijker vindt hem zwaar op de hand. Stijfjes. Hij ziet eruit als een mediaschuw persoon die zich nu toch heeft laten strikken door dat oog dat hij zo verafschuwt en niet zo tevreden is dat hij uiteindelijk toch toegestemd heeft. Of het moet de dan zeer nabije zelfmoord zijn die de Deleuze, daar op dat scherm, die uitstraling van kil glanzende geestverschijning geeft. Maar dan opeens komt er leven in hem, wordt hij de lichte, grappige, schofterige Deleuze zoals ik hem kende – en dat is wanneer hij komt te spreken over de persoon van meneer Halbwachs, de leraar Frans die hem zo in vervoering kon brengen door hem in de duinen van Deauville *Les Nourriture terrestres* voor te lezen. Er is de moderne Deleuze, de Deleuze die de kampioen van de argwaan is. Er is de jonge Deleuze, toen al de kampioen, over wiens buitengewone onverzettelijkheid Tournier in *Le Vent Paraclet* had verteld, zijn fuck-the-system-mentaliteit, zijn toen al terroristische karakter en zijn beruchte woede ten slotte, die dag in 1945, toen het kleine groepje dat ze vormden had vernomen – ik kom hier nog op terug – dat Sartre de 'ouwe koe' van het 'Humanisme' uit het 'vuilnisvat' der Geschiedenis had gevist. Maar er is daar, in de avond van zijn leven, op het moment dat de balans wordt opgemaakt en bekentenissen zwaar vallen of bevrijden, het beeld van die dromerige, poëtische jongeman, in het zand van de duinen, uitkijkend over het opstuivende water, genietend van Gide...

Nog een voorbeeld. Jacques Lacan. Voortzetter van Freud. Samen met Deleuze, maar ook Althusser, Lévi-Strauss, Foucault, een van de bedenkers van de filosofische moderniteit. De bewonderenswaardige 'opvoeder' – zo sprak Nietzsche over Schopenhauer en zo spraken wij over Lacan, eind jaren zestig – die een hele generatie, de mijne, geholpen heeft zich opnieuw te bevrijden van het humanisme. Er bestaat een tekst van Lacan, opgenomen in *Les Ecrits*, 'Jeunesse van André Gide'[3] getiteld, waarin onder de dekmantel van een bespreking van het boek van Jean Delay, wordt uitgelegd dat *Corydon* 'meer dan een pamflet', een 'verbazingwekkend overzicht van de theorie van het libido' is, dat de schrijver een 'analist' is met een grote 'klinische verfijning', een voorloper van de leer van de 'splitsing van het ik', een bewonderenswaardige 'homo litterarius', die 'van God gebruik wist te maken zoals het moest' of ook hoe hij in zijn relatie met zijn getrouwde nicht Madeleine Rondeaux, hét voorbeeld is van die 'liefde' die er volgens de geijkte formule in bestaat te 'geven wat men niet heeft' – en dát uit de mond van Lacan, wat een compliment! En hoe vreemd klinkt die bewogen oproep aan het einde van de tekst, 'die regels die in ons hoofd blijven gonzen'! En het eerbetoon aan 'het bewegen van die hand' dat huist 'in deze regels van mij, die hier de regels voortzetten die Gide is begonnen'! En met z'n hoevelen hebben we ons toentertijd, met die wegwijzer in de hand, niet op *La Porte étroite* en *Les Faux-monnayeurs* gestort, in de veronderstelling er iets van de waarheid van de schrijver van *Les Ecrits* in terug te vinden, en van de tijd!

En Cocteau zou je moeten citeren en Léon Blum van *La Revue blanche*.

Pierre Klossowski, 'assistent' van Gide, voor hij met Bataille, Leiris en anderen, het Collège de sociologie, opricht. De mijmering van Malraux: 'Ik houd niet van de mens, ik houd van wat hem verslindt', geleend van Prometheus door zijn oudere vakbroeder. Valéry. André Breton. De verbazing van Mauriac als hij voor de eerste keer generaal de Gaulle ontmoet, in augustus 1944, bij de bevrijding van Frankrijk, en hij bemerkt dat deze met hem alleen maar over... Gide wil praten! Camus, de jonge Camus, tbc-patiënt, die kracht put uit zijn ziekte en *Amyntas* tot zijn bijbel maakt: 'Naakt wil ik me uitstrekken op de oever van de rivier; het zand is warm, zacht en licht...', en later die wonderlijke combinatie van gideaanse passie voor geluk, Algerije, Dostojevski, helderheid van geest, gevoel en gewaarwording, theater. Je zou Claude Roy moeten citeren die, tussen Maurras en Nietzsche in, aan hem 'toestemming voor plezier'[4] ontleent. Klaus Mann, die midden in de nazi-tijd zijn biografie van André Gide schrijft en tot de conclusie komt dat hij kan gaan en sterven. Céline, ja Céline, wiens hele kunst tot stand lijkt te zijn gekomen als reactie op Gide en diens hang naar mooipraterij: dat is niet niks, laten we wel wezen, creëren als reactie op iemand anders, op zoek gaan naar datgene wat je niet meer wil en wat het negatief wordt van wat je bent – en dan is er *Le Voyage au Congo*, zonder twijfel een van de bronnen van *Le Voyage au bout de la nuit*. Je zou ook Bataille moeten citeren waar hij vertelt dat hij al vroeg Gide en Nietzsche en Dostojevski las en dat dat de oorzaak van 'zijn bekering' was en dat hij zo gegrepen was door *Paludes* dat hij uit wanhoop, omdat hij meende nooit zo brutaal en mooi te kunnen schrijven, zijn eerste gedichten verbrandde.[5] Maurice Sachs van wiens *Sabbat* hele hoofdstukken bestaan uit 'ontmoetingen' met Gide, villa Montmorency en rue Vaneau.[6] En tot slot Barthes, officieel erfgenaam, officieel aanhanger: alles is aanwezig. Alle Gides lijken in Barthes samen te komen. Want het gaat met het gideïsme als soms met erfenissen die verdeeld moeten worden. Er is de Gide van de nabijheid, je bent geneigd te zeggen van om de hoek: tact, contact, vriendelijke, zachtaardige omgang. Er is de planetaire Gide: pamfletten, lingua franca's, reizen naar de USSR en de Kongo. Er is zelfs de laatste Gide: mysterieus, in Goethe, een beetje knorrig, plaid om zijn schouders of loden cape, piano rue du Bac, apothekersflessen binnen handbereik, zwakke gezondheid, geur van thee en beschuit, ordelijk op het maniakale af. En het is de verdienste van Barthes dat hij de brokstukken van het testament, op zijn eigen wijze, zonder omhaal, rustig en kalm, in zijn persoon heeft weten te verenigen – de Barthes van *Les Fragments*, van de Brecht-periode en de 'Mammie' van de laatste jaren.

Gide als monument. Gide als een geweldig avontuur, complex, vol tegenstrijdigheden, qua taal en qua denken. Gide is als een metro-ingang, zei Malraux eens tegen Sachs, iedereen gaat er doorheen. Een profetische Gide, perfecte avant-gardist, denkmeester bij leven en dood die zijn tijdgenoten, al zijn tijdgenoten, tot aan Barthes toe dus, of Lacan, of Deleuze, de grootste dienst bewezen heeft die een schrijver maar bewijzen kan, omdat hij hun immers een onbekend gezicht toont, niet alleen van hun tijd, maar ook van henzelf. En midden in die door Gide geregeerde eeuw, midden in dat tot in de reflexen, onuitgesproken gedachten, modellen door Gide gedomineerde tijdsbestek, de eerste Sartre, de 'jonge' Sartre.

Nog even over de paradox van de schrijver die zijn tijdgenoten en erfgenamen een onbekend gezicht van henzelf toont. Het is niet zeker, eigenlijk, dat je 'een onbekend gezicht' moet zeggen. En het is mogelijk dat je, bij nader inzien, precies het tegenovergestelde moet zeggen – en wel dat de grote schrijver (niet de grote intellectueel maar hier echt, strikt genomen, de grote schrijver) juist degene is die met ferme druk zijn stempel zet op een bekend, te bekend gezicht: het gezicht van een grote emotie of een gevoel die niet op hem hebben zitten wachten om te bestaan maar waaraan hij een literair gezicht heeft proberen te geven. Mauriac en het geloof... Stendhal en het geluk... Barrès en de ik-cultus... Camus en de wellust... Voltaire en de vrijheid... En voor het heldendom, Malraux... Iedere keer het talent om patroniem en oeuvre onherroepelijk te koppelen aan een groot gevoel. Iedere keer het meesterstuk de herinnering te koppelen aan een van de mooiste, grootste en vooral meest gedeelde menselijke passies. De absolute genialiteit om precies daar te zijn, op de plek van de spirituele seizoenstrek van de menselijke soort, aan de poorten van de grote, niet te vermijden doorgangsroutes, waar mannen en vrouwen, sinds de wereld de wereld is, langs trekken. Verheven versie: die grote schrijvers zijn als de wachters van de Geest, de schildwachten van het Zijn en daar zijn we hun erkentelijk voor en daarom lezen we ze en bewonderen we ze. Triviale versie: door op die manier hun dividend aan erkentelijkheid en roem op te strijken van goederen die ons allen toebehoren, door het lef waarmee ze in het wettelijke depot van de verbeeldingswereld octrooi leggen op bewegingen van het Zijn en bij de uitgang zeggen: 'Iedere keer als een mens heldhaftig, of vrij, of vroom, of wellustig zal zijn, zal dat een eerbetoon aan mij zijn, een tribuut die hij mij zal betalen, en zal ik mijn tiende innen, zijn zij niet de wachters maar de tolbeambten van de geest, diens zeer boosaardige lokettisten. In beide gevallen raken zij aan het Universele. Zou dat kunnen dienen als definitie van literaire universaliteit.'

Sartre op de lijn van Gide

Maar ik keer terug naar Sartre. En naar de plaats die Gide inneemt in zijn leven en in zijn werk.

Er is in 1939 het aan Paulhan beloofde plan voor de *NRF* een stuk te schrijven over het talent als 'experimentator van de roman' van de schrijver van *Les Faux-Monnayeurs* – met andere woorden over de moderniteit van

Gide, zijn waagstukken met de vorm, zijn voorliefde voor spiegelspelletjes en constructies van onpeilbare diepte, de manier waarop al zijn romans hun 'eigen weerlegging' in zich dragen, hun kunst van de verschillende standpunten en het veelvoudig focussen: die hele nieuwe techniek die hij zich dat jaar al eigen aan het maken is, waarvan hij zal beweren, als het erop aan komt, dat hij ofwel op eigen kracht of via Faulkner of Dos Passos bij hem opgekomen is, maar waarvan hij drommels goed weet dat hij hem zich niet zal kunnen eigen maken, zonder enige aandacht te besteden aan de gideaanse versie. Gide, de Amerikaan. Gide, in de Mauriac-generatie, als tegengif tegen de Mauriac-geest. Monsieur Mauriac was geen kunstenaar, André Gide is dat wel. Sartre heeft de naïeve beweringen van de eerste aan flarden geschoten – met de laatste lijkt hij van meet af aan omzichtiger om te gaan en zal hij het op een akkoordje moeten gooien, dat beseft hij wel.

Er is na de oorlog de beroemde 'Presentatie' van *Les Temps modernes*, zo laatdunkend en arrogant, waarbij Gide, opvallend, een van de zeer weinige overlevenden is van het ballengooien waaraan de schepper van het existentialisme zich, op het hoogtepunt van zijn schrikbewind en roem, overgeeft. In diezelfde *Temps modernes* staat een paar maanden na Gides dood, het prachtige *Gide vivant*, waarin Sartre tot de grote overleden schrijver die plechtige groet richt in de vorm van erkentelijkheid en schuld: 'Die man durfde de geloofsbelijdenis van *Corydon* en het requisitoir van *Le Voyage au Congo* te publiceren'; die man 'had de moed de kant van de USSR te kiezen toen een dergelijke keuze niet zonder gevaar was en durfde zich ook nog publiekelijk te verootmoedigen toen hij van oordeel was, terecht of onterecht, dat hij zich vergist had'; dat alles, die 'mix van vermetelheid en lef', die manier om 'met zijn tijd mee te gaan' en hem 'te denken', maakt die man zo volmaakt 'exemplarisch'. En dan is er in dezelfde tekst, nog belangrijker, nog dichterbij, verbluffende echo voor Sartre die tien jaar daarna in *Les Mots* zal schrijven 'het atheïsme is een wrede en langdurige aangelegenheid, ik geloof dat ik hem tot een goed einde heb gebracht', dat andere eerbetoon: 'Het meest waardevolle dat Gide ons biedt, is zijn besluit de doodsstrijd en de dood van God tot het einde toe te beleven' – het is dit atheïsme 'langzaam veroverd, bekroning van een zoektocht van een halve eeuw', dat 'zijn concrete waarheid wordt en de onze'[7], dat Gide zijn tijdgenoten en erfgenamen aandraagt.

In de tussentijd, tussen dat eerste en het laatste eerbetoon, is er *Les Carnets de la drôle de guerre* dat in zijn geheel gelezen kan worden als een opgetogen commentaar op Gides *Journal*, dat in de herfst van 1939 verscheen en door Simone de Beauvoir onverwijld naar de kazerne werd gestuurd. 'Ik heb Gide ontvangen,' noteert hij op 17 september, en 'ik ben er helemaal weg van'. Op 18 september schrijft hij in een brief aan Castor: 'Ik vermaak me geweldig met Gide.' En in de loop van de daaropvolgende maanden, wanneer hij gelijktijdig bezig is de opzet van de eerste versie van *L'Age de raison* en die van de dan reeds aangekondigde 'grote zedenleer' uit te werken, talloze notities in *Les Carnets* en in *Les Lettres*, die de ene keer gaan over het feit dat de 'morele affecties' van Gide zo extreem dicht bij de zijne liggen ('Gide is net als mij nooit iets onherstelbaars overkomen'), de andere keer over de even extreem grote afstand tussen de wijzen waarop zij met die voorraad passies en bestemmingen omgaan ('getroffen gisteren, toen ik weer eens door Gides dagboek bladerde, door het religieuze aspect ervan'; zin op grond daarvan om 'de draad van mijn dagboek weer op te pakken'; toen zag ik 'hoeveel het van dat van Gide verschilde'), dan weer opnieuw dat hij zo extreem, haast gevaarlijk dichtbij komt ('dit dagboek is een zelfonderzoek en ook in dat opzicht zou men het naast de gideaanse bekentenissen kunnen leggen'), om dan meteen weer de betovering te verbreken, uit elkaar te gaan ('maar dat is slechts schijn' want als Gide zich bekent is dat 'zuchtend en in nederigheid' terwijl ik, Sartre, dat doe 'zonder blikken of blozen en met het doel verder te komen') – talloze notities, ja, die als de stadia van een gevecht van man tot man zijn waarin we die Sartre onderweg zien naar de volwassenheid van denken, *met Gide*, dus ('ik denk steeds meer dat er iets moet knappen om tot authenticiteit te komen' – het is 'de les die Gide van Dostojevski geleerd heeft en wat ik in het tweede deel van mijn roman zal laten zien'), *tegen Gide* ('die authenticiteit waar ik dichterbij probeer te komen, daarvan heb ik helder voor ogen waarin ze verschilt van de gideaanse zuiverheid'), vis-à-vis *Gide en met Gide als punt van vertrek* ('al die opmerkingen' om 'de morele vorming van Gide te confronteren met de mijne'), *tegen Gide ook*, maar met meer geweld ('de moraal van Gide' dat is 'een telg van een rijke graankoopman die later bankier wordt', dat is 'een van de mythen die de overgang van het grote bezit van de bourgeoisie' naar 'het abstracte bezit van het kapitalisme, markeert'), *helemaal tegen hem* ('ik wilde een stuk uit Gides dagboek overschrijven over "weinig realiteitszin" en dat had ik ook beter wel kunnen doen' want, in deze ontboezeming tegen Martin du Gard over 'de realiteitszin die hem ontbreekt' en het feit dat 'de meest belangrijke gebeurtenissen' in zijn ogen 'belachelijke vertoningen' zijn, ligt het hele geheim van 'mijn frivoliteit'), *in de lijn van het gideïsme* (die wonderlijke bladzijde van carnet v waar de toekomstige revolutionair Barnabooth de Larbaud, maar ook Gides opstelling tegenover geld prijst, in bewoordingen die zoals we zullen zien tot het einde toe de zijne zullen blijven: 'zich losmaken' van goederen, ze 'dematerialiseren'... 'rëel bezit' verruilen voor 'symbolisch bezit'... 'rijkdom in de vorm van onroerend goed inwisselen tegen rijkdom in de vorm van teken (: bankbiljet of waardepapier)'... bezit, eventueel in de vorm van 'aandelenpakketten', slechts aanhouden in zijn abstracte vorm, de droom van het gideaanse disponibele tot, ja tot en met, het 'onmiddellijk ter beschikking staan van zijn kapitaal') – en dan die vreemde uitspraken soms, die je goed moet onthouden om te begrijpen wat het voor hem, enige jaren later, in Parijs, betekende om die man in de rol van voorbeeldige intellectueel te vervangen ('bij lezing van Gides dagboek overvalt me voortdurend het gevoel dat ik niet weet wat goed schrijven is', mijn roman 'stinkt verschrikkelijk', mijn stijl 'heeft een sterk organische geur, als de slechte adem van een zieke', terwijl 'de fraaie zinnen van Gide helemaal geen geur hebben'...).

Ondertussen of later zijn er tijdens Sartres hele werk en leven wel legio meer of minder belangrijke ontmoetingen waarbij goed voelbaar is dat de schrijver van *L'Être et le néant* zich steeds weer verliest in het spel van aantrekken en afstoten van Gides gedachtegoed, er nieuwe inspiratie uit put en het weer verwerpt. Dat zie je in *Les Mains sales* dat een debat heropent dat begonnen is met het enige grote politieke theaterstuk dat Gide ooit geschreven heeft, *Robert ou l'Intérêt général*. Dat zie je in *Le Diable et le Bon Dieu* waarin de variaties rond de thema's van onechte kinderen en verraad geïnspireerd lijken op *Le Journal des Faux-Monnayeurs* en *Les Faux-Monnayeurs*. En in *Les Mouches* heb je de nostalgie van een echte en beslissende daad, onomkeerbaar en zonder tweede kans, heel de psychologie van Orestes, die mensen en goden het beroemde 'ik heb *mijn* daad gedaan' in het gezicht schreeuwt, waarin je toch moeilijk niet de echo van 'de daad' van Lafcadio in *Les Caves du Vatican* kunt herkennen; en als Lafcadio, vlak voor de scène waarin hij Fleurissoire gaat doden, voor zich uit zegt: 'Kom kom, Cadio, geen bedenkingen', en dan 'je mag je zet niet terugnemen, denk aan schaken', en in dat 'je zet terugnemen' hoor je onwillekeurig de exacte anticipatie, niet alleen van een probleemstelling, maar van een van de beroemdste sartriaanse formuleringen. Neem *L'Age de raison* dat hij eind 1938[8] aankondigde als een roman in de stijl van Gide, waarin de hoofdpersoon, bezield met een 'totale en bedwelmende vrijheid', rijp voor 'de lust van de gratuite daad', uitdrukkelijk voorgesteld werd als ontstaan 'in het kielzog van Lafcadio'. En in *L'Age de raison* heb je de scène waarin Mathieu, op 'Sumatra' een mes door zijn handpalm steekt (echo van de scène in *Les Caves du Vatican* waarin Lafcadio zich met een priem doorsteekt) of de scène waarin Daniel de kleine Boris betrapt bij het stelen van een boek (zelfde scène in *Les Faux-Monnayeurs* en in *Le Journal des Faux-Monnayeurs* tussen Edouard en de kleine Georges; behalve dat het gestolen boek bij Gide een oude gids van Algerije is en de diefstal mislukt, terwijl het bij Sartre een woordenboek 'zo groot als een meubelstuk' is en dat de diefstal op het allerlaatst lukt, onder de ogen van Daniel dus – heel veel later zal Sartre in een interview in 1975[9] toegeven zich inderdaad rechtstreeks door Gide te hebben laten inspireren voor deze scène). En dan is daar het personage van Mathieu, zijn 'vrijheid voor niets', zijn weigering 'zich te engageren', zijn 'kwade trouw', zijn 'slechte geweten', zijn 'helderheid', allemaal onbegrijpelijke, ondoorgrondelijke karaktertrekken, als je niet in je achterhoofd hebt dat Sartre zijn roman schrijft op het moment dat hij het *Journal* ontdekt, verslindt, becommentarieert in zijn brieven aan Castor of in zijn eigen dagboeken – het boek is zijn fetisj tijdens de schemeroorlog, het boek onder zijn kussen in de slaapzaal, zijn dagelijkse schriftlezing en gebed en het is logisch dat het zijn eigen geschrijf innerveert, binnensijpelt, doordrenkt. En kijk, ten slotte, ook naar de plot van het boek, het verhaal van de zwangere vrouw en haar weinig beminnende minnaar die wanhopig probeert haar tot een abortus te brengen voordat hij haar laat zitten en troost zoekt in de armen van een alibivriend – waarmee, weer een keer, een verhaallijn van *Les Faux-Monnayeurs*, die hij zich zeker moet herinneren, overgenomen is... Waarom hebben zijn tijdgenoten die verbluffende overeenkomst niet méér in de gaten gehad? Is het niet verbijsterend dat zij niet onmiddellijk die ontleningen, in aantal en precisie, ontdekt en opgehelderd hebben?

Neem *Les Mots*, waarvan aangetoond is[10] dat als het zegt een eind te willen maken aan 'de' literatuur, het in werkelijkheid de literatuur van *André Gide* op het oog heeft – neem dat geweldige palimpsest dat het boek is en dat, door de manier waarop het 'wat betreft de neoklassieke archaïsmen, er nog een schepje bovenop doet', door de manier waarop het ze 'herschrijft' in de loop van een schrijven dat 'twee keer uit de tweede hand' is, door de manier waarop het de pretentie heeft de stijlstrijd tegen de grote Gide 'op punten te winnen' en door de manier waarop het zich, tot in het slotakkoord, laat inspireren door die opmerking van Edouard in *Les Faux-Monnayeurs*: 'Wanneer ik aan mezelf ontsnap om het doet er niet toe wie te worden...', uitloopt op een pure afrekening met *Si le grain ne meurt?* of *Thésée*. Je kunt je afvragen of Sartre niet, uiteindelijk, de partij tegen *Si le grain ne meurt?* verloren had. Of hij niet definitief onderuit was gegaan door de 'smerige stank', de 'organische geur', de 'slechte adem' van zijn stijl. Was dat misschien een van de redenen waarom Sartre, na *Les Mots*, besluit er het zwijgen toe te doen, daar tot op zekere hoogte in slaagt en inderdaad geen romans meer schrijft?

In verschillende versies van, alweer, *Les Mots* schijnt Sartre in Gide – net als in Montherlant en in Ghelderode, de Vlaamse dramaturg, schrijver van *Entretiens d'Ostende* – de auteur te zien van het ergste 'gekrakeel' of de ergste 'onbenulligheden' van die tijd, de grootste schoft van allemaal, de opperhater van de menselijke soort[11], de cynische antihumanist die in *Philoctète* een gier boven de hoofden van de mensen laat zweven en zich zo schuldig gemaakt zou hebben aan de grootste misdaad jegens de menselijkheid – maar zit niet juist in het verbale geweld, in de gespeelde achteloosheid van de aanhalingen, in de wil, waarmee hij te koop loopt, de voorheen aanbeden meester te beledigen, het toegeven van een kwaadaardige verwantschap, waarvan hij in 1963-1964 nog steeds niet genezen is?

Voor dat alles was er *La Nausée* en zijn vrije, scherpzinnige held, door niets of niemand in de luren gelegd – eerste roman van de nieuwe tijd of laatste vooroorlogse roman? Voorbode van het existentialisme of laatste parel afgescheiden door de oesterschelp van het Gide-tijdperk?

Er zullen in *Saint Genet* tal van variaties worden gemaakt rond een Genet die 'het kwaad-uit-rancune, hetgeen slechts dom gepruil is' verwerpt en neigt naar een 'gratuit' kwaad, waarvan de 'ongerijmdheid' 'doel op zich' wordt, dat ook weer erg riekt naar Gide & co.

Er zal in *L'Idiot de la famille*[12], aan het einde van de rit dus en op het moment in Sartres leven dat hij het einde van die lange tunnel zou willen ontwaren, die de literaire en dus gideaanse illusie in zijn werk en in de eeuw zal hebben gevormd, die laatste roep zijn, die trap van de ezel, frivool en driftig tegelijk, waarbij je het gevoel hebt dat hij aan het eind van zijn argumenten is, geen puf meer heeft, zich maar al te zeer bewust is van het feit dat de tijd verstreken is, maar dat de kwestie Gide er nog altijd is, knellend, stekend, en in wezen, onverzettelijk, en dan besluit tot een trap onder de gordel: 'Hij (Flaubert) zou niet vluchten achter moeders rokken en net als André Gide roepen: *ik ben niet als de anderen.*'

En dan is er tot slot de filosofie, in zijn romans maar ook in zijn essays – zijn wereldvisie die niet alleen meer in de *Carnets* tot uitdrukking komt, maar ook in *L'Être et le néant*, dat Heilige der Heiligen van het metafysische avontuur, dat massale werk van woorden en concepten waarvan hij beweert dat het onder het patronaat staat van Husserl, Hegel, Heidegger, terwijl een gideaans oor er, wederom en meer dan ooit, niets anders in kan horen dan dezelfde echo: gideaans is de apologie van de 'oprechtheid' en de kritiek op de 'attitude'; gideaans de oproep tot de 'improvisatie' tegenover de 'habitus', tot het 'naturel' tegenover de 'komedie'; gideaans, althans evenzeer als heideggeriaans, de probleemstelling van de 'authenticiteit' tegenover, net als bij Gide (of Bergson – maar daar kom ik nog op...) het 'automatisme'; gideaans het pleidooi tegen de 'sociale maskers', die graftombes van de waarheid ('wij leven op algemeen aanvaarde gevoelens', zeiden *Les Faux-Monnayeurs*) of het idee, in wezen supersartriaans, van een wezen bepaald, afgebakend, gestructureerd door de blik van de ander ('de meeste handelingen van mensen en zelfs die handelingen die niet gedicteerd worden door belang, voegen zich, zo zei Gide altijd, naar de blik van de anderen, de ijdelheid, de mode[13]'); gideaans de hartstochtelijke rebellie tegen een 'sclerotische' wereld, 'viskeus' zal Sartre zeggen en later 'praktisch-inert'; gideaans de lust, daar tegenover, het zelf uit te vinden; gideaans, de angst voor een vrijheid waar geen gebruik van wordt gemaakt; gideaans, expliciet gideaans te midden van de verwijzingen naar Husserl en Schelling en uitdrukkelijk gepresenteerd als een citaat uit het stuk van Gide, de absoluut dwangmatige verwijzing naar Philoctète, die na *L'Être et le néant* terugkomt in *Qu'est-ce que la littérature?*, *Orphée noir*, *Les Cahiers pour une morale*, en *Saint Genet*; en gideaans ook, geschraagd door een uitdrukkelijk citaat uit *La Porte étroite*, de analyse van het 'masochisme' in de liefde of de 'ascetische moraal' van de 'overschrijding van het zelf' tussen twee geliefden...[14]

Men beweert dat Stendhal het grote voorbeeld van de jonge Sartre was. Men beweert dat de grote Franse moralisten – Pascal, La Bruyère, La Rochefoucauld – de bronnen van zijn zeer bijzondere lucide stijl waren. Oké. Maar het is toch echt eerst de stem van Gide die je hoort in al die sartriaanse teksten. De gedachte aan Gide dringt zich toch meteen op – ook bij Sartre natuurlijk – als hij eindeloos in de weer is met de zin en de onzin van het puur literaire avontuur. Gide is zijn grote voorbeeld als hij in 1972 instemt met het voorstel van Astruc en Contat een filmisch vervolg te maken op *Les Mots* (voorafgegaan door de film van Marc Allégret, *Avec André Gide*, die in 1950 uitkwam[15]) en hij is het tegenvoorbeeld, hij is met, het is waar, Albert Schweitzer de figuur die bezworen moet worden, de persoon tegen wie hij zich afzet als hij de Nobelprijs weigert (spookbeeld van de oude Gide, hongerig naar roem en eer en verloren, denkt hij, voor de zaak van de jongeren en de opstand, op de dag dat hij de dwaasheid beging die zogenaamde bekroning in ontvangst te nemen...).

'Evenals een Fransman, zo zegt hij in *Gide vivant* waar hij de figuur van de meester van Cabris in het leven roept, waar hij ook gaat, in het buitenland, geen stap kan doen zonder óók dichter bij of verder weg van Frankrijk te raken, zo bracht iedere geestelijke stap ons óók dichter bij of verder weg van Gide.'[16]

En even verder die hele bijzondere uitspraak waarvan ieder woord gewogen dient te worden: 'Het hele Franse denken van deze laatste dertig jaar, of het dat nu wilde of niet, en wat overigens ook de andere coördinaten waren, Marx, Hegel, Kierkegaard, moest óók gesitueerd worden met betrekking tot Gide.'

Het is duidelijk. In den beginne is er Gide. Sartre, hij geeft dat zelf toe, wordt met en in Gide geboren. Zijn esthetiek en moraal zijn hem *gegeven* in dat onzekere uur waarop hij, net als alle jonge schrijvers 'doortrokken' – het zijn zijn eigen woorden – van 'de literaire gewoontes van de voorgaande eeuw',[17] nog niet weet wie hij is, ook al is hij vastbesloten diegene te worden. In die zin dat het hele werk van *La Nausée* en *Les Chemins de la liberté*, al zijn grote literaire werken waarmee Sartre Sartre zal worden, dat wil zeggen de onbetwist leidende intellectueel van zijn tijd, zijn geweldige uitbraak uit de gelederen van zijn tijdgenoten, de sprong die hem het stokje doet overnemen van Voltaire, Hugo, Zola en dus van Gide, dat zich dat alles haast zou kunnen laten samenvatten in die ene, ik durf niet te zeggen 'simpele' taak: tot het einde van Gides spoor te gaan; zich te bevrijden van het gedachtegoed van Gide en dat los te laten; Gide uit zijn hoofd te verjagen die hem betovert en belet Sartre te zijn – een zaak van lange adem, die, net als het project van het atheïsme, zijn hele leven zal duren...

Dos Passos, Joyce, Céline

Hoe raak je Gide kwijt? Hoe doe je dat concreet? Hoe bezweer je in het schrijven zelf Gides tovenarij? Wel, dat laat zich in een aantal duidelijk, in de tijd, omschreven operaties samenvatten, die ieder voor zich weer één of meerdere eigennamen hebben.

De operatie van de Amerikaanse roman. Ik kom er slechts pro memorie op terug. Het is niet zeker dat Sartre zoveel – en zoveel als hij beweerde[18] – van de grote Amerikanen hield. Maar kijk. Er was een gideaanse weg naar de literaire moderniteit. Er was ook, maar dit ter zijde, een andere Fransman, Jules Romains, die op datzelfde moment pretendeerde, en niet zonder succes, in de literatuur de beroemde technieken van het 'analytische kubisme', van het 'simultaneïsme' te introduceren. Het ziet er zeer naar uit dat Sartre zich van de Amerikanen bediende om Gide (en Romains) te omzeilen, om de Fransen uit de weg te gaan, om via andere middelen dan die van hen de principes van de 'gebroken' vertelling te hervinden en, vooral, die principes een meerwaarde te geven en ze zich zodoende toe te eigenen. Hemingway voor de dialogen en de theatrale kant van *Les Chemins*. Dos Passos en zijn caleidoscopische technieken. Faulkner, best wel 'reactionair', te 'lyrisch', verzadigd van tal van overblijfselen van het traditionele 'humanisme', die maken dat Sartre zich uiteindelijk van hem zal losmaken, maar wel weergaloos in zijn tekening van het geweld, in zijn opvatting van de literatuur zelf als geweld – en dan vooral de taal, het onophoudelijke gegons, het onpersoonlijke en ononderbroken gemompel van de taal die en de personages en de wereld bewoont... Van Heidegger was de filosofische intuïtie van het anonieme en oorverdovende 'men'. Een andere tijdgenoot, Lacan, die, zoals we zullen zien, met Sartre nauwere banden – verborgen, mysterieus, maar nauw – zal onderhouden dan aangenomen wordt, doet er nog een schepje bovenop: 'het zwijgt nooit', of 'het spreekt zelfs als het zwijgt', of 'de stem van het onbewuste is heel zacht maar zegt steeds hetzelfde'. Dat alles vindt hij op de romaneske wegen der vrijheid, met *1919* en *The 42nd Parallel* van John Dos Passos, meesterwerken als zwaaiende vaandels, wachtwoorden. Die les van Heidegger-Lacan ontdekt hij reeds langs de omweg van de kunst in zijn commentaar op Faulkners *Sartoris* en *The Sound and the Fury*. De Amerikanen dus om Gide te doen zonder het te zeggen. De Amerikanen dus om af te rekenen met Mauriac, maar zonder dat het de schijn heeft dat hij gewoon in het voetspoor van Gide treedt. De Amerikanen als het voetvolk in Sartres persoonlijke guerilla tegen de Franse roman, en als hij die winnen wil mag hij dus helemaal niets aan André Gide verschuldigd zijn. In de oorlog is alles geoorloofd. Het is zijn goed recht.

De operatie Joyce. Sartre is – met Larbaud natuurlijk en ook, maar dit ter zijde, met Gide – een van de allereerste Franse Joyce-lezers. Malraux begrijpt er niets van. Proust negeert Joyce en dat is wederzijds. Claudel stuurt het aan hem opgedragen exemplaar van *Ulysses* terug met de opmerking dat het een 'duivels' boek is. De meeste critici zien er bij voorkeur een mengelmoes van zwakzinnigheid en waanzin in. Sartre leest het, geeft commentaar, put er, zonder daar woorden aan vuil te maken, een paar grondleggende intuïties uit. Hij hoort er op zijn minst de echo in van heel oude, heel diepe preoccupaties: zijn afschuw van het vaderschap, bijvoorbeeld; zijn dwangvoorstelling, later terug te vinden in *Les Mots*, over de onderbroken, of onmogelijke opvolging der generaties; het 'Anchises-complex', ook in *Les Mots*, dat hem verbindt met een te vroeg gestorven vader, van wie ik me graag voorstel dat hij hem als voorbeeld heeft genomen in de omkeerbaarheid van de relatie tussen vader en zoon, zoals die in *Ulysses* belichaamd worden door Bloom en Dedalus. En hij trekt er vooral twee of drie 'vormelijke' lessen uit die, minstens evenveel als de 'Amerikaanse' lessen, minstens evenveel als de gebroken vertelstijl, van grote invloed zijn op zijn manier van schrijven en zijn schrijverskunst vormgeven. Allereerst de techniek van de 'stille monoloog' waaromtrent hij, in Le Havre, tijdens een van die lezingen waarin hij, in de Lyre-zaal, zijn toekomstige kritische artikelen uitprobeerde, gememoreerd had dat hij in 1887 geboren was, op het toppunt van de bloei van het symbolisme en het gestamel van de theorie van het onbewuste, met *Les Lauriers sont coupés* van Dujardin, maar dat het toch Joyce is die hem met *Ulysses* laat zien wat er technisch allemaal kan. Monologen dus in *La Nausée*. Monologen van Mathieu in *L'Age de raison* en *La Mort dans l'âme*. Spel tussen het 'ik' en het 'hij', of tussen het 'ik' en het 'men', die een vorm van toegepaste Joyce zijn. Dat 'ruwe realisme van de subjectiviteit, zonder tussenkomst of afstand', waarvan hij in *Qu'est-ce que la littérature?* zal zeggen dat hij daarvoor bij Joyce het model gevonden heeft. Ten tweede, de erudiete Joyce, de polyglot. Joyce en zijn romans, doorspekt met vervalste citaten, aanslibsels van oude teksten, scherven van talen en stijlen, gefantaseerde of echt bestaande boeken. Joyce of het bewijs dat je een geniale schrijver kunt zijn zonder het betoverde universum van de woorden te verlaten of de bibliotheek van grootvader Schweitzer, en daar zelfs de grondstof van zijn vertellingen van makend. Joyce die alle bronnen van kennis gebruikt, en dat ook zegt, en hun eindeloze teloorgang – wat een buitenkans voor de jonge Sartre, die zo dol is op palimpsesten! Joyce en de eindeloze variatie van romangrondstof – precies wat die bibliovoor nodig had! Joyce en zijn encyclopedie van klanken en gebaren, eindeloze breuken en volgepropt met betekenis – is dat niet een van de bronnen van de vertelstijl van *Le Sursis*? En de authenticiteit in dat alles? En de ingewanden, de darmen, de inwendige organen, op de snijtafel van de roman? Precies. Geen ingewanden. Slecht nieuws voor de roofvogels die zich maar al te graag te goed doen aan de lever van Prometheus: Joyce een oorlogsmachine tegen de ideologie van de authenticiteit... En dan ten derde, het door elkaar husselen van de talen én de genres – vermengde genres, niet alleen in hetzelfde oeuvre, maar in hetzelfde boek. Wat is het genre van de roman? De stijl? Wat is de stijl die er, preciezer gezegd, principieel niet in thuishoort? Geen, sinds Joyce en bijgevolg sinds Sartre. Want dit is de grote les, en van Joyce, en van Sartre, lezer van Joyce. Dat is de intuïtie die Sartre, dankzij Joyce, tegenover de dogmatische zekerheden van Mauriac maar deze keer ook van Gide gaat zetten. De roman is een genre op zich. Het is de literaire machine bij uitstek. Een machine waarvan de rijkdom, de macht, de genialiteit, verder gaan, veel verder gaan dan de verweving van het filosofische en het literaire. Dialogen, fantastische verhalen, herontdekking van filosofieën uit het verleden, stukken geautomatiseerd schrijven, theater, getheatraliseerde stukken essay, geïnspireerde overdenkingen, lyrische dissertaties, gesprekken, fenomenologische reducties, gedichten: geen enkel genre is hem vreemd; het is het genre zonder genre, het is het genre dat alle genres opslokt, het is dat titanenwerk, de geïnstitutionaliseerde genres te verbasteren, de traditionele opvatting dus van het werk en de nostalgie van de 'grote vorm' teniet te doen, dat gaat hij uitputtend onderzoeken, uitvoeren, in *Les Chemins de la liberté*; en ook dat dankt hij aan Joyce.

De operatie Céline, ten slotte.

Je herinnert je het, op zijn minst kernachtige vonnis van de *Réflections sur la question juive*[19]: als Céline de socialistische stellingen van de nazi's heeft kunnen onderschrijven, betekent dat dat hij ervoor betaald werd.

Je herinnert je vooral het ongelooflijk gewelddadige antwoord van Céline, aan Paulhan gestuurd maar geweigerd, en gepubliceerd door Albert Paraz, aan het eind van zijn boek *Le Gala des vaches*, onder de titel 'A l'agité du bocal' – je herinnert je het portret dat hij schetste van de man die hem beledigde: 'Die piepkleine ons-kent-ons-piepeltjes kunnen me aan m'n reet roesten... verstikkend, haatdragend, schijterig, onbetrouwbaar, half-bloedzuiger half-lintworm, dat zijn ze... verdomde verrotte kutkont... schijtlintworm, bastaard... vuile vieze lelijke haatdragende stomkop... afgeknepen lintworm... napratend stuk filosofische lintworm dat je d'r bent...'[20]

Als je die twee scènes voor je ziet, als je denkt aan de grote stilte die tussen de twee mannen valt, aan hun wederzijdse doen alsof de ander niet bestaat, hun wederkerige minachting, als je bedenkt dat ze nooit meer met elkaar zullen spreken en zelfs nooit meer over elkaar zullen spreken, als je bedenkt dat Sartre, die zoveel over zijn tijdgenoten geschreven heeft, die verschrikkelijk veel kritische studies, reusachtige voorwoorden, die eindeloze stroom hommages, de 'situaties', het licht heeft doen zien over de moderne schrijvers wier pad hij, hoe kortstondig ook, kruiste, nooit over Céline heeft geschreven, als je die weinige maar verschrikkelijke en definitieve woorden in herinnering roept die Castor in haar *Mémoires* wijdt aan de man die intussen de pamfletschrijver van *Bagatelles pour un massacre*, *Beaux draps* en *L'Ecole des cadavres* is geworden ('*Mort à crédit* heeft onze ogen geopend' – er zat in dat boek 'een haatdragende verachting voor de kleine luiden', 'een prefascistische houding'[21]), als je dat allemaal op een rijtje zet, valt moeilijk aan te nemen dat er voor de schrijver van *La Nausée* een 'kwestie Céline', een 'raadsel Céline' en sterker nog een 'effect van Céline' of een 'invloed van Céline' heeft kunnen zijn.

En toch...

Aanwijzing: die late kwinkslag van Sartre die we misschien ten onrechte niet serieus genomen hebben: 'Misschien blijft Céline van ons allemaal wel als enige over...'

Aanwijzing: de woorden van Simone de Beauvoir die, op dezelfde bladzijde van haar mémoires waar ze spreekt over Sartres teleurstelling, en de hare, bij de verschijning van *Mort à crédit*, vertelt hoe opgetogen ze het jaar daarvoor waren toen de *Voyage* verscheen: 'Voor ons het belangrijkste Franse boek, dat jaar'; hele 'stukken' kenden we uit ons hoofd; wij omarmden zijn 'anarchisme', zijn kritiek op de 'oorlog', het 'kolonialisme', de 'middelmatigheid', de 'gemeenplaatsen'; Céline 'had een nieuw instrument gesmeed: een schrijfstijl net zo krachtig als het woord'.

En aanwijzing, ten slotte: de ongelooflijke affaire van het motto van *La Nausée* – ontleend, zoals iedereen weet, aan Céline: 'Een jongen zonder belang voor de gemeenschap, niet meer dan een individu.' Waarom ongelooflijk? Ten eerste omdat Sartre niet bepaald scheutig, dat is wel het minste wat je ervan kunt zeggen, met motto's is: afgezien van *Les Mots*, waar een zin van Chateaubriand in staat ('ik weet heel goed dat ik slechts een machine ben die boeken maakt'), maar dan midden in een hoofdstuk, als motto 'tussenin', is *La Nausée* het enige boek dat hij dat ritueel laat ondergaan en dan kiest hij uitgerekend Céline. Ten tweede omdat het 1938 is, en niet alleen *Mort à crédit* net verschenen is, maar ook *Bagatelles*, het eerste van de drie antisemitische pamfletten van de schrijver van *Voyage*: gezien het succes van het boek, gezien het schandaal dat het net veroorzaakt had, kan het Sartre niet zijn ontgaan dat hij zijn entree in de literatuur in het teken van een schrijver plaatst die moeiteloos van het stigma 'prefascisme' van Castor naar aanleiding van *Mort à crédit* overgegaan is naar het 'fascisme' tout court, ja zelfs naar het 'nazisme', een stap die Céline sinds *Bagatelles* definitief tot schande brengt. En ten derde omdat iedereen wel weet dat de zin zelf van Céline is, maar veel minder bekend is dat hij niet, zoals steeds beweerd is en Sartre klaarblijkelijk uiteindelijk ook zelf geloofde, uit *Voyage* afkomstig was maar uit *L'Eglise*, een veel minder bekende tekst met een veel problematischer situering binnen de algehele huishouding van het corpus celinianus: het is namelijk de allereerste tekst van Céline, geschreven in 1927, geweigerd door de NRF en uiteindelijk gepubliceerd in 1933 door Denoël; een tekst die doorgaans als een toneelmatige versie, een eerste opzet, van *Voyage* voorgesteld wordt; maar dan wel een probeersel met de boosaardige bijzonderheid al, in 1933, een antisemitische tekst te zijn... Heeft Sartre werkelijk, zoals hij Contat zal vertellen, het motto uit de tweede hand en kende hij de context niet? Was het stuk zelf, geweigerd door Jouvet en Dullin, verschenen in een oplage van 1800 exemplaren, te obscuur om er zelf kennis van te nemen en te weten waar hij zijn opschrift uit haalde? Of moeten we Jacques Lecarme[22] geloven die zegt dat de betreffende zin in geen enkele recensie voorkomt die toentertijd in de kranten verschenen en dat hij de zin pas kon vinden door zelf, met eigen ogen, die verschrikkelijke derde acte te lezen, de ergste, waarin, ten kantore van de Volkenbond, de almacht van de joden Yudenzweck ('directeur van de compromissendienst'), Mosaïc ('directeur van voorbijgaande zaken') en Moïse ('directeur van de losselippendienst') ten tonele wordt gevoerd die bezig zijn de oorlogskiemen zachtjes op te stoken die in alle uithoeken van de aarde op een laag pitje staan te pruttelen met als enig doel de noodzaak te bewijzen van hun eigen macht en die duurzaam te installeren – in die context zegt Yudenzweck de zin 'het is een jongen zonder belang voor de gemeenschap, niet meer dan een individu', en die zin slaat op de aardige Bardamu, bij de Volkenbond de laan uit gestuurd omdat zijn individualisme de plannen van de wijzen van Sion in de war zou kunnen sturen... Je kan – Lecarme weer – een hele lijst maken van overeenkomsten, qua vorm en inhoud, tussen de tekst van *La Nausée* en *L'Eglise*. Laten zien dat het einde van *La Nausée* (het ragtimedeuntje, 'Some of These Days', voor de laatste keer gespeeld op de grammofoon van het café van Bouville, dat de verteller, met de indicatie van het werk dat hij gaat schrijven, op het idee brengt van een mogelijke redding) een bijna-plagiaat is van het einde van *L'Eglise* (ook hier een jazznummer, 'No More Worries', dat net als 'Some of These Days' in *La Nausée* als leitmotiv diende in het stuk en ook hier een laatste keer klinkt in een café in een buitenwijk terwijl Elisabeth, de 'Danseres', de verzoening van Bardamu en de wereld aankondigt). En ik heb zelf twee nauwkeurige herinneringen die ik hieraan wil toevoegen, omdat ze, helaas, in dezelfde richting gaan. Een gesprek in Genève met Albert Cohen, die mij als eerste over *L'Eglise* vertelde en die, misschien omdat hij (de chronologie ten spijt – maar dat is iets anders!) in het personage van de 'jood Yudenzweck' trekken van zijn Solal of hemzelf meende terug te vinden, beweerde dat het stuk destijds veel stof deed opwaaien. En in 1991 in het Théâtre national de Caen waar ik met mijn eigen oren de tekst hoorde van dat uit de vergetelheid, uit het voorgeborchte weggerukte toneelstuk, in de regie van J.-L. Martinelli, de herinnering aan een heel groot gevoel van onbehagen tijdens de derde acte. En bij het vallen van het doek een indruk van déjà vu, die inderdaad goed te verklaren zou zijn door de grote overeenkomst van het slot met die laatste regels van *La Nausée* dat ik net herlezen had; maar ook was ik, voor dat alles, en dat overvleugdelde het gevoel van onbehagen en van déjà vu, en was sterker dan mijn eigen 'walging' bij het horen van een aantal zinnen uit de beruchte derde acte, blij verrast, dat is niet te sterk uitgedrukt, door de aanstekelijke humor, de intelligente dramaturgie van een tekst die, dat moge duidelijk zijn, heel wat meer was dan die zogenaamd mislukte schets van *Voyage*, dat broddellapje, die onder-in-de-la-tekst, en waarvan ik me meer dan wie ook kan voorstellen hoe hij Sartre heeft kunnen bekoren, want die avond, met die tekst in mijn oren, viel het besluit tot mijn eigen theaterdebuut. Ik neig dus naar de tweede hypothese. Ik zie geen enkele reden eraan te twijfelen dat Sartre die tekst echt, en met plezier, gelezen heeft, die in zijn soort van dezelfde kwaliteit als *Voyage* is. Ik kan me dus niet voorstellen dat hij niet wist wat hij deed toen hij aan die tekst het opschrift van zijn eerste boek ontleende. En nog scherper dringt zich de vraag dus op: was de noodzaak soms groot, de band sterk, de schuld torenhoog en onbetaalbaar, was de bewondering soms hevig en de wens tot eerbetoon zo krachtig dat hij uitsteeg boven de afkeer die de schrijver van de derde acte van *L'Eglise* ook hem absoluut moet hebben ingeboezemd en dat hij zich, niettegenstaande zijn bezwaren, niettegenstaande Yudenzweck en zijn verfoeilijke gesmoes met Mosaïc, niettegenstaande, ik herhaal, hetgeen Céline toen al was geworden, om zo te zeggen gedwongen voelde om hem wel niet als zijn regisseur aan te nemen maar toch als vlag waaronder hij in de literatuur binnentrad?

Een schuld, dus.

Wat Sartre schuldig is aan Céline.

Het spoor in het corpus van de boeken (*La Nausée*, *Les Chemins* en zelfs *L'Être et le néant*) van Célines invloed op het denken en het schrijven van Sartre.

Politieke invloed. Dat 'anarchisme' waar de Beauvoir het over had en dat inderdaad het handelsmerk van die eerste Céline is. Dat anarchisme, niet rechts maar links, waar Céline op een bepaalde manier trouw aan zal blijven tot het bittere einde: verdedigt hij niet tot in zijn pamfletten zijn vermaarde 'communisme-m'n-liefje'? En moet je trouwens wel zeggen 'tot in zijn pamfletten' als je weet dat de zo sombere auteur van *Voyage*, degene die dacht dat er geen enkel maar dan ook geen enkel licht was aan het einde van de nacht van de eeuw, juist daar, in die pamfletten en met name in *Bagatelles*, een uitweg begint te zien, een mogelijk gemeenschappelijk geluk – op voorwaarde, natuurlijk, dat men eerst even het sociale bestel dient te zuiveren van dat smerige, tot in zijn ziel ziekmakende joodse virus? Maar zover zijn we nog niet. Het is de tijd dat *L'Humanité*, met de pen van Altman of Nizan, *Voyage* bewierookt. Het is de tijd dat Aragon en Elsa Triolet de moeite nemen het in het Russisch te vertalen en dat Trotski er zelfs over zal schrijven: 'De Franse intelligentsia heeft zijn ongeëvenaarde expressie gevonden in deze roman.' Het is de tijd dat Céline zelf zijn *Discours de Médan* uitspreekt en tijdens die rede een eerbetoon aan Zola ten beste geeft dat geen van de grote post-Dreyfus-denkers zou hebben misstaan. En het is de tijd dat de jonge Sartre zonder meer kan appeleren aan een 'linkse Céline', in wie de hang naar gelijkheid, opstand tegen het gezag, kennis van de ellende zitten, opgedaan in de beste school, die van het leven, van de ervaring van een armendokter, en die in *L'Eglise* zelf de dubbele moraal van kolonialisme en menslievendheid aan de kaak stelt, wat Sartre en de Beauvoir, net als iedereen, onvermijdelijk moet hebben aangesproken.

En dan de romankunst. De vermenging, wederom, van fictie en essay, van autobiografie en verdichtsel, van bezeten requisitoir tegen de beschaving, de menselijke soort, de wereld, en poëzie. De definitie van de roman als totaalgenre. Het instellen van wisselende gezichtspunten, vage en gebroken verhaallijnen. Al die technische snufjes waar hij zich op laat voorstaan, waar hij zo trots op is en die hem in staat stellen af te rekenen met een bepaalde Franse kijk op zaken... Die vernieuwingen, die retorische en theoretische afwijkingen heeft hij misschien wel van Joyce en Hemingway. En zou hij ze slechts voor de helft van hen hebben, krachtens de welbekende wet – en naar het zich laat aanzien al van kracht in die jaren – volgens welke een dode of een vreemdeling altijd en principieel meer waard is dan een al te levende Fransman, dan zou hij er in ieder geval alles aan doen om die vernieuwingen helemaal van hen te hebben. Maar zijn tijdgenoten weten heel goed dat ze ook van die Rabelais-van-de-achterbuurt komen, van die razende Roeland, die zich nog dokter Destouches laat noemen, soms. Zij weten heel goed, zij hóren alles wat in de stem van die nieuwkomer die de auteur van *La Nausée* is, ontleend is aan de celiniaanse kreten van haat en smart, aan hun wild op en neer gaande ademhaling. Sartre tegen Mauriac, dat is ook Céline. Sartre tegen de Franse esprit, dat is ook *Voyage au bout de la nuit*. Welzeker wijdt Sartre zijn *Situations* aan Faulkner en Dos Passos: maar misschien dat hij ze pas echt leest en becommentarieert door de celiniaanse kots en ijlkoorts, zijn zwartgallige profetieën, zijn geschreeuw en getier, de drek en het slijk van zijn landschappen, zijn toverlantaren in de beerput, zijn aangebrande, vloekende of jankende taal heen.

Precies, de taal. Die 'spreek'taal, ogenschijnlijk zo 'grof', maar in werkelijkheid zo mateloos doorwrocht, waar Castor het over heeft. Die verbrijzelde, uitgebeende, getrepaneerde syntaxis, zelfs als ze heimelijk toch gehoorzaamt aan strikte regels. Die obscene en geraffineerde stijl. Geschreven in overdosis. Die pulserende, ritmische stijl. Dat glossarium in beweging. Die doordachte syncopen. Die taal, zo muzikaal, en van een outcast. Die poëtische kant van de Faubourgs, donderend en bitter. Die gloed. Die lach. De uitbreiding van het terrein van syntaxis en lexicon naar onbekende gebieden van de literaire strijd. 'Ik schilder woorden in kleur,' zegt hij in een brief aan Milton Hindus[23], waarin hij zich vreemd genoeg met Mallarmé vergelijkt. Dat 'schilderen in kleur' treft Sartre. Die deconstructie van de taal, die verrijking van zijn effecten, die hang naar verboden woorden en naar het slechte, naar het infame, naar de vuiligheid achter de woorden, die hij listig gebruikt voor *La Nausée*. 'Wat een verademing,' volgens Simone de Beauvoir weer, 'na de marmeren volzin van Gide, Alain, Valéry! Sartre deed er zijn voordeel mee.' Ja, wat een mazzel, als je net de traditionele, gestileerde, mooie taal van de 'bourgeois'literatuur, de breed uitgesponnen zinnen, de maniertjes, de overdaad aan nuance, de al te gekunstelde werkwoordsvormen – zijn we daar trouwens ooit van af gekomen? – gehad hebt en je ziet dan hoe die kermissfeer, dat argot, die mengeling van graffiti en kaalgeschoren woorden, die horde wild galopperende woorden, de literaire taal binnenvalt![24] Céline als tegengif. Céline als antilichaam. Céline als breekijzer van de taal en, door middel van de taal, van alles wat de literatuur aan stars en stijfs heeft. Er zijn twee 'scholen' van geweld in de twintigste eeuw – twee 'varianten' van die 'bepaalde staat van woede' die de atmosfeer van de jaren twintig-dertig uitmaakt. De surrealisten: maar dat was Sartre nu juist niet. Hij is zelfs een van de heel weinigen in die tijd die zich vreemd genoeg, en zoals we zullen zien, tot op hoge leeftijd, niet aangetrokken heeft gevoeld tot de surrealistische revolutie. En dan Céline, sombere zijde van zijn tijd, woedende en zwarte kant van die hang naar het extreme – de man die zich, terwijl Aragon bezig is met de zoetelijke Parijse Passage des Panoramas, helemaal verliest in de bloederige doolhoven van de Passage des Bérésinas (noot zie aantekeningen)...

En tot slot dan de metafysica. Laten we even aannemen – wat ik niet geloof – dat Sartre *L'Eglise* niet heeft gelezen als hij het motto van *La Nausée* kiest en niet weet dat het om de allereerste antisemitische tekst van Céline gaat. *Voyage* heeft hij daarentegen wel gelezen. Hij kent die sfeer van het einde van de wereld, waarin de céliniaanse verzinsels rondzwemmen. Hij kent zijn o zo donkere visie op een door en door verrotte wereld, bestookt door de miasma's en virussen van een radicaal Kwaad en bevolkt door gekken en gedoemden, door faulkneriaanse wezens en paljassen. En hij laat zich zonder enige terughoudendheid of schaamte door die mengeling, typisch Céline, van tragische klucht en kluchtige vervloeking inspireren.

Je zou het natuurlijk heel nauwgezet moeten bestuderen. Woord voor woord. Je zou de romans van Sartre en van zijn oudere vakbroeder naast elkaar moeten lezen. Maar waarom, en in afwachting van betere tijden, zou je niet al getroffen zijn door de assonanties, de echo's? Waarom zou je niet al verbijsterd zijn door de hallucinerende directheid van het metaforensysteem?

De walging van Sartre: echo van het gekots van Bardamu en van het schip vol kotsende mensen in *Mort à crédit*.

Het gevoel, bij Sartre, van de 'contingentie' en van het 'niet': overgenomen, als het al niet haast geciteerd is, van de prachtige bladzijden in *Voyage* – 'Altijd (het is Céline die hier aan het woord is, of beter Bardamu – maar je zou zeggen dat het Roquentin is) altijd was ik bang zo'n beetje leeg te zijn, uiteindelijk geen enkele reden tot bestaan te hebben; nu, geconfronteerd met de feiten, was ik helemaal tevreden met mijn individuele niet; in deze omgeving zo helemaal anders dan die waarin ik mijn kleingeestige gewoontes had, was ik direct opgelost; ik had bijna het gevoel dat ik er niet meer was, heel simpel; zo ontdekte ik dat zodra ze ophielden over koetjes en kalfjes met me te praten, mij niets meer in de weg stond om weg te zakken in een soort onweerstaanbare verveling, in een weeë, afgrijselijke, rampzalige geestestoestand; een smeerboel.'

Zijn obsessie met 'week' en 'slijmerig', die zoals we weten zo'n centrale rol speelde in de typische Sartre-erotiek en in zijn metafysica: dezelfde obsessie bij Céline; dezelfde 'kritiek op het weke' in *Mort à crédit*; en in afwachting van de vervloekingen in *Bagatelles* tegen 'het Blum leger in larvelegioen en slijmerige formaties', ontmaagdt de jonge verteller van *Mort à crédit* een 'dikke, afstotelijke vrouw met veel week vlees'...

Precies, de vrouwen. Het vrouwenlijf en de heilige, de 'christelijke' gruwel (dat is het woord dat hij gebruikt bij Genet) die het Sartre inboezemt. Ja, christelijk die gruwel? Of typisch Céline? Typisch Céline, natuurlijk. Want het is weer Céline die je vindt als je Sartre lukraak (maar wel volgens de regelen der schrijfkunst van Céline) ziet afschilderen: Marcelle in verwachting, net een 'moeras'; Marcelle en haar 'veelvuldige diarree'; het 'schuimende en troebele water' van Marcelles braaksel; de zwangerschap in het algemeen, net een 'geslachtsziekte'; dat arme misvormde vrouwenlichaam dat 'ziek in haar buik is' en dat 'zoetjesaan onder haar rokken wegrot'; de 'sappen', de 'elixers', 'het in bloei staan' van het vrouwenlichaam; de 'lauwe' en 'flauwe' vrouw; een van liefde opgewonden vrouw, 'week als een rups'; 'iedere maanstonde pist ze bloed', een vrouw; "t plant zich voort als de roggen', 't 'kan zich nog zoveel wassen', 't 'blijft stinken'; 'een vrouwenlijf' da's 'kneedbaar als brooddeeg'; en de 'slokdarm', de 'lever', de 'ingewanden', de vrouwelijke 'liefdes'organen. Typisch Céline? Nee, Sartre. Nog steeds Sartre, vooral in *Les Chemins*. Maar je denkt dat je Céline hoort. Je denkt dat het een Sartre is die de taal en het wereldbeeld van Céline is binnengegaan.

Zal Sartre Céline verloochenen? Zal hij zich na *Mort à crédit*, in verlegenheid gebracht, in een kuis stilzwijgen omtrent de kwestie Céline hullen? Zal hij – vooral na de oorlog, als de auteur van de 'pamfletten' echt die verschoppeling is geworden, die monsterlijke mens, een beetje heilig, onaanraakbaar, een haast onuitspreekbare naam, levend ingemetseld in zijn vernedering – als hij hem citeert dat voortaan doen zonder het te zeggen? Zo is het. En die houding staat in schril contrast met die van Aragon, die wel afstand neemt maar lang niet zover gaat zijn vroegere eerbetoon te verloochenen en nooit zover is gekomen dat hij er zich voor geneerde en in 1968 nog graag vertelt hoe hij er in zijn jeugd van kon dromen uitgegeven te worden door Robert Denoël alleen omdat hij de uitgever was van een eerste schitterend boek, dat door het latere gedrag van de auteur niets van zijn verdiensten inboet. Feit blijft voor Sartre die eerste onderdompeling. Feit blijft dat, naar zijn eigen zeggen 'dankzij Céline', plotseling alles 'geoorloofd' was: alles, te beginnen met de grote opkomst van het lichaam op het toneel van de literatuur waar toen alleen (nog altijd Gide!) nog de elegante pyschologie der zielen heerste! Feit blijft, kortom, dat Sartre Sartre is geworden ten gevolge van een wervelstorm genaamd Céline.

Literatuur is oorlog

Kafka, ook hem zou je nog kunnen noemen in de afstammingslijnen van die eerste Sartre, vanwege de 'indringende metamorfose', waar de eerste druk van *La Nausée* in het begeleidend schrijven bij de recensie-exemplaren van rept – en ook vanwege de twee artikelen uit 1943, niet over Kafka zelf maar over Camus en Bataille, zijn rivalen in het kafkaïsme, die hij impliciet het recht ontzegt zich de stijl van *Der Prozess* toe te eigenen.

Je zou Balzac kunnen noemen, wiens grote uitvinding, die van de terugkerende personages, hij zonder het te zeggen overneemt: Mathieu, Daniel, Marcelle, Jacques, Odette, Gomez, Sarah, Pablo, Brunet, die net als Rastignac, Nucingen of Bianchon, telkens terugkeren van *L'Age de raison* tot *La Mort dans l'âme*... een heel spel van zelfcitering waardoor hij over de personages heen een aantal allegorische scènes kan reproduceren – zoals het voorval met Mathieu en zijn mes op Sumatra...

Je zou – wat ook gebeurd is[25] – een hele lijst van bijna-citaten kunnen maken (*Eugénie Grandet*, *l'Encyclopédie*), van pastiches (Diderot, Descartes, Condillac, Racine, Baudelaire), pogingen tot herlezing (Proust), echte ontleningen, valse rijmen, vermomde clichés, stukjes refrein en stukjes lied, knip- en plakwerk, parodieën, omgekeerde verzen, min of meer toegegeven reminiscenties, die hele regenboog, die hele kermis, die hele stroom plagiaten en beelden die bijvoorbeeld *La Nausée* opsieren en er een geweldig spinnenweb vol opgehoopte betekenis van maken.

Precies, je zou *La Nausée* kunnen herlezen, je zou al die afschuwwekkende beelden van *La Nausée* opnieuw kunnen duiden, de 'kastanjebomen', de krabscènes, de hallucinerende momenten waarop Roquentin zich omsingeld ziet door een bezielde materie, een beest geworden op zich, beesten of objecten, of allebei, die hem belagen en zich heel snel vermenigvuldigen en maken dat de taal plotseling om de dood schreeuwt – je zou het kunnen herlezen als een vrolijke variatie op de *Chants de Maldoror* en hun vreemdsoortige dierenwereld: levensgrote zuigkrabben, inktvissen met vierhonderd zuignappen, wilde spinnen, slijmerige luizen, vleesetende en klauwende weekdieren met als hoogtepunt 'de mens, dat wilde beest' – hebben we hier met Lautréamont te maken of met Sartre?

Er is vaak gezegd dat de jonge Sartre 'geen stijl' had.

Er is gezegd, door Céline[26]: 'een stijl, dat is heel zeldzaam; daar zijn er maar één, twee of drie per generatie van; er zijn duizenden schrijvers; armzalige warhoofden; ze kruipen in de zinnen, herhalen wat een ander heeft gezegd, maar hebben geen echte stijl die van hen is' – en er is dus gezegd dat dat precies het geval was met die eerste Sartre en dat, als hij al talent had, het het talent was van een imitator, een vervalser of op zijn best een meestervervalser.

Er is ook gezegd, door Valéry[27]: 'onze tijd' heeft geen stijl; niemand 'durft dat toe te geven', maar zelfs het idee van stijl is hem vreemd geworden; we gaan dus naar een 'nagebootste taal', 'geleende combinaties'. En er is van Sartre meer dan van wie ook gezegd dat hij hét voorbeeld was van die toestand – de ene keer schrijft hij als Joyce, dan weer als La Rochefoucauld, Bossuet, Chateaubriand of Pascal, dan weer als Dos Passos, dan weer als Malraux. Heeft die hutspot nog wel met stijl te maken? Kan je nog wel van 'stijl' spreken als hele stukken wereldliteratuur als spookschepen kriskras door een boek trekken? Wat is dat voor ondefinieerbare, haast ongrijpbare taal (waar je geen vat op kunt krijgen) die onophoudelijk van de ene oever van de cultuur naar de andere rolt, ja haast stampt? En 'Roquentin'... is dat eigenlijk niet de naam die, volgens de Larousse van de negentiende eeuw, 'vroeger aan liedjes werd gegeven die samengesteld waren uit fragmenten van andere liedjes en aan elkaar genaaid waren als een harlekijnspak, zodat vaak de meest vreemde effecten verkregen werden door verandering van het ritme en er lachwekkende of belachelijke verrassingen ontstonden in de tekst'?[28]

Hij heeft dat trouwens zelf vast geen akelig idee, geen akelig beeld van zichzelf gevonden: vertelt hij niet in *Les Mots* hoe het kind Poulou, om de schrijver te spelen, dat wil zeggen om zijn moeder te behagen, klakkeloos alles overschreef wat hem onder ogen kwam, 'zwarte sprookjes en onschuldige avontuurtjes, verzonnen gebeurtenissen en stukjes uit het woordenboek' en op zevenjarige leeftijd zelfs de '*Fabels* van La Fontaine'? Zegt hij niet uitdrukkelijk dat hij 'dol was op plagiaat' en dat hij daar zelfs 'heel ver' in ging?[29] En als hij het portret van Tintoretto schetst, schildert hij hem dan niet af als koning van de pastiche, gespecialiseerd in alle categorieën van het 'op de manier van', de kameleontische schilder bij uitstek, Zélig – de enige schilder die in Venetië op verzoek Veronese, Titiaan of Pordenone maken kon?

De waarheid is dat Sartre hier hetzelfde doet als de meeste aankomende grote schrijvers.

De waarheid is dat hij hetzelfde doet als Céline, wiens *Voyage* eveneens gelezen kan worden als een aaneenschakeling van citaten: Ramuz; Freud; Barbusse (vanwege de eerste honderd bladzijden van *Feu*, van hun beschrijving van de oorlog, de dialogen van de soldaten); Morand ('...de eerste van onze schrijvers die de Franse taal jazzy gemaakt heeft... een verdomd authentieke edelsmid van de taal... ontdekker van een stijl... geboren schrijver... de zeer zeldzame soort... ik erken hem als mijn meester...'[30]); 'Dabit en zijn taferelen van het leven in de buitenwijken, zijn gluiperige, sjofele personages, de grauwsluier en de verveling van de huizen; Proust misschien; of ik las? ontzaglijk veel! alles wat me onder handen kwam! roman of niet! goed of slecht'.[31]

De waarheid is dat hij hetzelfde doet als Lacan, die, ook zo geobsedeerd door plagiaat, ook zo'n onvermoeibare lezer, voortdurend en dwangmatig zijn handtekening onder zijn vervalsingen zette, het door hem gepleegde plagiaat 'lacaniseerde', er als het ware de ultieme auteur van werd – tenzij hij, omgekeerd (maar is dat wel echt omgekeerd? Is het niet eerder de omgekeerde figuur van dezelfde bewerking?) op zijn voorgangers de stijl van zijn bedenksels projecteert en van Freud, Hegel of Heidegger Lacans avant la lettre maakt, die daar natuurlijk niets van gehad moesten hebben. Zo ook de beroemde zin 'zij weten niet dat wij hun de pest brengen' die hij de auteur van *Die Traumdeutung* in de mond legt, op de boot, tegenover het Vrijheidsbeeld, als hij samen met Jung aankomt in New York: die 'historische' zin die we sindsdien om het hardst herhalen – en wie zou het in z'n hoofd halen de authenticiteit ervan in twijfel te trekken –, die heeft Lacan hoogstwaarschijnlijk verzonnen...[32]

De waarheid is dat je er lang over doet om nieuw te worden, heel lang om je eigen stijl te vinden of te bedenken: er wordt altijd maar gedaan alsof schrijvers zo geboren worden, helemaal toegerust, wonder van een stem die zich laat horen, gehoord wordt en meteen al op geen enkele andere stem lijkt – niets daarvan! Dat zou te simpel zijn! Schrijvers zijn bij hun geboorte tamelijk beschroomd, steken nog niet zo lekker in hun vel en zijn daarom nogal ongelikt, nogal schofterig. Het zijn rovers van andermans werk, hamsteraars, sjacheraars, plunderaars van literaire graftombes en overblijfselen, papiervreters, literaire bloedzuigers, kannibalen. Het zijn levende distilleerkolven, werkbijen. Het zijn boekenmensen of woordenmensen, gemaakt, zoals Beckett zei en Sartre het met hem zal zeggen, van andermans boeken en woorden, terend op andermans zak, zich meester makend van hun uitdrukkingsvormen, hun verhaallijnen, om het even. Ja, de waarheid is dat het zelden voorkomt dat een aankomend schrijver voor de eerste keer het woord neemt en daadwerkelijk schoon schip kan maken, zich kan ontdoen van de woorden die hem voorgingen en die nog lang, heel lang, door de zijne heen gelezen zullen worden. Hij neemt het, het woord. Daar moet je alle betekenis, alle gewicht aan geven, aan dat idee van het 'nemen'. Je moet je een wereld van woorden voorstellen, je echt voor de geest halen, en een schrijver – Céline, Sartre – die daar aankomt, zich openstelt voor die wereld van woorden, de inventaris opneemt, zich er meester van maakt, zich een schrijverspak uitkiest, zijn stem verheft, zich een weg baant. Je moet je schrijvers voorstellen als stichters van Staten – mensen die niet van doen hebben met een maagdelijke taal of een maagdelijk gebied van de taal, maar met bezette, verzadigde dus vijandige territoria, die met felle strijd veroverd, ontdaan van hun eerste bewoners, gekoloniseerd moeten worden. Je moet die oermisdaad die de daad van het schrijven is niet geringschatten. Je moet goed zien hoe die schrijver in de dop als een soort literair diertje een gat, zijn hol, in het werk van andere schrijvers uitgraaft om geboren te worden en hoe hij van dat gat, van dat eindeloze graafwerk wat men noemt een stijl, soms een leven maakt! Een lang leven! En pas aan het einde van het leven, in hoge ouderdom, rollen de dobbelstenen een laatste keer en is het werk eindelijk de echte geboorte geworden, Chateaubriands *La Vie de Rancé*, Kants *Kritik der Urteilskraft*, Cézanne, Titiaan, de laatste Picasso, de laatste film van Joris Ivens, *Une Histoire du vent* en ook, zoals we zullen zien, de laatste, de allerlaatste Sartre, op de drempel van de dood – allemaal werken van een soevereine vrijheid.

Geen uitzonderingen? Ja, natuurlijk wel. Een paar dichters. Sprekers van tongentaal. Freud wellicht – althans, zoals Sartre hem 'neerzet' en van wie Thomas Mann, tijdens een lezing in 1936, op het hoogtepunt van de beweging, vertelde dat hij 'de moeilijke weg gegaan was van alles in z'n eentje onderzoeken, in alle onafhankelijkheid, uitsluitend en alleen als arts en observator van de natuur, zonder de vertroosting en de steun te kennen die de belletrie hem had kunnen schenken' – hij deed 'met zijn eigen middelen', haast zonder 'lezen' en 'onwetend van eerdere teksten' van bijvoorbeeld Nietzsche, Schopenhauer, Kierkegaard of Novalis, die al voor hem tot diezelfde 'inzichten' waren gekomen, de 'methodische verovering van zijn systeem'.

Maar in hoofdzaak is dat de regel.

Verzadiging en vijandigheid zijn de twee karakteristieken van de 'situatie' van een schrijver.

Niet van: 'kom binnen, doe alsof je thuis bent, de taal zit al op je te wachten' – maar: 'Taal zit nooit op iemand te wachten. Taal is stug, afwerend. Taal is compleet georganiseerd om de schrijver hindernissen te bereiden.'

Wachtend op het moment om met zijn stijl uit te breken, heeft hij dus geen keus: er is geen andere uitweg uit de situatie dan de list, de kunstgreep, de gewelddaad, de greep naar de macht – het masker van de een opzetten, zich verschuilen achter de ander, de derde om de tuin leiden door te doen alsof hij een verbond met hem sluit, voetje voor voetje terrein winnen van de vierde in de hoop voet aan de grond te krijgen, de levenden verslinden, de doden prijsgeven aan de fagocyten, de kunst van het schrijven veranderen in een veralgemeniseerd en actief palimpsest.

Schrijvers zijn, zoals gezegd, in oorlog.[33]

Dat zijn ze onophoudelijk, tot aan hun dood, zo heftig zijn de krachten van allerlei aard die hen willen beletten te bestaan.

Maar ze zijn het het allermeest op dat allereerste ogenblik, wanneer het er nog niet om gaat te volharden, maar om te voorschijn te komen – te veel tonen! Nu al te veel tonen! En u wilt applaus op de koop toe bij de geboorte van weer een schrijver?

En daarom ben ik ervan overtuigd dat je al die pastiches van Sartre, al die vervalsingen, die vette knipogen, die citaten zonder aanhalingstekens, die wilde interpretaties van grote schrijvers en filosofen uit het verleden, zowel binnen een militaire als binnen een literaire logica moet plaatsen.

Tegen Céline aanschurken om Gide te vergeten... Op Chateaubriand of Hugo leunen om zich vervolgens van Céline te ontdoen... Camus begroeten en Blanchot om Kafka beter van hen af te kunnen pakken... Ponge corrigeren door Jules Renard en Jules Renard door Ponge... Faulkner en Blanchot belegeren... Camus tegen Merleau uitspelen en Merleau tegen Camus... Dos Passos tegen Martin du Gard gebruiken... Malraux tegen Aragon... Het regiment Nietzsche inzetten voor de belegering van de burcht Bataille en vervolgens Bataille voor zijn karretje spannen tegen Gide en Malraux... In *Le Sursis* met de monoloog van Daniel de beste bladzijden van *L'Expérience intérieure* parodiëren en in 1952, maar dan in *Saint Genet*, de controle over het continent Bataille heroveren... Romains mijden... Bourget omzeilen... Baudelaire inkapselen of insartreren om Flaubert van zich af te schudden... En dan heb ik het nog niet over de 'detectives', die 'slechte romans' die hij tijdens de schemeroorlog in dikke pakken door Castor liet opsturen, tegelijkertijd met Gides *Journal*, en die hij ook later bleef verslinden: remedie tegen de gemaakte stijl, tegengif tegen de 'genre'-literatuur.

Je denkt dat hij kritiek levert, maar hij zet een strategie uit.

Je denkt dat hij voorwoorden, artikelen schrijft, maar het zijn oorlogsmachines.

Ze zeggen: zijn boeken zijn potpourri's, uitdragerijen, vreugdevuren van andermans boeken, spiegels waarin zijn en onze boekenkast weerspiegelen, imitaties, vervalsingen. Maar dat zijn ze niet. Het zijn boeken met een list. Gevechtsboeken. Commandoboeken waarin hij zich meester maakt van andermans woorden zoals Pardaillan op een willekeurig paard sprong, het voortjoeg tot het er bijna bij neer viel en het helemaal afgepeigerd bij de volgende rustplaats achterliet.

Flaubert – maar ook Ponge, Nathalie Sarraute, Genet – is een personage uit het leven en de oorlog van Sartre.

Baudelaire en Mallarmé – maar ook Giacometti – zijn figuranten in zijn gladiatorenepos, soldaten die hij heeft geronseld voor zijn langdurige echte schijnoorlog.

Stendhal is zijn vriend, zijn bondgenoot – zijn geestesbroeder en in zijn offensief tegen de vreselijke Chateaubriand zijn allerbeste medestrijder, zijn partizaan, zijn vrijschutter, zijn scherpschutter.

Precies, Chateaubriand is een verrader. Hij is de maarschalk van het leger der verraders. Je moet proberen de strafexpeditie die hij samen met Castor voerde aan de kust van Saint-Malo, waarbij ze zijn gaan pissen op het graf van de verrader,[34] serieus te nemen: hartstochtelijke woede en haat! Onuitputtelijk verlangen naar oorlog! Samen met de medeplichtigheid van 'beau voir' het symbool van de 'mooischrijverij' onderzeiken! Het symbool van de marmeren school, van de met mooie 'regelmatige' zinnen verpeste literatuur opzoeken om hem van man tot man, bijna alsof het het slot van een western betrof, een zo grove en definitieve belediging aan te doen, dat doet alleen iemand op het oorlogspad, dat zegt iets over zijn oorlogs- en schrijfdoelen! Zonder zover te gaan als Mauriac[35], die stelde dat 'Sartres urinelozing in de literaire geschiedenis net zo belangrijk is als het kanon van Valmy voor Goethe', zonder dat ik zover wil gaan te zeggen dat daar een nieuw 'tijdperk' begon, 'van kwatten en plasjes doen op beroemde graftombes', vind ik dat plengoffer serieuzer dan de kleine surrealistische provocatie van een groep aangeschoten studentjes in de medicijnen die zweren het lijk van Anatole France een oplawaai te verkopen maar die het bij een papieren exercitie van die oplawaai hebben gelaten.

Hij is, te midden van de grote werken van het heden en verleden, als Malraux op de foto waar ik zo dol op ben, waar hij liggend op het grote tapijt in de salon bij hem thuis in Boulogne op afgebeeld staat, heel elegant, in een iets te krap kostuum, omringd door uitgestalde reproducties van zijn geliefde werken: hij is nonchalant en geconcentreerd. Je voelt dat hij meer dan ooit in zijn gedachten en heimelijke twisten verzonken is. Ze zijn er dus allemaal, daar op het tapijt, Cézanne en Fra Angelico, Poussin, de kop van de Gorgo, de *Démoiselles* van Picasso, een Azteekse godheid, Chardin, de bizons van Lascaux, de muur van de Sixtijnse Kapel van Michelangelo, de *Colombes* van Braque, een bas-reliëf uit Opper-Egypte, een beeld van Chartres, een plafonddetail van Chagall. Ze zijn er. Ze zijn van hem. Ze zijn overgeleverd aan zijn willekeur, hij kan ermee doen wat hij wil. Hij kan ze net als de tinnen soldaatjes van zijn zoons die boven in hun kamertje zoet zitten te spelen, neerzetten, oppakken, weer neerzetten, verplaatsen. Hij kan met het verplaatsen eindeloze kortere wegen, dialogen, metamorfosen tot stand brengen. En ik stel me Sartre dus voor, te midden van de werken uit het verleden en die van zijn tijdgenoten, als zijn oude vijand tussen de onzichtbare muren van zijn museum.

En ten slotte kom ik dan op de filosofen, op Sartres gebruik van de grote teksten van de filosofie van het verleden. Er zijn op z'n minst twee manieren om een filosoof te lezen. De manier van een professor, respectvol ten aanzien van wat hij heeft gezegd, trouw aan de echte kern van zijn leer, logisch, erop gericht goed zijn gedachtegang en zijn systeem te volgen. En de manier van de filosofen, dat wil zeggen de schrijvers, die zich alleen beroepen op andermans denken omdat ze nog niet zover zijn (zullen ze ooit zover komen?) dat ze hun eigen denken tot uiting durven te brengen, hun stem te laten horen, er de volle verantwoordelijkheid voor te aanvaarden, in hun eigen naam te durven denken. Wilde lectuur, dus. Lectuur van een piraat en een krijger. Het denken van een oudere vakbroeder lezen om er je eigen denken in wording in te ontdekken. 'Op zijn kosten eigen ideeën' ontwikkelen, totdat je, zoals de *Carnets de la drôle de guerre* zeggen, 'in een doodlopende straat terechtkomt'.[36] Husserl of Heidegger citeren om er pijlen, wapens, hulptroepen aan te onttrekken. De een met de ander te corrigeren. Hen allebei tegenover Hegel stellen. En pech gehad als het citaat niet helemaal klopt. Pech gehad als de heiliger dan heilige 'beweging' van de geciteerde gedachte gemist wordt. Pech gehad als de betekenis van die gedachte 'uit zijn historische context wordt gelicht', als hij in Joost mag weten welke bovenaardse wereld geplaatst wordt, ontdaan van iedere context, dat wil zeggen van ieder systeem, van iedere voorgeschiedenis, hij zou zelf zeggen: van iedere situatie. En pech gehad als die betekenis gaat rondzweven, net als de literaire teksten in dat boekenmuseum dat voor hem is wat het denkbeeldige museum voor Malraux is. Je gaat de grote doden binnen, alsof je een molen betreedt, de molen waarin het denken van de grote levenden vermalen wordt. Je neemt van andermans denken, dood of levend, de stof voor je eigen gedachten, nooit helemaal af, nooit helemaal klaar – dat is de wet van het voortgaande denken. Wat vorm was voor de ander zal stof zijn voor de één. Waar hij klaar mee was zet ik op het spinnewiel van mijn eigen oneindige woord. Een denken dat niet meer plagieert, niet meer liegt, een denken dat ophoudt zich ten opzichte van ander denken te gedragen als piratendenken, het na hevige strijd veroverend en er en passant het gif van de eigen gedachten op overbrengend, dat is een denken zonder denken – dood denken, gestold denken, het einde van het grote denken van de grote levenden.

Sartre is die grote levende.

Hij is die wilde, die krijger, die inbreker in het taalgebouw, die in het dood-leven van andermans kunst, van andermans denken snijdt om er zijn eigen kunst en denken te scheppen.

Soms gaat de krijger zo ver, laat hij met zo veel arrogantie zijn rechten als lezer en zijn almacht gelden, dat hij het denken van degene die hij beweert te lezen absorbeert, tenietdoet, vernietigt, en dat hij dus eigenlijk, zoals Baudelaire Poe verslond in zijn vertalingen, of Mallarmé Baudelaire, zijn lievelingsdichter, wegsloot in de cenotaafgedichten die hij zogenaamd aan hem opdroeg, zijn uitverkorene in het zwarte gat van zijn eigen denken stort. Dat overkwam Genet, verpletterd, opgevreten, tot nul gereduceerd onder Sartres eerbetoon. Na de verschijning van *Saint Genet* heeft hij nauwelijks meer geschreven, nauwelijks meer bestaan dus. Een mausoleum, dat *Saint Genet*, waarin Sartre hem zo ongeveer levend begraven heeft (en dat terwijl Sartre hem, Genet, met een kwade trouw en brutaliteit die hun weerga niet kennen, ervan beschuldigd heeft een 'bidsprinkhaan' te zijn die niet anders kan dan 'de mannetjes opvreten'!). Van hetzelfde laken een pak (bewijs dat Sartre er een handje van heeft, een gevaarlijke recidivist is, en dat die doodskus dus helemaal geen toeval of uitzondering is die ligt aan Genets persoonlijkheid, maar een doodnormale modus is in zijn verhouding tot kunstenaars die hij bewondert) is de tragedie van de schilder Lapoujade, aan wie Sartre een magnifiek en spitsvondig essay wijdt[37] – dat ook hij niet te boven komt. Het is alsof Lapoujade het onder de pen van de filosoof niet verdroeg die grootse en voorbeeldige schilder, die nieuwe Goya, te worden, die abstracte en tegelijk concrete schilder wiens dubbele verdienste het zou zijn 'door zijn schilderkunst het masker van de kunstenaar af te rukken' en 'de schilderkunst terug te brengen tot de weelderige soberheid van zijn essentie'. En ook hij houdt, begraven in zijn papieren graf, op met schilderen.

Literatuur is oorlog – en dan kan je zulke dingen verwachten.

Portret van de kunstenaar en van de filosoof op het oorlogspad.

4

Een 'Duitse' filosoof

Filosofie.

Ook in de filosofie kent Sartre zijn Gide.

Evenals op het gebied van vorm en stijl heeft hij in het denken een inspirator die hem tegenhoudt, vastlijmt en ervoor zorgt dat hij er lang over doet om Sartre te worden.

En die inspirator, dat obstakel, die praktisch-inerte intellectueel, die wijsgerige stof waarvan hij zich moet bevrijden om de 'echte' Sartre vorm te laten krijgen, het filosofisch equivalent van wat Gide in zijn schrijversleven was, heet Henri Bergson.

Een filosofisch monument – het bergsonisme

We kennen de geschiedenis van Bergsons gedachtegoed – het moet maar weer gezegd – in Frankrijk slecht.

We zijn de andere donderslag vergeten die aan het einde van de negentiende eeuw de verschijning aan de hemel was, ditmaal aan die van het denken, van een discours dat beloofde de filosofie te bevrijden, haar haar soevereiniteit terug te geven en haar zodoende niet alleen op het niveau van de wetenschap maar ook op dat van de kunst te brengen.

Vergeten zijn we hoeveel indruk dit discours maakte.

Vergeten zijn we hoe uniek en opzienbarend het was in die tijd.

Vergeten zijn we hoe Bergsons colleges aan het Collège de France de wereld veroverd hadden, de menigte die samendrong om naar hem te luisteren, mooie vrouwen en geletterden naast gewone studenten, Marie Bonaparte en Anna de Noailles net zo goed als het publiek van de *Cahiers* – in een sfeer van aanbidding als bij de 'missen' van Jacques Lacan aan de Ecole Normale in de jaren zestig.

Vergeten zijn we de Nobelprijs in 1927: hé! Gide, Bergson, Sartre, de club van gelauwerden...

Vergeten zijn we, net als bij Sartre, hoewel in mindere mate, het op de man spelen, de heksenprocessen, de beledigingen van Maurras en Maritain, die er bij de Heilige Stoel op aandrong hem op de Index te zetten.

Vergeten zijn we dat hij in juni 1914 ook daadwerkelijk op de Index geplaatst wordt (ja heus! Bergson, Gide, Sartre – de drie grote figuren op de index van de eeuw...) en tegelijkertijd onder alle mogelijke eerbetoon en hulde bedolven wordt of zal worden (Académie française, Académie des sciences morales et politiques, Grand-Croix en Conseil de l'ordre de la Légion d'honneur, Nobelprijs dus).

Vergeten zijn we de diplomaat, de raadsman van prinsen en prinsessen, schildersmodel en ster en tegelijkertijd de strenge, sobere filosoof die in alle stilte en afzondering aan zijn uiterst nauwgezette werk bouwde.

En vooral: we zijn vergeten wat uit die speculatieve geweldaad, die wind van vrijheid en vernieuwing die ging blazen, voortgesproten is in het moderne denken en zelfs in de moderne literatuur – er is, evenmin als een geschiedenis van het gideïsme, een geschiedenis van het bergsonisme voorhanden, waarin, in de tijd die hij zijn stempel opdrukte, het spoor terug gevonden kan worden van een vorm van denken die heden ten dage te veel weggedrongen wordt naar het dodenrijk van conventioneel, achterhaald, gemummificeerd gedachtegoed, terwijl die toch, zo vertelt Jean Hyppolite[1], in 1925 juist de 'nieuwe filosofie was en de boventoon voerde'...

Gide, al. De 'gratuite handeling' van Gide die door tijdgenoten teruggebracht wordt, direct na verschijning, op de 'vrije handeling' van het *Essai* (sur les données immédiates de la conscience, 1889).

Proust. Zijn opvatting van de 'twee ikken' in zijn *Contre Sainte-Beuve*. Zijn theorie van de 'ongewilde herinnering' in *Recherche*. Je denkt direct – iedereen denkt, dan – aan de dichotomie van Bergson van het 'oppervlakkige ik' dat verdwaald is in de mechanische wereld en het 'diepere ik' dat voor hem zuivere duur is.

Georges Sorel. Vader van de 'algemene werkstaking' en nog algemener van het 'geweld'. Vriend van Péguy. Man van politiek links. Veerman van het Franse marxisme en voerman, later, naar het fascisme. As Lenin-Mussolini. Sleutelfiguur, kortom. Levendig trefpunt en van het grootste belang, op dat moment – maar deze keer op het politieke vlak. Noemt hij zichzelf niet, in de commentaren, vijf in het totaal, die hij wijdt aan de *Deux sources* (de la morale et de la religion) en die hij aan de *Mouvement socialiste* geeft, een 'volgeling' van Bergson? Noemt hij Bergson niet een soort 'Franse Marx', van wie hij graag zag dat hij de 'weinig vruchtbare toepassingen van zijn filosofie op de natuurwetenschappen' aan de kant zou zetten, om in te gaan op 'de problemen die zij (zijn filosofie) op heldere wijze uit de doeken kan doen', en wel die van de 'grote sociale bewegingen'? En wat Bergson zelf betreft, die kan dan wel zeggen dat zijn politieke conclusies 'hem enige schrik aanjagen',[2] hij kan dan wel steeds de nadruk leggen, kwestie van hem op een afstand houden, op 'de originaliteit' en 'de onafhankelijkheid van geest' van een man van wie hij graag gelooft dat hij veel te 'vrij' is om 'zich achter wiens vaandel dan ook te scharen',[3] de zijne incluis, hij ontkomt er niet aan te erkennen, in diezelfde teksten, dat die lastige leerling hem citeert, als hij hem citeert, 'als man' die hem 'goed gelezen' en 'volkomen begrepen' heeft en hij vindt met niet te miskennen graagte, telkens weer opnieuw, het spoor van zijn invloed, niet alleen bij hem, Sorel, maar ook bij kameraden van hem, die heel wat compromitterender zijn, om te beginnen Edouard Berth, de 'Maurras van extreem-links', schrijver van het veelbesproken werk over *Les Méfaits des intellectuels*, die vond dat *L'Evolution créatrice* het marxisme de 'filosofie van de natuur' bracht die het ontbeerde... Aan Berth, om precies te zijn, aan de oprichter van de 'Cercle Proudhon' voor 1914, aan de apostel van een 'syndicalistische monarchie', die in haar grondbeginselen marxisme, integraal nationalisme en bergsonisme moest laten samensmelten, die brief[4], heel veel later, in 1936, waarin hij er niet voor zal terugdeinzen de 'intellectuele sympathie' in herinnering te roepen die hem 'steeds' met Georges Sorel en de zijnen verbonden heeft...

Péguy. De schrijver van de *Note conjointe* die aan hem zijn kritiek op het 'cliché' ontleent en zijn verzet tegen 'soepele mores' en tegen 'strenge mores'. Zijn vroegere leerling aan de Ecole Normale die, op het moment dat Bergson op de Index wordt geplaatst, zijn 'Note' over 'Meneer Bergson en zijn filosofie' in de *Grande Revue* publiceert en het woord tot hem richt in de beroemde brief: 'in de totale eenzaamheid waarin ze me hebben weten te werpen, heb ik zo het gevoel dat u in een nog vreselijker eenzaamheid leeft, overspoeld als de uwe is door kabaal'. Péguy, die luidruchtige leerling, gestorven als 'heilige' en 'held', aan wie Bergson in januari 1939, op de drempel van de tweede oorlog die hij ziet aankomen, een van zijn laatste teksten wijdt: 'Péguy de eer, Frankrijk de roem'.

En dan zijn invloed op Matisse (vgl. het *Journal*), Valéry, Russell, Bernard Shaw, Popper.

Zijn invloed op de hele antikantiaanse en antipositivistische stroming van de jaren dertig: vooral in de persoon van Jean Wahl, Gabriel Marcel, Jankélévitch.

Denk aan het begrip 'obstakel' bij Bachelard, de idee van een gedachte die 'stolt' als ze 'stopt' en die 'vals' wordt als ze 'stolt', het principe van *La Pensée et le mouvant*... aan de bergsoniaanse definitie van kennis als voortdurende ontwikkeling, proces zonder einde, noodzakelijke en onophoudelijke beweging...

Bachelard weer. Dezelfde Bachelard als in *La Dialectique de la durée*, polemiserend tegen het 'continuïsme van Bergson' en zijn 'innerlijke zekerheid' van een ontologische continuïteit. Maar vloeken 'dialectiek' en 'continuïsme' wel zo als hij zegt? Is hij niet bezig tegenover de 'zekerheden' van Bergson iets te stellen dat bedrieglijk veel lijkt op de theorie van het 'élan vital'? En is de polemiek niet des te feller omdat ze zich helemaal binnen dezelfde bergsoniaanse ruimte afspeelt? Bergson tegen Bergson.

Canguilhem, aanhanger van Bergson, kritisch (*Etudes d'histoire et de philosophie des sciences*) of spontaan (*Le Normal et le pathologique*).

Merleau-Ponty die er pas laat, in zijn *Bergson se faisant*, achter kwam wat zijn eigen filosofie van het 'lijfelijke', van de 'symbiose' van bewustzijn en wereld in het idee 'lijf' aan die 'nieuwe Heraclitus' te danken had.

Het primaat van de 'directe ervaring' en 'het innerlijke' in de eerste werken van de Gestaltpsychologie.

Deleuze, ook. Zijn filosofie van het 'Leven' en de 'Immanentie', van het 'verschil' en van de 'menigvuldigheid'. Zijn afkeer van de dialectiek. Het begrip 'beeld-beweging' en de filosofie van de film. Het artikel 'Bergson', in *Les Philosophes célèbres*, het collectief geleid door Merleau-Ponty. Het artikel 'La conception de la différence chez Bergson' dat hij later aan de *Etudes bergsoniennes* geeft. Dubbele eer. Herhaalde loyaliteit. Nooit verloochende verwantschap met de 'discrete revolutie' van de schrijver van *L'Evolution créatrice*.

En dan Benda, tot slot, Benda in de contramine, want hij is het bergsonisme immers altijd blijven zien als een van de drie bronnen, naast het maurrassisme en het marxisme, en misschien wel de belangrijkste bron, van het fameuze 'verraad van de intellectuelen'. Wetenschappers die willen zien dat hun denkbeelden 'weer grip krijgen op de werkelijkheid in de beweeglijkheid die er de essentie van uitmaakt'? Gevolg van *La Pensée et le mouvant*. Het 'dogma' bij de 'rationalist' Brunschvicq, van het 'vloeiende begrip' dat het mogelijk maakt 'zich het werkelijke eigen te maken in de beweeglijkheid ervan'? Gevolg van het bergsonisme en zijn wantrouwen tegen 'rigide' concepten. Het nieuwe 'onderwijs van de moderne metafysica dat de mens ertoe aanzet het echt denkende deel van zijn wezen op een tamelijk laag pitje te zetten en met alle kracht het handelende en willende deel luister bij te zetten' – dat nieuwe anti-intellectualisme dat de jaren twintig beheerst? Dat is nog steeds het 'bergsonisme', nog steeds de vérstrekkende invloed van een *Evolution créatrice* waarvan de 'echte slogan' 'ik denk dus ik ben niet' is geworden, of 'ik groei aan dus ik ben'. Moderne moraal? Die zogenaamd 'dynamische' moraal met zijn idealen 'in beweging', gevat in een 'eeuwig worden', onafhankelijk van 'de aard van het doel' en 'wellicht' in het geheel 'zonder doel' – en dat gaat tot de 'utilitaire' romantiek van een tot walgens toe geëxalteerd 'oorlogsinstinct'? Dat is nog steeds Bergson. En bergsoniaans ten slotte – het zijn nog steeds Benda's woorden – die 'andere vorm' en 'niet de minst opmerkelijke', waarin de 'prediking van het particularisme' is gehuld en die er, zowel in de voortbrengselen van 'dichters' als in de nieuwste stromingen van de 'literaire kritiek', net zo goed bij onze 'moralistische historici' als bij de theologen van het 'christelijk' dogma, op neerkomt ieder ding slechts te beschouwen voorzover het 'in de tijd' is, uitsluitend bezien vanuit het 'aspect van de historiciteit' en 'het tijdsgewricht'. Er zit natuurlijk iets 'Germaans', zo geeft hij toe, in die 'wil om ieder ding in zijn worden te bezien'. Natuurlijk moet je voor een goed oordeel over die algehele tendens om van een ding niet meer te zeggen dan dat het 'juist of goed' is maar uitsluitend nog dat het 'van zijn tijd' is en 'alleen waarde heeft met betrekking tot een tijd', het belang, in Frankrijk, meewegen van de Duitse 'metafysici' van de 'Entwicklung'. Maar de doorslaggevende invloed is en blijft, volgens Benda, die van die Franse Hegel, van die Nietzsche die, ik zeg het voor de zoveelste keer, Henri Bergson heet.

Vanuit welke hoek je het ook bekijkt, een enorme invloed, dus.

Een doffe, zware doordrenking die – ik denk aan het onderzoek van Agathon over *L'Esprit de la Sorbonne nouvelle* – tot de diepste lagen van de Franse ideologie en het Franse denken gaat.

Een laatste bewijs nog? Een laatste teken van de alomtegenwoordigheid van het Bergson-denken in de eerste helft van de twintigste eeuw? Dat is het feit dat hij genoemd wordt – eigenlijk moet je zeggen afgemaakt wordt – in het meesterwerk van die tijd, het meest vernieuwende en tegelijkertijd meest radicale boek, dat alle latere Europese filosofie aankondigt en omarmt – het boek ook dat zal dienen om Bergson te begraven, te doen verjaren, langs de zijlijn te zetten, ja zelfs in de afgrond te werpen van de prehistorische filosofie: *Sein und Zeit*. Zeker, Heidegger vermeldt alleen de Latijnse these van Bergson, *Quid Aristoteles de loco senserit*. En hij vermeldt hem alleen om aan de auteur de idee toe te schrijven, ronduit absurd in de ogen van de eerste de beste lezer van *Données immédiates de la conscience*, dat tijd van dezelfde orde is als ruimte. Maar welke andere modernen, welke Fransen – afgezien van Sartre, natuurlijk – worden door Heidegger geciteerd? En het feit op zich dat hij de moeite neemt, dat hij de behoefte voelt om, ook al is het op die lichtvaardige, foute en in ieder geval summiere manier, het boegbeeld van de Franse ideologie af te maken, het feit dat hij juist met hém de discussie wil aangaan en de chaos gestalte wil geven om er zijn eigen denken tegenover te stellen, is dat niet het bewijs dat hij hem aanziet, zo niet voor een van zijn meest geduchte tegenstanders, dan toch voor de meest respectabele?

De eeuw was van Bergson.

Net zo goed als van Gide.

Het bergsonisme was, hoe vreemd dat ook moge lijken, hoe moeilijk je je dat nu kunt voorstellen, de niet te overschrijden horizon van het denken, van de literatuur, van de politieke geschiedenis van een heel tijdperk.

En in die eeuw van Bergson, tussen talrijk en slecht afgebakend nakomelingschap, in die minstens zo onwaarschijnlijke familie als die van Gide, ziedaar het geval Jean-Paul Sartre.

Bergson, Gide & Co.

Sartre in het spoor van Bergson?

Dat lijkt een vreemde veronderstelling.

Het weerspreekt met name het feit dat zowel Sartre zelf als zijn tijdgenoten van het bergsonisme hét symbool hebben gemaakt van de filosofie waar zij koste wat kost mee wilden breken: 'waakhond' voor Nizan... bijtende spot van de eerste Merleau-Ponty... 'filosofische praalzucht' voor Politzer, voor wie de 'mooischrijverij' van Bergson afdoen met 'grappig' en zijn filosofie met 'zwak' niet ver genoeg ging en die de uitspraak aandurfde dat het 'irrationalisme' van de theorie van het 'élan vital' 'niet zonder diepere reden' de 'ideologen van het nazisme'[5] tot inspiratie diende (al te lichtvaardige beschuldiging als je denkt aan de bewonderenswaardige kracht van het 'testament' in 1937: 'Ik was te overtuigen geweest als ik niet allang de vloedgolf van antisemitisme had zien aankomen die de wereld overspoelt'; ook heb ik 'te midden van hen willen blijven die de vervolgden van morgen zullen zijn')... en ten slotte Sartre zelf, die er een heel hoofdstuk van *L'imaginaire*, plus een aantal verwijzingen in de rest van het boek, aan wijdt om een bergsonisme af te breken dat qua mentaliteit geen haar beter was dan wat in zijn ogen van toen het kwaad zelve was: het spiritualisme van Le Senne en Lavelle.

En toch denk ik dat je niets van Sartres filosofische avontuur begrijpt als je bij hem niet de aanwezigheid van dat bergsonisme ziet, net zo goed als je dat bij Proust en Sorel ziet, bij Deleuze en Merleau, bij zijn grootvader, Charles Schweitzer, van wie *Les Mots*[6] als legendarische herinnering zal vertellen hoe hij op een dag 'met Henri Bergson het meer van Genève' overstak, dat bergsonisme dat hem, net als het gideïsme, 'gegeven' was, dat, net als het gideïsme, een van de hoofdbestanddelen van zijn 'situatie' was en waarvan hij trouwens zelf zal zeggen dat het zijn 'ideaal'[7] was, juist op het moment dat hij bezig is zich ervan te ontdoen. Spookbeeld van Bergson. Man tegen man met de schaduw van Bergson. Een Sartre die nooit opgehouden is, zelfs, ja vooral als hij hem niet citeert, zich aan Bergson te oriënteren, en soms zijn gedachten uit te denken.

Het begrip 'Existentie' bijvoorbeeld. Heidegger, zeker. Maar vóór Heidegger, Bergson. Als je weet – ik kom erop terug – hoe, op zijn zachtst gezegd, eigenaardig Sartre Heidegger gelezen heeft, als je weet hoe lang hij erover gedaan heeft om heideggeriaan te worden, dan ligt het toch voor de hand te denken dat hij heel wat meer bij de Fransman te rade is gegaan dan bij de Duitser en dat hetgeen men voor heideggerianisme houdt wellicht, in wezen, veeleer bergsonisme is?

De begrippen 'authenticiteit' en 'kwade trouw'. Zijn die niet minstens evenzeer geënt op de bergsoniaanse tegenstelling tussen 'tijd' (ruimtelijk, vermaatschappelijkt en dus 'onecht') en 'duur' (vol, vrij, creatief, inventief, stromend en dus 'echt') als op de heideggeriaanse tegenstellingen? En zijn wij niet slachtoffer van dezelfde retrospectieve illusie als wij aan de invloed van een Heidegger, die hij vóór *L'Être et le néant* waarschijnlijk niet gelezen heeft, toeschrijven wat hij net zo goed bij een Bergson kon vinden, die heer en meester was in de Franse universitaire wereld ten tijde van zijn filosofische vorming?

De problematiek van de 'komedie'. Gide, zeker. Maar ook hier Bergson weer en zijn tegenstelling tussen 'mechanisch' en 'levend'.

De invloed van Bergson ook, wanneer hij tegenover de 'analytische' methode die de mens reduceert tot de som van zijn toestanden, het idee van een psychologische totaliteit stelt, die de som van zijn delen zou overschrijden en transcenderen.

De invloed van Bergson ook in de omkering die hij zegt te bewerkstelligen in onze perceptie van de idee van het niet: het is niet meer 'in den beginne is er het niet en in de leegte van dat niet is het zijn verschenen', maar 'in den beginne is er het zijn en in de volheid van dat zijn tekent zich het niet af' – zo weggelopen uit de beschouwingen uit *L'Evolution créatrice* over een niet waarvan de idee 'de verborgen drijfveer, de onzichtbare motor van het filosofische denken' zou zijn.

De tegenstelling van het 'op zich' en het 'voor zich' van de vaste wereld van de dingen en de vrijheid van het bewustzijn: zeker, zo dualistisch is Bergson niet. Hij is het zelfs in principe helemaal niet. En *Matière et mémoire* benadrukt maar al te zeer de 'oneindigheid der stadia' die de overgang vormen 'tussen materie en geest' en daarom de metafysische tegenstelling tussen 'subject' en 'object' ontkrachten. Maar in Sartres tegenstelling weerklinkt wel degelijk het 'materie is noodzaak, bewustzijn is vrijheid' van *L'Energie spirituelle*. Het is wel degelijk de herhaling – afgezien van het dualisme van Sartre – van het eeuwige conflict, in scène gezet in *L'Evolution créatrice*, tussen het leven (duur, elan, energie) en datgene wat zich daartegen verzet (materie, natuur, onophoudelijk terugvallen van de menselijke soort in materie en natuur).

De definitie zelf van die natuur. Sartres obsessie met natuur, altijd aangeduid in termen als zwaar, papperig, viskeus – verontrustende aanwezigheid, vormeloze massa, beklemmende overvloed, vegetatieve en verstikkende stroperigheid, geleiachtig inzakken, lijm, te veel: is dat zo ver af van Bergsons definitie van materie?

De nostalgie van de dingen, of preciezer, van een nieuwe ontmoeting met de dingen die hij, vanzelfsprekend, weer tegenkomt in Husserls fenomenologie, bij Heidegger, maar waar Merleau het kloppend hart van het bergsonisme van maakte. Ook hier kan je toch onmogelijk geloven dat Sartre het niet geweten heeft. Kan je onmogelijk geloven, rekening houdend ook hier met de universitaire wereld van toen, de tijdgeest, de geestesgesteldheid van zijn professoren aan de Ecole Normale, dat hij niet aan Bergson heeft gedacht, zoals hij ook aan Husserl of Heidegger dacht, toen hij het idee koesterde om, zoals we zullen zien, de dingen aan het woord te laten.

Voegt Bergson er niet aan toe dat materie en vrijheid 'nog zozeer tegenover elkaar kunnen staan', maar het leven altijd 'het middel' vindt 'om ze te verzoenen', want 'het leven is nu juist de vrijheid die zich in de noodzaak voegt en die tot eigen voordeel aanwendt'? Dat is precies wat Sartre zegt in *L'Être et le néant*. Dat is exact het standpunt – bergsoniaans, absoluut bergsoniaans – van die husserliaan met zijn vreemde volgzaamheid die, tegen wind en stroom in, hoezeer hij de 'dingen' ook lief moge hebben, zal blijven volhouden dat de vrijheid tegenover de dingen altijd het laatste woord zal hebben.

Liefde voor het 'vécu' (de ervaringswereld) en afkeer van het 'cliché'.

Het begrip 'vécu' dat in *L'Idiot de la famille* het oude begrip 'bewustzijn' vervangt en dat hij tot grondbeginsel maakt van zijn existentiële psychoanalyse[8] – tegen de freudiaanse theorie van het onbewuste.

Het idee dat een idee teloorgaat als het 'mineraliseert' of 'versteent'.

De afkeer van de 'reïficatie', van de 'stase'.

Het taalproces (dé klassieker van het bergsonisme!) dat hem in een jeugdtekst[9] laat zeggen: 'ik wou dat ik woorden had die *van mij* waren; maar de woorden waarover ik beschik hebben in ik weet niet hoeveel bewustzijnen rondgehangen; ze organiseren zich helemaal zelf in mijn hoofd volgens gewoontes die ze bij anderen opgedaan hebben' – en dat vooral in *La Nausée* als een rode draad door het boek loopt. 'O! Hoe kan ik dat nu in woorden vangen?' roept Roquentin uit, na de scène met de kastanjeboom... Verderop: 'Ik voelde hoe het woord leegliep, zich ontdeed van zijn betekenis, met een geweldige snelheid.' Dertig bladzijden daarvoor, de woorden van zijn boek over de Rollebon die, als de inkt ternauwernood is opgedroogd, ophouden van hem te zijn – de 'zin' die hij 'gedacht' heeft, die 'een beetje van hem' was maar die, toen hij eenmaal op papier stond, een 'front' tegen hem vormt en stolt... Nog verder terug – herinnering aan Meknès – het 'woord' dat hij ziet 'gloren onder de inslag van indrukken' en waarvan hij 'vermoedt' dat het heel snel 'de plaats in gaat nemen' van een aantal geliefde 'beelden' – 'ik houd dus meteen op, ik denk snel aan iets anders, ik wil mijn herinneringen niet vermoeien...'. En verder nog: de woorden, 'die karkassen', de machine om de herinnering te 'stollen' – de formulering die hij later zal gebruiken, maar deze keer hun inspirator noemend, in *Qu'est-ce que la littérature?*, naar aanleiding van de 'schrijver' die, 'aan het begin van deze eeuw', ontdekte dat hij 'niet meer wist hoe hij de woorden moest gebruiken' en dat 'hij ze volgens de beroemde formulering van Bergson – sic – maar half herkende'.[10]

De liefde voor het voorval, dat wil zeggen het onverwachte.

De definitie van 'vervreemding': Sartre zal er lang over doen om – een beetje – marxist te worden. Hij behoort tot degenen die, voor het diepere inzicht doorbreekt, denken dat 'vervreemd' zijn hetzelfde is als 'gereïficeerd', of 'gestold', of 'geklonterd' – nog steeds Bergson!

Zijn hele politiek, in wezen.

Al zijn uiteenzettingen, tot in zijn laatste teksten aan toe, over de rol van het bewustzijn in de vorming van de 'klasse' en vervolgens van de 'partij' die er de uitdrukking van zal moeten zijn.

Zijn fascinatie voor geweld, dat 'ongeduld van de vrijheid'.

Zijn hang, ja, naar een geweld dat hij slechts kon accepteren omdat hij er een elan, een dynamiek, een extase in zag, de afkeer van wat stagneert, een scheppend risico, de beweging waarmee de soort zichzelf transcendeert, zich opent naar de toekomst: Bergson wederom. Heel wat meer Bergson dan Lenin. Hij mag dan in het voorwoord van *Les Damnés de la terre* wijselijk afstand nemen van 'het fascistische geklets van Sorel', het is wel degelijk de schaduw van Sorel, en dus van Bergson, die hangt boven zijn verering van een bevrijdend geweld, dat bevalt van de Geschiedenis.

De idee van 'revolutie', van een wereld die zich losrukt van de wereld van het op-zich, het praktisch-inerte, de serialiteit – overwinning van de stroom op de voorraad, van het bewegende op het gestolde.

De idee van 'onderdrukking', van *L'Être et le néant* tot *Critique de la raison dialectique* steeds gelijkgesteld aan het gestolde, het mineraal – allemaal bergsoniaanse noties.

Een anti-intellectualistische verzoeking, die niet de hoofdader van het 'Sartre-denken' is, noch, ik kom er nog op, zijn meest vriendelijke kant: maar goed, hij is er, die verzoeking. Hij loopt als een rode draad door *La transcendance de l'Ego* (tegenstelling van de 'concrete stroom' van het fenomenologische bewustzijn met de drukkende zwaarte van de 'transcendentale' kennis) tot de Mao-teksten aan het einde (in de 'communistische maatschappij' maakt de 'klassieke intellectueel' plaats voor 'iedereen is filosoof', dat wil zeggen 'intellectueel-handarbeider'[11]) dwars door *Orphée noir* (van Haïti tot Cayenne en Tananarive steekt een 'orfische' poëzie de kop op, met als eerste doel de muren van de westerse 'cultuurgevangenis' omver te halen[12]) en *L'Être et le néant*[13] ('er bestaat alleen maar intuïtieve kennis'). Je hoort in die zinnen onwillekeurig de echo van de bergsoniaanse uiteenzettingen over de armoede van de abstracte taal, van de clichés, van het formalisme, kortom van een intelligentie die niet in staat is zich te verbreden, zich in de dingen te verliezen en het elan van het leven weer te vinden.

Tot de samensmeltende groep, tot de theorie van de verzameling van geatomatiseerde individuen, als 'doperwtjes in een blik', die zich opeens samenpakken tot een 'levend en scheppend geheel', dat, zoals men vroeger zei, 'in de marxistische theorie ontbreekt' maar waarvan de conceptuele blauwdruk zichtbaar wordt zodra men bereid is van paradigma te veranderen en de blik wederom en nog steeds naar het bergsonisme te wenden en zijn opvatting van het 'levend en scheppend geheel'.

De idee dat ik steeds vrij ben van welke betekenis ook die men aan mijn feitelijkheid moge geven, dat ik tot het einde toe vrij ben, op ieder moment. De idee dat ik tot het einde toe de betekenis van mijn verleden kan veranderen, me er los van kan maken en, in dezelfde beweging, naar believen hetgeen het gewicht van de wereld me als lot heeft opgelegd, kan veranderen. Een heideggeriaan zou eerder het tegenovergestelde denken. Het gewicht van de feitelijkheid zou in zijn ogen heel wat zwaarder zijn. Dat Sartre die keuze voor de vrijheid kan maken, dat hij, tegen Heidegger en tot in zijn heideggeriaanse periode, zo indrukwekkend inzet op het zich ontrukken aan de banaliteit van het zijnde, komt omdat in hem, ook al wil hij het niet toegeven, een spoor van bergsonisme voortleeft waarin de aanklacht tegen het 'men' en zijn 'mechanisch' geruis eveneens een terugkerend thema was: het vitalisme tegen de gedachte van de 'zijnsvergetelheid'...

Natuurlijk kan je dit vitalisme altijd aan andere bronnen toeschrijven.

Je kunt teruggaan tot Schelling en zijn wereldbeeld dat gebaseerd is op het samenspel van ontspanning (de stof) en samentrekking (de geest).

Je kunt, anders gezegd, de officiële versie beamen en Sartre een edeler, legendarischer, want Duitse stamboom verschaffen.

Maar aangezien, ik zeg het nog maar eens een keer, de Faculteit is wat ze is en het beetje filosofie waarover ze beschikt en dat ze etaleert, als je *Les Chiens de garde* mag geloven, een 'zeer Frans' spiritualisme is, waarvan de andere grote namen, laten we dat niet vergeten, Boutroux, Blond en Brunschvicq[14] zijn, dan is het toch veel eenvoudiger en aannemelijker de Franse Schelling op te roepen, onze Schelling, die ook onze Heidegger is en die de filosoof van die tijd is waar je niet omheen kunt – dan is het toch veel plausibeler te veronderstellen dat het wezenlijke van de intuïties die Sartre opnieuw zal formuleren op z'n heideggeriaans of husserliaans, in de eerste plaats bergsoniaanse intuïties zijn.

Ook hier is Sartre een man van de negentiende eeuw.

Een man van de negentiende eeuw die al z'n kracht zal stoppen in het zich losrukken van die negentiende eeuw om, zoals Foucault[15] het later zal zeggen, 'de twintigste eeuw binnen te gaan en hem te denken'.

En net zoals zijn literaire avontuur zich liet samenvatten tot een serie gewelddadigheden die tot doel hadden hem uit de literaire afdeling van de negentiende-eeuwse gevangenis te trekken die de naam Gide droeg, zo kan zijn filosofische lot worden verteld als een serie aanslagen, aanvallen, commandoacties, die tot doel hadden de duimschroef los te draaien van dat filosofische equivalent van het gideïsme dat het bergsonisme was.

Een keuze voor de dingen

Allereerst Husserl.

De 'operatie Husserl'.

De 'verwondering', de 'verbazing', de 'verbijstering', die de naam Husserl dragen.

Hyppolite zegt het: 'toen onze meester, Léon Brunschvicq, ons in 1929 de lezingen van Husserl aankondigde aan de Sorbonne over "De Inleiding tot de transcendentale fenomenologie" en aankondigde dat het hier een gebeurtenis betrof zoals die zich in de geschiedenis van de filosofie maar zelden voordoet, lazen wij ijverig en aandachtig het programma van die lezingen', maar 'ik moet bekennen – Hyppolite is nog steeds aan het woord – dat ik zeer verbaasd was en vol onbegrip over die nieuwe taal en manier van filosoferen, die af en toe wel deed denken aan de klassieke filosofie, maar er toch zo van verschilde'.

We weten dat Sartre, die in die tijd naar school ging in de rue d'Ulm – vlak bij de Sorbonne dus – deze vier 'historische' lezingen van Husserl, waar later de *Cartesianische Meditationen* uit voort zullen komen, vreemd genoeg miste.

Maar er bestaan wel drie verhalen van zijn, zeer heuse, kennismaking met de tekst van Husserl – en hoewel je de drie versies haast niet uit elkaar kunt halen en het vrijwel onmogelijk is om, zoals zo vaak bij Sartre, te zeggen wat achteraf bedacht en wat waar gebeurd was, wat verzinsel en wat herinnering, feit is dat ze alledrie gaan over het verpletterende karakter van die ontdekking.

Dit is de versie van Aron, zoals Simone de Beauvoir die optekent in haar mémoires[16]: 'Wij brachten samen een avond door in de Bec de Gaz, rue Montparnasse. Wij bestelden de specialiteit van het huis, abrikozencocktails. Aron wees op zijn glas: "Weet je, m'n kleine kameraad, als je fenomenoloog bent, dan kan je over die cocktail praten en dat is dan filosofie!" Sartre trok zowat wit weg, zo raakte die opmerking hem. Dat was precies wat hij al jaren wenste: praten over de dingen zoals hij ze aanraakte, en dat dat dan filosofie was.'

Dit is de versie Levinas, correlaat van de vorige en opgetekend zowel door Sartre zelf ('ik kwam tot de fenomenologie door Levinas'[17]) als door Castor op dezelfde bladzijde (van haar mémoires; zie blz. 11, 5de regel van onder): Aron zou, aan het einde van het gezellig samenzijn, zijn 'kleine kameraad' aanbevolen hebben *Théorie de l'intuition dans la phénoménologie de Husserl* te lezen, het eerste boek van een onbekende filosoof, Emmanuel Levinas genaamd, en, volgens hem, de beste inwijding in het fenomenale denken dat het denken van Husserl is. Sartre spoedt zich naar een boekwinkel op de boulevard Saint-Michel en begint direct, op de stoep, de bladzijden van het boek los te scheuren. Het was een schok, zegt Castor. Het gevoel opeens dat iemand hem 'het gras voor de voeten had weggemaaid'. En heel wat later, in hun laatste gesprek in *La Cérémonie des Adieux*: 'je was even compleet in verwarring', je dacht bij jezelf: 'verdomme, hij heeft alles waar ik mee bezig ben al bedacht'.

En dan de versie Gerassi, Fernando Gerassi, die, voordat hij, in het werkelijke leven, de jonge generaal was, de verdediger van het belegerde Madrid, de held van het Spaanse Republikeinse leger die de Gomez van *Les*

Chemins de la liberté inspireerde, samen met Heidegger de colleges van Edmund Husserl volgde: hij is, volgens zijn zoon John[18], een van de zeer weinige vrienden met wie Sartre over filosofie wil discussiëren. Hij, die vechtersbaas, die schilder, is een van de zeer weinige gesprekspartners met wie filosofische uitwisseling mogelijk lijkt. En toen Sartre hem eens in vertrouwen vertelde dat hij 'een steen filosofisch wilde beschrijven' zonder die 'te belasten met banden met de spirituele of metafysische categorieën', zou hij geantwoord hebben: ja, dat is het! Dat is 'precies' wat Husserl 'aan het doen is'.

Voor die eerste Sartre is het lezen van Husserl in ieder geval een ontdekking die even beslissend als opzienbarend is.

Voor, tijdens en na Berlijn is hij jaren bezig, zo zal hij later verklaren, zich met dit gedachtegoed vol te zuigen, het in te lijven.

En van deze wezenlijke en bevrijdende ontmoeting, van die uiteindelijk uitzonderlijke schok – Nietzsche en Schopenhauer... Hegel die meende uit lang vervlogen eeuwen de 'schreeuw' van Hume en de empiristen weer te horen... – zijn in de structuur van de teksten minstens vier soorten effecten te vinden.

1. Het ding. Terugkeren naar het ding zelf. Althans ogenschijnlijk alle idealistische, kritische (Kant) of vooral, bergsoniaanse schemata vergeten, die doen denken dat het 'ding' een valstrik was (Berkeley), een onbereikbare afgrond (Kant), een uitvloeisel van de duur of een pure virtualiteit (Bergson). Zijn stoffelijkheid hervinden. Ontvankelijk zijn voor zijn 'verschrikking' of zijn 'charme'. De dingen redden, met andere woorden. 'Objectiviteit', 'existentie', 'verschijning' filosofisch aanpakken, dat wil zeggen vanuit de invalshoek van een 'fenomenologische ontologie' waarvan Husserl de meester was en Sartre de voortzetter. Of ook de 'zelfverklaring' (Selbstdarstellung) van die objecten waarvan de immanentismes van allerlei soort – te beginnen, voor de zoveelste keer, bij Bergson – de hinderlijke neiging hebben pure bewustzijnseffecten te veroorzaken. Maar 'kopje koffie' gepromoveerd tot filosofisch object! Mijn 'abrikozencocktail'! De 'contingentie' van de boom in *La Nausée*! Het 'witte blad papier op mijn tafel'! Maar ook, natuurlijk, de ellendige omstandigheden van de arbeiders, het deportatiekamp, de vernedering van de joden of de autochtonen in de Franse koloniën, de opstand van degenen die er geen genoegen mee nemen in een 'derde wereld' te leven – wat een wonder! Wat een revolutie! En hoe ver staat dat niet af van het idealisme en zijn 'waakhonden'!

2. De subjectiviteit. Een bizarre subjectiviteit, vast wel. Een subjectiviteit die hij, zoals we zullen zien, en al was het maar om er helemaal zeker van te zijn dat 'recht op de dingen zelf' ('Zu den Sachen selbst') te 'redden', niet aflatend zal ontdoen van zijn innerlijkheid, zijn eenheid, zijn identiteit. Een subjectiviteit die in ieder geval heel wat 'moderner' is dan gewoonlijk wordt aangenomen en losgerukt van al die vooroordelen van die 'subject-

filosofen' die, van Descartes tot het kantiaanse criticisme, van het 'innerlijke leven' van Maine de Biran tot het psychologisme van Le Senne of Lachelier, het landschap hebben getekend van een 'humanisme' waarmee hij ook breekt: verwijt Sartre in *La transcendance de l'Ego* Husserl niet dat hij zijn intuïtie niet helemaal tot het einde toe gevolgd heeft? Vindt hij het niet jammer dat de laatste Husserl, die van de *Ideen* (zu einer reinen Phänomenologie und phänomenologischen Philosophie), vergeleken met de Husserl van de eerste geschriften op zijn schreden is teruggekeerd en uitgekomen is bij een monadisme van het substantiële bewustzijn, dat gesloten is over zichzelf? Maar dan toch een subjectiviteit. Een brok subjectiviteit dat weerstand biedt aan de dingen, zich er tegen verzet, weigert erin op te gaan. Dat brok bewustzijn waarvan de peetvader van de fenomenologie steeds weer, vanaf zijn eerste geschriften tot aan de *Ideen*, gezegd heeft dat het, als puntje bij paaltje komt, de enige 'oorspronkelijke constituering' van de dingen is en om die reden beschikt over een ontologische 'superioriteit': 'schrap je de natuur', noteert Ricoeur als commentaar op Husserl – 'dan blijft het ik over dat door middel van de reducerende daad schrapt; schrap je de geest, dan stort de natuur in bij gebrek aan een bewustzijn waarin en waarvoor de daad vorm krijgt'.[19] Sartre houdt die hypothese dus vast. Hij gebruikt Husserl om die hypothese van het bewustzijn zo goed en zo kwaad als het gaat staande te houden. Met name tegenover een bergsonisme dat altijd geneigd zal zijn het bewustzijn weg te laten vloeien, hetzij in de dingen, hetzij in de grote oceanische beweging van het leven, tegenover alle vitalismen, afkomstig van het bergsonisme of niet, die de neiging hebben, tot aan het einde van de twintigste eeuw, 'het Al' en 'het Ik', het 'ontologische' en het 'psychologische' te verdrinken op eenzelfde 'immanentieniveau', houdt hij van Husserl die inzet op een bewustzijn vast, broos, dat wel, leeg bijna, maar hoewel breekbaar en leeg, onaantastbaar, onherleidbaar, soeverein.

3. De dingen en het bewustzijn... De dingen tegen het bewustzijn en het bewustzijn tegen de dingen... Husserl is hem bij beide operaties behulpzaam. Met Husserl, en de wapens van Husserl, vecht hij op de twee fronten van de vluchtigheid van de wereld en die van de subjectiviteit. In tegenstelling tot al zijn tijdgenoten en zelfs tot zijn voorgangers zegt hij: 'Ik weiger te kiezen tussen realisme en solipsisme, materialisme en idealisme – Ik weiger dat steriele debat dat dwars door de geschiedenis van de filosofie loopt en dat het debat is van de aanhangers van de wereld zonder bewustzijn of de fanatici van het bewustzijn zonder wereld. Hoe kun je in de stoffelijkheid van de dingen geloven als je niet gelooft dat wat wij ervan waarnemen ons helemaal door hen wordt voorgeschreven en slechts de afspiegeling is van een in hun substantie gekerfde waarheid? Hoe kun je geloven in de werking van het bewustzijn als je niet, omgekeerd, meent dat het juist die werking is die de dingen het wezenlijke van hun waarheid en hun betekenis geeft?' Dat is Husserl. Door zijn toevlucht te nemen tot Husserl kan hij het

vraagstuk oplossen. Bergson heeft dat op zijn eigen manier ook geprobeerd. Maar kwam niet tot een bevredigende oplossing. Precies omdat het een oplossing was. Dat wil zeggen een liquidatie, een opheffing. Hij kwam niet verder dan de twee polen te handhaven en hun oppositie te boven te komen door ze in elkaar te laten versmelten en ze letterlijk dus op te heffen. Sartre verwerpt de oplossing van Bergson. Hij wil een 'echt' ding, een 'echt' subject en tussen die twee een dialectiek die het steriele debat van het dingisme en het subjectivisme overstijgt. En het is Husserl die hem dat, tegen Bergson, aanreikt.

4. Tot slot de kwestie van het alter ego. Husserl zegt ('Vijfde meditatie'): dat 'eerste an sich' dat 'de andere ik' is. Hij zegt ook (*Die Krisis der europäischen Wissenschaften und die transzendentale Phänomenologie*): die ruimte van intersubjectiviteit die ook zijn stoffelijkheid heeft en die de 'onbegrensde pluraliteit' van de ego's vormt. Hij postuleert een soort 'gesocialiseerde subjectiviteit' of een soort '"in gemeenschap" waargenomen' wereld waarvan de filosoof, geworden tot een 'beambte van de mensheid', de hoeder is. Gewoonlijk gaat men van het subject naar God. Men gaat – en dat is precies de beweging die de 'transcendentie' wordt genoemd – van het menselijke naar het bovenmenselijke. Daar, in de jaren dertig, in de fenomenologie zoals die toen geformuleerd is, behoudt de transcendentie zijn plaats. Maar hij komt uit op het ervaren van de Ander, op de 'constituering' van concrete, levende, geleefde transcendenties, die 'plotseling opduiken als anderen', die hetgeen 'als het eigene toebehoort aan het ego' overstijgen, die zelfs de mogelijkheidsvoorwaarde van die 'wereld van het niet-ik' zijn, de andere naam van de 'objectieve wereld in algemene zin' en die, in een samenspel van samensmelting en uitsluiting, van verwantschap en vervreemding, strikt genomen het immanentie-transcendentieniveau van mijn alter ego's vormen. Helemaal Levinas. Zijn humanisme van de andere mens, van het gelaat, enzovoort. Maar ook de beroemde Ethiek die Sartre niet heeft kunnen schrijven maar die niet uit zijn gedachten is geweest, die, stilzwijgend, dwars door zijn gepubliceerde boeken loopt, waarnaar hij heel zijn leven is blijven verlangen en die aan hem is blijven knagen, omdat hij niet los kon komen van het voorbeeld dat Husserl gaf en dat hem met nostalgie vervulde. 'De verantwoordelijkheid van het voor-zich is overstelpend', zegt hij. Of: 'het individu is voor alles en iedereen verantwoordelijk'. Of: 'er bestaat geen onmenselijke situatie'. Of in november 1944, in *Action*: 'elk van mijn daden zet de zin van de wereld en de plaats van de mens in het universum op het spel'. Al deze uitspraken zijn onbegrijpelijk tegen een bergsoniaanse horizon. In de taal van Bergson en zijn vitalisme zouden ze niet uit te spreken zijn. Ze krijgen pas hun volle betekenis als ze in verband gebracht worden met, bijvoorbeeld *Die Krisis*. En als hij, helemaal aan het eind, teruggekomen van de politieke illusie en zijn bloederige sprookjes, terugkeert naar de moraal, als hij, in zijn laatste interviews, zegt: 'nu heb ik er

grip op; nu misschien... in de tijd die me nog rest...' dan is het de herinnering aan Husserl, omhooggekomen door een oude, langvergeten, verstopte buis, waar al heel erg lang niets meer doorheen was gegaan, die, zoals we zullen zien, de klus zal klaren... Geduld. Voor het moment, dit nog: weer Husserl, Husserl tot het laatst toe, Husserl eerste en laatste metgezel op de reis, die nog maar net begonnen is en toch, ik zeg het nog maar eens, het einde van de eeuw zou halen. Het doet er in dit verband weinig toe of Sartre Husserl nu wel of niet begrepen heeft. Het is niet zo moeilijk Sartre een bepaalde interpretatie te verwijten, de manier waarop hij de *Logische Untersuchungen* tegen de *Ideen* uitspeelt of de keuze die hij maakte om een flink deel van Husserls werk over te slaan, te weten het gedeelte over de logica en de wiskunde – het gedeelte dat in wezen het pathetische of romantische beeld dat hij ervan heeft, overstijgt. Wat 'houd je vast' van een 'filosofie die aankomt', vroeg Levinas in zijn tekst van 1959, die hij schreef ter gelegenheid van Husserls honderdste geboortedag? De waarheden van een 'absoluut weten'? Of 'bepaalde gebaren' en andere 'stembuigingen' die 'het gelaat van een gesprekspartner' vormen 'die nu eenmaal bij ieder gesprek, zelfs met jezef, onontbeerlijk is'? Het antwoord op die vraag lijdt voor Sartre geen twijfel. Het is niet minder buiten kijf dan wanneer het om een schrijver ging. Want het is steeds dezelfde logica van de clandestiene toe-eigeningen. Het is steeds hetzelfde verlangen om, vanuit bepaalde, vrijwillig gekozen, taal- en stembuigingen, je eigen taal, je eigen stem, je eigen stijl te smeden. Husserl – een bepaalde Husserl – tegen het gewicht, op zichzelf en in het tijdsgewricht, van het bergsonisme. Een kind maken – zoals Deleuze zei – op de rug van Husserl en van dat kind de man maken die Bergson omverwerpt. Dat is precies wat Sartre gedaan heeft.

Sartre en Heidegger

De 'operatie Heidegger'.

De andere 'verwondering', de andere 'verbazing', de andere 'filosofische verbijstering' die, voor Sartre, maar niet alleen voor hem, de naam Heidegger dragen.

En daar is een intellectueel, Henri Corbin genaamd, degene die dertig jaar later de Iraanse mystiek in Frankrijk zal introduceren, die in 1930, terug uit Berlijn, in zijn dagboek die twee woorden opschrijft die klinken als een openbaring: 'Heidegger gelezen', en die gefascineerd, voor zijn plezier, de eerste delen van *Sein und Zeit* vertaalt.

En daar is een andere intellectueel, Alexandre Koyré, vooraanstaande persoonlijkheid in de groep kosmopolitische intellectuelen die in die jaren Parijs als domicilie kozen, groot kenner van Hegel, betrokken bij de viering, o zo bescheiden, van de honderdste sterfdag van de schrijver van de grootse *Wissenschaft der Logik*, strijder tegen de sfeer van provincialisme en conservatisme die in de Franse universitaire wereld hangt die nog altijd beheerst wordt door het bergsonisme of juist tegenovergesteld, door het neokantianisme – deze Koyré schrijft dus in 1931, in het laatste nummer van het blad *Bifur*, een voorwoord bij Corbins vertaling.[20] En ook hij is zeer opgetogen[21]: 'als eerste' heeft Heidegger het 'gedurfd, in deze naoorlogse tijd, de filosofie met haar beide benen op de grond te zetten, het over onszelf te hebben'; als eerste heeft hij het gewaagd ons 'als filosoof' aan te spreken over zulke 'simpele' zaken als het 'bestaan' en de 'dood', het 'zijn' en het 'niet'; als eerste heeft hij, 'met onvergelijkelijke frisheid en kracht', in een ware 'bevrijdende en verwoestende catharsis' het 'eeuwige dubbele probleem van iedere ware filosofie opnieuw weten te stellen, namelijk het probleem van het ik en het probleem van het zijn: wat ben ik? En wat betekent zijn?'. Wat een bevrijding, ja! Wat een revolutie.

Dat zijn mensen die zich niet laten afschrikken door de grote ontoegankelijkheid van de tekst, en niet door de kenmerkende duisternis ervan en ook niet door de aanvaarding, weldra, van het rectoraat van de universiteit van Freiburg door de schrijver ervan en zijn overgang tot, niet alleen professioneel, maar ook politiek, ideologisch en zelfs filosofisch tot het hitlerisme. Zeker, het duurt nog wel twintig jaar voor er een eerste vertaling, van Boehm en Waelhens, voorhanden is, en dan nog gedeeltelijk, van *Sein und Zeit*. En dan nog eens twintig jaar (Martineau in 1985, François Vezin in 1986) voor de integrale versie van het boek er is. Maar, er is in die jaren, in dat neokantiaanse, cartesiaanse, bergsoniaanse Frankrijk, toch een echte eerste 'Heidegger-hausse'.

Neemt Sartre deel aan die hausse?

Behoort hij tot degenen die, zoals Koyré, maar ook Lacan, Bataille of zelfs Merleau-Ponty, onmiddellijk aanvoelen hoe belangrijk dit gedachtegoed is en het zich eigen maken?

Het Duitse exemplaar van *Sein und Zeit* is tussen 1928 en 1934 het meest uitgeleende boek van de bibliotheek van de Ecole Normale[22] – behoort Sartre tot de studenten die de definitieve vertaling niet willen en kunnen afwachten?

Hij zal zeggen van wel.

Hij heeft altijd gezegd dat hij zich in de tekst verdiept had, niet op de Ecole Normale, dat niet, maar wat later, in Berlijn.

Hij heeft zelfs geprobeerd de stelling van een wonderbaarlijke, haast voorbestemde ontmoeting aannemelijk te maken: omdat hij het was, omdat ik het was... alles in mij verwachtte hem... alles bij hem kondigde mij aan... Corbin vertaalde *Was ist Metaphysik?* en dat was voor mij, en een beetje door mij, omdat 'ik me samen met anderen vrijwillig had opgeworpen als publiek dat verlangend naar zijn vertaling uitkeek'... Wat zou mijn denken zonder hem geworden zijn? Kan ik me wel voorstellen wat er van mijn denken geworden zou zijn zonder de lotsbeschikking van die twee typisch heideggeriaanse 'noties' 'authenticiteit' en 'historiciteit'?

In werkelijkheid ging er een tijd overheen, te weten de jaren 1940-1941 en de periode van zijn krijgsgevangenschap in Stalag, voordat hij, toen hij *L'Être et le néant* schreef, voor het eerst de Duitse tekst onder ogen kreeg.

Het zou overigens zeer voor de hand gelegen hebben dat hij de tekst inderdaad veel eerder, al in het begin van de jaren dertig, gelezen had, want het nummer van *Bifur*, waarin in 1931 zowel de vertaling van Corbin als het voorwoord van Koyré verschijnen, bevatte ook, door een ongelooflijk toeval, door toedoen van Nizan, zijn eigen *Légende de la vérité*, zijn eerste tekst – maar vreemd genoeg, door hetzelfde dwangmatig te laat zijn dat hij aan de dag legde bij de lezingen van Husserl aan de Sorbonne en dat hij ook aan de dag zal leggen, op dezelfde manier maar met heel andere gevolgen, op het gebied van de politiek, door deze tendens van de 'gemiste afspraak' die zich ontegenzeggelijk als een basisstructuur van zijn 'zijn in de wereld', maar ook in zijn boeken, voordoet, negeert hij het boek in eerste instantie en gaat hij er, letterlijk, aan voorbij.

De werkelijkheid is anders. Wanneer hij eindelijk aan de tekst begint, wanneer hij er, met vertraging dus, toe besluit Heidegger te zien, zich van zijn bestaan te vergewissen en hem te lezen, wanneer hij hem, in de Stalag, tot onderwerp van zijn lange gesprekken met Marius Perrin, of Paul Feller, maakt, de twee priesters die met hem in het kamp zitten en voor wie hij zijn eerste toneelstuk, *Bariona*, zal schrijven, dan zal het vooral een merkwaardig, op zijn minst vrijpostig lezen zijn, getekend door een aantal misverstanden die nog veel ergerlijker zijn dan de misverstanden die zijn lezing van Husserl golden.

Het begrip 'Dasein' bijvoorbeeld. Sartre vertaalt het met 'réalité humaine' (menselijke-werkelijkheid). Hij neemt, om preciezer te zijn, de vertaling van Henry Corbin over die eerst – naar goed gebruik overigens, en naar analogie van bijvoorbeeld de vertaling in de *Critique de la raison pure* (*Kritik der reinen Vernunft* van Immanuel Kant) waarin van 'Dasein Gottes' 'bestaan (*existence*) van God' wordt gemaakt – voor 'Dasein' 'bestaan' had gekozen, en later 'menselijke-werkelijkheid'. Maar op die manier subjectiveert hij 'Dasein'. Hij plaatst het weer terug in het humanistische perspectief, waar Heidegger het nu juist met alle geweld uit weg wilde hebben. En hij mist de dimensie 'ontstaan', 'aanwezigheid' en 'totstandkomen', die zich in *Sein und Zeit* aan het woord hecht. 'Dasein' het subject? Nee. Het is het 'er staan' van het subject. De ek-sistentie (Das Herausstehen). Corbin schrijft (en dat is zijn manier om te wijzen op de moeilijkheid en het mogelijke misverstand): zijn 'ex-sistance'. Het is het subject, desnoods, maar als zodanig, dat niet alleen maar ontstaat in het milieu van het Zijn, maar zelf de plek is waar de vraag naar dat Zijn wordt uitgewerkt. Het is de plek waar de mens zelf slechts is en betekenis heeft als 'verschijnings-'vorm of 'Lichtung', manifestatie, van het Zijn. Het woord 'Dasein' stelt ons in staat te denken dat we van de vraag naar de waarheid van het subject overgegaan zijn naar de vraag naar het beluisteren van de waarheid. Allemaal zaken die door de vertaling 'menselijke-werkelijkheid' niet worden gevat. Allemaal zaken waarvan Sartre zich, bij zijn ontdekking van Heidegger, maar heel vaag bewust lijkt. Zelfs wanneer er een tekst is, het tweede hoofdstuk van *Qu'est-ce que la littérature?*, waarin het erop lijkt dat hij het uiteindelijk toch begrijpt: 'Ieder van onze waarnemingen gaat gepaard met het besef dat de menselijke werkelijkheid "onthullend" is, dat wil zeggen dat er door haar zijn "is", anders gezegd dat de mens het middel is waardoor de dingen zich manifesteren.'[23]

Het humanisme. Heideggers radicale kritiek op het humanisme. Er is de beroemde paragraaf 10 in *Sein und Zeit* waarin wordt gezegd dat de 'fundamentele ontologie' zich in de paradoxale situatie bevindt een 'filosofische antropologie te zijn' en dat 'niet te kunnen zijn'. Maar 'niet kunnen zijn' weegt hier veel zwaarder dan 'zijn'. En van het hele ontologische project van Heidegger valt niets te begrijpen als je niet bedenkt dat het doel van de zoektocht naar de 'historiciteit', het mikpunt haast, de vernietiging is van alles wat maar lijkt op een antropologie – er valt niets van te begrijpen als je geen aandacht besteedt aan het 'detail' dat de kern van het boek de bevordering van de zijnsvraag tot filosofische vraag bij uitstek is en de beslissing het subject niet meer te denken als betrokken op het 'zich' of op dat 'zich' en de 'wereld' (van Plato tot Hegel en zelfs Nietzsche, de ontwikkeling van het humanisme) maar op het 'Zijn' waarvan het de 'woning' of de 'herder' of de 'missie' is. 'Precies, we zijn op een niveau waarop er alleen mensen zijn', zegt Sartre. Waarop Heidegger antwoordt, vertaald en op die snijdende toon die hij bewaarde voor zijn slechte leerlingen[24]: 'om precies te zijn, wij zijn op een niveau waarop er hoofdzakelijk het Zijn is'. Sartre is zeker geen 'banale' humanist. En we zullen spoedig zien hoe enorm veel afstand hij neemt van de traditionele, cartesiaanse en zelfs husserliaanse, modellen. Maar wat doet hij, voor het moment, met dat heideggeriaanse idee dat de mens, op zijn best, niet meer dan de plek van de waarheid aan kan wijzen, van haar een-feit-zijn en gebeuren? Wat doet Sartre met die gewelddaad die van de mens, van wat nog steeds, maar dan uit gewoonte en voorlopig, de mens genoemd kan worden, 'een gedicht' maakt 'dat het Zijn begonnen is'[25] en dat hetzij doorgaat, hetzij, helaas maar al te vaak, wegkwijnt tussen zijn te menselijk proza? Niets. Hij begrijpt het niet. Of wil het misschien niet begrijpen. En hij gaat door met in het heideggerianisme een postmetafysische vorm van het humanisme te zien en zijn optreden terug te brengen tot de horizon die hem het bekendst is, namelijk die van Husserl. Heidegger wil doorgaan voor de man die, als enige, de weg van Heraclitus en Aristoteles vervolgt. Maar zo, in Sartres handen, is hij een soort Duitse correspondent geworden, op zijn best van Kierkegaard, op zijn slechtst van de Saint-Exupéry...

De kwestie van de tijd. Het hele Heidegger-project, het beste stuk van dat project in ieder geval, het deel althans van de onderneming dat Heideggers politieke keuze van 1934 overstijgt en dat hem bijgevolg overleeft, draaide, daar hebben we het weer, om het idee de tijd los te maken van de 'vulgaire' voorstelling die ontstaat met het christendom, tot aan Hegel voortleeft en heden ten dage nog kleeft aan formuleringen als 'verval', 'ondergang', 'oorsprong' en 'begin'. Ook dat begrijpt Sartre niet. Hij blijft gevangen in de lezing die hem in wezen door de *Leçons* van Kojève aangereikt wordt en die Heidegger voorstelt als een soort voortzetter, alleen wat meer 'sophisticated', van de *Phänomenologie*. Maar Sartre was, in tegenstelling tot Merleau, de jonge Lacan, Breton, toch niet aanwezig bij die kojèviaanse 'Lessen'? Inderdaad. Maar ze zijn de hit van die jaren. Ze worden de natuurlijke staat der filosofische dingen op het moment dat hij de opzet begint uit te denken van *La Nausée* en zelfs van *L'Être et le néant*. En het is duidelijk dat, wanneer hij het heeft over de 'historiciteit' volgens Heidegger, wanneer hij zijn eigen notitieboekjes naleest en wanneer hij op 9 januari 1940 in een brief aan Castor mismoedig schrijft dat al die honderden pagina's over 'zijn oorlog', al dat 'spul' dat hij probeert te vangen in woorden, slechts 'ouwe koeien' van Heidegger zijn en dat hij maandenlang 'moeizaam' probeert 'uit te werken' wat Heidegger 'in tien bladzijden' zegt, wanneer hij om kort te gaan het 'vage' van zijn ideeën, hun goedaardige 'vriendelijkheid' tegenover de geniale 'historiciteit' van de Meester stelt of wanneer hij het, in *L'Être et le néant*[26], weer eens heeft over de 'brute dingen' volgens Heidegger, of over 'brute Daseins?' dat wil zeggen Daseins zonder 'historiciteit', hij over die 'historiciteit' spreekt alsof het nog steeds over mensentijd, tijd van het bewustzijn en zijn angst ging – alsof niet heel Heideggers inspanning, de zin zelfs van zijn bemoeienis en de filosofische revolutie die zijn naam draagt, er juist, ik zeg het voor de zoveelste keer, er juist helemaal op gericht was te ontsnappen aan alle voetangels en klemmen van de antropologie en, bijgevolg, ook van de valkuil van de historiciteit.

De reactie van Heidegger op al deze en volgende misverstanden laat niet lang op zich wachten. In zijn brief van 1931 aan de Société française de philosophie had hij al korte metten gemaakt met de existentialistische interpretatie van zijn denken door Jean Wahl. Nu, geconfronteerd met de sartriaanse actie en de niet geringe weerklank die deze ondervindt, gaat hij nog verder en met een vastberadenheid die er niet om liegt, wijst hij Sartre terecht. Aan de ene kant zijn er de maatschappelijke beleefdheden: zoals de brief van januari 1944 waarin hij doet alsof hij 'een autonome denker' 'dankbaar' is 'die een grondige kennis heeft van het domein waaruit ik denk'.[27] Maar aan de andere kant is er het echte werk waarin opeens geen plaats meer is voor scherts. 'Dit alles', zei hij in *Nietzsche*,[28] deze hele theoretische onderneming die de titel *Sein und Zeit* droeg, was gesitueerd, en moet nog altijd gedacht worden als gesitueerd, 'buiten de existentiefilosofie en het existentialisme'. En, in *Über den Humanismus*: er is 'geen enkele', niet 'de minste of geringste overeenkomst' tussen wat ik in *Sein und Zeit* met 'Existenz' bedoelde en wat Sartre met 'existence' bedoelt. Heb ik in paragraaf 9 van mijn boek gezegd dat 'de essentie van het er zijn bestaat in zijn existentie'? Ja. Maar 'Eksistenz' betekende niet 'vécu' (ervaringswereld) of het Franse 'existence', maar 'de mens in het Opene', de 'open plek van het zijn waar hij zich ophoudt omringd door het zijnde'.[29] En wat het woord 'essentie' betreft, dat stond cursief geschreven en kreeg door dat cursief een compleet andere betekenis – het had die jonge literator, aanhanger en laatste erfgenaam van de metafysica van de subjectiviteit, verboden moeten worden, met de belachelijke vertaling 'existentie gaat aan essentie vooraf' op de proppen te komen!

Heidegger, zo vertelt Frédéric de Towarnicki, zal 'enige bladzijden' van *L'Être et le néant* lezen, misschien de bladzijden over het skiën. Hij is 'onder de indruk', zal hij toegeven, van 'het literaire talent van zijn beschrijvingen van het menselijke gedrag'. Hij brengt wel degelijk ook de wens tot uitdrukking de schrijver te ontmoeten wiens bezoek, als het plaats had gevonden in 1945, hem van groot nut zou zijn geweest. Maar de tekst schuift hij voor het grootste gedeelte ter zijde. Hij snijdt er in werkelijkheid maar zo'n veertig bladzijden van open.[30] Het Franse boek van dat moment? Hij krijgt er maar één onder ogen, eveneens door Beaufret aangereikt, waarvan de kantlijn zwart ziet van de aantekeningen: *Le petit prince* van de Saint-Exupéry. De Franse filosoof van dat moment die zijn respect geniet en met wie hij enige verwantschap voelt? Zeker niet die Sartre met de belachelijke drukte die hij maakt, zijn voortdurende loftuitingen, die manier van alsmaar over hem praten terwijl hem niets gevraagd is – draait dat er niet op uit dat hij hem straks verkeerde uitspraken in de mond legt? Hem in opspraak brengt? Heeft hij niet al genoeg te stellen met die 'grote naziblunder', de processen, de algemene kwaadwilligheid, zo vlak na die onzalige oorlog, om zich ook nog eens te ontdoen van dit cartesiaanse duiveltje? En dan *Les Chemins de la liberté*... Hoe kom je erbij een roman als titel *Les Chemins de la liberté* te geven? Je spoort toch helemaal niet als je je, enerzijds, beroept op iemand die alleen van 'Holzwege' houdt, 'wegen die nergens heen leiden', en, anderzijds, die belachelijke formulering 'wegen der vrijheid' bedenkt? Nee. Als er al één is, als er al iemand is die hem, op grote afstand, enige waarde lijkt te hebben, dan is het Merleau, ja, Merleau, die vent die hij ook niet gelezen heeft en die hem ook niet echt gelezen heeft en zijn denken op een heel ander spoor dan het zijne ontwikkelt. Maar jammer dan! Of liever, beter zo! Dat heeft-ie dan nog liever, liever die zeer Franse denker die hem met Bergson verwart (die magische driehoek van het moderne denken waarvan de toppers, voor de schrijver van *Signes*, Heidegger, Husserl en Bergson heten...) of met Husserl ('...dat hele *Sein und Zeit* is ontstaan uit een aanwijzing van Husserl en is, welbeschouwd, slechts een explicatie van het *natürlicher Weltbegriff*[31]...') dan die overijverige propagandist die hem op de zenuwen werkt. En het is dus Merleau die hij, niet zonder wreedheid, ten overstaan van een andere, stomverbaasde gesprekspartner, uitroept tot 'zijn trouwste Franse discipel',[32] tot de beste levende Franse filosoof: 'een frank-en-vrije geest', die kerel, iemand die weet 'wat denken is en wat dat vereist'! Een 'vriend' (hij heeft hem nooit ontmoet; Merleau is in tegenstelling tot Sartre nooit naar Freiburg afgereisd; maar wat doet het ertoe! Toch een 'vriend'!). Een vriend dus, 'die zich nooit wat heeft aangetrokken van het lawaai en de agitatie van degenen die met alle geweld de top willen bereiken'.

Heidegger zal Lacan dezelfde klap toebrengen wanneer deze, ook zwaar onder de indruk van de orakelende toon van Heideggers meditatie, er de kracht en de stijl van roemt[33]: 'u heeft vast en zeker ook het dikke boek van Lacan ontvangen', schrijft Heidegger de psychiater Medard Boss; 'mij lukt het niet om wat dan ook uit die onverholen barokke tekst te halen' die, naar het schijnt, 'in Parijs net zo'n ophef veroorzaakt als destijds *L'Être et le néant* van Sartre'; en een paar maanden later aan diezelfde Boss: 'ik stuur u hierbij een brief van Lacan; het lijkt me dat de psychiater een psychiater nodig heeft'.[34] Sartre kon hij in ieder geval niet erger beledigen. Een radicalere manier valt niet te bedenken om zich te ontdoen van die opdringerige benjamin. Uiteindelijk zal Sartre de boodschap begrijpen. Hij zoekt Heidegger in 1952, bij hem thuis, in Freiburg op en keert, zo vertelt Cau, zeer slecht gehumeurd terug, waarschijnlijk vernederd, of zwaar geïrriteerd – 'dovemansoren...' een kop als 'een gepensioneerde kolonel'... lijkt op 'die ouwe van *De Toverberg*'... 'ik sprak tegen zijn hoed: een jagershoed met gemzenveer...'.

Vanaf dat moment heeft Sartre het begrepen. Hij zal praktisch met geen woord meer over Heidegger reppen. Er is die schamele voetnoot in de *Critique de la raison dialectique*: 'het geval Heidegger is te complex om hier uit te doeken te doen'[35] – het is wat kort door de bocht, de kwestie Heidegger en vooral zijn betrekking tot het nationaal-socialisme zo af te doen. En dan is er die keer in 1961, tijdens een lezing aan de Ecole Normale waarin hij toegeeft destijds een 'totaal verkeerde interpretatie' van de auteur van *Sein und Zeit* te hebben gemaakt. En nog die keer, datzelfde jaar, in zijn in memoriam voor Merleau-Ponty,[36] waar hij zegt dat hij bij 'de Duitse filosoof' in zijn 'preoccupatie' met het 'Zijn' iets voelt dat veel weg heeft van 'vervreemding' en ook, dat Merleau, zijn vriend, aan het einde van zijn leven inderdaad is opgeschoven naar de auteur van *Sein und Zeit* maar dat deze 'nadering' 'verstaan' moet worden als een gevolg – sic – van 'de dood van zijn moeder', van 'de kindertijd die daarmee ten einde is', van de 'rouw' en de nieuwe verwarring, voortvloeiende uit die rouw, tussen 'afwezigheid en aanwezigheid, Zijn en Niet-Zijn'... Hetzelfde woord 'vervreemding' valt in het gesprek met Verstraeten[37] waarin hij, aansluitend op zijn uiteenzetting over 'de literaire stroming die *Tel Quel* vertegenwoordigt', een stroming die hij en passant verwart met het structuralisme en de Nouveau Roman, afstand neemt van de moderne 'tendens' een 'opvatting over het schrijven' te 'baseren' 'op de filosofie van Heidegger waarin het Zijn meestal verstaan wordt als het schrijven zelf of de taal': dat 'staat voor mij voor een vervreemding' herhaalt hij; 'iedere retrograde betrekking met het Zijn, of iedere opening naar het Zijn die het Zijn achter en voor de opening veronderstelt als de opening bepalend, lijkt mij een vervreemding'. In hetzelfde gesprek, als antwoord op een vraag over de kritiek die had geklonken, bij de verschijning van *L'Être et le néant*, op de manier waarop hij de grote heideggeriaanse noties in het Frans had vertaald, een hele serie algemene en, eerlijk gezegd nogal alledaagse, beschouwingen over de 'equivalenties' tussen de talen, het 'geweld' dat je een taal aan moet doen om hem in een andere te doen overgaan en het feit dat hij, toen, geen andere keus had dan 'Dasein' met 'réalité humaine' (menselijke-werkelijkheid) te vertalen. En dan is er nog een zinspeling, in *L'Idiot de la famille*,[38] op dat heideggeriaanse 'nur-vorbeilagen' dat een andere benaming is voor de 'doodse en koude consistentie' van de wereld die zich 'beetje bij beetje ontsluiert' voor Flaubert en die de kern is van zijn analyse. Maar verder niets. Of bijna niets. Na al die artikelen, toespelingen, verklaringen, oefeningen van bewondering en toe-eigening, na al die jaren van veronderstelde 'verwondering', een breuk in alle stilte, een verwijdering.

Dit gezegd zijnde, toegegeven dat Sartre, hier als elders, leest zoals hij leest, dat wil zeggen schuin, grazend en plunderend, nu duidelijk is dat hij leest zoals Benda las, diagonaal, voor de vuist weg, vaak in 'een halfuurtje', om de citaten eruit 'te vissen'die hij nodig heeft om zijn betoog te ondersteunen[39], nu dus vast is komen te staan dat Heidegger, net als Husserl, is wat hij in zijn oproep, in de jaren vlak na de oorlog, 'marginale middelen'[40] noemt en dat niemand gehouden is 'trouw' te zijn aan die 'marginale middelen', nu dus andermaal in herinnering is geroepen dat die kwestie van trouw niet de essentiële vraag is en dat de werkelijke stempel van Heidegger op zijn werk, wat die ook geweest moge zijn, minder krachtig is geweest dan beweerd werd, blijft die andere vraag over, de vraag wat hij, Sartre, er toch en feitelijk uit gehaald heeft en met welk nut – en waarom hij het op dat specifieke moment, in dat jaargetijde van zijn leven en zijn werk, nodig vond zich heideggeriaan te noemen om te worden wat hij geweest is.

1. De voorrang der dingen. Van Husserl is er natuurlijk de uitspraak van de terugkeer naar 'de dingen zelf' en Sartre had, zo op het eerste gezicht, Heidegger helemaal niet nodig om dat consigne te verstaan. Ware het niet dat je Husserl en Husserl hebt. Je hebt de laatste Husserl, die van de *Krisis* en de niet uitgegeven teksten van het einde, die spreekt van een 'ongegrond op-

wellen van de wereld' maar waarvan Sartre op dat moment uiteraard nog geen weet heeft. En je hebt de andere Husserl, de eerste, die aan de basis van alle weten het 'transcendentaal verkleinde' bewustzijn zet waarvan we hebben gezien dat het in tal van opzichten gevangen blijft in de schema's van de metafysica van de tegenwoordigheid en het bewustzijn. In zekere zin is Sartre daar blij mee. Maar hij kan er tegelijkertijd niet aan voorbij zien dat in het nulsomspel tussen de subjectiviteit en de dingen, dat wat aan de ene partij gegeven wordt van de andere partij afgenomen wordt. En dat is nu eens voor de verandering Heidegger. Dat is de husserliaan Heidegger die de zaak op scherp zet door van het ik 'gewicht af te halen' en de dingen meer gewicht te geven. De logheid van de dingen, zoals hij zegt. Hun sterkte. Die 'zelfverklaring' van dingen die beginnen te spreken en ons, het 'daarheen' van dit spreken, uitnodigen te antwoorden in een zeggen. Dat eerste woord dat ons verplicht, ons met een schuld opzadelt, ons citeert als een getuige. Dat dubbele 'opduiken' (surgissement), in het woord en in het zijn, van dingen waarvan de schrijver van *Sein und Zeit* de voorrang herbevestigt. Niet meer een er-zijn dat het woord aan de dingen zou geven of erger, hun zijn stem zou lenen – maar het 'er' van de dingen zelf, hun sprekende diepte. Heidegger, een super-Husserl? In zekere zin wel, ja. Het is misschien niet de echte Heidegger. Maar wel degene die Sartre gelezen heeft. Degene die hij mobiliseert. Degene die hem, vanaf 1936, in staat stelt de 'kleur en glans van de dingen zelf' te denken, 'het groen van het blad en het geel van het korenveld, het zwart van de raaf en het grijs van de hemel'[41] – degene die hem in staat stelt, met en na Husserl, de betovering en de verschrikking, de barbaarsheid, het verzet, de woede van de dingen zelf woorden te geven.

2. Het idee 'feitelijkheid' of 'facticiteit' – Sartre zegt ook wel 'contingentie'. Het idee dat een subject alleen een subject wordt, en blijft, op een ondergrond, zonder fundament, ook principieel niet te funderen, van contingentie of facticiteit. Dat is precies het stuk contingentie dat Sartre 'situatie' noemt. Dat is het stuk waar het pro-ject, ont-werp, zich afspeelt, het elan naar de toekomst, het onvermoeibare voor-zich worden dat hij 'engagement' noemt. Maar het is ook die 'Geworfenheit', dat 'geworpen zijn', het feit 'immer schon', 'altijd al', geworpen te zijn in de wereld, dat Heidegger tot een van de hoofdpijlers van het 'Dasein' had gemaakt en dat de eerste vertalers vertaald hadden met 'déréliction' (verlaten, prijsgegeven zijn). Dat de twee begrippen niet synoniem zijn, dat het heideggeriaanse 'verval' in het 'men' een fatale dimensie van het Zijn is terwijl dat bij Sartre gedacht wordt als te allen tijde omkeerbaar, dat bij hem het subject oneindig vrij blijft van betekenis die gehecht zou kunnen worden aan zijn feitelijkheid, terwijl het bij Heidegger voor het 'Dasein' juist onmogelijk is zich er volledig aan te onttrekken, dat de twee gedachtewerelden daarom uiteenlopen wat betreft de zin die gegeven moet worden aan het 'niet', of aan het feno-

meen van de 'angst' (categorie van innerlijke beleving voor de een, 'glijden van het zijnde' voor de ander; 'reflexief beslag op de werkelijkheid door haarzelf'[42] voor de eerste – 'opslokking' van dat hele zijnde en wankeling in de 'wereldlijkheid' zelf van de wereld[43] voor de tweede), dat is een ding dat zeker is. Maar dat verhindert niet dat er tussen de twee probleemstellingen een heen en weer gaan van hetzelfde denken is: de betrekking van het 'engagement' tot de 'feitelijkheid' of, ik zeg het maar weer een keer, tot de 'situatie', het idee dat engagement slechts betekenis heeft in verhouding tot een 'er-zijn' dat, omkeerbaar of niet, eraan voorafgaat en vorm geeft aan de positie van de mens, duidelijk is dat Sartre dit denken modelleert naar hetgeen hij meent te vinden in *Sein und Zeit* en, in dat werk, naar het antwoord dat het 'ont-werp' ('pro-ject') biedt aan de 'Geworfenheit' ('geworpenheid').

3. De betekenis, tot slot, van de toekomst. De zo typisch sartriaanse intuïtie dat het lot van een mens zich niet vanuit het verleden maar vanuit de toekomst afspeelt. De definitie van het subject als 'zijn' dat, in tegenstelling tot het 'op-zich' dat 'slechts is wat het is', juist onophoudelijk is 'wat het nog niet is'. Het idee dus van een 'menselijke-werkelijkheid' die alleen door en in de tijd bepaald wordt op grond van het 'naar voren', in de 'anticipatie' van zichzelf, 'door zich te pro-jecteren (vooruit te werpen) naar een mogelijke'[44] dat zijn 'pro-ject' gaat worden. Het idee, nog weer anders gezegd, dat het zijn de tijd is, dat het helemaal opnieuw gedacht dient te worden vanuit de tijd, maar dat, anders dan bij Bergson, het verleden niet de dimensie van die tijd is die zijn kracht aan de toekomst geeft, en niet de toekomst voedt, maar de toekomst juist het verleden futuriseert en het zijn energie en zijn betekenis inblaast, en precies het omgekeerde zich voordoet: de toekomst leent zijn kracht aan het verleden. Hij magnetiseert het en geeft het zijn betekenis, en in de volgorde van het zijn gaat de toekomst aan het verleden vooraf... Je kunt natuurlijk altijd bij jezelf denken dat Sartre een nieuwe draai gegeven heeft aan de heideggeriaanse begrippen. Je kunt – moet – zeggen en herhalen dat hij ze las door het bergsoniaanse prisma van een metafysica van de tegenwoordigheid en het elan. Maar als hij het prisma ten slotte breekt, als hij zich losrukt van dat eerste bergsonisme, als zijn moraal, zijn politiek, zijn opvatting van de revolutie of de opstand, uitdraaien op toch wel heel iets anders dan een simpele variant op de bergsoniaanse noties van 'élan vital' of 'beweging', dan komt dat toch door die nawerking van de heideggeriaanse tekst, ook al had hij hem slecht gelezen en slecht begrepen. Het is Heidegger die dat credo quia absurdum bedenkt van een zijn dat alleen maar in zijn heden ontluikt omdat het zich in de toekomst heeft weten te werpen. Het is zijn definitie van het Zijn als 'bestemming' of 'zending' die het, zelfs halfbegrepen, mogelijk maakt de mens als zijn toe-komen te definiëren. En het staat trouwens letterlijk in *Sein und*

Zeit in bewoordingen die letterlijk van Sartre geweest zouden kunnen zijn: 'de menselijke werkelijkheid ligt altijd al in zijn zijn voor op zichzelf'; of: 'als het lot de oorspronkelijke geschiedmatigheid van het *Dasein* constitueert, dan heeft de Geschiedenis niet zijn grootste gewicht in het voorbije, en ook niet in het heden-ten-dage en zijn "samenhang" met het voorbije, maar in het eigenlijke gebeuren van de existentie, dat uit het *Dasein* opwelt'; of: 'het Geschehen der Geschichte is het Geschehen van het zijn op de wereld...'.[45]

Je kunt, ik zeg het maar weer, eindeloos discussiëren over de geldigheid van Sartres manier van lezen. Je zou de lijst van Sartres flaters en vergissingen bij zijn interpretaties nog veel langer kunnen maken. Je kunt zelfs, zoals Alain Renaut in een spitsvondig boek[46] heeft gedaan, de zaak nog verder toespitsen en je afvragen of zo veel misverstanden niet opzettelijke misverstanden zijn en of het niet juist de bedoeling van de schrijver van *L'Être et le néant* is de heideggeriaanse noties 'in de war te schoppen'. Dat is het probleem niet. Dat is nooit het probleem. Zijn niet Heideggers eigen woorden: 'de grote denkers begrijpen elkaar in wezen nooit, juist omdat ze iedere keer Hetzelfde willen, in de gedaante van de grootheid die hun eigen is'?[47] Hij heeft het in die tekst over de verhouding Hegel-Schelling en de indrukwekkende serie misverstanden die hen uit elkaar gedreven – of juist verbonden... – heeft tot aan Hegels dood. Maar hij denkt natuurlijk ook, zonder het te zeggen, en met Levinas, aan zijn eigen verhouding met Husserl, zijn verloochende leermeester. En je kunt er, na hem, niet omheen te denken aan zijn verhouding met Sartre en aan die onbehouwen, amateuristische manier van lezen van Sartre van *Sein und Zeit*.

Sartre is niet 'de Franse Heidegger'. *L'Être et le néant* is niet een 'heideggeriaans' boek. Maar zo dit boek een groot boek is, zo het staat voor het zich losrukken, slechts gedeeltelijk, maar half gelukt, zeker, maar toch het zich losrukken van de schrijver van de traditie van de 'eerste filosofie', waarvan Bergson, voor hem, de laatste incarnatie was, zo Sartre later Marx heeft kunnen lezen, zo hij met Freud de degens heeft kunnen kruisen, zo hij met Hegel dat soort heel bijzondere discussie had, dat spiritueel gevecht van man tegen man, waarvan de stadia zeer nauwkeurig beschreven zullen moeten worden en dat grotendeels de 'dwalingen' aan het eind zal verklaren, zo hij geobsedeerd is geweest door het mysterie van de vrijheid en het 'moment van de keuze, van de vrije beslissing die een moraal en een heel leven in gang zet', zo hij heeft kunnen geloven dat 'de mens', zelfs 'geworpen in de wereld', gedwongen te aanvaarden 'wat hij niet gewild heeft' en 'zich het gegevene te geven', 'vrij' kan blijven, zo hij heeft kunnen zegggen dat de mens 'niets anders is dan wat gebeurt', dat hij 'eerst bestaat, zichzelf leert kennen, opduikt in de wereld' en 'zich pas naderhand definieert', zo hij heeft geloofd in de historiciteit, zo hij heeft gezegd en meerdere malen heeft gezegd, tot en met de *Critique de la raison dialectique*, dat het praktisch-inerte zelf een historische categorie is geworden, en dat je nooit en nergens materie op je weg vindt die niet altijd al gehumaniseerd is en die, ook al ga je terug tot de vulkaanuitbarsting van Herculaneum, niet getuigt van dit 'voor-de-mens-zijn' van de naar alle schijn stomste soort materie,[48] zo hij die formuleringen, en vele andere, heeft kunnen vermenigvuldigen die het keurmerk van het sartrisme zijn en die stuk voor stuk, in wezen, gaan over de ineenstrengeling van de faciciteit en het ont-werp, dan is het toch de gemiste ontmoeting met Heidegger waaraan hij dat allemaal te danken heeft.

Een nietzscheaanse Sartre

En tot slot is er Nietzsche.

Canetti zegt dat de hele geschiedenis van de hedendaagse filosofie herschreven zou moeten kunnen worden aan de hand van het enige criterium: wie heeft Nietzsche gelezen, wie niet? Wie zet Nietzsche aan het denken, wie denkt zonder hulp van Nietzsche? En die eerste groep, degenen die de uitstraling van Nietzsches denken niet hebben kunnen of willen weerstaan, is weer te verdelen in: de 'na-apers van Zarathustra' en degenen die Nietzsche werkelijk verrijkt, bevrucht, opgeladen heeft…

In het geval van Sartre, van de jonge Sartre, is het vrij duidelijk. Sartre citeert Nietzsche nauwelijks, dat is zo. Hij citeert hem minder dan hij Husserl, Heidegger of zelfs Kierkegaard citeert. Maar wat bewijst dat nu helemaal? Citeert Lacan Nietzsche? Citeert hij Bataille? En vormt het feit dat ze niet geciteerd worden voor Bataille en Nietzsche een beletsel om pontificaal, niet alleen in de geest maar ook in de letter van de lacaniaanse tekst, aanwezig te zijn? Er is dus die allereerste Sartre en dat allereerste boek, *Une défaite*, dat geïnspireerd is op de driehoeksverhouding van Nietzsche, Cosima en Richard Wagner – waarbij de schrijver zich onmiskenbaar identificeert met Nietzsche. Er is de tweevoudige getuigenis van Aron die vertelt hoe zijn 'kleine kameraad' in een spreekbeurt tijdens het college van Léon Brunschvicq, met als titel 'Is Nietzsche een filosoof?', voor het eerst, lang voor hij Heidegger ontdekte, zijn ideeën over de contingentie uitgesproken zou hebben – en hoe hij, wederom 'vanuit Nietzsche', op een avond dat hij, zoals hij dat zo vaak deed, zijn nieuwe denkbeelden op hem uitprobeerde, zijn tegenstelling tussen het 'voor-zich' en de 'absurde inertie der dingen' zou hebben ontwikkeld. Er zijn schaarse verwijzingen, toespelingen, tot en met de latere periodes: dat voor de geest roepen, bijvoorbeeld, van een Nietsche die 'zijn morele isolement, zijn literaire mislukking, de waanzin die hij voelde opkomen, zijn bijna-blindheid en dwars door zijn kwalen heen, het universum, *wilde willen* (cursief in de tekst)'[49] of, in 1966, in *Un théâtre de situations*, de evocatie van de grote, typisch nietzscheaanse, kloof tussen de 'apollinische bezinning' en de 'dionysische drift'.[50] Aan de andere kant zijn er de snelle, ja zelfs, lichtvaardige oordelen die bedoeld lijken te zijn om, bruusk, afstand te nemen – zoals, bijvoorbeeld, in zijn recensie van het boek van Brice Parain[51]: 'Parain is niet beducht een armzalige analyse van het cogito te reproduceren die hij heeft gevonden in *Der Wille zur Macht*; we weten dat Nietzsche geen filosoof was; waarom beroept Parain, beroepsfilosoof, zich dan op die frivoliteiten?' Maar er zijn vooral de teksten zelf, zijn grote teksten, te beginnen met *La Nausée*, gepubliceerd in 1938 en waarvan je soms het gevoel hebt dat het – net als *L'Être et le néant* of *Les Chemins de la liberté*, overigens – doorspekt is met verscholen citaten, waar hij niet voor uitkwam of misschien niet voor uit durfde te komen, van de schrijver van *Zarathustra*.

Er zijn in 1938 verschillende manieren om nietzscheaan te zijn.

Er is de Nietzsche van Gide – impliciet in *Nourritures* en *Nouvelles nourritures* en expliciet in *Lettre à Angèle* of *Dostoïevski*: een 'woeste' en 'rebelse' Nietzsche, sloper van alle 'afgoden' en alle 'waarden en normen'; een Nietzsche die 'een bloedhekel had aan rust, aan gemak, aan alles wat het leven kleiner maakt, verdooft, in slaap sust'; een Nietzsche die alles 'sloopt', 'ondermijnt' – 'niet uit moedeloosheid maar uit bloeddorstigheid; het is nobel, luisterrijk, bovenmenselijk, zoals een nieuwe veroveraar de oude dingen stuk slaat...'.[52]

Er is een Nietzsche à la Bergson – maar pas op! Een vrijere, weerspanniger Bergson, eentje die naar zwavel zou ruiken; eentje die, in grote lijnen, alle voordelen van de ware zou hebben ('perspectivisme', het afwijzen van de 'abstracte intelligentie', openlijk beleden 'antikantianisme', 'élan vital' omgedoopt in 'de wil tot macht', potentiële strijd tegen de voornaamste vijand van de 'vrije geesten' van dat tijdperk, te weten het 'durkheimisme') maar niet de nadelen (de institutionele kant, de waakhond en professor aan het Collège de France, de hoogdravendheid, de praal, altijd spitsvondig uit de hoek willen komen, de lieveling van de salons). Zet zijn eigen biograaf, Charles Andler, hem niet neer als de 'voorloper' van een filosofie die 'hem gevolgd is', die 'hem inhaalt', te weten – ja zeker! – de filosofie van de schrijver van '*Matière et mémoire* en van *L'Evolution créatrice*'?[53]

Er is de Duitse Nietzsche, geworteld in het Duitse denken en becommentarieerd door andere Duitsers, als Karl Jaspers, die in *Zur Genealogie der Moral* de eerste aanzetten ziet van een tragische en antifascistische 'grote politiek': voor sommigen (de intellectuelen, van dichtbij of van ver, verbonden aan de Action française[54]) is dat het absoluut onoverkomelijke obstakel en er verschijnen onmiddellijk allerlei schotschriften waarin Nietzsche in de hoek van een dodelijke romantiek wordt gedreven, die haaks – jawel – op de Franse helderheid, het Franse gezonde verstand, het Franse classicisme, de Franse zin voor maathouden staat. Voor anderen (Jean Wahl[55], Groethuysen[56], de opstandelingen van de Universiteit, de guerilla's) is het juist zijn kracht, zijn verdienste, en reden te meer zich er helemaal in te storten – voor hen is een goed gebruik van het nietzscheanisme, zoals dat ook geldt voor het hegelianisme, het heideggerianisme of de filosofieën van Simmel en Dilthey, een hulpmiddel om het kleingeestige conformisme, de filosofische xenofobie, van de Faculteit op te blazen.

Er is de socialistische Nietzsche van Henri Lefebvre (1939), die vast al wel de Nietzsche van Jaurès was in de beroemde verloren gegane lezing in Genève, uit die andere vooroorlogse tijd.

Er is een libertaire Nietzsche, de theoreticus van de politieke anarchie, die het tijdperk zonder enige moeite in verband brengt met Bakoenin en vooral met Max Stirner.[57]

Er is de Nietzsche van de snobs. De Nietzsche van Jules de Gaultier. Er is de Nietzsche, immoreel en aanstootgevend, die niet echt gelezen wordt, maar die vreselijk in de mode is, met name onder de jongeren.

Er is natuurlijk de Nietzsche van de fascisten. De Nietzsche van Elisabeth, zijn zuster – het enige serieuze argument, zoals hij zelf zei, tegen de theorie van de Eeuwige Wederkeer. De Nietzsche van de Fransen die Nietzsche gebruiken om, binnen het maurassisme, afstand te nemen van Maurras – en dat vindt zijn beslag in het essay van Thierry Maulnier in 1933 bij Rieder; of in *L'homme qui vient* van Georges Valois; of bij Drieu, die de oprichter van de Action française confronteert met het 'raadselachtige verband' dat hij ziet, na Nietzsche en volgens hemzelf, tussen 'het kwaad' en 'het leven'.[58] En ook, gecompliceerder, de Nietzsche van 'soreliaan' en 'maurrassiaan van links' Edouard Berth, oprichter van de 'Cercle Proudhon' en, zoals we zagen, volgeling van Bergson.[59]

Maar er is ook in het tegenoverliggende kamp de Nietzsche van de radicale antifascisten, de aanval van de voorhoedes van de jaren dertig wier consigne het is niets aan de nazis over te laten, hun vaarwater droog te laten vallen en vooral Nietzsche niet aan hen uit te leveren. Dat is Caillois. Bataille. De vier nummers van *Acéphale*. Dat is de heruitgave ervan, in 1945, samen met andere teksten uit de *Cahiers d'art*, onder de titel *Sur Nietzsche, Volonté de chance*. Het zijn de werken van het Collège de sociologie. Het is een hele oorlog, woest en meedogenloos, van toe-eigening, waarvan Nietzsches naam de inzet is geworden en waarvan het Europa, en het Frankrijk, van de jaren dertig, het (strijd)toneel zijn geworden. Bataille verhult niets van Nietzsches kritiek op de democratie. Hij benadrukt diens aanklacht tegen de 'humanitaire sentimentaliteit' of het 'liberale idealisme'. Hij steekt de loftrompet over zijn afwijzing van de 'stagnatie' of van het 'grootste geluk van het grootste aantal, het ethos van de kudde'. Maar hij toont wel aan hoe al die thema's onder die ene noemer gebracht moeten – en kunnen – worden van een antifascistische strategie.

Sartre staat in 1938 midden op het kruispunt waar dit alles samenkomt.

Hij staat op het kruispunt van Gide, van Bergson en van alle pogingen zich van het gideïsme en het bergsonisme te ontdoen.

Hij onderhoudt contact met Groethuysen, Jean Wahl en via Nizan met Lefebvre.

Hij gaat niet veel om met de lieden van het Collège de sociologie, maar ik kan me niet anders voorstellen dan dat de weergalm van de strijd om het 'grote denken' van de Übermensch, van de zelfoverwinning van het nihilisme en van de Eeuwige Wederkeer te ontrukken aan de invloedssfeer van het nazisme en aan de pogingen van Elisabeth Förster om hem voor zich te claimen, ook hem bereikt heeft.

En feit blijft dat *La Nausée* een tekst is die overloopt van het nietzscheanisme; en behalve *La Nausée* zijn er, in die eerste periode, maar soms ook heel veel later, al die teksten die het stempel dragen, hoe onopvallend ook en zonder hem, ik zeg het nog weer eens, expliciet te citeren, van die jonge sartriaanse affiniteit met het nietzscheanisme.

Voorbeelden? Het politieke atheïsme van Roquentin. Zijn afkeer van de maatschappij en van alle gemeenschappen. Zijn beeld van de mens alleen, hoog op zijn heuvel, verheven boven de zondagse mensenmassa's en hun vunze gekrioel. Zijn obsessie met en zijn afschuw van het aantal. Het idee van een 'selectie', die niet gericht is tegen het individu, maar tegen de massa. Mensen worden vrij en in rechte los van elkaar geboren. Ze komen alleen ter wereld en overal zijn ze in kuddes bij elkaar. Het atheïsme. Het grote avontuur van het atheïsme, dat een van de grote avonturen van Sartres leven is en waaromtrent hij Gide de lof toezwaait het 'helemaal tot het einde toe' doorleefd te hebben: zegt hij niet in diezelfde tekst dat Gide, zo doende, lering uit het nietzscheanisme getrokken had? En herhaalt hij, vijf jaar na *La Nausée*, in een weinig geciteerde passage uit zijn recensie van *L'Expérience intérieure* van Bataille,[60] niet zijn extreem grote belangstelling voor die Nietzsche – 'een atheïst die, net als hij, hard en logisch alle consequenties uit zijn atheïsme trekt'? De afwijzing van het universalisme. De afkeer van de voortplanting. De verheerlijking, tot aan *Baudelaire* aan toe, via *Bariona* en *Les Chemins*, van de steriliteit. De wens, net als bij Swift, de Sade, Schopenhauer – maar het zijn Nietzsches woorden die erin doorklinken – de persoon te zijn door wie de afschuwelijke wet tot instandhouding van de soort onderbroken wordt. Onschuld als misdaad. Medelijden als geestesziekte. Het beeld, zo vreemd als je aan de toekomstige Sartre denkt, aan de grote Sartre, die zich, als hij een volwassen man is, steeds engageert voor een gemeenschap van verlaten mensen die lucht voor elkaar zijn – en dat is heel goed! Iemand zijn, zei Duns Scotus, is dat niet de 'allergrootste eenzaamheid kennen'?

Het zalvende humanisme van de Autodidact, en zijn 'priesterlijke psychologie'. De arrogante aristocratie van Roquentin, zoals Mathieu die later zal hebben, en die, naar zijn eigen zeggen, ook Sartre eigen was in zijn Nizan-periode. Hun moraal en de mijne. Mijn vrijheid, hun kuddegeest. Zich graag afzijdig houden, wegvluchten. De afkeer van vaderlanden, waarden en normen, religies. De uitdagingen. De ironie. De radicale sociale ongelovigheid. Gebrek aan verantwoordelijkheidsgevoel verheven tot principe. De kunst zich onbemind te maken. De Übermensch. Het woord is er, jazeker. Niet alleen het idee, maar ook het woord. Sartre, de grote Sartre, de toekomstige marxist en fellow-traveller, de man die zich later volledig in dienst zal stellen van de arbeidersklasse, spreekt in zijn jonge jaren wel degelijk over 'Übermensch'. Hij doet dat dus in verband met Nizan: 'Ik zie nu wel in dat we in onze incubatietijd van de bovenmenselijkheid verkeerden en dat we daardoor op dat punt waren aanbeland; ik zie nu ook in dat onze verachting voor de mensen ons beval uit de rijen te breken, en zo verloren we in één klap onze menselijkheid.'[61] Hij doet het nog een keer in verband met Nizan, in het voorwoord van *Aden Arabie*, als hij de dag[62] in herinnering roept dat zijn vriend hem 'op zijn zestiende had voorgesteld Übermensch te zijn' en dat hij 'dat met grote graagte geaccepteerd had' — en de dag dat de 'Übermenschen met verlof' de trappen van de Sacré-Coeur beklommen om Parijs het 'Hé! hé! Rastignac' toe te roepen, waarmee ze naar hun idee lieten horen hoeveel ze wel niet van literatuur wisten en tegelijkertijd wat ze wel niet van plan waren. Het woord staat in *Erostrate*, die jeugdtekst waarvan de held, Paul Hilbert, zichzelf ziet als een Übermensch, die op een goeie dag, aan het einde van zijn 'sombere leven', de wereld zal verlichten 'met een felle, korte vlam als een magnesiumflits' (Nietzsche, *Menschliches allzumenschliches*, II, § 66: Extreem erostratisme – er zouden Erostratessen kunnen zijn die hun eigen leven in de fik steken...').[63] En het zal ook in *L'Idiot de la famille* staan – in het minder geslaagde deel, dat is waar: 'het idee van Übermensch, omgekeerde afkeer van de mens, plek waar het mechanische transformisme en de verinnerlijkte mythe van de Vooruitgang elkaar ontmoeten...'.[64]

Übermensch of niet, goede of slechte kant, wat maakt het uit: in de beschrijving van de 'kruideniers' van Bouville, in de hoogst vermakelijke maar schrikwekkende schildering van die stad van modder of van ossen, bevolkt met 'klootzakken', die met hun 'kinnebakken als van een ezel', hun 'opgeblazen' en 'weke' lijven, hun lamentabele 'onwelriekende adem', Roquentin met walging vervullen, in het zo onbarmhartige portret van die levende-doden die hun liefde en warmte tot uitdrukking zouden willen brengen en maar niet verder komen dan hondjesgedrag, ontkom je er niet aan daar de nietzscheaanse 'laatste der mensen' in te herkennen, de meest 'afzichtelijke', degene die gedreven wordt door 'wraakzucht' en 'wrok'. En omgekeerd in het beeld van de grote 'immoralist', die voor zichzelf zijn eigen model is en durft te zeggen (het is altijd nog Roquentin die praat): 'ik behoor tot een andere soort' of: 'het staat me zo tegen als ik eraan denk dat ik binnenkort al die volgevreten, zelfgenoegzame koppen weer zal zien' of: 'wat zou ik graag mijn mes planten in zo'n goed en leeg oog, waar een ziel in doorblinkt die verliefd is op mensen', herken je zonder enige moeite de vertegenwoordiger van die 'edele' of 'oprechte' zielen, waarover een fragment van *Der Wille zur Macht* al zei dat hun 'blakende gezondheid' niet 'onder stoelen of banken moet worden gestoken'. De droom van een onophoudelijke schepping van zichzelf. Het voornemen het ik te boetseren, het ieder moment weer opnieuw uit te vinden, het cliché te overstijgen, de maskers, de aanstellerij. Gide? Zeker. Bergson? Absoluut. Maar ook Nietzsche. In de eerste plaats Nietzsche. Zo heeft hij Nietzsche in zijn achterhoofd, en wij met hem, wanneer hij subjectiviteit definieert als voortbrenging van het zelf, een ononderbroken opwellen. En dat geldt ook voor het hele debat, dat als een rode draad door *L'Age de raison* loopt, tussen een 'vrijheid voor-niets', eeuwig zwevend, die zich niet voor Spanje en niet voor Marcelle heeft geëngageerd, en ook niet voor de communistische partij en die voorbehouden lijkt voor een zaak die nooit komt (vrijheid volgens Mathieu), en een 'positieve' vrijheid, een vrijheid 'voor', al was dat 'voor' maar een 'voor de communistische partij' (vrijheid volgens Brunet): onvermijdelijke nagalm van de parabel in *Zarathustra* van de kameel, de leeuw en het kind. Tot de fameuze oproep 'tegen zichzelf te denken' waar hij nooit meer van afgestapt is, waar hij zich nog op zal laten voorstaan in *Les Mots* en in *L'Idiot de la famille*: daar moet je toch wel de Nietzsche in horen van *Vermischte Meinungen und Sprüche*[65] – die het had over 'partij kiezen tegen zichzelf; onze aanhangers vergeven het ons nooit als we partij kiezen tegen onszelf'? *La Nausée* is heel ver weg. De jonge Sartre is heel ver weg. Maar die eerste indruk is zo sterk, dat nietzscheaanse tropisme zo hardnekkig, dat er tot diep in de meest strenge en dogmatische tijd, de periode immers die begint met *Les Communistes et la paix* en die gaat tot de Mao-periode, sporen van te vinden zijn.

We kennen Sartre de marxist. We kennen Sartre de heideggeriaan, de husserliaan, die Heidegger en Husserl gebruikte om terug te keren naar de dingen zelf en om van het cartesianisme af te komen. Hier hebben we te maken met nog een andere Sartre, wat minder uitgesproken, wat verstolener – ik weet niet of je hem een aristocraat, een dandy, een absolute rebel, moet noemen, een individualist tot in het extreme, een kunstenaar, een estheet, een ketter, een romanticus, een man die heilige huisjes omvertrapt, een treurspeldichter, een vrij man, een hartstochtelijke antifilister, een overtuigd antikantiaan, een nonchalante pessimist, ik noem hem liever nietzscheaan, net zo bezeten van het nietzscheanisme als zijn tijdgenoten Leiris, Caillois of, vooral Bataille: er valt trouwens weinig te begrijpen van zijn polemiek met Bataille, de diepere betekenis van die discussie, gevoerd in de artikelen van Sartre die in 1943 in *Les Cahiers du Sud*[66] verschenen, en het antwoord van Bataille in zijn *Sur Nietzsche*, zijn recensies van *Baudelaire* en *Saint Genet* ontgaan je volledig, je mist het wezenlijke van die eindeloze dialoog, nog veel langer, heel wat babbeliger dan met Camus, Merleau, om over Aron maar te zwijgen, als je die affiniteit met Nietzsche niet duidelijk voor ogen houdt.

Onbarmhartig is de sartriaanse aanklacht tegen het 'martelaarsessay' dat *L'Expérience intérieur* is: 'kijk hem daar nou zitten, treurend en lachwekkend als een ontroostbare weduwnaar die zich overlevert aan de zonde der eenzaamheid in herinnering aan zijn gestorven vrouw...'.

Kribbig, wreed, de manier waarop hij zijn tegenstander in de psychiatrische hoek zet: 'de rest is een zaak van psychoanalyse; wind u zich niet op: ik denk hier niet aan de grove en bedenkelijke methodes van Freud, Adler of Jung; er zijn andere psychoanalyses...'.

Sarcastisch vooral zijn kijk op die 'naar adem snakkende wanorde', dat 'gepassioneerde symbolisme', die 'profetische prekende toon' die 'zo uit *Ecce Homo* of *Der Wille zur Macht* lijken te komen' en waar *L'Expérience intérieur* dus van overloopt...

Die wil, tot slot, juist de argumenten van Nietzsche tegen de nietzscheaan Bataille te gebruiken, die manier om hem als 'hallucinant van het ondermaanse' af te schilderen, dat wil zeggen voor alle duidelijkheid, als christen, en hem zo doende, in Nietzsches eigen woorden, een van de zwaarste nietzscheaanse beledigingen in het gezicht te slingeren – wat een les in nietzschisme aan het adres van iemand die, sinds hij in de jaren dertig de leiding nam van de onderneming 'eerherstel voor Nietzsche', zijn officiële woordvoerder in Frankrijk was...

Laat er geen misverstand over bestaan. De inzet is wel degelijk Nietzsche. Er is een 'Nietzsche-affaire, van doorslaggevend belang in de ontwikkeling van het 'Sartre-denken'. Er wordt slag geleverd om de macht over het Nietzsche continent, minstens even belangrijk, in de ogen van die eerste Sartre, als de slag om Husserl en Heidegger. Van deze derde overwinning hangt de blijvende bezetting van de zetel van de absolute intellectueel af. Maar zij zet voor die 'eerste' Sartre vooral de toon, die Sartre van voor de fellow-traveller – die Sartre van wie ik nu wil laten zien dat hij *de vrijheid zelf* was.

5

Enige opmerkingen over de kwestie Heidegger

Maar eerst een laatste woord over Heidegger.

Aan hem heeft Sartre het te danken dat hij uit het bergsonisme kon stappen – en kon hij het eventueel buiten Nietzsche om doen, maar Nietzsche en Husserl hebben toch ook daaraan meegewerkt.

Ook Foucault heeft, al is hij net als Sartre meer nietzscheaan dan heideggeriaan, Nietzsche door de ogen van Heidegger gelezen en Heidegger steeds de bron van zijn antihumanisme genoemd.

Lacan nam in 1955 de moeite *Logos* te vertalen, het heideggeriaanse commentaar op fragment 50 van Heraclitus en begroet in het heideggerianisme 'het meest trotse denken ter wereld', zijn 'soevereine zeggingskracht.'[1]

Derrida verklaarde in 1972, in *Positions*, dat hij alles aan Heidegger te danken had, echt alles, te beginnen bij de kritiek op het logocentrisme en het thema van de zelfoverwinning van de metafysica.

En Barthes kondigde – in het kielzog van Heidegger nog steeds – de 'dood van de schrijver' aan.

En Char verklaarde een 'broederschap als tussen Castor en Pollux' te voelen met de man die zich, heel kort daarna, compromitteerde met het regime dat hij bestreed.

En Althusser vermeldde in *L'Avenir dure longtemps*, zijn poging de filosofische stand van zaken te beschrijven waaraan hij 'zijn steentje bijdroeg', de *Brief über den Humanismus* 'die niet zonder invloed was op [zijn] theses over het theoretische antihumanisme van Marx'.[2]

En Levinas, door Beaufret[3] beschreven als degene die met zijn artikel in de *Revue philosophique*, in 1932, *Sein und Zeit* in Frankrijk introduceerde – Levinas die door geen enkele 'affaire Heidegger' van zijn geloof af te brengen was, zal zeggen 'in 1933', en 'misschien al wel eerder', hoorde ik van 'wijlen Alexandre Koyré' van 'Heideggers sympathie voor het nationaal-socialisme', maar dat heeft me er nooit van weerhouden, direct na de oorlog, in *Sein und Zeit* 'de grote noviteit van de hedendaagse ontologie' te blijven zien. Welke afstand ik later ook genomen heb, welke discussie ik ook aan moest gaan met een ontologie die 'de relatie met anderen afhankelijk maakt van de relatie met het Zijn in het algemeen' en die, zo doende, een 'tirannie' voortzet 'die niet puur en alleen de uitbreiding is van de techniek tot mensen die objecten zijn geworden', ik heb die jeugdige bewondering nooit betreurd of verloochend.[4]

Een heel tijdperk beroept zich dus op een denker van wie men direct na de oorlog wist dat hij, zoals Levinas zo kies zegt, 'sympathie' koesterde voor het nationaal-socialisme.

Een hele generatie denkers die zich herkende in een schrijver wiens dwalingen misschien niet tot in detail bekend waren (voor de details, dat de 'grootste filosoof van de twintigste eeuw' het nazi-insigne maar wat trots op zijn revers droeg, dat hij zijn brieven jarenlang steevast eindigde met 'Heil Hitler!', dat hij zijn contributie aan de Partij tot aan het einde van de oorlog toe voldeed, moesten ze wachten op het boek van Hugo Ott en later dat van Victor Farias) maar van wie men wel degelijk en al snel wist dat hij echt 'lid' was van de Partij, dat hij in ieder geval in de zogeheten rectoraatsperiode een bevlogen hitleriaan was en dat hij van de beweging die toen Europa in brand zette, de hoopvolle verwachting had van een 'innerlijke eenwording' en een 'herstel' van het Duitse volk 'onder de bescherming van Adolf Hitler' (vgl. de artikelen van Koyré, verschenen bij de Bevrijding, in *Critique* – en de polemiek waar in 1946 de eerste drie nummers van *Les Temps modernes* mee gevuld waren, met aan de ene kant, voor de aanklacht, Eric Weil en Karl Löwith en aan de andere kant, voor de verdediging, Alphonse de Waelhens, Frédéric de Towarnicki, Maurice de Gandillac...).

Een heel tijdperk, waar we nog lang niet klaar mee zijn, dus, een tijdperk dat, dwars door alle stromingen, tot en met Levinas en zelfs Hannah Arendt, eensgezind een man als zijn meester erkent die, alsof het niet erg genoeg was dat hij de meest criminele ideologie van de twintigste eeuw had omarmd, alsof het niet erg genoeg was dat hij die misdaad met geen woord betreurd of verloochend had, zich tot het einde toe, niet van de oorlog maar van zijn leven, standpunten heeft ingenomen waaruit, op zijn zachtst gezegd, geen enkele wroeging spreekt: radicale kritiek op de moderne wereld; keer op keer weerzin jegens 'die Gebildeten', 'die Intelligenz', 'die Bodenlosen'; ongebroken aversie tegen het liberalisme, het pacifisme, het ideaal van 'eeuwige vrede', het universalisme, de katholieke wereld, de Internationales, kortom tegen alles wat geacht wordt voort te vloeien uit het heilige democratische ideaal de 'völkische' geest te weerstreven die, zo bleef hij volhouden, zou triomferen. En – tot slot het breken met het democratische ideaal als zodanig – zegt hij in het *Spiegel*-interview in 1966 niet opnieuw dat hij er nog steeds 'niet' van 'overtuigd' is dat 'de democratie' een antwoord kan geven op 'de beslissende vraag hoe een politiek systeem eigenlijk aan het huidige technische tijdperk kan worden aangepast en welk systeem dat dan zou moeten zijn'? En haalt hij, in 1974, in een van zijn laatste brieven, gericht aan zijn leerling en vriend, de kunstcriticus Heinrich Wiegand Petzet, niet nog een zin van Burckhardt aan om zijn overtuiging te onderstrepen dat 'ons Europa' bezig is 'schipbreuk te lijden vanwege de democratie'?[5]

Dat een dergelijke stellingname voor problemen zorgt, is zonneklaar.

Dat er in het denken van Sartre, of liever in de eeuw van Sartre, een 'kwestie Heidegger' is, net zo netelig als de 'kwestie Marx', zo niet nog neteliger, lijkt me duidelijk.

Ik wil die kwestie in ieder geval opnemen. Ik wil in het verlengde van het geval Sartre, de gelegenheid van deze reis door de sartriaanse eeuw aangrijpen om stil te staan bij het dubbele mysterie van dat nazisme van Heidegger en van de behoefte van het tijdperk, tot aan en vooral in de personen van zijn meest onverdachte meesters, zich te herkennen in het denken van een man van wie ze wisten dat hij een nazi was.

Na Marx Heidegger? En dan een Heidegger die, nu het marxisme zijn aanzien verloren heeft, binnen het bestek van de maatschappelijke discussies van onze tijd diens rol als kritisch denker, argwaanspecialist enzovoort, voor een deel zou kunnen overnemen? Misschien. Recht doen dus. Recht doen op een manier die er geen genoegen mee kan nemen, zoals Arendt bijvoorbeeld deed in haar *Martin Heidegger ist achtzig Jahre alt*, zich te beroepen op de vele precedenten van al die filosofen vóór hem die zich gecompromitteerd hebben met de 'tirannie': alsof Hitler een soort Dionysius van Syracuse was en de *Rektoratsrede* een moderne versie, gewoon een tikkeltje harder, van de gedenkwaardige *Zevende brief*...

Bewijsstukken

Eerst de feiten. Die zijn, ik zeg het maar weer, genoegzaam bekend. Allang. Ik zal hier alleen de feiten noemen die door niemand betwist worden en die niet alleen Sartre, maar ook Levinas, Foucault, Althusser, Lacan, Derrida, de hele tijd gekend hebben.

Er is die eerste periode, van het zogeheten rectoraat. De grote filosoof bezingt het program van de 'drie diensten', namelijk de 'arbeidsdienst', de 'wetenschapsdienst' en de 'krijgsdienst', dat er in ieder geval voor zorgt dat de professoren zich medeverantwoordelijk voelen voor 'de eer' en 'het lot van het Duitse Dasein'. Hij doet een oproep aan de studenten (in november 1933) 'de toekomstige hogeschool van de Duitse geest' te bouwen, zich steeds 'harder', 'helderder' en 'resoluter' te tonen in de 'afwijzing' net zo goed als in 'trouw' en 'gehoorzaamheid' (Gefolgschaft), deel te nemen, kortom, aan de 'revolutie die gaande is' aan de zijde van een 'Führer' die 'zelf, en hij alleen, de tegenwoordige en toekomstige Duitse werkelijkheid ís, en haar wet'. Hij roemt 'soldaat Schlageter', de jonge oorlogsvrijwilliger van 1914, na de oorlog Freikorps-strijder, die begin 1923 tegenover de Franse bezettingstroepen in het Ruhrgebied kwam te staan, vervolgens wegens sabotage gearresteerd werd en in mei van dat jaar bij Düsseldorf door de bezetters standrechtelijk geëxecuteerd werd: 'soldaat Schlageter' is 'de' symbolische figuur van de eerste jaren van het nazisme; hij is, zegt Hitler nadrukkelijk, die in *Mein Kampf* een ware cultfiguur van hem maakt, 'de eerste Duitse nazi-soldaat'; en daar staat hij dan, Martin Heidegger, auteur van *Sein und Zeit*, spoedig gevolgd door een magistrale *Nietzsche*, als de eerste de beste Hitler-propagandist de lof te zingen van 'de jonge Duitse held' met de 'hardheid van de wil' en de 'helderheid van het hart' die 'eenzaam', 'recht overeind', 'weerloos tegenover de Franse geweren', in de 'duisternis, het falen, het verraad', de 'zwaarste en grootste dood' moest 'sterven'.[6] Hij geeft Hermann Staudinger, hoogleraar in de scheikunde en toekomstig Nobelprijswinnaar, aan bij de nazi's. Hij schrijft, en stuurt de leider van het nationaal-socialistische docentenkorps van Göttingen het beruchte 'Baumgarten-rapport', waarin hij stelt dat 'doctor Baumgarten', in Freiburg zijn buurman, zijn vriend, 'door familiebanden én in de geest verwant is met de kring liberaal-democratische intellectuelen rond Max Weber', dat deze 'heel vriendschappelijk omging met de jood Fraenkel' en dat hij het daarom ondenkbaar acht hem te zien toetreden 'tot de SA of het docentenkorps'. Hij wenst hervorming van de Universiteit, ten dienste van het 'nieuwe Reich' en betuigt zijn 'wil om te leven'. Hij is verheugd te zien dat 'de zo opgehemelde universitaire vrijheid' van deze universiteit wordt 'verjaagd', die slechts een 'inauthentieke, negatieve vrijheid' is. Hij steunt de solidariteitsbewegingen ten behoeve van de 'achttien miljoen Duitsers' die, al maken ze deel uit van het volk, toch niet tot het Reich behoren omdat ze buiten de grenzen wonen – een nauwelijks verhulde oproep tot annexatie van Tsjechoslowaaks en Pools grondgebied. Hij is het eens met het besluit van de 'Führer' zich 'uit de Volkenbond terug te trekken', wat absoluut noodzakelijk is om verzekerd te zijn van 'de zorg om en de greep op het lot van ons volk' – weer een gebaar, duidelijk politiek, van steun aan het regime, aan de strategie, aan de oorlogsplannen. Kortom, in plaats van te wachten tot de storm is gaan liggen, in plaats van zijn werk als intellectueel, als hoogleraar te verrichten, waarbij hij verder een minimum aan ideologische diensten levert, stort hij zich er met hart en ziel in, produceert hij enorme hoeveelheden aantekeningen, boodschappen, redevoeringen voor arbeiders en studenten, artikelen, hartstochtelijke richtlijnen en enthousiaste verklaringen – legt hij een activiteit aan de dag, activisme zou je haast zeggen, een 'grote' hitleriaanse rector waardig.

In de periode die volgt, vlak na die sleuteldatum van 30 juni 1934, de datum van de 'Nacht van de lange messen' maar ook – de precisering is van hemzelf, vlak na de oorlog, in de handgeschreven memoires die hij toevertrouwt aan zijn zoon, Hermann – het moment waarop hij zijn 'illusies', zowel door de 'mogelijke gevolgen' van zijn 'ontslag als rector' als door het ware gezicht van de mensen 'met wie' hij 'in zee gegaan' was, in rook ziet opgaan, in die lange periode waarin hij geen rector meer is en waarin hij verondersteld wordt afstand te nemen van een regime dat hij een jaar gediend heeft, zijn 'grote vergissing', buitelen de beelden haast nog meer over elkaar. De keuze van de datum alleen al, de nadruk die hij erop legt, de wijze waarop hij, met andere woorden, zijn lot verbindt met die 'Röhm-beweging' die de hardste vleugel van het nazisme was en waarmee hij inderdaad met name via Heinrich von zur Mühlen, Führer van de studentenstormtroepen van Freiburg, verbonden was, dat alles geeft toch eerder aanleiding te denken dat hij een nazi van de meest radicale soort was: wat hem stoort is niet zozeer de koorts als wel de daling daarvan, niet zozeer de ideologie als wel de normalisatie – hij neemt afstand (dat is de stelling van Farias en die valt moeilijk te weerleggen) als hij het gevoel heeft, niet dat de nazikopstukken dieper in het nazisme duiken, maar juist dat ze zich ervan afwenden, de grondbeginselen verraden, en verburgerlijken. En dan, het feit dat hij afstand neemt, weerhoudt hem er in het geheel niet van lezingen te blijven geven aan de zijde van Göring, Goebbels, Rosenberg of Rudolf Hess, op de Deutsche Hochschule für Politik van Berlijn, het belangrijkste opleidingsinstituut van het regime. Het weerhoudt hem er niet van betrekkingen te onderhouden, of te blijven onderhouden, met de oorlogsmisdadigers Hans Frank of Eugen Fischer, directeur van het beruchte Instituut voor antropologie en rassenhygiëne in Berlijn, verantwoordelijk voor de ergste 'medische' experimenten van de SS, van wie Josef Mengele[7] de assistent was en met wie hij tot eind jaren vijftig contact blijft houden. Het weerhoudt hem er niet van de publicatie goed te keuren van een tekst van de hand van zijn vrouw Elfriede, helemaal in de geest van het nationaal-socialisme, waarin ze de 'Duitse vrouw' oproept de 'kostbare raciale erfenis van onze Duitsheid' te aanvaarden en 'de fatale vergissing' hekelt 'te geloven in de gelijkheid van alle mensen', daar waar 'verscheidenheid van rassen en volkeren'[8] heerst. Het brengt hem zo weinig van zijn stuk, het feit dat hij afstand neemt, het verandert zijn leven zo weinig dat hij, wanneer Karl Löwith hem aanspoort spijt te betuigen, zijn dwaling toe te geven, antwoordt dat er geen spijt te betuigen valt, dat er niets maar dan ook absoluut niets toe te geven valt: ik heb maar van één ding spijt, dondert hij, met het nazi-insigne op zijn jas, en dat is dat die mooie 'heren' van de Universiteit dachten dat ze 'te goed waren om zich te engageren' en dat ik er 'helemaal alleen' voor stond om te proberen de nazi-revolutie in goede banen te leiden[9]. Hij blijft onverstoorbaar schrijven aan Carl Ulmer, een leerling, gelegerd aan het oostfront, dat hij, Ulmer, gelijk heeft en dat hij het enige bestaan 'een Duitser waardig'[10] leidt. En aan een andere leerling[11], voorzitter van de politieke zuiveringscommissie, dat hij tot het laatst toe heeft geloofd dat Hitler, toen hij in 1933 'de verantwoordelijkheid voor het hele volk' op zich genomen had, 'zijn verantwoordelijkheid voor het avondland' aan zou kunnen. Hij blijft geloven – en schrijven – dat hij steeds maar één doel voor ogen heeft gehad, toen hij zich inliet met het nazisme, en dat was te werken voor het 'heil' van het Westen!

Antisemitisme? Algemeen wordt aangenomen dat Heidegger geen antisemiet was. De heideggerianen zeggen al vijftig jaar dat de filosoof van het 'Dasein' en de 'Sorge' wel afstand moest nemen van een geesteshouding die het 'völkische' voorkomen van de Duitse gemeenschap interpreteerde in termen van 'bloed', 'ras' en 'schedelomvang'. Het idee 'biologisme' alleen al is hem vreemd, beweren zij steeds. En dat kan ook niet anders, zozeer is het theoretisch ingekaderd in dat 'metafysische subjectivisme' dat in theorie zijn grootste vijand was. Zijn hele *Nietzsche*, trouwens, die hele onmetelijke meditatie, gevoerd van 1936 tot 1941, heeft nu juist tot doel die 'biologiserende' verzoeking aan de kaak te stellen, waar de schrijver van *Der Wille zur Macht* voor bezweken was en waar de nazi's zich te pas en te onpas op beroepen hebben. En men heeft zelfs beweerd – Jacques Derrida in *De l'Esprit* – dat zijn nadrukkelijk spreken in sommige van zijn meest compromitterende teksten, met name de *Rektoratsrede*, over het idee van een 'Geist', een Duitse 'geest' wel te verstaan, geroepen tot de wedergeboorte van Europa, het feit dat hij in de teksten in kwestie de aanhalingstekens weglaat die, in de puur filosofische teksten de zo weinig heideggeriaanse notie 'Geist' inkaderden en relativeerden, het feit dus dat er een plat spiritualistisch begrip met de haren bij gesleept wordt, waar de echte Heidegger, degene van voor en na de 'grote vergissing', als eerste hartelijk om zou lachen en dat hij, voor alle duidelijkheid, nooit toegelaten zou hebben in zijn theoretische Stad, dat dat alles dus een list was om, roeiend met de riemen die hij had, het biologisme, dus het naturalisme, te bestrijden. Goed dan. Maar wat dan te denken van het feit dat hij vrienden heeft verraden? Wat te denken van die ontboezeming van Petzet, die in een boek, dat grondig werd gekuist door Elfriede, vertelt over zijn afkeer van 'de kosmopolitische geest die in joodse kringen heerste en in de grote hoofdsteden van het Westen de toon aangaf'?[12] De paar joodse vrienden die hij werkelijk geholpen heeft, de namen van de professoren Tannhauser en von Hevesy, die twee 'waardevolle joden' – sic – ten aanzien van wie hij in een brief uit 1933 waarin hij zorgvuldig preciseert dat hij absoluut niet wil tornen aan 'de wet op de reorganisatie van de publieke diensten', tracht aan te tonen, dat hun uitsluiting de reputatie van de Duitse wetenschap schade zou berokkenen evenals die van het nieuwe Reich en zijn missie,[13] de naam van zijn leerling Helene Weiss, zijn weigering mee te doen aan de boekverbranding en aan het aanplakken van het *Judenplakat*, moeten die het geval Baumgarten doen vergeten, of dat van die andere leerling, Max Müller, omtrent wie hij meende te moeten signaleren dat hij 'het regime niet gunstig gezind was', of die vreselijke brief, voorafgaande aan de triomf van het nazisme, pas openbaar gemaakt in 1989 door het weekblad *Die Zeit*, waarin de schrijver van *Sein und Zeit* zegt dat het noodzakelijk is zich te weer te stellen tegen de toenemende 'Verjudung' van 'het Duitse geestelijk leven', 'in enge en ruime zin van het woord'? Wat te denken van zijn instemming met de eerste maatregelen van het Derde Rijk 'om de emancipatie van de joden ongedaan te maken', en dat hij in Freiburg, niet van harte maar ook niet met grote weerstand, de richtlijnen uitvoerde aangaande de ontzetting uit het ambt van joodse docenten? En het verbod op joodse studentenverenigingen? En het rondschrijven dat joodse studenten, wier vaders in 1914-1918 hun bloed voor het vaderland hadden vergoten, hun rechten ontnam? En het weghalen van de opdracht in *Sein und Zeit* aan Husserl (de enige daad die hij ten langen leste een 'fout' of 'vergissing' wil noemen)? En die merkwaardige trouw, zijn hele leven lang, aan Abraham a Santa Clara, de augustijner monnik uit de zeventiende eeuw die prediker was aan het Oostenrijkse hof en rabiaat antisemiet? En de bewering in zijn *Rektoratsrede* dat de 'spirituele krachten van een volk' niet 'de bovenbouw van een cultuur zijn en evenmin een voorraad nuttige kennis en normen en waarden', maar 'van alle in aarde en bloed wortelende krachten (erd- und bluthaften Kräfte) de meest conserverende'?

Dat alles, dat hele antisemitisme dat dan wel niet orthodox, maar daarom niet minder echt en venijnig was, heeft Heidegger nooit afgezworen. En alsof het niet genoeg is niets af te zweren, handhaaft hij in 1952, in de publicatie van zijn college van de zomer van 1935 getiteld *Einführung in die Metaphysik*, de verschrikkelijke zin over de 'innerlijke waarheid en grootsheid' van de nationaal-socialistische beweging – het is 1952, zeven jaar nadat de kampen opengingen en de gaskamers aan het licht kwamen, en nog heeft hij het over 'innerlijke waarheid' en 'grootsheid' van de nationaal-socialistische beweging! En ook in 1966 nog, als hij aan *Der Spiegel* zijn allerlaatste interview geeft, dat na zijn dood zal worden gepubliceerd en dat in zekere zin een testament[14] is en waarin hij zinspeelt op een 'vergissing', een 'falen' (Versagen) ten aanzien van Husserl, blijft hij zeggen: als het waar is dat het hele probleem van die tijd 'de situatie van de mens in de wereld van de wereldomvattende techniek' was, als het waar is dat het dringend nodig was 'de mens te helpen een bevredigende relatie op te bouwen' met een 'techniek' die in wezen twee gezichten had, het gezicht van het 'amerikanisme' en van de 'communistische beweging', dan 'ging het nationaal-socialisme wel degelijk in die richting' en had het een ontegenzeggelijke 'innerlijke waarheid en grootsheid'. En wat de Shoah zelf betreft, de stemmen konden zich dan wel verheffen, na de oorlog, de druk kon dan wel worden opgevoerd om hem een woord te ontlokken, zo niet van spijt dan toch van mededogen, hij liet zich door niemand ompraten, niet door Paul Celan, niet door Hannah Arendt, niet door Maurice Blanchot en niet door Franz Rosenzweig. Hoogstens zal hij zich tegenover Marcuse het zinnetje laten ontvallen over de geallieerden die de Oost-Duitsers praktisch met gelijke munt terugbetaalden. In 1949, in een van zijn vier lezingen in Bremen over de techniek, is er die andere verschrikkelijke zin: 'de productie van lijken in gaskamers en vernietigingskampen' is 'in de grond hetzelfde' als 'een land aan hongersnood prijsgeven', de 'productie van waterstofbommen', of de 'gemotoriseerde voedingsindustrie'.[15]

Dat de Vernietiging net zo goed een industrieel als een politiek verschijnsel was, dat een deel van zijn specifieke karakter lag aan nooit eerder vertoonde technische, dus industriële middelen die werden ingezet om de klus te klaren, dat die ongehoorde inzet, die uitvinding van technische voorzieningen – het gebruik van gaskamers en daarvoor al gas-vrachtwagens, om maar iets te noemen, nooit eerder vertoond in de wereldgeschiedenis van massamoorden –, ons dwingen, zoals Lanzmann het zag en in zijn bewonderenswaardige *Shoah* heeft laten zien, de vraag naar het 'hoe' te laten prevaleren boven de vraag naar het 'waarom', die onoplosbaar is en maar al te vaak stuitend, dat is natuurlijk zo. Maar het een tot het ander terugbrengen, uit het Gebeuren dat ene industriële en dus technische gezichtspunt te lichten, niets zeggen, bijvoorbeeld, over het feit dat het ook de eerste keer in de geschiedenis van de mensheid is dat men zonder de minste reden of aanleiding, zonder politieke of zelfs militaire argumenten, voornemens is een heel volk uit te roeien, met andere woorden, te zwijgen over de waanzinnige wil een vernietiging te volvoeren die niet alleen geen enkel overblijfsel maar ook geen enkel spoor of herinnering achter zou laten, is dat niet een *ver*zwijgen? Is dat niet de weg kiezen van een bagatellisering die in andere tijden zeker als revisionistisch bestempeld zou zijn? En is dat niet ook, juist vanuit het heideggerianisme bezien, voorbijgaan aan dat wat van dit Gebeuren de essentie was, 'technisch' of niet, aan een Westen dat hier het volmaakte nihilisme had bereikt?

Een 'Contre Sainte-Beuve' voor Heidegger?

Tot zover de feiten. Die feiten, die daden – die, ook in Sartres tijd, geen enkele historicus zou wagen te betwisten – spreken voor zich en volstaan om, zoals *Les Temps modernes* het stelde in de inleidende 'chapeau' van het eerste verhaal van Gandillac, een man te diskwalificeren wiens 'moed' en 'politieke luciditeit' duidelijk 'geen knip voor de neus' waard waren. Blijft die andere vraag, de echte, en op een bepaalde manier, de enige, en wel de vraag van de kip en het ei: was Heideggers werk van invloed op zijn nazi-engagement, of kwam zijn engagement juist uit dat werk voort, was het eruit af te leiden, werd het erdoor geprogrammeerd? Blijft de vraag, in dezelfde chapeau gesteld, waarschijnlijk geredigeerd door Sartre, over 'wat in het existentialisme van Heidegger, de aanvaarding van het nazisme kon motiveren' of wat, omgekeerd, de aanvaarding van het nazisme heeft kunnen overbrengen op zijn existentialisme. Blijft, met andere woorden, het probleem, zoals het wederom in *Les Temps modernes*, maar dan twee maanden later, door Alphonse de Waelhens gesteld wordt, die zich afvraagt of 'Heideggers filosofie intrinsiek verbonden is met het nationaal-socialisme', of zij er 'logisch toe leidt', en let daarbij op dit 'abstraheren van persoonlijke reacties, gelukkig of ongelukkig, juist of onjuist, coherent of incoherent, heroïsch, laf of crimineel, van een privé-persoon' – of dat, daarentegen, de twee kampen van de filosofie en de politiek fundamenteel en gelukkig 'gescheiden' zijn gebleven.

Want je zou je toch ook een ondoordringbare wand kunnen voorstellen tussen de privé-persoon en de filosoof.

Je zou je een dubbele biografie kunnen indenken: van de man privé, van de rector enzovoort, die het brandmerk draagt van de grote schande (Sartre weer: 'Heidegger heeft geen karakter, voilà, zo is het'). En de biografie van de grote filosoof, verloren in zijn overpeinzingen, hoofd in de wolken, die uiteindelijk, gelijk Thales, in de kuil van de 'grote' nazi-'vergissing' valt, maar natuurlijk zonder dat zijn overpeinzingen erdoor aangetast worden (Sartre nog een keer: zal men uit het feit dat Heidegger geen karakter heeft, durven 'concluderen dat zijn filosofie een lofrede op de lafheid is'? Moeten we *Le Contrat social* veroordelen omdat Rousseau zijn kinderen naar een vondelingengesticht bracht'?).[16]

Je zou van de echte Heidegger, de filosoof, de onmetelijke auteur van *Sein und Zeit* kunnen, ja willen zeggen, wat hij zelf van Aristoteles zei: 'hij kwam ter wereld, hij werkte en hij stierf'. Je zou zo graag degenen gelijk willen geven die, zoals Diogenes Laërtius, de biografie van filosofen zouden willen terugbrengen tot een paar verheven trekken en hoogstaande clichés – en de rest, de hele rest, nazi-engagement incluis, een bijverschijnsel laten zijn, een ongeluk op een 'denkweg', contingentie.

Je droomt, en het is apriori niet zo gek te dromen, van een opvolger van Prousts *Contre Sainte-Beuve*, eentje die vaststelt dat ook filosofen functioneren in twee verschillende registers: een oppervlakkig ik dat in het gewone leven lid wordt van de nazi-partij en in voorkomende gevallen gelegenheidsteksten ondertekent die dat engagement rechtvaardigen, vergezellen, orkestreren – en een onaangetast dieper ik, dat, wonderbaarlijk vrij is en, wat het belangrijkste is, in staat is teksten voort te brengen die alleen maar met dezelfde naam ondertekend zullen zijn door een misverstand dat accuraat geboekstaafd is in de literatuurgeschiedenis, en dat nu, in de orde van de filosofie, een nieuwe en eclatante illustratie zou vinden. Onverdraaglijke kunstgreep, volgens deze droom, van degenen die net doen alsof ze niet weten van die onzichtbare maar niet te overschrijden scheidslijn tussen privé-leven en filosofie... Afkeer van het denken, onverdraaglijke demagogie, van de kant van degenen die privé-dwalingen van de auteur aanvoeren om zich de bevoegdheid aan te matigen zijn boeken te verbranden... Wel zo gemakkelijk! Komt dat even goed uit, een collectieve verantwoordelijkheid op de schouders van één iemand laden: zoals Adorno die, ondervraagd over een tekst, verschenen in juni 1934 in *Die Musik*, het 'officiële blad van de jeugdleiding van het Reich', waarin hij het idee verdedigde van een 'nieuwe romantiek', expliciet geplaatst onder de autoriteit van het 'romantische realisme' van Goebbels, tot de tegenaanval overging door het heel wat ernstiger geval van de filosofie van Heidegger, 'fascist tot in zijn intiemste delen!',[17] aan de kaak te stellen. Treft dat even goed, wat een geluk, dat je 'wanneer je de gedachtegang niet kan aanvallen', zoals Valéry zei, je, 'die man die het heeft uitgedacht'[18] aanvalt: vandaar, iedere keer als, nu al dik vijftig jaar lang, en bijna altijd in dezelfde bewoordingen, de eeuwige 'Heidegger-affaire' weer boven komt, iedere keer dat dezelfde stukken van hetzelfde dossier weer uit de kast worden gehaald, de vreugdedans van de kankeraars, die de vlag uitsteken, opgelucht dat ze eindelijk een 'echte' reden hebben om niet te lezen.

Het vervelende is alleen dat in Heideggers geval, ondanks het feit dat de heideggerianen en Heidegger zelf dat adagium van Valéry vaak geciteerd hebben, het schema niet werkt.

En dat het niet werkt, dat je je er niet op kunt beroepen, komt heel eenvoudig doordat, in tegenstelling tot andere filosofen, in tegenstelling tot andere schrijvers zelfs, in tegenstelling tot Céline bijvoorbeeld, bij wie de twee registers wonderlijk gescheiden zijn en wiens romans, van het begin maar ook *Rigodon*, *Nord* of *D'un château l'autre*, geschreven na zijn antisemitische periode, gevrijwaard zijn gebleven van de waanzin die de drie pamfletten verpest, Heidegger het presteert, in dezelfde teksten, op dezelfde toon en in wezen met dezelfde woorden, een geniale filosoof én een nazi te zijn: zijn nazistische beweringen staan niet in gelegenheidsteksten, die louter voor dat doel geschreven zijn, en waarnaast in een veel kalmer tempo, in de ether van het pure denken, zijn 'echte' filosofiewerk ontstaat – nee, zijn loyaliteitsverklaringen aan Hitler, zijn geëngageerde commentaren over de oorlogsactualiteit en de opbouw van het nationaal-socialisme in Duitsland, de schandelijke zaken kortom, staan juist in dat werk, midden tussen zijn meest onovertroffen teksten, tussen het beste, het nobelste, het vruchtbaarste en op het eerste gezicht meest objectieve van zijn theoretische werk. Geen verandering van toon. Geen verandering van denken. Maar een verbazende, unieke vermenging in de meeste van zijn grote teksten (behalve misschien zijn geschriften over Trakl en Rilke, en *Frage nach dem Ding* uit 1935), van de hoogste vlucht van de geest en de meest abjecte staaltjes van afreageren: zomaar, ik zeg het maar weer, midden in een bladzijde of thema, zonder waarschuwing, en zonder dat die onbeheerste uitvallen, daarom, de kwaliteit van de analyse die de omlijsting vormt, wezenlijk aantast.

Voorbeelden.[19]

De zin over de 'innerlijke waarheid' en de 'grootsheid' van het nationaalsocialisme, die niet, zoals je zou verwachten, in een propagandatekst staat, maar in *Einführung in die Metaphysik*.

In diezelfde *Einführung in die Metaphysik*, in de grote tekst die de vraag stelt van het 'Zijn van het zijnde' en dus van de 'fundamentele ontologie', de lofzang op 'de historische missie van onze volk in het hart van het Westen' of de banvloek over 'Rusland en Amerika' die 'metafysisch gezien hetzelfde zijn: dezelfde troosteloze razernij van ontketende techniek en bodemloze organisatie van de normale mens'.

Het college over Hölderlin, in de zomer van 1942, waarin hij, midden in een machtige meditatie, tussen twee bezielde en poëtische commentaren over de hölderliniaanse *Leitworte* in, zich laat ontvallen dat 'het bolsjewisme' een variant van het 'amerikanisme' – sic – is.

Het college over Heraclitus, zomer 1943, waarin te lezen staat – nog steeds in de context van dezelfde odyssee van het Zijn: 'de planeet staat in brand, het wezen van de mens is uit zijn voegen'. Alleen van de Duitsers – gesteld dat zij 'het Duitse' vinden en hoeden – kan de wereldhistorische bezinning komen.

De kritiek op het amerikanisme in *Holzwege*.

Heraklit, fragment 33, waar hij midden in een theoretisch-poëtische beschouwing over de oorlog opgevat als 'vaderschap van alle dingen' zegt (het is 1934): 'om die zinnen van Heraclitus werkelijk te begrijpen, was een ander bewustzijn van het bestaan van de mens en het volk nodig dan wij tot vorig jaar hadden' – 1933 was nodig, het aan de macht komen van Hitler, de overwinning van het nazisme.

De analyse in *Hölderlins Hymnen* weer, van het bij de oorlog betrokken raken van de VS: 'schande', deze VS, zegt hij (en het is moeilijk daar niet tot in de versnelling van de zin, de keuze van de woorden, het accent, de verheffing van een andere stem in te horen, die zich in de eerste stem dringt, hem een ogenblik overstemt en zich dan terugtrekt), schande dus, deze 'afwezigheid van historiciteit' (Geschichtslosigkeit) en deze lust tot 'zelfvernietiging' (Selbstverwüstung) van dit volk dat slechts een 'blik van verachting' waardig is! Hulde aan de 'authentieke Duitse gemeenschap', dat 'metafysische volk' bij uitstek waarvoor misschien eindelijk het uur van de 'beslissende victorie' aanbreekt.

Nog een andere bladzijde van *Heraklit*, waar hij de Duitsers waarschuwt dat 'de grootste, meest authentieke beproeving' nog moet komen: zijn ze klaar om zich, 'in vervolg op de beschikbaarheid voor de dood', te voegen bij 'de waarheid van het Zijn'? Zullen zij 'het aanvankelijke' weten te redden 'in zijn onopgesmukte tooi' (das Anfängliche in seine unscheinbare Zier)? Weten zij dat de bodem van het Duitsland in oorlog niet meer en niet minder dan het 'heilige hart van de volkeren' van het Westen is?

In *Parmenides*, dus weer midden in die 'weidse interpretatie van het presocratische denken' waar het postuum verschenen *Spiegel*-interview van zegt dat die toen, 1942-1943, de harde kern van zijn 'arbeid' uitmaakte en waarvan de fraaie soberheid volgens hemzelf voldoende was om de afstand tussen hem en 'de gebeurtenissen' te scheppen, in *Parmenides* dus, die merkwaardige bladzijde waar hij het naderbij komen releveert van 'een moment in de geschiedenis' waarvan 'de inzet' verder gaat dan het 'Zijn' of het 'Niet-Zijn' van een 'historisch volk' of van een 'Europese cultuur', omdat het immers 'het Zijn en het Niet-Zijn in zijn essentie betreft, in de waarheid van zijn essentie' – en dat, die mooie woorden, die overdaad aan ongerepte filosofie, die vorm van analyse die de echte heideggerianen zo goed kennen, die poëtische precisie, die profetische poëzie, die meditatieve toon, van een gebed haast, dat allemaal vanwege... de val van Stalingrad!

De colleges over Nietzsche, gehouden tussen 1936 en 1940, vervuild door één bladzijde waarin een 'gefilmde reportage' over afgesprongen parachutisten boven Scandinavië verheven wordt tot 'metafysisch proces' – Heidegger doet op die bladzijde precies het tegenovergestelde van wat Bataille voor de oorlog deed: in plaats van de onschuld van Nietzsche aan te tonen en hem te bevrijden, in plaats van tegen de nazi's te zeggen 'afblijven met je poten! niet aan de filosoof komen!', levert Heidegger hem aan hen uit, hij schaart hem zelf achter hun vaandel en dat doet hij wederom in diezelfde uiterst lastige filosofentaal.

Nog een passage uit hetzelfde *Nietzsche* waar tegen de achtergrond van 'pantserwagens', 'vliegtuigen', 'zendapparatuur' – ja, ja, het is wel degelijk Heidegger die hier aan het woord is; we zitten midden in *Nietzsche* en het gaat écht over pantserwagens, vliegtuigen en zendapparatuur! – het vraagstuk van de overwinning van Duitsland op Frankrijk in 1940 aan de orde komt: het is de overwinning, zegt hij, van het 'complete en actieve nihilisme' op het 'onvolledige nihilisme'; het is de komst van een 'nieuwe mensheid' – toe maar! – die 'de huidige mens overtreft' en zich op het niveau stelt van de 'onvoorwaardelijke machinale economie'; de 'complete motorisering van de Wehrmacht' is dat niet een proeve van 'technicisme' of 'materialisme', het is een wezenlijke 'metafysische daad'; en, omgekeerd, heeft Frankrijk zijn nederlaag te danken aan het feit dat het zich niet heeft weten te plaatsen 'op het niveau van de metafysische uitkomst van zijn eigen geschiedenis'.

Waarin deze techniek verschilt van die andere? Op welke manier maken de Duitse panterswagens en vliegtuigen deel uit van een actiever nihilisme dan de Franse zendapparatuur? De vraag wordt niet werkelijk gesteld. Is in wezen onbelangrijk. Er zijn legio citaten te vinden, bijna overal. Je kunt het probleem van de andere kant aanpakken door de ronduit politieke teksten, waarvan de publicatie zo lang is tegengehouden door zijn volgelingen, onder de loep te nemen en aantonen dat ze net zo propvol met filosofie zitten als de filosofische teksten met politiek.[20] Je kunt de *Rektoratsrede* er eigenlijk weer bij halen, die eindigt met een citaat van Plato ('alles wat groot is houdt stand in de storm'). De oproep voor het referendum van 12 november 1933, waarin hij aangaande de uittreding van Duitsland uit de Volkenbond zijn sarcasme botviert op het 'willen-weten' dat 'de verplichting om te weten begrenst'. De 'oproep aan de Duitse docenten', nog zo'n politieke gelegenheidstekst, waarin hij toch kans ziet een knappe en fijnzinnige analyse te geven van de 'moderne vorm' van arbeid, van de 'ontologische' breuk die hij aan het licht brengt, van de tegenstelling tussen de 'techniek' en de 'poièsis', alsook tussen het authentieke 'aan-het-werk-zijn' en 'het-gegrepen-zijn-door-het-zijnde': dat alles om, ingaand op de hete hangijzers van dat moment, ten slotte stelling te nemen vóór de eerste 'werkkampen' waarin hij, Heidegger, een leerschool van 'solidariteit' en 'offervaardigheid' ziet, een plek waar het onderscheid tussen 'hand- en hoofdwerk' opgeheven wordt – de 'openbaring', op de puinhopen van de burgermaatschappij, van de authentieke 'volksgemeenschap'. Deze opsomming is verpletterend. Want, hoe je het ook wendt of keert, het is steeds dezelfde wet, de dubbelzinnige wet namelijk én van het denken én van de infamie, van een absolute, ongegeneerde verstrengeling van beide motieven. De wet van een dubbele tong, helemaal in elkaar gedraaid, met niet van elkaar te onderscheiden stemmen.

Tussen twee haakjes. Ik lees en herlees die 'oproep aan het Duitse docentenkorps' over de 'moderne vorm van arbeid'. Ik lees, herlees ook, de tekst waarin hij de uittreding uit de Volkenbond goedkeurt. En ook nog zijn toespraak tot de arbeiders van 22 januari 1934. Zijn aansporing tot opheffing van de scheiding tussen arbeid 'met de hand' en 'met het hoofd'... Zijn overtuiging dat de 'jonge kameraden die bij de Universiteit horen' bereid zijn, zegt de rector, hun 'kennis' over te brengen op de arbeiders... Het feit dat ze eveneens 'bereid' zijn, volgens hem, te luisteren naar de 'vragen', de 'noden', de 'moeilijkheden' en de 'twijfels' van de werkers, 'er' met hen 'over na te denken' en 'hen in gemeenschappelijke inspanning naar het licht te voeren'... Deze 'levende brug' die geslagen gaat worden tussen 'de handwerker en de hoofdwerker'... Het feit dat, die dag, de dag waarop de brug geslagen zal worden, 'wat wij dachten' bij de woorden 'kennis' en 'wetenschap' 'een andere betekenis' zal krijgen... Het speculatieve decentreren dat 'een andere betekenis', ja, zal geven aan 'wat wij verstonden onder de woorden 'arbeider' en 'arbeid'... De statuswijziging van de wetenschap die tot dan toe altijd 'het bezit van een geprivilegieerde klasse van burgers' is geweest, terwijl toch 'de arbeiders' en 'degenen die een authentieke wetenschappelijke kennis bezitten' geen 'tegengestelde klassen zijn' en de kennis van een wetenschapper 'zich *in zijn essentie absoluut niet* onderscheidt van de kennis van boeren, houthakkers, landarbeiders, mijnwerkers, ambachtslieden'... De zekerheid, ten slotte, dat 'iedere arbeider op zijn eigen manier iemand is met authentieke kennis' en dat 'het welbeschouwd alleen op basis van een dergelijk bezit van kennis is dat hij kan werken'... Dat is een nazi-tekst. Hij eindigt met een donderend: 'voor de man van dit ongelooflijke willen, onze Führer Adolf Hitler, driewerf "*Sieg Heil*"'. Nu, een ook maar enigszins fijn afgesteld oor moet hier wel een retoriek in horen die hem bekend voorkomt uit minder verre tijden. Moet er wel de echo in horen van wat dertig jaar later in Parijs in linkse, of maoïstische kringen wordt gezegd over de noodzakelijke 'verankering' van de geletterden en de afschaffing van de grens tussen hand- en hoofdarbeiders. Moet achter die krijgshaftige en radicale retoriek, in de toon, de wendingen, de zinsopbouw ervan, die wetenschappers gebiedt aan het volk de bijdrage van hun wetenschap te leveren, wel de klanken herkennen van de roemruchte 'Cours de philosophie pour scientifiques' die Louis Althusser in 1966 aan de Ecole Normale gaf en waarin hij, op de schetterende en oorlogszuchtige toon waaraan hij toen zo verknocht was, een metafoor spinnend waarvan de betekenis niemand ontging, de 'filosofen' aanspoorde naar de 'wetenschappelijke arbeiders' te gaan zoals de 'intellectuelen' naar het 'proletariaat'. En je moet onwillekeurig denken, bovenal, aan de thema's, wachtwoorden en uiteindelijk bloedige dromen van die andere revolutie die, veertig jaar na het nazisme, maar dan aan de andere kant van de wereld, eveneens ambieerde het begrip wetenschap opnieuw te definiëren, de scheiding tussen hoofdarbeid en handarbeid af te schaffen, de kennis van de houthakker dichter bij de kennis van de fabrikant van begrippen en denkbeelden te brengen en af te rekenen met die op een schandalige manier door deze van gene afgeperste meerkennis – een onderneming die, zoals iedereen weet, uitmondde in weer een genocide. Heidegger, verre inspirator van Pol Pot en consorten? Heidegger, theoreticus, avant la lettre, van de lijn van de 'rode garde', de 'Rode Khmer' en dus van de Cambodjaanse tragedie? Natuurlijk niet. Zo gesteld zou de vergelijking mank gaan. Maar toch... Wat weten we van de kronkelige paden van het grote denken? Is het echt ondenkbaar dat van heel verre scherven van een Tekst een geheimzinnige flonkering afschiet? De laatste list van Heidegger... Zijn echt uitgekookte strategie...

Begrijp mij niet verkeerd. Ik bekritiseer natuurlijk niet het principe op zich van vermenging van politieke en filosofische genres. Ik heb er geen bezwaar tegen dat een filosoof het probleem van de werkkampen oppakt – of de uittreding van Duitsland uit de Volkenbond, de complete motorisering van de Wehrmacht, het sturen van tanks naar Frankrijk in 1940, het droppen van parachutisten boven Scandinavië of de strijd om Stalingrad. En ik weet heel goed dat Hegel, om maar iemand te noemen, de Hegel die het lezen van de krant beschouwde als het ochtendgebed van de filosoof en die voor zijn ramen Napoleon voorbij zag trekken en dat beschouwde als een grootse metafysische gebeurtenis, in de periode van de *Bamberger Zeitung* warm liep voor 'aardse' zaken als de veldslagen bij Friedland en Jena, de inname van Danzig, de Franse expeditie naar Portugal, de beschieting van Kopenhagen door de Franse marine, de ontmoeting in Erfurt, de vrede van

Tilsit. Nee. Mijn bezorgheid geldt natuurlijk allereerst het feit dat Heideggers engagement, zijn eigen aardse zaken, zijn Erfurt, zijn Tilsit, en de wijze waarop hij erin geïnteresseerd was, altijd in de richting van het ergste gingen. Maar ook, en vooral, de zeer bijzondere structuur van zijn teksten en dus, van zijn geest of, om met Proust te spreken, van zijn twee zielen – het feit dat de twee aderen er zo hecht ineengevlochten zijn dat het onmogelijk is om, zoals bij Hegel, of zelfs bij Marx, de dingen los van elkaar te zien en zijn nazisme los te koppelen van de rest.

Ik ga nog even door. Heidegger heeft zich wel verdedigd door zijn hitleriaanse geloofsbelijdenissen voor te stellen als dekmantel. Hij heeft het oude argument – Spinoza, Hegel ook, zovele anderen... – uit de kast gehaald van de onontkoombare plicht tot dissimulatie, tot spreken met dubbele tong, tot dubbele filosofie, die op de filosoof rust wanneer hij schrijft onder het wakend oog van de barbaren. En hij zegt bijvoorbeeld – tegen de Israëlische onderzoeker S. Zemach,[21] in een brief van maart 1968 – dat zijn uitspraken over de nederlaag van Frankrijk, over de waarheid en grootsheid van het nazisme, de parachutedroppings in Scandinavië, evenzovele misleidende berichten waren aan het adres van nazi-spionnen die mogelijk aanwezig waren in de collegezalen en dat hij, voor de rest, heus wel wist wat hij ervan denken moest. Voor dit argument is, in principe, wel iets te zeggen. Je zou je inderdaad een tekst kunnen voorstellen met twee ingangen: een ingang voor de barbaren, de censoren dus, en een geheime, oneindig veel minder gebruikte ingang die hij gereserveerd zou hebben voor de liefhebbers van de 'philosophia perennis'. Ware het niet dat ook dat niet opgaat. Want je loopt, voor de zoveelste keer, tegen het feit aan van een waterverftekst waarvan de verf doorgelopen is, waarvan de kleuren absoluut niet meer te onderscheiden zijn. Je loopt tegen die structuur op, uniek alweer in de geschiedenis van het denken, van een tekst die onophoudelijk heen en weer gaat tussen de Idee en het Ding, tussen het meest uitgewerkte concept en de meest infame politieke toespeling. Je wordt geconfronteerd met de extreme zeldzaamheid van die conceptuele rapsodie waarin, in tegenstelling met hetgeen voor, wederom, het corpus hegelianus of marxianus opgaat, of voor Céline, of voor Aragon, of voor welke schrijver of filosoof dan ook die in zijn leven enigszins serieus geroken heeft aan het abjecte, de twee stemmen zich mengen, in elkaar glijden en niet meer van elkaar te onderscheiden zijn.

Is het de filosoof of de nazi, die het Duitse volk omschrijft als 'het metafysische volk bij uitstek'? Is het het nationaal-socialisme dat de 'fundamentele ontologie' omkeert, of de 'fundamentele ontologie' die het nationaal-socialisme programmeert, als hij in de Hitler-'beweging', 'naast de onvolkomenheden en obsceniteiten, een element' ziet 'dat veel verder reikt en dat wellicht ooit op een dag een stille overpeinzing aan kan dragen over het westerse en geschiedmatige karakter van wat Duits is'?[22] Er is maar één Heidegger, de echte. Eén pen. Eén stem. Of misschien zijn er wel twee. Je kunt, als je erop staat, vol blijven houden dat er 'aan de ene kant' de filosoof is en 'aan de andere' de nazi. Maar de scheidslijn loopt niet tussen de boeken. Die loopt door ieder boek. Wat zeg ik? Die loopt in ieder boek door iedere bladzijde, door ieder woord zelfs of in ieder geval door ieder begrip. Onmogelijk hem te trekken. Onmogelijk zelfs hem te denken. Als er 'twee Heideggers' zijn, leven zij niet alleen onder dezelfde naam samen, in hetzelfde hoofd, maar ook in dezelfde taal- en gedachtesymbolen. En dat is ook precies wat het onmogelijk en absurd maakt een uitweg te zoeken in de trant van: 'laten we de nazi loslaten om de filosoof te behouden; laten we de verradersbrieven vergeten om de overpeinzingen over de poëten te onthouden; laten we de list en het bedrog, of de persoonlijke lafhartigheden ter zijde schuiven – dan houden we de onsterfelijke teksten zonder welke de taken van het denken voor lange tijd in het slop zouden geraken.'

Heidegger is een blok – ondeelbaar.

Hoe kan je tegelijk de grootste filosoof van de twintigste eeuw en een nazi zijn?

Laatste vraag dan.

Wat is een blok, in de filosofie?

Hoe werkt zoiets concreet, in het proces van het denken?

Wat is het mysterie van die filosofie waarvan de begrippen zelf doorkruist worden door een zo gruwelijke scheidslijn: in tweeën gespleten, tweekoppig, één kop naar de infamie gedraaid, de andere naar de eisen van het intellect – en dat moet je nog maar afwachten! Kan je wel spreken van twee koppen, want het gaat om dezelfde bewoordingen en, in zekere zin, om dezelfde kop?

Hoe is die eeuw die net aan zijn einde is gekomen (Althusser, Foucault, Lacan en allereerst natuurlijk Sartre) in het gerede gekomen met die begrippen die, aan de ene kant, aan het denken zetten en, aan de andere kant, het ergste opriepen? En hoe gaat de nieuwe eeuw (dezelfden, plus een aantal anderen) in het reine komen met die dubbele dwangpositie, niet zonder Heidegger maar ook niet met hem te kunnen denken?

Voorbeelden.

Woorden dus, of beter, begrippen.

Ik heb er vier gekozen, de meest cruciale symbolen van die bizarre tweeslachtigheid.

Ten eerste de kwestie van het subject. Het speculatieve onttronen van het subject dat Heidegger sinds *Sein und Zeit* doet en dat als tweeledig effect heeft dat het de metafysische vooronderstellingen van de notie Subject onthult en in herinnering roept dat de filosofische kwestie bij uitstek niet de kwestie van het 'Subject' is maar van het 'Zijn'. De 'Aletheia', niet het 'Dasein', zegt hij. Of toch het 'Dasein', maar dan alleen als dat verstaan wordt in een beslist niet-antropologische betekenis – alleen als de daad van het breken met het subject geheel volvoerd wordt en het sartriaanse misverstand voor eens en altijd uit de wereld geholpen wordt. Bij Heidegger dus een anoniem 'Dasein' zonder bewustzijn, een 'Dasein' dat niet langer verwijst naar het 'eigene van de mens', omdat dat 'eigene' niet bestaat, kortom een 'Dasein' dat bevrijd is van de hypotheek van het humanisme.

Dat is een moderne stap. Het hele contemporaine antihumanisme begint hier, ik heb het al eerder gezegd. Die hele denkrichting die ons zegt dat 'de mens niet het oudste probleem is, en ook niet het meest constante, van het menselijk weten', dat hij een 'schepping' is waarvan een 'archeologie' moeiteloos 'de verschijningsdatum' en 'het naderende einde' zou aantonen, vindt hier zijn echte oorsprong. Vergeet Heidegger. Vergeet die simpele woorden: 'Dasein is niets anders dan Tijd-Zijn' – Dasein ist nichts anderes als Zeit-Sein. En die hele moderne stroming van het denken wordt dan ondenkbaar en onmogelijk. De namen van Foucault, van Lacan, Althusser, Barthes, Lévi-Strauss verdwijnen dan uit de twintigste eeuw. De helft van het contemporaine Franse denken wordt dan in één keer weggevaagd, 'als een gezicht van zand op de grens met de zee'...

Dat is een politieke stap, en in politiek opzicht zeker een geslaagde operatie. Allereerst omdat er niets mis is met de constatering dat de hulde aan het subject en aan de transformatie van de mens tot 'werkdier', tot agent van de 'technisering van de planeet', die er slechts op uit is zijn macht te vergroten, ten slotte is uitgedraaid op een vorm van 'verwoesting' of 'vernietiging', die in vroeger tijden ongekend was – iedereen kan dat alle dagen om zich heen met eigen ogen waarnemen. Ten tweede omdat wat aan 'menselijk' overblijft in het 'Dasein' op het moment dat het ontdaan is van de prestigieuze noties van het kantiaanse en husserliaanse 'substantiële Ik' of het 'transcendentale Ego', wat aan 'subject' overblijft in een wereld die los is van al haar subjectivistische en essentialistische nostalgieën, derhalve volstrekt singulier wordt, het stempel opgedrukt krijgt van wat Heidegger het 'je-meinig', het 'telkens-mijne', noemde – zodat de idee van een subject zonder definitie of eigenschap, de notie van een individu zonder idee van het genus of soort waarvan het een verschijningsvorm is, als paradoxaal maar onvermijdelijk effect heeft dat de rechten van de uiterste subjectiviteit versterkt worden. Tot slot en met name omdat totalitaire regimes altijd stoelen op het idee dat ze zich vormen van het 'eigenste van de mens', van zijn 'essentie', van zijn 'waarheid', en altijd zullen proberen het stuk dat zich er, in de concrete mensheid, niet aan conformeerde, te reinigen, te zuiveren, opnieuw te vormen, en het is dan ook zo gek nog niet, te menen dat een consequente heideggeriaanse politiek, door het stalinisme of hitlerianisme hun ideale definitie van de Mens te ontnemen, de operatie 'nieuwe Mens', die de kern uitmaakte van hun parallelle project, conceptueel ondenkbaar gemaakt zou hebben.

Maar die stap is tegelijkertijd hachelijk. Geslaagd én hachelijk. Want wat is er nog het redden waard van die mens zonder substantie, zonder kwaliteiten of eigenschappen dus, van dat onttroonde Subject, waarvan niet meer te zeggen valt wat het is of wat het wil of wat er nog bezield aan is? Wat voor garanties zijn er dat hij niet met voeten getreden wordt? In naam waarvan zal men hem waarborgen dat hij niet gemarteld, mishandeld, gedood zal worden? Op die vraag geeft de 'slechte' heideggeriaan Sartre antwoord, zoals we zullen zien, door een heel klein stukje van het subject te 'redden' dat losgerukt is, dat wel, van de horizon van het essentialisme, maar waar de wil om te doden op afketst. De neoheideggeriaan Levinas antwoordt met het beeld van een 'gekozen', ja zelfs 'bezield' subject, dat zich zou voegen in een niet meer 'historische' maar 'profetische' temporaliteit en dat vervuld zou zijn van de idee van het oneindige. De structuralistische denkers hebben er geen antwoord op, maar het baart hen zorgen, en ik herinner me Foucault die zich, samen met Clavel, afvroeg hoe dat zat met de paradox die hem, de heraut van de 'dood van de mens', in het kader van de mensenrechten de rechten van een dode mens deed verdedigen. Voor Heidegger bestond de vraag niet. Kon niet bestaan. Dat nietige stukje autonomie opgeëist door het Subject om zich bijvoorbeeld te installeren in de ruimte van een Recht, dat wijst hij principieel af, omdat dat de weg zou openen voor de overwinning van de 'wil van de wil' en de 'ontketende techniek'. En zo komt het dat hetzelfde heideggerianisme dat helpt en nog lang zal helpen de onhandelbare uniciteit uit te denken van een subject dat ontrukt is aan de humanistische algemeenheid en abstractie, ons in dezelfde teksten en, wederom, binnen dezelfde denkbeelden, verbiedt dat unieke subject te herbergen in de ruimte of de tijd van wat wij democratie noemen.

Ten tweede de kwestie van de Geschiedenis. De blinde vlek van het Westen voor zijn eigen geschiedmatige karakter. De lange en vreemde naïveteit waarmee het voor eeuwig, of natuurlijk, hield wat in de orde van grootte van een tijdperk was. Met andere woorden, de metafysische onnozelheid waarmee het de relatie 'vergat' van ieder afzonderlijk tijdperk met de Geschiedenis, van de Geschiedenis met zichzelf en van ieder tijdperk met een 'eidetiek' die de regels voorschrijft wat voor dat tijdperk hoorbaar en onhoorbaar zal zijn, zichtbaar of onzichtbaar.

Alles is geschiedenis, antwoordt Heidegger deze naïvelingen in hoofdzaak. Alles. De mens, natuurlijk. Zijn woord. De waarden waarin hij gelooft en die hij, naief als hij is, heeft geprojecteerd op Joost mag weten wat voor hemel van pure idealiteiten. Maar ook de wereld om hem heen. De natuur. Ja, ook de natuur is historisch van aard, schrijft hij, in een van de mooiste bladzijden van *Sein und Zeit*. Natuurlijk, 'zij is dat niet als we het over "natuurlijke historie" hebben'. Maar 'zij is dat wis en waarachtig als landschap, als vestigings- of winningsgebied, als slagveld of bedevaartsoord'. En hij voegt eraan toe: 'dat in-de-wereld-zijnde ís als zodanig geschiedmatig en de geschiedenis ervan vormt niet "iets van buiten" dat de "innerlijke" geschiedenis van de ziel alleen maar vergezelt. Wij noemen dat zijnde het wereld-historische.'[23]

Ook dit is modern. Foucault, natuurlijk, en zijn 'epistemen'. Althusser in zijn uiteenzetting in *Pour Marx*, maar heel wat meer in de geest van *Sein und Zeit* dan van *Das Kapital* of *Grundrisse*, hoe ieder tijdperk opnieuw het gebied moet structureren waarbinnen het zichtbare en het onzichtbare worden verdeeld. Het principe van de epistemologie en zelfs van het werk van de contemporaine natuurwetenschappen: geen 'weten', zegt de moderne wetenschap, geen 'theorie', zelfs geen 'feit' waarvan we niet weten dat ze historisch gevormd zijn en dus altijd opnieuw te beziene subjecten. Vergeet Heidegger, ook op dit punt. Streep die simpele woorden door: 'alles is geschiedenis – alle dingen (de Mens... de Staat... het geloof in God en de Duivel... de waarden en normen... de landschappen... de leer van de zwaartekracht en de relativiteitstheorie... begrippen als negatieve massa, materie, antimaterie...) hebben een geboortedatum gehad en zullen een overlijdensacte krijgen' – en er komt opnieuw een grote streep door de jaren zestig, het structuralisme, Lacan, de moderne antropologie, de epistemologie, de exacte wetenschappen. Het is er niet geweest!

Ook hier, een politieke stap. In de eerste plaats omdat die historisering van alle dingen een bevrijdend effect heeft: als alles geschiedenis is, weg dan met de pretentie van de grote meesters om hun eigen meesterschap te vereeuwigen! Geen ordening of staat van dingen meer als ze niet gelijkelijk getekend en dus vergankelijk zijn gemaakt door deze constituerende historiciteit. Je kunt, anders gezegd, aan Heidegger een ontologische rechtvaardiging ontlenen van de geest van opstand – wat trouwens niet alleen Sartre, maar ook de intellectuelen en de studenten enzovoort hebben gedaan, die, met alle dubbelzinnigheden eigen aan, ik zeg het maar weer, het verlangen naar 'radicaliteit', de jaren zestig hebben bezield en de weg hebben gewezen naar Mei '68. Maar er is meer. Als alles geschiedenis is, als ieder subject en ieder volk slechts zijn wat ze zijn op grond van wat de Geschiedenis van ze gemaakt heeft, is dat dan niet – onder andere – het einde van het naturalisme? Dus ook het vaarwel aan een biologisme dat van alle fascismes in het verleden, heden en toekomst het meest solide uitgangspunt is geweest en zal blijven? En als Heidegger niet voet bij stuk heeft weten te houden, als hij zijn politieke stap niet helemaal heeft kunnen of willen doorzetten, als de logica zelf van het werk hem ertoe gebracht heeft zijn verwerping van een radicaal antisemitisme meteen weer los te laten, een antisemitisme waarvan hij, in theorie, tegen Krieck, Bäumler, Rosenberg en tegen alle ideologen van de ss, de resolute tegenstander was, dan moet je wel bedenken dat toch uitgaande van dat segment van het heideggerianisme en uitgaande van hem alleen, het vervolg van de eeuw – Sartre, nog steeds, al was het maar in *Réflexions sur la question juive* – de principes van zijn afwijzing, de wet van zijn antiracisme en zijn anti-antisemitisme duidelijk heeft kunnen uitspreken? Dan kun je toch moeilijk het gewicht ontkennen van dat 'alles is geschiedenis' in een theorievorming die, ook morgen nog, de terugkeer naar de gruwelijkheden zal verbieden?

Maar ook hier, opgepast! Dubbelzinnige stap! In dubbel opzicht! In de eerste plaats omdat als alles geschiedenis is, als niet alleen de 'mensen', maar ook de 'waarden' waar zij zich op beroepen, het stempel van die historiciteit opgedrukt hebben gekregen en dus van die betrekkelijkheid, weer niet goed in te zien valt waarop je het verbod om te doden zou kunnen baseren – niet goed in te zien valt wat de ek-sistant ervan zal redden behandeld te worden als wat hij nu juist niet meer moest zijn, te weten een simpel 'ding', ontfutseld aan de historiciteit en vergankelijk, als ieder ding. Maar ook omdat 'historiciteit' in ieder geval twee aangrijpingspunten heeft. Het individu, natuurlijk. Het op zichzelf staande Dasein. Maar ook, daar valt niet aan te ontkomen, die andere 'historische eenheid' die we een volk noemen en waarvan Heidegger terecht zegt dat die eenheid net zo 'concreet' is als de historische eenheid die bijeengebracht is in een lichaam en hersenen, dat die eenheid niet minder nauwkeurig 'bepaald' is, en zich net zo goed afzet tegen de abstracte universaliteit van een menselijke soort, zonder geschiedenis en leeg. Op welke grond zou je dan de één boven de ander verkiezen? Wat voor reden is er, wanneer je de 'historiciteit' tot hoogste principe verheft, om de historiciteit van het 'persoonlijke Dasein' te kiezen in de lijn van de existentiaal-analyse, tegen de historiciteit van een 'Dasein van volk en staat' dat geacht wordt er het 'lot' van te zijn en dat volkeren tegen individuen gaat uitspelen, de groep tegen de enkeling, het pathos van de 'gemeenschap' (Gemeinschaft) tegen de passie van de 'mij-schap' (Jemeinigkeit)? Geen enkele. Nee, de waarheid is dat niets in de zin 'alles is geschiedenis' die vreselijke betekenisverschuiving af kan wenden, die overigens begint bij *Sein und Zeit*. Wanneer het subjectivisme bijvoorbeeld het beeld geeft van 'de aberratie in het inessentiële'[24], kan niets verhinderen dat, om 'het essentiële' te redden, de 'nieuwe eenheden die geworteld zijn'[25] uitgespeeld worden tegen de 'verlatenheid' van 'de mens te midden van het zijnde'. Niets, helemaal niets meer, verbiedt nog dat, zoals we dat in de woorden van vandaag zouden zeggen, volkeren tegen onderdanen uitgespeeld worden, onderscheid en groepskenmerk tegen subjectiviteit... En dan ten derde en tot slot, het historiciteitsprincipe vereist een laatste verschuiving en die is nu juist catastrofaal. Ja, wat te doen, vraagt Heidegger, in een 'historische situatie' die gemarkeerd wordt door mechanicisme, materialisme, technicisme, kortom een toenemende vervlakking van wat de historiciteit met individuen en ook met hele volkeren doet? Wat te doen wanneer de planeet zich overgeeft aan wat Thomas Mann 'zuivere nuttigheidscultuur' noemde en zich dus afkeert van de historiciteit van de zijnden? Dan kun je maar één ding doen en dat is die historiciteit herstellen, reproduceren of zelfs produceren. En het volk dat, net als de Hellenen volgens Aristoteles, een 'centrale positie' inneemt of preciezer nog, zoals Burckhardt zei, zich tussen die 'twee soorten barbaren' bevindt die de Russen en Amerikanen zijn, aanmerken als het 'historische volk bij uitstek', als het 'vaderland van de historiciteit' en, dus, als de verlosser van het 'Westen'. Dan kun je alleen maar de lof tuiten van een Duits volk waarvan de eerste Thomas Mann, die van het ultranationalisme, al twintig jaar voor Hitler aan de macht kwam zei dat het het 'volk van de metafysica' was en dat het het enige volk was dat de uniformerende druk van de westerse 'Zivilisation' en zijn 'esperanto' kon weerstaan. En dat is was Heidegger doet, twintig jaar na Mann. Dat is waar hij toe besluit – maar dan wel op het moment waarop dat 'metafysische volk' zich, betoverd en ontketend, aan de voeten werpt van zijn barbarenkoning.

Ten derde: de kwestie van de taal.

Het geniale idee, ook hier weer, van een taal die niet langer een 'stuk gereedschap' is maar het element van het Zijn, zijn woning, mijn woning, de stof waarvan ik gemaakt ben en ook de stof waarmee de dingen geweven zijn. De etymologische verwantschap van bijvoorbeeld 'zaak' en 'zeggen' is veelbetekenend. Is er een andere manier om het Zijn van de zijnden (de dingen, maar ook de zijnden die subjecten zijn, de bewustzijnen) te 'onthullen' dan ze, die zijnden, voort te brengen in het licht van het woord?

Het idee van een taal, die derhalve, uit de aard der zaak, ouder is dan degenen die erin wonen. Ik zeg 'ik praat' als was het het 'ik' dat dit deed, handelde, de bevelen uitdeelde en de taal bezat als was zij zijn eigendom. Wat een vergissing! Wat een verblinding! Want, zegt Heidegger, het is juist de taal die mij bezit. Het is de taal die door middel van mij spreekt. Het is de taal die over mij beschikt en niet ik die over de taal beschik. Ik spreek, ja, zo je wilt. Maar dat spreken is steeds in tweede instantie. Het antwoordt op een spreken dat er altijd al aan voorafgegaan is. Ik leef, in feite, in een geruis van rondzwervende woorden, een ononderbroken gemompel en zonder echte sprekers – en ik word juist gevormd door dat gemompel, dat onophoudelijke gebrom, een enkele keer onderbroken door een woord dat eruit springt.

Het idee van een rijke taal, dus. Levend. Het idee van een taal waarvan de woorden als objecten zijn gevormd door de Geschiedenis, gevuld met een betekenis die erin bezonken is en die het contact blijft onderhouden met het verloren zijn van de dingen. Het idee, om met Aristoteles te spreken, herlezen door Heidegger, van een apofantische functie van de taal, die het huis van het Zijn geworden is, de schuilplaats op de Open Plek, de plaats waar de waarheid wordt onthuld. Dwars door de taal heen? Nee. Eraan vasthouden. Erin blijven. De woorden letterlijk nemen, want daar, in het woord, ligt de sleutel.

Er zijn, om ons tot de Grieken te beperken, twee tegenovergestelde houdingen waaruit, zo zei Lacan, twee heel verschillende visies voortvloeien wat betreft de relatie tussen taal en werkelijkheid. Aan de ene kant zijn er Protagoras, Gorgias, de sofisten, die 2500 jaar voor de Saussure de nadruk leggen op het arbitraire karakter van het symbool (de 'signifiant', of betekenaar, in moderne termen), het ontbreken van een band met de betekenis (het 'signifié', het betekende), de volstrekte willekeur van een taal die gereduceerd is tot speeltuin. En aan de andere kant 'de Cratylus genaamd Plato' die helemaal opgaat – Lacan is nog steeds aan het woord – in 'de inspanning om aan te tonen dat er wel degelijk een relatie moet zijn' tussen het signifié en een signifiant dat 'van zichzelf iets wil zeggen' en dat dus behandeld zal worden als volwaardige filosofische bouwstof: werken met woorden, etymologieën die je versteld doen staan, aangeboren affiniteit tussen de dingen en de fonemen, tussen dingen die beantwoorden aan hun naam en namen die gewicht hebben van dingen.

Welnu, Heidegger is van de school van Cratylus. Met die maniakale zucht van hem naar fabelachtige etymologieën, met die manier van hem om, gelijk een profetes verbonden aan een orakel, de boodschap in zich te laten opstijgen die vrijgekomen is uit een kunstige etymologie, met die haast poëtische manier van hem om filosofie te bedrijven, die gedrevenheid van hem om het woord zelf open te maken, open te breken, met veel kracht, open te boren, te kraken, een aframmeling te geven of het te dwingen een bekentenis af te leggen, het bij de strot te grijpen, het te dwingen het gestolene terug te geven of juist de betekenis in zijn strot te duwen, met die interpretatiezucht van hem, die opvatting van hem van interpretatie als marteling, zijn blauwe plekken in de woorden, bont en blauw sloeg hij ze de woorden, hij doorboorde ze, met die manier van hem om er de latente en vergeten energie uit te laten spuiten, de waarheid te vervangen door de betekenis, de categorie van de theorie te vervangen door de categorie van de interpretatie, met zijn praktijken om van de dialectiek over te stappen op de exegese – hij noemt het niet precies exegese maar 'hermeneia', 'Auslegung', oftewel ontraadseling van een verborgen, latente, obscure, maar 'tentoongespreide' betekenis – vertegenwoordigt hij de laatste en meest vruchtbare poging om de oude cratyliaanse verzoeking te actualiseren. Gorgias of Cratylus? De Saussure of Heidegger? Dat is de vraag. Dat is het debat dat dwars door het moderne denken loopt en, binnen Freges 'grote linguïstische wending', Lacan en bijvoorbeeld Foucault verdeeld houdt. Zodat je ook hier weer goed ziet wat er zonder Heidegger verloren gaat: niet meer alleen Foucault, maar ook Lacan; het beste van Lacan en dus van

Freud; al diegenen die van de taal dat bevoorrechte oord gemaakt hebben waar de Geschiedenis en de waarheid geopenbaard worden.

Maar ook hier opgepast!

Vanaf dit punt zijn er twee manieren om de conclusie te trekken, twee mogelijke wegen – die Heidegger, beide, de één zo goed als de ander, ingeslagen is.

Nu eens zien we een Heidegger die, trouw aan zijn principe van historiciteit, zegt: er is geen 'natuurlijke' taal; geen oorspronkelijke of essentiële taal die toe zou behoren aan Joost mag weten welke ahistorische en bestemmingsloze menselijke natuur; talen grijpen vast en zeker terug op een voorraad en die voorraad is een gemeenschappelijke voorraad; maar 'gemeenschappelijke voorraad' is geen 'taal'; wil er 'taal' ontstaan, dan moet men uit de 'voorraad' gekomen zijn; en de taal is nog maar net opgedoken, nog maar net taal van een subject geworden of zelfs van meerdere subjecten en een volk, of zij is gedateerd, maakt geschiedenis en ontsnapt enkel en alleen daarom aan de natuurlijkheid; binnen deze orde is de ene datum evenveel waard als de andere, de ene gebeurtenis evenveel als de andere, en er is geen mogelijkheid om tussen de talen een voorrang of een hiërarchie aan te brengen.

Dan weer zien we een andere Heidegger die zegt: ja, toch wel! Er is dan misschien geen 'natuurlijke' taal, maar er zijn talen die zo niet natuurlijker dan toch 'ouder' en 'authentieker' zijn dan andere. Er zijn rijkere talen, levendiger, meer gevuld met betekenis en herinnering; er is er één in het bijzonder, de taal van Cratylus en van Gorgias, van Protagoras en Aristoteles, die de taal bij uitstek was en die de taal van de historiciteit zelf is, van de experts in historiciteit; en uit hoofde van het principe dat wil dat wat 'is geweest', uit de aard der zaak, 'opnieuw' kan 'zijn', uit hoofde van het simpele idee dat hetgeen 'was' maar 'verloren' is gegaan, kan en moet worden 'teruggevonden' door denkwerk, zien we die andere Heidegger, die zijn oor te luister legt bij de Griekse taal, zich tot hogepriester van die haast heilige taal maakt – en die, anderzijds, maar in dezelfde beweging, op zoek gaat naar de sporen van die Griekse taal, van zijn erfenis, van zijn erfgenamen, en ze stukje bij beetje, maar heel natuurlijk, vindt bij de Duitsers, die tot wachters zijn bevorderd van de enige taal die de lijn met die vergeten Griekse taal bleef vasthouden.

Er is een volk, zegt Heidegger ten eerste, dat in weerwil van het historiciteitsprincipe dat ik eerder verkondigde, geschiedmatiger, bedrevener in historiciteit is dan andere volkeren, en dat is het Griekse volk. Er is een taal, zegt hij in de tweede plaats, die, in weerwil van datzelfde epochaliteitsprincipe, in weerwil van het principe dat zegt dat een 'volk' nooit een 'subject' is, de bewaarplaats is geworden van de beste overblijfselen van de taal van het Griekse volk, en dat is de Duitse taal. Zo valt alles op zijn plek. In die dubbele stap en in die as Athene-Berlijn, is alles vervat. In dat idee van een

Duitse wederopstanding van Griekenland en van het restant van het nu onzichtbare Grieks in het zichtbare Duits. Je hoeft het vanzelf niet eens te zijn met die cirkelredenering. Je kunt er smakelijk om lachen. Zoals je het ook van harte oneens kunt zijn met en hartelijk moet lachen om zijn uitspraak, let wel in 1966, in het *Spiegel*-interview, waar hij stelt dat wanneer een Fransman aan het denken slaat, hij dat in het... Duits doet! Het valt niet uit te wissen. We kunnen niet doen alsof het er niet was. En door die droom van een Duitse incarnatie van de voorsocratische wereld en door, bij de verwezenlijking van die droom, die mengelmoes van 'Mitsein' en de zogenaamde 'substantie' van een volk dat belast is met die wederopstanding, slaat de weegschaal van het heideggeriaanse arrangement door naar de onsmakelijke kant.

En dan, tot slot, de zijnsvraag.

De zijnsvraag, de vraag bij uitstek van het heideggerianisme, maar waarbinnen de weegschaal dezelfde wipbeweging zal beleven.

Ook hier begint het allemaal goed.

Tot Heidegger heeft de filosofie alleen de vraag van het zijnde weten te stellen, en als zij de vraag stelt, of denkt te stellen, die Aristoteles de vraag van 'het Zijn als zijn' noemt, is dat Zijn waarvan zij de vraag stelt altijd slechts een zijnde tussen andere zijnden – het eerste, het meest opmerkelijke, ongetwijfeld, maar wel een zijnde: niet, zegt Levinas in *De l'existence à l'existant*, 'l'être-Sein' maar 'l'être-Seiendes'; niet het geheim van l'être, het mysterie dat maakt dat les êtres zijn, maar les êtres, de mensen, de microgeheimen van de wereld, zijn mysteriën, kortom, om met Brentano te spreken, 'de multiple betekenissen van het zijnde'.

Welnu, Heidegger stelt voor het allereerst de vraag naar het zijn, 'naar de betekenis en de waarheid ervan'. Hij stelt de vraag naar een Zijn dat niet meer een oorzaak is, of een grond, of een God, dat zelfs niet meer een ding op-zich is, verborgen achter het fenomeen, en dat op geen enkele manier een zijnde is. Zijn onderzoeksterrein is niet meer, zoals bij Husserl, de relatie van ieder zijnde, ook van het meest voortreffelijke, met enig ander zijnde, of zelfs met het zijnde dat het zelf is, maar zijn relatie met het 'zijn' van andere zijnden, ja zelfs met het 'eigen zijn' van het zijnde dat het ook is. En het echte probleem dus, het raadsel dat hij tracht door te prikken, is het vergeten zijn van die Zijnsvraag, ja zelfs, nog vreemder, het vergeten zijn van dat vergeten zijn in een Westen dat sinds de Oorsprong, dat wil zeggen sinds de Grieken, in een onophoudelijk verval is geraakt.

Je hoeft geen heideggeriaan te zijn. Je kunt het pathos of de bespiegelende stijl van de meester uit Freiburg verafschuwen. Maar het is wel zo dat hij de enige is, sinds de Grieken om precies te zijn, die zich de middelen heeft verschaft om die vraag van het Zijn en zijn Vergeten-zijn te stellen – het is wel zo dat hij de enige contemporaine filosoof is die zich, en met wat een onbuigzaamheid, de vraag gesteld heeft van het 'ontologische verschil', van de 'plooi' dus in het 'zijn' en het 'zijnde', die nu juist dé filosofische vraag is.

Het is dus van tweeën één. Ofwel je neemt het verlangen naar filosofie en haar object serieus, je geeft je rekenschap van het feit dat bijvoorbeeld alleen die Zijnsvraag het filosofische discours onderscheidt en dan met name van het technische en (exacte) wetenschappelijke discours: in dat geval moet Heidegger op de een of andere manier verwerkt worden, en dan moet men de recitatieve stijl, het heilige, de 'grote vergissing' en de rest op de koop toe nemen. Ofwel men verwerpt het hele idee, met Heidegger te denken, wijst principieel, vanwege zijn persoon, zijn biografie, zijn stijl, de vragen die hij opgeworpen heeft af en zegt het hele idee van een filosofische vraagstelling vaarwel die iets anders is dan een vorm van technicisme, maar dan moet men zich neerleggen bij het kantiaanse halt in de geschiedenis van de filosofie, dan moet men besluiten filosofie een bescheiden discours te noemen die de Zijnsvraag rangschikt in de categorie van het onmogelijke of van wat Bergson de 'valse problemen' noemde – dan moet men er, kortom, mee instemmen weer bergsoniaans te worden.

Maar dan zijn er weer twee mogelijk te bewandelen wegen. En gesteld dat men de vraag met 'ja' beantwoordt, gesteld dat men meent dat de toekomst van de filosofie wel een heideggeriaanse mis waard is en dat men besluit over die aversie heen te stappen die, wat niet onredelijk is, voort kan vloeien uit wat men weet, niet van de 'engagementen' van de schrijver, maar van 'het engagement' in heel zijn werk in de hitleriaanse 'epoche' en over de weergalm die ervan is blijven hangen tot in de mooiste en imposantste bladzijden van dat werk, dan zijn er weer twee oplossingen, conform de twee manieren waarmee Heidegger de Zijnsvraag en de vraag naar het vergeten-zijn van het zijn heeft gesteld of, beter nog, conform het dubbele gebruik, in zijn teksten, van de metafoor van 'Griekenland' als 'Heimat'.

Aan de ene kant een Heidegger die ons verzekert dat het noemen van de tijd van de Grieken en, met name, van de Voorsocratici als tijdstip waarop eerst het Zijn ontstaan en daarna het vergeten-zijn gekomen is, metaforisch bedoeld is. Ik zeg: in den beginne waren er de Grieken, zo luidt zijn betoog. Maar laten we de chronologische volgorde niet verwarren met de ontologische. Laten we niet vergeten dat die 'oorsprong' een aspect van het Zijn is en niet van de tijd. En laten we die terugkeer naar de Grieken die ik zo voorsta niet afschilderen als een 'eerherstel' of een 'wedergeboorte'. De ontreddering is van alle tijden. Het verval structureel. Het verval is een 'existentiaal' die net als de beide andere 'existentialen', de 'existentie' en de 'facticiteit', de 'manier van zijn' is van alle 'Dasein'.[26] En in de oorsprong, in wezen op de plek zelf van die veronderstelde Griekse oorsprong, ligt ook de oorsprong van het vergeten-zijn van de oorsprong en het zich terugtrekken van het Zijn. En de hele geschiedenis van de filosofie, niet alleen bij de Grieken, maar ook later, getuigt van dat door elkaar heen lopen van het authentieke en het niet-authentieke, van wat echt bij het 'Dasein' hoort en wat niet – van wat zich in het 'Dasein' opent naar het Zijn en wat, daarentegen, die opening naar het Zijn verspert die de filosoof met zijn bede afsmeekt. Anders gezegd, is er dus niet alleen maar niets dan goeds bij de Grieken: ook bij hen is er geen oorsprong; ook zij waren slechte hoeders. En zo is er ook niet alleen maar niets dan slechts bij de modernen: ook zij voorvoelen, net als de Grieken, de vraag naar het Zijn en ook hier zijn, bij alle groten, verdronken in de duisternis van een massief nihilistisch denken, 'houthakkerspaden' (Holzwege), sluip- en kruipdoorweggetjes, die leiden naar de 'open plek van het Zijn': Kant en het 'transcendentale', Husserl en zijn 'reductie', de transformatie van de metafysica in de ontologie van Hegel, en dan heb ik het niet over de nietzscheaanse poging het nihilisme te boven te komen... Het heeft, bij deze eerste Heidegger, niets te maken met een soort heimwee naar een 'goeie ouwe tijd'. Degenen die van het heideggerianisme een zoveelste variatie maken van de stelling van de verloren zuiverheid hebben het mis. Net als degenen die de beroemde 'stap achteruit' (Schritt zurück) van de 'opgang naar de grondslag van de metafysica' letterlijk nemen. En verwerping dus van iedere politiek die beweert de sleutel te vinden, hic et nunc, tot die opgang naar een vaderland – niemand is bevoegd het te vinden, want het bestaat slechts in de verbeelding.

En dan zijn er andere teksten – of dezelfde teksten, maar anders gelezen, met een andere nadruk en in feite anders geschreven – waarin het theoretische landschap plotseling totaal verandert. De *Rektoratsrede*, waarin het Duitse volk wordt gevraagd zich 'opnieuw onder de macht van het begin' (Anfang) te plaatsen, waarmee bedoeld wordt dat 'dat begin de openende doorbraak (der Aufbruch) van de Griekse filosofie is' en dat hij zich 'al 2500 jaar terug' bevindt (hoewel evengoed gezegd is dat het begin '*vóór* ons ligt', 'vóór alles wat komt en al door ons heen'). Maar er zijn andere teksten, niet per se uit de rectoraatsperiode, waarin Heidegger, zoals op de eerste bladzijde van *Sein und Zeit*, zegt dat het 'nu' is dat de Zijnsvraag, 'vroeger open en bloot', weggezonken is 'in de verduistering'; dat hij sinds zijn 'Griekse geboorte', en hij bedoelt ook echt zijn Griekse geboorte, 'in traditie achteruit gegaan is'; en dat men zich daarom goed een nieuw Zijnstijdperk kan voorstellen dat niet meer alleen een nieuwe modus van zijn terugtrekken is en waarin het vergeten-zijn zich kan herstellen door de oude banden met die oorsprong weer aan te knopen. De oorsprong, voor de tweede Heidegger, is werkelijk een oorsprong. Er is een echt oorspronkelijk moment en dat moment is echt Grieks. Er is een echt wonderbaarlijke gemeenschap, namelijk de gemeenschap van de eerste Grieken en die was een echte gemeenschap. Er is een echt verval vanaf dat moment en die plaats (Verfall, Verfallenheit, Hinfall, Vergehen), dat een echte catastrofe was met echte stadia, een echte geschiedenis en, welbeschouwd, echte verantwoordelijken. En daar alles wat historisch is per definitie omkeerbaar is, is het stellig mogelijk het proces te onderbreken, het mechanisme van het verval tot staan te brengen; is het stellig mogelijk om bijvoorbeeld (dat is het hele thema van de colleges over Hölderlin van 1940-1942) de 'grote beslissing' te nemen om het gezicht van de 'Logos' te ontdoen van het vuil dat de christelijke traditie erop heeft gesmeerd en dus te breken met alle interpretaties van het woord in de zin van 'orde', 'gebod', 'spraak', om terug te keren naar de oorspronkelijke betekenis van een woord dat bij de Grieken, dat wil zeggen bij de Perfecten, 'Zijn' betekende of 'Phusis'. Het is met andere woorden denkbaar dat we weer de hoeders van het Zijn worden die we waren ten tijde van die eerste Grieken en die we alleen maar niet gebleven zijn omdat onze onachtzaamheid ons ervan afbracht. En om daartoe te komen, verhindert niets ons, ons te baseren op het 'metafysische volk bij uitstek, vaderland van de historiciteit', dat, door hetzelfde naar één kant doorslaan als in het geval van de taal, in de historiciteit en het subject een metafysisch fundament vond voor zijn meest politieke pretenties. Was Heraclitus, volgens die Heidegger, niet al een soort Duitser ('Urmacht des abendländisch-germanischen Daseins')? Is het niet hetzelfde 'heilig hart', diezelfde 'lotsbeschikking' (das Schickliche), dezelfde 'hang naar de wortels' (das Anfängliche), die, volgens het college van 1942 over Hölderlin, de Griekse 'Polis' en het 'Duitse vaderland' bezielt? En zei het college over Parmenides ons niet dat de finale overwinning, niet alleen van Duitsland, maar van de Duitsheid ('das Deutschtum'), onvermijdelijk was geworden door een eschatologie van het Zijn? Waarin we wederom een van de grootste filosofen van de twintigste eeuw de wrede profetie van Nietzsche zien voltrekken: we vertrekken om de Grieken te zoeken – en we vinden de Duitsers; we vertrekken om het oorspronkelijke te zoeken en we lopen in de val van degenen die, van de eerste eeuw tot de onze, beweerden dat de maan van Athene hoger stond dan die van Corinthe – en is het Duitsland van Hitler niet het Athene van Pericles!

Griekser dan de Grieken? De Duitsers.

Het 'meest Griekse Griekenland' van zijn dromen? Duitsland.

En ook hier zinkt, en heel vanzelfsprekend, de 'meest hoogmoedige' beschouwing weg in barbarij.

Ik vat samen.

Er zijn dus in een bepaald opzicht wel degelijk twee Heideggers.

Je hebt, zo je wilt, wel degelijk, een 'goede' en een 'slechte' Heidegger.

Maar dat zijn nu niet meer de 'politicus' en de 'filosoof'.

Dat zijn niet meer de smerige nazi en de lieve, dromerige Thales, onverschillig voor de gruwelen van het tijdperk, en die, zoals *Les Temps modernes* wilde, gered dient te worden uit de klauwen van de eerste.

De splitsing zit binnen in de filosofie.

De wedstrijd, de echte wedstrijd, speelt zich helemaal binnen zijn eigen gedachtewereld af.

En het zijn die twee filosofieën van Heidegger die elkaar, als een stel tegenkrachten, dezelfde teksten betwisten en, ik herhaal, dezelfde begrippen. Aan de ene kant dus een pessimistische, vreselijk sombere Heidegger, die gelooft dat de wereld reddeloos verloren is en die, omdat er nu eenmaal geen uitweg is, klaarblijkelijk niet bereid is wat voor privilege dan ook te verlenen aan een of ander regime van de Geschiedenis en het denken. De wereldwijde ontplooiing van de techniek is, voor deze Heidegger, nooit anders dan het voorvoorlaatste effect van een metafysica van de subjectiviteit die met Plato begint en voorlopig eindigt met een nationaal-socialisme dat zelf weer niet anders is dan het effect van dat effect, de laatste schakel van de ketting. Hij had dat nationaal-socialisme graag gezien als een 'Grieks nieuw begin'. Maar ja. Er is nooit een echt begin geweest. Hoe zou er dan een echt nieuw begin kunnen zijn? Het nazisme is dan slechts een vleeswording, misschien de laatste, misschien ook niet, van het duizendjarige vergeten-zijn van het Zijn. Als er niet veel hoop is het te verslaan en dus niet veel reden om het te bestrijden, is er ook geen reden om erin mee te gaan. Die eerste Heidegger is veel te somber gestemd, after all, om, al was het maar voor even, te wedden op de vermeende 'regenererende' rol van de nazi-revolutie.

En aan de andere kant een positievere, vastberadener Heidegger die zich opeens niet wenst neer te leggen bij het eeuwigdurende verval dat hij zojuist zelf geconstateerd heeft. Dat is dezelfde Heidegger, die het ook had over de 'planetarisatie van de techniek' en de 'geestelijke decadentie van de aarde'. Het is dezelfde grote filosoof die sneert over het vergeten-zijn van het Zijn en het feit dat de mensheid, vanwege dat vergeten-zijn, eeuwig gedoemd is in de schaduwen te leven. Maar het lijkt erop dat hij zich opeens niet meer tevreden wenste te stellen met die sombere schildering – het lijkt wel alsof hij in dat pessimisme een vorm van zwaarmoedig genot zag en in dat genot een effect van dat nihilisme dat hijzelf bestreden heeft en dat een leegte nalaat die nog altijd om zich heen grijpt. Moet ik die leegte groter laten worden? Nee, schijnt hij te zeggen. Ik ben die leegte beu. En hij neemt de 'grote beslissing' zijn discours heel licht om te buigen, zich af te vragen of het dan misschien niet – o! haast niet!, niet waarneembaar! – mogelijk is de helling van de val en van het vergeten-zijn weer op te klimmen: hij ziet af van de verworvenheden van het analytische procédé met betrekking tot het 'Dasein'. Hij komt terug van zijn doctrine van de historiciteit, zijn taaltheorie, zijn opvatting over een vergeten dat huist in het hart van de open plek (Lichtung) van het Zijn. En hij ziet in Duitsland en binnen Duitsland, in het nazisme, de middelen waarmee hij de weg van de Griekse dageraad van het denken kan hervatten.

Heidegger wordt dus nazi uit optimisme.

Hij sluit zich aan bij het hitlerisme op het moment dat bij hem het idee postvat dat het verval te keren is, dat je tegen de loop van de rampspoed in kan gaan, op het moment dus dat hij progessief wordt.

Het hitlerisme van Heidegger is geen geestverduistering maar juist een ogenblik van licht – het is het moment waarop hij besluit in die duistere tijden een straaltje hoop en licht te brengen.

Dat is het scheidingsprincipe tussen de twee Heideggers.

Dat is het principe van het 'onderscheid maken' in de letterlijke zin van die 'kritiek', zoals Sartre en de anderen die hebben uitgeoefend op de feiten, zonder hem per se expliciet te maken.

Ja, dat is de vorm van kritiek waar wij weer opnieuw mee aan de slag zullen moeten gaan als wij, op onze beurt, willen ontkomen aan de impasse die luidt: het is onmogelijk heideggeriaan te zijn, het is onmogelijk het niet te zijn.

Dat is tot slot de les van die kritiek: wat hij ons vertelt over de eeuw die ten einde is, wat hij ons vertelt over de eeuw die voor ons ligt en dat het totalitarisme – zoals Sartre zo goed had gezien – altijd eerder kind van het licht dan van het donker is geweest.

II

Gerechtigheid voor Sartre

I

Existentialisme is antihumanisme

Maar ik kom terug op Sartre.

Ik kom terug op dat eerste denken van Sartre, op dat denken dat zich dus baseert op Heidegger, Husserl en Céline en vooral op Nietzsche, en zich weet los te maken van Gide en Bergson.

Ik kom terug op de Sartre die niet in de pas loopt met de communistische partij, op de Sartre van vóór Marx, van vóór de Cubaanse, Russische en maoïstische dwalingen.

Ik kom terug op dat denken dat ik het denken van de 'eerste' Sartre noem, zonder dat ik nu echt kan zeggen waar dat begint en, belangrijker, wanneer dat eindigt – zo onscherp zijn de lijnen, zozeer zijn al die genealogieën met elkaar verweven.

Maar goed, ik kom erop terug. Ik wil er zelfs langer bij stil blijven staan. Ik wil dit denken proberen af te bakenen, het weer inhoud geven. Ik wil het weer een eigen logica geven, en er niet louter de aanzet tot of de voorafschaduwing van een andere Sartre in zien, van de 'grote', gecanoniseerde Sartre, de gerijpte Sartre, die van de lelijke missers. En ik wil beginnen met dat absurde verhaal dat vanaf het begin van de jaren vijftig van twee kanten werd gevoed, door de 'materialistische' kritiek van de marxisten en al evenzeer door de devote heideggerianen, en dat van deze eerste Sartre een soort ouderwetse, cartesiaanse en stompzinnig dualistische subjectfilosoof maakt, die geen oog had voor de verworvenheden van de moderne filosofie en zo bezeten was van zijn geliefde 'bewustzijn' dat hij ten slotte de aansluiting met de dingen zelf verloor, de eerste zorg van elke consequente husserliaan – ik wil, om te beginnen, proberen het misverstand uit de weg te ruimen dat van de auteur van *La Nausée* en *L'Être et le néant* het boegbeeld heeft gemaakt van een 'spiritualisme' of 'humanisme' dat door de twintigste eeuw zou zijn verworpen.

De keuze voor de dingen

De kwestie van de dingen dus.

Dat er bij de eerste Sartre een vorm van dualisme is, dat staat buiten kijf.

Dat hij in de tweestrijd tussen de dingen en de bewustzijnen meer geneigd is de kant van het bewustzijn te kiezen, daarin kun je meegaan.

En dat er in *L'Être et le néant*, en zelfs daarna, pagina na pagina gesproken wordt over het subject dat zich ontrukt aan wat het uiteen zou kunnen doen vallen in het rijk van de materie en het op-zich (*en-soi*), dat we er een verheerlijking in zouden kunnen zien van het vrije bewustzijn dat zich van de wereld heeft losgemaakt, dat Sartre dit bewustzijn weigert te denken als een *res*, ook al is deze *cogitans*, dat er teksten van hem zijn waarin hij zegt 'geen zin zonder bewustzijn; dus zonder subject eigenlijk geen dingen; het ding wacht op een bewustzijn om te zijn', dat er een Sartre is die tot aan het einde toe de mens ziet als die 'vluchtige illusie die boven de bewegingen van de materie fladdert', een droombeeld dat hij aan Mallarmé ontleent[1] – daar valt allemaal niets tegen in te brengen en het was de reden van zijn onenigheid met Heidegger.

Maar dan. Sartre – en dat is zijn kracht – stelt onmiddellijk bij wat er naïef of lui zou kunnen zijn aan deze petitio principii. In andere teksten, of in dezelfde, keert Sartre het perspectief om, of in elk geval maakt hij het zo ingewikkeld dat men hem moeilijk een 'idealist' of een 'humanist' zou kunnen noemen.

Zeker, zo benadrukt hij, het bewustzijn heeft die waardigheid. Het is inderdaad die waardigheidsbekleder die weigert zich uiteen te laten vallen in het continuüm der dingen. Maar ook de dingen bestaan. Ze bestaan niet alleen onafhankelijk, maar ook vóór het bewustzijn, dat er kennis van neemt. En ook al stelt hij tegenover Merleau-Ponty bijvoorbeeld de rots van zijn subjectiviteit, die ontkomen is aan een schipbreuk in de oceaan der dingen, hij is het wel met hem eens dat het waargenomen zijn *voorafgaat* aan het waarnemende zijn en dat wat dat betreft niets zo bedrieglijk is als het husserliaanse concept van een 'transcendentaal Ego', dat geneigd is te veel waarde te hechten aan de werking van het bewustzijn en daarmee aan de ontwerkelijking van het object van ons denken – het noëma –, en dus van de dingen. Zonder bewustzijn geen dingen? Inderdaad. Maar zonder dingen ook geen bewustzijn – dat is bijna nog meer waar. Hebben de dingen zonder het bewustzijn een massieve, stomme materialiteit zonder enige vorm? Zeker. Maar ze hebben wel materialiteit, terwijl zonder de dingen het bewustzijn een lege plek is, een niets – het heeft de dingen nodig om te kunnen bestaan, terwijl de dingen alleen zichzelf nodig hebben. 'Het zijn gaat aan het niet-zijn vooraf', zo staat het duidelijk in *L'Être et le néant*. En het is allerminst zo gesteld dat het zijn 'het niet behoeft om zich te kunnen denken' – integendeel 'het niet', dus het subject, heeft 'een geleende existentie' en 'het ontleent z'n zijn aan het zijn'...[2]

Sterker nog: wie van beide, het 'ding' of het 'subject', kan een hogere status claimen, niet alleen door vooraf te gaan aan de ander, maar ook door een groter zijnsgehalte? Als er een ontologisch privilege valt te verlenen, wat kan daar dan aanspraak op maken? Sartre is op dit punt heel duidelijk. Hij gelooft in het bewustzijn, zonder meer. Hij herhaalt keer op keer wat er de voorrechten van zijn. Maar voor Sartre is het bewustzijn niet alleen secondair, later, hij herhaalt niet alleen dat de dingen er al zijn vóór de 'komst' van het bewustzijn, maar hij gaat verder, hij verzekert ons dat het vooral armer is en dat het gewicht, de volheid, de waardigheid en de rijkdom van het zijn terugvloeien naar de andere kant, die van het op-zich, dat wil zeggen de dingen of de lichamen. 'Zijn' van de dingen, 'niets' van het bewustzijn... 'Nadrukkelijke aanwezigheid' (*surêtre*) van de wereld, 'niet-zijn' (*désêtre*) van een subjectiviteit die slechts bestaat door in zichzelf en om zich heen het niets te doen toenemen... Negativiteit van de mens, dit 'zijn van het niets' – positiviteit, daarentegen, van een zwaar, bijna obsceen lichaam, dat hij altijd, wat anderen daar ook over beweren, tot centrum van het zijn heeft gemaakt. Dat is de heideggeriaanse kant van Sartre. De Heidegger die bij Sartre tegen Husserl wordt uitgespeeld. Sartres wel heel vrije lezing van Heidegger, die in *Einführung in die Metaphysik* 'de primaire en diepe verbondenheid' van het zijn met het denken poneert, evenals het niet alleen chronologische maar ook logische primaat van het zijn boven het bewustzijn. Wanneer die Sartre het in *L'Être et le néant* over een 'ontologisch argument' heeft, doet hij dat niet om terug te keren naar een afgezaagd soort 'cartesianisme': hij doet dat om te stellen dat 'het bewustzijn ter wereld komt in zijn *gerichtheid op* een zijn dat het niet is' en dat, nogmaals, alle waardigheid heeft van 'dat wat is'. En wanneer hij op zijn levensavond de laatste hand legt aan zijn 'Flaubert' en nog één keer terugkomt op het uitgangspunt van zijn project en via dit boek op de definitie van het genre waaraan hij misschien al sinds zijn *Genet*, zijn *Baudelaire* en de schets van zijn *Mallarmé* zijn naam en methode probeert te verbinden, dan komt hij tot deze vreemde uitspraak: 'een biografie zou van onderen af moeten worden geschreven, vanaf de voeten, de benen waarop alles steunt, het geslacht, kortom de andere kant van het lichaam'; en hij voegt er deze opmerking aan toe die, zo moeten we toegeven, nauwelijks te rijmen valt met zijn vermeende spiritualisme: 'zo zou ik een biografie hebben willen schrijven, die van Flaubert, waarbij ik zijn boeken vooropstel bij wijze van samenvatting van zijn hele lichaam...'.[3]

Sterker nog. De dingen zijn gewelddadig. Misplaatst. Ze zijn niet alleen dit 'gegeven' dat voorafgaat aan een bewustzijn dat zich zou moeten aanpassen aan de aanwezigheid en het stille zijnsgehalte van de dingen ('*étance*'). Ze zijn een woest, verwoestend werkelijkheidsgegeven. 'Felle, jonge krachten' zijn het, wild bijna, die het subject belagen, op de nek zitten, het verkrachten en geweld aandoen. En het is trouwens zelfs niet zeker dat dit woord 'gegeven', met alles wat het suggereert aan passiviteit, zelfs vrede, nog steeds past bij die beroering in *La Nausée* van een wereld bevolkt door krabben, kruipende monsters, gek geworden wortels, levend struikgewas, bomen die hun bladeren en kleuren uitkotsen, smerige insecten, handen die lijken op 'vette engerlingen', fantastische vorken, deurklinken of messenheften die doen denken aan levende, losgeslagen beesten, stukken vetpapier die door de wind voort worden gestuwd en als resten verrot vlees heen en weer bewegen, ik hou op. De dingen zijn 'zo vreemd', merkte Frédéric al op, de hoofdpersoon van *Une défaite*, de onvoltooide roman uit 1927! Zo 'vijandig'! En tegelijkertijd, juist omdat ze vijandig zijn, zo heerlijk! Hij snoof de geuren van een afvalemmer op. Hij vond het heerlijk, die 'geur van aarde, schillen en vocht'. En hij genoot intens van die lentewandeling dwars door een landschap van dingen die als het ware in z'n gezicht springen, hem diep 'aangrepen', hem aanvielen. En *La Nausée* is een blijvende zaak. Die walging, maar dan minder naïef, zet deze grote, donkere en vrolijke roman over de woede van de dingen voort. Net als *L'Être et le néant* borduurt ze voort op die lofzang op de onuitputtelijke diversiteit van het zijn dat op het subject wordt afgestuurd. Dat er een andere Sartre is, dat er tot in *La Nausée* een Sartre is die het zijn van 'vóór de vrijheid' beschrijft als een massieve positiviteit, een vogellijm, een 'weke' aanwezigheid, een 'dikke plakkerige massa' die de bewustzijnen opvult, dat weet ik ook wel.[4] Dat er zelfs een Sartre is, dezelfde Sartre, die op dezelfde pagina van hetzelfde hoofdstuk van *L'Être et le néant*, waar het gaat over de relaties tussen 'indifferentie, verlangen, haat en sadisme'[5], het heeft over de 'opzwelling van het bewustzijn door zijn feitelijkheid', het 'vastzitten van het lichaam aan de wereld' en verderop, in een voetnoot, over de 'ongelukscoëfficiënt van de dingen', hun 'barsheid', 'kakafonie' en 'hardheid', dat spreekt voor zich. Maar er is ook die heel andere Sartre. De Sartre die stapelgek is op de dingen en er tegelijkertijd doodsbang voor is, die gefascineerd is door de 'bekoring' en de 'gruwelijkheid' van de dingen, bijna meer nog dan door het mysterie van de mens. De materialist die alles uit de kast haalt wanneer hij een beschrijving geeft van het bruisende zijn, met zijn niet aflatende buiten zijn oevers treden en uitbarsten – van de onverwachte, onvoorziene oprisping van de dingen die het bewustzijn aanvallen.

En dan nu de aard van die dingen? Hun verhouding tot dit bewustzijn? Ze zijn toch minstens via een geheim pact met elkaar verbonden? Een gemeenschap van zijnden, substanties? Laten we aannemen dat ze in de orde van het zijn en die van de existentie voorafgaan aan het bewustzijn en dat alleen al die onvoorzienbare barbaarsheid het bewijs is van deze anterioriteit, hoe staat het dan met de congruentie van die twee ordes? Met de mogelijke afstemming ertussen? Als het bewustzijn een bewustzijn van de dingen is, ook al komt het later tot stand, als het zich op de dingen richt, er kennis van neemt, zich er een voorstelling van maakt, dan is het toch op z'n minst noodzakelijk dat ze aan elkaar verwant zijn? Uit dezelfde stof zijn gemaakt? Handlangers zijn? Nee, zegt Sartre nogmaals. Ik heb die hypothese ook niet nodig. En dat is zelfs een ander idee-fixe van hem – een andere conceptuele krachttoer die hij tot het laatst toe heeft volgehouden, tegen alle vormen van optimisme in, dat wil zeggen, zoals we zullen zien, tegen alle vormen van humanisme in die, hetzij vanuit idealisme (de dingen zijn wat ik zie; hun zijn valt samen met de voorstelling die ik mij ervan maak; ik pas me meer eraan aan naarmate ze meer én hun zin én hun waarheid aan mij en aan mij alleen ontlenen), hetzij vanuit positivisme (de waarheid van de dingen, hun zin, zijn in hun materialiteit, in hun lichaam, gegrift; om er kennis van te hebben hoeft het bewustzijn dit stomme woord slechts te calqueren, ernaar te luisteren en het weer te geven), uitgaan van een stille verwantschap tussen het waargenomen ding en het bewustzijn dat het waarneemt,[6] het anders-zijn van de dingen. Absolute discordantie tussen hun tijd en die van de mens. Het zijn 'twee absoluut gescheiden' en 'niet met elkaar te verenigen gebieden' waartussen geen enkele 'ontologische band' bestaat.[7] Zodat de zogenaamde 'idealist', degene van wie wordt verondersteld dat hij de geest ten troon heeft gezet, en vanuit die zetel het commando voert over de algehele inspectie van de wereld, de hedendaagse filosoof is die zonder enige twijfel het verst is gegaan in het uitdiepen van de kloof tussen de beide ordes. Frédéric in *Une défaite* zei het al: de dingen zijn niet alleen 'vijandig', ze zijn me 'vreemd'; het is niet alleen zo dat ze 'boven op me springen', 'me aanvallen', hun substantie heeft niets met mijn substantie gemeen; en als het zo is dat ik veel van ze hou, dat ik plezier beleef aan het schouwspel van die 'vieze eierdoppen' en die 'verrotte wortelen', dan is dat omdat wij, de dingen en ik, 'geen enkele familierelatie' hebben en ik daardoor 'zonder incest van ze kan houden'. Alles was gezegd. Toen al was de partij al beslist. In het voordeel van het bewustzijn? Nee, het zijn de dingen die de overhand hebben en hun onoverwinnelijke autonomie bevestigen.

Maar wordt de kloof dan niet minder groot? Ook al zijn de dingen van die andere stof gemaakt, zijn ze oneindig veel vrijer en springen ze eruit, voegen ze zich uiteindelijk niet toch naar de technische poëtica van het bewustzijn (technè, poiesis...)? Is dat niet precies wat verstaan wordt onder kennis *nemen* van de dingen, je ervan bewust worden: iets wat in eerste instantie vreemd is, misschien zelfs weerbarstig, terugbrengen tot iets kleiners, het temmen, tam maken, controleren, assimileren – maar oplosbaar maken in het denken? Nee en nog eens nee. Nogmaals, niets staat verder af van de eerste Sartre dan een 'digestieve filosofie' die dit anders-zijn van de dingen verorbert. Niets staat meer haaks op deze 'bewustzijnsfilosofie' dan de idee van een denken dat de uitdrukking zou zijn van een soort 'merg' of 'witte lava' dat uit de dingen omhoog komt en hiervan de essentie zou zijn. De idee van dingen die het zich 'zouden laten aanleunen' is, zoals hij schrijft, de grote misvatting van bijvoorbeeld Jules Renard. En, in groter verband, is het misschien wel de meest treffende definitie van wat echt slechte literatuur is. Wat een verveling – wat een misverstand! – bij al die dichters die, blind als zij zijn voor de 'transfenomenaliteit' van het Zijn, menen het 'ding zelf' te kunnen beschrijven en ondertussen niets anders doen dan weergeven wat iedereen met boerenverstand kan zien. Sartres positie is vergelijkbaar met die van de stoïcijnen, die de principiële heterogeniteit van het begrip – ons denken over het ding – en het ding poneren. Het is ook de positie van Mallarmé, die de spot drijft met de Parnassiens, die 'het ding in zijn totaliteit' nemen en laten zien, en daardoor 'voorbijgaan aan het mysterie'. Zijn doctrine is dezelfde als die van de dichters, zoals Ponge, die schreef: 'er is een geheim van de dingen; in de dingen is iets waarin nooit kan worden doorgedrongen; je kunt het benaderen, zeker; je kunt, wanneer je de 'geheime zwarte kleur' van melk beschrijft, denken dat je buiten de cirkel van uiterlijke schijn en vanzelfsprekendheid bent getreden; maar benaderen is iets anders dan erin doordringen; en hoe groot het talent van de dichter ook mag zijn, hij zal altijd stuiten op deze ondoorlatendheid die zich niet laat benoemen; er is iets onbenoembaars – en tussen dit onbenoembare en de telkens weer nieuwe en altijd vergeefse poging om dit te benoemen heerst er een eeuwige, genadeloze strijd…'.

Vanwaar eigenlijk deze ondoordringbaarheid? En hoe komt het dat het bewustzijn, zelfs dat van een dichter, niet bij machte is bij het geheim van de dingen te komen? Wat dit betreft komt Sartre met twee soorten verklaringen. De ene keer (in de teksten over Ponge) heeft hij het over donker hart, een immanente intimiteit van de dingen, een poëtische dichtheid waar de mens geen greep op krijgt. De andere keer (in de teksten over Husserl) zegt hij dat 'het op-zich geen geheimen kent', 'massief' is, 'geen enkele relatie heeft met wat vreemd aan het op-zich is', geen enkele 'negatie' ontwikkelt, 'geen alteriteit kent'[8] – en dat integendeel dit anders-zijn het teken is van wat een transcendentie moet worden genoemd. Op dat laatste punt is de omkering het spectaculairst. Zonder er veel drukte over te maken gaat Sartre daar het verst in zijn deconstructie van idealistische denkpatronen. Het traditionele idealisme – hijzelf wanneer hij zich als idealist opstelt – heeft het over 'transcendentie' met betrekking tot het subject, het bewustzijn en het ego. Hij doet het tegenovergestelde. Er is die andere Sartre, die het husserliaanse standpunt radicaliseert en het concept van een ding dat niet te herleiden is tot zijn uiterlijke vorm tot in het uiterste doordenkt, want het kan oneindig veel vormen en verschijningen aannemen, waardoor het de verhouding omkeert en filosofische codes doorbreekt. De echte transcendentie is die van de dingen. Het bewustzijn is niet langer transcendent, zoals bij Kant, maar ook bij Husserl: het ding is transcendent. Het 'ding' is voor hem deze absolute andersoortigheid, dit vermogen zich in oneindig veel verschijningsvormen voor te doen – deze manier om zich tegenover het bewustzijn te stellen in een onuitputtelijk spel van kracht en tegenkracht. Ik zou geen betere definitie van een consequent materialisme weten. Sartre is geen spiritualist of maniakale verdediger van het bewustzijn, de subjectiviteit, de Mens – hij is dé materialistische filosoof van de twintigste eeuw.

Jean Cavaillès, verzetsman op grond van logica

Het vraagstuk van het humanisme.

Uiteraard is er een 'humanistische' Sartre.

Uiteraard is er een Sartre die op een bepaald moment in zijn eigen ontwikkeling humanist is geworden, om redenen die we nog moeten ophelderen.

En hij was de eerste die kort na de Bevrijding in een beroemde voordracht uitriep dat het 'existentialisme' een 'humanisme' wás.

Maar heeft hij dan niet meer gezegd? En moeten we hier letterlijk geloven wat hij heeft gezegd? Ik denk het niet. Want het vraagstuk van het humanisme is bij Sartre, en vooral bij de eerste Sartre, minstens zo complex, paradoxaal en tegenstrijdig als het vraagstuk van de dingen en hun materialiteit.

Een opmerking vooraf. Ook nu, dertig jaar later, blijf ik van mening dat Althusser geen ongelijk had toen hij in zijn *Réponse à John Lewis* stelde dat het stalinisme in wezen een uitloper van het humanisme was. Want wat was het stalinisme nu eigenlijk? Wat hield het in? Hoe zat de stalinistische manier van denken en spreken in elkaar? Van tweeën één. Of we vinden dat het niets inhield, dat er helemaal geen manier van denken en spreken was en dat het net als het hitlerisme slechts een barbaarse uitbarsting was, naakt geweld, laaghartige knechting. In dat geval is Althussers opmerking onverdedigbaar: hij is dan afkeurenswaardig of belachelijk. Of we letten daarentegen op wat de totalitaire bewegingen van de afgelopen eeuw wilden zeggen, en proberen te luisteren, zoals Faye deed met het hitlerisme, naar de taal van totalitaire bewegingen en dus ook naar het stalinisme. En inderdaad, in dat geval heeft Althusser gelijk. Want wat zeiden de stalinisten nu precies? Waar droomden ze van toen hun massale en buitensporige moordpartijen losbarstten? Ze wilden een nieuwe mens maken. Schoon schip maken met de oude mens om op zijn puinhopen en overblijfselen de mens van morgen te laten opstaan. De kampen. Natuurlijk. De Goelag. De archipel van terreur en verschrikking. Meest een onverholen zucht tot wreedheid en moord, vast wel. Maar ook, op z'n minst als herinnering, of als impuls om de terroristische energie van het staatsbestel verder op te voeren, de gedachte, afkomstig van Lenin, om de slechte mens door de goede te vervangen en de mens als soort te genezen van de slepende ziekte die bourgeoisie, klassenstrijd, klassenstaat en vervreemding werd genoemd. Dat dit stramien leugenachtig was, propaganda, ik zeg het nog een keer, dat is heel waarschijnlijk. Dat het werkelijke stalinisme bovenal een beestachtige onderneming was om de mens te bestialiseren, dat kan en moet worden toegegeven. Maar dan nog... We kunnen desondanks luisteren naar wat de moordenaars te zeggen hadden. We kunnen proberen hen serieus te nemen wanneer ze het nodig vinden om hun slachtoffers 'verhalen op de mouw te spelden' (ook een formulering van Althusser). Geen stalinisme, zoals de stalinisten zelf zeiden, zonder een nieuwe definitie van de Mens. Geen stalinisme (trouwens ook geen maoïsme) zonder de wil de mens in zijn diepste kern te veranderen. Geen communisme, in algemene zin, zonder een hervormingsplan (van de mens als soort), dat, als woorden betekenis hebben, we gerust humanistisch mogen noemen. Als we, uitgaande van een aangeboren onzuiverheid van de mensen uit de werkelijke geschiedenis, de oproep tot een zuiverder essentie of wat de humanistische Sartre zelf een 'mens met betere eigenschappen' zal noemen, als humanisme mogen bestempelen, dan zijn de rode totalitaire bewegingen, dus de vormen van stalinisme, allemaal buitengewoon perverse gedaanten, maar dan toch gedaanten, van het humanisme geweest.

Nog een opmerking vooraf: wat voor het stalinisme opgaat, geldt, mutatis mutandis, voor zijn asymmetrische dubbelganger, het hitlerisme. Het hitlerisme een humanisme? Zo gesteld is de formulering uiteraard stuitend. En stuitend is het wanneer iemand als Lévi-Strauss de 'vernietigingskampen' verklaart uit het feit dat 'de mens' zich heeft 'geïsoleerd van de rest van de schepping', dat hij zich heeft 'ontdaan van een beschermende vernislaag' en 'z'n eigen krachten niet kent', waardoor hij ertoe is gekomen 'zichzelf te vernietigen'.[9] Maar dat er in het hitlerisme ook plannen bestonden voor een nieuwe wereld en dus ook voor een nieuwe mens, dat er ook daar de ambitie was om de wereldgeschiedenis opnieuw te laten beginnen en dat 'gangsterdom' en pure 'gekte' niet de laatste woorden over de hele onderneming zijn, dat valt helaas niet te ontkennen. En dat er een 'metafysische' verwantschap is tussen het nazistische idee om de soort te verbeteren en de belangrijkste humanistische opvattingen, dat dezelfde klanken vallen te beluisteren in de hitleriaanse eugenetica en het humanistische geloof in een andere wereld, waarin de voorouderlijke vervloekingen van de mensheid uiteindelijk worden overwonnen, dat hebben we kunnen zien in het geval van Heidegger. En wie zich verder wil laten overtuigen hoeft slechts de teksten te lezen waarin de nazi's, en ook Hitler zelf, uiting gaven aan hun waanideeën. Jodenhaat, ongetwijfeld. Jacht op de bacil, het virus, het schadelijke insect dat de jood is, dat spreekt voor zich. Maar een haat die, zoals altijd, alleen zo openlijk kon worden geuit omdat hij de onvermijdelijke keerzijde was of pretendeerde te zijn van een liefde: liefde voor de nieuwe mens, de *völkische* mens, de nazi. Het mechanisme is onverbiddelijk. Vaststellen welk deel van de mensheid – de 'Ariërs' – het waard is te blijven voortbestaan. Vaststellen wie de onmenselijke Andere is – de jood – die moet worden vernietigd om alle ruimte te geven aan de Ariër zodat deze zich verder kan ontwikkelen. Anders uitgedrukt: het in werking stellen van een afschrikwekkende machine die alleen hetzelfde kan voortbrengen door het andere te produceren, die alleen het Ene kan fabriceren door eerst zo veel mogelijk monsters voort te brengen – die een heel deel van de mensheid moest elimineren, moest laten opgaan in de *Nacht und Nebel* van haar abjecte transmutaties om de geboorte te kunnen meemaken van deze ideale, gelouterde, gezuiverde mens, deze mens met een hoofdletter M, die voortaan de nazi zal zijn.

Derde opmerking vooraf. Als het echt zo is, als nazisme en stalinisme afschuwelijke varianten zijn van het humanisme, als het waanvoorstellingen zijn, maar waanvoorstellingen die steunen op het beeld van een nieuwe of ideale mens of eenvoudigweg op het ware van de mens, waar ze de juiste formule van zouden hebben, waarom moeten ze dan het ware tegenover het andere stellen, een goed tegenover een slecht ideaal, wat voor zin heeft het dan om als antwoord op dit zwarte programma een lyrische mensdefinitie te geven – waarom lopen ze dan vast in deze metafysica van het ware, dat de metafysica van alle totalitaire ideologieën en die van het humanisme is? Ook hier had Althusser gelijk. Ook hierop reageerde hij, net als Derrida trouwens, op de juiste manier. En aan deze reflex, aan het structuralisme van toen ik twintig was, aan deze lessen van Althusser en Derrida, hun afweerhouding tegenover alle humanistische verkondigingen, blijf ik trouw – ik blijf van mening dat deze kritiek op het humanisme een aanwinst is voor het denken, omdat ze breekt met de illusie van een betere of verbeterde of geregenereerde mens, omdat ze afstand neemt van een 'progressief denken' dat nog steeds op dezelfde vooronderstellingen gebouwd is als het fascisme en het communisme. Mee in onze koffers, voor de nieuwe eeuw? En onderweg daarheen, wat moeten we behouden van dit 'denken van 1968', dat zo zwaar onder vuur is komen te liggen? In elk geval dit: een stevig wantrouwen jegens alle gekken die gemeend hebben en nog steeds menen ons te kunnen vertellen wat de mens in wezen is. En dus de ondubbelzinnige keuze voor het theoretisch antihumanisme, zonder weg terug.

Vierde opmerking vooraf. In de twintigste eeuw zijn er, om precies te zijn, twee of zelfs drie antihumanistische visies. Hun leerstellingen staan niet los van elkaar. Hun genealogieën kruisen en doorlopen elkaar of gaan in elkaar over. Maar toch is het de moeite waard, zeker wanneer we de balans willen opmaken, ze uit elkaar te houden. Zo is er het hegeliaanse antihumanisme waarvan de uitgangspunten ook door Heidegger nog worden aanvaard; het ontneemt de mens z'n macht omdat hij slechts een werktuig zou zijn van de Idee, een voorlopige uiting van het Zijn of de Logos: noch een Eindigheid noch een Absolutum, maar de Plek waarin het Absolute en de Eindigheid bij elkaar komen, samenvallen, de vertegenwoordiger die hun wordt aangeboden, hun noodzakelijke maar onzekere uiting, die gedoemd is het te begeven op het moment dat hij schittert. Hegel: waarheid en werkelijkheid, reflecterende rede en bestaande rede, de 'geest' als puur theater waarin het grote avontuur van de Geest wordt opgevoerd. Heidegger: 'de mens', opgevat als degene die in de opening van het Zijn 'verblijft', die onderworpen is aan 'de controle, de eisen en de geboden van een kracht die schuilt in het wezen van de techniek en die hij zelf niet beheersen kan' – in de 'grote Kunst' bijvoorbeeld blijft de kunstenaar iets onverschilligs, 'ongeveer alsof hij een doorgang was naar het ontstaan van het kunstwerk, en zichzelf in het scheppen vernietigt'. Mallarmé, in een commentaar van Blanchot: 'het poëtische woord is niet langer het woord van een persoon in het woord; in het woord spreekt niemand en wat spreekt is niet een persoon, maar het lijkt alsof alleen het woord tegen zichzelf spreekt... In de tweede plaats is er het antihumanisme van Spinoza, dat wil zeggen, in de taal van de twintigste eeuw, dat van Deleuze, het antihumanisme dat stelt dat het subject te veel eer krijgt wanneer het een rol wordt gegund in de dramaturgie van het Zijn. Volgens dit antihumanisme is het subject zelfs geen plek, zelfs geen vertegenwoordiger, en nog veel minder een 'verblijf' of een 'herder'; en dat laatste privilege dat erin bestaat niets te zijn dan die opening naar het Zijn, moet ook worden afgeschaft, de mensen moeten worden gestimuleerd er afstand van te nemen – de Mens moet ertoe worden gebracht zijn basis te vinden in de 'substantie', zich onder te dompelen in zijn 'poel van immanentie'; wat dan overblijft is een verpulverd subject; dus een onpersoonlijk subject; wat overblijft is een ongrijpbare subjectiviteit waarin het beroemde 'mij' als afzonderlijk lichaam of geest iedere consistentie kwijtraakt. Ik heb destijds, toen ik *La Barbarie à visage humain* schreef, de gevolgen van deze radicaliteit afgewezen en ik ben niet van mening veranderd; ik geloof nog steeds dat de wereld alleen leefbaar is als je inzet op de andere kant en vasthoudt aan de hypothese (de fictie?) van een soort subject dat in die poel van onverschillige immanentie het hoofd boven water houdt of de indruk wekt dat te doen. En dan is er nog een derde antihumanisme, dat bescheidener is en waar de ontologische bescheidenheid zelfs het uitgangspunt van is en dat kan worden toegeschreven aan die paradoxale marxist Althusser: geen Mens met een hoofdletter; geen typisch eigene van de Mens; vooral geen toekomst van de Mens of de *Übermensch*, die de lotsbestemming of de waarheid van deze mensen zou zijn; een verstrooide mensheid; een zuivere verstrooiing van mensen die voor altijd oneigenlijk, onzuiver en onvolkomen zullen zijn; en om ons een voorstelling van deze mensen te vormen, om hun onherroepelijke 'verkeerdheid' te doorgronden, om te handelen en in te grijpen, om gedachten te vormen over hun lotsbestemming en die van degenen die dicht bij hen of ver van hen staan, zelfs om voor deze mensen goede protest- of verzetsstrategieën uit te dokteren en om ons dit verzet in te denken en te begrijpen, kunnen we niet zonder begrippen en conceptuele strategieën; maar deze strategieën lopen niet langer via het grote concept Mens; ze geven de contouren aan van een moraliserende metafysica met al zijn immense en naïeve werkingen – Nietzsche had het over 'moraline' – die ons altijd meer vertelt over de uitvinders van de constructie, over hun onuitgesproken motieven, de krachten die er werkzaam in zijn, dan over wat zich in het hoofd, in het lichaam en in het leven van een verzetsstrijder afspeelt.

Nog een opmerking tot slot. Ik neem als voorbeeld Jean Cavaillès.[10] Ik neem als voorbeeld de verzetsleider, lid van het bestuur van Libération-Nord, 'Marty' in de illegaliteit, of 'Hervé', 'Chennevières', 'Carrière' of 'Charpentier'. Ik denk aan deze maquisard met tien verschillende gezichten, deze idioot moedige, onvermoeibare verzetsstrijder die verantwoordelijk was voor talloze missies, de ene nog gevaarlijker dan de andere, waaronder de sabotage van de Reichsmarine en de vernietiging van de Duitse radiobakens langs de Franse kust. Cavaillès was een christen. Aan het einde van de jaren twintig, toen hij afstudeerde aan de Ecole Normale, waar hij deel uitmaakte van de 'tala'-groep, deed hij uitgebreid onderzoek naar de christelijke missies in Duitsland. Maar hij was ook een fervent wiskundige, die in staat was om tussen twee reizen naar Londen of twee geheime ontmoetingen met leiders van Libération-Sud, in een brief aan Albert Lautman, een andere verzetsheld, te vragen hem wat boeken op te sturen van Gödel, Husserl of Du Bois-Reymond. Hij was iemand die echt helemaal opging in zijn onderzoek op het gebied van de abstracte verzamelingenleer, de infinitesimaalrekening, de ontwikkeling van functies, het Transfiniete en het Continue, en dat deed hij met even veel enthousiasme en vertrouwen in de uiteindelijke Wederopstanding van het Ware als in zijn jeugd, toen hij op zoek was naar God. En het indrukwekkende is dat Cavaillès, onder invloed van dit dubbele geloof in God en wiskunde, onder de dwingende werking van de goddelijke transcendentie, maar ook van die andere transcendentie die Jean-Toussaint Desanti na hem de 'wiskundige idealiteiten' is gaan noemen, een kennistheorie heeft uitgewerkt waarin geen plaats meer is voor het 'bewustzijn'. Het zijn ontdaan van zijn subjectiviteit. Deconstructie van het 'constituerend wiskundig subject' en het kennisdragende subject in algemene zin. 'We worden in alle opzichten geleid', zei hij in zijn jeugd. En op een bepaalde wijze, op een ándere wijze, gelooft hij dat nog steeds in die afschuwelijke tijd waarin hij tegen de nazi's streed. Deportatie, illegaliteit, marteling, opnieuw illegaliteit, levensgevaarlijke acties, twaalf keer ondervraagd zonder een woord los te laten, Fresnes, opnieuw gemarteld en uiteindelijk voor het executiepeloton in Fort Arras, het massagraf – nog steeds wordt hij 'geleid' en ik stel me de verbazing van zijn beulen voor wanneer ze deze man uit de hoogste kringen, deze briljante denker en vooraanstaande academicus, voor de laatste keer ondervragen over zijn beweegredenen om zijn leven zo op het spel te zetten in een volstrekt hopeloze strijd, en ze zien hoe zijn mooie, maar opgezwollen gezicht even weer kracht uitstraalt, weer even de welwillende en wijze uitdrukking hervindt die het moet hebben gehad toen hij zijn studenten de finesses van de verzamelingenleer uitlegde, en zijn kort en bondig antwoord horen: de waarheid... de demon van de waarheid... met mijn strijd heb ik in praktijk gebracht wat mijn Duitse, ja, mijn Duitse leermeesters, zoals Edmund Husserl, mij hebben geleerd, en wel dat het dienen van het ware het enige is dat waardevol genoeg is om er je leven voor te geven... Georges Canguilhem heeft een voordracht gehouden over wat hij noemde het 'verzet op grond van logica' van Jean Cavaillès.[11] Hij heeft een bespiegeling gewijd aan de paradox van deze man, die net als Cantor vond dat 'vrijheid de essentie van wiskunde is' en die voor de gewapende verdediging van echte mannen en vrouwen tegen de barbarij in een Frankrijk dat onder de laarzen van de nazi's en het Vichy-regime werd platgewalst, geen bewustzijnsfilosofie, noch het kantiaanse categorisch imperatief en zelfs geen hypothese van een constituerend en transcendentaal subject nodig had. En het is waar dat er nog steeds wordt nagedacht over deze bijzondere en o zo leerzame geschiedenis: een man zonder geloof in 'de Mens' en die toch een van de meest vooraanstaande verzetshelden was; een moralist die van Kant slechts de droom van een 'zuiver' en dus 'zeker denken' behield en absurd grote risico's nam; een streng wiskundige die alleen de waarheid liefhad en haar liefhad op zijn husserliaans, maar zich meer dan wie dan ook inzette om van de schamele eer van de mensen te redden wat er te redden viel; en vervolgens vanuit deze gedachte, 'via de smalle paden van de pure logica', met de wapens van een filosofie waarin de mens, met zijn stoet deugden, passies of heldendom 'volstrekt afwezig' is, deze manier om door te gaan tot het 'punt waar geen terugweg meer mogelijk is' en, wanneer de missie is volbracht, met de serene moed van een levende die – nu in de woorden van Jean Cavaillès zelf – 'de dood ziet naderen zoals hij alle dingen voor hem ziet, met de opperste kalmte en onthechting van degenen die de waarheid hebben gezocht langs platonische weg, niet louter met zijn geest, maar met zijn hele ziel'.

Ik noem Jean Cavaillès omdat Sartre hem heeft ontmoet. Cavaillès maakte volgens getuigen een grote indruk op hem, meer dan welke andere verzetsheld die hij tussen 1943-1944 is tegengekomen. Dat is de achteraf gezien zo ontroerende scène die later is verteld door de producer Raoul Lévy, toen een van Sartres leerlingen op het Pasteur-lyceum in Neuilly.[12] Rue du Val-de-Grâce, in het Hôtel des Terrasses, clandestiene ontmoeting tussen twee mannen. Een onhandige Sartre. Een vriendelijke Cavaillès, die hem op z'n gemak probeert te stellen. Ho maar. Een onmogelijke zaak. Enorm overwicht van de een op de ander. Lévy raakt er niet over uitgepraat: het was de eerste keer, vertelt hij, dat hij zag hoe groot de uitwerking van een andere filosoof op Sartre was; de eerste en de laatste gelegenheid waarbij hij zag dat Sartre van z'n stuk was gebracht... Ik zou net zo goed Albert Lautman kunnen citeren, de man die hem de boeken van Husserl leverde. Of zelfs Spinoza, die na de moord op de gebroeders De Witt een pamflet wilde opplakken waarin hij de 'ultimi barbarorum' aanklaagde. Was Spinoza niet veel meer dan bijvoorbeeld Kant het type mens dat in verzet komt? En krijg ik het verwijt de geschiedenis naar mijn hand te zetten, net als het legendarische leven van Cavaillès, als ik beweer dat hij misschien niet die vermetele luciditeit en die vastberadenheid zonder enig optimisme zou hebben gehad, kortom, dat hij niet die held zou zijn geweest, als hij in plaats van zijn 'logische wetenschap' een humanistisch theorietje gebaseerd op verantwoordelijkheid en aanspraken van het geweten in elkaar zou hebben geflanst?

Ik blijf trouw aan dat derde antihumanisme.

Daar blijf ik, dertig jaar later, nog steeds aan denken, juist daardoor blijf ik denken.

En voorts is het dit humanisme dat, ook al is het niet gevrijwaard van perverse gevolgen, ook al brengt het het risico mee te vervallen in een positivisme dat in naam van een 'onoverbrugbare kloof', die, zoals iedere epistemologie moet toegeven, meestal imaginair is, een tegenstelling aanbrengt tussen zuivere wetenschap en dat wat veeleer ideologie is, ondanks dat alles dus dit denken is dat me bijvoorbeeld doet begrijpen welke vormen verzet kan aannemen, dat van de Tweede Wereldoorlog incluis.

Een althusseriaan avant la lettre?

Wat zegt Sartre hier allemaal over?

Wat zegt dit 'officiële' humanisme, wat zegt dit 'existentialisme-dat-ook-een-humanisme-is' over deze moderne twijfels ten aanzien van de humanistische metafysica?

Wat zegt hij eigenlijk over het humanisme zelf – wat zegt hij over deze filosofie van de Mens, die in woord en daad wordt gehekeld door denkers als Cavaillès, Althusser, Derrida en anderen die hem allemaal hebben verweten het laatste humanistische bolwerk te zijn?

Hij is de auteur van een boek, *La Nausée*, dat tien jaar voor *L'Être et le néant*, twintig jaar voor de *Critique* en in elk geval ruim voor de beroemde en misschien ook wel ongelukkige voordracht *L'Existentialisme est un humanisme*, een hilarisch maar ook genadeloos beeld geeft van wat hij zelf het humanisme noemt.

Het tafereel speelt zich af in Bouville.

Roquentin zit in restaurant Bottanet.

Dicht bij hem zit 'de Autodidact', die hem 'met open mond' aankijkt, een 'slechte adem' heeft, licht 'hijgt', de 'koppigheid van een schaap' heeft en 'ongelofelijk intens naar hem kijkt'.

Om hen heen zitten een vertegenwoordiger, twee 'rode, gedrongen mannen' die 'mosselen eten en witte wijn drinken', een man en een vrouw die verliefd doen en loom zijn geworden door de hitte, een stompzinnige serveerster en een vrouw met een 'open mond als een kippenkont'.

De conversatie gaat over 'verheven' onderwerpen: schilderkunst, literatuur.

De Autodidact haalt voorzichtig zijn notitieboekje van leer te voorschijn, waarin hij regelmatig citaten opschrijft die indruk op hem hebben gemaakt.

En ineens verzamelt hij alle moed en begint hij 'met de ziel in z'n ogen' te vertellen over zijn gevangenschap in Duitsland in 1917 – de houten loods, de tweehonderd gevangenen die boven op elkaar zitten, de stank, het geluid van het ademhalen, het tegen elkaar aanschurken, de duisternis, het gevoel te stikken, de regen en vervolgens, ondanks alles (of daardoor), de 'overweldigende vreugde' die in hem opkwam, het gevoel 'flauw te vallen' van blijdschap, van 'extase' bijna: 'ik hield van die mannen als van broers', zegt hij tegen Roquentin, 'ik wilde ze allemaal omhelzen', 'één met hen' worden; ik voelde hoe ik 'één werd' met die lichamen 'die om mij heen waren'; daar, meneer, in die smerige en heerlijke loods heb ik ontdekt 'hoe diep mijn liefde voor de mensen was' en 'hoe sterk de drang was die me naar hen toe dreef'; daar heb ik ontdekt hoe 'heilig' mijn liefde voor de mens is.

Roquentin luistert.

Hij zegt niets, hij luistert.

Maar tegenover deze klamme en obscene liefdesverklaring, tegenover dat uitdrukkingsloze en plechtige oog dat ook hem aanstaart met een absurd verliefde blik, voelt hij een 'geweldige woede' in zich opkomen: z'n handen trillen, bloed stroomt naar z'n gezicht; moorddadige verlangens gaan door z'n hoofd; hij zou willen brullen, als hij zou durven; de Autodidact een pak rammel geven; hij zou, als hij zichzelf zou horen, z'n kaasmes in z'n oog kunnen steken; in plaats daarvan ziet hij in zichzelf al die gezichten van de humanisten die hij heeft gekend voorbij komen, maar z'n lichaamsuitdrukking lijkt hem te verraden, want de Autodidact 'krijgt lucht van de vijand'.

Je hebt het radicale humanisme, 'de vriend van de ambtenaren'.

De humanist die 'zogenaamd links' is en 'in het algemeen' een 'weduwnaar' die op verjaardagen in huilen uitbarst.

De humanist die van het leven houdt, en dus ook van dieren, en wiens liefde zich uitstrekt tot katten, honden en alle 'hogere zoogdieren'.

De humanist die in het communisme gelooft en 'sinds het tweede vijfjarenplan' de mens liefheeft.

De humanist die in de katholieke kerk gelooft, die als 'laatste komt aanzetten' en 'lange droevige en mooie romans schrijft die vaak met de Prix Femina worden bekroond'.

De 'humanistische filosoof' die 'zich over zijn broeders buigt als over een geliefde broer' en 'zich bewust is van zijn verantwoordelijkheden'.

De humanist die 'van de mensen houdt zoals ze zijn', die 'van ze houdt zoals ze zouden moeten zijn'.

Degene die 'hen redt, of ze willen of niet', degene die 'hen wil redden als ze daarmee instemmen'.

Degene die 'nieuwe mythen wil scheppen', degene die 'tevreden is met de oude'.

Degene die 'houdt van de dood in de mens', degene die 'van het leven in de mens houdt'.

De humanist die 'blij' is en altijd 'iets grappigs weet te zeggen' – de 'droevige' humanist die je vooral tegenkomt 'tijdens nachtwaken'.

De humanist die van de mens houdt en de humanist die 'misantroop' is.

Kortom, een hele 'zwerm rollen', de een nog grotesker dan de andere, en alleen al het noemen ervan roept bij Roquentin woede, haat, wanhoop en ten slotte alweer 'walging' op.

Waar denkt Sartre nu aan?

Waarschijnlijk aan ingenieur Mancy. Aan de Nobelprijswinnaar Albert Schweitzer. Misschien ook, zoals vaker is gesuggereerd, aan de schrijver Jean Guéhenno. Maar het is een feit dat we sinds Théodose de la Peyrade, de hoofdpersoon in *Les Petits-bourgeois*, Balzacs onvoltooide roman, niet meer hebben meegemaakt dat het humanisme als personage zo werd afgemaakt.

Het existentialisme een humanisme?

Kom nou. Natuurlijk niet. Het is de eerste uiting van het huidige antihumanisme. Er is een eerste existentialisme dat beter dan ooit en veel radicaler dan alle vertegenwoordigers van het 'denken van 1968' al deze vormen van humanisme op de korrel neemt.

Of eigenlijk moeten we nog een onderscheid maken.

Waarschijnlijk was er nog een eerste betekenis van het humanisme, waar de jonge Sartre niet aan lijkt te denken en waar hij impliciet aan vasthoudt. Het zijn de beroemde laatste woorden van *Les Mots*: 'een volledig mens, gemaakt uit alle mensen en die evenveel waard is als iedereen, en iedereen is evenveel waard als hij'. Sartre even veel waard als wie dan ook? Jawel. Een deel van hem gelooft dat. Een deel van hem droomt dat. Dat deel van hem blijft net als Gide denken dat ieder mens is 'geboren om te getuigen' en dat zelfs als iemand niets waard is, een niets even veel waard is als een ander niets en het leven als geheel, zelfs al is het onbeduidend of minderwaardig, een eigen grootsheid en waardigheid bezit. Eerbetoon aan de gewone man. Apologie van dat subject zonder subject zoals Spinoza zou zeggen: 'op zijn manier ontbreekt hem niets; hij is perfect, zoals elke individuele realiteit; hij heeft dus dezelfde waardigheid als alle andere realiteiten'. Ook een herinnering aan deze mallarmeaanse 'Mens', die 'gelijk wil zijn aan God en aan wie dan ook' en wiens vreemde mengeling van 'trots' en 'nederigheid' bereikbaar is, zoals hij zegt,[13] voor 'wie maar wil – voor jou of mij'. Wanneer Sartre zegt 'een volledig mens, gemaakt uit alle mensen', wil hij daarmee twee dingen zeggen en juist in die dubbele betekenis kunnen we hem *nog steeds* als een humanist beschouwen. In ieder mens het hele scala van mensen; bij de grootste smeerlap lichtpuntjes van heiligheid; bij de allerheiligsten sporen van slechtheid. En ook: gelijkheid van alle subjecten; gelijke toegang tot het subject-worden, dat zoals we zullen zien voor de concrete subjecten een enorm riskante en hachelijke onderneming is, maar ook een uiterst boeiende; in iedereen kans op de waarheid; in ieder mens ten minste één keer de mogelijkheid zich als subject te gedragen.

Maar er zijn ook andere. Er zijn al die andere vormen van humanisme, die hij de revue laat passeren en die in wezen allemaal zeggen dat de mens Mens is, dat hij dat altijd is door wat hij is, dat deze essentie en deze permanentie het zeldzaamste goed, het waardevolste kapitaal, de eer van de werkelijke mens is – en dat deze 'eer mens te zijn' het centrum, het hart en de maat van alle dingen is. Dat humanisme valt hij meedogenloos aan. Dat veracht hij vanuit het diepst van z'n hart. Het is zelfs een thema dat nooit helemaal zal verdwijnen, zoals nog aan het begin van de jaren zeventig bleek, toen hij heel sarcastisch de uitspraak 'mensen, dat klinkt nobel' aanhaalde, Gorki's reactie toen zijn bureaucratische vrienden 'besloten – *jawel – mensen* op te sluiten in administratieve detentie'.[14] En ik vraag me af hoe ik zo lang heb kunnen geloven in het nieuwe van het schervengericht dat mijn leermeesters, Althusser voorop, aanspanden, terwijl ik onder handbereik, op die prachtige pagina's van een *Nausée* die ik waarschijnlijk niet of slecht had gelezen, een uitzonderlijke voorproef had gekregen. En wat stelt deze Sartre nu, in essentie, tegenover het humanisme? In de eerste plaats: denken is geen psychologie; men doet altijd alsof het puur een kwestie van psychologie is, terwijl er in het denken, in de manier waarop het werkt, veel meer speelt dan alleen maar psychologie. In de tweede plaats: er zit iets onmenselijks in het menselijke, waarmee het menselijke nooit rekening houdt – wat is de waarde van een mensvisie die afhaakt voor het onmenselijke? Wat is de waarde van een humanisme dat blijft steken bij het seksuele, bij misdaad of de schimmige verbintenis hiertussen? In de derde plaats: is dit de essentie van het mens zijn? Die eer en dat voorrecht? Was niet een van de verdiensten van de oorlog, zoals we kunnen lezen in *Les Carnets de la drôle de guerre*, het bespoedigen van 'de totale teloorgang van de menselijke waardigheid, wat in wezen niet eens zo slecht is'.[15] In de vierde plaats en tot slot: we kennen de mens slechts als een onaf wezen; altijd bezig, altijd iets onder handen; onderweg naar een project waarvoor hij het programma bij Heidegger heeft gevonden of meent te hebben gevonden; hoe zou een 'project' een 'essentie' kunnen hebben? Hoe zou dat wat geen einde kent, het einde kunnen zijn van de mens en de wereld? Om maar te zwijgen – in de vijfde plaats, maar dat houdt u te goed – over een subjecttheorie die veel origineler is dan de legende wil en werkt als de radicaalste weerlegging van de metafysica van het humanisme.

Meer over het geval Althusser

Kan ik ermee volstaan zomaar te zeggen, zonder nader onderzoek: 'Ik blijf trouw aan Althusser... ik blijf, net als Althusser, geloven in de positieve punten van het theoretisch antihumanisme...'

Kan ik doen alsof er niets is gebeurd: moord, waanzin, lijden, dood en dan weer, na de dood, opstanding, het uiterst bizarre verhaal – uniek in z'n genre – van dat seizoen in de hel dat uitloopt op moord?

Neem Althussers verdere levensloop, de ontwikkeling van zijn werk, alles wat we sindsdien hebben vernomen over zijn werkelijke subjectiviteit, zijn verwarring, zijn angsten, zijn manisch-depressieve psychose die hem net zo deed lijden als Antonin Artaud. Neem de verschijning van *L'Avenir dure longtemps*, dat na de misdaad is geschreven om (zoals Althusser zegt) een begin te maken met het weghalen van de 'grafsteen' van de 'buitenvervolgingstelling' die hem tot een 'levende dode' maakte. Neem de latere publicatie van de prachtige *Lettres à Franca*, die hij over een lange periode heeft geschreven, in de tijd dat hij nog actief filosofie bedreef en gelukkig was. Zie dit alles, dit normale (de *Lettres*) én pathologische (*L'Avenir*) wedervaren, dat in elk geval menselijk was, maar al te menselijk, vol van emotie en lijden. Ik wil er geen doekjes om winden – staat dit alles niet haaks op de trotse verkondiging van een 'theoretisch antihumanisme'?

Of is het juist andersom: staan die twee juist met elkaar in verband? Is het niet logisch dat de leidsman van het antihumanisme in het werkelijke leven een aangrijpend, lijdend wezen was? Ligt het niet in de menselijke natuur dat iemand die van zichzelf wist dat hij bezeten was door allerlei demonen zich beschermde door te verklaren dat het subject niet bestaat? En als dat 'natuurlijk' is, als er tussen de doctrine en het leven die macabere en pijnlijke band bestaat, als het theoretisch antihumanisme gedacht wordt als een redmiddel tegen de zich aankondigende dood, als al die mooie uitspraken over het 'proces zonder subject', de 'in de marxistische theorie onvindbare mens', stuk voor stuk trucjes zijn van een denken dat belaagd wordt door het spookbeeld van de dementie dat het probeert te bezweren, als de kwestie van het humanisme niet als een 'probleem' wordt ervaren maar als een 'antwoord' – Sartre zou zeggen een 'uitweg' – dat door deze verdoemde denker werd gevonden om 's nachts te kunnen slapen en overdag wat te kunnen werken, als het zo is dat er in het begin dus die angst en zelfhaat was en als het zo is dat er op die angst en die haat die eerste betonplaat, die allereerste grafsteen is gelegd, nog voor die grafsteen van de moord en de buitenvervolgingstelling, als het antihumanisme die betonplaat is, het proces van het subject die grafsteen, als de hele metafysica van Althusser dat Tsjernobylse beton is dat schadelijke stralingen zou indammen waar een mens gek van wordt, hoe kan je dan al zijn fraaie theoretische bouwwerken serieus nemen? Het is wel erg moeilijk om er niet aan toe te geven, nietwaar? Erg lastig om 'dat' op een afstand te houden... Hij kent ze maar al te goed, die spoken die hem achtervolgen... Hij heeft ze zo goed door, die schimmen die hem telkens weer bedreigen dat hij alleen is, niet met zijn hartstochten zoals Rancé van Chateaubriand, maar met zijn gekte zoals een personage van Dostojevski. Om ze te verjagen of in elk geval van zich af te houden, om ze het zwijgen op te leggen en dat onafgebroken suizen dat de ellende in zijn hoofd veroorzaakt te verminderen, om te proberen, al was het maar voor even, op Althusser te lijken, de echte of de onechte, hij weet het zelf niet meer, maar in elk geval Althusser, de toonaangevende denker voor een hele generatie, de onberispelijke theoreticus, komt hij met dat antihumanistische verhaal, dat doctrinaire theoreticisme, en dat vermaledijde subject dat onder concepten wordt weggemoffeld en waarvan wordt gezegd dat het niet bestaat: zal hij dan eindelijk zwijgen, z'n waffel houden, me met rust laten?

Ik zie Louis voor me, op de Ecole, op z'n kleine kamer, volgestouwd met boeken en stapels papier, die ook een soort graf was, waarin hij in zijn goede dagen zijn studenten binnenliet alsof het een samenzwering was: 'stoor ik?', vroegen we met trillende stem; en hij, als iemand die inderdaad wordt gestoord maar als een goede leermeester daar niets van laat merken: 'ja, ik was aan het werk, maar nu je er toch bent... kom binnen en laten we even praten...'.

Ik zie die eeuwige wanorde voor me: stapels papier die niet van plaats veranderen; boeken die steeds op dezelfde pagina opengeslagen liggen; het vel papier in de Japy-typemachine dat je het gevoel gaf dat hij voortdurend aan het werk was; ik herinner me nog heel precies de dag waarop ik eindelijk doorhad (maar na hoeveel jaren, hoeveel keren dat ik bij hem langs ging met het hart in m'n keel!) dat het hetzelfde vel papier was, dat op dezelfde plek in dezelfde kleine Japy zat waarover het verhaal ging dat hij daarop vroeger in de trein op de terugweg van zijn huis in Gordes in één ruk het manuscript van zijn stuk in *Lire Le Capital* heeft getypt; ik herinner me hoe ik dat die dag nauwelijks kon geloven; wat? een fout leven? dode objecten? vingersporen, daar, in het stof op de kast, maar misschien zijn ze niet van hem? een Pompeji van de geest, dacht ik... ik geloof zelfs dat ik dat heb geschreven... ik heb in dat Pompeji een scène in *Le diable en tête* zich laten afspelen... ik heb natuurlijk de verkeerde metafoor gekozen... ik schreef 'Pompeji' in plaats van 'Tsjernobyl'... maar het was nog voor Tsjernobyl... en bovendien, bovendien, kon ik in de verste verte me niet voorstellen wat voor een straling aan dodelijke gewelddadigheid er uitging van dat op hol geslagen hoofd.

Ik zie hem nog zitten in die dagen, recht tegenover me, in zijn houten, geverniste stoel. Ik meende, naïef als ik was, dat die ernstige blik betekende dat hij naar me luisterde, dat hij me beoordeelde. Dus deed ik m'n best om net zo te zijn als Althusser: kijk eens, leermeester van me, hoe antihumanistisch ik ben! kijk eens hoe zeer ik ervan overtuigd ben dat het concept 'mens' een ideologisch concept is dat nergens voorkomt in de marxistische leer! ik kwam vanmiddag Garaudy tegen in Brasserie Balzar en heb hem een smerige humanist genoemd; ik zag, kort geleden nog, Mitterrand in de rue de Bièvre en inderdaad hij volgde lessen marxisme bij die superhumanist Kanapa; en over het voorstel om toe te treden tot het groepje deskundigen dat eens in de twee weken op woensdag bij hem bijeen komt in de hoerenwijk in de Cité Malesherbes, en waarin al die jonge sociale verraders en gepatenteerde revisionisten van de nieuwe generatie socialisten zitten, van Rocard tot Pisani, van Bérégovoy tot Hernu, Fabius en Edith Cresson, om lessen in zelfsturing te volgen, daarover zou ik graag uw mening willen horen voordat ik een beslissing neem: ik begrijp best, leermeester, wat zijn belang is om te doen alsof hij bij ons hoort – ik vond het prachtig om dat 'ons' te gebruiken, ik smulde ervan – en niet bij Chevènement, die twee keer zo links was en gek was op dat gedoe met zelfsturing; maar voor ons... ik zei het nog maar eens, meerdere keren zelfs, 'voor ons'... zoals het hoorde wond dat vleiende en verrukkelijke 'ons' me enorm op... voor ons althusserianen zou het een voordeel zijn om bij hen binnen te dringen, maar zouden we niet tegelijk het risico lopen onze ziel te verliezen, ons te compromitteren? Louis schudde het hoofd. Hij zei geen nee, maar ook geen ja. Alleen die diepzinnige blik, die in werkelijkheid wilde zeggen, al wist ik dat toen niet: 'praat, praat... zeg wat je wil, maar blijf vooral praten... Mitterrand... Garaudy... Kanapa... Mitterrand... het doet er niet toe wat, ja, alsjeblieft, als ik maar niet meer hoef te denken aan Hélène, die op me wacht, noch aan de behandeling met elektroshocks morgen, noch... noch...'.

Ik herinner me dat hij het had over 'breuk', 'demarcatielijn', noodzaak van 'zelfkritiek' en 'scherpte van de theorie'. Ik herinner me het enige college van hem dat ik ooit heb gevolgd (nog in het jaar vóór mijn toelating tot de Ecole! want deze docent aan de Ecole Normale gaf bijna geen colleges meer en ik heb vier jaar aan de rue d'Ulm gestudeerd zonder hem ooit buiten die kleine, gecapitonneerde werkkamer vol leer en ongeluk te horen spreken), ik herinner me dus nog goed dat college, waarin hij in het algemene kader van een epistemologie die werd gereduceerd tot één enkele stelling, die wel duizend keer werd herhaald, en in alle toonaarden, door de vier ontgonnen continenten, de eerste (de Wiskunde) door de Grieken, de andere (de Natuurkunde) door Galilei, de derde (de Geschiedenis) door Marx en Engels en de laatste (het Onbewuste) door Freud, een pleidooi hield voor een herdefiniëring van de filosofie opgevat als inoculatie van de politiek in de wetenschappen en tegelijkertijd als inoculatie van de wetenschappen in de politiek. Ik herinner me de heldere, briljante wijze waarop hij zijn gedachten uitte. Ik herinner me de concepten die als slagzinnen insloegen. Wie had gedacht dat deze geleerde, deze vleesgeworden theorie, dit antisubject dat in staat was iedereen te verpletteren, zoals we dachten, zichzelf gewone emoties zou toestaan – walging, angst, zin in of verlangen naar een vrouw? Wie had gedacht dat hij ook dat andere, onderaardse en gitzwarte of juist zeer euforische leven had – de wereld van zijn cyclothymie? Wie had gedacht dat op het moment waarop hij zich afvroeg onder welke filosofische en politieke voorwaarden het marxisme-leninisme het veilige pad van de wetenschap zou kunnen inslaan, deze denker, die naar wij meenden het psychologisme, de liefde en toewijding verachtte, aan een vrouw kon schrijven: 'mijn liefstelief van amberzwart, mijn liefstelief van omberdonker'[16] of: 'als je eens wist hoe mooi je op die foto kan zijn, je schoonheid stokt mijn adem, verlamt me, raakt me in mijn hart, jij bent dáár' – of, nog vreemder: 'nu ik uit de zee kom, bedekt met algen als een oude, verweerde schelp' of 'de tweede levensadem, nog gejaagder dan de eerste' of 'de lust om heel snel te leven' die zich van me meester maakt 'zo overweldigend dat mijn keel en mijn hart elkaar raken' – 'ben je hier, ben je daar, ik kom dichterbij, de muren weerkaatsen de echo van mijn stem en via de draden die hij in de kamer spint zoek ik, geblinddoekt, het punt waar ze zullen breken: jij zult daar zijn, wachtend op mij; moeilijk, weet je, om elkaar bij de hand te nemen? moeilijk, weet je, wanneer de handen die elkaar zoeken weten dat ze de rest met zich meebrengen?...'.[17] Wie van ons had zich hem kunnen voorstellen, de dag voor of na die vurige liefdesverklaringen, opnieuw ten prooi aan zijn delirium, vastgebonden op zijn ziekenhuisbed, met schuimende lippen, braaksel over zijn dwangbuis, een lap tussen zijn tanden zodat hij zijn tong niet kon afbijten?

Ik herinner me nog goed hoe we die ochtenden ijsbeerden rondom het Bassin des Ernest of op het hoofdplein van de Ecole, voor de eerstehulppost, dezelfde hulppost waarheen hij tien jaar later, een paar minuten na de moord op Hélène, vluchtte in afwachting van de komst van de politie en de artsen. Hij had me die ochtend heel vroeg bij zich geroepen, onduidelijk waarom. 'Kom, we moeten praten...' Ik kwam. We praatten. Eigenlijk was hij degene die praatte – met zware passen liep hij door de kamer, met gefronst voorhoofd, z'n handen in de zakken van zijn grote, wollen geruite kamerjas: één, twee... één, twee... ik was een brave soldaat in het winnende leger van Althusser... ik kwam om mijn order in ontvangst te nemen... mijn missie... Lecourt was aan het front op de universiteit... Debray zat in Bolivia... Armogathe of Brague zat in de katholieke kerk... en ik... o! ik was de jongste van alle soldaten en in zekere zin degene die overal inzetbaar was: bij Mitterrand, de uitgevers of de pers, maar ook als verkenner bij *Tel Quel* om te achterhalen wat voor complotten Sollers aan het smeden was... wij vormden een groot mobiel leger en hij was de imaginaire generaal; de 'filosofische oorlog' was ons gemeenschappelijk lot... Een ander beeld, wat dat betreft... Niet langer over Althusser, maar over Debray... In 1973 zijn we in Grenoble, in een café dicht bij de plek waar het congres van de Socialistische Partij wordt gehouden... Hij draagt – het is mijn eerste beeld van hem – een kakishirt met grote zakken, een legerbroek... In mijn beleving geniet hij een enorm prestige als 'compagnon van Che'... Een groepje erg jonge jongens verdringt zich rondom hem: Colliard, Chevènement, Benassayag... Daar stond hij dan, strijdvaardig, z'n snor helemaal in de war alsof hij nog in de Boliviaanse jungle zat, en ineens vouwde hij een stafkaart van de rustige stad Grenoble over twee tegen elkaar geschoven tafels... Waar sloeg die kaart op? Op welke toekomstige strijd zou die wijzen? En waar denken filosofen aan wanneer ze soldaatje spelen op een tafel in het café? Want waar het om gaat is deze vraag: waar dacht Althusser aan in zijn extreem euforische momenten toen hij mij en anderen op pad stuurde om de ideologische staatsinstellingen aan te vallen? En hoe komt het dat ik, terwijl ik hem aanhoorde, geen idee had van wat ik nu weet: de schedelboring van de dag daarvoor; de afstompende werking van de kalmerende middelen; de ziekenhuislucht in je neus; het gegil van gekken in je oren; zijn eigen geschreeuw om Hélène en de marteling die hem te wachten stond; de bloedspuwingen; opnieuw de duizelingen; en dan, snel daarna, de hand die gaat wurgen; de ogen die gek worden; haar ogen, vol angst, ook krankzinnig; en dan rust; verlatenheid en rust; was het niet langer nodig hem te vragen of hij van haar hield?

Dat alles weet ik dus.

Ik weet nu dat Athusser twee levens had.

Ik weet dat hij twee oeuvres had: *Pour Marx* en *Lire Le Capital* aan de ene kant, en aan de andere kant, het nachtelijk oeuvre, dat vaak geheim bleef en voor een deel postuum werd gepubliceerd en waar *L'Avenir dure longtemps* en *Lettres à Franca* het indrukwekkende bewijs van zijn.

Ik weet dat er twee zielen waren – de van theorie bezetene en de gekke en verliefde dichter – die in hetzelfde lichaam woonden, maar dat de twee zielen één waren en onlosmakelijk met elkaar verbonden, dat zij elkaar haatten en in elkaar opgingen.

In de teksten uit de tijd van zijn theoreticisme, de bladzijden over Lacan of Freud bijvoorbeeld, leer ik te luisteren naar de zwakke stem, die toen onhoorbaar was, van zijn arme, getergde lichaam. Zoals de nadruk op het mystieke in zijn uiteenzetting van zijn 'materialisme van het toeval'. Zoals zijn verwijzing naar 'het bijzondere avontuur' dat 'van de geboorte tot de verdwijning van het oedipuscomplex het beestje dat door een man en een vrouw wordt voortgebracht, verandert in een klein, menselijk kind'. Zoals het vibrato van zijn *Lénine*. Zoals die vreemde, romantische opmerking in zijn *Réponse à John Lewis*.

Zoals die tekst uit 1964, waarvan het mij achteraf enorm verbaast dat wij geen onraad bespeurden en waarin hij, denkend aan 'de situatie van die paar zeldzame figuren die hij vereert, Spinoza, Marx, Nietzsche en Freud', het beeld oproept van 'die grafsteen' die 'het werkelijke afdekt' en waarvan zij 'de enorme dekplaat' hebben moeten oplichten 'om te kunnen schrijven wat zij hebben achtergelaten'. Grafsteen! Uitgerekend het beeld dat 25 jaar later zijn situatie van de ingemetselde levende weergeeft, die hij na zijn misdaad is geworden! En dan, in dezelfde canonieke teksten, de grote teksten, begrijp ik eindelijk de betekenis van de verwijzing naar Spinoza, die altijd, laat ik eerlijk zijn, voor mij een raadsel is gebleven. Provocatie? Gril van de meester? Snobisme? Natuurlijk niet; de ene verdoemde heeft het tegen de andere! De internationale van verdoemden en ballingen. De 'verbazingwekkende lichaamsconceptie' van Spinoza. Spinoza als denker van een 'lichaam waarvan tal van krachten ons in wezen onbekend zijn' en waarvan het 'idee' hem 'bijzonder goed' uitkwam. Dit spinozisme kwam misschien niet helemaal overeen met mijn marxisme, zoals hij later schrijft in *L'Avenir dure longtemps*; maar wat ik erin 'terugvond' was mijn 'ervaring' van een 'aanvankelijk gefragmenteerd en verloren lichaam', een 'afwezig lichaam vol angst en hoop': 'dat het lichaam kan denken, door en in het ontvouwen van al zijn krachten', dat is iets wat 'me fascineerde'; het was 'een werkelijkheid en een waarheid die ik had ondervonden en die mijn werkelijkheid was' – ook al was Spinoza degene die dat had gedacht.

Omgekeerd, in de teksten aan gene zijde van de gekte of zelfs aan gene zijde van het graf, hoor ik tegenwoordig – en dat is bijna nog aangrijpender – die overblijfselen van het theoreticisme, die tegen de achtergrond van dezelfde retoriek een warrige Althusser laten zien die eigenlijk nooit zijn wapens heeft afgelegd: de oude, onhandelbare man, die zelfs nog in *L'Avenir dure longtemps*, tussen het verhaal van die grijze novemberdag waarop hij, geknield naast Hélène, over haar heen gebogen, haar stilzwijgend masseert en vervolgens wurgt, en de 'enorme weerzin' van het fysieke contact, niet alleen met Hélène maar met vrouwen in het algemeen, dat ons nog een klein beetje laat zien dat de klassieke filosofie een 'ideologisch bedrog' is, dat het historisch materialisme de 'eigenlijke filosofie' van die tijd is en dat 'geen verhaaltjes vertellen', net als in de tijd van *Pour Marx* en *Réponse à John Lewis*, naar zijn overtuiging de enige definitie van het materialisme blijft. Onbuigzaam, inderdaad. Onverbeterlijk. Denken als een ziekte waar je nooit van geneest.

Moeten we Althusser dan maar afschieten?

Afrekenen met die filosofie omdat ik zou weten van welke spookbeelden ze in werkelijkheid het spiegelbeeld zou zijn?

Nee, natuurlijk niet. Juist niet. En dat is de reden waarom ik aan het begin van de nieuwe eeuw, midden in mijn eigen leven, net als toen ik twintig of dertig was, blijf zeggen: Louis Althusser, mijn leermeester; degene die me heeft leren schrijven en denken; de peetvader van mijn eerste boek, *Les Indes rouges* ('Echt, India? Ga je naar India? Ga dan ook naar Bettelheim, mijn correspondent in de orde van het reële! Hij zal je gids zijn! Met een beetje geluk heeft hij zelfs nog wat concepten voor je klaar liggen!' Bettelheim met zijn mierenogen; Bettelheim, die naar ik me kan herinneren, steeds meer op Hélène ging lijken); de man over wie ik in mijn tweede boek, *La Barbarie*, heb gezegd en over wie ik altijd zal blijven zeggen, want die dingen neem je niet zomaar terug: 'ik heb bijna alles aan hem te danken'. Alles? Ja zeker, alles! Mijn marxisme en mijn antimarxisme; het gevoel om te breken en op te treden; het gevoel voor wat er speelt; tijden die door elkaar lopen, op elkaar gestapeld zijn, hiërarchisch zijn geordend; het einde van de dialectiek en het einde van het einde van de geschiedenis; de reactionaire opvatting van vooruitgang; het historisch pessimisme; het proces zonder subject dat tegelijkertijd het proces van het subject is en de afwijzing van alles wat zweemt naar een collectief subject van de geschiedenis; de afwijzing van het idee van een oorsprong en een einde; de afwijzing van alle eschatologieën (of ze nu democratisch of liberaal zijn) en van de vervanging ervan door messianisme (maar dan wel het echte messianisme, dat van Maimonides en de Maharal van Praag – dat ons een Christus zonder gezicht aankondigt, zonder een tijdstip te noemen waarop Hij zou terugkeren op aarde en Die, in de eigenlijke zin van het woord, steeds bezig is op elk moment terug te keren); kortom, een bevrijding van het denken, die, zo weet ik nu, voor hem gelijkstond met de ultieme verschrikking, maar waar we toch, te midden van enige andere dingen, veel aan te danken hebben; en, ten slotte, hoe kan het ook anders, het theoretisch antihumanisme.

Wat is een subject?

Maar ik kom nogmaals terug op Sartre. En bij Sartre op de centrale vraag, de kwestie van het subject en zijn verhouding tot de dingen. Wat verstaat hij eigenlijk onder 'subject'? Wat zegt hij wanneer hij 'subject' zegt en het tegenover het onverteerbare minerale karakter van de dingen plaatst? Hoe definieert hij dat subject en hoe valt zijn definitie te rijmen met zijn antihumanisme? Dat is de vraag waar het om draait – en daar hebben het misverstand, het gewicht van de legende en van het cliché waarschijnlijk ook de meeste schade aangericht.

Alles begint met die korte, uiterst simpele zin, die honderd keer is geciteerd, aan het begin van *La transcendance de l'Ego*, in het Nederlands *Het Ik is een ding*: 'elk bewustzijn is bewustzijn *van* iets'.

Sartre schrijft inderdaad 'elk bewustzijn'.

Hij schrijft inderdaad: er is geen bewustzijn buiten de gerichtheid op een 'iets' dat het niet is en dat zijn zijn hierop overdraagt.

Hij benadrukt – het is, van *L'Être et le néant* tot de *Critique de la raison dialectique*, een van de weinige onderdelen van zijn leer die nooit zijn gewijzigd – die gedachte dat het bewustzijn nooit in zuivere staat bestaat en dat het, om te kunnen voortbestaan, 'zich genadeloos op de wereld [moet] richten', zich moet werpen op de 'avontuurlijke wegen' die de planeet aflegt, kortom dat het zich iets moet voorstellen dat er radicaal vreemd aan is.

Dat is ongetwijfeld Husserls idee. Het was op een bepaalde manier ook Hegels idee, toen hij de nijvere, actieve subjectiviteit opvoerde die alleen bestaat via de objecten waaraan zij zich wijdt. Het was zelfs het idee van Malraux (een mens is de 'som van zijn handelingen') of van Jules Romains ('mensen zijn net bijen, hun producten zijn meer waard dan zij zelf'). Kortom, het was het idee van die tijd. Alleen is Sartre degene die aan deze gedachte van destijds, aan dit simpele en ongecompliceerde idee van een subject verzonken in zijn objecten een fantastische reikwijdte heeft weten te geven.

Dat subject heeft, om te beginnen, geen inhoud, geen 'interioriteit'. Het is het ding waarop het is gericht. Dát ding. Het is, nog eerder, de gerichtheid op het ding, het feit dat het zich daarop richt of projecteert. Maar zodra het probeert zich te hernemen, zoals Sartre schrijft, of ook maar even die dingen te vergeten om met zichzelf samen te vallen, 'er tegenaan te kruipen met gesloten luiken' in de geborgenheid van een bewustzijn dat niet veel meer is dan een klamme plek waar toekomstige uitvallen worden voorbereid, dan vervaagt het, lost het op – zoals Sartre zegt: dan 'verniet het'.[18] Dat is de betekenis van de beroemde uitspraak: 'eindelijk zijn we verlost van Proust' en 'tegelijkertijd van het innerlijk leven'. Dat is de betekenis van de zo onredelijke aanval op *A la recherche du temps perdu*: 'Prousts psychologie? Dat is niet eens de psychologie van Bergson, het is die van Théodule Ribot!' Niet dat Sartre er een heeft van na Proust. Integendeel. Heeft hij niet vaak gezegd – en wel tegen John Gerassi[19] – dat hij 'Swann en Charlus van binnen uit kende', dat 'hun geringste gemoedstoestanden' en 'verlangens' hem ten volle bekend waren en dat hij zelfs op zijn beurt 'gespeeld heeft een van hen te zijn' (dat is nog eens een bekentenis!)? Zo zie je maar. Hij gelooft niet in het intieme mij. Hij gelooft in een mij dat zich ontdaan heeft van het zelf, dat niet in het zelf mag verblijven. In hetzelfde artikel uit 1939 over Husserl hamert hij hier al op: 'Het bewustzijn heeft zich gezuiverd, het is helder als een stevige bries, het bevat niets, behalve een beweging om voor zichzelf te vluchten.' Een bewustzijn zonder innerlijk. Een bewustzijn dat niets anders is dan de amusante 'weigering om een substantie te zijn'. Het is die weigering die de filosoof moet voltrekken. Hij, en hij alleen, richt al zijn agressie op Proust, maar evenzeer op Amiel. Dood aan de interioriteit, proclameert hij! Dat hoofdbureau van het innerlijk – de brand erin! Dat is de eerste sartriaanse oorlog. Het is de eerste zet in een lange oorlog, die aan het begin van de jaren dertig uitbreekt en in zekere zin eindigt met de publicatie van *L'Être et le néant*.

Het subject heeft niet langer een identiteit. Ik zie een zeker subject heus wel bezig zich te richten op een bepaald ding. Ik zie een ander subject wel bezig zich te richten op dat andere ding. Maar als de theorie klopt, als subject zijn niets anders is dan de beweging die erin bestaat zich op dit of dat ding te richten, dan zie ik nergens een supersubject dat in staat is om al die losse en met elkaar verbonden subjectiveringen telkens weer samen te voegen tot een gedetermineerd object. Natuurlijk, je kunt doen alsof. Je kunt, om ervan af te zijn, of om maatschappelijk leven te vergemakkelijken, een continuïteit tussen al die losse subjectiveringen poneren en die continuïteit betitelen als karakter of temperament. Je kunt ook, om niet duizelig te worden, je vastklampen aan dat ersatz voor het subject dat we personage noemen – en dat is vast en zeker een van de redenen waarom Sartre instemde met het circus van de roem, met zijn schrikwekkend perverse effecten, die hij liet zien in zijn tekst over Tintoretto. Maar doen alsof is één ding, iets doen is iets anders. Doen alsof die continuïteit bestaat is één ding, iets anders is het ook geloven en er een dichtheid aan toekennen. Eén ding is je een nepsubjectiviteit aanmeten, zoals het mij dat het goed doet in de media, het sociale mij, het personage, het masker, allemaal homoniemen van het diepzinnige mij die de voorpagina's van de kranten halen, op straat te zien zijn tijdens het verkopen van *La Cause du peuple* en waar Proust van zei, zoals Sartre had kunnen zeggen, dat ze 'een schepping zijn van het denken van de anderen' – iets anders is ze te ervaren, ermee samen te vallen. Je kunt dat subject poneren, zegt Sartre; het is een 'pseudo-subject', dat slechts één serieuze eigenschap heeft: het kan nergens aan worden toegekend, het is ongrijpbaar. Je kunt erover praten; het blijft dat *flatus vocis*, een zucht van de lippen, een conventie, het blijft (gevolg van zijn nietzscheïsme) die fabel, die hersenschim, die komedie, die gewoonte, die hypothese – nog even en Sartre zegt die beschaafdheid, dat bedrog. Net zomin als het mij een plek is, is het een 'kleine god', die op die plek woont en zijn vrijheid bezit als een metafysische deugd. Het mij heeft net zomin een interioriteit als een eenheid, die de losse mij-en optrommelt. Sartre is er absoluut van overtuigd dat je slechts in het meervoud over het subject kunt praten: niet het bewustzijn, maar bewustzijnen; niet de subjectiviteit, maar subjectiviteiten; voor ieder bewustzijn een oneindigheid aan bewustzijnen en subjectiviteiten, waar het gemak van het leven soms een subject van maakt; en, gericht op deze oneindigheid, verbonden met deze fundamentele versplintering is er een verscheidenheid aan stijlen en schrijfvormen die, zoals we hebben gezien, een van de kenmerken van het schrijven van Sartre is.

Er is geen stabiliteit meer. Want dat is de andere consequentie: als het subject niet die essentie is die begint met er te zijn en vervolgens bestaat, als het niet die substantie is waarvan het zijn en het denken attributen zijn, als, anders geformuleerd, het zijn van het subject in het bestaan zou liggen, in een bestaan en een denken die zelf slechts betekenis hebben voorzover ze op het ding en de wereld zijn gericht, dan is dat het einde van het conventionele beeld van het subject dat in het voorgeborchte wacht totdat het de kans krijgt te bestaan. Subject-zijn is geen toestand. Het is een handeling. Een beweging. Het is een opeenvolging van handelingen en bewegingen – Althusser zou zeggen een 'proces' en eigenlijk had Sartre dat idee van een proces van het subject, dat in wezen een proces zonder subject is, heel wel kunnen overnemen. Je wordt niet als subject geboren, je wordt het. Er is een onophoudelijk worden van het subject, dat noch een einde, noch een oorsprong heeft, en dat het eigenlijke zijn van het subject is. En dan nog is 'worden' te veel gezegd, want dit worden veronderstelt een soort essentie of waarheid, die omdat ze niet zijn gegeven zich in de tijd ontwikkelen – en dat is nu juist weer iets waar Sartre niets van moet hebben. Geen substantie. Geen substantief. Geen vast punt, noch een centrum, noch een kern, noch een principe. Letterlijk een anarchistisch subject. Een inhoudsloos en dus rusteloos subject. Vaak zeggen humanisten van het subject dat het de basis – de maat? – is van alle dingen. Niets is minder waar, aldus Sartre! Hoe kan het de basis zijn wanneer het zelf geen inhoud heeft? Vaak denk je: alles beweegt behalve ik die niet beweeg. Nee! Niets is minder waar! Ik beweeg tegelijk met alles wat beweegt! Dat alles beweegt trouwens slechts voorzover het mij dat dit waarneemt beweegt! Geen belofte. Geen eed. Lof op de ontrouw, de incoherentie, het verraad bijna. Het is heel simpel volgens de eerste Sartre, die spottend concludeert: 'telkens wanneer iemand getroffen lijkt te zijn door het voortbestaan van mijn mij, twijfel ik aan mijn bestaan'.

Kortom, het subject zal niet altijd blijven bestaan. Het is er dít moment omdat het op dát ding is gericht. Op dát moment omdat het naar dát andere ding wordt getrokken. Maar laten we ons eens voorstellen dat het noch op dit, noch op dat ding is gericht. Of laten we ons eens voorstellen – wat meer voor de hand ligt – dat het op een ding is gericht, maar slapjes, zonder enige kracht, zonder vuur, op een ding dat daaraan voorafging. Welnu, in het eerste geval is er helemaal geen sprake van een subject: die ene minuut ben ik een subject, de minuut daarvoor niet en de minuut daarna ook niet – de subjectiviteit in mij is uitgegaan als een lamp die is doorgebrand. In het tweede geval is er een subject, maar het is zwak, bijna bloedeloos: ik ben min of meer een subject; ik ben het niet op ieder uur van de dag, met evenveel kracht en inzet; ik ben het niet volledig – een deel in mij kan het zijn, een ander is het niet meer of nog niet. Kwetsbaarheid van het subject. Met tussenpozen verlangen subject te zijn. Subject-zijn, dat is iets wat komt en gaat. Je bent noch voltijds noch voor 100 procent subject. Er is een ongelijke ontwikkeling in het subject-zijn. Er is, al naar gelang de intensiteit van de intentie, de *intensie* van het subject, een soort glijdende schaal van subjectivering. De schaal vergroten? De wisselingen in intensie berekenen? Dat is precies waar de sartriaanse politiek over gaat, in goede en in slechte tijden. In slechte tijden: de theorie van de 'samensmeltende groep', die een afgeleide is van de idee dat het subject een moment is en een zeldzaam moment (lange stille fragmenten in de 'seriële' geschiedenis en dan ineens is er een reeks die, op het heetst van de gebeurtenis, smelt, op een andere manier weer stolt en een collectief subject vormt). In goede tijden: de lust, de zin in een revolte, die eveneens slechts mogelijk is als voor het individu dezelfde wet van de gebeurtenis en van de onbarmhartigheid van zijn penetratie geldt (lange geschiedenis van alles slikken; regelmaat van een leven waarin het praktisch-inerte zegeviert en dan ineens die opening die maakt dat iemand 'nee' zegt, of 'ik' en daarna het juk van zich af werpt. Subjectiviteit, dat ongeluk. Subjectiviteit, dat moment. Wonder en waardigheid van dat ongeluk en dat moment.

Sartre en de modernen

Ongemerkt heeft Sartre gebroken met Husserl en diens hypothese, die al door Cavaillès werd weerlegd, van een transcendentaal Ego dat, hoewel het op de dingen is gericht, daar bovenuit blijft steken. Ik heb die hypothese ook niet nodig, zegt hij. Ik vind haar vooral inconsequent. Want waarom heeft hij de epochè niet tot dat punt doorgevoerd? Waarom heeft hij evenmin die ultieme figuur van het traditioneel bewustzijn teruggebracht tot iets kleiners? Ga voor het 'Ik'. Ga voor die illusie van continuïteit, die me doet zeggen, onder het mom van 'ik haat eerst X en daarna Y', dat die haat voortkomt uit een bepaalde dispositie en dat ik dus een 'mensenhater' ben. Maar deze mensenhaat, ik zeg het nog eens, is een deductie, geen constitutie. Een synthese, geen these. En ook al zie ik heel goed hoe deze synthese of hypothese me praktisch kan helpen in mijn dagelijks leven, ik weet dat ze daarentegen geen greintje waarheid bevatten en niet zijn verankerd in het Zijn.

Maar er is meer: hij heeft gebroken met zijn voormalige leermeester, Descartes, en met de vertrouwde zekerheid van het cogito, die voor filosofen voor hem zo lang vanzelfsprekend was. Ik denk dus ik ben? Nou nee. Ik kan denken zonder te zijn: mijn bewustzijn kan door gedachten worden doortrokken, doorkliefd worden door flitsen van ideeën en overpeinzingen, maar dat geeft me nog niet die interioriteit, die stabiliteit, die identiteit, dat voortbestaan, allemaal attributen van het zijn – dat is de les van *L'Enfance d'un chef*, waarin letterlijk staat: 'cogito ergo non sum'. Ik kan zijn zonder te denken: er bestaan andere zijnswijzen dan denken, emotie bijvoorbeeld, verbeelding, zintuiglijke waarnemingen, hallucinaties, dromen en ook, waarom ook niet, dit niet-denken of haat tegen het denken dat je toch moet denken – dat is de les van de afgelopen eeuw met haar barbaarsheid. Cogito zonder ego. Ego zonder cogito. Laten we er geen misverstand over laten bestaan, Sartre heeft het subject niet opgegeven. Tegenover de volledige ontbinding van het subject plaatst hij, zoals we zullen zien, de hypothese van een subject dat er in principe voor zou moeten zorgen dat mensen nooit meer als dieren of dingen worden behandeld. Je zou bijna kunnen zeggen dat hij er meer dan ooit aan vasthoudt en er des te meer belang aan hecht, aan dat subject, naarmate hij beter inziet dat het kwetsbaar, broos is en voortdurend gevaar loopt er niet meer te zijn – stroom, vloed, stortvloed van emoties, dromen, 'flarden denken'. Maar dat is niet langer het cartesiaans subject, dat is duidelijk. Het is niet langer de mens die heerschappij over de natuur heeft, zoals in de Vulgaat staat geschreven. Het is niet langer het veronderstelde substantiële subject waaromtrent de hele filosofische traditie de illusie heeft gewekt en instandgehouden dat het in dat perspectief een nutteloos en parasitair aanhangsel is.

Zodat, als er medeplichtigen of tijdgenoten zijn, dit niet Descartes of

Husserl zijn – en al helemaal niet Kant of Schelling. Als er een verwantschap is, dan is het op geen enkele wijze met deze klassieken tot wie deze eerste Sartre ten onrechte is gereduceerd en waaromtrent de filosofische handboeken beweren dat hij hun systeem zou herhalen of vervolmaken. Verwantschap is er daarentegen wel met de 'modernen'. Wittgenstein bijvoorbeeld, die Russell schreef 'Identity is the very devil' en zijn brieven besloot met: 'yours as long as there is such a thing as L.W.'.[20] En vooral de beroemde vertegenwoordigers van het 'gedachtegoed van mei 1968', denkers van *La Pensée sauvage* tot *L'Archéologie du savoir* en *Réponse à John Lewis*, die allemaal één gevoel met elkaar delen, woede tegen alles wat met Sartre te maken heeft, en die bij Sartre niet minder grove reacties hebben opgewekt – en dat alles terwijl juist hij ten aanzien van de mens zomaar even de weg vrijmaakte voor hun vruchtbaarste gedachten: twintig of vijfentwintig jaar liep hij op hen vooruit! Wat een kloof en wat een geniale anticipatie! De geschiedenis van het denken kent maar weinig van zulke gevallen.

Althusser bijvoorbeeld. Het 'theoretisch antihumanisme' van de *Réponse à John Lewis* en *Pour Marx*. Heeft hij het niet op Sartre gemunt wanneer hij keer op keer kritiek uit op de mythe van de mens die geschiedenis 'maakt'? Heeft hij Sartre niet in gedachten, zonder hem overigens bij name te noemen, wanneer hij ten strijde trekt tegen het impliciete humanisme van de 'kleinburgerlijke' ideologie om zich heen of die van de officiële denker van de communistische partij, Roger Garaudy? En wanneer hij de weinig bekende Engelse communist John Lewis aanvalt, wanneer hij zijn historische brochure aan hem wijdt, laat hij zich dan niet in de kaart kijken door zwart op wit te schrijven dat Jean-Paul Sartre – *sic* – zijn grote voorbeeld is?[21] Dat antihumanisme voegt niet veel toe aan dat van *La Nausée*. Het heeft, om precies te zijn, een plaatsje in de taxonomie van al die antihumanismen die Roquentin opsomt. En je kunt je nauwelijks voorstellen dat hij om een andere reden dan uit pure verwantschap of familiale rivaliteit op deze wijze zijn pijlen op hem heeft willen richten.

Lacan. Jacques Lacan, lezer van Freud en theoreticus van het gedeelde subject dat van zichzelf is vervreemd en uit deze splitsing tot stand komt. Is dat niet wat Flaubert zegt wanneer hij zich, zoals Sartre het uitdrukt, opwindt over zijn 'duizenden' levens, zijn onvermogen ze op één noemer te brengen, het horten en stoten van zijn waarnemingen en emoties, die 'aangeboren pijn' die zijn veronderstelde identiteit is? Is dat niet ook wat Sartre zelf zegt, maar in diens naam, wanneer hij commentaar geeft op het geval Flaubert en het ik een schepping noemt, een allogeen product, een zuiver gevolg van een structuur die ontstaat uit de blik van de ander en wanneer hij eraan herinnert dat het enige moment waarop het ik met zichzelf samenvalt, het enige moment waarop de jonge Flaubert het gevoel heeft dat hij één is, zichzelf hervindt, waarop hij een intieme relatie met zichzelf heeft en de pijn of de barst te boven komt, het moment is waarop hij tegenover... zijn spiegel staat? En is dat niet ook wat hij bij herhaling schrijft, maar dan omgekeerd, waardoor hij de constructie nog ingewikkelder maakt, wanneer hij in het prachtige *Venise ma fenêtre* zich uitlaat over de verontrustende gelijkenis tussen de twee oevers van het Canal Grande: 'stelt u zich eens voor dat u naar een spiegel toe loopt; er vormt zich een beeld, u ziet uw neus, uw ogen, uw mond, uw pak; u bent het, u móet het wel zijn; en toch is er iets in die spiegeling, iets wat niet het groen van uw ogen is, de vorm van uw lippen, de snit van uw pak – iets waardoor u opeens zegt: *iemand anders* is op de plaats van mijn spiegelbeeld gezet'. Of de beroemde opening van *La Nausée*: opnieuw een spiegelscène, opnieuw de ontmanteling van een gezicht dat door z'n spiegelbeeld wordt bedrogen en bij dit beeld, wanneer het dichter bij de spiegel komt zodat het kan worden aangeraakt, niet langer één is, maar uiteenvalt, 'een enorme fletse lichtkrans die in het licht verdwijnt'. Of neem Philippe in *Le Sursis*: 'hij ziet zichzelf in de spiegel, hij had voor eeuwig zo kunnen blijven zitten om naar zichzelf te kijken en naar deze muziek te luisteren... om tien uur zou hij opstaan, zou hij z'n spiegelbeeld met z'n handen vastpakken, zou hij het van de spiegel afrukken als een dode huid, als een witte vlek op een oog... spiegels die aan staar waren geopereerd...'. Spiegelstadium en het tegendeel ervan. Sartre met Lacan, of tegen Lacan. 'Ik ken hem niet zo goed,' antwoordt Sartre wanneer Contat en Rybalka hem na de verschijning van *L'Idiot* vragen naar zijn relatie met de auteur van *Écrits*; ik had hem niet in gedachten toen ik 'beschreef hoe Flaubert in elkaar zat'.[22] Maar dit weerhoudt hem er niet van hem te noemen wanneer hij een paar pagina's verderop in dezelfde tekst toegeeft, zij het wat raadselachtig, 'zich via secundaire literatuur sommige gedachten eigen te hebben gemaakt, zoals in het geval van Lacan',[23] of, al in 1969, tijdens het voorval van 'L'Homme au magnétophone' ('De man met de bandrecorder'), wanneer hij melding maakt van het gevoel van 'vervreemding' dat de analyticus ineens ervaart; of, nog drie jaar eerder,[24] wanneer hij wordt gedwongen duidelijker te zijn over zijn relatie met de Lacan van het bewustzijn 'als negatie van het denkpatroon van de ander', antwoordt hij dat 'Lacan inzicht heeft gegeven in het onbewuste als denkpatroon dat losstaat van taalsysteem of, zo men wil, als doelgericht geheel van een volstrekt andere orde dan het taalgebruik' en dat hij het met deze Lacan 'eens' is. Dat weerhoudt de auteur van *Écrits* er niet van opmerkelijk veel eer te bewijzen aan de filosoof die 'in een van de briljantste passages van *L'Être et le néant*' een theorie heeft gegeven van de blik als 'object kleine letter a'. Dat staat het eerbetoon niet in de weg: 'de blik, zoals door Sartre opgevat, is de blik die me verbaast – verbaast doordat hij wijziging brengt in ieder perspectief, in de krachtlijnen van mijn wereld, die hij, gezien vanuit het niets waar ik mij bevindt, arrangeert in een radiaal netwerk van organismen'. En even verderop: 'de blik zou op dat punt zo'n macht hebben dat hij mij, als ik kijk, ertoe brengt om van het oog van degene die me als object aanziet een blinde vlek te maken...'.[25] Eén ding staat vast: *La transcendance de l'Ego*, het boek waarin veertig jaar voor de 'Flaubert' het idee opduikt van een gebarsten, gespleten subject dat pas laat tot eenheid komt en dat zijn organisch karakter slechts te danken heeft aan een spiegeling in de blik van de ander, verschijnt in 1936, dus precies in het jaar waarin Lacan voor het eerst, op het congres in Marienbad, de theorie van het spiegelstadium op het congres uiteenzet. Een ander ding staat ook vast: in de eerste gepubliceerde versie van dit *Le stade du miroir*, uit 1949, na het XVIde Internationaal Psychoanalytisch Congres te Zürich, verwijst Lacan expliciet, ook al noemt hij Sartre niet bij naam, naar de 'hedendaagse filosofie van het zijn en het niet'.[26] Is dat wat Foucault wil zeggen in de beroemde tekst waarin hij de twee aanduidt als 'tijdgenoten die elkaar keer op keer aflossen'?

Juist, Foucault. Ja, Foucault, die de 'linkse en kromme denkwijzen' van Sartre met een 'filosofisch – en dat wil zeggen: voor een deel onhoorbaar – lachen' meende te kunnen afdoen [27] – terwijl Sartre, van zijn kant, niet achter wilde blijven en er nog een schepje bovenop deed en harder en, het moet gezegd worden, ook banaler hierop antwoordde door Foucaults denken aan de kaak te stellen als de 'laatste dam die de bourgeoisie nog tegen Marx kon opwerpen'.[28] Houdt Foucault niet een strikt sartriaans betoog wanneer hij het primaat van de historiciteit boven de essentie poneert, het primaat van de praktijk en de productie boven de substantie, of wanneer hij het subject opvat als wat 'zich op een gegeven moment in de tijd constitueert' en het resultaat is van allerlei 'processen, praktijken, protocollen, strategische opstellingen of gebeurtenissen'? Foucault, in een van zijn eerste teksten: ik wil het ik dat spreekt uiteen laten vallen, het laten versplinteren en verstrooien – dat is precies wat Sartre beoogt.[29] Foucault aan het einde van zijn leven: ik heb in feite niets anders gedaan dan 'een geschiedenis te geven van de verschillende wijzen van subjectvorming' en van de wijze waarop deze procédés de menselijke, 'daarvoor ontvankelijke wezens veranderen'[30] – is ook dat niet precies datgene wat Sartre heeft aangekondigd en wat hij grotendeels ook heeft gedaan? Sommigen hebben zich erover verbaasd dat Sartre en Foucault na mei 1968 dichter bij elkaar kwamen te staan en samen actie voerden. Maar dat was omdat ze al dicht bij elkaar stonden. Dat was altijd al het geval, alleen wist niemand het. Sartre wist dat trouwens – hij was van plan het laatste deel van *L'Idiot*, de analyse van *Madame Bovary*, te schrijven met gebruikmaking van de zogeheten structuralistische methoden en technieken. Foucault wist het ook – hij heeft zijn hele leven een uiterst ambivalente verhouding gehad met de schrijver van *Critique de la raison dialectique*. Soms deed hij alsof hij van deze verwantschap niets wilde weten – maar een beetje té bot en té kortaf om geloofwaardig te zijn, zoals op de dag van de begrafenis van de grote denker en schrijver, toen hij tegen Daniel Defert zei: 'Waarom zou ik erheen gaan? Ik ben hem niets verschuldigd!', waarna hij natuurlijk besloot wel te gaan en opging in de begrafenisstoet, en waarschijnlijk ontroerd was...[31] Op andere momenten prees hij hem en vooral in zijn laatste interviews zei hij wat hij aan de Sartre van *La transcendance de l'Ego* te danken had. Niemand heeft beter dan Foucault gewezen op de bijzondere spanning tussen, enerzijds, de authenticiteitmoraal van de laatste Sartre, de overeenstemming met het zelf die zij veronderstelt, en, anderzijds, de 'uitoefening van het zelf', die 'complex en veelvoudig' is en ons dwingt – aldus Foucault – 'ons op te richten, voort te brengen en in te richten als een kunstwerk'.[32]

En ten slotte is er nog Deleuze, die van alle moderne denkers het verst is gegaan in die poging het subject te ontmantelen door er, in het voetspoor van Fourier, een soort fictie, kunstgreep of allegorie van te maken – en die daardoor het verst verwijderd lijkt te zijn van Sartre, de minste verwantschap vertoont met diens preoccupaties en universum. Maar toch... Dat er een as Sartre-Deleuze is, een as die specifiek werd bepaald doordat ze beiden in de antihumanistische traditie stonden, dat weten we dankzij Michel Tournier, die in *Le Vent Paraclet* vertelt over de teleurstelling van de jonge Deleuze en van hemzelf toen ze in 1946 hun vereerde meester, de held van de filosoferende jeugd, *urbi et orbi* hoorden verkondigen dat het existentialisme een humanisme was en dat hij net opnieuw trouw had betoond aan de voorbije tijden van de filosofie van het subject, waar zij zich juist van hadden leren losmaken. Dat die as lang heeft geduurd, dat hij op z'n minst onder het mom van nostalgie, schuldgevoel, half uitgesproken erkenning op afstand werd onderhouden, weten we van Deleuze zelf, die in 1978 tegenover Claire Parnet verklaarde: 'gelukkig was er Sartre; Sartre was ons Buiten, hij was de tocht op de achterplaats; hij was uniek door wat hij in zich verenigde, hij gaf ons de kracht de nieuwe ordening te ondersteunen; Sartre is dat voortdurend geweest, niet een model, een methode of een voorbeeld, maar een frisse wind, een beetje tocht, zelfs wanneer hij in café de Flore kwam, een intellectueel die op unieke wijze verandering bracht in de situatie van de intellectueel'.[33] En ik kan me ook nog helder herinneren: iets eerder, in de periode waarin we elkaar nog zagen, Deleuze en ik; we dronken wat aan het einde van de middag; het appartement aan de rue de Bizerte, zo burgerlijk en toch zo in wanorde; z'n gezicht met toen al diepe groeven; z'n lok droog haar; z'n bijzonder mooie, wat ongeduldige handen met erg lange nagels, die hij nooit knipte; z'n plagerige en rauwe stem; en die niet te stillen nieuwsgierigheid naar die 'vreemde constructie' die ik bezig was in elkaar te zetten en die 'nieuwe filosofie' heette: 'zeg, eh... vertel me eens... kunnen die en die een beetje met elkaar opschieten? En met die? En met die dan? En dan het hoge woord: "die nieuwe filosofie", geloof je daar nu echt in? Zeg nou zelf, dat is toch te gek voor woorden... dat alles is voorbij... er is geen filosofie meer, die zal er nooit meer zijn... de laatste filosoof was Sartre en, weet je, aan hem hebben we alles te danken...'. Op alles bedacht, proef ik de provocatie. Maar tegelijkertijd... Is het niet inderdaad zo, dat het denken van Sartre al vooruitliep op de 'moleculaire' identiteiten, waar Deleuze zo gek op was, en die kunnen worden onderscheiden van de grote 'molaire' instellingen? Had Sartre niet al alles gezegd over de weigering de 'persoon' te zien – aldus Deleuze – als een allegorie of een fictie? En wanneer Deleuze stelt dat wat bestaat nooit 'het' bewustzijn is, maar brokstukken van bewustzijn, 'heccéités de conscience', borduurt hij dan niet voort op een eerdere gedachte van Sartre en, zoals hij het zelf ook zegt, op denkbeelden van Duns Scotus? Dat is geen vraag. Het is een gegeven. De twintigste eeuw was de eeuw van Deleuze alleen omdat het eerst de eeuw van Sartre was. Sartre stond daar alweer aan het begin van heel die moderne stroming van de ontmanteling van het subject en van de humanistische zekerheden.

De lijn Leibniz-Spinoza-Merleau-Deleuze tegen de as Descartes-Husserl-Levinas-Sartre

Maar tegelijkertijd neemt hij hier afstand van.

En dat is nu zo knap van hem, daarin ligt zijn grote kracht en, in mijn ogen, zijn enorme verdienste: hij haakt niet halverwege af, maar stopt bij de een na laatste etappe van dit parcours, en nadat hij al zo ver is meegegaan in de theoretische deconstructie van het subject, nadat hij al zoveel heeft geschreven over de noodzakelijke vernedering ervan, keert hij zich opnieuw tegen zichzelf en schorst hij het proces dat hij zelf had opgezet – alles wijst erop dat deze Sartre, die van alle moderne denkers degene is die het verst is gegaan in het verkennen van die onmenselijkheid die het werkelijke basisgegeven van het menselijke is, plotseling steigert wanneer hij de afgrond ziet en niet achteruit gaat, maar een stap opzij doet.

Opnieuw enkele voorbeelden.

Drie series voorbeelden – en teksten – die een van de beste commentatoren van zijn werk heeft gereleveerd en met elkaar in verband heeft gebracht.[34]

Wat verwijt hij Don Passos? En hoe komt het dat Sartre het verhaalmodel van Don Passos overneemt zonder ooit diens wereldbeeld en visie op het subject volledig te onderschrijven? Zijn personages zijn versteend, zegt hij, ze zitten vast in het geroezemoes van de grote stad. Zijn personages kletsen heel wat af en zijn tezelfdertijd stom. Het lijkt alsof ze praten, dat is waar. Maar zíj praten niet – 'men' praat in hun hoofd. Het is de 'menigte' die zich via hun mond uit. En wat je hoort via hun mond en in hun hoofd is het onophoudelijke, maar lege praten van het anonieme koor van de grote stad. Hij verwijt hem in werkelijkheid dat zijn onderwerpen te volmaakt sartriaans zijn. Hij verwijt hem, kortom, dat hij het proces tegen het humanisme tot het einde toe heeft doorgezet, in de geest waarin hij het zelf heeft opgezet. Hij verwijt hem dat de mensen zo perfect ontdaan zijn van hun menselijkheid dat wat hun rest slechts de schaduw van een zekere vrijheid is.

Faulkner? Ook hier zijn lege, bijna holle bewustzijnen van de mensen of de aarde. Zijn minuscuul kleine, bijna debiele zielen die vastgeketend zijn aan een uiterst vage en zeer oude noodlottigheid. Hij leest *As I lay dying* en *Absalom, Absalom!* Hij roemt ze, beroept zich erop, speelt ze uit tegen de romannetjes *à la française* (hartstocht, burgerlijk drama, innerlijk leven en zo), die hij de genadeloze oorlog heeft aangezegd. Maar hij laat geen gelegenheid voorbijgaan om te zeggen wat hem in die grote sombere romans toch vreemd is: die 'idiote' personages, die ondergaan in het gewoel, niet van de dingen, maar van de mensen; die grote beroeringen van de mens en de nacht waarin het subject verdwijnt; die vage en verschrikkelijke gebreken; die geheime maar wezenlijke barsten; die absolute antisubjecten; die subjecten die zo grondig met hun subjectivistische illusies hebben afgerekend dat er, eens te meer, geen sprankje hoop op vrijheid overblijft.

Ponge dan? Wat verwijt hij Ponge? En hoe komt het dat hij, ondanks een bijzonder sterke affiniteit, ten slotte ook van hem afstand neemt? Ook hier is het probleem de minerale droom van mensen en dingen die met elkaar versmelten. Het is de visie, die typisch Ponge is, van een mens die gevallen is in de wereld van de stenen en van wie een langzame maar onontkoombare verstening zich meester maakt. Hij verwijt Ponge, met Ponges eigen woorden, maar die de zijne zouden kunnen zijn, niet zozeer dat hij de kant van de dingen kiest, maar dat hij ze laat winnen, de poging tot moord op het gedicht door het ding, de overweldiging van de taal van de mensen door een oertaal die tegelijkertijd een 'oerstorm' is, en wel de storm van de dingen. Het hele 'geheim van het geluk', zo valt te lezen in *Le Parti pris des choses* (Nederlandse uitgave: *Namens de dingen*) zit in de 'weigering de overwoekering van de persoonlijkheid door de dingen als een kwaad te zien'. Geenszins, aldus Sartre. En ook deze keer maakt hij zich weer kwaad, komt hij in opstand – zie hoe hij vol angst terugdeinst voor de mogelijke gevolgen van de voorrang die ook hij aan de dingen heeft gegeven toen hij het subject zijn oude aanspraken op eenheid, stabiliteit en identiteit ontnam.

Wat verwijt hij hen alledrie? Waar en wanneer scheidt hij zich af van die drie grote namen, van de auteurs die hij bewonderde, maar die al heel gauw niet meer een echo van hemzelf waren? Het is die manier om het onmenselijke te laten zegevieren over het menselijke. Dat vervagen van de grens tussen de dingen en de woorden, de wereld en het bewustzijn. Want dát heeft Sartre niet gezegd! Dat heeft hij niet gewild! En het is allerminst daarom dat hij met Bergson heeft gebroken. Er is dus een Sartre, dezelfde Sartre, die zonder een woord terug te nemen van zijn aanval op het humanisme, zonder die verpulvering van het vorm-subject waartoe hij heeft bijgedragen ook maar enigszins te ontkennen of te betreuren, ten langen leste opkomt voor de aanspraken van een subjectiviteit, die weliswaar in puin ligt, weinig meer voorstelt en zo leeg aan zijn is als maar mogelijk is, maar die toch op de dingen gericht is en daar dus niet toe kan worden teruggebracht – altijd dat husserliaanse idee van intentionaliteit...

Er zijn, als we de draad weer oppakken, twee grote tradities.

De waterscheiding die tot Deleuze loopt, maar via Spinoza en Leibniz, en die in zekere zin samenvalt met Merleau-Ponty: een homogeen zijn, zegt men; een continue stroom zijnden die als een teleologie zintuigen krijgen die in het rijk der dieren ontstaan en in het mensdom tot volle ontplooiing komen; een soort keten, die van het eenvoudigste naar het meest ontwikkelde loopt, of in elk geval naar dat wat de meest uitgesproken geestelijke kenmerken bezit; en er is geen bijzondere status voor het subject; geen bijzonderheid ten opzichte van de andere zijnden; een subject dat smelt, oplost in de weke brij van de dingen... Leibniz in de *Monadologie*: de keten ontwikkelt zich in subtiele verfijning en gradaties zonder schokken of sprongen, het begint met de 'sluimertoestand van het plantaardige', het zet zich voort in het 'animale' en culmineert in het bewustzijn en het geheugen. Merleau: we moeten zelfs niet spreken over 'begint' of 'zet zich voort in', zo sterk lopen de zijnden door elkaar, zozeer hebben we van doen met overlappende zijnstoestanden, verstrengelde psyche en niet-psyche, subtiele lichamen en doorleefde bewustzijnen, wereld en geest die elkaar gebrutaliseerd hebben, steeds nieuwe compromissen tussen, enerzijds, een 'Ik denk' dat endemisch is in de wereld van het voor-menselijke en, anderzijds, een wereld waarin een soort mentale substantie huist die tastenderwijs en zonder vaste vorm denkt. En dan, aan het einde van de keten, de erfenis, van Leibniz en Merleau gelijkelijk, de immanentieniveaus van Deleuze, hun veralgemeniseerd mechanisme, die subtiele gedaanten van het verlangen, waarbij niet langer te zien is wat nog deel uitmaakt van het affect en wat in relatie staat tot de materie, die processen van vrouw worden, kind worden, dier worden, bloem worden, die Deleuze in zijn voorwoord bij *L'Après-mai des faunes* van Guy Hocquenghem het toppunt van verlangen noemde – die 'chaosmose', die 'ecosofie', waar heel de filosofie opeens op uitloopt. Ik denk? Nee. Er ís denken. Ik ben niet zozeer degene die het denken in gang zet als zijn stem. Eerder gevolg dan oorzaak. Wat geldt voor het verlangen gaat ook op voor het denken, niemand, en zeker ik niet, kan zeggen waar, wanneer, hoe of met wie het denken begint. Decentrering van bespiegelend vermogen. Die opgerekte rede, die de rede zelf moet verkennen, als blijvende taak, aldus Merleau, hij alweer. Dat lijf van het denken, dat vlees van het idee, dat is – nog steeds Merleau – het grote avontuur van het denken. En het subject voor die triade Leibniz-Merleau-Deleuze? Niks subject. Mythe, droom en representatie.

En er is een tweede waterscheiding. Hij loopt van Descartes naar Levinas en gaat via Husserl en het sartriaanse existentialisme, en de boodschap ervan luidt, bij Sartre: misschien is er inderdaad een keten; misschien is er in ieder subject die verleiding (dat risico? die lotsbestemming?) om ding te worden te midden van de dingen, als subject samen te smelten met de dingen; misschien, nee stellig, is die scheiding tussen dingen en subjecten, tussen de hel van de dieptepsychologie en die van de psychologie, niet zo gemakkelijk te maken; en we moeten in elk geval ophouden met Zijne Koninklijke Hoogheid het Ik van de filosofieën van de Mens en het Bewustzijn. Maar pas wel op! Let op de gevolgen van die verwarring als je hem op zijn beloop laat! Pas op dat we ons niet laten veranderen in versteende mensen, dat we bloem worden, fiets worden, et cetera. Ik, Sartre, zeg het duidelijk: hoe ondenkbaar het subject ook mag zijn, hoezeer het volgens mij overwonnen is door krachten die het versplinteren, toch moeten we er alles aan doen om de hypothese en de fictie ervan weer te herstellen! Het subject als hypothese. Het subject als veiligheidspal. Het subject als een draadje in een trui dat loslaat of als een onderbreking in de keten van zijnden van Leibniz en Merleau-Ponty. Extase van dit subject. Vereiste extase en eminentie. Doen alsof – inderdaad: alsof! – het mogelijk zou zijn om uit dit vat, waarin, zoals het drietal stelt, gedachten zonder bewustzijn en slecht ontloken bewustzijn samen ontspruiten, een subject te laten ontstaan. Gokken (ja, gokken: het subject is niet langer een wezen, het is een gok) op een dialectiek van het verlangen, die, net als bij Hegel, ons losrukt uit de sluimertoestand van het rijk der dieren en dingen om, beetje bij beetje, de Geest te doen ontstaan. Er is de Hegel, van wie Merleau zei dat hij 'aan het begin stond van alles van belang dat de filosofie sinds een eeuw heeft voortgebracht' en, meer in het bijzonder, het in gevaar brengen van de dualiteit object-subject. Maar er is ook de Hegel op wie Sartre zich zal beroepen en die, ondanks de voortdurende beweging die de dingen in bewustzijn en het bewustzijn in dingen verandert, toch weer een bijzondere status toekent aan de Geest en via de Geest aan iets wat meer weg heeft van een bewustzijn dan van een ding. Er is denken, zouden de leibnizianen-deleuzisten-merleaupontyisten zeggen: en ik beluister in dit 'er is' (het 'es gibt' van Heidegger) het grote anonieme gemompel van het woord dat ding is geworden, de triomf van het 'men' van de niet-persoon of, waarom ook niet, de mening van de goegemeente, dat 'reptielenbewustzijn', dat 'rudimentaire bewustzijn' waarover de gesprekspartner van Malraux het heeft in *Lazare*. Er is denken, echoot de sartriaan: maar in het 'er is' legt hij de nadruk op het 'er'; hij springt boven op het 'er'; komt er met een schok op terecht; hij geeft het 'er is' nieuwe inhoud; geeft het z'n verloren kracht terug, z'n vermogen om plotseling op te duiken, z'n geweld; hij zegt 'er is' en dan is er ineens, ja het duikt op, het woord, z'n ongepastheid, z'n gebeurtenis – dan verschijnt de nederige glans van een subjectiviteit die zich losmaakt van de wereld van bloed, zweet en tranen, zich ontworstelt aan de gangbare mening, de woorden van de anderen en de afgezaagde cultuur, om eindelijk heuse denklijnen te laten ontspruiten, invallen, flitsen, een licht dat krachtiger is dan de nacht, een dwalend en zwervend, maar authentiek en risicovol spreken.

Sartre en Merleau dus.

Om het eenvoudiger te maken zouden we kunnen zeggen: Sartre versus Merleau, en omgekeerd.

Er is een deel in mij dat alleen maar begrip kan opbrengen voor Merleau (dus Deleuze) wanneer hij het opzwellen van dit pathetische, zich tegen de wereld opheffende subject beschouwt als de bron van een groot gevaar. Schuilt, zegt hij, de werkelijke bron van het totalitarisme niet in het ultieme subjectivisme? Ligt de grote, de allereerste fout niet in de deling van de wereld in een 'op-zich' en een 'voor-zich', waarbij het 'voor-zich' alle macht krijgt over een 'op-zich', dat er nu uitziet als materie, maar morgen, met dezelfde gevolgen, eruit kan zien als wat dan ook, en dus kan lijken op andere 'voor-zich'-en of andere bewustzijnen, als ze er al uit kunnen zien als iets anders? Ligt in die ultieme waanzin van het cogito, in die confrontatie van een soeverein geworden bewustzijn met een door die soevereiniteit zelf amorf geworden wereld, in die radicale scheiding tussen twee orden die elkaar alleen kunnen raken via een schok of een ramp, niet de oorzaak van de verleiding tot fanatisme, intolerantie en het verabsoluteren van de Partij? Kortom, zou Sartre daarmee niet de richting hebben aangegeven van zijn latere totalitarisme?

Erger: dat deel van me moet dezelfde Merleau (en dus dezelfde Deleuze) alle eer toekennen voor dit complexe, uitgesponnen en moderne denken – het moet zich wel aan hun kant scharen wanneer zij stellen: waar slaat deze laatste redding van het subject op? Wat is de zin van die onzinnige confrontatie met de dingen? Is er dan geen tussenwereld? Geen symbolisch midden in de geschiedenis? Is de wereld zo'n starre ruimte zonder crossing-overs of overgangen tussen het rijk van het op-zich en dat van het voor-zich? Is dat geen verschrikkelijk simpele, naïeve zienswijze? Wordt er zo niet voorbijgegaan aan dat ene ding dat telt, het lichamelijke van de wereld, half op-zich, half voor-zich, dat het werkelijk reële is waarmee wij allen te maken hebben? Wordt deze 'derde orde' zo niet buitengesloten, de orde die noch die van de dingen noch die van de geesten is maar van wat daartussen ligt, van het grensgebied waar de 'filosofieën van het binnen en het buiten' geen grip op kunnen krijgen, omdat 'het binnen buiten wordt' en omgekeerd, in een open relatie, 'zonder concessie', tussen de orden die de sartriaan gescheiden wil houden?[35] Kortom, is het niet Merleau die het vruchtbaarste perspectief opent wanneer hij bijvoorbeeld het mysterie van de geschiedenis vergelijkt met dat van de incarnatie (een geschiedenis, waarin het subject des te meer op z'n gemak is omdat het altijd al vorm heeft gekregen in een reeds bestaande subjectiviteit, die zich bij wijze van spreken daarin heeft vastgezet) of wanneer hij zegt dat er een weten van het lichaam is en binnen dat weten, als specialisaties, een weten van het oog, de hand, de huid, van elk orgaan of elk deel van een orgaan (het ding is een correlaat van het lichaam, zoals hij zegt; van de geest maar ook van het lichaam; en je kunt er niet omheen dat deze eenvoudige these een heel vernieuwende bijdrage is aan de traditionele subjectfilosofie) of wanneer hij ten slotte stelt (hoe raak!) 'ieder ons bekend denken voltrekt zich in een lichaam'?

Maar er is een ander deel in mij dat helemaal niets moet hebben van dat idee van een eenduidig wezen, zonder verschil of transcendentie, waarin mensen, planten, dingen en dieren op één niveau worden geplaatst – dat 'niveau' waarop er slechts een gekrioel van 'plooien', gelijkwaardige zelfstandigheden (singulariteiten), verspreide en zuivere 'dit-heden' (haecceïteiten) is. Is dat nu echt vooruitgang, die visie van een wereld waarin psychologie opgaat in fysiologie en de moraal een variant wordt van aloude mechanistische denkpatronen? Sympathiek hoor, deze filosofie die ons rustig vertelt dat de wederwaardigheden van een op de loer liggende teek even betekenisvol en belangrijk zijn als het lijden van een Kosovaar of Tsjetsjeen. Wat dat betreft ben ik sinds *La Barbarie à visage humain* niet van mening veranderd. Ik blijf vol afschuw over alle vormen, hoe uitgesponnen ook, van naturalisme en vitalisme.

Dit tweede deel van mij kan de aanvechting niet weerstaan van dit proces van Merleau tegen Sartre inzake totalitarisme een kruisverhoor te maken en de mannen van rol te laten verwisselen: verheerlijkt het eerste totalitarisme niet, zoals Levinas zei, het feilloze, volle Wezen, dat vervuld is van zichzelf? Is er geen ontologisch totalitarisme dat aan alle andere totalitarismen voorafgaat, het totalitarisme van het donkere 'er is', de onpersoonlijke logos en z'n ruisende, allesomvattende stilte? En is het niet bij uitstek een antitotalitair gebaar, wanneer je een subject plaatst tegenover dit Wezen, inzet op z'n breidelloosheid, en je je voorstelt dat het de bron kan zijn van een spreken dat met hem aanvangt en eindigt? Sartre of de hypothese van het subject. Sartre of, ondanks alles, het primaat van de 'geest', of het bewustzijn boven alle dingen. 'Wat is een ding?', vraagt hij zich af. Het is achterlopen op het bewustzijn. Wat betekent bestaan voor dat ding? Het betekent de status hebben van object van bewustzijn of kennis. En subject zijn, wat houdt dat dan in? Dat houdt in: je ergens van bewust worden, er kennis van nemen – zonder ooit samen te vallen met het ding dat wordt gekend of waargenomen. Iedereen mag hiervan zeggen wat hij wil. Aan het einde van een tijdperk waarin men maar al te graag lichamen als dingen heeft behandeld, terugkijkend op de eeuw van Auschwitz en de Goelag, de eeuw waarin mensen tot nul werden gereduceerd of tot afbraakproducten, mag deze boodschap wel worden aangehoord.

Kortom, er is een tweede deel in mij – eigenlijk het meest wezenlijke deel –

dat zou willen zien dat Sartre erkenning kreeg voor zijn dubbele verdienste voor de moderniteit en de moraal: een onderneming die als geen andere de filosofie minder naïef heeft gemaakt, een verbluffend vooruitlopen op de vruchtbaarste ideeën van het structuralisme en de menswetenschappen, de eerste en niet de minste deconstructie van het humanisme in het verlengde van Heidegger (tot en met de 'dood van de mens' of zijn aanstaande 'verdwijning', waarop hij ook, veel eerder dan Foucault, bleef terugkomen, alleen al in zijn teksten over Mallarmé);[36] en vervolgens, alsof hij in die tijd, dus sinds de jaren dertig en de tekst over intentionaliteit, waarin alles al zit, begrepen had hoe smeerlappen gebruik zouden kunnen maken van een wereld waarin werd verkondigd dat de mens echt dood was, zijn inzetten op een 'subject' dat, nu het niet langer een 'zijnde' is, alleen nog de uitweg heeft een idee te zijn – maar dat is al heel wat: een idee! Dat is een principe! Dat is een ethische regel! Dat is de mogelijke basis voor rechten! Dat zorgt ervoor dat een mens, zelfs wanneer hij niet langer het beeld van de Mens is, aanspraak kan maken op rechten van de mens! Het vraagstuk van de eeuw. De verdienste van een filosofie die, ik zeg het nog maar eens, zowel de intelligentie als de deugd bestrijkt. Hoe kun je voorkomen dat na de dood van de mens de rechten van de mens de dode rechten van een dode mens worden? En daar is hij dan – Sartre. De oude Sartre. We lezen hem niet meer. Maar louter dankzij het idee van 'intentionaliteit' en zijn husserliaanse verwondering had hij al lang geleden ons vraagstuk opgelost.

2

Wat is een monster?
(Biografische kruimels)

AUTOBIOGRAFIE. Steeds weer die vraag: waarom heeft Sartre zijn Moraal niet geschreven? Waarom heeft hij het voortdurend over die 'grote moraal', die aan het einde van *L'Être et le néant* wordt aangekondigd, en heeft hij alleen zijn 'aantekeningen' geproduceerd? Niet minder interessant is die andere vraag, hoewel die bijna nooit wordt gesteld: waarom heeft Sartre, met uitzondering van *Les Mots*, dat ophoudt als hij twaalf jaar oud is, dat wil zeggen bij die belangrijke gebeurtenis van het tweede huwelijk van zijn moeder, geen echte 'Memoires' nagelaten? Hiervoor bestaat een biografische verklaring: de gebeurtenis, inderdaad; de niet in woorden uit te drukken klap van dit tweede huwelijk voor het koningskind dat zich had voorgenomen met zijn lieve mama te trouwen wanneer het groot zou zijn;[1] en het feit dat deze pijn waarschijnlijk het niet in woorden uit te drukken deel van zijn leven zou zijn – waaraan weliswaar wordt gerefereerd, maar slechts terloops, via de hallucinerende verwantschap met Baudelaire, en die verder wordt verzwegen, stelselmatig wordt weggemoffeld en daardoor een biografische onderneming doet stranden, want omdat de episode niet voorgesteld of overbrugd kan worden blijft ze voor altijd steken op de drempel van dat twaalfde jaar. Maar er is een andere verklaring, die uiteraard niet losstaat van de eerste: om over jezelf te schrijven, heb je een 'zelf' nodig; om je memoires op te schrijven, heb je een geheugen nodig dat werkt en dat zichzelf ensceneert of ter discussie stelt; welnu, Sartre heeft geen geheugen; hij heeft minder herinneringen dan een twaalfjarige; zo zit hij in elkaar, zo heeft hij *zichzelf* gemaakt, het 'ik' dat hij 'is' is zodanig geprogrammeerd, door zijn familieroman en al het andere, dat het idee om zijn leven te vertellen, alle gebeurtenissen ervan te beschrijven, eenvoudigweg geen betekenis heeft. Wiens leven? Dat van mij? Maar wie is die mij? Waaraan ontleent hij zijn identiteit? En vooral welke samenhang is er tussen het ik dat zou vertellen en het ik over wie wordt verteld? Zeker, hij schrijft *Les Mots*. Via zijn voorwoord bij *Aden Arabie*, zijn *Merleau-Ponty vivant* of die ontelbare interviews geeft hij stukken van die onmogelijke autobiografie. Maar het grote verhaal, waarin dat bestaan volledig wordt beschreven, zijn *Confessiones*, zijn *L'Age d'homme* – dat op te schrijven, dat staan zijn neurose én zijn systeem hem niet toe.

INTROSPECTIE. Sartre, dus, is de auteur van *Les Mots*. En vóór *Les Mots* was hij al de auteur van *Les Carnets de la drôle de guerre*. Maar inderdaad *Les Carnets*: 'ik heb meer dan vijftien jaar niet geobserveerd hoe ik leefde', ik 'was absoluut niet geïnteresseerd' en 'ik geloof niet dat je er iets aan hebt jezelf en je hele leven uit te pluizen'. En, even verderop, terwijl hij opmerkt dat hij blijkbaar toch is veranderd en dat hij door de oorlog terug begint te komen op zijn uitgangspunten: 'Na de oorlog zal ik dit dagboek niet meer bijhouden of, als ik dat wel doe, zal ik het niet meer over mezelf hebben. Ik wil niet tot het eind van mijn dagen door mezelf worden geobserveerd.'[2] En nog later, veel later, als hij volop bezig is met het schrijven van *L'Idiot*, stuit hij op die zin van Flaubert, die hem in vervoering brengt en nog eens een rechtvaardiging lijkt te zijn voor zijn voornemen om niet over zichzelf te schrijven: 'u bent ongetwijfeld net als ik, u hebt allen diezelfde verschrikkelijke en vervelende diepte'.[3] Een belofte waaraan hij zich nagenoeg heeft gehouden. Afgezien, nogmaals, van *Les Mots* – maar we zullen zien hoe, waarom en in welke context – zal Sartre zich niet nog eens wagen aan introspectieve diepten. Ken u zelve, verkondigde het humanisme in de trant van Henri-Frédéric Amiel. Ken u zelve niet, is het antwoord hierop van het sartriaanse humanisme. Waarom zou je jezelf kennen, waarom zou je je uitputten in introspectie die nergens toe leidt, want het innerlijk is immers een lege plek, een zijn van de rede, een zuchtje wind, een stroom? Het Mij is niet om te haten, het is niets. Het is niet hol, het heeft geen dichtheid. Geen enkele noodzaak om daar gewichtig, tragisch, vol wrok of pascaliaans over te doen in een poging om te fulmineren tegen de horror van het mij, van de leegte. We kunnen ermee volstaan op te merken dat we, letterlijk, niets kunnen leren als we het observeren. Dat is wat Nietzsche stelt wanneer hij het heeft over het 'liquideren van het beest in ons'. Dat is de stellingname van Lawrence wanneer hij zich, vóór Malraux, kwaad maakt over het 'kleine smerige geheim'. En het is eigenlijk het tegenovergestelde van de leer van Freud, die over het 'onbewuste' praat als over een van de zwarte gaten wier bestaan en uitzonderlijke dichtheid in die tijd door de astronomie zijn ontdekt. Nietzsche (en Lawrence) tegenover Freud. Sartre is met Nietzsche (en Lawrence) een van die denkers die zich met veel moed hebben verweerd tegen de 'personologische' verleiding. Denken versus psychologie. De voorliefde voor het denken tegenover de eigenliefde en zijn wederwaardigheden. Wat mij slechts interesseert – Sartre zal hier altijd aan vast blijven houden – is dat wat boven mij uitstijgt, mij te buiten gaat en met de wereld te maken heeft. Het enige waaraan in een geest vast kan worden gehouden is het vermogen om te breken met de verankering in de 'Ik-cratie' (Lacan), in het 'oude en vermaarde Ik' (Nietzsche, nogmaals).

TRANSPARANTIE. Er is niets te verbergen, zegt Sartre. Niets om in het geheugen op te slaan, dus ook niets te verbergen. Geen innerlijkheid, dus ook geen geheimen meer. Geen subjectiviteit, geen plooi en ook geen schuilhoek van het bewustzijn – dus ook geen noodzaak om dat donkere deel of die intimiteit te beschermen. Dat is de grens – maar tegelijkertijd de consequentie – van het sartriaans antihumanisme. Het is precies dat aspect in het voor de rest zo vruchtbare antihumanisme, dat me altijd heeft afgeschrikt. Tegen Bianca Lamblin, die bij hun eerste afspraakje, zoals bekend, het gordijn in de slaapkamer waar hij haar naartoe had meegenomen dicht wilde doen: 'wat wij te doen hebben moet in het volle licht plaatsvinden'. Demon van de oprechtheid. Roes van de helderheid. Alles zien. Alles tonen. En terwijl hij de niet-relaties tussen niet-subjecten regelt, is er het gebod om alles te laten zien, dat met alle gevaren van dien herinneringen oproept aan Foucaults grote panoptische constructies. Het is de sartriaanse variant van de wil tot puurheid. Het is het raakpunt tussen de vroege Sartre en de latere Sartre die gevallen is voor totalitaire verleidingen. Het zal voeding geven aan een van zijn meest dodelijke fantasieën. Maar zover zijn we nog niet. Er is een hele geschiedenis van de wil tot transparantie, die door het leven, door het werk van Sartre loopt. Er is een Sartre voor wie die wil absoluut is, een gebod zonder beperkingen en dus een politiek gebod. Maar voor de vroege Sartre, voor Sartre de kunstenaar, de nietzscheaan, de rebel, voor die jonge Sartre en zijn aristocratische moraal, geldt transparantie, net als de rest, alleen voor gelijken – kortom, voor Simone de Beauvoir en hem, of tussen hem en een paar intimi. Wat de rest betreft, de anderen, al die mannen en vrouwen die hij tegenkomt en die getuige zijn van hun beider leven, min of meer dociele objecten van hun beider verlangen, minnaars en minnaressen voor onderweg, vrienden en kameraden voor een dag, zij mogen worden aangesproken, net als zigeuners, in de taal van de vijand: alles zeggen? echt alles? kom op, zeg! Sartre heeft zijn leven lang, net als iedereen, gelogen, tegen zichzelf gelogen, de een bedrogen, met de ander tijd uitgespaard, of anders hen beurtelings in een schemerzone gezet, en zodoende een driedubbel, vierdubbel, vijfdubbel leven geleid met strikt gescheiden compartimenten: vrouwen die in de schaduw bleven of voor het voetlicht traden, toevallig of noodzakelijk – wat een bekentenis!

PSYCHOANALYSE. Wantrouwen uiteraard, bij voorbaat al. Weerstand. In de eerste plaats om privé-redenen: zie hier een man die zijn autobiografie laat ophouden als hij twaalf jaar oud is, omdat dat de leeftijd is waarop hij van zijn moeder hoort dat er een andere man is, en dat ze van deze man houdt, de man die hij uiteindelijk 'oom' zal noemen – hoe zou zo iemand een eenvoudige verhouding tot de psychoanalyse kunnen hebben? Maar er zijn ook (vooral?) theoretische redenen: zie hier een filosoof die inzet op de transcendentie van het ego, dat een existentie heeft, uiteindelijk opborrelt uit de misselijkmakende moerassen van het op-zich en een ultieme waardigheid bezit – hoe zou hij zich niet ongemakkelijk kunnen voelen bij een leer die meer wil dan ons in de diepten van de personologie gooien, die net als iedere andere leer meer wil dan alleen geobsedeerd zijn met tig geheimen en manieren om deze bloot te leggen, en ook nog eens een pleidooi houdt voor de immanentie van dit ego, dat ondergedompeld is in een oceaan van driften die het stuurt zonder dat het er erg in heeft? O, de verschrikking van die donkere, reptielachtige en ondoordringbare geest waarin allerlei fantasieën en humeuren door elkaar krioelen! O, die verwarde gezichten, die onverklaarbare groeven, netwerken van kommer en zorgen, krotten van de geest, vileine vervoering, alles wat de vroege sartriaanse filosofie meende de baas te kunnen worden langs de wegen der vrijheid en waar het freudiaanse denken hem de verschrikkelijke werkelijkheid van onder ogen laat zien. Ik stel me Sartre voor in die jaren. Ik stel me hem voor in café de Flore, lezend zoals hij las, dat wil zeggen de verhandelingen die Pontalis hem heeft gegeven doorbladerend. Hij mag dan wel snel lezen. Hij heeft, net als alle andere strijdlustige filosofen, een feilloze sensor op het uiteinde van zijn filosofisch geweer, dat hem onmiddellijk doorgeeft wanneer de dodelijke vijand in zicht is. Kom nou, Pontalis, maar zeg me eens... Dat hele onbewuste... Die manier om ons te zeggen dat we geregeerd worden, onderworpen zijn, afhankelijk van dit, gevangenen van dat... Die Freud van jullie, dat is geen filosoof, dat is een juut... Zelfs geen juut, een strafbataljon... We moeten kiezen, beste vriend... Hij of wij... Zijn moraal of die van ons... Het ene verhaal of het andere... De ene toko tegen de andere... Als hij gelijk heeft, zit ik ernaast; als ik gelijk heb, zit hij ernaast... Ik verklaar hem dus een oorlog, op leven en dood...

En vanaf dat moment absolute uitspraken: 'ik geloof niet in het onbewuste'.[4] Onnozele opmerkingen, doordat ze zo categorisch zijn: mijn vader stierf toen hij nog jong was, waardoor hij me de kans heeft gegeven hem voor altijd te zien als 'die vroeg gestorven man die niet de tijd heeft gehad mijn vader te worden en die nu mijn zoon had kunnen zijn', deze vervroegde uittreding heeft me begiftigd met een 'tamelijk onvolledig Oedipuscomplex', waardoor ik, zoals een 'vooraanstaand psychoanalyticus' het noemde, in de bijzondere omstandigheid verkeer geen Boven-Ik te hebben.[5] Oordelen als kanonschoten, waarvan je, omdat ze zo absoluut zijn, niet weet of je erom moet lachen, je erover moet opwinden of je er ongerust over moet maken. Maar misschien moet je ze helemaal niet als oordelen zien, maar als symptomen: 'de psychoanalyse heeft geen principes, ze heeft geen theoretische basis; ze gaat hooguit gepaard – bij Jung en in een aantal werken van Freud – met een volstrekt onschuldige mythologie'.[6] Het verhaal ook van 'L'Homme aux magnétophone', de man met de bandrecorder. Het al eerder genoemde voorval van die patiënt, die tegen de afspraken in een bandrecorder meeneemt naar de behandelkamer van zijn analyticus om diens nepwetenschap, machtswellust en laag-bij-de-grondse drang om te snuffelen te ontmaskeren. En het vileine genoegen van Sartre om, tegen de adviezen van Pingaud en Pontalis in, de transcriptie van de daaropvolgende woordenwisseling in *Les Temps modernes* te publiceren, om mee te werken aan deze vorm van afreageren, die hij in zijn enthousiasme ronduit geniaal durft te noemen. De man met de bandrecorder, Jean-Pierre Abrahams: 'u kunt mensen niet genezen, u kunt ze alleen maar opzadelen met uw vaderprobleem, waar u niet van afkomt, en consult op consult laat u uw slachtoffers zo bungelen, met uw vaderprobleem'. En de radeloze arts X, die, geen argumenten meer kan verzinnen en niet meer weet hoe hij zijn verloren autoriteit kan herwinnen: 'ik bel 609 om u weg te laten halen, 609, de politie, hoort u'. De man met de bandrecorder: 'de politie? Papa? Dat is het! Pappie is politieagent! En u gaat pappie bellen om me op te laten halen...!' Sartre mag dan wel zeggen dat het alleen maar lijkt alsof hij het freudiaanse denken niet welgezind is en dat hij eigenlijk ver kan meegaan.[7] Hij kan zich dan wel voordoen als een schelm als hij schrijft: 'ik heb geen enkele lust – en ook geen enkel middel trouwens – om de psychoanalyse belachelijk te maken, ik leg slechts een document voor, een eenvoudig, ongepolijst document, een heilzaam en onschuldig schandaal'. Dat neemt niet weg dat hij wel degelijk meewerkt aan een daad – de eerste in z'n soort – van antifreudiaans terrorisme. Dat neemt niet weg dat hij wel degelijk partij kiest voor het standpunt van 'de man met de bandrecorder', die hij 'subject' noemt, 'in de betekenis – *sic* – die Marx gebruikt als hij het proletariaat subject van de geschiedenis noemt': geweld van de psychoanalytische relatie... feodale verhouding tussen analyticus en analysant... afmatting... wekelijks of tweewekelijks afzien... ondraaglijke afhankelijkheid... en nu dan bevrijding... hier is niet Abrahams aan het woord, maar Sartre in zijn enthousiaste, gepassioneerde presentatie van deze 'psychoanalytische dialoog'. Wat overblijft is de achterbakse of woeste, in elk geval onophoudelijke guerrilla, waar dit voorval een wel bijzonder spectaculair voorbeeld van is, maar die in de loop der jaren, bijvoorbeeld ten tijde van de opkomst van de Engelse antipsychiatrie van Laing en Cooper, op duizenden andere gebieden zou worden gevoerd. Wat overblijft ten slotte is de krankzinnige, maar als zodanig geformuleerde ambitie – die belangrijk genoeg werd gevonden om er het laatste deel van *L'Être et le néant* mee te vullen – om die empirische psychoanalyse te vervangen door een heel nieuw soort psychoanalyse, waarin hij de plaats van Freud zou innemen, waarin de gevalsbeschrijvingen van Genet en Flaubert die van Dora en Schreber zouden vervangen en waarvan de uitgangspunten stuk voor stuk haaks zouden staan op die van de autoritaire, verfoeide, iedere basis ontberende psychoanalyse: rechts van mij (freudiaanse psychoanalyse) het onbewuste, het Oedipuscomplex, de afschrikwekkende libido, het overgeleverd zijn aan een wirwar van oorzaken, de ondoorzichtigheid van het zelf ten opzichte van het zelf, de ketening van het subject aan duistere krachten, de wet van het verleden, de onderworpenheid aan het gegeven, misschien wel de onderworpenheid als zodanig; links van mij (sartriaanse psychoanalyse) de droom van transparantie, het fundamentele project en de keuze, de helderheid en de kwade trouw, de niet te beteugelen vrijheid van het subject, het vis-à-vis van de analyticus en de analysant, misschien wel het einde van de divan, een andere psychoanalyse dus, helder, transparant, een vrolijk geroezemoes, gaat het een beetje, mama?

En tegelijkertijd is het niet zo simpel.

Want aan dit idiote project, aan die manier om ons te zeggen: 'ik spreek hier, dokter Sartre...', kunnen we twee heel verschillende betekenissen toekennen.

Je kunt aan de ene kant zeggen: wat een misverstand, wat een armoe! Dat moeizaam in elkaar knutselen van die existentiële psychoanalyse tegenover het door Freud ontsloten nieuwe wetenschapsgebied, is dat eigenlijk wel serieus? Stelt het wel wat voor? Is het idee dat we door het freudiaanse onbewuste onderworpen zouden zijn aan een of ander duister, instinctmatig of zelfs dierlijk deel in de mens niet volstrekt absurd? Gaat dat niet in tegen alles wat ook maar enigszins serieuze lezingen van Freud, te beginnen met die van Lacan, ons geleerd hebben over een praktijk die in eerste instantie te maken heeft met onze geesteswereld, en in feite met onze hele cultuur? En had iemand als Thomas Mann[8] het dertig of veertig jaar eerder, tijdens de opkomst van het nazisme, niet oneindig veel scherper gezien toen hij de schitterende helderheid van Freuds leer plaatste tegenover de golf van obscurantisme die Duitsland en Europa begon te overspoelen? Heeft Sartre op deze manier dé belangrijke ontwikkeling van de twintigste eeuw gemist? Heeft hij zich niet afgesloten voor een heel tijdperk dat, terwijl hij vertelde dat het subject niets was, slechts een stroom, of een woord, en dat het onbewuste op zijn beurt een vormeloze, vaag primitieve en smerige slangenkuil was waarin hij niet 'geloofde', de werking van het libido en de doorwerking daarvan op de taal begon te doorgronden en daarbij belangrijke theoretische vooruitgang boekte? En is dat niet, veel meer dan zijn aanvallen op Foucault, of het structuralistische marxisme, of de semiologie, of Lévi-Strauss, de werkelijke reden van zijn tanende diep bedroevend sinds de jaren zestig? En ten slotte, mag het eigenlijk wel? Is het niet diep bedroevend om, onder het mom dat het niet in zijn vrijheidstheorie valt in te passen, dat monument, dat het freudiaanse erfgoed is, zo achteloos aan te vallen? En is het niet ronduit belachelijk dat een schrijver die de familieroman van zijn eigen leven niet uit de pen kan krijgen en van zijn persoonlijke nood een filosofische deugd maakt, in de tweede helft van de twintigste eeuw durft te schrijven: 'te midden van die Aeneassen die hun Anchises op hun rug dragen, ga ik van de ene oever naar de andere, alleen, en ik veracht die onzichtbare verwekkers die hun hele leven hun zoon op de nek zitten' of die later, in de hoogtijdagen van het lacanisme, en, nadat hij er niet in is geslaagd Huston te interesseren voor zijn *Scénario Freud*, uiteindelijk

– en op welke toon! – de handdoek in de ring gooit: ik was niet in staat, 'ik, als Fransman, staand in de zuiver cartesiaanse traditie, en doordrenkt van rationalisme', om 'Freud te begrijpen'?[9] Sartre en zijn vrijheid... Sartre en zijn filosofie van het subject... Want hij zegt ons ronduit: 'kijk, het is heel simpel! ik wilde vrij zijn! en toen waren er ineens die freudiaanse schoolmeesters, die boemannen, die droogkloten...'?

Maar je kunt het ook anders zien. In de eerste plaats kun je onder de indruk zijn van het portret van Freud zoals dat naar voren komt uit het beroemde *Le Scénario Freud*[10]: de jonge rebel die opstaat tegen zijn leermeesters, onzeker is en worstelt. De werkelijke tekortkoming van dit script naar de biografie van Ernest Jones was niet dat het slecht zou zijn of ontrouw aan het freudiaanse gedachtegoed, maar simpelweg dat het een film van vijf uur zou opleveren. In de tweede plaats kun je opmerken dat Sartres standpunt ten opzichte van het freudisme in de loop der jaren is veranderd: 'het staat buiten kijf', schrijft hij zelf, dat hij 'in zijn jeugd een diepe afkeer van de psychoanalyse had'; en hij benadrukt dat die afkeer samenviel met zijn 'blinde onwetendheid van de klassenstrijd', van het 'dialectisch materialisme' en het marxisme; door de manier en de toon waarop hij het zegt, roept hij dat verre verleden op waarin de idee van een 'onbewuste' hem als 'Fransman' staand in de zuiver 'cartesiaanse traditie en doordrenkt van rationalisme' hem wel moest choqueren, en daarmee geeft hij indirect aan dat die tijd voorbij is en een tweede tijdperk is aangebroken, dat van de existentiële psychoanalyse. In de derde plaats kun je constateren dat die existentiële psychoanalyse, in veel mindere mate dan Sartre beweert, de theoretische vooronderstellingen van de zogeheten 'empirische' psychoanalyse, dat wil zeggen die van Freud, tot een achterhaalde zaak maakt: zo stemt Sartre in met het belang dat wordt toegekend aan de kindertijd voor het africhten van het beest dat mens heet. In *L'Enfance d'un chef*, in de beschrijving van het fascistisch-worden van de zoon uit een gezin in de jaren dertig, is hij niet ver af van een orthodoxe analyse in termen van identificatie, internalisering, projectie. Wanneer hij schrijft dat 'nu alleen de psychoanalyse ons in staat stelt diepgaand te onderzoeken hoe een kind, in het donker, op de tast, zonder het te begrijpen, de rol van sociaal persoon probeert aan te nemen die zijn ouders hem opleggen', wanneer hij herhaalt dat alleen de psychoanalyse 'ons laat zien of het kind het benauwd krijgt in zijn rol, of dat het probeert eraan te ontsnappen dan wel dat het zich volledig aanpast', wanneer hij ten slotte voor de psychoanalyse een taak ziet om onderzoek te doen naar 'de cruciale gebeurtenis in de kindertijd en de psychische kristallisatie rond deze gebeurtenis',[11] denkt hij daarbij zonder meer aan 'zijn' psychoanalyse, maar een freudiaan zou op deze formuleringen weinig afdingen; en wat betreft zijn analyses van de kwade trouw, van de beschrijving van de jonge vrouw die doet alsof ze vergeten is dat ze de hand van haar aanbidder vasthoudt, in welk opzicht gaan die in tegen de freudiaanse opvattingen over het vals bewustzijn of het onbewuste (waar hij uiteindelijk toch het belang van is gaan inzien, zoals in zijn voordracht in Le Havre over de oorsprong van de innerlijke monoloog: 'het onbewuste, een wereld die we niet kennen, niet verkend hebben, een grote golf waar het bewustzijn slechts het schuim van is...')?[12] En vervolgens, in de vierde plaats en tot slot, zou je vooral kunnen denken dat de auteur van *La transcendance de l'Ego*, de opperfenomenoloog die zozeer gehecht is aan de idee van een ego dat een zuivere activiteit zou zijn, de antihumanist die vastbesloten is om overal (tot Husserl aan toe – en waarom dan ook niet bij Freud?) te jagen op de sporen van mechanicisme, biologisme, kortom van substantialisme, die het moderne denken aantasten en bewijzen hoezeer het geworteld is in het denken van het einde van de negentiende eeuw, en zou je kunnen denken dat deze man juist bezig is met het omgekeerde, met het wegwerken van de sporen van personologisch denken die zijn blijven voortbestaan in het oorspronkelijke freudiaanse denken of wat de volgelingen ervan meenden te kunnen maken: wat anders zegt hij wanneer hij het psychobiologisch gebruik van het begrip libido ter discussie stelt?[13] of het begrip complex?[14] of de te concrete, bijna te gematerialiseerde voorstellingen van de dubbele topiek van Freud? Wat anders doet hij wanneer hij eerst het 'verlangen' in *L'Être et le néant* en daarna de 'behoefte' in de *Critique de la raison dialectique* plaatst tegenover de 'drift', waar Freud wel eens van gezegd heeft dat die alleen kon worden begrepen in 'fysiologische of chemische' context?[15] Hebben we te maken met een doorsnee antifreudiaan, wanneer hij zegt gechoqueerd te zijn door Freuds 'teruggrijpen op fysiologische en biologische begrippen' om uit te drukken waar het revolutionaire en vruchtbare van zijn ontdekking in schuilt?[16] In dat geval is er sprake van een omgekeerde situatie. Dan loopt Sartre vooruit op de moderne tijd. Dan maakt hij in de psychoanalyse jacht op de laatste aanslibsels van de zich terugtrekkende olievlek van het occultisme. En dat kan wederom op twee manieren worden geformuleerd.

1. Er zal een belangrijke, moderne kritiek op de psychoanalyse komen, die van Deleuze en Guattari en die, grofweg, Freud zal verwijten dat zijn middelen veel te simpel zijn: wat uit het onbewuste voortkomt, aldus *L'Anti-Oedipe*, is veel rijker dan in conventionele begrippen als het Ik, het Es, het Boven-Ik, de fallus en de Naam-van-de-Vader kan worden gevat! De werkelijke werking van het verlangen wordt veel boeiender wanneer we het collectieve samenspel, de voortbrengselen, de intriges van het verlangen onderzoeken, kortom, wanneer we bereid zijn te onderzoeken hoe verlangens zich aaneenrijgen, niet met elkaar, maar met wat daarbuiten ligt! Welnu, dat is zo'n beetje wat Sartre ook al zei. Het is een van de mogelijke betekenissen van zijn kritiek op de psychologie en de metapsychologie. Het is de essentie van zijn afwijzing van de gevaren van de egologie en de personologie. Het is vooral een andere manier om te verwoorden waar de feno-

menologie zich al mee bezighield: de relatie tussen het bewustzijn en de buitenwereld. En het is dus geen toeval dat de geschiedenis van 'de man met de bandrecorder' later door Deleuze en Guattari zou worden aangegrepen als een belangrijk voorval – en evenmin dat Sartre in zijn presentatie van het document verwees naar een 'nieuwe generatie psychiaters', die 'trachten tussen hen zelf en de personen die ze behandelen een wederzijdse band op te bouwen' en in wie we zonder veel moeite die Engelse en Italiaanse antipsychiaters kunnen herkennen (Laing... Basaglia...) op wie dezelfde Deleuze en Guattari zich op hun beurt weer baseren en die door hen als grondleggers werden beschouwd. Sartre, voorloper van *L'Anti-Oedipe*.

2. In plaats van de psychoanalyse om zeep te helpen, radicaliseert hij haar. In plaats van, zoals altijd gezegd wordt en zoals hij dat zelf vaak genoeg heeft laten horen, te betreuren dat de freudiaanse leer zich bezighoudt met de beteugeling van de innerlijke beesten, betreurt hij het juist dat die bemoeienis niet nog groter was, of beter, of rigoureuzer, zonder daarbij in de grootste valkuilen van de wetenschappen van zijn tijd te trappen. Sartre de superfreudiaan. Sartre roomser dan de paus. Zei Freud in zijn *Vorlesungen zur Einführung in die Psychoanalyse*[17] niet dat je je moest ontdoen van alle niet 'zuiver psychologische begrippen'? Wel, die kant gaat Sartre ook op. En als hij zegt dat hij 'niet gelooft' in het onbewuste, dan bedoelt hij in werkelijkheid dat hij afwijzend staat tegenover die neurofysiologische, mechanicistische, psychobiologische lezingen die Freud zelf geautoriseerd heeft. Hij bedoelt: ik speel Freud tegen Freud uit, de goeie tegen de slechte – er is een 'mythologie van het onbewuste' die voor mij onacceptabel is en die een mengeling is van duister finalisme en bot mechanicisme[18]. En is het niet juist de grote verdienste van Freud geweest dat hij de heilige eenheid van het ik aangevallen heeft en heeft laten zien dat het subject, in wezen, nooit 'op zijn plaats is'? Dat is, nogmaals, de kant die Sartre op wil. Hij voegt aan de freudiaanse kritiek op het cogito toe wat hij zelf, in het kielzog van Husserl, begrepen heeft van de onvermijdelijke gespletenheid van het ik. Hij heeft op grond van die hypothese een constructie ontworpen die Jacques Lacan later op zijn conto zal schrijven, namelijk de vereniging van de fenomenologie en het freudianisme – een beetje zoals Tran Duc Thao, tenminste volgens Sartre, geprobeerd zou hebben 'Husserl bij het marxisme in te lijven'.[19] Zou Sartre zich hebben kunnen vinden in een freudiaanse leer die van meet af aan lacaniaans was geweest? In een late tekst, tijdens het interview met Contat en Rybalka op het moment dat *L'Idiot* verschijnt, bekent hij: 'ik geloof nog steeds niet in bepaalde vormen van het onbewuste, maar ik moet zeggen dat de opvatting van het onbewuste bij Lacan erg interessant is...'[20]

Pontalis komt het laatste woord toe – uit het nummer van *Les Temps modernes* waarin 'De man met de bandrecorder' is opgenomen plus de belangrijkste delen van de discussie die deze publicatie veroorzaakte: 'je zou eens op moeten schrijven hoe tweeslachtig Sartres houding was, dertig jaar lang, ten opzichte van de psychoanalyse, en hoe die gelijkelijk werd gekenmerkt door aantrekking en afstoting, en je zou misschien zelfs zijn hele werk in dat perspectief moeten herlezen'.[21]

HET SCHRIJF-MONSTER. Het denken minus de psychologie? Het werk. De machine die produceert en schrijft. Omdat Sartre niet in zichzelf geïnteresseerd is, omdat hij de krachten en vormen van het innerlijke de oorlog verklaard heeft, ziet hij zichzelf echt als een scheppende machine die stapels literatuur moet maken. Er is natuurlijk ook hét leven, de orde van de andere verlangens waarin zijn avontuur en zijn bestemming zich afspelen, maar dat gezegd zijnde, blijft dat hij zichzelf zag als een op volle toeren draaiende fabriek die de woorden van anderen, hun boeken, hun dromen, hun objecten, hun afval, hun persoonlijke geschiedenis, hun waarnemingen, die enorme berg grondstoffen dus, die hij in zijn vormingsjaren, waar maar geen einde aan leek te komen, in Le Havre, verzameld had, in eigen woorden omzette. 'Ik weet heel goed dat ik slechts een machine ben die boeken maakt': het zijn de woorden van Chateaubriand die als motto aangehaald worden in de tweede helft van *Les Mots*. Het drukt goed uit dat hij zichzelf zag als instrument, drukt goed uit hoe hij de tijd, het leven, de gebeurtenissen in een mensenleven, de vrouwen, het lichaam zo wist te kneden dat hij ze kon gebruiken voor zijn enige en unieke doel er woorden van te vormen en te fabriceren. 'Maken (construire) moet ik, het kan niet schelen wat, als ik maar maak': die woorden zijn van hemzelf, aan Simone Jollivet toevertrouwd, in 1926.[22] En ook in zijn vaagheid, in de ongedifferentieerdheid van zijn voorwerpen (maken, ja... maar wat?), ligt zijn wil om te smeden, te verzinnen, besloten – ligt zijn werk, of toentertijd nog de ontwerpen daartoe, besloten als compressie, expansie, accumulatie van dolgedraaide, monsterlijke machines die vaag aan elkaar gekoppeld zijn, een allegaartje, aambeelden, walsen. 'Het probleem is de volledige belasting,' zegt hij tegen Lanzmann[23], en ze slaan op zijn neurotische, suïcidale verhouding met de speed en spreken tevens boekdelen over wat hem door zijn overmatig gebruik van amfetamines opnieuw tot het inzicht heeft gebracht dat hij louter een machine is die zonder enige onderbreking en met spilzucht het literaire materiaal bewerkt, uitspuugt, uitbraakt. En over Mallarmé tot slot, die pure poëet, die absolute artiest, die opmerking die bij nader inzien vreemder is dan hij lijkt: 'vlak voor de gigantische technische ontwikkeling, denkt hij een techniek voor de poëzie uit. Op het moment dat Taylor op het idee komt de mensen te mobiliseren, om hun werk de volledige efficiëntie te geven, mobiliseert hij de taal om de woorden hun volle rendement te garanderen...'[24] Mallarmé, die zo ver van hem af staat, met zijn obsessie voor het witte papier (terwijl Sartre zijn bladzijden juist zwart maakt). Maar hier opeens zo dichtbij door zijn preoccupatie (die hij bij hem aanwezig acht) met de technische kant van de literatuur.

DE DRUGS. Beroemd is de mescaline-injectie die dokter Lagache de jonge Sartre in het Hospital Sainte-Anne toediende en beroemd zijn ook de geweldige hallucinaties: krabben, inktvissen, skeletschoenen, gierparaplu's, monsterachtige gezichten, grijnzende dingen – de beeldenstorm jaren later door Castor verteld in *La Force de l'âge*. We kennen haar relaas over zijn verhouding met het pepmiddel corydrane – al die sombere verhalen die verteld werden en nog worden over zijn gebruik van magische pillen: met handenvol tegelijk bijt, kauwt, slikt, slokt hij ze naar binnen, zoals Balzac sloten koffie. Je bent hardstikke gek, man, dat is je reinste zelfmoord! Kan me geen bal schelen, ik wil best dood als ik daarmee 'de zon in mijn hoofd' kan laten schijnen. Wat kan het schelen dat je je hersens uit je kop blaast, je zenuwen en botten kapot knallen, als je jezelf daarmee op een veel hoger toerental kunt brengen, veel meer kunt presteren, veel meer energie kunt genereren? Het leven is een 'vernietigend werktuig' zeiden Baudelaire en de 'aristocratische' dichters van de negentiende eeuw.[25] Ik wil mezelf best opblazen en dan maar wat eerder doodgaan maar wel *Critique de la raison dialectique* geschreven hebben... In beide gevallen regeert de theorie van de volledige belasting. Alleen de literatuur telt. De hoeveelheid literatuur. De hoeveelheid, ja. Het volume. Literatuur in overvloed, in grote stromen, massale hoeveelheden, kistenvol. Spuitende stralen inkt en woorden. Geisers. Een onophoudelijk spuiten, een zwoegend gehijg. Ook dit is een van Sartres eigenaardigheden. De gedachte – lange neus naar Gide? – van een literaire voortreffelijkheid die ook in de kwantiteit zijn neerslag vindt en alleen bereikt wordt met een opzettelijk volumineus werk. 'Overdaad heb ik altijd als deugd beschouwd,' bekent hij Castor in zijn brief van 23 maart 1940. Ik heb altijd gedacht dat een groot kunstenaar ook iemand was die het, letterlijk, groot ziet – zoals Tintoretto, die het grootste doek van de wereld schildert (Het *Paradijs* in het Palazzo dei Dogi), de allergrootste fresco's (de 60 vierkante meter van de *Kruisiging* in het oude refectorium van de Scuola di San Rocco), de reusachtigste miniaturen van heel Venetië en die als men hem 'zijn gang had laten gaan' 'alle muren van de stad' met zijn schilderingen had bedekt. Daar dienen drugs voor. Daarom, om het groot te zien, om groot en reusachtig te maken, daarom moet je drugs gebruiken. Ik weet niet, lijkt hij te willen zeggen, welk pepmiddel er was in de tijd van het ververtje. Maar ik weet wel welke de mijne is. En dat gebruik ik te pas en te onpas want het is de sleutel tot de schrijfwoede die Poulou in *Les Mots* alleen nog maar na-aapte en die later – hoe kon het ook anders – mijn ziekte is geworden.

NOGMAALS HET MONSTER. Je kunt die kwantitatieve visie op literaire voortreffelijkheid gek vinden. Je kunt je neus ophalen voor die overstelpende breedsprakigheid, die schrokkerigheid, die van de hak op de tak springende, en een beetje gekke, onstuimigheid, voor die opvatting van schrijven als lichamelijk exces, als aderlating van de ziel en het vlees, als manier om je hart uit te storten, als overstroming van het schrift door de welbespraaktheid, als een snel stromende beek, een vals klinkend wegstromen, een uitzaaiing, een kokende lavastroom, een mallemolen van gewaarwordingen en gedachten, een woekering, een dwangmatige handeling. Je kunt gruwen, en de liefhebber van Baudelaire in mij gruwt ook, van dat vette, borstelige schrijven, vol woekerende uitweidingen, zijsporen, 'uitstulpingen'[26] noemt Lanzmann ze – al die artikelen die boeken worden, al die voorwoorden die tot hoofdwerken uitgroeien, Sartre als *serial writer* die over alles schrijft wat maar beweegt en zodoende het krankzinnige project voedt, het hele hem omringende leven waar hij zo van walgt, in zijn woorden te vangen en op te sluiten. Maar je kunt ook vinden dat dat papieren cataclysme (in drukvorm) ons afhelpt van de 'blanco' of 'neutrale' literatuur, waar de 'kleingeestigen' van zijn en onze tijd zo hoog van opgeven. Je kunt bedenken dat zo'n enorm schrijfvermogen de allergrootsten verweten is, dat dat bijvoorbeeld precies het verwijt was dat Ben Jonson Shakespeare maakte (een paar duizend verzen te veel... een plomp werk, vol gebreken waar 'geen kunst' aan te bekennen valt...). En je kunt van oordeel zijn dat die overdaad, die hier en daar monsterlijke vormen aanneemt, toch van heel andere allure is dan dat literaire minimalisme dat zo kenmerkend is voor het einde van de twintigste eeuw, tenminste voor een deel daarvan. Stomme poëzie die weinig blootgeeft, geobsedeerd is door beknoptheid, sikkeneurige bondigheid, bruine cafés en bier in kleine teugen, literatuur van de nabijheid, landelijk geluk, uitgekauwde, piepkleine lyriek, zonder enige opsmuk, koude en dunne lucht, taal is de opstap tot het zwijgen (Parain) of het rouwen daarom (Hölderlin), zij het dat Hölderlin en Parain in geen velden of wegen te bekennen zijn: men wilde in die 'minder-dan-niets'-schrijvers de uitdrukking zien van een grotere transgressie, een van de laatste van de twintigste eeuw. Dan kan je alleen maar terugverlangen naar de schrijvende machine die Sartre was – naar die ronkende motor, alsmaar ronkende motor, die nooit op mag houden met ronken en daarmee een van de kanten van zijn gulle aard blijft.

HET ZWIJGEN. Maar toch ook schoonheid van het zwijgen en het verlangen ernaar zoals Joyce, wanneer hij Ierland verlaat, zweert een monument neer te zetten 'met de drie wapens die hem nog overblijven: het zwijgen, de verbanning en de list'.

ORDE EN HOGERE ORDE. Grootsheid ook van schrijvers die de omgekeerde keus maken en besluiten het schrijven een ondergeschikte plaats toe te wijzen, besluiten zo min mogelijk te produceren, met andere woorden besluiten om zich zo lang mogelijk buiten het werk te houden en op de drempel ervan: en dan hebben we het over de schrijver-dandy's, Baudelaire voorop. Overeenkomst tussen de moeders van Sartre en Baudelaire: Anne-Marie lijkt op Caroline; Aupick op Sartres stiefvader Mancy. Hetzelfde gevoel van verraad. Hetzelfde verschrikkelijke weggerukt worden uit het groene paradijs van de moederliefde. En dezelfde manier waarop ze, na de dood van de stiefvader, het hervonden samenzijn weer nieuw leven in blazen, de één in Honfleur, de ander in het appartement op de Carrefour Saint-Germain. Overeenkomst ook in hun gemeenschappelijke afkeer van de natuur: afschuw voor de lijm van de wereld, voor het ondoordringbare en het kleverige, haat tegen het fysiologische in de mens, angst voor de vleselijkheid en haar eisen, en ontzetting daarover, contingentie, fobie voor het dierlijke – en aan de andere kant, sadisme en voyeurisme, ascese, nee tegen de wereld en zichzelf, voorkeur voor frigide of steriele vrouwen, schmink, actrices, de wereld als een spel, het gekunstelde. Het verschil? Uit dat antinaturalisme leidt Baudelaire een esthetiek van schaarste en frigiditeit af. Terwijl Sartre zich er juist uit redt door een duizelingwekkende verdraaiing waarin alles zich afspeelt alsof hij in het schrijven de wilde exuberantie van de natuur nabootste: parodie, uitdaging, carnavaleske strategie, overdosis aan woorden en beelden, bestrijding van het kwaad door het kwaad, hysterische conversie, altijd weer overbieden – dat is de ware reden dat zij elkaar niet kunnen verdragen. Dat is de ware reden waarom de *Baudelaire* van Sartre, naar zijn eigen zeggen,[27] zo'n slecht en lelijk boek geworden is dat per saldo niets begrepen heeft van de verontrustende vreemdheid van zijn spiegelbeeld: een Baudelaire die grosso modo het akelige leven dat hij leidde 'verdiend zou hebben' omdat hij het zelf 'gekozen' zou hebben.

ORDE EN HOGERE ORDE, NOG EVEN. Er zijn schrijvers die geloven dat er maar één geschikte manier is en dat is de combinatie van werk en leven. Er zijn heel grote schrijvers – Stendhal – die denken dat er maar één tijd is, dat er van tijd maar op één manier sprake kan zijn en dat schrijven inhoudt dat je het met die tijd moet doen, dat je je verbindt aan de pure duur ervan of naar hem op zoek gaat als hij zich verschuilt. Sartre daarentegen meent dat er twee tijden zijn. Hij gelooft net als Proust dat de twee tijden met elkaar kunnen corresponderen, in dialoog met elkaar kunnen zijn, elkaar kunnen overlappen, maar toch duidelijk los van elkaar staan. Je hoeft hem maar een klein zetje te geven en hij zegt dat er zelfs meer dan twee zijn (eigenlijk net zo veel tijden als er schrijvers zijn en net zo veel, voor iedere schrijver, als er ritmes, stijlen, aspecten van het werk, van het boek, van de bladzijde te onderscheiden zijn). Maar goed, er zijn er in ieder geval twee. Die van het werk en die van het leven. Die van de orde en de hogere orde. En hij gelooft dat je, om die tweede tijd binnen te gaan en die hogere orde te bereiken die er zo kenmerkend voor is, een staatsgreep moet uitvoeren, een paardenmiddel moet gebruiken, en dat je altijd eerst alles moet afbreken om van de grond af aan opnieuw te beginnen. Sartre gelooft kortom, net als Flaubert, net als Céline en dus net als Proust, dat het allesbehalve 'natuurlijk' is die onttoverde tijd van het schrijven binnen te gaan en daarom neemt hij zijn toevlucht, moet die nemen, tot die versneller van de mentale deeltjes, die drugs nu eenmaal zijn. Sartre, drugsverslaafde? Zeer zeker. En niet zo'n klein beetje ook. Juist omdat hij niet gelooft dat literatuur de voortzetting van het leven met andere middelen is. Omdat je niet zonder breekijzer die tweede, – letterlijk secondaire – literaire staat van bewustzijn kunt bereiken. Stompen drugs je hersens niet af? Die mening is onder andere Kant toegedaan in de *Metaphysik der Sitten*, waarin hij betoogt dat drugs, net als 'gistende dranken' en andere 'producten uit het plantenrijk' een 'ondermijning van de geest' veroorzaken. Sartre zit met Baudelaire, Gautier, de Quincey, Roussel, Michaux, op de tegenovergestelde lijn: die pleit voor een literair, en dus noodzakelijk, gebruik van kunstmatige paradijzen.

NOG EEN KEER DE DRUGS. Maar de echte drug voor Sartre is niet de mescaline of corydrane, dat is het schrijven. Hooked aan de schrijfspuit. Verslaafd aan de literatuur. Met Castor in de rol van dealer die hem tijdens de oorlog – als het moest ging ze zelf – in Brumath, in de Elzas, voorzag van zijn dosis inkt, schriften, boeken, papier. Hij leest niet, hij schrijft. Hij schrijft niet een klein beetje, hij schrijft onophoudelijk. Een spastische hand die zijn eigen leven leidt, razendsnel over het blad heen en weer gaat en nooit stilhoudt om iets terug te lezen of te formuleren. 'Hij was nog slechts een schrijvende hand,' zei Mauriac over de late Proust. Net zo vertelt Sartre in *Les Mots*[28] dat zijn pen soms 'zo snel' gaat dat hij er 'pijn in zijn pols' van krijgt en hij dus ook, tegen de verwachting in, tot de proustiaanse waanzin vervalt. Die dwangmatige handeling. Die bezetenheid. Dat machinematige, dus, mechanische, onbeheerste schrijven met een willoze, haast obscene pen. Die vlucht naar voren, die van het schrijven een vreemde, niet als eigen herkende praktijk maakt, aan de periferie van het eigen wezen, ver af van alles wat de kern van de persoon uitmaakt. En dan plotseling de indruk dat, alleen door het werk van de hand, alleen door de kracht van de woorden als ze tegen andere woorden aangewreven worden, de beelden beginnen te borrelen, te koken, en bij afkoeling aan elkaar vast zitten. Schrijven als neurose? Ja, zal Sartre zeggen. Een 'ziekte' zal hij het noemen. 'Woekeringen'. Of een 'kankergezwel'. Het zal zelfs, zoals we zullen zien, het hoofdthema van *Les Mots* zijn. En dan zegt hij al, wat hij altijd heeft gezegd en is blijven zeggen, namelijk dat schrijven een drug is. Een echte drug. Een permanente zelfvergiftiging van de schrijver door zichzelf en van de literatuur door haar eigen tovermiddelen en giften. Alle schrijvers weten dat. Alle woordgekken kennen de ervaring van de polymerisatie van de woorden door de woorden. Nul woorden als ik in de gewone stand sta. Niet 'minder' woorden, maar 'nul', echt 'nul' – woorden die elkaar opeten, de zin die niet pakt, niet houdt, uit elkaar valt, afkoelt en dan opeens, als er een leegte om de woorden ontstaan is, als alleen de woorden nog over zijn, in de leegte van de gecentrifugeerde ziel, als, anders gezegd, de voorwaarden van oververhitting gecreëerd zijn, dan versmelten de lettergrepen, dan verheft de zin zich en krijgt vorm, dan raakt de hele verbeeldingswereld van de schrijver aan de kook – en dat is precies de beschrijving van het effect, in een mensenhoofd, van amfetamines en drugs. Sartre zegt daarover in het interview met Sicard[29]: 'Het komt maar zelden voor dat ik nadenk voordat ik ga schrijven. Ik begin gewoon te schrijven. En al schrijvende, analyseer ik, verfijn ik, kom ik tot een duidelijker omlijnd of helderder idee.' En verderop: 'Inspiratie is niet een idee dat plots in je bewustzijn ontstaat en zich ontwikkelt. Inspiratie zit aan het puntje van je pen. Ik maak geen onderscheid tussen het bedenken van een detail en het schrijven, zelfs chronologisch niet.' De woorden, dus. Schrijven als het raffineren van woorden. Bezeten bezig zijn met de hoeveelheid geraffineerde woorden, een drug. Baudelaire: 'Voortdurend dronken zijn, daar ligt de sleutel, daar gaat het om.' Dronken van wat? Van 'wijn' zo u wilt. Of corydrane. Maar ook, 'zo u wilt' van 'deugd' of 'poëzie'. De Sartre-lijn.

SARTRES GEKTE. Zijn stinkende hotelkamer – zijn 'querencia' zoals hij hem soms noemt met het woord dat Hemingway op Cuba gebruikte – en later de gemeubileerde woningen in Brumath, waar hij een groot deel van zijn schemeroorlog doorbrengt. Hij is alleen. Hij ziet niemand. Hij houdt alleen even op om te eten. En ze noemen hem daar, zo vertelt hij Castor, 'de man met de zwarte handschoenen' omdat z'n handen altijd zo smerig zijn. Want hij schrijft en schrijft maar. Hij schrijft aan één stuk door. Hij doet niet anders. Hij heeft geen tijd meer om zich te wassen – net zo goed als hij ook geen tijd heeft om hout te hakken, om de kachel te laten branden: op een ochtend moeten ze hem tegenhouden omdat hij van plan is, om tijd te winnen, de meubels van het huis op te stoken – 'zoals men vroeger het meubilair en de balken van het dak opstookte om de oven van het Grote Werk brandende te houden' (Mallarmé)... Afgesneden van de wereld van de levenden, met hart en ziel opgaand in die andere, niet-militaire oorlog, die hij voert tegen vijanden van een andere soort, namelijk de woorden van de anderen en die van hemzelf, is hij in die weken niets anders dan een reusachtig retort. Iedere molecuul van een andere levende materie, namelijk de woorden, katalyseert, hydrolyseert, electrolyseert en synthetiseert hij.

SARTRE EN DE VROUWEN. De ene dag de ene. De andere dag de andere. Ontbijten met Arlette. De uren met Wanda en Michelle, de exen. De uren met de mooie Evelyne. Liliane, tegen wie hij maar blijft zeggen: 'Je bent te laat gekomen, ik had geen plaats meer voor je, nu moet ik je in mijn werktijd zetten.' En Liliane verinnerlijkt deze regel zodanig dat ze, als ze een timmerman laat komen om de boekenkast te repareren, alert opmerkt:

maakt u zich geen zorgen, hij komt 'in mijn tijd'! En Dolorès, de Amerikaanse geliefde, de enige die de Beauvoirs jaloezie opwekte. En Lena, de Russische, die plotseling opduikt in deze overvolle agenda: 'Dat gaat je een dinsdag kosten, zegt hij tegen de één – een donderdag tegen de ander.' En als de maoïsten in zijn leven komen, heeft hij helemaal geen tijd meer, vertelt Liliane! Op alle beschikbare tijd is beslag gelegd! En nu 'spreekt hij met hen af in mijn tijd'! Steeds weer die obsessie voor tijd. Steeds weer die obsessie voor rendement, gewin, productiviteit, rentabiliteit, voor tijd, dus. Steeds weer dat zichzelf voorstellen als een motor, als een mechaniek dat op een levend mens vastgeschroefd is, een machine, die niet het leven maar de woorden, en de tijd, in literatuur omzet. Van zijn leermeesters heb ik Céline genoemd, Joyce, Bergson, Hegel, Heidegger. Daar hoort ook La Mettrie bij – de 'homme-machine, de machine-mens' volgens La Mettrie, die 'constructie van springveren', dat dolgedraaide 'uurwerk', waar Sartre welbeschouwd een aardige verpersoonlijking van is.[30]

SARTRES NONCHALANCE. En tegelijkertijd is het verbazingwekkend hoe nonchalant Sartre met dat werk omgaat. Ze zeggen het allemaal. Zijn uitgever zegt het en zijn secretaris, Jean Cau, zegt het.[31] Hij leest zijn manuscripten nooit over. Brengt nauwelijks correcties aan in de drukproeven. Verifieert nooit of een citaat juist is of waar het vandaan komt. Laat fouten, zwakke formuleringen en herhalingen rustig zitten, die hij zo ontdekt had als hij het een keer overgelezen had en waar hij zich soms pas na verschijning van bewust wordt.[32] Hij weet dat *Critique de la raison dialectique* slecht geschreven is, maar dat deert hem niet. Hij weet dat als hij het 'nog een keer goed doorgelezen' had, 'geschrapt en verkort had, het er misschien niet zo compact en dicht had uitgezien'.[33] Sommige schrijvers blijven hun teksten corrigeren en herschrijven, zoals Borges, die in 1943, onder het voorwendsel dat hij er één boek van wilde maken, *Fervor de Buenos Aires* en *Luna de enfrente* opnieuw onder handen nam. Blanchot, die de tekst van *L'Entretien infini* herschreef nadat hij Derrida had ontdekt en die, toen hij in zijn boek *Faux pas* de kritieken opnam die tijdens de oorlog in het *Journal des débats* verschenen waren, Heideggers naam eruit streepte. En zovele anderen... Zo niet Sartre. Hij leest zijn manuscripten misschien nog net een keertje over. De schrijfmachine neemt nauwelijks de tijd om terug te schakelen, af te koelen, het eindproduct vast te leggen. Want daarna! Wat geschreven is, is geschreven. Is in die oorspronkelijke staat in het geheugen van de woordenfabriek gegrift. En wat de presentatie van het boek betreft, die veel schrijvers, terecht of onterecht, min of meer als deel van het werk zien, en als kroon op het werk, door de tekst van een begeleidend commentaar te voorzien en hem zodoende, voorzover mogelijk, te omhullen met het aureool van een gecanoniseerde betekenis, dat kan Sartre geen snars schelen: hij leest geen recensies, controleert geen vertalingen, wil niets weten van de hoeveelheid drukken en later van de verkoopcijfers van het boek. Hij onderhandelt nooit over een contract, eist van zijn uitgevers geen publiciteit of speciale behandeling. Hij geeft interviews, dat wel. Hij is waarschijnlijk zelfs de schrijver die maar wat graag meedeed aan dat spel van het gesouffleerde of geïmproviseerde woord. Maar dat zijn politieke interviews. Op militante wijze het woord nemen. Als hij de uitnodiging van Chancel aanvaardt is dat op uitdrukkelijke voorwaarde dat het gaat over *Libération*, de krant waarvan hij net de leiding op zich heeft genomen en niet, vooral niet, over *L'Idiot de la famille* dat net verschenen is en alweer zo ver van hem af staat. Dat is een ander aspect van zijn spilzucht. Een andere consequentie vooral van zijn opvatting van de subjectiviteit. Als het boek eenmaal af is, ontsnapt het hem. Valt het hem letterlijk uit handen. Als werd het het boek van een ander – het is trouwens ook het werk van een ander, want volgens het principe van het niet-samenvallen van het zelf met zichzelf, volgens die wet die wil dat het subject nooit identiek aan zichzelf is, is de Sartre die het boek van commentaar moet voorzien inderdaad niet meer dezelfde als de Sartre die het geschreven heeft. Hoe kan je je nog 'auteur' voelen als je niet meer hetzelfde gezicht hebt als de man die het boek schreef? Wat voor zin heeft het achter een werk aan te rennen en te proberen er het lot van te sturen, als je niet eens geheel meester bent over jezelf?

DE VERKWISTING VAN HET WERK. Nog een andere vorm van lichtzinnigheid: dat zotte leegbloeden van een werk dat in de vier windrichtingen verstrooid is, hier vergeten, daar laten liggen, aan die en die gegeven. En zoals er teksten zijn die hij signeert zonder ze geschreven te hebben (zoals die brief ter ondersteuning van het ondergronds opererende netwerk Jeanson (Ondersteuning van de Algerijnse vrijheidsbeweging FNL), die opgesteld was door Marcel Péju en Claude Lanzmann, terwijl hij op tournee in Brazilië is) of teksten waarvoor hij een opzet maakt maar die niet schrijft (die ontelbare kladversies, ontwerpen, grootse literaire plannen, ruwe schetsen, waar *Les Carnets de la drôle de guerre* van wemelt), zo moeten er ook teksten zijn die Sartre geschreven heeft zonder ze te signeren (en die de literatuurarcheologen op een goeie dag tussen de papieren van die of gene zullen aantreffen en als echt zullen waarmerken). Spilzucht, dus verkwisting. Schrijfmachine, en sinterklaas spelen met zijn eigen werk. Sartre schrijft en schrijft – hij schrijft of hij zichzelf vergeet en dus vergeet hij wat hij heeft geschreven. Herinnerde hij zich bijvoorbeeld *Les Carnets de la drôle de guerre*? Dat is niet zeker, vertelt Arlette Elkaïm-Sartre.[34] Helemaal niet zeker. Want zij vindt ze, bij toeval, op een dag, als Sartre haar vraagt papieren op te halen op zijn eigen huisadres en brengt ze in veiligheid – en ze is er helemaal niet zeker van of het Sartre iets kon schelen, of hij zelfs nog wel wist dat ze nog bestonden. 'Waar bent u op dit moment mee bezig? vroeg Jeannette Colombel hem een paar weken voor zijn dood. – Ik ben met Victor bezig over Marcel Mauss en het magische denken. – Maar dat heeft u toch al gedaan! Dertig jaar geleden heeft u honderd bladzijden van de grote moraal geschreven, over Mauss en het magische denken! – Ah juist, dat was ik vergeten...' En zij, Colombel, brengt hem die honderd bladzijden waar ze wonder boven wonder een kopie van bewaard heeft. En hij: 'Dat is helemaal niet slecht, ik wist het niet meer...'[35] Het doet denken aan de Homerus van Borges, in *El Inmortal*[36], die én het Grieks en het feit dat hij de Ilias geschreven heeft, is vergeten. Als hem een vrije vertaling ervan onder ogen komt, begint hij die vol bewondering te lezen. Prachtig, die uitzonderlijke amnesie die geen zwakte is, maar een noodzakelijkheid (van het werk), die helemaal in overeenstemming met Sartres principes, haast met zijn programma verweven is. Sartre, een incontinente veelschrijver? Ja. Maar ook als verweer tegen de verleiding munt te slaan uit zijn eigen boeken. Als verweer tegen al die, meer dan wie ook en voor alles gehate renteniers van de cultuur.

NIET AF. Kenmerkend voor mij, zegt Sartre[37], is dat ik de meeste van mijn 'werkzaamheden' onderweg onafgemaakt laat liggen. *L'Être et le néant* heb ik niet afgemaakt, en ook *Critique de la raison dialectique* (Deel 2) niet, en *L'Idiot de la famille* (het vierde deel dat uitsluitend over *Madame Bovary* zou moeten gaan en waarvan de eerste drie gepubliceerde delen slechts een enorm 'voorwoord' waren – Sartre heeft het zelfs wel eens over een vijfde deel gehad...) niet en mijn studie over Tintoretto ('middenin afgebroken') niet. Hij had daar nog aan kunnen toevoegen: ook mijn essay over Venetië niet, *La Reine Albemarle* niet, en mijn *Mallarmé* niet, waar ik bovendien het overgrote deel van ben kwijtgeraakt. En ook *La Nausée* heb ik niet afgemaakt; *L'Imagination* heb ik niet echt afgemaakt, dat net als *L'Être et le néant* eindigde met de zin: 'daaraan zullen we een volgend werk wijden'. En zelfs van *Huis clos* luiden de laatste woorden: 'we gaan door'. Kortom, hij had kunnen zeggen dat geen van zijn boeken af is en dat er precies daar, in het hart van zijn programma, een vreemde dwang aan het werk is die alleen bij hem hoort. Maar waarom? Er zijn talloze verklaringen mogelijk. Je kunt zeggen: haast, spoed. Je kunt zeggen, net als in *Les Mots*[38]: 'ik smeet de volle schriften op de grond, ten slotte vergat ik ze, ze verdwenen; daarom maak ik niets af: waarom het einde van een verhaal vertellen als het begin zoek is'. Je kunt zeggen, net als Denis Hollier[39]: de trucjes van een kind, van het kleine jongetje dat, net als vroeger, wanneer hij in hun gemeenschappelijke kamer Anne-Marie voor het slapen gaan verhaaltjes vertelde, er op het hoogtepunt van het verhaal 'wijselijk' voor kiest 'het einde in het ongewisse te laten' – Wacht! Ga niet weg! Het is nog niet uit! Wordt vervolgd in het volgende nummer. Je kunt zeggen: een list van de verteller, van de Sheherazade-filosoof, die door het verhaal niet af te maken, poogt het uur van het oordeel uit te stellen: genade, mijn heren criticasters en publiek! Oordeelt u nog niet! Executeert u nog niet! Het beste komt nog! Je kunt zeggen: koketterie, esthetiek van het fragment, neigen naar het niet voltooien van het werk, want niet voltooien houdt een belofte in en voltooien betekent een systematische geest en een systematische geest is de dood in de pot – is voltooien niet een beetje doodgaan? Betekent 'afmaken' niet zowel voltooien als doden? Zet het afmaken van het bibberige lijntje, de onzekere contouren, de laatste streek, geen punt achter het leven van het werk zelf? Of is het angst voor onvruchtbaarheid? Panische angst de bron te zien opdrogen en op een kwaaie dag de bodem te zien, voorgoed? Dus leg je voorraden aan. Je houdt iets achter de hand. Iets in je fluistert dat niet-afmaken bewaren is, hamsteren, voorraden aanleggen. Iets in je zegt dat het einde van het boek, van dit boek of van een ander, staat voor het einde van het hele werk. Of is het 'lijden'? Gewoon dat vreselijke 'lijden' aan het schrijven, het kankergezwel, de voortrazende woekering van literaire cellen die, aan zichzelf overgeleverd, zoals bij alle gezwellen, vergeten af te sterven en dood te gaan – de minste bladzijde put me uit, klaagt hij; na het kleinste stukje proza ben ik helemaal op; dus pas ik een beetje op, nietwaar; ik probeer me wat te ontzien; de laatste tijd, als ik de schrijfkoorts voelde opkomen, gaf ik er de voorkeur aan ergens willekeurig op te houden, mezelf te onderbreken; en daarom zijn zo veel boeken van me 'onaf' gebleven. Of zelfs, doodgewoon: 'Ik heb boeken waaraan ik bezig was, laten liggen omdat ik niet wist hoe ik verder moest.'[40] In al deze verklaringen schuilt een deel van de waarheid. Allemaal benoemen ze dat curieuze verschijnsel, dat hij zijn leven lang geen enkel boek heeft afgemaakt. Maar je kunt ook gewoon zeggen dat het werk het niet-af-zijn van de schrijver weerspiegelt. Onaffe boeken omdat de schrijver onaf is. Een zwalkend werk omdat het subject zelf *a displaced person* is. De fragmentatie van het systeem als gevolg, of als fout, van de fragmentatie van het subject dat verondersteld wordt er de schrijver van te zijn. Sartres boeken zijn niet af en maken allemaal de indruk dat ze aan zichzelf zijn overgeleverd, op drift, in een toestand van vreemde en zelfs enigszins verontrustende verlatenheid, ómdat Sartre zijn leven zo geleefd, gewild en theoretisch onderbouwd heeft. Een poreuze, uiteengevallen, innerlijk ontwrichte schrijver, een schrijver die met zichzelf en de wereld overhoop ligt, een schrijver die zijn eigen coherentie tenietgedaan heeft, kán logischerwijs zijn boeken niet afmaken. Een leven is een stuk stof vol met gaten, zegt hij in 1970 in een van zijn allerlaatste 'echte' teksten. Een subject is een vacuüm, een gigantische vleesgeworden leegte. Is het toeval dat de tekst in kwestie het voorwoord is van een roman die *L'Inachevé* (de Onvoltooide) heet en onder andere het verhaal vertelt van een schrijver die zijn roman niet kan afmaken?[41]

NOG MEER NIET AF. In tegenstelling tot wat hij denkt, is Sartre niet de enige schrijver die de kwade krachten negeert die van oudsher aan onvoltooide werken kleven: daar is Kafka, van wie de drie grote romans, net als de zijne, onvoltooid zijn gebleven. Of Musils *Mann ohne Eigenschaften*, die het prototype is van de grote roman die in de steigers is blijven staan. En dan is er natuurlijk Stendhal, zijn geliefde Stendhal, die de helft van zijn romans, net als hij, niet voltooide. Hij is zelfs niet eens, verre van dat, de enige die er gedachten aan wijdt: Borges, maar weer eens, doet dat in zijn voorwoord in de Spaanse editie van Paul Valéry's *Cimetière marin*, waar hij schrijft dat 'alles inderdaad een kladversie is' en dat 'het idee van een definitieve tekst' slechts 'terug te voeren is op religie of uitputting'. En Giacometti, die op voet van oorlog stond met de 'vorm', de 'plastiek', de 'esthetiek' en met stelligheid verklaarde dat 'een beeldhouwwerk niet af en niet perfect kan zijn'.[42] (Tussen twee haakjes, heeft die neiging de dingen niet af te maken soms iets te maken met de belangstelling die Sartre voor Giacometti had? En als Sartre in die tekst in *Les Temps modernes* de beeldhouwwerken van Giacometti als 'niet-schepselen' bestempelt, als hij die menselijke uitbeeldingen prijst waarbij 'de lichaamsbegrenzing nergens aangegeven is', als hij schrijft: 'nu eens loopt de zware vleesmassa op een duistere, tersluikse manier dood in een nevelige, bruine aureool, ergens onder de verstrengeling van krachtlijnen, dan weer eindigt hij strikt genomen niet...'[43] heeft hij het dan niet over zichzelf net zo goed als over Giacometti's broer 'Diego', over zijn eigen boeken net zo goed als over Giacometti's vervagende bronzen figuren?) En natuurlijk Jankélévitch, zijn oude gehate vijand die met *Quelque part dans l'inachevé*, zijn gesprekken met Béatrice Berlowitz, een verhandeling over de niet eindigende vorm schreef. Maar dat is ook niet wat Sartre zegt. Hij zegt iets veel radicalers. Niet eindigen? Kladversie? Welnee! Aan een kladversie kleeft iets negatiefs, iets miserabels. Achter het idee van een kladversie of onvoltooidheid schuilt de vooronderstelling dat het werk afgemaakt zou kunnen worden en in voltooide staat beter zou zijn. Sartres niet-voltooien is echter een positief niet-voltooien. Voor hem is het van dezelfde orde als het niet voltooien dat de glansrol van het bewustzijn is. En dus is ook hij glansrijk, en lichtgevend. Het is het niet-voltooien van Nietzsche, als geen ander meester van het fragment, die oproept 'het universum te verkruimelen', oproept 'het respect voor het Geheel te verliezen'. Je bent geneigd over deze sartriaanse onvoltooidheid te zeggen wat Spinoza over het oneindige zei: dat het prefix 'on' hier niet gebruikt wordt in de zin van een gemis maar van rijk bezit – extreme openheid.

DE GESCHIEDENIS. Op de constatering dat subjectiviteit niet alleen geen grond maar ook geen duurzaamheid heeft, op de gedachte dat een subject slechts af en toe, van tijd tot tijd, met horten en stoten, stuipen haast, subject is, volgt onvermijdelijk een bepaalde blik op de Geschiedenis en haar verloop. Vaak worden, zowel bij de 'nieuwe' als bij de 'oude geschiedschrijving', bij Lucien Febvre en Michel Foucault, bij Ernest Lavisse en

Jules Michelet, feiten en gebeurtenissen op een hoop gegooid.

Van de Geschiedenis wordt zonder nader onderscheid gezegd dat ze uit feiten en gebeurtenissen is opgebouwd. Welnee, werpt Sartre tegen, becommentarieerd door Levinas, en in zijn eigen commentaar op Merleau-Ponty, die 'al probeerde de gebeurtenissen aan de praat te krijgen' toen hij, Sartre, nog bezig was 'de feiten te ondervragen'[44]! In de eerste plaats wordt 'feiten' alleen in het meervoud en 'gebeurtenis' alleen in het enkelvoud gebruikt. De feiten vormen een 'net', een 'web', een 'plot'; de gebeurtenis een 'gat' in het net, het web, de plot (de gebeurtenis 'stort zich als een dief op ons'[45]). Het feit is ontelbaar, de gebeurtenis zeldzaam. Het feit geeft geen licht, de gebeurtenis wel. De feiten zijn de grondstof van de Geschiedenis, de gebeurtenis ontregelt haar of brengt haar alleen maar weer in het gerede doordat hij begonnen is haar stuk te scheuren en zo een nieuw begin maakt. Van de feiten kun je een kroniek schrijven: dan heb je een bepaald idee van de Geschiedenis, bestaande uit anonieme voorvallen, regelmatigheden, zich steeds herhalende noodzakelijkheden – absoluut niet interessant! Maar je kunt ook de gebeurtenissen onderscheiden, je daarop concentreren, alleen die vertellen, je kunt ook precies op de grens gaan staan, op het geheimzinnige punt waar de logica van het feit omkantelt in de logica van de gebeurtenis en waar een regelmatigheid opeens omslaat in een gebeurtenis: dan ontstaat een ander beeld van de Geschiedenis, bedacht op invallen, onderbrekingen, explosies, al wat uniek is – alles waarvoor historici, om het even of zij de nieuwe of de oude geschiedschrijving zijn toegedaan, zich niet interesseren, maar waar Sartre juist helemaal warm voor loopt. Aristoteles: wetenschap kan alleen maar gebaseerd zijn op het algemene – het uitgangspunt van de hele traditionele geschiedschrijving. Sartre: er bestaat maar één Geschiedenis die me interesseert en dat is die van gebeurtenissen, of ook een fractale geschiedenis, waarin feiten verkeren in een gebeurtenis – jammer voor de wetenschap! En naar de duivel met het aristotelisme! Van *L'Être et le néant* had een nieuwe 'nieuwe geschiedschrijving' kunnen uitgaan.

WAT DENKEN WE DAT DENKEN IS? We denken dat denken nadenken is, een idee uitdenken, uitdiepen, zich erin vastbijten, het laten rijpen. We verbinden aan het denken beelden van stille overpeinzing, van geduld, van doorzetten, van volharding, van concentratie, van niet loslaten – ja, van piekeren, van eindeloos malen. Voor Sartre niets van dat al. Want als het Subject is wat hij zegt en als geschiedenis, zoals hij wil, alleen de meest singuliere gebeurtenis is, dan voltrekt het denken zich in horten en stoten, springen en terugspringen, slagen en weerslagen, schokken, explosies, ontploffingen, knallen, hoe dan ook in gebeurtenissen. Alleen de gebeurtenissen, dus de breekpunten, zijn interessant in het denken. Het denken, het echte denken, voltrekt zich nooit in geestelijke inspanning, concentratie, langdurig nadenken, maar *gebeurt*, per toeval, in de storm. Er is het 'er is', dat de plaats is van het nadenkende, diepe denken – maar voor Sartre is dat, naarmate hij zich van Heidegger losmaakt, de plaats van het niet-denken. En er is 'wat er gebeurt', met groot kabaal, zonder waarschuwing vooraf, als een aanstootgevende aanvulling op de situatie, en precies daar geschiedt het avontuur van het denken.

BREUK VOOR EENS EN ALTIJD. Opnieuw, twee denkrichtingen. Allereerst de drie-eenheid: continuïteitsmaniakken; apostelen van de mysterieuze en diepe eenheid; geen cesuren, is hun devies; vooral geen cesuren; de wereld is een keten; het zijn, een continuüm van zijnden; en wij, Leibniz, Merleau-Ponty, Deleuze (eigenlijk hoort Bergson daar ook nog bij),wij zijn er om de verbindingen te onderhouden, de storingen de repareren. Ja, hallo? Een storing? Heel goed! We komen eraan! Wij de machinisten van de monade! De elektriciens van het leven! Niets mag onderbroken worden! Alles moet met elkaar in verbinding staan! De wereld is één groot telefoonnetwerk (Bergson heeft het in *Matière et mémoire* letterlijk over een 'telefooncentrale') en wij zijn de telefonistes. En dan de andere richting, aanhangers van de gebeurtenis versus het feit, verdedigers van een literatuur die koel en vijandig staat tegenover 'verbindingen' en het bevallige geschitter van de 'metafoor': Descartes en zijn explosies; Husserl; Bataille versus Breton; de Sade; Lautréamont die uithaalt naar die 'minnaars van de metafoor' wier 'lachwekkende mond groot genoeg' is 'om drie potvissen te verschalken'. En dan Sartre. Sartre aan de zijde van de Sade en Lautréamont – losmaken, zeggen die slechteriken, doorsnijden, lostrekken, zeg ik je! Niets mooier dan kortsluitingen! Fosforescentie van grote stroomstoringen! Bombarderen die bruggen en bruggetjes, die wegen die leiden naar die open plekken van het zijn en het zijnde! Oorlog aan de analogie en zijn 'geduldige wil om te verbinden'! In de hens die 'mysterieuze en diepe eenheid'! Naar de duivel met die 'goddelijke herdersstaf' die bij Mallarmé 'de dingen tot een kudde bijeendrijft' of die, bij Proust, die andere telefoniste van de grote kosmische centrale, de te zeer van de werkelijkheid losgeraakte 'banden aanhaalt' en zich beijvert 'een ordening' te vinden 'tussen de objecten die ze nu eenmaal niet hebben'! Naar de duivel met Victor Hugo! Weg met die tafeldansen, schaduwmonden en andere dialogen tussen de werelden! Alles moet de lucht in! Echt alles! In onze ogen vinden alleen de splijting, het hiaat, de goede geest van de tweedracht, de interval, de interruptie genade! Daarin wordt weer eens een keer de eerste sartriaanse wet waarheid: Husserl voor Lenin; eerst op de schaduwmond beuken voor je op de burgerlijke Staat inbeukt; de politiek, kortom, op sleeptouw van de metafysica.

IK IS EEN ANDER. In 1964, vijftien jaar na de eerste verschijning dus, neemt Sartre, in *Situations* VI, *Les Communistes et la paix* op, zijn eerste grote leninistische (bergsoniaanse én leninistische) tekst. Hij neemt niet de moeite deze heruitgave vergezeld te doen gaan van ook maar iets van een voorwoord, een situatieschets, een commentaar (en dat terwijl hij weet dat die tekst hem voor altijd als een van zijn schandelijkste zal worden nagedragen). Hoe moeten we deze daad opvatten? Onverschilligheid? Onnadenkendheid? Hoogmoed van de grote meneer: 'ja, zo is het, ik heb dat geschreven, ik zal het niet ontkennen, maar u kunt niet van me verlangen dat ik me verneder door me ervoor te rechtvaardigen'. Al die redenen zijn geldig. Maar ook de praktische illustratie van dat niet-samenvallen van ik en ik, van het niet-op-zichzelf-lijken, van die methodische dissociatie met het eigen verleden, van die afwezigheid van continuïteit tussen degene die hij was en degene die hij geworden is, zoals hij dat eerder theoretisch had gefundeerd. *Les Communistes et la paix*? O ja... Dat herinner ik me... Een zekere Sartre heeft dat schotschrift ooit vervaardigd, meen ik... Maar waarom zou ik me, nu op dit moment, met die Sartre solidair moeten voelen? Waarom zou ik er commentaar, tekst en uitleg, op moeten geven, me moeten rechtvaardigen, verontschuldigen? De sartriaanse paradox: 'ik voel me door niets verbonden met wat ik geschreven heb; maar ik neem er ook geen woord van terug'.[46]

ZELFKRITIEK. Als men grote fouten – een grote stommiteit, zegt Heidegger – gemaakt heeft begaan, zijn er twee strategieën denkbaar. De ene à la Solzjenitsyn wanneer hij het heeft over de dwalingen in zijn jeugd: 'het is mijn fout, een zeer grote fout – kijk, ik leg er rekenschap van af, en het feit dat ik er rekenschap van afleg bewijst dat ik veranderd ben en dat ik tijdens die verandering, boete gedaan heb'. De andere zoals Heidegger: 'no comment; niet tegenover vriend of vijand, niet tegenover de gelijkhebbers die op mijn berouw uit zijn, niet tegenover Celan, Arendt, Fédier, Löwith, Towarnicki, de kleine Sartre, zal er een bekentenis of schuldgevoel over mijn lippen komen. Omdat ik te trots ben? Omdat ik voet bij stuk houd? Of omdat de misdaad juist zo groot is dat je hem niet op kunt biechten of er boete voor kunt doen? Omdat je, door rekenschap af te leggen, ook op een bepaalde manier verzachtende omstandigheden bepleit, opeist en die misdaad, ik ben me daar net als u van bewust, door geen enkele omstandigheid verzacht kan worden? Ieder mag eruit opmaken wat hij wil. Ik heb er niets meer aan toe te voegen.' Sartre stelt nog een derde strategie voor. De ene keer zo'n verstrooide, onverschillige afwijzing, haast als leed hij aan geheugenverlies: 'Had u zo'n twintig jaar geleden een politieke stellingname, het doet er niet toe welke, waar u op een goeie dag spijt van kreeg?' Antwoord: 'Nee hoor, geen enkele.'[47] En dat 'geen enkele' is in tegenstelling tot wat men denken zou, niet arrogant bedoeld, of koppig, of zelfs maar categorisch, maar juist luchtig, ongedwongen. De andere keer: 'u wilt zelfkritiek horen? Hier, alstublieft! Degene die nu spreekt is principieel vreemd aan degene die toen sprak, en degene die nu zegt ik heb fouten begaan, heeft niets gemeen met degene die de fout feitelijk beging. Zo eenvoudig is het om u tevreden te stellen en zo weinig consequenties heeft dat. Ik kan u alle zelfkritiek laten horen die u maar wilt, maar geen enkele is van belang. Ik lever u er graag een heleboel van en ook op voorhand, ik maak ze aan de lopende band, want per definitie kan geen enkele mij meer bereiken. Niets is mooier dan een bekentenis die u zo veel plezier doet en die vooral de breuk met mijzelf tekent, getuigt van mijn metamorfose en me haast helpt opnieuw geboren te worden, me schoonwast van het verleden, me verjongt...'

ZELFKRITIEK. Er zijn wederom twee soorten zelfkritiek. Moraliserende zelfkritiek: 'wie zijn mening over vitale problemen gepubliceerd heeft, behoort als hij van mening verandert dat te zeggen, en te zeggen waarom; men kan een auteur dan ook niet het recht geven zijn ideeën te produceren zoals een locomotief zijn rook' (Merleau-Ponty, in *Les Aventures*); met andere woorden: 'waar schuilt de fout? want die is er, we voelen hem niet met minder kracht dan wanneer wij onze zuiverheid voelen; hij zit in die wereld waarin wij ons zo gelukkig waanden; hij verpest opeens de atmosfeer; we kunnen niet meer ademhalen van de stank' (Blanchot[48]); Sartre heeft van deze klaaglijke zelfkritiek nooit iets willen weten, of heeft er, integendeel, zo weinig belang aan gehecht dat hij ervan weten wilde wat men maar wilde en heeft soms net gedaan of hij eraan meedeed. En je hebt de actieve zelfkritiek, die je metterdaad bedrijft en die positief is. Een zelfkritek, soms zonder woorden, die je doet ontsnappen aan jezelf, die je doet keren tegen degene die je was, of die je een ander zelf doet kiezen waarvan men meer in het algemeen kan zeggen, dat hij zelfkritiek levert op de voorgaande ik omdat hij hem verloochent: het moge duidelijk zijn dat Sartre deze tweede vorm van zelfkritiek wel degelijk uitoefent, sterker nog: het is het stijlkenmerk bij uitstek van zijn denken; het is er de ademhaling en de beweging van; ik kan mij net als Orestes, de held van de *Mouches*, in minder dan geen tijd veranderen, zal hij in *Les Mots* zeggen; ook hij, Orestes, met zijn beweeglijkheid, zijn voortdurende koerswijzigingen, zijn hang naar abrupte overgangen, zijn overtuiging dat een goed idee een nieuw idee is, en dat een nieuw idee een idee is dat breekt met het goede idee van de dag ervoor, kon in een oogwenk in een andere huid kruipen, zichzelf opnieuw ontwerpen, de rentenier in zich de nek omdraaien.

Schande, die vastgeroeste intellectuelen. Schande, die gevestigden van de literatuur en de filosofie die zich laten inpakken door woorden die substantie zijn geworden, door ideeën die versteend zijn, en zo om met Flaubert te spreken de stomheid belichamen. Schande, is Sartres commentaar in een late tekst, maar die staaft dat hij dit thema, deze neiging, nooit helemaal zal loslaten, schande, die lui van wie je, op de dag des oordeels zult kunnen zeggen 'hun hersenes leden aan een ziekte die men gewoonlijk in de blaas lokaliseert: hij had stenen'[49].

BOEKEN. Kafka: wat telt zijn de boeken die 'als een ijspriem loshakken wat er bevroren is aan de binnenkant van onze schedel en onze geest'. Sartre: wat telt zijn de boeken die degene die ik was voordat ik ze schreef een metamorfose doen ondergaan; wat telt zijn de boeken die de steentjes, bloedpropjes – hij heeft het zelfs over beenderen – die ik in mijn kop heb, vergruizen. In 1961, in zijn In Memoriam voor Merleau: 'ik had harde botten in mijn kop, ik liet ze onvermoeibaar kraken'.[50] Tien jaar later, tegen de maoïsten die hem van het schrijven van zijn 'Flaubert' proberen af te brengen, bijna dezelfde zin: 'degene die schrijft is een klassieke intellectueel die de botten van zijn hersens laat kraken om jullie te volgen'.[51] Een van de weinige constanten in Sartres lange leven. Een van de contactpunten misschien ook tussen de libertaire en de totalitaire Sartre.

NOG STEEDS ZELFKRITIEK. Botten? Stenen? In het lichaam en in de hersenen? De verbening van de gevestigde mening? De mening die, hoewel de mijne, toch van iedereen is en als cliché fungeert. De verstarde, dus kant-en-klare mening, die, ook al heb ik hem bedacht, ook al ben ik de enige die er werkelijk in gelooft, werkt als een gemeenplaats en daardoor de kracht, de beweging, ja zelfs de vrijheid van mijn denken blokkeert.[52] Er zijn gemeenplaatsen die niet speciaal door iemand zijn bedacht. Maar er zijn ook gemeenplaatsen waarvan ik én de bedenker én de oorsprong ben. En op die laatste heeft Sartre het gemunt. Precies die persoonlijke clichés, die privégemeenplaatsen, verklaart hij genadeloos de oorlog. Tegen zichzelf denken. Makkelijk geworden handelingen en woorden moeilijk maken. De gebaande paden mijden. De gebruikelijke aaneenschakelingen omzeilen. Dynamiet onder je eigen gedachten leggen en ze uit de geëigende baan laten vliegen. Daarentegen dusdanig nadenken, zo staat het in *Les Mots*, dat men de geldigheid van een idee afmeet aan het 'misnoegen' dat zij degene die het bedenkt verschaft. Kortom, de waarheid zoeken terwijl je, zo zei Nietzsche, ervoor zorgt 'partij te kiezen tegen je eigen voorkeuren'. Waarom zou ik denken als het niet is om datgene te denken waartoe ik eerder allerminst bereid was? Daar is de hele inspanning van het sartriaanse denken op gericht. Dat is wat van een ieder van ons, zijn lezers van vandaag en morgen, verlangd wordt. Met of zonder clichés de éénentwintigste eeuw binnengaan?

EXPLOSIE. Theorie van het 'explosieve' denken. Het woord is eigenlijk van toepassing op Descartes. Maar zou ook goed voor Sartre kunnen gelden. Voor hem zelf en voor die zware taak die hij dus nooit verzaakte: denken tegen jezelf; jezelf tegenspreken, als het moet, van boek tot boek, of van bladzijde tot bladzijde van hetzelfde boek – denken ontwikkelt zich in de zucht tot tegenspreken, paradoxen, misinterpretaties, on-zin soms, tegenstrijdigheden, onverwachte moeilijkheden en daarom heeft Sartre, die zo mordicus tegen het bot, de steen van zijn eigen tot cliché verworden meningen was, onophoudelijk de loftrompet gestoken over het 'denken tegen' en in het bijzonder 'tegen zichzelf'. Eén splitst zich in tweeën. Iedere bevestiging is ontkenning. Niet de leugen is de grootste vijand van de waarheid, zei Nietzsche, maar de overtuigingen. De grootste vijand van het denken, haakt die nietzscheaanse Sartre daarop in, is meer dan de overtuiging, het abjecte aan jezelf vastzitten. De eerste aandrijfkracht van het 'goede' denken, zijn eerste en laatste gebod, dat is 'vuur! Onder vuur de hoofdkwartieren van het kant-en-klare denken, ofwel van de domheid!'. Theorie van het verschroeide denken, zoals je die in de politiek van de verschroeide aarde aantreft. Praktijk van de permanente tegenspraak, zoals je die bij de revolutie aantreft. Het toneel van het denken, het echte denken, als een permanent theater van de wreedheid. Heeft Sartre Artaud gemist? Hij heeft het er nooit over? Da's waar. Maar het is alsof hij het erover had. Denken is immers de pest voor hem, een endemische oefening in wreedheid. Denken is immers in zijn ogen het mes, messen, zetten in je eigen kop voorzover die aan het denken of niet meer aan het denken is. De uitspraak die Jeannette Colombel uit zijn mond optekent: 'de ontologie van *L'Être et le néant* stelt niets voor, weg ermee'.[53] Of: 'mijn eerste moraal was solipsistisch, het subject beperkte zich ertoe de ander te ontmoeten terwijl ik nu denk dat de ander constitutief is'. En aan het einde van zijn leven – ik kom er later nog op terug – het algemene afzweren: mijn filosofie kan de prullenbak in, ik begin weer van voren af aan... De douanebeambten van het leven, en van het denken, gelasten ons homogeen, coherent, identiek aan onszelf en onze identiteit te zijn. Sartre heeft geen identiteit. Voelt zich dus niet verantwoordelijk voor wat hij was of zal zijn. Dat mooie mandaat ontrouw te zijn aan alles en in de eerste plaats aan jezelf. Die schilders die hun hele leven lang één en hetzelfde schilderij schilderen. Die schrijvers die onvermoeibaar hetzelfde boek schrijven en herschrijven. Voor Sartre geldt het tegenovergestelde: het uitvinden en weer opnieuw uitvinden van het zelf, het praktiseren van de breuk, de improvisatie, de loochening, zijn voor hem de mooiste van de schone kunsten.

FOUCAULT. Historische tegenstander van Sartre. Altijd in de aanval en altijd aangevallen. En toch... In het 'Entretien de Louvain' zegt hij: 'er komt een moment in een mensenleven waarop de vanzelfsprekendheden vastroesten, de lichten doven, de duisternis invalt; de mensen gaan inzien dat ze handelen als blinden en dat er derhalve een nieuw licht nodig is, nieuwe gezichtspunten, nieuwe gedragsregels: dat is het moment waarop een zaak een probleem wordt'. Had die Sartre van de strijd tegen de verstening en verbening van zijn eigen ideeën dat niet kunnen zeggen, letterlijk, avant la lettre? Is dat niet precies het programma van die rebelse, ongelooflijk brutale, maar juist daardoor zo inventieve en geniale Sartre, die zijn leven lang bezig is uit de puinhopen van zijn kant-en-klare meningen, het licht van nieuwe thema's en problemen te halen en naar buiten te laten stromen?

PASOLINI. Zijn autobiografische gedicht met de titel *Poeta delle Ceneri* (*Who is me*), waarin een andere 'man met zwarte handschoenen' opduikt. Het is niet Sartre. Het is een boef. Het is een dichter. Met het gezicht van de dichter, van Pasolini. En dan die zin in de tekst, die Sartre niet zou misstaan: 'ja, ook de communist is een bourgeois'. En verderop: 'de bourgeoisie is voortaan de standaardvorm van de mensheid'. Nog zo iemand die de afzwering in praktijk brengt. Nog zo'n partizaan, net als Sartre, van het baudelairiaanse recht zichzelf tegen te spreken en ervandoor te gaan.

BESCHROOMD, SARTRE? Het verbaast me dat hij, terwijl hij toch een vurige aanhanger van methodische en radicale ontrouw was, terwijl hij er toch alles aan deed niet op zichzelf te lijken, terwijl hij toch zijn hele leven van mening was dat het enige denken dat ertoe deed, het denken tegen het eigen zelf was, het denken dat, in zichzelf, de verstening en verbening van de eigen ideeën vermorzelde, het verbaast me dat die Sartre klaarblijkelijk niet belust was op een avontuur zoals dat van Romain Gary (met de uitvinding van zijn pseudoniem Émile Ajar), of Fernando Pessoa (met zijn duizelingwekkende heteroniemen) of Alfred Döblin ('als mijn romans overleven, dan hoop ik dat de toekomst ze aan vier verschillende personen toeschrijft'). Een clandestien werk van Sartre? Het verlangen een ander te zijn zover doorgedreven? Wie weet... Je laat je fantasie de vrije loop... Maar nee, ik geloof het niet... Want Sartre, is, op de keper beschouwd, wel degelijk een dergelijk avontuur aangegaan, maar dan met open vizier. Verschillende levens naast elkaar (de vrouwen...). Verschillende levens na elkaar (*L'Être et le néant* is niets waard...). Een variabele lotsbestemming (eerst die nietzscheaanse Sartre, de kunstenaar enzovoort – en dan die andere Sartre, die heult met totalitaire regimes...). Romain Gary, die twee keer in hetzelfde leven geboren wilde worden, bedacht Émile Ajar. Stendhal, die wilde dat hij 'zich voelde leven in verschillende exemplaren', bedacht meer dan honderd pseudoniemen. Sartre heeft geen Ajar of pseudoniemen nodig. Zijn multiple persoonlijkheden en zijn verschillende lotsbestemmingen zijn onder hetzelfde uithangbord te vinden.

PROUST. Gezien dit alles is het ook verbazingwekkend dat hij zo radicaal, zo heftig, afstand nam van Proust. Want die ontrouw aan het eigen zelf, die vervreemding van het ik van vandaag tegenover het ik van gisteren of eergisteren, wie heeft dat beter onder woorden gebracht dan Proust? Wie heeft beter dan hij de opluchting, direct gevolgd door de grote droefheid van de Verteller onder woorden gebracht, als deze er, bij het openen van een telegram dat per vergissing met 'Albertine' was ondertekend, en hij dus ontving wat hij, nog maar kortgeleden, het allerliefste in de hele wereld wilde ontvangen, achter komt dat het de ik die hij geworden is koud laat? Natuurlijk, Sartre is de filosoof die de geschiktheid van mensen om verschillende keren in hetzelfde leven geboren te worden van een theorie heeft voorzien. Maar Proust is degene geweest die de menselijke geschiktheid om, 'tenminste ogenschijnlijk', niet het verleden maar het ik dat men in het verleden was te vergeten heeft doordacht, en het feit dat 'wij onze hele leven niet ophouden te sterven' theoretisch heeft onderbouwd. En van hem is het inzicht dat de mens niet zozeer het talent heeft om te leven, als wel om verschillende keren in hetzelfde leven dood te gaan – dat is pas leven. Een proustiaanse Sartre. Te proustiaans. En dus in verweer, net als tegen Gide, Céline of Bergson, tegen die aanwezigheid, dat beslag van Proust op hem.

EED. Ontrouw aan zichzelf, dus ontrouw aan de anderen? Ja. Onvermijdelijk. 'Natuurlijk plegen bastaarden verraad. Wat moeten ze anders?' Dat zegt een personage in *Le Diable et le bon Dieu*. En verderop: 'ik besta uit twee helften die niet op elkaar passen; ieder boezemt de ander afgrijzen in'. En het voorwoord in 1958 van het boek van Gorz, *Le Traître*, dat, zoals de titel al aangeeft, een verdediging en illustratie is van het principe van het verraad. Lofzang op het verraad, de ontrouw dus. Op de bastaardij, op het verraad. Het is alsof je hier Aragon, die echte bastaard, hoort: 'ieder moment verraad ik mezelf, weerleg ik mezelf, spreek ik mezelf tegen; ik ben niet iemand die ik mijn vertrouwen zou schenken'. Een deel van mij gruwt hiervan. Een deel van mij denkt bij deze verklaringen van on-geloof, van algehele ontrouw onwillekeurig, met Malraux: 'een actieve en tegelijk pessimistische man is een fascist of zal dat worden, als er niet een eed van trouw achter hem staat'.[54] En dat deel van mij vraagt zich onwillekeurig af: een man die totaal en absoluut vrij is, een man die werkelijk alle banden die mensen bijeen plegen te houden heeft weten door te snijden, een man zonder vader, zonder bakens, zonder verleden en zonder onbewuste, zonder kinderen, en waarom niet ook zonder vrienden, een man die het, zoals het in *L'Être et le néant* staat, gelukt is zichzelf te stichten en zijn zijn aan geen enkele vorm van uiterlijkheid te verbinden, zo'n man, is dat niet precies wat we, niet sartriaans een 'salaud', maar, nogal onsartriaans, een bruut, een slechterik noemen? Maar een ander deel van mij kan niet anders dan gefascineerd zijn door die wonderbaarlijke vrijheid. Dat kan niet anders dan dat specimen, dat absolute prototype, dat Sartre is, bewonderen. Fascist? Nee, met alle respect voor Malraux, deze Sartre is geen fascist. Op zijn hoogst zal hij dat later, in zekere zin, worden, in zijn stalinistische en maoïstische periode. Maar die latere Sartre, die rood-fascistische Sartre, is nou juist degene die afstand doet van zijn pessimistische metafysica en in *Critique de la raison dialectique* zijn beroemde theorie van de eed uitwerkt. De stalinistische Sartre is de Sartre onder ede. De Sartre die van geen enkele heer afhankelijk is, de meinedige Sartre, de Sartre die zich door geen enkele solidariteit waar dan ook mee verbonden voelt en de uitspraak van Nietzsche verwerpt die de mens definieert als 'een dier dat belooft', is daarentegen degene die de stalinistische verzoeking bezweert. De smerige, verachtelijke Sartre, de Sartre die inderdaad zijn stem leent aan barbaren met een min of meer menselijk gezicht, is de Sartre die in *La Critique* de menselijke soort eeuwige vriendschap zweert. De cynische en pessimistische Sartre, de waanzinnig vrije, artistieke Sartre, die zijn aristocratische moraal uitdraagt met een in het oog lopende onverschilligheid voor alle banden die de gemeenschap van zijnsgelijken nodig acht, die Sartre kan een dergelijk verwijt niet gemaakt worden. Die Sartre is de beschermheilige van de grote en mooie stam van metafysische verraders. Hij beoefent de kunst van het verraad, maar dan op de manier van de revolutionaire aristocraten van 1789, of van de rode markiezen van de jaren twintig, of van de Franse Algerijnen die hulp verleenden aan de bevrijdingsbeweging: verraders van zichzelf, verraders van anderen, voorzover ze zich voor gelijkgestemden uitgeven, verraders van vrijwillig gevormde gemeenschappen, van natuurlijke religies, kortom, verraders van alle collectiviteiten die geacht worden iemand te bezitten – wat een les!

SARTRES ARMOEDE. We hebben het hier over een roemrijk man. Een succesvol schrijver. Een gevierd auteur, in de watten gelegd door zijn uitgever, wiens toneelstukken over de hele wereld gespeeld worden en die, tot het laatst toe, ten tijde van de *Flaubert*, als hij net als Titiaan een soort nationaal cultuurgoed is geworden wiens werken men roemt zonder ze te lezen, nog altijd, zij het via het toneel, veel geld verdient. Maar de meest betrouwbare getuigen – Lanzmann – spreken nadrukkelijk van zijn armoede: Sartre is steeds armer geworden, zeggen ze. Beklemtonen: als zijn leven een zin had dan lag die in een steeds strenger wordende soberheid, ascese, armoede. Tegenstrijdigheid? Nee. Want het gaat om een ander soort armoede. Een gekozen, existentiële armoede. De armoede van een man die zijn hele leven de strijd heeft aangebonden met alles wat hem kon vastlijmen aan zijn identiteit. En de armoede van de 'vrijwillige clochard' al, die hij in de Stalag geworden was, wordt door zijn medegevangene, Marius Perrin, beschreven: ongedierte, puisten, de bittere triomf die je voelt bij het zien van het spatje bloed op je nagel als je een luis fijngeknepen had – als had hij zijn hele leven lang tot het einde willen gaan van deze metafysische kaalslag.

SARTRE EN GELD. Veel geld, ja. Vaak meer dan een miljoen (oude francs), vertrouwt hij Michel Contat met enige naïveteit toe. Maar contant. In de zak. Dat wil zeggen, op zijn lijf, zoals een pakje sigaretten, bril, aansteker of zelfs als 'zijn dagelijkse kleren die hij zelden verwisselde'.[55] Tot op het laatst – hij geeft deze gewoonte met tegenzin op als hij blind geworden is en de biljetten niet meer uit elkaar kan houden... Kapitaliseren? Nee. Uitgeven? Daar gaat het om. 'Ik heb de behoefte om geld uit te geven,' noteert hij in de *Carnets*. 'Niet om iets *te kopen* (de onderstreping is van hem), maar om die monetaire energie te laten ontploffen, om me ervan te ontdoen, ver van me vandaan te slingeren als een handgranaat. Geld heeft iets vergankelijks wat me wel aanstaat. Ik hou ervan het tussen mijn vingers door te zien stromen en te zien verdwijnen. Het moet in ongrijpbaar vuurwerk de lucht in. Bijvoorbeeld in *une soirée*.'[56] Onnodig om te onderstrepen hoe vreemd deze metaforen zijn. Wat telt is wat ze ons vertellen over Sartres verhouding tot geld. Geld, niet om te bezitten maar om zich van te ontdoen. Niet om een grote berg van te maken, maar om ver weg te slingeren. Geld, niet om een pakhuis mee te vullen maar om te laten rollen, niet om nog meer geld mee te maken maar om uit te geven. De stroom, terugstroom en toestroom van het gekke geld. Heerlijk om het 'in rook te zien opgaan' en het gevoel van ontheemdheid tegenover 'de dingen die het verschaft'.[57] Geld en verlies. Geld dat opgaat aan rituele giften. Geld als negatieve munt. De niet-rijkdom, de on-waarde van geld. Geld voor de altijd idioot grote fooien. Geld als luxe (vuurwerk) maar ook als geweld, vernietigende kracht (granaat). Geld, bij voorkeur liquide om de werkelijkheid te liquideren. Hoe kun je de grootste hoeveelheid werkelijkheid liquide maken? Door middel van geld. Hoe kun je die liquide gemaakte werkelijkheid in de fik steken, haar 'in rook doen opgaan'?[58] Door middel van geld. Sartre zal nooit de kost verdienen, hij steekt er de hens in. Sartre zal nooit enige tegenstrijdigheid zien – integendeel – tussen het erdoor jagen van veel geld en de wens de maatschappij in de lucht te laten vliegen. Het tegendeel van de zogenaamde protestantse ethiek. Het tegendeel van het protestantse puritanisme, de hoek waarin haastige biografen hem graag drukken. Veel gelijkenis, daarentegen, met de 'burgerlijke' schrijver à la Baudelaire over wie in *Qu'est-ce que la littérature?* te lezen valt dat hij het 'uiterlijk vertoon' van de aristocraten nadeed, hun 'parasitisme', hun manier om geld 'in vlammen' te doen opgaan, 'omdat het vuur alles reinigt'.[59] Sartre jaagt het geld erdoor, al moet hij het verbranden.

SARTRE EN HUIZEN. Sartre heeft nooit van huizen gehouden. Hij heeft er, in tegenstelling tot wat beweerd wordt, goed en wel één gehad en wel het appartement dat hij kocht na het overlijden van zijn stiefvader en waar hij – van 1945 tot 1962, zeventien jaar dus! – met zijn moeder woonde. Maar hij had niets met het huis. Hij hield principieel niet van huizen, omdat ze zijns inziens een depot van het zijn, een bezinksel van identiteit en existentie zijn. Wij denken dat huizen van bakstenen zijn gemaakt. Fout. Ze zijn gemaakt van herinneringen. Van brokstukken uit het verleden. Ze zijn gemaakt van dode geest en, of je het nu wilt of niet, van ressentiment. Sartre zonder huis of haard. Sartre zonder vaste woon- of verblijfplaats. Zijn afwijzing van alles wat hem op een vast verblijf zou kunnen vastpinnen. De angst, dus, voor alles wat het gesmolten wezen dat hij wil blijven, weer vast van vorm zou kunnen maken, zou kunnen doen stollen. Niet zijn, dus niet hebben. Weinig zijn, dus zo min mogelijk bezitten. *Les Mots* zou aanvankelijk *Jean sans Terre*, Jan zonder Land, gaan heten. En er bestaat een eerste versie van *Les Mots* waarin hij zegt: 'ik heb nooit geld of bezit gehad, niets wat van mij was – ik ben een vruchtgebruiker van deze wereld'.[60] En Orestes in *Les Mouches* zegt al: 'ik wil een koning zijn zonder land en zonder onderdanen.'

SARTRE EN HOTELS. Van hotels en het hotelleven hield hij daarentegen zeer veel. Hij hield van de anonimiteit van hotelkamers. Hij hield van het gevoel van vrijheid die die anonimiteit meebracht. Hij vond het heerlijk dat de identiteit in een hotel, in tegenstelling tot een huis, geen ankerpunten vond, zich niet fixeerde. En hij vond het heerlijk dat dat 'niets bezitten', dat 'ontsnapt' zijn 'aan de objecten', dat zijn hele leven lang teruggeworpen zijn op 'de vernietigende eenzaamheid' van zijn voor-zich en, op een bepaalde manier, op zijn trots, hem vrije toegang gaf tot 'de totaliteit van de wereld': dat is 'de wereld die ik wil bezitten' en ik wil hem 'zonder symbolisch substituut'...[61] Ik herinner me Paul Bowles die me opbiechtte dat hij in Tanger neergestreken was toen de last van die vrijheid hem te zwaar op de schouders begon te drukken. 'Ik was als Mrs Rainmantle die in *Up above the world* tegen Mrs Slade zegt: wij verliezen onze identiteit door ons hele leven in hotels door te brengen.'[62] Hetzelfde geldt voor Sartre. Met dit verschil dat hij het heerlijk vond, tot het einde van zijn leven aan toe. Sartre, de gast. Sartre, de nomade. Hij woonde, zoveel als hij maar kon, in hotels, van tijdelijk dak boven zijn hoofd tot kamer voor een paar uurtjes. Reizen, niet verblijven. Benen, geen wortels. Of wel wortels, maar niet in de ruimte maar in de tijd vertakt. Sartre, de kosmopoliet, eeuwig op doorreis. Sartre, of het voorbeeld voor de geglobaliseerde elites die eindelijk de overhand lijken te krijgen, zo lijkt het, aan het einde van een twintigste eeuw die stond voor ontketende vormen van chauvinisme. Wat zou hij gevonden hebben van de dieptreurige discussie die aan het einde van de eeuw gevoerd werd door een partij die zichzelf 'nationaal-republikeins' had gedoopt of 'soevereinisten'? Sartre was geen nationalist. Hij was geen republikein. Hij was van de enige republiek die telt, namelijk die van de 'reine Albemarle': Venetië, New York, Parijs, Marrakech, Griekenland, het Lissabon van de Anjerrevolutie, Havana, nog een keer Venetië – heel oud en blind en die laatste wens, verhoord, om nog één keer Venetië te zien...

DE BOEKEN. Eenmaal, kort voor zijn dood, ben ik hem gaan opzoeken, omdat ik een voorwoord aan het schrijven was voor een heruitgave van *Les Mots* en hem daar zelf over wilde horen vertellen, in het kleine appartementje op de Boulevard Edgar-Quinet boven het kerkhof, waar hij op het laatst neergestreken was. Geen voorwerpen. Nauwelijks meubels. Een tafel van wit formica. Asbakken. Een indruk van grote wanorde en soberheid. Maar wat me het meest trof was dat er klaarblijkelijk zelfs geen boeken waren, die van hemzelf niet, die van anderen niet, alleen de Pléiade-reeks, op alfabet gerangschikt, in een boekenrek in de woonkamer. Net als bij de Autodidact? Net als bij een armoedzaaier. Een echte armoedzaaier. Iemand die de logica van de toe-eigening afwijst tot en met het bezit van spirituele goederen. Of iemand – een andere veronderstelling, maar die op hetzelfde neerkomt – die die spirituele goederen zo hoog acht, die ze zo onbetaalbaar acht, dat hem de gedachte dat je ze je zou kunnen toe-eigenen, dus dat je een boek kunt bezitten, als volslagen absurd voorkomt. Het zou nooit in zijn hoofd opkomen een schilderij in zijn bezit te hebben en het op die manier aan het algemeen nut te onttrekken. Hetzelfde geldt voor boeken die volgens hem, naar ik vermoed, alleen in de bibliotheek thuishoren, te grijp voor de publieke nieuwsgierigheid – of in iemands hoofd, natuurlijk, waar ze versmelten met de materie van de eigen gedachten en in beweging blijven. 'Voor mij is een gelezen boek een kadaver. Je kunt niets anders dan het weggooien.'[63] Of het voorbeeld van Descartes, die er ook prat op ging nooit een boekenkast bezeten te hebben. Sartre en zijn kale kamer. Sartre, tabula rasa.

DE EERBEWIJZEN. In 1945 weigert Sartre de Légion d'honneur, terwijl ze hem toch voor zijn verzetsdaden willen onderscheiden.[64] Vier jaar later wijst hij het lidmaatschap van de Académie Française af waarvoor Mauriac hem had voorgedragen. Hij slaat het Collège de France af. Literaire prijzen, medailles, onderscheidingen, hij wijst het allemaal af (behalve, vreemd genoeg, l'Ordre national du mérite, de Nationale orde van Verdienste, waarin hij een paar weken voor mei 1968 grootofficier wordt). Hij wil in eerste instantie zelfs niet opgenomen worden in de Pléiade-reeks – die 'graftombe', schrijft hij aan Robert Gallimard! Dat is toch jezelf 'levend' laten 'begraven'! Een Borges bijvoorbeeld zal er de gedroomde gelegenheid in zien er met de zijnen, zijn geestverwante vrienden en tijdgenoten, te verkeren. Sartre ziet er, in eerste instantie, net als Henri Michaux (brief aan Claude Gallimard[65]: '...de delen van die prestigieuze reeks zijn net ordners waarin je "opgesloten" zit – een van de meest afgrijselijke gevoelens die ik ken en waartegen ik mijn hele leven gestreden heb'), slechts een geweldige valkuil in die het gemunt heeft op wat hem het allerheiligst is, zijn vrijheid. Pas helemaal aan het eind van zijn leven, wanneer hij het gevoel heeft dat zijn werk zo goed als 'afgesloten' is, dat 'het voornaamste deel erop zit', het spel gespeeld is, pas dan stemt hij ermee in.[66] Iedere keer dezelfde reflex. Iedere keer dezelfde anarchist die gevaar ruikt. Iedere keer de overtuiging dat er verschillende manieren zijn om zich van een schrijver te ontdoen en dat, na alle pogingen hem belachelijk te maken, in opspraak te brengen, af te schilderen als een pervert, een geweldenaar, een oude collaborateur, als eentje die te snel neukt, uit z'n bek stinkt, er als laatste redmiddel overblijft – en dat is zo gek niet gezien – hem te bedelven onder de eerbewijzen. Iedere keer, na *Qu'est-ce que la littérature?*, dezelfde intuïtie dat de echte droom van de maatschappij, zijn ware bedoeling met die schrijvers die zich tegen het leven verzetten en boeken schrijven die 'te rauw, te heftig, te indringend' zijn, is ze bezig opgenomen te worden in de rijen der dode of ten dode opgeschreven schrijvers: 'niet te veel onrust stoken' is het verzoek, 'legt u zich erop toe alvast te lijken op de dode die u straks zult zijn!' – en om dat te bereiken een hele reeks middelen, van 'raffineren', 'looien', 'chemisch reinigen' tot het beproefde wapen van de 'heiligverklaring tijdens het leven'.[67] Iedere keer ook die krankzinnige trots, die aristocratische zelfliefde die hem, zelfs in zijn allermilitantste en allergeëngageerdste periodes, boven het krijgsgewoel verheven hield en dus ook boven de eerbewijzen waarmee men zich in het krijgsgewoel tevreden stelt: 'academies, legioenen van eer, wat een onderdanigheid!'[68] – echo van het 'ermee instemmen gedecoreerd te worden betekent dat je de Staat of de Vorst het recht toekent over je te oordelen, je aanzien te verlenen', van Baudelaire in *Mon coeur mis à nu*... Die Sartre accepteert wel 'militante' voorzitterschappen. Hij accepteert de rol van 'nuttige nar' door zich tot voorzitter te laten benoemen van het Vredescongres, van de Vereniging Frankrijk-USSR, van het Russell-tribunaal, en later van het maoïstische blaadje. Hij aanvaardt ook een eredoctoraat van een Israëlische universiteit. Maar de grote eerbewijzen, die hem voorkomen als de 'wereldlijke' bevestiging van zijn uniek literair talent op het moment dat zijn boeken, en met name *Flaubert*, ook nog eens met een ijskoude onverschilligheid ontvangen worden, die ellendige eerbewijzen die toegekend worden door instituties die hij uit de grond van zijn hart veracht en waarvan je je afvraagt op grond van welke criteria ze Leibniz in plaats van Spinoza bekroond hebben, of omgekeerd – die eerbewijzen wil hij niet, nu niet, nooit niet. Sartre, de opstandige, nog steeds. Sartre, de asceet. Sartre en heilig geloof in armoede, zijn metafysische armoede. En ook natuurlijk de onverbeterlijke bergsoniaan, vijandig tegenover alles wat doet stollen en verstarren.

DE NOBELPRIJS. Wat een toestand, dat weigeren van de Nobelprijs.[69] Wat een schandaal! We hadden Julien Gracq gehad die de Prix Goncourt weigerde en Henri Michaux de Prix de Littérature. Maar de Nobelprijs! En uitgerekend hij, Sartre, de koning van Saint-Germain-des-Prés, de hoer van de republiek der letteren, de superstar van de filosofie! Wat bezielt hem? Dat kan hij toch niet menen, hij heeft z'n hele leven aan de voeten van de media gelegen en nu geeft hij, opeens, net als Gracq en Michaux, niet thuis? Nee maar, wat een arrogante klootzak. Dwing hem, arresteer hem! Zoiets kun je niet maken met de Zweedse Academie. Zoiets kun je niet maken met

Frankrijk, dat hij met dat gekloot een slechte naam bezorgt. Stel je voor dat ze daar bij de Nobelprijs op het idee komen de prijs opnieuw aan een Fransman uit te reiken! Maakt hij ze dat met zijn weigering niet tegen? Is dat niet wat je noemt 'in de put spugen'? Klootzak. Denkt alleen aan zichzelf. Dat hij die prijs niet wil, oké. Dat hij met dat geld niet, zoals Mauriac, zijn terrein wil laten omheinen en de badkamer betegelen, daar kunnen we inkomen. Maar wij dan? En z'n kameraden? En het eeuwige Frankrijk dan dat via hem gelauwerd zou worden? Waarom doet hij niet als G.B. Shaw – dat is nog eens een intellectueel! Een groot man en toch zo bescheiden en solidair! – die eerst de prijs weigerde maar later op zijn besluit terugkwam en het geld aan een goed doel gegeven heeft dat ten goede kwam aan de Zweedse literatuur? Oké, de Zweedse literatuur zal hem worst wezen. Maar dan kan hij toch van de buitenkans gebruikmaken en het geld aan een van die Zuid-Amerikaanse ondergrondse verzetsbewegingen geven waar hij zo dol op is? Een bevrijdingsfront, ja. Hij kan het geld toch aan zo'n bevrijdingsfront geven, als hij het niet wil? Hij kan het toch aan de armen geven die hem, naar het schijnt,[70] overladen met verontwaardigde brieven om hem te zeggen dat het al schandalig is dat een schrijver geld verdient – maar om het dan ook nog te weigeren...! Hij kan het ook aan een of andere Scandinavische terroristische splintergroepering geven, als hij er ééntje vindt. Of aan een beweging die zich inzet om van Zweden een republiek te maken. Alles, wat hij maar wil. De tarantula's van de literaire scène, de vliegen, zijn overal toe bereid. Als hij *het spel maar meespeelt.*

NOGMAALS DE NOBELPRIJS. Sartre geeft natuurlijk niet toe. Voor geen geld ter wereld. Waarom hij zijn poot stijf houdt? De 'persoonlijke redenen' die hij aanvoert in zijn beroemde 'verklaring' aan Carl-Gustav Bjurström, de vertegenwoordiger, in Frankrijk, van zijn Zweedse uitgever Bonnier, klinken niet erg aannemelijk: bedenkingen, zegt hij, om het Instituut 'mee te slepen' in zaken die hem nauw aan het hart liggen, zoals de rechtvaardige strijd van de Venezolaanse verzetsbewegingen – Sartre lapt de wereld doorgaans aan zijn laars en het is daarom moeilijk voor te stellen dat hij uit medegevoel met de jury, uit vrees die te betrekken bij een links en twijfelachtig gevecht, uit vrees, met andere woorden, hun sacrosancte 'neutraliteit' in gevaar te brengen, de eer weigert die hem te beurt is gevallen. Ik geloof ook de 'objectieve' redenen niet – wil ze niet geloven... – die hij verder aanvoert: de Nobelprijs is een westerse prijs... tegen het Oostblok en dus tegen zijn verwanten gericht... hij zegt echt 'Oostblok'... hij slaat werkelijk de Nobel-juryleden, die eerbiedwaardige Zweden, erfgenamen van Wallenberg, sociaal-democraten, liberalen, bergmannianen, humanisten, met de bekoorlijkheden van het 'Oostblok' om de oren... En dat is zo gek, zo navrant, het is zo ongelooflijk en deerniswekkend te zien hoe die mooie schrijf- en denkmachine daar vastslaat, blokkeert en die kolossale en infame onzin uitkraamt, je wordt er zo verdrietig van als je verder leest, in dezelfde tekst, dat hij het betreurt dat de jury ervoor gekozen heeft hun prijs aan Boris Pasternak uit te reiken 'in plaats van hem aan Michaïl Sjolochov te geven', dat je die redenen maar liever niet gelooft... Nee. De echte reden was wat hij meteen zei, acht dagen voor de bekendmaking van de prijs, in een eerste brief aan de secretaris van de Academie, dat hij niet 'op de lijst van mogelijke winnaars' wenste te staan. Dat is hij blijven zeggen. En aan de vastberadenheid van die keus, aan de helderheid, ligt een andere, heel wat oprechtere, persoonlijker en dus geldiger, reden ten grondslag, namelijk zijn eeuwige wantrouwen tegenover alles wat hem in een standbeeld veranderen en dus verstikken kan. Zijn weigering van een onderscheiding die tien jaar daarvoor werd uitgereikt aan, en geaccepteerd door, een andere Schweitzer, Albert Schweitzer, die slechte Schweitzer, die boven het volk verheven Schweitzer, hét toonbeeld van hoe het hoorde of liever van hoe het niet hoorde, dat sindsdien door zijn hoofd is blijven spoken. Zijn weigering, kortom, van de 'Titiaan-oplossing', de gebalsemde, gemummificeerde, tot nationaal cultuurgoed of museumstuk omgetoverde en vervolgens vergeten kunstenaar. De ouderdom is gekomen, hij weet het. Hij wordt al met respect overladen. Komt hij zelf, op zijn reizen, ook niet in de verleiding zich als belangrijk man te wenden tot andere belangrijke mannen, als gelijken onder elkaar, terwijl zijn echte gelijken Fanon, Genet heten en later maoïstische namen dragen? Hij biedt dus weerstand aan die duivelse demon. Met al zijn kracht, wanneer hij ook maar de minste verleiding voelt opkomen, weigert hij die rol van intellectuele revolutionair die anderen – Aragon, Malraux – wel aanvaard hebben en die hun ondergang werd. Sartre, de onverzettelijke. Sartre, de onbuigzame. Sartre die tot aan zijn dood blijft rebelleren, niet alleen tegen de marionet maar ook tegen de mummie in hem zelf. En daarom weigert hij de Nobelprijs... De woorden die Althusser sprak bij zijn dood. De woorden van Marx, uit het hoofd geciteerd door Althusser. Sartre is altijd vergeleken met Voltaire. Fout. Hij lijkt veel meer op Rousseau. Hij was onze Rousseau. Want van Rousseau had hij 'de aangeboren onverzettelijkheid' en het feit dat hij nooit ook maar het minste 'compromis met de gevestigde orde'[71] accepteerde.

SARTRE EN DE TIJD, TOT SLOT. Als het subject die realiteit vol gaten is, die uiteengevallen, verbrokkelde, onvoltooide werkelijkheid, als het zijn opdracht is alles en in de eerste plaats zichzelf ontrouw te zijn, dan moet dat ingrijpende gevolgen hebben voor het idee dat het heeft van de tijd.

Geen verleden meer om mee te beginnen. Niet de minste trouw aan een verleden waar men zich van dient los te maken. En kom vooral niet aan met: 'Het verleden heeft jou gemaakt! Jij bent het product van je verleden!' Of: 'De ervaring van het verleden! De uit het verleden geërfde wijsheid!' Want het zijn de 'salauds', de 'burgermannen van Bouville' met een kop als een os en de ziel van een slaaf, die 'ons willen doen geloven dat hun verleden niet verloren is, dat hun herinneringen miraculeus omgezet zijn in wijsheid'. Het hele satriaanse denksysteem is gemaakt om juist het opspringen, het zich losrukken, het ononderbroken opborrelen van het subject buiten dat verleden aan te geven dat, zegt *L'Être et le néant*, nooit meer is dan 'een door het op-zich gegrepen en verdronken voor-zich'...[72]

Het ogenblik. Alleen het ogenblik telt. Alleen dat 'eeuwige gat in het zijn, dat meteen weer dicht en steeds weer open gaat' zoals hij het heden noemt, telt en is van waarde. Het enige wat telt, het enige wat hem interesseert, is dat zich onophoudelijke losrukken van het verleden, van 'de verkleving met het "op-zich"', en daarin ziet hij het kenmerk van zijn voorkeur voor het heden en het ogenblik. Het is de mallarmeaanse kant van Sartre ('het maagdelijke, levenskrachtige en mooie heden'...). Maar ook, en vooral, zijn stendhaliaanse kant (Sanseverina die 'zich helemaal overgeeft aan de impregnatie van het moment'). Maar wel een onrustige Stendhal. Het is een najagen van het opborrelende, hortende, onrustige ogenblik, dat leeft op het ritme van breuken, explosies en onderbrekingen. Het ogenblik als een duizelingwekkende draaikolk te midden van de volheid der dingen. Die tijd zonder duur is de tijd overgeleverd aan zijn ogenblikken.

En dan tot slot dat derde idee, paradoxaal maar prachtig. Normaal belast het verleden het heden, vult het met zin en waarde – het verleden oefent druk, kracht uit op het heden, vormt het heden en van lieverlee de toekomst. Bij Sartre is het verleden niet meer, telt niet meer, weegt niet meer, drukt niet meer. Zodat, als je wilt dat het heden ontsnapt aan het zuivere niet, als je niet wilt dat het die 'infinitesimale' realiteit is, dat 'dimensieloze punt' dat Husserl beschreef in zijn *Phänomenologie des inneren Zeitbewusstseins* en dat, zo zegt Sartre in *L'Être et le néant*, zou lijken op het 'denkbeeldige eindpunt van een tot in het oneindige uitgevoerde deling', als je wilt dat er werkelijk een menselijk heden is, ingebed in een menselijk bestaan en als zodanig beleefd, er niets anders op zit dan je tot de andere kant te wenden en in de toekomst een identiteit voor het heden te zoeken. De toekomst maakt het heden, niet omgekeerd. De toekomst drukt op het heden, niet andersom, zoals bij Bergson, bij wie het heden met zijn zware punt op de toekomst drukt. Het verleden brengt niet de toekomst voort, zoals we steeds dachten, maar de toekomst 'beslist' over het verleden en beslist met name 'of het verleden dood of levend is'.[73] In plaats van, zoals zowel het gezonde verstand als het merendeel van de filosofen vóór hem zeggen, dat ik me erop instel te zijn wat ik zal zijn op grond van wat ik geweest ben, is wat ik ben, hier en nu, afhankelijk van wat ik zal zijn en is het dus de toekomst die het heden en het verleden hun kracht, hun zin, hun smaak geeft. Ik heb een heden. Ik heb een verleden. Ik draag een hele reeks 'conditioneringen' uit het verleden mee, die mijn 'situatie' bepalen. Wat telt is wat ik doe met wat dat verleden van mij gemaakt heeft. Wat telt is het 'ont-werp' dat ieder ogenblik dat verleden transcendeert, omvormt en opnieuw kan laten opvoeren. Wat telt, en waar hij overigens in al zijn essays over de existentiële psychoanalyse een analyse van zal geven, is 'die kleine beweging die van een totaal geconditioneerd sociaal wezen een persoon maakt die niet de totaliteit teruggeeft van wat hij ontvangen heeft'.[74] Je begrijpt de blije verwondering van zijn tijdgenoten. Je begrijpt hoe opgetogen men was over die ideeën, die ons nu ouderwets en achterhaald voorkomen, maar die toen de vrijheid zelf waren. Misschien is Sartre een soort monster. Misschien was er een bepaalde monstruositeit voor nodig om Sartre, om die bizarre, zonderlinge, buiten de algemeen geldende regels vallende, een beetje gekke denker te zijn, van wie veel uitspraken, uit een andere mond, rampzalige gevolgen zouden hebben gehad. Misschien was Sartre-zijn veel gecompliceerder, pijnlijker, gevaarlijker dan de wijze Aron te zijn, die op zijn gemak aan zijn bureau op de redactie van *Le Figaro* wat voor zich uit zat te denken, of professor Merleau-Ponty, die je altijd op hetzelfde uur naar de Sorbonne in de rue des Ecoles zag lopen, of zelfs de goede Camus, die zijn schrijfdag snel beëindigde om een partijtje voetbal te gaan spelen in het stadion van Lourmarin. Maar zo veel monsters kent de geschiedenis van de filosofie niet. Bijzonder aan het monster Sartre is in ieder geval dat hij de meest radicale denker van de vrijheid was. Hem komt in ieder geval de eer toe dat hij het hedendaagse denken geproduceerd heeft dat de hypothese van de vrijheid het verst, tot duizelingwekkende hoogte, haast tot het absurde, doorgedacht heeft. De andere antihumanisten, degenen die na hem komen en om het hardst roepen dat hij achterhaald is, lopen precies tegen deze hypothese aan omdat hij ongemerkt ook een hoeksteen van hun eigen denken is. Precies omdat Sartre geen humanist was, omdat hij het wezensidee van de mens verwierp, maakte hij een filosofie van de vrijheid. En dat lijkt me het meest waardevol aan hem.

3

Antifascist in hart en nieren

Want dat heeft de boosaardige legende stelselmatig verhuld. Zij heeft ons Sartre al bijna vijftig jaar voorgeschoteld als het prototype van de verdwaalde. Zij heeft van hem het schoolvoorbeeld van de onderworpen, gecompromitteerde filosofie gemaakt. Zij heeft hem vervormd tot een circusdier in de politiek, tot zuiver symbool van het verraad van de intellectuelen aan de knechtschap van de dictatuur. Nog even en men leest hem niet meer, niet echt meer – en wordt hij louter dat vignet, die levende of dode allegorie, die getuige van donkere tijden: ziet, ziet, hoe men zich kon vergissen toen er Geschiedenis was... ziet, hoe, deze man, met een loden bal aan het been, in een onderaardse kerker geworpen van een wereld die, dat beloven wij u, nooit meer van het rechte pad zal afwijken, de incarnatie was van de schande, van de dwaling.

De moeilijkheid met deze legende is dat er een andere Sartre is. Ik zal op de kwestie van de dwaling zeker terugkomen. Ik zal laten zien hoe en waarom, en door welke keten van omstandigheden en hartstochten, Sartre, en zijn eeuw erbij, inderdaad van het rechte pad hebben kunnen afwijken. En ik zal bovenal laten zien waarom deze lange kroniek van de dwaling nog bij lange na niet afgesloten is met een 'einde van de Geschiedenis' waaraan men ons wil doen geloven. Maar nu eerst die andere Sartre. Een Sartre die men voor het gemak, of uit gewoonte, of ook omdat het die van zijn eerste grote werken was, van *La Nausée* en *L'Être et le néant*, de 'eerste Sartre' of de 'jonge Sartre' kan noemen – maar op voorwaarde dat men die jeugd hier niet opvat als een strikt chronologische verwijzing en men erop verdacht is dat die tot in de laatste jaren weer kan opduiken. Deze eerste Sartre, deze jonge Sartre, deze antihumanistische Sartre, deze radicale, zwartgallige Sartre, die weigert zich te laten bedwelmen door de mythe van de goede mens, deze Sartre die nog enigszins in de greep is van Bergson en Gide, maar al wel bezig is zich daarvan los te maken, deze Sartre die geobsedeerd wordt door Nietzsche en Céline, maar aarzelt om daarvoor uit te komen, deze anarchistische vrijheidsapostel, deze Sartre van voor de Sartre die van de ontrouw aan zichzelf zijn heiligste opdracht maakt, deze Sartre die nog niet Het Progressieve Geweten is van de tijd van de *Critique* – hij blijkt bepaald niet de totalitaire intellectueel van het standbeeld waartoe men hem heeft laten verstarren, hij blijkt er het volstrekte tegendeel van te zijn: een antitotalitaire Sartre; een Sartre van het avontuur van de vrijheid, een Sartre die men juist vanwege zijn pessimisme en zijn antihumanisme, mits men alle filosofische en politieke consequenties uit dit antihumanisme trekt, kan zien als de intellectueel die bij uitstek toegerust is voor het kritiseren en aan de kaak stellen van het despotisme, in al zijn vormen, het fascisme en het stalinisme, welzeker, incluis...

Twist hoort erbij

Hier dan mijn eerste stelling. Men begrijpt niets van de totalitarismen die de twintigste eeuw met bloed hebben overgoten, men begrijpt niets van de verschrikkelijke aantrekkingskracht die zij op de volkeren hebben kunnen uitoefenen, als men vergeet dat de verantwoordelijken zich altijd, voordat zij naar de wapens grepen, voordat zij de wereld en vuur en vlam zetten, voordat zij de joden, de koelakken, de bourgeois en andere 'luizen' en 'schadelijke insecten' uitschakelden op beschuldiging van geen ander misdrijf dan geboren te zijn, hebben opgeworpen als mensen met een missie: zij allen waren erop uit een nieuwe mens en dus een nieuwe wereld te scheppen.

Het waren moordenaars, zonder twijfel. Folteraars van een ongebreidelde perversiteit. Voor diegenen onder hen – de nazi's – die zich ertoe zetten de joden van Europa te vernietigen en die door dit te doen een ongekend type misdaad in de wereld zetten, een misdaad die met geen andere op één lijn gesteld kan worden, toen niet, en ook nu niet, zijn er in wezen geen woorden. Niettemin passen zij in een categorie. Vandaar deze inkadering te midden van de totalitarismen, zeker niet om ze over één kam te scheren, maar louter om de gedachten te ordenen, en om ons, zonder ooit uit het oog te verliezen wat deze misdaden onderling doet verschillen, zonder ooit los te laten wat het unieke uitmaakt van elke daarvan, en al helemaal van de Shoah, in staat te stellen toch regelmatigheden te zien die hen op één noemer brengen. Hun kracht was dat zij zich eerst als vrienden van de menselijke soort presenteerden. Hun kunst, hun talent bestonden erin hun treurigste intenties in een roze gewaad te presenteren. Hun eerste, hun meest geduchte geheim was, hun tijdgenoten te overtuigen doordat zij over de formule beschikten – die van de klassenloze samenleving, het duizendjarig rijk, de oemma van de islamieten – die mits correct toegepast de mogelijkheid biedt om een eind te maken aan de aartszonde, en dat is voor een samenleving de verdeeldheid en de oorlog.

Alle tot nu toe bekende samenlevingen zijn verdeelde samenlevingen, zo ongeveer luidde de boodschap van de totalitaire leiders. De mensen worden er uiteengedreven in de strijd van de een tegen de ander; en ik begrijp dat zulke regimes, zulke foutieve ordeningen, zulke onvolkomen, onzuivere, verscheurde staten nooit op uw gehoorzaamheid en onderwerping hebben kunnen rekenen. Maar kijk wat ík u te bieden heb. Zie mijn utopie. Zie deze blauwdruk die ik heb uitgedacht en die als wij hem samen tot uitvoering brengen alle conflicten zal bijleggen, tegenkrachten het zwijgen zal opleggen, het verscheurde lijf van deze beklagenswaardige samenleving weer aan elkaar zal naaien. Dat moet u toch wel aanspreken? Als deze stralende staat bestaat en als ik u laat zien hoe hij in elkaar steekt, dan kunt u toch niet weigeren u erin te voegen? Men kan het Goede toch niet afslaan? Verzet men zich tegen het Ideaal?

Welnu, Sartre verzet zich. Hij kan niet instemmen met dit type onderneming of waagstuk. Dat is niet louter omdat hij de claims van deze of gene staatsorde, dat zij de belichaming is van dat gemeenschapsideaal of van de ideale gemeenschap, niet vertrouwt. Zijn boodschap is niet: 'Dat zou mooi zijn! Leve de goede gemeenschap die eindelijk de verdeeldheid tussen de mensen opheft! Maar ik heb een fout ontdekt! De samenleving die u voorstelt is niet echt de samenleving van volmaakten.' Het zit dieper: hij vertrouwt het project als zodanig niet. Hij verwerpt de grondgedachte van de goede samenleving. En hij verwerpt hem zowel omwille van de ontologie als van de ethiek – hij betwist het vermogen van welke samenleving dan ook om die toestand van zuiverheid, van eenheid, van volkomen klaarte, van reinheid van alles en iedereen, te bewerkstelligen en hij ontkent daarenboven dat deze zuiverheid, als zij al mogelijk zou zijn, als zij dan toch van deze wereld was of, langs vreemde wegen, zou kunnen worden, zo begeerlijk zou zijn als men ons voorhoudt.

Dat de aanname van een goede samenleving ontologisch onzinnig is, dat vloeit alleen al uit de hele metafysica van de eerste Sartre voort. Hij zet een vraagteken bij de Mens: *La Nauseé* spreekt dit onophoudelijk uit. Hij zet een vraagteken bij de Zuiverheid zelve: dat is een van de thema's van *La Nauseé* en later van *Les Chemins de la liberté* en natuurlijk ook, maar nog weer later, van *Les Mains sales*. Hij zet een vraagteken bij de Waarheid: dat is een van de lessen van *L'Être et le néant*, waar net als bij Lacan sprake was van 'een waarheid die niet alles kan zeggen'. Hij zet een vraagteken bij het Al, en, om precies te zijn, bij de veelbesproken verbondenheid van het Al en het Ware, die ons in de eerste regels van het voorwoord van *Die Phänomenologie des Geistes* wordt geoffreerd – 'das Wahre ist das Ganze', je hoeft alleen maar geduldig te zijn, de moed en de tijd te hebben om tot het einde der tijden te gaan om de Waarheid, in volle glorie, te zien opdoemen: wat een onzin, dus! Is het niet precies datgene waar Sartre zich, in *L'Être et le néant*, net als Lacan, tegen verzet? Welnu, als zijn systematische twijfel zich al uitstrekte tot deze klassieke illusies of fabels, dan moest het idee alleen al van een onberispelijke, eindelijk tot zichzelf gekomen samenleving hem wel afstoten. Dan moest die belofte van een gepacificeerde, van zijn tegenstellingen gezuiverde, verzoende, ideale, waarlijk menselijke gemeenschap, die de waarheid zou zijn van nu bekende, maar ontspoorde gemeenschappen, hem wel een meewarige glimlach ontlokken. Dan kon hij die hypothese van een volmaakte gemeenschap alleen maar volkomen onpraktisch en absurd vinden.

Daar komt bij wat hij zegt – en ik houd het bij de chronologische volgorde –, ook in *L'Être et le néant*, en wel in het hoofdstuk 'Le Pour Autrui', over de intersubjectieve betrekking en over het avontuur dat zij betekent. 'Voor' de ander zijn... 'Door' de ander zijn... Achter deze beroemde formules, die generaties docenten hebben uitgekauwd, schuilt het idee van een zijn zónder de ander... De mensen kunnen nog zo dromen over eenwording, is zo ongeveer Sartres verhaal. Zij kunnen net als de geliefden van Plato's *Gastmaal* proberen zich één te voelen en elkaar te omarmen in het Ene. Maar hun pogingen zijn vergeefs. Hun eenzaamheid is onherroepelijk. Het is als een kwade betovering of een fataliteit, die maken dat wanneer een subject een ander subject ontmoet, wanneer het naar het andere kijkt of luistert, het niet anders kan dan het te degraderen tot object, of het zou zo moeten zijn dat het andere subject, dat object geworden is, de beleefdheid van de eerste beantwoordt, zijn blik terugkaatst en hem op zijn beurt op zijn gedegradeerde plaats zet: en dan is 't het eerste subject dat zich beroofd ziet van zijn transcendentie, en is het zijn beurt om in het op-zich te vallen; het eerste, vervreemde bewustzijn heeft zich van zijn vervreemding slechts kunnen bevrijden door de situatie om te keren en degene tegenover zich te vervreemden...

Dat is, in de nieuwe lezing van Sartre, in zijn idioom, de grote les van Schopenhauer en van de grote Franse moralisten, La Rochefoucauld voorop: de blik is een daad van geweld, wij zijn Medusa voor elkaar, en ieder is versteend.

Het is Hobbes' problematiek van de 'schaarste': mijn naaste is vanwege de schaarste per se mijn vijand; de mens is, door wat een freudiaan het spel van het onmogelijke, van het tekort en van de wet zou noemen, noodzakelijkerwijs afgesneden van de mens, de haat komt voor de liefde – er is tussen de mensen eendracht noch samensmelting.

Het is voorts de hegeliaanse reflectie over de 'strijd op leven en dood om erkenning', uitgevochten tot het bittere eind, zonder happy end: Sartre prijst Hegel om zijn synthetische en actieve verbinding tussen de beide bewustzijnen die niet meer exterieur zijn maar elkaar constitueren[1]; hij kent hem de verdienste toe in mijn duel met de Ander, dus in de twist en de oorlog, te hebben kunnen zien wat van mij een subject maakt; zij het dat waar Hegel van dit duel een eenvoudig moment maakt, daar waar *Die Phänomenologie des Geistes*, vanuit het gezichtspunt van het Absolute, reeds het andere, volgende moment zag komen, waar de scheiding wordt weggenomen, Sartre in het duel de grondfiguur van de verhouding tussen mensen ziet, een onherroepelijk Schandaal; in tegenstelling tot Hegel kan hij zich geen ontmoeting van bewustzijnen voorstellen die niet aanstonds, en voor eeuwig, op een botsing uitdraait – hij kent geen blik die geen oorlogsverklaring is en geen gebaar naar de ander dat niet een twist van bewustzijnen is die zodra zij elkaar tegenkomen, en voor altijd, hun vrijheid verliezen...

Als er een wet van Sartre is, zou dit hem kunnen zijn. Een heuse wet. Hij bestrijkt zoals het een wet betaamt het hele veld van de betrekkingen tussen subjecten en vat samen wat hij van de liefde, of de erotiek vindt – niets dan een conflict zonder einde, een andere manier om de 'dood van de Ander' na te jagen, de voortzetting van de 'oorlog van de zielen' met andere middelen, die van de lichamen. Hij gaat zelfs verder dan de eerste Sartre – hij is zo diep in hem verankerd, hij sluit zo nauw aan bij de kern van zijn denken, dat hij de wetten van de chronologie buiten werking stelt en dat hij er helemaal op het eind (weer?) is, in een weinig bekende tekst, waar men de oude filosoof ziet reageren op een vraag van *Libération* over het feminisme en, goed verscholen in zijn links-radicale woordenstrijd, bedachtzaam en militant tegelijk, zijn opvattingen in de vorm van vragen hullend, zich af ziet vragen: 'of de geslachtsdaad normaliter niet geweldpleging met toestemming is', of hij niet 'altijd, al is het verhuld, een vorm van mishandeling is', of niet elke penetratie, wat men er ook van zegt, hoezeer de gelieven ook mogen dromen over 'een andere man en een andere vrouw die groeien uit de opstand van vandaag', een onvermijdelijk 'element van agressie' in zich draagt: het is 'uit revolutionair oogpunt belangrijk', gromt hij, te 'beslissen of de geslachtsdaad een vorm van geweld is, of dat er een niet-gewelddadige geslachtsdaad bestaat, die te construeren en te stabiliseren valt met de gewelddadige geslachtsdaad als vertrekpunt'; en hij komt tot de slotsom: 'ik denk niet dat agressie geheel buiten de seksualiteit kan worden gehouden' – waarna hij zijn ondervragers verbluft met: 'het merendeel van de mensen van *Libération*' heeft zich nooit afgevraagd 'wat een vrouw in de seksuele betrekkingen kan ondervinden' want in deze schermutseling van lichamen die de liefde is, in deze oorlog van allen tegen allen en zonder einde 'is dat een probleem dat de mensen nauwelijks bezighoudt'.[2]

Merleau heeft hem verweten dat de betrekking tussen twee wezens die tegelijk subject en object zouden zijn, de ontmoeting van twee objecten die, in de beweging van het elkaar aanvatten, hun waardigheid en hun vrijheid zouden behouden, bij hem nooit tot het rijk der mogelijkheden heeft behoord. En inderdaad, van Roquentin tot Goetz, om van Orestes maar te zwijgen, zijn alle personages van de eerste periode eenzame mensen die men ten prooi ziet aan uiteenlopende vormen van verscheurdheid, van scheiding, van antagonisme. Maar dat is het hem nu net. Daar ligt zijn kans. Dat is de eerste, 'ontologische' reden die maakt dat voor deze eerste Sartre het idee van een goede gemeenschap geen zin kan hebben (maar dat geldt ook voor Aron – het is alsof de een het libertaire en de ander het liberale gezicht vertoont van eenzelfde pessimisme).

En dan is er de ethiek. Dat dit perspectief behalve absurd ook ongewenst is, dat het in flagrante strijd is met de opvatting die hij van het leven heeft, dat het denkbeeld van een maatschappij zonder spanning en onenigheid hem voorkomt als een volstrekt obsceen idee, kortom dat de goede gemeenschap niet alleen een droombeeld, maar een valkuil is en dat men er alleen maar extra ellende en verlies van waardigheid van verwachten kan, dat is wat hij stelt, en uitwerkt, in drie reeksen teksten.

De teksten waarin hij de loftrompet steekt over de twist en waarin de staat van oorlog, de burgeroorlog welteverstaan, hem een wenselijke en bovenal gezonde toestand toeschijnt: onderdruk de onenigheid, zegt hij in *L'Être et le néant*; verdrijf als u dat kunt het heilzame virus van het conflict tussen 'geregeerden' en 'regeerders', en een dode, afgestorven samenleving zal uw deel zijn – u krijgt wat Plato (die zich erop verheugde) en Machiavelli (die er somber over was) al hadden gezien: een maatschappij waarin politiek en politie samenvallen.

Dan het proces tegen de consensus – dat woord dat zo stom begint – waarin hij de dubbele realiteit van de samensmelting (je één voelen) en de onderworpenheid (je voegen naar de ander) kastijdt, toen tenminste: zijn haat tegen het paar bijvoorbeeld, die consensus tussen twee, zijn beschrijvingen, als bij Joyce, van de beide wezens die één worden, één enkel dier dat 'zichzelf ruikt, herkauwt, opsnuift en zich bepoetelt met zijn acht rondtastende poten', en, in het openbare leven net als in het leven van de ziel, zijn hang naar scheuring, zijn gebrek aan geloof in de dialoog – Sartre de man van het duel, Sartre, afgezant van de vorst van de Verdeeldheid!

En tot slot het proces tegen versmolten groepen. Ja! Er zijn bij deze eerste Sartre teksten waar hij neersabelt wat hij weldra zal bewieroken en waar hij van de versmolten groep zegt dat die het toonbeeld van de onderdrukking is. Er is een bladzijde in *Réflexions sur la question juive*[3], waar de antisemiet heel nauwkeurig beschreven wordt als een massamens die ervan droomt zijn eigen persoon plotseling te voelen 'smelten in de groep' en die leeft 'in de nostalgie van crisisperioden waarin de primitieve gemeenschap plotseling herleeft en zijn smeltpunt bereikt'. Hij zegt echt 'smelten'. Hij zegt echt 'smeltpunt'. En er zijn daar (eveneens in de *Réflexions*) 'vluchtige groeperingen' waarvan de 'sociale band de woede is' en die ontstaan naar aanleiding van 'een oproer, een misdaad, een onrecht'. Maar deze 'vluchtige groeperingen', een andere naam voor 'versmolten groepen', duiken voor hetzelfde geld op als ware smeltkroes van de antisemitische lynchpartij.

De tijd zal helaas komen dat hij van deze analyse en deze veroordeling afstand neemt.

Er zal een tweede filosofie komen, die van de *Critique de la raison dialectique*, die aan deze heilzame tweedracht, aan deze beschaafdheid van de oorlog zijn meest rechtstreeks politieke, de meest platvloerse wending geeft, stupide en meedogenloos tegelijk: de 'volksoorlog', opgevat, in het West-Europa van de jaren zestig, als 'de geprivilegieerde vorm van de klassenstrijd'.[4]

En deze tweede filosofie pakt deze kwestie van de 'versmolten groep' weer op in zijn totaliteit, zij beschrijft er de geboorte, de wasdom, later de neergang van, te beginnen met de Bestorming van de Bastille, en het is meer dan een loflied, het is een uitstorting vol vervoering. Deze groep wordt het moment bij uitstek waarop de mensen, ontdaan van hun 'serialiteit', tot hun ware menselijkheid komen. Die 'vluchtige groeperingen', die gesmeed worden in het vuur van de volkswoede, verschijnen nu als de gezegende plaatsen van de ware revolutie. Men leest zelfs, in de *Critique*[5], een analyse van het antisemitisme, van gebeurtenissen als lynchpartijen en pogroms en, tussen de regels door, ook van de Duitse 'Kristallnacht' van 1938, waar men het treurige gevoel krijgt dat de hele constructie het begeeft: een theorie van de 'conditionering door krachten van buiten', van de 'continue inwerking van de groep op de reeks', die beoogt aan te tonen dat 'men er te zeer toe neigde' (maar wie kan die 'men' anders zijn dan de Sartre van de *Réflexions*?) 'bepaalde collectieve acties te zien als het product van plotseling gevormde groepen' en van een 'spontaniteit van de massa's'...

Maar een deel van hem zal nooit helemaal geloven in deze koerswijziging. Er zal, diep in de ziel van deze man, het idee voortleven dat er in een mensenmaatschappij altijd iets wilds, iets verontrustends is dat weerstand biedt aan de wil om alles transparant en rein te maken. Dat zien we op die bladzijde van *Réponse à Claude Lefort* waar hij, in de hoogtijdagen van het stalinisme, juist wanneer hij meent de sleutel tot de goede gemeenschap te hebben gevonden, zich, in het vuur van de polemiek, deze bekentenis laat ontvallen: 'Waar heb ik geschreven dat de Partij identiek is aan de klasse? Dat zou zijn alsof ik het draadje om de asperges voor de bos asperges zelf zou houden.' Als woorden iets betekenen dan staan 'de asperges' voor de klasse. De Partij bundelt. En de vraag die zich dan opdringt is, waar dat draadje om de asperges voor nodig is: is het omdat zij zonder draadje niet bij elkaar blijven? Omdat ze zonder het draadje zouden terugvallen in hun oude serialiteit? Of omdat de bos een valse bos is, die de wildheid van ongeordende asperges moet temmen, camoufleren, indammen? Wat het antwoord ook is, de metafoor blijft gelijk. Welzeker spreekt hij van de 'klasse', en de 'klasse' wordt, in deze tekst net zoals in de andere, bewust afgezet tegen de 'versmolten groep'. Maar toch... In die andere 'reflecties' kan je moeilijk een manifestatie van optimisme of van onwankelbaar vertrouwen in de verenigde mensheid ontwaren. Je krijgt het gevoel dat een dosis wantrouwen blijft tegenover dat wat, versmolten of niet, toch een 'proletarische' menigte is. Je ontkomt niet aan de gedachte dat in deze late, in beginsel optimistische periode nog iets van het nietzscheaanse, aartsindividualistische kunstenaarspessimisme voortleeft dat zijn eerste filosofie voortbracht.

Maar wat hij ook bereikt, wat hij ook naderhand heeft kunnen worden, deze eerste Sartre, of hij ten onder gaat dan wel overleeft, of hij doorgaat zich te openbaren in zo'n interventie over de betrekkingen tussen man en vrouw dan wel zichzelf onzichtbaar maakt, of hij zichzelf is gaan haten dan wel met zelfverwijt heeft leren leven, hij staat er, eeuwig jong, met die ware jeugd die niet zomaar die van correcte ideeën is, maar van zijn belangrijkste werken – *La Nausée*, de *Réflexions*, *L'Être et le néant* – waarin hij, zou je kunnen zeggen, bezonken is. Er bestaat een Sartre, en die pakt niemand ons af, die gelooft dat een maatschappij geen fundament heeft (hij is daarin een authentieke anarchist) omdat zij de vrucht is van een schimmige, stilzwijgend verlengde, fragiele, ongewisse overeenkomst (het precieze tegendeel van de versmolten, door een eed van trouw verbonden groep). Er bestaat een Sartre, en niets kan hem uitvlakken, die onwrikbaar wantrouwig, ja vijandig staat tegenover alle gemeenschappen (Bouville), in het bijzonder die welke het niet hebben kunnen laten zich als 'ideaal' op te werpen (met hun bescheidenheid, precisie, vorm- en regelzucht, maar net zo goed de uitzinnige hervormingsprojecten van de Franse maatschappij die onder de Bezetting, in de tijd van '*Socialisme et Liberté*' werden opgesteld). Er bestaat een Sartre die pessimist is en vrij is, vrij omdat hij pessimist is, die zijn voorliefde voor de verdeeldheid metafysisch verankert en dit anker nalaat aan ieder die er ontvankelijk voor is: Sartre contra Hegel; Sartre contra Husserl en zijn 'gemeenschap van monaden'; Sartre tegen Heidegger en diens voorstelling van een '*Sein zum Tode*', dat opgevat wordt als toegang tot een authentiek *Mitsein*; Sartre de denker van het afwijkende, van de heilzame, zeer heilzame tweedracht tussen de mensen; een Sartre in het voetspoor van Schelling, die Schelling hervindt contra Hegel – de Schelling van de *Erlanger Vorlesungen* – die over het 'antagonisme' opmerkte dat het een objectieve reden heeft, dat het 'gegrondvest is in de natuur van de dingen zelf' en dat we alle hoop moeten opgeven dat we ooit een eind aan dat conflict kunnen maken door 'één systeem de baas van alle andere te maken'.[6]

Als 'tragisch' een geschikte naam is voor de visie van een wereld waarin de tegendelen zich niet laten verzoenen, als 'tragisch' staat voor deze niet-dialectische visie van het afwijkende, dan kan men stellen dat de eerste Sartre een denker van het Tragische is.

Als we bereid zijn te erkennen dat alle totalitaire systemen begonnen zijn met deze ontkenning van het Tragische, als totalitarisme staat voor deze dwaze ontkenning van het meervoudige in de hersenschim van het hervonden Ene of Al, dan moeten we tot de slotsom komen dat deze gedachte van het Tragische, en deze omschrijving van de mens als wezen van het niets en van de negativiteit, de eerste sartriaanse dam is tegen de totalitaire verleiding.

De natuurlijke gemeenschap bestaat niet

Goed, gaat de despoot verder. Laten we aannemen dat u het idee afwijst van een bovenmeester die beweert dat hij de sleutel van het paradijs in handen heeft. Laten we aannemen dat u terugschrikt voor het avontuur waarbij u gevraagd wordt uzelf te offeren op het altaar van een maatschappij die wij, als totalitaire vorsten, bedacht hebben, maar die niemand ooit heeft gezien. Wat dacht u van een orde waarvan men u verzekert dat de formule ervan niet ervoor maar juist erna komt, dat zij niet bedacht maar achterhaald moet worden? Wat dacht u van een manier van spreken die u zou influisteren: 'de orde die ik u voorstel leg ík u niet op; hij is niet ontsproten aan mijn grillen of zelfs aan mijn intelligentie; het is een natuurlijke orde: hoort u mij: na-tuur-lijk; en als ik één verdienste heb, is het dat ik de geheime wet ervan heb weten te achterhalen en te ontcijferen en daar nederig verslag van uit heb weten te brengen? Kortom, hoe kunt u terugdeinzen voor een harmonie die, zoals we u hebben laten zien, nu eens trouw is aan de stem van de natuur zelf?

Het is het tweede theorema van de totalitarismen.

Het is het tweede gedachtetrucje, of goochelkunstje, dat maakt dat fascisten, communisten en integristen ons hun smerige wet opleggen.

En het is vooral het theorema van het eerste fascisme dat Sartre leerde kennen, want het is het betoog dat in de jaren dertig door de *maurassiens* werd gehouden en vervolgens, vier jaar lang, door het pétainisme, stoelend op een terugkeer naar het platteland, maar ook op corporatisme, sociaal organicisme en een hernieuwde band met de zogenaamde natuurlijke gemeenschappen.

U hebt geen keuze, zeiden de maurassiens grosso modo. Ikzelf, door het maurrassisme geïnspireerde despoot, heb de keuze niet eens gehad. Want wat heb ik anders gedaan dan het oor te lenen aan de grote, zwijgende stem van het gezin, de streek en de natie? Heb ik een andere verdienste gehad – kan ik mijn aanspraak om bewonderd en gehoorzaamd te worden ergens anders op funderen – dan dat ik geluisterd heb naar die stemmen om ze als een goede dirigent op elkaar af te stemmen? Hoe kunt u, vraag ik u nogmaals, terugschrikken voor een orde die, zo kan ik aantonen, ouder is dan u en ik en altijd aan ons vooraf is gegaan, terwijl u door hem te aanvaarden trouw betoont aan het beste van uw wezen en tegelijkertijd aan de waarheid zelf van het Zijn?

Nou, het is nog erger, antwoordt Sartre.

Het is nog absurder en nog verfoeilijker.

Hij werpt niet tegen: 'U speelt vals! U spiegelt ons een zogenaamde natuurlijke orde voor, waarvan u weet dat hij voortkomt uit uw kunstgrepen!' Maar hij zegt: 'Zelfs als u niet vals zou spelen, zelfs als u te goeder trouw zou zijn wanneer u de principes van uw regime in maatschappelijke natuurwetten transformeert, dan is er reden te meer om ze te verwerpen, reden te meer om ze te verfoeien – en ook dat weer om twee verschillende redenen.'

Vanuit ontologisch standpunt gelooft hij geen moment in dat hele gedoe over de natuur. Er bestaat geen 'natuurlijke staat', zegt, opnieuw, de schrijver van *L'Être et le néant*. Er bestaat geen 'natuurlijk' samenwerkingsverband dat 'voorafgaat' aan de gevestigde maatschappijen. Er bestaat zelfs geen 'verrukking' van de gesocialiseerde mens wanneer hij opnieuw, of vluchtig, zicht krijgt op die natuur – we weten nu immers hoe bitter, vijandig, driftig en gewelddadig hij was: het tegendeel, weten we nog, van de zoete Griekse natuur; het tegendeel van het duizelingwekkende, boeiende raadsel van Heidegger; het tegendeel van dat pathos van het eerste begin, van die morgenstond van de actualiteit, die van Heidegger is, inderdaad, en niet van Sartre. De natuur bij Sartre zegt niets. Wil niets. Schrijft niets voor. De natuur is niet lieflijk maar afschuwelijk. Zij is niet mysterieus, zij is onrustbarend. Het idee daar een beroep op te doen, om mensen te binden, het idee te bouwen op een 'grondslag' die ze, voor alle eeuwigheid, zouden moeten delen en die hun samenwerkingsverband zou schragen, lijkt hem niet minder onwaarschijnlijk dan dat van het 'ideaal' dat zij volgens het voorstel van zojuist gemeenschappelijk zouden moeten vereren. Anders gezegd, er hoeft niets te worden toegevoegd of afgedaan aan de voorgaande analyses over de onmogelijkheid van de goede gemeenschap. Het bouwen op een grondslag, het verankeren van de consensus in de vastere grond van een natuurstaat heeft even weinig zin – niet minder, maar ook niet meer – als het projecteren ervan in een imaginaire stralende toekomst.

Maar vanuit het standpunt van de Ethiek, vanuit het standpunt van zijn voorkeuren en afkeren, van zijn reflexen en zijn afwijzingen, vanuit het standpunt van de moraal, dus van het lichaam, gaat hij nog verder. Alles wat natuurlijk is, is verwerpelijk. Alles wat natuurlijk wil zijn is afstotelijk. Laten we aannemen, tegen elke logica en ontologie in, dat het idee van een natuurlijke gemeenschap toch zin heeft. Laten we ervan uitgaan dat er – zoals bijvoorbeeld de politieke ecologie dat wil – een sociale band wordt bedacht, die trouwer is dan andere banden aan de voorschriften van de 'natuur'. Dat perspectief zou in het geheel geen reden zijn om door de knieën te gaan, maar integendeel een extra motief om je te verzetten. Het plan van hernieuwde trouw aan de wet van de aarde, die nooit liegt, zal geen bijval krijgen, maar, integendeel, slechts weerzin, verzet, afwijzing oproepen. En – weer het voorbeeld van Vichy – een economie gebaseerd op grote corporaties die zelf geënt zouden zijn op het oerschema van de werkelijkheid, kan niet doorgaan voor vriendelijk of geruststellend, maar is de zuivere, Franse, definitie van het fascisme. Sartre tegen Maurras. Sartre met Baudelaire die in de Natuur de nabijheid en het spoor van de oerzonde haatte. Sartre die, net als Baudelaire, en tegen Maurras, een vastbesloten antinaturalisme aanhing dat hem dus de lust ontneemt om dit tweede totalitaire theorema aan te horen.

Anekdote. Net zoals Baudelaire volgens hem 'stoofvlees boven geroosterd vlees' verkoos en 'conserven boven verse producten', vroeg Sartre in restaurants altijd om producten 'uit blik', en liever geen 'natuurlijke producten', vertelt Castor. Dat doet denken aan Baudelaire, ja. Aan Barbey en de dandy's van de negentiende eeuw. Het doet denken aan Raymond Roussel in zijn souterrain of op zijn boot. Of het doet denken aan Mondriaan, die vroeg of hij ergens anders kon zitten als de tafelschikking hem toevallig tegenover een tuin of een boom plaatste.

Anekdote. Sartre houdt van vrouwen. Er zitten, in tegenstelling tot wat gezegd wordt door wie hem niet gelezen heeft, mooie vrouwenportretten in zijn werk: Ivich en Lola in *Les Chemins*; Lucie in *Morts sans sépulture*; de Hilda uit *Le Diable et le bon Dieu* ('je houdt van niets als je niet van alles houdt'); de Anna uit *Kean*; en er is ten slotte ook de relatie met de Beauvoir, een voorbeeld van wederkerigheid en respect. Zijn probleem daarentegen is het vlees. Zijn probleem, zijn weerzin, is het 'gelukkige' en 'boterige' vlees van Marcelle, het 'gulzige' en 'vampierachtige' vlees van Lola. Dus zegt hij: ik houd van aangeklede vrouwen (waarin hij, opnieuw, op Baudelaire lijkt: lof van de make-up). Ik houd, bij vrouwen, van wat weerstand biedt aan de vervoeringen van het vlees (Baudelaire nog steeds: lof op de frigide vrouw). Of: ik houd van intelligentie bij vrouwen, ik geloof in de erotische kracht van intelligentie bij een minnares (waarin hij weer verschilt van de schrijver van de *Fusées* – maar als intelligentie een ander woord is voor koelbloedigheid, is hij dan niet plotseling meer Baudelaire dan Baudelaire?).

Nog een anekdote. Sartre is een stedelijke filosoof. Hij is de filosoof bij uitstek van het asfalt en de cafés. Het is een schrijver die boven de stilte van de bibliotheken, het rijk van de Autodidact, altijd de voorkeur gaf aan de achtergrondgeluiden van Café de Flore en La Coupole, of zelfs, zegt Marius Perrin, zijn kameraad uit het kamp, aan het geroezemoes van een slaapzaal. En hij heeft ook nooit een regel geschreven – dat beweert hij tenminste – in aanraking met wat we gewoonlijk de natuur noemen. Het buitenleven? Ja, maar abstract. De stilte? De slechtste oplossing om je te concentreren. Bomen dan? In de stad, getemd, zo mogelijk miezerig en kwijnend – en hoed je voor die 'grote haardos' die in *La Nausée* bij de poorten van de stad zweeft, omhoogklimt en hun belegert en wacht tot ze dood, of zelfs verzwakt zijn om hen te overmeesteren. Midden in de natuur, zegt hij in *Baudelaire*, 'voelt hij zich gevangen' in een immens amorf en grondeloos bestaan dat hem geheel en al verlamt met zijn grondeloosheid en hem angst aanjaagt. 'Midden in steden, daarentegen, omringd door precieze voorwerpen die hun bestaan aan hun functie te danken hebben en die allemaal getooid zijn met een waarde of een prijs', is hij gerust: ze 'weerkaatsen het beeld van wat hij wenst te zijn, een gerechtvaardigde werkelijkheid'. Hij hoort bij de familie van mensen als Bernis en Voltaire. Hij hoort bij de stam van die grote ironische schrijvers, die slechts schimpscheuten overhebben voor een natuur die zij verstikkend, vraatzuchtig en dodelijk vinden. Hij is de laatste in een lijn van profeten die, volgens Rasji, de natuur en de heilige bossen zo hevig haatten dat ze weigerden er te wortelen of te wonen. De joodse gestalte van Sartre. Joodse inzet tegen de natuur. Deze 'jood Socrates', zei Clavel naar aanleiding van die andere 'lelijkerd' en andere 'bederver van de jeugd', namelijk de meester van Plato. Zo ook, 'deze jood Sartre' – deze overtuigde antinaturalist die, omdat hij nooit met zijn antinaturalisme heeft geschipperd, omdat hij nooit is genezen van zijn walging voor de geur van de natuur, tot op het laatst heeft gekozen voor het dwalen, de verbanning, het niet-bezitten van zichzelf en de dingen. De Natuur is het leven? Nee. Het is de dood.

Nog een anekdote. Deze gaat niet zozeer over Sartre als wel over de Beauvoir. Het is de grote ontmoeting tussen de Beauvoir en Colette. Het is het 'historische' onderonsje tussen de schrijfster van *Le Deuxième sexe* en haar eigen Gide, de schrijfster uit het verleden die ze moest verdringen om haar te kunnen overwinnen. Colette is vriendelijk. Wantrouwig maar vriendelijk. 'Zwaar opgemaakt,' vertelt Castor, 'met woest haar', ongetwijfeld omringd door haar katten en half verlamd bestudeert ze haar knappe jongere collega met een mengeling van wantrouwen en nieuwsgierigheid. 'Mevrouw, houdt u van dieren?' vraagt zij haar plotseling. Waarop de jongere vrouw kortaf antwoordt, met een mengeling van onbekommerdheid en lichte verontwaardiging, ik stel me zelfs voor met een verveelde trek om haar charmante mond: 'Nee, helemaal niet!' – zonder zich op dat ogenblik te realiseren dat ze, ten opzichte van de colettiaanse godsdienst, de grootste blasfemie verkondigt, de ergste ketterij. Zij tweeën – de Beauvoir en Sartre – hebben nooit geloofd, nee, dat katten, chinchilla's en andere zogenaamde huisdieren de beste vrienden van de mens waren. Zij tweeën hebben nooit meegedaan aan die achterlijke cultus, het andere gezicht van een naturalisme, waar Colette nog in gelooft, dat aan dieren de geveinsde gevoelens van mensen toedicht – tenzij het op het gezicht van mensen de grimassen of maniertjes van 'onze voorouders de dieren' waren. Sartre, in *Les Mots*, als epiloog van een scène waarin hij van graf naar graf zwerft op een hondenkerkhof, in gezelschap van een 'Amerikaanse vriend' – ongetwijfeld Nelson Algren – en ziet hoe deze, uit ergernis over de onnozelheid van de grafschriften, een schop geeft tegen een 'betonnen hond' zodat er een oor van afbreekt: 'Wie *te veel* van kinderen en beesten houdt, houdt van hen tegen de mens.'

Nog een anekdote. De kindertijd, precies. Kinderen. Het is een teken, kinderen. Het is een test. Het is vooral een literaire test. Want neem nu de schrijvers over de jeugd. Neem dat heuse literaire genre dat zich al twee eeuwen specialiseert in betoverde verhalen over de jeugd. Je kunt er bijna zeker van zijn dat deze cultus van de jeugd en zijn onschuld een infantiele, dat wil zeggen over het algemeen zeer slechte literatuur zal voortbrengen. Maar het is ook, en dat is minder bekend, een politieke test. Want als het totalitarisme in zijn radicale vormen de droom is van een 'goede gemeenschap', bevrijd van de boosaardigheid die aan het mens-zijn kleeft, als het streeft naar die mensheid zonder kwaad of zonde, zonder verschil of ondoorzichtigheid, in één woord zuiver, of in staat zich te zuiveren, dan zal het vroeg of laat dat beeld van de schuldige jeugd tegenkomen, de kindertijd die gebrandmerkt is door het stempel van een zonde waar de grote godsdiensten, al eeuwenlang, de fatale, oorspronkelijke en dus radicale aard van onderstrepen; het zal onvermijdelijk in de verleiding komen die kindertijd in ere te herstellen, hem zijn onschuld en rechten terug te geven; er zal ook een moment zijn waarop het, barbaar met een menselijk, en dus kinderlijk en dus onschuldig gezicht, zal zeggen: 'Laten we de kinderen bevrijden! Laten we een einde maken aan dat belachelijke dogma dat hen brandmerkt met het stempel van een schuld zonder misdaad, van een fout die ze niet hebben begaan en die ons vooral verhindert te dromen van onze maatschappij zonder kwaad!'; en zo zal de ware politiek van de misdaad, het ware verzet tegen het 'gij zult niet doden' van de joden en christenen, op een dag getroffen worden door de *berekenende* rehabilitatie van die vernederde jeugd. Kreet van afschuw van Dostojevski tegen het vooruitzicht van de 'verdoemenis van ongedoopte kinderen' waar de heilige Augustinus een theorie over heeft opgesteld, in zijn ogen het schandaligste mysterie: 'Als iedereen moet lijden om de eeuwige harmonie te verwerven,' zegt Ivan Karamazov tegen Aljosja, 'wat hebben kinderen daar dan mee te maken? Ik begrijp de solidariteit van de mensen in de zonde, maar niet de solidariteit van de kinderen in de zonde van de mens.' Diepgeworteld antichristendom, afgezien van Dostojevski, van alle intellectuelen die, in meer of mindere mate, betrokken zijn geweest bij het totalitaire avontuur, met als kern van hun oorlog tegen het christendom, die kwestie van de augustiniaanse jeugd, waarvan zij heel goed weten dat hij, zolang zij het dogma niet hebben vernietigd, een ware hindernis zal zijn voor hun machtsstreven: als de jeugd veroordeeld is, als het kwaad zich kan nestelen in de onschuld van die jeugd, is het een duidelijk bewijs dat we ons er nooit helemaal van zullen bevrijden – en, omgekeerd, dat we pas kunnen verwachten ons ervan te bevrijden, dat we pas kunnen hopen deze gedroomde goede gemeenschap uit de wereld te persen, als we beginnen met bewijzen dat Augustinus zich vergist heeft en dat kinderen in het voorgeborchte wel engelen of onschuldigen zijn. Zelfs Céline, wiens pamfletten, met name *Les Beaux draps*, niet alleen antisemitische gifspuiterij, maar ook een ware hymne aan de jeugd zijn: de magische jeugd... de jeugd is onze redding... waar het om liefde gaat loopt men minder risico bij kinderen... – Louis-Ferdinand Céline gerehabiliteerd door Bébert en door de liefde voor kinderen? Ja zeker! Want een man die van kinderen en dieren houdt, zegt het heersende naturalisme, kan niet in de grond of volmaakt slecht zijn...[7]

Sartre doet ook daar niet aan mee. Geen seconde sluit hij zich aan bij die cultus van de jeugd. En hij zal wel de laatste zijn die de grote pedofiele hymnen inzet. De geest van de jeugd terugvinden? De wereld zal worden gered door kinderen? Na de rechten van de mens de heilige rechten van de jeugd? Om te beginnen heeft hij geen kind. En zijn er ook geen in zijn romans. Slaagt een onwaarschijnlijke schim erin *Le Sursis* binnen te sluipen? Hij heeft zo weinig bestaan, het interesseert hem zo weinig of hij leeft of niet, dat hij hem onderweg van naam laat veranderen (Pablo in het begin, Pedro honderd bladzijden later). Kan hij er onderuit, in zijn *Baudelaire*, zijn *Genet*, zijn 'Flaubert' om een beschrijving van de jeugd van zijn held te geven – die beslissende jeugd waar het leven vervolgens 'mee doet wat het wil'? Eén keer, helemaal aan het begin van *Saint Genet*, laat hij zich gaan en praat hij over 'het melodieuze kind' dat de volwassenen zouden hebben vernietigd. Maar voor de rest zijn het slechts 'barsten... verdoemenis... heilig drama... geweld van de dressuur... ontsporingen van het gedresseerde beest... dat monster dat ze met hun spijt fabriceren... dat wrak dat door de blik en het verlangen van volwassenen wordt doorboord... je neemt een goed levendig joch, je naait het in de huid van een dode, dan zal hij stikken in die seniele jeugd zonder andere bezigheid dan het precies navolgen van de gebaren van ooms en tantes, zonder andere hoop dan na zijn dood toekomstige jeugd te vergiftigen... de manier waarop een kind, in het donker, op de tast, zal proberen, zonder het te begrijpen, het sociale personage te spelen dat de volwassenen hem opleggen... het duizelingwekkende woord dat je tot het leven veroordeelt... de stem die openlijk tegen Genet verklaart: je bent een dief... die tegen Mallarmé zegt: de wereld is vervloekt...'. Schrijft hij, ten slotte, *Les Mots*, wat in zekere zin de echte roman van een jeugd is? Hij schetst van die jeugd zo'n somber beeld, maakt er zo'n smartelijke, en in wezen vervloekte ervaring van, dat hij daarmee de eeuwige jeugd in het gezicht spuugt, de thesis van de oerparadijzen beledigt – het is een boek dat niet gemaakt is om te verheerlijken maar om de zwarte betovering van de volwassene door zijn jeugd te bezweren! Sartre als Baudelaire, opnieuw. Sartre die, zoals Aron zou zegen, zijn hele leven nooit naar een kind heeft omgekeken.[8] Sartre die ongeveer even onverschillig staat tegenover kinderen als Descartes tegenover dieren, en om dezelfde redenen. Sartre als Aragon, die (ook om dezelfde redenen? Zelfde soort familieverwikkeling... de andere grote Franse schrijver die is opgevoed alsof hij de broer van zijn moeder was...) lang heeft gemeend dat je 'de laagheid van een man afmat aan het aantal kinderen dat hij had' en dat 'vaderschap' 'zwaar moest wegen' voor de rechtbank, bij 'vermoedens van schuld'.[9] Sartre die ook aan Gerassi uitlegt hoe ellendig hem de stellen lijken bij wie 'de gedachte aan het kind' slechts bestaat om 'het falen van het huwelijksleven te verhullen' – miserabele levens, mislukte levens, de kinderlijke consensus, het feit samen het beetje menselijkheid te voelen, op te snuiven dat, in de loop der mislukkingen, het enige respijt van een dood leven is geworden...[10] Natuurlijk, de cultus van de jeugd wekt niet altijd principieel een wens naar zuiverheid op. Gelukkig, de wet (geen sociaal naturalisme zonder betoverde visie van de jeugd) kan niet altijd omgedraaid worden (betoverde visie van de jeugd staat gelijk aan sociale band die op de natuur is gebaseerd en dus aan totalitarisme). Maar toch... Je hoeft die Sartre niet te veel aan te moedigen om hem te laten zeggen: de jeugd is een ongeluk; de jeugd is een onbetamelijkheid; oorlog tegen, opnieuw, of onverschilligheid voor alles wat te maken heeft met de betovering van een Subject, of een maatschappij door de illusies van de jeugd, dus van de goede oorsprong, dus van de goede natuur en dus van de goede gemeenschap; de jeugd is verfoeilijk omdat hij dicht bij de natuur staat en de natuur is op zijn beurt afstotelijk omdat hij naar jeugd ruikt.

Je kunt dit pessimisme weinig sympathiek vinden.

Je kunt zeggen dat je graag had gezien dat Pablo echt Pablo heette en dat er in *Les Chemins* leuke kinderportretten zaten.

Je zou deze haat tegen de jeugd zelfs met recht kunnen interpreteren als een variant op die heel oude 'generatieangst' waarin de heilige Augustinus het distinctieve kenmerk zag van het merendeel van die 'sekten' die in zijn tijd net als in de onze uit de grond schoten, en waarin de psychoanalyse de echo zou horen van een twijfelachtige maar vrij klassieke weerzin tegen het 'vader zijn'.[11]

Het is in elk geval zeker dat die Sartre, de Sartre die misschien hoort bij de familie van de 'gnostici' die de Natuur met het principe van alle boosaardigheid gelijkstelden, deze metafysicus die vooral niet bereid lijkt om deze dunne maar beslissende scheidslijn tussen de leeftijden (jeugd...) of de heerschappijen (natuur...) uit te wissen, omdat er anders helemaal geen subject meer is – het is zeker dat je onmogelijk tegen die Sartre kunt zeggen, zoals, ik herhaal, alle fascismen doen en vooral ons nationale Franse fascisme: 'Gehoorzaam mij want door mij te gehoorzamen gehoorzaamt u aan de Natuur, aan de goede Oorsprong, onze meesteres.'

De kwestie van het Kwaad

Derde theorema. Na de jeugd, de kwestie van het Kwaad in het algemeen. Het Kwaad bestaat, zeiden, op de een of andere manier, de teksten van de grote godsdiensten. Er is, wat de mens ook doet en wil, een 'restje' Kwaad dat, volgens Deuteronomium, nooit van het aardoppervlak zal verdwijnen. Er blijft, niet alleen in samenlevingen, maar in de wereld, een deel negativiteit, eindigheid, tekort, ongeluk dat de mensen sinds de 'Genesis' begeleidt en dat het enorme voordeel biedt dat het 't dromen over een te volmaakte samenleving onmogelijk maakt.

Het Kwaad bestaat niet, antwoordt dan de despoot.

Het Kwaad kan niet bestaan, want er is niets op deze wereld dat ik niet moet en kan overwinnen.

Om te functioneren, om mijn project een basis te geven en tot een goed einde te brengen, om de laatste en de eerste rem op mijn voornemen tot almacht te vernietigen, om, in één woord, mijn goede samenleving te stichten onder een van de twee gedaanten – Idee of Natuur, stroomafwaarts of herinnering aan stroomopwaarts – moet ik allereerst afzien van dit heel oude dogma, dat niet alleen even oud is als de gnosis, maar ook als de grote theologieën, namelijk het dogma van het radicale kwaad.

Of, om preciezer te zijn: er is een vergissing in het spel; ons wordt iets als een Kwaad voorgesteld dat niet meer is dan een ziekte; met rollende, verschrikte ogen wordt tegen ons gesproken over een eeuwig, en dus ongeneselijk Kwaad dat als een oeroude vloek op de mens drukt, terwijl het zoveel eenvoudiger zou zijn ervan uit te gaan dat de mens ziek is, ik zeg inderdaad ziek, aangetast door een ziekte die, als alle ziekten, uitstekend te genezen valt.

Of ook: het Kwaad bestaat niet, alleen ziekten bestaan; de wereld kan genezen worden, het ongeneselijke bestaat niet; de filosofen hebben, tot nu toe, de wereld geïnterpreteerd en getransformeerd, nu moeten ze hem verzorgen; anders gezegd, de politiek mag en zal alleen baat vinden in een klinische houding (een theorema waar je onmiddellijk de onverbiddelijke consequentie van ziet: wie ziekte zegt, zegt dokter; maar wie dokter zegt, zegt diagnostiek; en wie diagnostiek zegt, zegt onderzoek, identificatie en ten slotte eliminatie van het virus dat aan de ziekte ten grondslag ligt en dat bourgeois heet als je stalinist bent, of joods als je nazi bent of ontwikkeld-westers-blank als je moslimfundamentalist bent; daar zie je hoe de overgang van het Kwaad naar de ziekte, de verwarring tussen kliniek en politiek, de transformatie van de Vorst in dokter en van de 'Wille zur Macht' in de wens om te genezen, een heel concrete voedingsbodem zijn voor de uitroeiingstheorieën en de concentratiekampen...).

En ook daar komt Sartre in opstand.

Hij zal niet altijd in opstand komen, dat is waar.

Het moment zal komen waarop hij, op zijn beurt, de mantel van de genezende filosoof, ofwel de uitroeier, zal omhangen.

Maar voor het ogenblik komt hij in opstand.

Hij kan niet anders, ook hij niet, uit hoofde van een even onverbiddelijke logica, dan in opstand komen en dit schema afwijzen.

En hij doet het, weer, op twee manieren die duidelijk, zelfs bij vluchtige lezing, uit *La Nausée* naar voren komen en die voldoende zijn om hem van het merendeel van de denkers van zijn tijd te onderscheiden.

Ten eerste gelooft hij doodgewoon in het Kwaad. Hij is een van de laatste filosofen die, net als de manicheïsten en de katharen, geloven in het bestaan van twee, waarschijnlijk complementaire maar desalniettemin strijdige principes die de wereld besturen. Hij is een van de laatsten, ook al zegt hij soms dat 'het Goede voorafgaat aan het Kwaad zoals het Zijn aan het niet', dat het Kwaad een 'parasiet' van het Goede is en dat 'het slechts duizelingwekkend is door zijn niet'[12], die niet volledig afstand hebben gedaan van deze hypothese die in de hele geschiedenis van de filosofieën, lang voor die van de despotismen, uitsluitend is verketterd: de hypothese van een onbeheersbaar, onoplosbaar, onbehandelbaar Kwaad. Hij gelooft niet in het 'mysterie', maar in het bewijs van het Kwaad. Hij gelooft niet in het 'schandaal', maar in de autoriteit van een Kwaad dat niet meer voorbestemd is zich in wie weet wat voor dialectische synthese met het Goede te verzoenen. Hij gelooft dat er in de wereld, en in de mensen, een duister, onoplosbaar deel zit dat je onmogelijk mooier kunt maken dan het is. Hij gelooft helemaal niet dat dat deel, zoals een banale Rousseau-aanhanger zou zeggen, samenhangt met de beschaving, erdoor is veroorzaakt en uitgelokt, maar dat het er van meet af aan is. En liever dan erin te 'geloven', overigens, liever dan zich tevreden te stellen met een theoretisch pleidooi voor de erkenning van dat vervloekte deel dat het tegendeel, of de waarheid, zou zijn van maatschappijen die onder de betovering zijn van totalitaire zegenaars, schildert hij het, brengt hij het ten tonele, maakt hij er in zijn romans en toneelstukken het voorwerp van zijn zoektocht van. Het is vaak genoeg gezegd dat hij zich verlustigde in vuil en braaksel! Hem is vaak genoeg verweten dat hij een denker van het 'uitvaagsel' was! Inderdaad. Precies. Hij ís de schrijver van het vuil en het braaksel. Van al wat slijmerig, drek, weerzinwekkend en abject is. Hij interesseert zich, bij mensen, alleen voor hun duistere kant. Hij geniet van hun afval. Hij denkt, net als Marx, dat 'de verrotting het laboratorium van het leven is'. En dat blijft hij trouwens doen, tot aan zijn politieke, wat heet, terroristische tijden, wanneer hij ook uit lijkt te zijn op rehabilitatie van joden, zwarten, proletariërs, gekoloniseerden, verworpenen der aarde, gekken, weldra flikkers, kortom de zelfkant van de samenleving, de donkere kant van de mensheid, dat volk van 'afgezonderden', van 'uitgestotenen die zich niet konden aanpassen', van 'ongewensten', van 'allerlei aan lager wal geraakten' waar Jean Genet, die andere veroordeelde, voorbestemd voor het kwaad – hij was 'nog niet uit de buik van zijn moeder gekropen of er stond al een bed voor hem klaar in alle gevangenissen van Europa en er was al plaats voor hem gereserveerd op alle transporten van bajesklanten'[13] – hem tot aan het einde de volmaakte vertegenwoordiger van leek. Daarom hoeven we ook niet te wachten op Michel Foucault om dat andere gezicht te zien opkomen, bijna zijn tegenhanger. De *Histoire de la folie* was niet nodig om te zien hoe, in de kern van Sartres werk, dit grote schisma in de politieke rede zich voltrekt en het duisterste, meest belasterde deel van het Westen bovenkomt. Het is de theologische kant van Sartre. Het is zijn nog vrome kant. Het is de Sartre die, in *Saint Genet*, dat wil zeggen het boek waarin hij diep ingaat op het 'vage en levende gekrioel' dat de 'rechtschapen man' verdrijft en dat hij 'krachtig ontkent', onvermoeibaar Johannes van het Kruis citeert.[14] Het is het deel in hem dat zich verzet tegen het atheïsme waarover hij later, in *Les Mots*, zal zeggen dat het een 'wreed en langdurig' avontuur was. Er zijn twee denkers in Europa, in de tweede helft van de twintigste eeuw, die hebben getracht het kwaad onder ogen te zien en tegelijkertijd, zonder succes overigens, het atheïsme tot het uiterste door te voeren. Er zijn twee grote schrijvers die, na terdege over het gewijde te hebben nagedacht, zich teweer hebben gesteld tegen deze uiterst Franse traditie die, van Valéry tot Bergson en de Surrealisten, de wereld wil idealiseren, bekransen en betoveren. Georges Bataille – apostel van een 'atheologie' die ons (het is Breton die spreekt, in *Le Second manifeste*, maar je zou bijna denken dat het *Paris-Presse* is die Sartre afkraakt!) een 'bezoedelde, seniele, ranzige, smerige, schunnige en kindse' wereld onthult. Jean-Paul Sartre, de Sartre van *La Nausée* en *Huis clos* – apostel (het zijn de woorden van Julien Green, maar het zou op Bataille van toepassing kunnen zijn) van een 'erg suspect' atheïsme waar een katholiek 'zonder er veel aan te veranderen' de meeste dogma's van zou kunnen goedkeuren: slappe maar lijdende, verlaten maar nostalgische mensheid, in de steek gelaten door God maar dromend van de Hemel.[15] Bataille, Sartre: twee machines, twee antitotalitaire verzoekingen.

Ten tweede gelooft hij in een onwrikbare, definitieve en onheelbare discrepantie tussen de mens en de wereld – en dat komt onder meer naar voren in de drie repoussoirportretten die her en der in het eerste deel van het werk voorkomen en die dienen om zichzelf te omschrijven: de serieuze levenshouding, de schoft en de bourgeois.

Wat is de ernstige levenshouding? Meer dan de levenshouding van de kelner in *L'Être et le néant*, meer dan een verwijzing naar de vlijtige toewijding van de man die de komedie van zijn eigen rol speelt ten koste van die onophoudelijke en schitterende zelfontdekking waar vrijheid in feite in bestaat, is het de levenshouding van degene die gelooft dat die rol bestaat, dat hij een betekenis heeft en dat de wereld gemaakt is van een voorraad maskers, die goed passen, kloppen, op elkaar zijn afgestemd: het is iemand die 'in de wereld gelooft'[16], zich afsluit voor de ervaring van contingentie en walging, in de illusie leeft dat de maatschappij een mooie, goede machine is waarvan hij een van de zuigers is, en die dus de meeste tijd zal doorbrengen met het onderhoud van de zuiger, de kleine machine die hij is: 'Ik werp een blik door de zaal,' zegt Roquentin; 'het is een farce; al die mensen zitten daar ernstig te kijken; ze eten; nee, ze eten niet, ze herstellen hun krachten om de taak die op hen rust tot een goed einde te brengen...'

Wat is, ten tweede, een 'schoft'? Meer dan een morele categorie, meer dan een woord uit een woordenboek van deugden dat bijvoorbeeld van toepassing is op een folteraar, een moordenaar, een fascist in de gangbare betekenis of een pervert, is het een metafysische categorie die een type aanduidt dat, ook hij, nergens aan twijfelt en vooral niet aan de noodzaak van zijn eigen kleine bestaan in de grote en brede maatschappij waarin hij zijn rol en zijn plaats heeft gevonden[17]: het is de houding van de burgerman uit Bouville die, ongevoelig voor de les van Roquentin, zijn leven leidt als 'Dasein', als eigen identiteit en vanzelfsprekendheid, en het logisch vindt dat het Zijn er eerder is dan het Niet en die daarom, vanwege dit essentiële ontbreken van verbazing, vanwege die basale afwezigheid van het stellen van vragen en van filosofisch besef (begint de filosofie niet met verbazing over de te massieve, kleffe, onaangename vanzelfsprekendheid van het Zijn?), zich geen zorgen maakt over de stijl van de maatschappij waarin hij leeft, noch over de aard van het regime dat er heerst, noch, in laatste instantie, over de wel of niet vooraanstaande positie die hij inneemt; het is iemand die, omdat hij het bestaan als iets wat hem toekomt, de wereld als een orde en zijn positie in die wereld als een absolute noodzaak ziet, zijn feitelijke privileges bij voorbaat als rechtmatige privileges beschouwt en logischerwijs iedereen die daaraan wil tornen, zal vernietigen.

Wat is, ten derde, een bourgeois? Wat is de beroemde bourgeois, die hij, net als Flaubert of Baudelaire, veracht, lang voordat hij zich uitgesproken met de politiek bemoeit en die, tot zijn laatste ademtocht, een van zijn meest constante passies zal blijven? Het is geen politieke categorie. Het heeft niets te maken met een sociale klasse (Marx: de bourgeois als 'bezitter' of 'onderdrukker'...). Ook niet met een cultuur (Flaubert: 'ik noem iedereen die laag denkt bourgeois...'). Zelfs niet – hoewel... – met een biografische drang (weer het Baudelaire-syndroom; dat van Philippe in *Le Sursis*, tegenover zijn schoonvader de generaal; ik haat, in de bourgeois, mijn stiefvader Mancy, de grootgrondbezitters van La Rochelle, de 'kruiperige gierigaards' van *Le Figaro*; tegen 'dat type', Mancy, heb ik 'mijn hele leven' geschreven)[18]. Het is een ontologische categorie. Het is een manier om volkomen te zijn. Je zou bijna geneigd zijn te zeggen, in de termen van Sartre zelf, als je niet het risico zou lopen om het heideggeriaanse misverstand voort te zetten: het is een mogelijke opening naar het Zijn; een zijnswijze van het 'Dasein'; hij noemt 'bourgeois' het deel dat, in elke mens, de strengheid van de serieuze levenshouding paart aan de afwezigheid van twijfel van de schoft – hij noemt bourgeois de houding van iemand die, zonder eraan te twijfelen dat de maatschappij goed functioneert (serieuze levenshouding), of dat dit functioneren legitiem is (schoft), zelfs als hij, sociologisch gezien, niet is wat men in de regel een bourgeois noemt, de illusie in drie verschillende richtingen zal voortzetten.

Naar het verleden. Bourgeois is degene die de huidige stand van zaken noodzakelijk en legitiem vindt en er daarom de wortels van zal terugzoeken. Bourgeois is degene die, zoals Sylvain Fleurier in *L'Enfance d'un chef*, een basis zoekt voor zijn overtuiging dat 'zijn plaats in de zon, in Ferolles, lang voor zijn geboorte bepaald was' en dat de wereld niet alleen hem zijn rol had toebedeeld, zijn rol voor hem had gereserveerd, maar ook 'op hem wachtte', misschien niet sinds mensenheugenis, maar wel al een paar generaties. Het is de 'erfgenaam'-kant van de bourgeois. Het is die onverdraaglijke opvolgingskant die aan de algemene definitie kleeft, maar waar Sartre, via deze omweg, de noodzaak van hervindt.

Naar de toekomst. Bourgeois is degene die, nog steeds zonder te twijfelen aan de bestaande stand van zaken, zonder een moment te aarzelen over de duistere en diepliggende legitimiteit ervan, zich inzet om die voor eeuwig te behouden. Bourgeois is hij die, in de vaste overtuiging dat de wereld een mooie, goede machine is, waar zijn plaats duidelijk vastligt, zich vanzelfsprekend schrap zet opdat niets beweegt en de eventuele opkomst van een alles verstorend anders-zijn bezworen wordt. Het is de 'conservatieve' kant van de bourgeois. Het is zijn neiging om wat is voort te zetten, zo mogelijk voor eeuwig. En de verdienste van de analyse is, ook hier weer, dat de onderliggende bronnen van dat conservatisme en dat verzet tegen de geschiedenis zichtbaar worden.

Naar de diepten van het Zijn, ten slotte. Bourgeois is degene die, al is hij 'arbeider' of 'proletariër', zich geworteld voelt, niet alleen in de maatschappij maar ook in de wereld, niet alleen in de wereld, maar ook in het Zijn. De visie van een vol, ondoorzichtig Zijn zonder barst of kier, waar je, ongeacht je sociale status, het 'soort bestaan van een rots, de consistentie, de inertie, de ondoorzichtigheid van het midden-in-de-wereld staan zou hebben'. En bourgeois in die betekenis, het schoolvoorbeeld van een bourgeois, is Simonnot in *Les Mots*[19] die het kind Sartre, op een feestmiddag in het Instituut voor Levende Talen, terwijl Anne-Marie piano speelde, en alle aanwezigen zich vermaakten en hij, Poulou, zich liet aanhalen door een paar van de mooie dames in het gezelschap, in deze o zo benijdenswaardige termen door zijn grootvader Charles Schweitzer hoorde beschrijven: 'er ontbreekt hier iemand, Simonnot'. Beeld van 'Anne-Marie die hem, op zekere avonden, om het gesprek te laten voortduren, vroeg of hij van Bach hield, of hij graag naar zee ging, naar de bergen, of hij een goede herinnering bewaarde aan zijn geboortestad'. En hij, Simonnot, die het formidabele voorrecht had 'bedenktijd te kunnen nemen', zijn 'innerlijke blik' op 'het granieten massief van zijn voorkeuren' te richten en uiteindelijk te antwoorden, met de bedaarde, welluidende stem van de man die, wanneer hij er niet was, niet alleen begiftigd was met een opmerkelijke afwezigheid en niet alleen wist dat hij de enige persoon ter wereld was van wie men de niet-aanwezigheid zag als een 'zuil van vlees en botten' en van wie men dus kon zeggen 'Simonnot ontbreekt, Simonnot is er niet', maar die bovendien niet de minste twijfel koesterde over de aard van zijn voorkeuren, net zomin als over de kwaliteit van zijn ingebed zijn in deze wereld of deze maatschappij – hij dus, die het voorrecht had te kunnen antwoorden: 'dat zijn mijn voorkeuren, dat ben ik, ik ben het wis en zeker, ik ben de heer Simonnot ten voeten uit'. Opnieuw een heel ruime definitie. Een laag, niet van de maatschappij, maar van het Zijn. En een van de verklaringen misschien van de zo mysterieuze, apolitieke houding van Sartre in de jaren dertig: waarom zou je actie voeren, het Volksfront steunen, demonstreren, als je hoogste doel een ontologische categorie is?

Sartre is noch 'serieus' noch 'schoft' noch 'bourgeois', Sartre die de eerste helft van zijn leven als schrijver, en daarna nog, bezig is geweest deze drie antiportretten te schilderen en zich ervan los te maken, Sartre die, in tegenstelling tot Simonnot, al heel vroeg het zeker pijnlijke, vreselijke maar onweerlegbare gevoel heeft gehad dat hij nergens gemist werd, dat niemand op hem wachtte of naar hem verlangde en dat zijn wezen, net als dat van Nizan *père*, die eraan stierf, overtollig, overbodig was[20], Sartre, die ongetwijfeld voorkeuren had, maar verstrooid, onzeker, onmogelijk op te tellen en onder te brengen in de nobele en mannelijke categorie van een 'ik, Sartre, ik ben', Sartre dus, gelooft zelf juist dat niets ter wereld natuurlijker is dan de relatie tussen mensen onderling en met de wereld. Hij gelooft dat de Mens vijandig staat tegenover het Zijn en het Zijn vijandig tegenover de Mens. Hij gelooft dat de Mens een overtollig wezen is, boventallig te midden van de wezens, en dat 'elk bestaan zonder reden geboren wordt, zich uit zwakte voortzet, bij toeval sterft'. Hij gelooft, net als Bataille, in diens aantekening over de *Réflexions sur la question juive*: 'in het mens-zijn zit principieel een zwaar, weerzinwekkend element, dat overwonnen moet worden'.[21] Hij zou net als Mallarmé kunnen uitroepen: 'Mislukt zijn we allemaal, Mauclair! we zijn allemaal voorbeschikt mislukkeling te zijn!' – en het is deze definitie van de mens als 'een mislukkeling, een wolf onder de wolven' die hij, bijna, tot aan het eind in Mallarmé roemt.[22] Hij zou kunnen zeggen, opnieuw met Lacan, dat er iets 'schijterigs' zit in het zich verbinden en in de banden die deze verbindingen vormen. Het is, herhaal ik, omdat hij deze mislukking onherroepelijk acht, omdat hij ervan overtuigd is dat je nooit van de contingentie afkomt en dat er nooit, nergens, een programma zal zijn dat in staat is de wereld uit haar zondeval op te tillen en van haar ongenade te genezen, het is omdat hij, kortom, in het kwaad gelooft en niet in de ziekte, dat hij – voorlopig – immuun is voor het genezende spookbeeld van de totalitarismen van de twintigste eeuw.

Sartres lelijkheid

Er is vaak over Sartre gezegd dat hij niet graag over zijn lelijkheid praatte.

Wat een zot idee! Hij praat erover. Hij praat er voortdurend over. En het is waarschijnlijk zelfs een van zijn grootste *filosofische* obsessies.

In *Les Mots*, de scène waarin het kind Poulou – dat net als Hemingway tot zijn zevende wordt behandeld, en in ieder geval wordt aangekleed, als een meisje – op een dag door de vreselijke grootvader Charles mee naar de kapper wordt genomen en zich in een oogwenk, terwijl zijn blonde krullen vallen, van het bewijs van zijn misdeeldheid bewust wordt.

In zijn correspondentie: 'Tot mijn vijfde was ik een schattige peuter met het conventionele hoofd dat middelmatige moeders leuk vinden; vanaf mijn vijfde hebben mijn afgeknipte haren die vluchtige schittering meegenomen, en ben ik lelijk als een pad geworden, nog veel lelijker dan nu.'

In *L'Idiot de la famille*, maar dan indirect, naar aanleiding van het verhaal van Flaubert met de titel *Un parfum à sentir*: geschiedenis van de kleine, angstaanjagend lelijke Marguerite, die door de menigte veroordeeld wordt voor misdadige lelijkheid en die zo slecht wordt dat haar slechtheid, die geen uitweg kan vinden, zich tegen haarzelf keert en haar tot zelfmoord drijft.

Een onderhoud met John Gerassi waarin hij vertelt hoe 'Poulou' op zijn twaalfde droomde van een 'vriendinnetje': hij heeft er een op het oog, Lisette, een mooi blond meisje van zijn leeftijd, en nog vrij, haar vader 'verkocht vistuig'; hij kijkt naar haar; hij droomt van haar; op een dag, onder de bomen van de Mail, de fleurige promenade langs zee in La Rochelle, treft hij haar aan leunend tegen haar fiets, onder een boom, omringd door een troep jongens; hij gaat naar haar toe op zijn fietsje; hij draait om haar heen; hij doet wat hij kan om haar aandacht te trekken, zonder haar te durven aanspreken; en daar roept de schone naar niemand in het bijzonder – het hele troepje barst in lachen uit: 'Wie is dat joch, met z'n ene oog dat het andere uitscheldt?'

La Nausée – de beroemde scène van Roquentin die zichzelf ontdekt voor de spiegel: 'Het grijze is zojuist verschenen... de weerspiegeling van mijn gezicht... de weke gebieden van de wangen... dat heeft allemaal geen betekenis, zelfs geen menselijke uitdrukking... mijn tante Bigeois zei tegen me toen ik klein was: "als je te lang in de spiegel kijkt, zul je er een aap zien..." wat ik zie is nog veel lager dan een aap, op de rand van de plantaardige wereld, op het niveau van poliepen... vooral de ogen zijn, van zo dichtbij, afschuwelijk... glazig, week, blind, rood omrand, visschubben lijken het wel... de ogen, de neus en de mond verdwijnen, er blijft niets menselijks over...'

Het gaat ook weer over zijn ongelooflijke, weerzinwekkende lelijkheid in *La Cérémonie des adieux*, in de loop van een hallucinerend zelfportret waarin je de hand van de schrijver van *La Nausée* terugvindt en tegelijkertijd, heel in de verte, de herinnering aan de eerste bladzijden van een boek dat hij enorm heeft bewonderd in zijn jeugd, *L'Age d'homme* van Leiris: 'De lelijkheid is mij door vrouwen onthuld'; en dan was er de vreselijke ervaring van de spiegel met 'een ding dat altijd bleef' en dat was dat vermaledijde 'loensende oog'; dat is wat ik 'onmiddellijk' zag, het oog dat loenst; waarna zich het beeld van een 'moeras' opdringt, waar mijn kinderblik in wegzakte; ik zag trekken die 'niet klopten met een menselijk gezicht' en dat lag 'gedeeltelijk aan mijn oog dat loenste, gedeeltelijk aan rimpels die ik al heel vroeg had'; het was 'een soort omgewoelde aarde die de onderlaag vormde van een menselijk gezicht, een gezicht dat ik met het blote oog in mijn omgeving zag en dat ik niet in de spiegel zag als ik naar mezelf keek...'.

Er is die vreemde bekentenis van Aron, in zijn *Mémoires*[23]: 'Het beeld van de efebe leidde tot een van onze gespreksonderwerpen; hoe ga je om met je eigen lelijkheid? Sartre praatte graag over zijn eigen lelijkheid (en ik over de mijne).'

De *Carnets*: 'T. ziet me op het ogenbik als een obscene bok; ik vind dat even schokkend als toen ik, naar aanleiding van talloze verhalen van mensen die hem kenden, Jules Romains als een duitendief zag; ik heb bij mij, net als bij hem, dezelfde indruk van een niet te rechtvaardigen gebrek, dat evenwel in alle opzichten door de vrijheid wordt overstegen; ik gruw een beetje van mezelf, hoewel ik weet dat dit verwijt niet terecht is...'

En dan is er de beroemde *Reine Albemarle*, dat onvoltooide boek waar Sartre gewoonlijk over zei dat het een proces tegen de 'toeristische ideologie' had moeten zijn, of '*La Nausée* op rijpe leeftijd', maar waarover hij plotseling tegenover Astruc en Contat bekent dat het ook een bespiegeling over de lelijkheid had moeten worden, over wat het is 'lelijk te zijn' en wat het is 'mooi te zijn'...

Je voelt door die teksten heen het lijden van de jonge Sartre.

Je voelt de inspanning die het hem gekost heeft om een glimlach op dat afstotelijke gezicht te plakken, het beeld van een moeras te vergeten en te doen vergeten, het oog dat het andere uitscheldt, het overtollige vlees, de ongeregelde wildgroei van de gelaatstrekken.

Je voelt, je leest bijna, de concrete filosofie die hij heeft moeten aanwenden om deze fataliteit te boven te komen, deze vreselijke lelijkheid te transformeren in een actieve beslissing, er misschien de betekenis van om te draaien, er niet een 'mooie' lelijkheid van te maken (dat lelijkheid mooi kan zijn is typisch een idee van romantici, en Sartre is beslist geen romanticus) maar een 'verleidings'-wapen (zegevieren over het vreselijke vonnis van de stiefvader: 'je zult nooit vrouwen behagen'[24]): Sartre-Socrates, Sartre-Mendès France, maar ook, vooral en zoals altijd het voorbeeld van Stendhal door, net als hij, op de grimas, het gezichtsbedrog, het omkeren van de rollen, afleidende grollen te oefenen – duizend listen om te verhinderen dat de aandacht zich richt op die onverdraaglijke en onrechtvaardige lelijkheid en er blijft hangen. Sartre is zeker niet iemand om zoals Stendhal zijn haar te verven, zijn 'geleende kuif' op te zetten of steeds een ander gezicht te laten zien. Maar de intentie is dezelfde. Het doel is steeds die misvormende lelijkheid door een truc ongedaan te maken, te ontkrachten.

Maar we begrijpen voor eens en altijd de metafysische les die die eerste beproeving van lelijkheid moet zijn geweest.

Dat is een van de bronnen, zo niet de bron, van dat 'anti-essentialisme' dat een van de sterkste, meest vruchtbare ideeën van de eerste Sartre is. 'Je wordt niet als jood geboren, je wordt het...' 'Je wordt niet als vrouw geboren, je wordt het...' Aan de oorsprong van die toekomstige jood, vrouw, maar ook homo, vrije man, slaaf, gekoloniseerde, schrijver, idioot of schoft, ligt het vroege 'je wordt niet lelijk geboren, je wordt het' waar hij zich bewust van wordt op de dag dat zijn moeder in één moeite door besluit de marine-ingenieur Mancy te trouwen en zijn meisjeskrullen af te knippen.

Daar ligt de oorsprong van het andere, verwante idee, dat een mens altijd dat wat in wording is kan worden, iets kan doen met wat hem is toebedeeld, het kan omvormen, aan de test van zijn oneindige vrijheid kan onderwerpen. 'Vanaf zijn veertigste is de mens verantwoordelijk voor zijn eigen gezicht.' Wat is die zin hem kwalijk genomen! Wat heeft die opmerking een schandaal veroorzaakt en, na die opmerking, dat interview, van hetzelfde kaliber, over de 'Zuid-Europese schoftenkop' van Franco, zijn 'slechte, gemene rimpels', die smerige schoftenkop die om 'het mes of de guillotine' vraagt![25] Zelfs als hij later, in *La Cérémonie des adieux*, toegeeft dat het ging om 'uitlatingen in het vuur van het gesprek' en dat dat soort uitlatingen altijd 'een andere betekenis [krijgt] wanneer ze klakkeloos worden opgeschreven', heeft Sartre er in wezen altijd aan vastgehouden. Hij praat over zichzelf. En hij weet dus heel goed wat hij wil zeggen wanneer hij dit soort beweringen de wereld in stuurt. Een mens krijgt uiteindelijk altijd, na tal van ontberingen, zelfwerkzaamheid, et cetera, inderdaad de fysionomie die hij verdiende. En het is een teken, niet van de een of andere biologische fataliteit, maar integendeel van het onophoudelijke werk van zijn vrijheid. Is dat ook niet wat zijn geliefde Stendhal geloofde? En Laclos, toen hij over mevrouw Merteuil zei dat zij, door al het werk aan zichzelf, en dus aan haar vrijheid, haar gezicht onder controle had en er een wapen ten dienste van haar verleidingskunsten van had gemaakt. En Corneille, de meester van roem en verblinding, toen hij, in *La Suite du menteur*, Dorante deze opmerking in de mond legde over 'mensen met een goed hart': 'ieder van hen draagt op zijn voorhoofd geschreven wat hij is'?[26]

En waarschijnlijk is daar dan eindelijk de wortel van deze sartriaanse versie van de tragische levensopvatting: het ervaren van een discrepantie tussen het subject en de wereld. Wanneer je zo'n smoel hebt, wanneer je een gezicht hebt dat lijkt op een ongeordend, onafgebakend landschap dat woedend op je is, wanneer je een oog hebt dat het andere de waarheid zegt en je overal, vanwege dat loensen, gezien wordt als iemand die bijna fysiologisch een dubbele blik heeft, hoe kun je dan niet een lawaaierige, gekwelde, en ten slotte ruziezoekende, zelfs oorlogszuchtige kijk op de wereld hebben – op de manier, in feite, van de walvis uit *Moby Dick*, waarvan de twee ogen zo ver uit elkaar stonden dat ze de hersenen alleen maar twee reeksen beelden van de wereld konden sturen, die geen verband met elkaar hielden, tegenstrijdig waren? Sartre zou tegen Gerassi hebben gezegd dat het lelijk zijn hem ervan heeft weerhouden 'reformist' of 'revisionist' te zijn.[27] In de strikte betekenis is de opmerking twijfelachtig: vertelt Merleau-Ponty niet dat als de nogal apolitieke Sartre van voor de oorlog 'sympathieën' had, die de kant van het 'bergerysme' op gingen, in de tijd dat 'Bergery lid was van de radicale partij en, met enige anderen, behoorde tot de 'Jong-Turken', zoals ze genoemd werden, dat wil zeggen tot een vrij vergaand radicalisme'?[28] Maar dat deze lelijkheid, deze absolute ramp die erdoor in de economie en de harmonie van het Zijn wordt aangericht, deze overmaat, niet zoals Aristoteles zei van 'materie', maar van 'contingentie', hem mede zou hebben overtuigd van het onoverwinnelijke duister van de dingen en daardoor van de onmogelijkheid om de wereld met hemzelf te verzoenen, dat Sartre het lange tijd aan zijn lelijkheid heeft geweten dat hij, meer dan anderen en meer, misschien, dan Camus zelf, doof was voor alle versmeltende dromen, tot en met de volmaaktste, dat wil zeggen de revolutionaire droom, dat lijkt daarentegen plausibel.

Lelijkheid van Sartre – lelijkheid van de wereld.

Ongenade van een lichaam – universele en definitieve kreupelheid.

Sartre, de eerste Sartre – degene die het kwaad onder ogen ziet en het in zichzelf ziet, op zijn eigen gezicht, in zijn spiegel –, was daarom misschien, meer dan wie ook, gewapend tegen de grote, dodelijke illusie van een vloeiende, doorzichtige maatschappij, bevrijd van het kwaad, van de zonde.

Ook een kans voor Sartre, zijn lelijkheid.

Aan het begin van de sartriaanse vrijheid was er die wanorde, dat eerste geweld dat door geen enkel programma overwonnen kon worden en dat een metafoor was voor de onverbiddelijke schuld van de wereld.

Theologen, filosofen en despoten

Maar we zijn er nog niet. Het probleem met het mens-dier is dat het de principes kan aanvaarden zonder in te stemmen met de gevolgen. Het kan reuze-enthousiast zijn voor het idee van een maatschappij die bevrijd is van het Kwaad – en op die manier verbonden met de Oorsprong of het Einde – en tegelijk terugschrikken voor de prijs die daarvoor betaald moet worden. En zo keert de totalitaire despoot terug op het slagveld en brengt zijn vierde en laatste theorema in stelling.

De prijs zal hoog zijn, dat is waar. Het leven dat je door mijn toedoen zult leiden, zal in jouw ogen onmenselijk, rampzalig zijn. Maar verander eens een ogenblik van perspectief. Verlaat dat op het persoonlijke toegespitste, egoïstische, bekrompen standpunt eens en bezie het vanuit de wereld van de fantasie die je, zo beloof ik, te wachten staat. Verlaat je eigen standpunt en bekijk alles vanuit de grote utopie die ik je aanbied en in naam waarvan ik je vraag de willekeur, de kampen, het systematische moorden, de martelingen, de verwoestingen op de koop toe te nemen. Je zult zien dat dat allemaal deel uitmaakt van een groter geheel. Je zult begrijpen dat die verwoestingen, misschien wel slachtingen, onderdeel zijn van een hogere orde. Het kwam je wreed, uitzinnig voor? Welnee! Het diende een doel! Het lag in de orde der dingen! Het was een soort offer dat van je gevraagd werd waardoor de tijden van de verwezenlijkte Utopie en het geluk konden aanbreken.

Zo redeneren religies wanneer ze hun grote theologische onderstellingen opgeven, hun krachten bundelen met die van Caesar en ons vertellen: 'God is volmaakt. Zijn Schepping is dat ook. Dat wat u voorkomt als een onverdraaglijke onvolmaaktheid heeft deel aan die volmaaktheid.' Of: 'Dit leven is een tranendal, een nachtmerrie, maar wacht op wat komen gaat. Heb geduld. Dan zult u zien hoe die ellende, op de dag des Oordeels, omgezet zal worden. Dan zult u begrijpen dat u hierbeneden betaalt voor uw geluk daarboven.'

Iets dergelijks zeggen ook de grote filosofische systemen die ons allemaal op een goeie dag en alsof er, zoals Kojève al zei, inderdaad geen wezenlijk verschil bestaat tussen de filosoof en de tiran[29], voorhouden: 'uw lot komt u onzinnig voor? De verdeling van goed en kwaad oneerlijk? Verander uw wensen in plaats van de orde der dingen' (Descartes). Of meet u zich een 'synoptische' kijk op de ongelijke verdeling van geluk en ongeluk aan (Plato). Of stelt u zich op het standpunt van de Substantie, van het noodzakelijk verloop van zijn modi (Spinoza). Of bekijk het vanuit Gods gezichtspunt, de hoogste monade en het volmaakte verstand, dat vanuit alle perspectieven harmonisch geordend is (Leibniz). Of gaat u in gedachten naar dat moment in de toekomst waarop de Geest zich ten volle zal ontvouwen en in retrospectief betekenis zal geven aan al die armzalige wederwaardigheden die, in 's mensen blindheid, smart, gebrekkige zelfkennis, in ondoorgrondelijke reeksen, in bloedbaden soms, vernietiging en geweld – wiens 'enig werk de koudste en platste dood' is 'die' volgens Hegel 'niet meer betekenis heeft dan het doorklieven van een kool of een slok water drinken' –, aan dat moment zijn voorafgegaan en het hebben voorbereid. Kortom, verander van perspectief en je zult zien dat hetgeen je een ogenblik geleden nog zo onrechtvaardig voorkwam in werkelijkheid tot een door de voorzienigheid beschikte orde behoort – je zult zien dat al het stof van al dat kleine leed, al dat ongeluk, al die wanorde, slechts de keerzijde, het andere gezicht of de langste maar meest zekere weg was van de komst van de Heilige Geest.

'Wanneer zullen we schrijven vanuit het gezichtspunt van *superieure scherts*, dus zoals Onze Lieve Heer de mensen vanuit de hoogte beziet,'[30] vroeg Flaubert ironisch? Welnu, dat is al gebeurd. Het lijkt hem te zijn ontgaan, maar het is al gebeurd. En het zal, na hem, in de toekomst nog veel vaker gebeuren. Want zo schreven de grote filosofieën al eeuwenlang. En zich daarop baserend zullen de grote onderwerpingsmachinerieën algauw gaan schrijven – met boven aan de ladder van het despotisme, de totalitaire systemen en onderaan, hier niet mee te verwarren, maar desalniettemin dat ene kenmerk gemeen hebbend, de ultraliberale systemen die, op de keper beschouwd, hetzelfde verordonneren –: 'Bezie het van een andere kant! Bekijk het vanuit het gezichtspunt van de onvermijdelijke mondialisering! Of de spontane harmonisering die de onzichtbare hand van de wereldmarkt bewerkstelligt! En je zult zien dat je gebroken, werkloze, ontwortelde, vernederde, verloren leven deel uitmaakt van een plan waar de hoge heren van Wall Street of van de Californische pensioenfondsen in de rol van de nieuwe hegelianen, de toverformule van op zak hebben.'

Alweer staat niemand vreemder tegenover een dergelijke gedachtegang dan de Flaubert-liefhebber Sartre.

Niemand staat vijandiger dan hij tegenover die conceptuele machinerieën die onder het voorwendsel de mensen te willen troosten, hen uit het hoofd praten in opstand te komen en hun onderdrukking in de hand werken.

En als ik zeg 'niemand meer dan hij', als ik van die eerste Sartre de kampioen-alle-categorieën maak van dat metafysische antitotalitarisme, dan komt dat door wederom twee dingen.

Ten eerste omdat hij het zelf zegt in een prachtige tekst die hij schreef bij de Bevrijding, die *Qu'est-ce qu'un collaborateur?*[31] als titel heeft en door iedereen herlezen dient te worden die van hem, toen – en tegenover iemand als Camus, de alleenheerser zo niet van het hart dan toch zeker van de moraal – de verdediger van een misdadig historicisme wilde maken.

Collaborateur noem ik iemand, zo luidt de openingszin, die uit de 'Duitse overwinning' de conclusie getrokken heeft dat het 'onvermijdelijk is zich te onderwerpen aan het Reich'.

Collaborateur noem ik degene die 'de diepgaande, oorspronkelijke beslissing', die de 'kern' van zijn persoonlijkheid vormt, heeft genomen 'zich te plooien naar het voldongen feit, om het even welk', 'het voldongen feit te beamen, enkel en alleen omdat het voldongen is'.

Collaborateur noem ik de verdediger van een 'verkeerd begrepen hegelianisme' die wil doen geloven dat 'het laatste historische fenomeen het beste is enkel en alleen omdat het het laatste is' – en die ongerechtigheid, martelingen en geweld die daar bij komen kijken op de koop toe neemt louter omdat 'alle grote veranderingen op geweld gebaseerd zijn'.

En, de redenering aanscherpend, waarbij hij zich afvraagt hoe het komt dat iemand als het erop aankomt, diep in zijn hart, instemt met dat geweld, zegt hij: 'de collaborateur is besmet met de intellectuele ziekte die je historicisme noemen kunt'. De collaborateur 'plaatst zich om zijn handelingen te beoordelen in de allerverste toekomst'. Die 'manier van doen om de gebeurtenis te beoordelen in het licht van de toekomst', die manier, 'om een paar eeuwen vooruit te springen en zich naar het heden om te draaien', om 'dat heden van ver te aanschouwen en weer een plaats te geven in de Geschiedenis', die manier om het heden 'in verleden te veranderen' en zo doende 'het niet te rechtvaardigen karakter ervan te maskeren', dat is nu precies de geest van de collaboratie – waarom Duitsers doden, weerstand bieden, haten, wanneer je binnen vijf jaar weer zaken met ze doet?

Voor Sartre ligt de ware essentie van de geest van de collaboratie in die wisseling van standpunt, precies zoals bij Leibniz, die opmerkt dat 'dezelfde stad, van verschillende kanten bezien, er telkens heel anders uitziet en perspectivisch vermenigvuldigd lijkt', waardoor het mogelijk wordt een heel andere betekenis aan deze of gene ommekeer in het lijden en de lijdensweg van de mensen te geven, die zonder die draai voor onverdraaglijk zou doorgaan. Voor Sartre ligt het ware principe van de geest van onderworpenheid in het innemen van het standpunt van een God die in de loop der tijd geseculariseerd is en nu Geschiedenis heet maar op precies dezelfde manier te werk gaat. Wat voor verschil is er tussen woorden die je zeggen 'bezie het vanuit het standpunt van het Goddelijke, of de Substantie, of de absolute Geest en u zult zien dat uw kwellingen enzovoort' – en woorden die als een echo daarvan klinken: 'bezie het vanuit het standpunt van de Geschiedenis, dat wil zeggen van het tot het verleden vervelde Heden en u zult zien dat de vernedering, de nederlaag, de kampen des doods, de gemartelde verzetslieden, de Duitse soldaten in de straten van Parijs, de fascistische en seniele maarschalk op Radio Vichy, dat hele onwaardige, verfoeilijke heden opeens op zijn plaats vallen en u derhalve aannemelijk voorkomen'?

Sartre doelt in deze tekst vanzelfsprekend op 'collaborateurs' in eigenlijke zin.

Hij doelt, en zegt dat ook, op degenen die zich hebben neergelegd bij de overwinning van Duitsland, niet speciaal uit liefde voor Duitsland, maar uit liefde voor de Geschiedenis.

Maar zijn beschrijving is natuurlijk – je moet wel blind zijn om dat niet te zien – zonder enige moeite, zonder er een woord aan te veranderen, van toepassing op alle collaborateurs van alle totalitaire systemen, het Russische inbegrepen.

De schrijver van deze regels blijft niet bij zijn mening, zoals we weten. En het is dan ook de vraag hoe hij – zo snel!, nauwelijks een paar maanden later! – die messcherpe uiteenzetting kon vergeten en uitgerekend doelend op de USSR vond dat dat land 'zich in de meest verre toekomst moest plaatsen om de eigen handelingen op waarde te schatten' en, wat de kampen betreft, hun 'niet te rechtvaardigen karakter moest maskeren' door 'een paar eeuwen te verspringen', ze 'van ver te bezien' en ze 'te verplaatsen in de Geschiedenis'. Vooralsnog is er de tekst over de collaboratie. Alweer onweerlegbaar en definitief. En ik ben er niet zo zeker van dat Camus in zijn

L'Homme révolté of Merleau-Ponty in zijn *Humanisme et terreur* heel veel verder gaan in hun weerlegging van het vierde totalitaire theorema.

En er is een tweede reden waarom ik Sartre tot kampioen van het antitotalitarisme verklaar.

En wel dat hij naast de tekst over collaboratie, die meer een gelegenheidstekst is, die twee hoofdwerken geschreven heeft – *La Nausée* natuurlijk en *L'Être et le néant* – die beide als grondregel hebben dat de contingentie absoluut is, de wanhoop onherroepelijk, het *mal de vivre* ongeneeslijk – en dat er nergens en nooit een 'goed' standpunt bestaat dat het subject zal kunnen verzoenen met zijn aangeboren lijden en al helemaal niet met het gewelddadige lijden – de mens aangedaan – van de onderdrukking.

Niet Sartre maar Proust reconstrueerde het verleden zodanig dat hij er bij gratie van de Herinnering de zin aan kon geven die het niet had.

Niet Roquentin maar Annie droomt in *La Nausée* van 'volmaakte momenten'.[32]

Het is de toerist die geniet van de 'eeuwige momenten waarop de wereld een oud schilderij lijkt'.[33]

Het is het kind Sartre, van wie *Les Mots* het portret schildert dat door de volwassen Sartre vernietigd wordt, dat zichzelf als 'voorbestemd' ervaart en ervan overtuigd is dat zijn 'tegenslagen' slechts 'proeven', voorbodes zijn van 'zijn triomfantelijke dood', premissen voor zijn 'postume overwinning', treden die je moet beklimmen om een geslaagd leven te hebben.

En als Roquentin op zijn beurt droomt van een leven waar de momenten 'elkaar opvolgen en zich rangschikken als de momenten van een leven dat je je herinnert', komt hij al heel snel tot de slotsom dat het hele project zinloos is: 'je kunt net zo goed proberen de tijd bij zijn staart te pakken' – fictionele voorafschaduwing van de ontboezeming die hij eerst in *Les Carnets de la drôle de guerre* en later in *Les Mots* doet: een deel van mij droomde er natuurlijk van dat het leven een 'borduurraam' was 'waarop eerst een heleboel voorgetekende aanwijzingen moesten worden aangebracht en dat vervolgens opgevuld moest worden met borduurwerk' maar het was een absurde droom die ik door de beproeving van het leven gedwongen moest laten varen...

Het leven heeft geen zin, denkt die eerste Sartre dus. Het herbergt geen enkele belofte. Geen enkele onzichtbare hand leidt het heimelijk in banen. Het is chaotisch. Vormeloos. Pure wanorde en mist. Wirwar van richtingloze momenten. Chaos. Janboel. Hoe zou het lijden van de mensen, en in het bijzonder het lijden dat ze moeten ondergaan wanneer ze gemarteld worden of opgesloten, hoe zou het zich erop kunnen laten voorstaan iets extra's voor hen in petto te hebben?

Er bestaat geen goed standpunt voor de onderdrukking, hamert de filosoof van de contingentie.

Nooit, nergens bestaat er een standpunt vanwaaruit je kunt zeggen: 'Kijk! Zo is het beter! Je hoefde alleen maar een andere bril op te zetten, of je blik scherper te stellen, om te zien dat die despoten schijnbaar Kwaad deden maar in werkelijkheid aan ons Welzijn werkten!'

Nooit, op geen enkele manier, zullen we kunnen zeggen: 'Wacht! Laat begaan! Laat de Geschiedenis zijn gang gaan en zijn werk doen. Aan het eind, en alleen aan het eind, wanneer de deadlines verstreken zijn en in de extase van de samensmelting, zullen we begrijpen waar al die stromen van bloed, zweet en tranen, heen vloeiden.'

Niets is Sartre dus vreemder dan het idee van een 'dialectiek' die, zoals bij de rechtse en linkse aanhangers van Hegel, bij de marxisten en historicisten, het wonderbaarlijke vermogen bezit het lood van het onwaardige lijden in goud te veranderen en zin te geven aan iets wat geen zin heeft.

En die weigering is zo diep in hem verankerd, Sartre staat zo zielsvijandig tegenover het idee dat men zich meester zou kunnen maken van het gratuite lijden en tegenover het doen opgaan ervan in een dialectiek, dat hij zich in een late, weinig bekende, heel merkwaardige tekst – die dateert van zijn militante periode, halverwege zijn optrekken met de communistische partij en zijn aansluiting bij de maoïsten, en waarin hij schrijft over het martelaarschap van de mensen, hoe de Geschiedenis 'hen uitkiest, hen berijdt en onder zich laat creperen', en ook hoeveel 'inspanning, zweet en vaak bloed het kost om ook maar de kleinste verandering in de maatschappij teweeg te brengen', – over het schandaal van een 'kleine dood, minuscule strohalm weggevaagd door de geschiedenis', uitlaat in termen als 'een vraag zonder antwoord' of een 'schraal verlies' en dat dat schrale verlies 'door niets te compenseren is', laat staan 'in een dialectiek kan opgaan'.[34]

Maar Sartre heeft het soms toch ook over 'dialectiek'?

Natuurlijk. Precies. Een nieuwe dialectiek. Een merkwaardige dialectiek. Een dialectiek die hij nu weer eens vergelijkt met een 'draaideur', dan weer met een 'spiraal', ja zelfs met een 'spiraal met meerdere middelpunten'[35] (ultieme invloed van Bergson?, proustiaanse reminiscentie?) en die van alle bekende dialectieken, en met name van de hegeliaanse, op dit hoofdpunt verschilt, waardoor alles anders wordt, namelijk dat Sartres dialectiek als een tweetaktmotor werkt. Hij kent geen drie maar slechts twee fasen. Hij zegt niet: 'x is tegengesteld aan y voordat hij samensmelt met y en ze samen z vormen' maar: 'x en y zijn tegengesteld, punt. Ze blijven eeuwig elkaars tegengestelden. Er is zelfs bij iedere winding van de spiraal een soort nieuwe opstijging of voortstuwing die, niet veroorzaakt door een transcendent principe of een God, maar door een innerlijke veerkracht, genesteld in het hart van het Zijn, maakt dat er inderdaad sprake blijft van dialectiek. Maar, al is er opstijging of voortgang, al bereikt de beweging van de tegenoverstelling bij iedere draai van de draaideur, een hogere complexiteitsgraad, er is toch geen derde fase die de eerste twee met elkaar verzoent en de eeuwigdurendheid van de beweging tot stilstand brengt.' Het is dus dialectiek die niet tot een ontknoping, een oplossing komt. Het is dialectiek zonder uitweg of synthese, zonder terugweg. Het is een motor die letterlijk in het rond draait en breekt met de lineariteit, dus met het geloof in de voorzienigheid, die alle andere vormen van dialectiek impliceren.

Onoplosbare wanhoop. Met onvervreemdbare onderdrukking als tegenhanger.

Opsluiting van het subject in wat Hegel het 'slechte oneindige' noemde. Maar – geluk bij een ongeluk – stilzwijgen van de technici van het grote lijden die ons niet langer kunnen wijsmaken dat dat kwaad bezwangerd is van iets goeds dat we alleen nog niet zouden kennen.

Zeg tegen die jonge Sartre: 'Probeer Stalin of Hitler maar eens dialectisch te denken. Probeer je maar eens de vraag te stellen waar al die kampen, martelingen, massamoorden toe dienen.' Zeg: 'Hun waan heeft zin, hij is slechts ogenschijnlijk waanzinnig.' Zeg, zoals een 'religieuze' stroming in de twintigste eeuw ook gedaan heeft, en nog steeds doet: tegenover de gaskamers, de verbrandingsovens waar doden maar ook levenden in werden verbrand, tegenover het beeld van het kind dat levend gevild wordt of verdronken in een ton met urine, of een ander kind dat door zijn vader eigenhandig wordt opgehangen om het zo nog een nacht van martelingen te besparen, tegenover de absolute mensenschennis die de misdaad tegen de menselijkheid is en waar we, helemaal aan het einde van de eeuw, de schaduw weer van hebben zien vallen over Bosnië, Kosovo, of Oost-Timor, of Tsjetsjenië, tegenover het raadsel van die totale beestachtigheid, tegenover de perversiteit van de moordenaars die in Treblinka de trompe-l'oeil van een station schilderen om de veroordeelden te misleiden of die hun in Kosovo vijf minuten de tijd gaven om hun boeltje te pakken zonder erbij te vertellen dat de reis even buiten de stad zou eindigen in een massagraf – waag het eens te zeggen, dat je tegenover deze buitensporige verschrikkingen een dwaling Gods, een tijdelijke verduistering, moet proberen te zien, een heimelijk of onherroepelijk terugtrekken of juist, tussen de muren van de gaskamers voordat de kinderen er met hun nageltjes langs krassen, een onzegbaar dicht bij elkaar zijn van de Uitverkorenen en hun Heer. Sartre, in wiens ogen contingentie het laatste woord is in het menselijk lot, Sartre, die, ik herhaal het nog eens, gelooft in een Kwaad dat nergens door vergeven, afgekocht of verzoend kan worden, heeft absoluut geen oren naar die gruwelijke theodicee. Dat is het laatste woord van zijn antifascisme.

4

Aantekening over de kwestie Vichy: een Sartre in verzet

Hier kom ik tot dé biografische kwestie: die van de houding van Sartre, en in mindere mate die van de Beauvoir, tegenover de onmiskenbare, concrete werkelijkheid, en niet de theorie, van het fascisme. De officiële versie is bekend. We kennen het cliché, ik zeg het maar weer eens, van de intellectueel die zich steevast vergist heeft en die zich gewoontegetrouw ook in deze zaak, die van het verzet tegen Vichy en tegen de Duitsers, moreel zou hebben gediskwalificeerd.

Men kent de geraffineerde, of perverse versie: die van Vladimir Jankélévitch, die op zijn doodsbed of vlak daarvoor, suggereert dat de filosofie van het volkomen engagement – die van Sartre, maar misschien nog wel meer die van Merleau-Ponty – slechts 'een soort ziekelijke compensatie was, een schuldgevoel, het opzoeken van een gevaar dat men niet had willen lopen tijdens de oorlog'. Sartre zou, net als Merleau-Ponty, 'zijn hele ziel gelegd hebben in de naoorlogse periode, omdat hij tijdens de oorlog, toen het zijn beurt was om zijn plicht te doen, 'niets gedaan' zou hebben en hij, zelfs nog bij de Bevrijding, ermee zou hebben vergenoegd van zijn barricadetoerisme een verhaal te maken rond zijn 'indringende gewaarwordingen'.[1]

Men heeft gezegd en herhaald, na hem, dat Sartre zich niet zo zou hebben uitgesloofd, dat hij het thema van het onvermijdelijke engagement van de intellectuelen niet zou hebben opgeklopt, dat hij het grote leger van de schrijvers, levende en dode, niet zou hebben gemobiliseerd voor zijn oorlog tegen het moderantisme, dat hij zichzelf niet belachelijk gemaakt zou hebben met het decoreren van de ene partij en het aan de kaak stellen en met schande overladen van de andere vanwege hun onverschilligheid voor het lot van de menselijke soort, als hij zichzelf geen verwijten had hoeven te maken over een twijfelachtige, of angsthazige, houding onder de Bezetting.

Kortom, de filosofie van het engagement zou een afleidingsmanoeuvre zijn, letterlijk een alibi, omdat hij in de plaats kwam van een engagement dat er niet was toen het erop aankwam – en Sartre zou zich verdacht hebben gemaakt op alle mogelijke manieren die men zich maar kan indenken: de opvoeringen van *Bariona* in de Stalag, en van *Les Mouches* in bezet Parijs; de stukken in *Comœdia*; de scenario's voor Pathé; die van Castor voor de radio; een operetteverzet, of helemaal geen verzet; nog even, een snuifje desinformatie erbij – desinformatie is, als het over Sartre gaat, helaas nooit ver te zoeken – en men zou hem zalven als de eerste pétainist van Frankrijk.

Op een dag zal een historicus, naar ik hoop, hem recht doen en deze laster ontzenuwen.

Op een dag – maar wanneer? – zal men, op een faire manier, getuigen van de ware toedracht van Sartres houding onder de Duitse laars en tegenover Vichy.

Ik voor mij ben historicus noch rechter. Maar er zijn per slot van rekening de feiten. Alle feiten. Die toegankelijk zijn voor wie ze wil onderzoeken. En die, stuk voor stuk in alle rust bekeken, een beeld opleveren dat ontegenzeggelijk niet dat van een held is, maar waar anderzijds niets beschamends aan is en dat bepaald niet die afbreuk aan de pretenties van zijn filosofie doet als men ons wil doen geloven.

De jaren voor de oorlog

Eerst dan de jaren voor de oorlog. Deze schemeroorlog waarin zijn mix van dandyisme en, zoals ik eerder opmerkte, linkse ideologie (waarom zou je stemmen voor het linkse blok of voor het Volksfront als je een begrip hanteert – dat van 'schoft' of 'bourgeois' – dat de helden van Jean Renoir en die van de *Rêveuse bourgeoisie* over één kam scheert?) hem er per saldo van weerhoudt duidelijk partij te kiezen, maar ook, wat meer verwondert, te onderkennen welke verschrikkelijke zaken eraan zitten te komen.

Hij brengt een jaar in Duitsland door, maar anders dan zijn kameraden Maheu en Aron, die van een soortgelijk verblijf, ook in Berlijn of in Keulen, terugkeren met de overtuiging dat zich een ontzettend gebeuren aftekent en dat de hele westerse beschaving op zijn grondvesten staat te trillen, lijkt hij niets te zien, zich nergens druk om te maken en hij brengt er, zegt hij zelf,[2] een heerlijke 'vakantie' door, of hij hervindt er, tussen Husserl die hij leest en Heidegger die hij ontdekt, het verrukkelijke 'vrij zijn van verantwoordelijkheid' van zijn jaren aan de Ecole Normale.

Hij keert terug in Parijs, en wat later in Le Havre, in de zomer van 1934, maar alweer anders dan Aron, en anders ook dan Nizan en alle *agrégés* van hun generatie die op het Palais de la Mutualité Gide en Malraux toejuichen en overal plaatselijke afdelingen oprichten van het geheel nieuwe Comité van Waakzaamheid van antifascistische intellectuelen, houdt hij zich verre van de 'Mutu' en van de plaatselijke afdelingen van het Comité.

En dan komt het Volksfront aan de macht: het enthousiasme dat deze gebeurtenis volgens Simone de Beauvoir ook bij hem losmaakte[3], verhindert hem niet met haar aan de haal te gaan naar Rome, en naar Napels, waar hij *Dépaysement* schrijft en aan Olga een lange en mooie brief richt, die een beeld oproept, met tal van bijzonderheden, van de steegjes van het oude Napels, zijn mozaïeken, zijn fresco's – maar geen woord over politiek[4].

Vervolgens de Spaanse burgeroorlog: ditmaal is hij attent; hij peilt waarschijnlijk wat er op het spel staat; en Castor zal zeggen dat dit 'het drama' was dat 'gedurende tweeënhalf jaar ons hele leven beheerste'[5]; maar wanneer 'de kleine Bost', zijn 'favoriete leerling' en trouwens 'ultralinksradicaal', hem vertelt dat hij zich bij de Internationale Brigades wil aansluiten[6], luistert hij maar met een half oor, maakt ongemerkt wat aantekeningen voor een van de novellen van *Le Mur*, en laat hem raad inwinnen bij Nizan alsof het vanzelf spreekt dat niet hijzelf, maar Nizan in hun groepje het ministerie van Politiek en Engagement, van Serieuze Aangelegenheden, je zou haast zeggen van de 'Zin voor Ernst', onder zijn hoede heeft.

De val van het Volksfront – deze ramp die voor heel intellectueel links van die tijd de doodsstrijd en dan de dood was van de hoop die Léon Blum belichaamde: een lange brief aan Castor, op 14 juli 1938, om haar te vertellen, primo dat het een 'grijze dag' is, secundo dat het een 'verschrikkelijke republikeinse' dag is, en tertio dat zijn kameraad in de rue d'Ulm, Alfred Péron, hem zo-even verlaten heeft met een 'klein rood insignum' in het knoopsgat waarover hij niet veel langer nadenkt dan Roquentin over de humanistische preken van de Autodidact.

En dan het debat over de akkoorden van München, waarin zijn stellingname klaarblijkelijk niet die van de doctrinaire pacifisten is, maar waarin hij, anders dan Simone de Beauvoir[7] wil doen geloven, ook geen partij kiest voor de harde, onversneden antifascistische lijn. Een gesprek met Aron[8] waarin hij eigenlijk zegt: 'ik weiger te beschikken over het leven van de mensen, ik weiger mij te bezinnen op de politieke consequenties van vastberadenheid tegenover Hitler'. En dan is er, veel later, zijn eigen getuigenis, toevertrouwd, zoals gewoonlijk, aan Contat[9]: 'ik werd verscheurd tussen mijn pacifisme en mijn antinazisme' (al voegt hij eraan toe: 'tenminste in mijn hoofd had het antinazisme al de overhand').

Als Sartre wroeging heeft, is het hierom. Als hij ergens voor moet boeten, als er een kern van waarheid schuilt in de stelling van 'het engagement als alibi', dan is het vanwege dit alles, de onzekerheden van deze periode en vanwege hetgeen hijzelf in zijn *Nizan*[10] bestempelde als zijn 'apolitieke houding, waarop elk engagement afstuitte'. En men zou zich bijvoorbeeld kunnen afvragen of de befaamde tekst *Elections piège à cons* (*Verkiezingen boerenbedrog*), pas veel later gepubliceerd in *Les Temps modernes*, geen verre nagalm was van deze tijd – een soort verontschuldiging achteraf voor het feit dat hij, in 1936, volgens zijn biografen, waarschijnlijk niet gestemd heeft.

Voor de rest, voor het vervolg, voor het hele vervolg, voor de periode die begint in 1940 en waarin de bekendheid die hij verworven heeft met zijn *La Nausée*, en wat later *L'Être et le néant*, het minste of geringste wat hij zegt een ongekende verbreiding zal geven, heeft hij niets of vrijwel niets gedaan wat deze absurde aanklacht, waarmee hij sinds vijftig jaar wordt bestookt, kan staven.

Een geheimzinnige ontsnapping?

Het gevangenkamp bij Trier en zijn 'ontsnapping'. Men heeft er van alles over gezegd, en geschreven. Men heeft gezegd dat hij zijn bevrijding net als Brasillach te danken had aan de tussenkomst, in Parijs, van Drieu La Rochelle. Men heeft geschreven dat hij de Stalag niet had kunnen verlaten als hij niet had kunnen profiteren van hulp of medeplichtigheid vanuit het Duitse leger. Daartegenover staat het verhaal – Simone de Beauvoir beging als eerste de vergissing het woord in de mond te nemen – van zijn ontsnapping in optima forma, omgeven met de waas van romantiek en gevaar, of zelfs van heroïek, die bij een ontsnapping hoort. De waarheid is heel wat simpeler. Zij stamt uit de enige betrouwbare getuigenis over deze zes maanden gevangenschap: het boek dat de geestelijke Marius Perrin besluit te publiceren zodra hij hoort praten over de zogenaamde tussenkomst van Drieu[11]. De 'soldaat Jean-Paul Sartre ' is vertrokken omdat hij, Marius Perrin, zijn militaire zakboekje had vervalst door er in aan te tekenen dat hij leed aan 'strabismus (scheelzien) met als gevolg richtingsstoornissen'. Hij heeft het kamp dus verlaten omdat men hem rekende tot de groep 'bij vergissing opgeroepenen', die de Duitsers stelselmatig vrijlieten. Dat is natuurlijk heel wat minder eervol dan een 'grote' ontsnapping. Maar er is ook niets onterends aan. We kennen, in dezelfde jaren, spannender ontsnappingen die de betrokkenen niet verhinderd hebben om, zodra zij aan de kaken van de nazi-wolf waren ontkomen, zich in die van Vichy te begeven. Ik verkies een Sartre die de Stalag domweg verlaat omdat een medegedetineerde hem valse papieren heeft verschaft boven een Mitterand die als een Monte-Cristo zijn hielen licht, maar, eenmaal vrij, zijn Vichy-decoratie gaat verwerven, en misschien wel verdienen.

De affaire Bariona

Bariona ou le Jeu de la douleur et de l'espoir... (Bariona of het Spel van smart en hoop). Dat is de titel van een kerstverhaal dat hij schreef in de Stalag en daar rond de kerstdagen eind 1940 ook liet opvoeren – het bewijs dat hij in de Stalag, net als in Parijs, bij Leiris thuis, zich tot taak stelde de stemming erin te houden.

De tekst was lange tijd onvindbaar.

Lange tijd heeft Sartre de opvoering verboden, en zelfs de herpublicatie (op een private herinneringsuitgave na, in 500 exemplaren).

En het is een feit dat deze gêne of, in elk geval deze zwijgzaamheid, alleen maar verdenkingen hebben gevoed, niet zozeer wat betreft het dramaturgische gehalte van de tekst (al weten wij nu wel dat dit Sartres ware zorg was: het is een 'slecht' stuk, zei hij, het gaat zich te buiten aan 'lange redenaties'[12]), als wel wat de politieke strekking betreft, zijn diepere bedoelingen, en misschien zijn geschipper (was er niet alle reden tot vrees bij een stuk dat geschreven en gespeeld werd onder het oog van de Duitsers, in een gevangenkamp, en waar men alleen van wist dat het een verhaal was 'dat speelde in de tijd dat de Romeinen heersten over Judea'?).

Maar tegenwoordig beschikken we over de tekst.[13]

En zelfs al weten we maar weinig over de omstandigheden van de voorstelling, over het spel van de acteurs, decors en kostumering, over regieaanwijzingen van de schrijver, over de stijl van de enscenering, of onbeholpenheden ervan, over de beperkingen waarbinnen hij moest werken, wij hebben wel degelijk een idee over wat de kameraden van Sartre die drie avonden, 24, 25 en 26 december, in de smerigheid en de kou te zien kregen.

En wat heeft die tekst dan te zeggen?

Hij vertelt dus het verhaal van een dorp in Judea onder de Romeinse bezetting.

Hij vertelt hoe het dorpshoofd, Bariona, lid van het verzet van Judea tegen de bezetter, wanneer de Romeinen de belastingen verhogen, zijn medeburgers er, als tegenmaatregel, toe oproept geen kinderen meer voort te brengen.

Maar dan hoort hij van Sarah, zijn vrouw, dat zij net heeft ontdekt dat zij zwanger is – en op dezelfde dag komt uit het naburige dorp Bethlehem het nieuws omtrent een andere pasgeborene, 'in doeken gewikkeld en te ruste gelegd in een kribbe', die de wijzen en de plaatselijke tovenaars aankondigen als de Messias.

Wat doet Bariona? Zal hij, wat hij eerst van plan was, de pasgeborene van wie de dorpstovenaar hem de toekomst voorspeld heeft, kruisiging en wederopstandig incluis, doden? Of zal hij daarentegen van plan veranderen en het kind beschermen tegen het geweld van de Romeinen, die, gealarmeerd door de onrust in het gebied, van hun kant eveneens besloten hebben dat het niet in leven mag blijven.

Na rijp beraad besluit Bariona het kind te beschermen. Hij offert zijn leven en dat van zijn dorpsgenoten op voor het overleven van de kleine Messias, hij houdt de Romeinen bezig waardoor het Maria, Jozef en de pasgeborene gelukt de wijk te nemen. En tegen Sarah, die in een ontroerende slotscène afscheid van hem komt nemen, zegt hij dat hij ook wat haar betreft van mening veranderd is: zij moet hun kind ter wereld brengen en het, als het groot is, vertellen dat zijn vader gestorven is in vreugde!

Dat dit 'Mysterie' literaire en zelfs metafysische problemen stelt, is één ding.

Dat een lezer die vertrouwd is met teksten van Sartre, verrast kan zijn door dit verhaal waarin het thema van de 'voortplantingsschuwheid' plotseling opduikt, tot nadenken wordt aangezet, en waarin, hoe anders dan wat bijvoorbeeld in *Les Chemins de la liberté* gebeurt, het moederschap als een gelukkig avontuur wordt voorgesteld, is zeker.

Dat hij kan en moet terugdeinzen als hij het personage Bariona het lot van de wereld in de handen hoort leggen van een kindkoning die geboren is, sic, 'voor alle kinderen van de wereld' en die de schrijver van *La Nausée* nooit dezelfde eer zou hebben betoond – ik ben de eerste om dat toe te geven.

En men zal heel gauw zien dat het dan en daar is, op het moment van Bariona, in het hart van deze buitenissige tekst, waar zowel qua tijd als plaats het keerpunt van het leven en het werk van Sartre te vinden is – men zal zien hoe het deze ervaring van de Stalag is en het schrijven, in de Stalag, van dit stuk, dat de geboorte dateert van een tweede Sartre, een Messiaanse, optimistische, in een nieuwe richting geëngageerde Sartre, die plotseling de rug toekeert aan de fraaie pessimistische metafysica die als een waarborg was, een vaccin, tegen politieke afdwalingen.

Maar voor de rest, als we kijken naar de politieke en niet naar de metafysische betekenis van de tekst, naar hoe hij zich voegde in de situatie van het kamp en van het tijdvak, zijn de toespelingen duidelijk, wemelt het van de parallellen tussen het leven van het Judea van de eerste eeuw en dat van een door de nazi-legioenen bezet land, en is de boodschap van het stuk derhalve ondubbelzinnig.

Bariona is een fabel over Bezetting en Verzet.

Bariona is tot tweemaal toe, door de prediking van de onvruchtbaarheid, daarna door die van het in leven laten van de Messias, een ode aan de geest van opstand.

Bariona is in twee versies, een zwartgallige en bekoorlijke, de illustratie van de sartriaanse stelling over de altijd mogelijke heroïek, de onoverwinnelijke vrijheid van de mensen en de macht die zij hebben om onder alle omstandigheden, zo zij dat verkiezen, hun onderdrukkers te trotseren.

Bariona is ook een grappig stuk, vol humor, dat er niet voor terugdeinst de tegenstander, dat wil zeggen de Romeinse functionaris Laelius, te bestoken met dat andere wapen, het wapen van de satire. Is Laelius in de ban van de 'goddelijke Caesar', die zojuist 'het tijdperk van de maatschappelijke mens' heeft verkondigd, dat wil zeggen van de 'papierwinkel'? Gekheid, natuurlijk. Kankert hij over het kwade lot dat hem in deze uithoek heeft gezet, deze rimboe, terwijl zijn 'neef', nota bene met minder dienstjaren dan hij, kans heeft gezien naar Griekenland te worden gezonden? Het zijn typische jammerklachten van de kleine Blanke, verloren in de kolonies – het blijft spotternij! En wat zijn uitvallen tegen de joden betreft, die de antisartrianen uit hun context hebben gelicht en hebben aangevat als blijk van het antisemitisme van de auteur ('vijftien jaar tussen zulke wilden... ik weet dat het slecht is voor je karakter... schenk mij nog wat jenever, het is slecht voor je karakter, maar wat dan nog...'), wat het portret betreft dat hij schildert van de joden van Bethsur ('die grote bittere en komische bekken... wanneer zal ik de Romeinse mensenmassa's weerzien en onze eigen gezichten, onze gezichten die geen boekdelen spreken'), wat betreft zijn heimwee, midden in de Palestijnse woestijn, naar zijn kleine Romeinse vaderland, wat betreft die eeuwig mopperende kant van hem die verloren is in de verre rimboe ('men zou jongelui die in Rome de koloniale opleiding volgen moeten waarschuwen dat het leven van een bestuursambtenaar in de koloniën een vervloekte kwelling is'), moet je wel kwaadwillend zijn, of stekeblind, om niet te begrijpen dat deze passages ertoe strekken het personage belachelijk te maken van de domme, bekrompen, laffe koloniale bestuursambtenaar – die trouwens niet de laatste is die daar lucht van krijgt ('hm... ik heb de indruk dat hij mij bespot' denkt hij hardop, als Bariona hem uiterst brutaal komt bedanken voor de 'weldaden' die de Romeinen zijn land bewijzen.).

Storen de aanwezige Duitsers zich niet mateloos aan deze ironie?

Het is mogelijk.

Maar misschien, suggereert Marius Perrin, waren zij als Laelius: 'Laat ze maar, gun ze hun illusies! Gun ze, als ze daar gelukkig mee zijn, de armetierige vrijheid van de lach.'

Misschien, zegt hij ook, heeft de mythologische camouflage, die juist bedoeld was om de waakzaamheid van de censuur te ontregelen, zijn werk gedaan en heeft de sergeant-majoor 'dat alles', al die onbeschofte en sarcastische uithalen, voor 'literatuur' aangezien, wat 'vrijwel niets om het lijf heeft'.

Misschien moet men zich in gedachten verplaatsen in de atmosfeer van extreme wanorde die in het gevangenkamp heerste: verwarring en geschipper troef; ontsnappingen; handeltjes in burgerkleding of beschuit; vervelende corvees in de stad, ontsnapten die op het appèl ontbreken en de onderofficier die ermee volstaat 'entflohen' achter de naam te schrijven; heerschappij van 'Braco', de listige smokkelaar die een waar legertje aanvoert en van wie men zegt dat hij tegen betaling alles in het kamp kan laten aanrukken wat men van hem verlangt; waarom dan niet in deze rommelige, warrige entourage, in deze chaos, de klucht van een kleine Fransoos die zijn kameraden wil vermaken?

Het belangrijkste is in elk geval de reactie van de betrokkenen zelf, de gevangenen dus.

Het belangrijkste, het essentiële, is de plechtige stilte die volgens alle getuigen heerste in de loods terwijl Feller, Perrin en de zestig figuranten de tekst van Sartre tot leven brachten.

En daarover, over wat te verstaan werd gegeven in deze stilte, over wat de lotgenoten van Sartre in feite hebben begrepen en over de intellectuele en praktische conclusies die zij eruit hebben getrokken, bestaat, ik zeg het ten overvloede, nauwelijks twijfel.

Wanneer Bariona de zijnen in het gezicht slingert: 'willen jullie dat jullie kinderen net als jullie broers en als jullie vaders creperen tussen twee rijen prikkeldraad, hun ingewanden gebraden in de zon?' denkt men onwillekeurig, zo niet aan wat men dan al weet over de concentratiekampen, dan toch op zijn minst aan de toestand die op dat moment heerst in dit gevangenkamp.

Wanneer Laelius tegen Bariona zegt dat hij uit is op zijn 'medewerking', wanneer hij aan de tolgaarder uitlegt dat 'de regering in Rome grote waarde hecht aan een goede verstandhouding met de plaatselijke hoofden' en dat hij 'het tot zijn plicht rekent de instellingen en de zeden' van het land dat hij bezet 'te eerbiedigen', moet men wel denken aan wat men, zelfs in de contreien van Trier, weet van de inspanningen die de nazi's zich getroosten om de plaatselijke hoofden Laval en Pétain te vriend te houden of om de Franse instellingen en zeden te baat te nemen teneinde de verordeningen tegen de joden af te kondigen en vervolgens ten uitvoer te brengen.

Wanneer Bariona in het laatste bedrijf zijn dorpsgenoten toespreekt: 'laten we oprukken (dat wil zeggen: tegen de Romeinse colonne), dronken van wijn, van hoop en van gezang', wanneer hij besluit te sterven, maar met de wapens in de hand, in de hoop op een betere toekomst die wel moet komen, dan moet men wel doof zijn – en de Heidegger-adepten, Sartres vrienden, de kostgangers van het kunstenaarskrot, en al die anderen, waren inderdaad doof – om de boodschap niet te begrijpen.

Ik wil er, omdat het een 'Mysterie' betreft, nog op wijzen dat de kardinale kwestie in dit Mysterie, die van de betrekkingen tussen de joden en de christenen is. Welnu, op deze andere kwestie waarvan de politieke betekenis in het tijdsgewricht niet behoeft te worden onderstreept, geeft de tekst van het stuk een beslissend antwoord. De jood Bariona 'gekruisigd'... De jood Kaiphas die als een halve apostel de geboorte, in Bethlehem, aankondigt van een 'verlosser die de Christus is'... Het volk van Judea, nederig en in opperste verwarring, dat het goddelijke kind te hulp schiet... De stelling, ook deze, kan natuurlijk betwist worden. Men kan hem, vanuit joods gezichtspunt evenzeer als vanuit christelijk gezichtspunt, absurd, zwak, theologisch bizar of grovelijk syncretistisch vinden. Maar het ontbreekt hem niet aan originaliteit, en bovenal niet, gelet op de plaats, aan lef en aan politieke werkzaamheid. Want hij breekt het beeld van het volk dat de dood van de Zoon Gods op zijn geweten heeft in gruzelementen. Hij herbevestigt, illustreert en ensceneert de joodse wortel van het christendom. En met een publiek van hoofdzakelijk christenen is het evident dat hij gericht is op het hart van het antisemitische vooroordeel.

Laten we nog eens luisteren naar de getuigenis van pater Marius Perrin.

Luister naar wat hij, de oude gedetineerde, zegt over de concrete uitwerking, in het kamp, van de opvoering van dit stuk.

'Na *Bariona* werd alles anders.' Het was alsof Sartre een 'virus' had binnengebracht. Het is alsof 'een lange incubatietijd, waarin men verhinderd werd om in opstand te komen, dankzij hem ten einde was gekomen'.

Men spreekt in de verblijfsruimten alleen nog over 'ontsnappen', zo vervolgt hij. Ze krijgen 'gecodeerde briefkaarten, die de achterblijvers duidelijk maken dat iemand aangekomen is, dat hij zijn dorp heeft bereikt – of de Gaulle'.

En verder: 'de mannen van Bariona gaan dan misschien de dood in', maar zij sterven, dat is ons duidelijk gezegd, 'opdat de hoop van de vrije mensen niet vermoord wordt'; zodat men met recht kan zeggen dat Sartre het kamp 'de bliksemende ontdekking van de vrijheid' heeft gegeven.

Wat wil men nog meer?

Is een sprekender getuigenis denkbaar?

En is er een betere waarborg dan die van deze directe getuige die moreel boven iedere verdenking verheven is, en die van dag tot dag geleefd heeft in de nabijheid van Sartre, in de Stalag?

'De vliegen'

Terug in Parijs.

Of het nu was omdat hij het stuk werkelijk slecht vond, of omdat het integendeel in zijn oeuvre een strategische, maar wel ongemakkelijke plaats inneemt – ik kom daar op terug –, feit is dat Sartre *Bariona* verloochend heeft.

En dan zien we hem met hulp van Simone Jollivet – er zal voortaan altijd een vrouw zijn op Sartres pad naar het theater – aan Charles Dullin zijn 'tweede' eerste stuk aanbieden.

Dat hij erin heeft toegestemd het te laten opvoeren, in het hart van bezet Parijs, in het Théâtre de la Cité, het voormalige Sarah Bernhardt-theater, dat valt natuurlijk niet te ontkennen.

Dat dit theater in de archieven van de Propaganda Abteilung een prominente plaats innam onder de 44 Parijse etablissementen die als 'Deutschfreundlich' golden en dus waardig om de Duitse troepen een onthaal te bieden, is al even waar.

Dat Dullin noodgedwongen, als alle directeuren die niet de weg hadden gekozen van de ondergrondse, alle formaliteiten heeft moeten vervullen, waaronder het opsturen van de tekst naar het Duitse censuurbureau en het overleggen van de lijst van acteurs en technici, met de verzekering op erewoord dat er geen jood bij was, dat hij zich verplicht heeft om alle wijzigingen aan te brengen die luitenant Heller en de zijnen nodig mochten vinden, dat hij erin heeft toegestemd zijn stuk te promoten door advertenties te kopen in *Der Deutsche Wegleiter*, de tweemaandelijkse uitgave die voor de Duitsers dienst deed als *Pariscope*, ook dat alles lijdt geen twijfel.

En het is, tot slot, duidelijk dat men zich niet dan met grote verlegenheid kan voorstellen wat zich, wanneer al deze obstakels eenmaal uit de weg zijn geruimd, het stuk eenmaal aangekondigd en gespeeld is, op de avond van de première in de foyer van het theater afspeelt, het feestje waarvan een biograaf[14], zonder een spoor van bewijs, verzekert dat het heeft plaatsgevonden, dat Sartre het heeft bijgewoond, en dat de Sonderführers Lucht, Baumann en Rademacher, die aangesteld waren als theatercommissie, er ook waren – het buffet, de champagne, de prettige atmosfeer en een heel opgewekte Sartre, ontspannen, erop uit, niet om zoals Cocteau het genie uit te hangen voor mondain Parijs, maar om in de smaak te vallen bij de Duitsers...

Maar het verhaal houdt geen steek. Primo, het tafereel, dat zonder een schaduw van een onderzoek, of tegenonderzoek, keer op keer wordt opgedist, dat ons onophoudelijk wordt voorgeschoteld in de requisitoiren gewijd aan het leven van Sartre en de Beauvoir onder de Bezetting, berust niet, ik zeg het maar weer eens, op welke geloofwaardige getuigenis dan ook; moeten wij niet, gelet op wat bekend is over de geruchtenmachine die hen vanaf hun eerste stappen op het literaire pad niet aflatend heeft achtervolgd en bevuild, gelet op het ontelbare aantal geschiedenissen, de een nog dwazer en krankjorumer dan de ander, dat over hun onderwerp de ronde is blijven doen, op onze hoede zijn?

Neem, secundo, het stuk zelf. Er zijn net als voor Bariona feiten, en teksten. En naar die feiten en naar die teksten hadden wij de openbare aanklagers graag willen zien kijken...

In wezen, voor wat het eigenlijke voorwerp en wat het uitdrukt betreft, is er heel wat kwade trouw voor nodig om, ook nu nog, doof te zijn voor de expliciete echo's van de actualiteit van het tijdvak. Een man (Orestes) die terugkeert in zijn vaderland om de moord op zijn vader te wreken en de stad van een overspelig paar (Aegisthes-Clytaemnestra) te ontdoen: men herkent zonder moeite de dubbele figuur van de bezetter en collaborerende verraadster. Een stad (Argos) die onder de laars komt, al zal zij de ideologie van de zonde en het berouw die aan het paar wordt opgelegd niet verloochenen: een onverhulde toespeling op de ideologie van smart en pijn van Vichy, op zijn religie van het berouw, op de walgelijke atmosfeer van boetedoening die zij over Frankrijk heeft gebracht. De alliantie van de twee machten, de wereldlijke en de religieuze, die tezamen vormen wat het personage van Jupiter (waarvan wij, dankzij Maurice de Gandillac, weten dat het gespeeld werd door Dullin, conform de auteursaanwijzingen in een kazuifel als van katholiek priester) letterlijk 'een morele orde' noemt: kan het duidelijker? Orestes die 'tot de bodem van zijn vrijheid' gaat, die de 'totaliteit van zijn daad' aanvaardt: dan kunnen wij toch alleen maar denken aan het debat dat tezelfdertijd in Parijs gaande is rond de kwestie van de 'terrorist' die door zijn handelen riskeert Duitse represailles te ontketenen? Orestes wederom, die *reciterend* het beroep uitschreeuwt op een vrijheid die de zijne is, maar die hij in de zijnen wil injecteren, en die hem in staat zal stellen Argos te wreken: 'ik ben vrij, Electra'; 'de vrijheid is op mij neergekomen als een zweepslag' en verderop: 'ik ben vrij, licht', ik voel me zo vrij dat ik 'tien voet boven de aarde zweef', ik 'weeg niet meer dan een draadje en ik leef in de lucht': is dat de toon van een gedienstig of collaborerend stuk?

Over de gekozen weg, over de gepastheid die er al dan niet was om een dergelijke tekst op een Parijs podium te brengen, anders gezegd over de ontvangst door het publiek van deze tirades, en over hoe tijdgenoten, uit welk kamp dan ook, ze hebben opgevat, bestaat grote onzekerheid – maar het is niet aannemelijk dat de grote lijn van de boodschap de toeschouwers en critici over de hele linie is ontgaan. Alweer helpen de archieven ons verder. Aan de ene kant waren er aanvallen van Castelot in *La Gerbe* ('walgelijk surrealisme', 'voorliefde voor het abjecte'); van Laubreaux in *Le Petit Parisien* ('een kubistisch en dadaïstisch allegaartje') en vervolgens in *Je suis partout* ('wat is het lelijk, wat is het oud!'); de filippica van Roland Purnal in *Comœdia* ('een van drek levende obsessie') of van Georges Ricou in *France socialiste* dat, al wijst de naam daar niet op, nog zo'n collaborerend blad is ('ontbinding van de smaak'); en dan de Duitse pers (Albert Buesche, in de *Pariser Zeitung*, en vervolgens, in Berlijn, in het weekblad *Das Reich*, een van de spreekbuizen van Goebbels) die zich evenmin vergist en in de voorstelling van *De Vliegen* het bewijs ziet dat men in Parijs – sic – het Verzet kan toejuichen: alweer, wat wil men nog meer? Kon de Duitse pers, of pro-Duitse pers, duidelijker zeggen dat zij de schrijver van de *De Vliegen* voor een tegenstander hield?

Aan de andere kant Lionel de Roulet in *La France Libre*, in Londen, die de kritiek op de ideologie van smart en pijn en op het gedachtegoed van Pétain onderstreept; een tekst van Gabriel Marcel die de virulentie van de mea-culpa-ideologie scherp doet uitkomen; en vervolgens, in december 1943 ten slotte, het befaamde artikel van Michel Leiris in nummer 12 van de clandestiene *Lettres françaises*[15], officieel orgaan van het Verzet, dat men er niet voor kan aanzien dat het zo ingenomen was met het stuk als er ook maar de geringste twijfel had bestaan omtrent de strekking van het stuk en omtrent de concrete politieke draagwijdte: 'ieder van ons zou handelen als Orestes en zou de sprong hebben volvoerd, en zich bewust van het gevaar en krachtens eigen beslissing zich op de moeilijke, aldus ingeslagen weg hebben begeven' – en verder: 'van slachtoffer van het noodlot is Orestes kampioen van de vrijheid geworden; als hij doodt is het niet omdat hij door duistere krachten gedreven wordt, maar hij handelt, in het volle besef van het belang van de zaak, om de gerechtigheid te doen zegevieren en om tenminste, door deze weloverwogen stellingname, als mens te kunnen bestaan...'.

En dan is er natuurlijk ook nog het publiek, de toeschouwers zelf, en vooral de jeugd, waarvan bekend is dat zij in deze jaren theaterminnend was en dat zij evenmin blind was, of lijdend aan geheugenverlies. Wij beschikken over zeker vier getuigenissen. Een enthousiaste van Alexandre

Astruc: 'de grondslagen van een nieuwe ethiek bijna geheel gebaseerd op de daad, en uitlopend op opstand en vrijheid'.[16] Deze brief van Paulhan à Fautrier: 'wij hebben gisteren *Les Mouches* gezien; ik vind het heel mooi en Mauriac is onbillijk tot en met; deze stad van berouw, het lijkt Vichy wel!'. Jean Duvignaud[17]: 'wij hebben geapplaudisseerd voor de voorstelling van *Les Mouches* die Dullin gaf, en des te meer omdat we een opstandige oproep tegen de "nieuwe orde" te zien kregen'. En ten slotte Dussane, in zijn *Notes de théâtre*[18]: 'deze voorkeur voor een heftiger leven, vol spanning door gevaar en actie, ik weet niet of de censuur dat op het conto van Aeschylus heeft geschreven of dat die er slechts retoriek in zag' maar 'ik weet wel dat een hele jeugd er zijn eigen koorts in herkende en dat zij er ten volle de oproep in hoorde die hun werd toegeschreeuwd'.

De boodschap is dus aangekomen.

Net zoals de boodschap van *Huis clos* zal aankomen, een veel moeilijker stuk, dat veel dichter bij *L'Être et le néant* staat – maar dat niet minder doorspekt is met toespelingen op de actuele politieke en ideologische constellatie: lafheid van Garcin... kritiek op de deugdzaamheid als grondslag voor de ethiek... de koppen afhouwen van de 'Generaals', de 'Bisschoppen', de 'Admiraals' (lied van Inès: een toespeling op de moord op admiraal Darlan van twee jaar daarvoor, kerst 1942?)... De première heeft een paar dagen na D-day plaats. De jeugd van Parijs, bereidt hem, nogmaals, een triomf. En de foute pers, André Castelot voorop, spreekt geheel in stijl van 'vuiligheid', van 'riool', en pleit voor de oprichting van een 'Raad van Toezicht op toneelschrijvers' die 'niet vanwege de ondermaatsheid, maar vanwege de notoire lelijkheid een stokje kan steken voor walgelijke vuiligheid als die van *Huis clos*'[19].

Politie voor schrijvers of ideeëngeschiedenis? Als men zich werkelijk voor ideeën interesseert, als men echt wil weten wie wat gedacht heeft in deze jaren, en wat de gedachten zijn die anderen in staat hebben gesteld te denken en te strijden, moet men zich neerleggen bij het bewijs: *Huis clos* en *Les Mouches* laten opvoeren in Parijs was zeker geen heldendaad; het was, op zichzelf, geen daad waarmee je je leven in gevaar bracht; maar we constateren hier wel degelijk, om met Sartre zelf te spreken, het feit van een schrijver, *die in verzet kwam*.

Twee Rastignacs onder de Bezetting

Comœdia is het literaire uithangbord van de Collaboratie.

Het is het blad van extreem-rechts, dat graag de indruk wil blijven wekken dat men er kan schrijven en denken.

Daar valt dan, op 21 juni 1941, op de voorpagina van nummer 1 van de 'nieuwe reeks', aan de zijde van Valéry, Marcel Carné, Jean-Louis Barrault, Audiberti, Honegger, tussen de vaste medewerkers van het blad, de naam van Sartre. En daar zien wij dan, vooral, zijn tekst over *Moby Dick* (21 juni 1941) en later zijn interview, uit de tijd van *Les Mouches* (24 april 1943), en weer later, in 1944 (5 februari), een eerbetoon aan Giraudoux dat de directeur en mecenas van het blad, René Delange[20], die trouwens ook lid van het erecomité van de Breker-expositie was, bij hem besteld heeft – drie teksten dus, waarin weliswaar niets staat waar men de neus voor zou hoeven optrekken en waarin geen woord voorkomt waarvoor de toekomstige Sartre zich zou hebben te schamen, maar die we ontegenzeggelijk liever elders gepubliceerd hadden gezien.

Voeg daarbij de vermoedelijke tussenkomst van diezelfde Delange, en in ieder geval die van Jean Delannoy, om hem in 1943 voor een maandsalaris van 25 000 francs te strikken voor de uitgeverij die verbonden was aan de Studio Pathé.

Voeg daarbij Simone de Beauvoir, niet in tel bij de academische bonzen, slecht aangeschreven, en sinds lang beschouwd als een van die 'slechte meesters' die de jeugd van Frankrijk bederven en met behulp van teksten van Gide, Proust en Freud een ongezonde ideologie verspreiden: zij wordt, in juli 1943, in een aan de staatssecretaris van Onderwijs uitgebracht rapport ervan beschuldigd een lesbische verhouding te hebben met een van haar leerlingen, Nathalie Sorokine, en verliest voorgoed haar baan; zij moet op zoek naar een baantje 'om den brode' – vandaar dat zij de kans aangrijpt om een serie radio-uitzendingen te verzorgen over 'de oorsprong van de music-hall'.

Dat zijn dan drie biografische episoden die vaststaan.

Dat zijn dan drie scherp omlijnde gevallen van compromissen waar de Sartre-legende het liefst het zwijgen toe zou hebben gedaan.

Maar ook hier is het zaak dat wij elkaar goed begrijpen en dat wij luisteren – het zijn immers schrijvers die aan het woord zijn – naar wat de teksten te zeggen hebben.

Voor wat de episode Beauvoir betreft: de scripts van de uitzendingen zijn er nog. Je kunt ze lezen. En dat is ook gebeurd[21]. Heeft de schrijfster zich willen indekken? Heeft zij opzettelijk jacht gemaakt op alles wat in de richting van de officiële politiek had kunnen gaan? Het feit ligt er. Wat treft is het onschuldige karakter van deze reeks sketches, die losstaan van de actualiteit en een mengelmoes behelzen van proza van Rutebeuf, gedichten van François Villon, kluchten, straatwijsjes, liederen uit de Middeleeuwen en van Béranger. 'Heeft u zich nooit afgevraagd, beste luisteraars, waar deze dingen waar jullie zo luid voor klappen vandaan komen?' vroeg, met jazzmuziek op de achtergrond, 'Stem nummer 1' van de eerste uitzending. En er volgde een 'reis door de tijd', gedragen door de stemmen van bevriende en wat verderaf staande acteurs (zoals Olga Kosakievicz en, uit de laatste categorie, Jean Vilar). Je kunt het hele gedoe van de reis betreuren. Je kunt Castor verwijten dat zij, om te overleven, tijdens de Bezetting heeft willen zingen. Maar het is onmogelijk om in de scripts ook maar het geringste teken van medeplichtigheid te ontdekken, de minste knipoog, of ook maar het minste woord of zinnetje dat blijk geeft van een meegaan met de ideologie of de geest van het regime.

Wat Sartres bemoeienis met Pathé betreft: hier liggen de dingen nog duidelijker. En dat komt doordat Sartre, er niet tevreden mee geen enkele concessie te doen aan de bezetter of aan Vichy, de gelegenheid, zijn 'situatie' zogezegd, te baat schijnt te hebben genomen om, min of meer in de lijn van zijn meest bestendige existentialistische en filosofische programma, zijn vrijheid te bevestigen en uit te dragen, en oproepen te doen uitgaan om in opstand te komen. Want waar praten we eigenlijk over? Niet over zinsbegoochelingen. Of over verloren gegane of denkbeeldige teksten. Maar over vijf heuse, geschreven en in sommige gevallen ook verfilmde scenario's, die net als de sketches van Castor een materieel bestaan hebben en die, op de koop toe, van de ware Sartre zijn. Daar dus, bij Pathé, schrijft hij het scenario van *Les Jeux sont faits*, de film van Jean Delannoy. Daar wordt *Typhus* geboren, een mooi gideaans pleidooi tegen het racisme en het kolonialisme, dat in een bewerking van Aurenche en Allégret in 1953 *Les Orgueilleux* zal worden. En daar ook schrijft hij zijn drie wel betaalde, maar nooit verfilmde teksten met de titels *L'Apprenti sorcier*, *La Grande Peur* en *Résistance*, waarvan men op zijn minst kan zeggen dat zij weinig van doen hebben met de dan heersende ideologie: gaat met name *Résistance* niet over een jonge bourgeois, zwager van Lucien Fleurier, de held van *L'Enfance d'un chef*, die de normen en waarden van een familie van collaborateurs met voeten treedt en in het Verzet gaat?

En wat, tot slot, de affaire *Comœdia* betreft: je kunt het diep schokkend vinden – en dat doe ik ook – dat de auteur van *La Nausée* zijn naam heeft laten zetten in het rijtje van de medewerkers van het blad. Maar je moet er wel met even grote nadruk bij zeggen dat Sartre van geen van deze drie teksten die hij schrijft noch bij de Bevrijding, noch later, een woord heeft hoeven terugnemen. Het interview over *Les Mouches* grijpt hij aan om, zoals het stuk zelf dat doet, zijn pijlen te richten op de 'ziekte van het berouw' die bezit heeft genomen van Vichy: als je kijkt naar de bijval verbaast eerder het lef om hiermee aan te komen! Het artikel over *Moby Dick* is typisch zo'n geval van tekstpiraterij, waar Sartre een handje van hand, zoals ik eerder aangaf: hij ontfermt zich over Melville en om hem te overmeesteren ontdoet hij hem eerst van de man die hem bij Franse lezers introduceerde, Giono, 'plattelandsdichter' en 'dorpswijze' die 'besloot de boer uit te hangen, zo'n beetje zoals Barrès besloot de Lotharinger uit te hangen', en die 'voor eens en altijd verstijfd in zijn rustieke en antropomorfe mythologie' een van die 'boeren' is, 'waar Melville zo'n minachting voor had'; hij koppelt hem vervolgens aan twee van 'de zijnen', Joyce (vanwege *Ulysses*, dat andere 'formidabele monument', vanwege de 'niet aflatende, grootse mateloosheid' van de beide boeken) en Lautréamont (vanwege de 'adem', vanwege de 'prachtige zeemanszinnen die rijzen en neerzijgen als bergen van water en zich verstrooien in vreemde, prachtige beelden'); kortom hij valt Vichy in Vichy aan, hij neemt de geest van Vichy, of op zijn minst een van zijn bladen, op de korrel, binnen de muren van Vichy. En je moet tot slot ook niet uit het oog verliezen dat, al gooit Sartre het op een akkoordje met Delange, al geeft hij daadwerkelijk bijdragen aan *Comœdia*, hij toch zijn belangrijke teksten aan de clandestiene *Lettres françaises* geeft[22]: in april 1944, in nummer 15 van het blad, een frontale aanval op de filmpolitiek van Vichy; en een jaar later in nummer 6, zijn grote 'Drieu La Rochelle of de zelfhaat' die meer heeft gedaan om het fascisme van binnen te begrijpen, en dus te bestrijden, dan een pak schotschriften – Drieu, jawel, 'die lange droevige figuur met zijn geweldige, gedeukte schedel, met het fletse gezicht van een jongeman die geen kans heeft gezien ouder te worden'; Drieu, die ongrijpbare, vloeiende figuur, die gehoopt heeft dat 'een orde van buiten, en aan allen opgelegd, die zwakke en ontembare hartstochten zou temmen die hijzelf niet kon beteugelen, dat een bloedige ramp de leegte in hem zou opvullen die hijzelf niet dempen kon, dat de agitatie van de macht, net als vroeger het oorlogslawaai, en beter dan morfine of cocaïne, hem ervan kon afbrengen aan zichzelf te denken'[23].

Kort en goed: wanneer er dan toch een proces moet komen, dan moet dit gaan over ambitie, over het verlangen te leven en succes te hebben, en misschien over lichtvaardigheid of een zeker cynisme. En dan zal men de staf breken over beide Rastignacs, die in hun jonge jaren gezworen hebben dat Parijs aan hun voeten zal liggen, dat zij op een dag zullen triomferen, maar die de tijd zien vervliegen, de roem aan zich zien voorbijgaan, en die, waarschijnlijk, niet langer willen en niet langer kunnen wachten. Dan zal men betreuren dat zij dat tijdstip hebben gekozen om, zoals Sartre aan Beauvoir schrijft, 'de Alma Mater te vervloeken' en het leventje aan het lyceum op te geven. Men zal, met spijt, vaststellen dat het leeuwendeel van het kapitaal van Sartres roem zich heeft opgehoopt in deze jaren. Men zal Sartre tegenwerpen – en dat zal een principieel bezwaar zijn – dat het soort bijval dat je zoekt soms zwaarder telt dan je denkt en dat je niet ongestraft je naam aan die van twijfelachtige figuren kunt verbinden. Men zal de excursies wraken die hij zich op mediagebied veroorlooft, en hem voorhouden wat hijzelf zo vaak heeft gezegd – was het niet zo ongeveer het thema van *Qu'est-ce que la littérature?* – dat het medium tevens de boodschap is. Men zal zelfs de 'karakters' of de 'temperamenten' in de beklaagdenbank zetten of op zijn minst de morele kwestie aansnijden: had Castor, om te kunnen eten, nu echt geen andere keus dan zich te verhuren aan de radio? Moest Sartre, ook al was het om *Résistance* te kunnen schrijven, per se het smerige geld van Pathé aanpakken? En dan die onsmakelijke praktijk, nu eens de een dan de ander bijdragen te leveren, dat van twee walletjes eten door contact te onderhouden met Delange en tezelfdertijd de teksten van zijn betere ik aan de ondergrondse pers door te spelen; is hij, de toekomstige meesterdenker van verscheidene generaties van een rebellerende jeugd, een haar beter dan een man als Paulhan, die 's nachts verzet pleegt en overdag het bureau met Drieu deelt...? Dat alles zal men inderdaad kunnen doen. Maar men mag niet vergeten dat hij in diezelfde jaren geen letter geschreven heeft en niets gedaan heeft waarvan men zeggen kan dat het neerkomt op instemming met het fascisme.

Een oneerlijk proces

Waren er dan helemaal geen schandalige zaken?

Geen verraad van iemand? Geen laster? En in zijn eigenlijke vak bijvoorbeeld, op de verschillende lycea waar hij heeft gedoceerd, niet het minste compromis met de Bezetter?

Zeker, men heeft het tegendeel beweerd.

Men heeft geprobeerd, in algemeenheden blijvend, Sartre en de Beauvoir voor te stellen als een stel schurken die, nooit te min voor een door haat of door zucht naar erkenning en roem ingegeven laagheid, in juni 1940 meteen, en zogenaamd nergens om, een joodse vriendin, Bianca Lamblin, hebben laten vallen, haar aan haar lot hebben overgelaten en door hun schuld blootgesteld aan vervolging.

Men zegt dat Jean-Paul Sartre, bij Pathé, het ook op zich had genomen om het scenario te herschrijven van *Monsieur de Lourdines* van Pierre de Hérain, een bewerking van de roman van Alphonse de Châteaubriant – wat gegeven de persoonlijkheden van Hérain (schoonzoon van Pétain) en van Châteaubriant (de zeer nazistische directeur van *La Gerbe*) op zijn zachtst gezegd compromitterend zou zijn.

En in zijn leraarsberoep heeft men hem een dubbele schanddaad in de schoenen willen schuiven: de vervanging, op het Condorcet-lyceum, in 1941, van een 'jonge en briljante leraar van het voorbereidend jaar', de achterneef van Alfred Dreyfus, Dreyfus Le Foyer; en, erger nog, de kwestie van de leerling Weill, die in 1943 verdween, zonder dat Sartre zich daar meer van aantrok dan in het klassenboek aan te tekenen – 'absent'.

Maar hier is iets grondig mis: deze beschuldigingen raken kant noch wal.

In de affaire Lamblin bevinden we ons midden in een betreurenswaardige, maar klassieke erotisch-sentimentele verwikkeling: iets cynisch zit er zeker aan; Sartre en de Beauvoir vormen een duivels paar; een reprise van Merteuil-Valmont, heb ik gezegd; maar niets, geen enkele verklaring en geen enkel feit, geeft het recht om de geschiedenis van dit meisje dat verleid en in de steek gelaten is, aan te dikken met motieven die vooral iets zeggen over degenen die ermee komen aanzetten.

In de affaire Pathé dan, sta je te kijken van de ongelooflijke lichtvaardigheid van de beschuldiging, omdat alleen al een blik op de kalender, niets dan de kalender, volstaat om in te zien dat Sartre van het scenario van Hérain hoegenaamd niets heeft kunnen weten: hij komt bij Pathé binnen, zoals uit zijn aanstellingsbrief blijkt, in oktober 1943: maar de film is dan niet alleen al geschreven, maar opgenomen, gemonteerd, kortom, hij bestaat al vijf maanden en de première heeft plaats op... 9 juni![24]

Wat de rest aangaat, wat de verschrikkelijke verdenkingen betreft die men op hem heeft willen laden omtrent zijn leven en zijn doen en laten als leraar, zijn de laster, de wil om vuil te spuiten, en ook het fantasiegehalte niet minder saillant, want een kort onderzoek in de spelonken van het Condorcet-lyceum volstaat om de heel simpele waarheid aan het licht te brengen[25]... Sartre vervangt in 1941 niet Dreyfus Le Foyer maar Ferdinand Alquié, die de nieuwe voorbereidingsklas op zich had genomen naast zijn gewone rooster en die ervan af wilde. Sartre is nooit de leraar geweest van de kleine Weill en het is dus niet zijn poot geweest, maar die van een zekere Jean Laubier, ook een leraar filosofie, die in 1943 het befaamde 'absent' heeft opgetekend achter de naam van de deporteerde leerling.

Je kunt, ook in dit geval, Sartre van alles verwijten, desgewenst. Je kunt hem aanrekenen dat hij niet meer heeft ondernomen, dat hij zich niet heeft vastgeketend aan het hek van het lyceum om het vertrek van het kind, als hij daar weet van had, te verhinderen. Je kunt betreuren dat noch hij, noch zijn collega's, noch trouwens de vakbonden, de politieke partijen, de ouders van de leerlingen, de leerlingen zelf, eraan gedacht hebben op straat te demonstreren uit solidariteit met bijvoorbeeld de leerlingen die gedwongen werden de gele ster te dragen. Er was, in die jaren, zegge en schrijve één demonstratie. Op 11 november 1940 waagden enkele duizenden jongelui, misschien wel tienduizend, het, met een handvol leraren, naar de Champs-Elysées te komen om er de dag van de grote overwinning op Duitsland te vieren, het graf van de onbekende soldaat te eren, er de naam van generaal de Gaulle te scanderen – en het is spijtig dat Simone de Beauvoir, die op dat moment, anders dan Sartre, nog in Parijs was, het niet wijs heeft geoordeeld zich bij hen te voegen.

Wat niet kan, is betreuren dat hij iets geschreven heeft wat hij niet geschreven heeft, of dat hij iets gedaan heeft wat hij niet gedaan heeft.

Wat schrijnend is, is het tafereel van 'historici' die zich zonder een spoor van onderzoek meester maken van de meest onzinnige kletspraat.

Dat geldt ook voor de kwestie van de befaamde 'verklaring' geen jood of vrijmetselaar te zijn, die de Franse staat van zijn docenten eiste: het is komen vast te staan dat Sartre niet getekend heeft; maar er zijn nu eenmaal altijd wel kwaadwilligen te vinden[26], met argwanende blik en in gal gedoopte pen, die zich blijven afvragen of niet toch, je kunt niet weten, als je diep genoeg graaft...

Details? Het duivelse schuilt maar al te vaak in het detail.

De sartrianen hebben stellig gelijk wanneer zij voor iedere meter grond vechten om ook in dit geval, juist in dit geval, recht te doen aan dit soort details.

Een kwestie van principe

Had Sartre helemaal geen les mogen geven? Zijn stukken niet mogen laten opvoeren? Niet mogen publiceren? Had hij geen zitting mogen nemen in de jury van de Pléiade-prijs die hij, in februari 1944, Mouloudji bezorgde. Had hij moeten afzien, op 5 maart, bij Marcel Moré, van de – openbare – discussie over de zonde, met Bataille? Had hij, onder het voorwendsel dat de Ecole Normale geleid wordt door de felle pétainist Carcopino, de uitnodiging van de Cercle de philosophie scientifique ('Kring van wetenschappelijke filosofie'), die hem gedurende het schooljaar 1943-1944 heeft gevraagd er het woord te voeren, moeten afslaan? Had hij, in 1942-1943, af moeten zien van de cursus over Griekse dramaturgie die hij gaf op de toneelschool van Dullin?

Had hij het zwijgen moeten bewaren – en zou dit zwijgen hem hebben bewaard?

Sommigen hebben dat gedaan.

Sommigen hebben zich vast voorgenomen te zwijgen, niets meer in Frankrijk te publiceren zolang de Duitsers er waren.

Om te beginnen 'die arme Guéhenno', de humanist 'van links' met wie *La Nausée* de spot drijft, die de hele intelligentsia een les in waardigheid geeft en die nog niet weet op welk punt hij gelijk heeft als hij, in november 1940[27], noteert: 'De menselijke soort vindt zijn grootste vertegenwoordigers niet onder de schrijvers; ze kunnen niet lang in het verborgene leven, ze verkopen hun ziel als hun naam maar kan verschijnen...'

Maar al houdt dit soort mensen de eer van de Franse letteren hoog, al is er in hun gelofte om te zwijgen iets moois en al kan men dromen over het diskrediet waarin zij de Bezetting, en Vichy erbij, zouden hebben gebracht als hun voorbeeld gevolgd was en alle schrijvers die in Frankrijk waren achtergebleven met één stem verkozen hadden te zwijgen, we moeten wel erkennen dat dit alles niet het geval was en dat het moeite kost een paar namen te noemen die eenduidig gekozen hebben voor stilte: Vercors, misschien... Malraux (die in Zwitserland publiceert)... De anderen? O! De anderen... In het kamp van de anderen, in de grote familie van al degenen die menen dat er niets hoeft te veranderen, dat ze schrijvers zijn en zullen blijven, in het grote moeras van degenen die, al hadden zij iets met het Verzet, van mening waren dat het van het grootste belang was 'dat de Franse literatuur doorgaat', want niemand weet, per slot van rekening, hoe lang deze oorlog zal duren en het intellectuele leven van een land kan niet zomaar vrijaf nemen, voor onbepaalde tijd, welnu in die andere familie, en dan beperk ik mij nog tot de antifascisten, vind je Paulhan die in de leescommissie van de *NRF* blijft; Saint-Exupéry en zijn *Pilote de guerre*; Kessel die ondanks zijn gelofte niet onder Vichy te publiceren *Nuits de princes* en *Fortune carrée* laat verschijnen; Druon die, aangemoedigd door Kessel, en voor hij Londen bereikt, de tekst van *Mégarée* voorlegt aan de Comédie-Française en het laat opvoeren in Monte Carlo; Elsa Triolet bij Denoël (*Mille regrets* in 1941 en dan, twee jaar later, *Le Cheval blanc*); *Les Voyageurs de l'impériale* van Aragon, die welteverstaan onder het pseudoniem François la Colère, ook, net als Triolet in de serie Minuit, mooie politieke teksten publiceert maar die daarom nog niet zijn openlijk bedreven literaire stiel verwaarloost; Desnos die net als Triolet, net als Aragon, een dubbelleven lijdt met zijn clandestiene werk (*Etat de veille*, en later de teksten van *L'Honneur des poètes*) en het werk dat hij niet verbergt (de artikelen van *Aujourd'hui*, zijn roman *Le vin est tiré*); Bataille, die *Madame Edwarda* en *L'Expérience intérieure* publiceert; Mauriac, een notoire antifascist, en als zodanig behandeld en beschimpt door Drieu ('partizaan van het rode Spanje') of Rebatet ('men zou hem moeten muilkorven'): zijn *Pharisienne* komt wel degelijk door de mazen van de censuur en, op het moment van zijn verschijning, in september 1941, meent hij een exemplaar met een opdracht, waarin hij 'dankbaarheid' uitspreekt, te moeten geven aan Sonderführer Heller, verbonden aan de Propaganda-Staffel; Leiris zelf die, in 1943, bij Gallimard, met *Haut-Mal* komt; Camus ten slotte, de moralist Camus, die in juli 1942 met *L'Etranger* komt, en drie maanden later met *Le Mythe de Sisyphe*, en ermee instemt dat *Le Mythe*, om de Duitse censuur ter wille te zijn, uitkomt zonder het hoofdstuk over Kafka, en dat dit apart wordt uitgebracht, in de zuidelijke zone; en dan praat ik zelfs niet over de schilders, de grootsten, die met reputaties van de grootste onkreukbaarheid – en dan zwijg ik over Picasso die, in zijn atelier in de rue des Grands-Augustins, werkt alsof er niets aan de hand is en de deur opent voor Heller of Ernst Jünger; kortom, het is de intelligentsia over de hele linie, die voorzover zij niet gekozen heeft voor ballingschap in Londen of New York, doorgaat te functioneren onder de Bezetting, in een wirwar van stromingen.

Is dat geen verontschuldiging? Beslist niet! Maar het is een reden om niet één man te overladen met verwijten die allen aangaan. Het is een uitnodiging, zeker niet om het tekortschieten te relativeren, maar om deze ene man niet de zondebok te maken van de collectiviteit. Sartre had natuurlijk geen teksten aan *Comœdia* moeten geven. Hij had, wat Simone de Beauvoir in haar memoires[28] trouwens onderschrijft, geen contacten met 'de kranten van de bezette zone' moeten onderhouden. Misschien, als hij minder theater had gedaan, zou zijn hoofd ernaar hebben gestaan om wat krachtiger te protesteren – dat is in de kern het verwijt van Jankélévitch – tegen de afzetting van zijn collega's, de joodse leraren van de lycea Pasteur en Condorcet. Het is eenvoudigweg zo, dat hij niet meer of minder heeft geschreven, gepubliceerd, eer en roem begeerd, de schrijver uitgehangen, dan Aragon en Triolet bij de communisten of Camus die *Le Malentendu* ensceneert. En wanneer hij, om een voorbeeld te nemen, zitting neemt in de jury van de bewuste Pléiade-prijs die *Enrico* van Marcel Mouloudji bekroont, een geval dat volgens de kwaadsprekers nog een smet werpt op zijn biografie, dan wil ik voor de goede orde in herinnering brengen dat diezelfde jury verder bestond uit Marcel Arland, Maurice Blanchot, Joë Bousquet, Albert Camus, Paul Eluard, Jean Grenier, André Malraux, Jean Paulhan, Raymond Queneau en Roland Tual – dat komt niet over als een club van 'pétainisten'!

Ik zeg er nog bij dat het ook niet zeker is dat, in absolute zin, zwijgen beter was dan spreken. En met dit type *petitio principii*, deze manier om de houding van een schrijver af te meten aan een enkel, wel heel simpel gebod: 'neem stilzwijgen in acht', kom je helemaal niet toe aan die andere, niet minder belangrijke vraag: wat hebben degenen gezegd die hun mond opendeden, en welk gewicht komt toe aan wat zij te zeggen hadden? Stel dat een leraar besluit les te blijven geven en net als Sartre als eerste onderwerp voor een opstel het 'schuldgevoel' opgeeft: is dat niet ook een manier om de geest van Vichy te bestrijden? Er zijn filosofen, zoals de personalist Emmanuel Mounier, die hun antidemocratische en antiliberale vooroordelen tot in de maquis hebben meegevoerd: díe hadden er beter aan gedaan te zwijgen. Er waren verzetsstrijders die Maurras aanhingen, die in verzet waren omdát zij Maurras aanhingen, wier overtuiging hen afkeer van de Duitsers en liefde voor het bezette vaderland ingaf: zij hebben goed gehandeld, maar slecht gesproken. Er waren volgens Paxton zelfs verzetsgroepen die, na november 1942 en de bezetting van de zuidelijke zone, vasthielden aan Pétains 'werk gezin vaderland' en die uitgingen van quota om het aantal joden dat in hun midden mocht vertoeven te begrenzen: ook daar hield de morele moed geen gelijke tred met de strijd, in de geest, tegen het gedachtegoed van het pétainisme. En wat moeten wij aan met een Gandillac, die men altijd tegenover Sartre stelt omdat hij, toen hij Sartre opvolgde in Berlijn, wel het belang inzag van wat daar gaande was – maar die in een brief aan *Esprit* de aantrekkingskracht van de Führer erkende? Of met een Armand Petitjean, een 'ware held' volgens Paulhan, een man van ongehoorde moed als militair[29], als hij in 1944 in de Vogezen wordt ingezet, die deelneemt aan de bevrijding van Parijs, maar die toch op de zwarte lijst van de CNE wordt gezet vanwege twaalf walgelijke artikelen die hij aan de Vichy-pers gaf? Sartre heeft niets van dien aard geschreven. Noch in zijn gepubliceerde werk, noch in zijn brieven en dagboeken is een woord te vinden dat getuigt van enige sympathie voor of affiniteit met de ideeën van Vichy. En over de teksten die hij heeft gepubliceerd, zijn stukken, ook *L'Être et le néant*, valt niets te zeggen – behalve dat ze bij degenen die ze gelezen en begrepen hebben de geest van verzet alleen maar hebben kunnen aanwakkeren.

Je kunt zonder een held te zijn een spontane, radicale – ik zou, als dat woord niet zo antisartriaans klonk, haast zeggen *natuurlijke* – antipétainist zijn.

Je kunt, zonder in het leven te hebben uitgeblonken in moed en opofferingsgezindheid, wel degelijk in en door je denken op de bres hebben gestaan voor, en uiting hebben gegeven aan, een filosofie van moed, van opofferingsgezindheid – om met Sartre te spreken, van vrijheid.

Je kunt zonder Cavaillès te zijn een boek schrijven, *L'Être et le néant*, dat aan Cavaillès, in zijn eenzaamheid, en algauw ook in zijn nacht, nieuwe redenen geeft om verder te denken, te leven en te strijden: heeft Jean-Toussaint Desanti, nog een jeugdige verzetsman die op het punt staat tot de communistische partij toe te treden, en die in uiterst gespannen afwachting was van het boek, in 1943, niet verteld hoe juist Cavaillès, destijds assistent-professor aan de Sorbonne, graag had gezien dat Sartre zijn werk als dissertatie had ingediend? Sterker nog: suggereert hij niet dat het misschien het laatste boek, of een van de laatste boeken was dat de grote verzetsman voor zijn arrestatie gelezen heeft?[30]

Je kunt ten slotte, en bovenal, de visie in overweging nemen die Sartre aldus onder woorden bracht: 'er zijn evenveel soorten moed als soorten mensen'[31]. Bij hem slaat deze uitspraak op Gide, die rijen halvegaren, hoe olijk, hebben neergezet als een man die 'gevaarlijk leefde met drie lagen flanel aan zijn lijf'. Maar, zou ik zo denken, slaat hij niet net zo goed, ja in de eerste plaats, op hemzelf? Heeft hij zo niet, langs een omweg, een weerwoord gericht tot die andere halvegaren, of misschien wel dezelfden, die sinds het begin van de jaren vijftig het gerucht verspreidden van een Sartre-die-zich-misdragen-had? Kun je eromheen dat er moed in soorten is en dat stukken brengen in het hart van bezet Parijs die als een pleidooi voor de vrijheid klonken, ook, en ontegenzeggelijk, een vorm van moed aan de dag leggen is.

Een Sartre in verzet

Te meer omdat Sartre, ook nog, tot degenen behoort die zich sinds 1941 bij het actieve Verzet hebben geschaard.

Wie? Sartre? Het Verzet? En op de koop toe actief? Neemt u misschien een loopje met ons? Is het niet genoeg dat u ons de stelling in de maag hebt gesplitst van een onberispelijke en laaghartig belasterde Sartre, die hoogstens wat vage karakterfouten aan de dag legde? Wilt u Sartre meer geven dan hij voor zichzelf opeist wanneer hij verhaalt hoe hij tijdens de oorlog het 'heroïsme' heeft ontdekt en zich haast om erbij te zeggen: 'natuurlijk niet dat van mij – ik heb alleen maar een paar koffers gedragen'?[32] En als we dan al, met de teksten op tafel, moeten inbinden met aanklachten die het werk van Sartre raken, en wij u inderdaad volgen kunnen wat betreft

Comœdia, *Bariona*, *Les Mouches*, enzovoorts, staat het dan niet vast dat Sartre en de Beauvoir de oorlog in alle behaaglijkheid hebben doorgebracht, bij Pathé, bij de radio, op de eerste etage van Café de Flore, voor de kachel, en dat hun enige onderneming erin bestond dat zij op de fiets rond gingen peddelen in de zuidelijke zon?

Precies, dat staat niet vast.

En als ik nu voor de zoveelste keer ga choqueren en de stelling van de 'aangename bezetting' op de korrel ga nemen, dan doe ik dat in de overtuiging dat Sartre en de Beauvoir hier het slachtoffer zijn van een gemankeerde gerechtigheid, en dat het zaak is de feiten op een rij te zetten.

De kwestie 'Socialisme et Liberté'. We schrijven maart 1941. Sartre verlaat zijn Stalag. Hij landt in bezet Parijs. En wat doet hij meteen na aankomst? Hij roept, in een hotelkamer van de wijk Montparnasse, de meest getrouwen onder zijn getrouwen, de 'familie', bijeen: Bost en Olga, Pouillon, Wanda, Castor. Hij organiseert een tweede bijeenkomst, een paar dagen later, in de rue Gay-Lussac, met de leiders van 'Sous la botte' (Onder de laars), die groep van de allereersten, opgericht in oktober 1940, in Parijs: Dominique en Jean-Toussaint Desanti, Maurice Merleau-Ponty, de filosofiestudenten Simone Debout en Yvonne Picart, de natuurkundige Georges Chazelas, diens broer Jean, de wiskundige Raymond Marrot, François Cuzin. En met dit hele stel – en ook nog met leerlingen en oudleerlingen van het Pasteur-lyceum, zoals Jean Kanapa en Raoul Lévy – richt hij een nieuwe groep op, die 'Socialisme et Liberté' heet, die in alle behoorlijke geschiedenissen van het Verzet vermelding krijgt en die tot de opheffing in 1941 heel wat activiteit aan de dag legt – bescheiden, warrig, maar serieus te nemen – op het gebied van propaganda, informatie, druk en verspreiding van pamfletten, denkwerk, analyse, dat alles met het doel, zoals hijzelf zal verhalen[33], 'de vrijheid van de pen te verdedigen', en 'door middel van' haar 'alle andere'. Over de naïveteit van de hele onderneming, over de povere resultaten van een 'kleine eenheid', die was 'geboren in enthousiasme' en een jaar later verdween, 'omdat we niet wisten wat we moesten aanvangen', over de onvoorzichtigheden, het soms onverantwoordelijke amateurisme van de jonge intellectuelen die de tocht door Parijs met stencilmachines of met schooltassen volgepropt met pamfletten, heeft Sartre zelf alles gezegd[34]. Over de daadwerkelijke effectiviteit van de groep, over wat er serieus genomen moet worden van hun leuzen en hun plannen, over de geloofwaardigheid en zelfs over het belang van de inlichtingen die Sartre geacht wordt te hebben verstrekt aan Cavaillès in diverse ontmoetingen (ten minste twee, die Annie Cohen-Solal heeft weten te achterhalen[35]) in de Closerie des Lilas of in het park van Petit-Luxembourg, lopen de getuigenissen uiteen en is het natuurlijk geoorloofd de grootst mogelijke reserves te hebben. Maar het feit ligt er. Het is onbetwistbaar. Op het moment dat het verzet nog de zaak van een minieme minderheid onder de Fransen is, op het moment dat de communisten, met name, het bestaan om de broederschap van de Franse en Duitse werkende klasse te vieren en om de gestrekte arm te heffen naar de geüniformeerde proletariërs van de ss, op het moment dat heel Frankrijk leeft onder de schok van de nederlaag en de ideologie van de boetedoening, is er een kleine man die, maar net teruggekeerd uit gevangenschap, partij kiest, zijn partij opricht, en zonder zich vragen te stellen stort in clandestiene activiteiten. Zonder gevaar? Dát wordt beweerd. Maar dat is snel gezegd. En nu het enige onbetwistbare criterium in deze zaken helaas dat van de gevaren is waaraan men niet heeft kunnen ontsnappen, zou je degenen die gemeend hebben van een afstand, in de al te gemakkelijke situatie van de voorspelling achteraf, te mogen oordelen – 'o, Socialisme et Liberté! het Verzet van Café de Flore!' (Raymond Aron[36]) of: 'het Verzet van Sartre? een lachertje! een clubje onverantwoordelijke intellectuelen, kletsmajoors, totaal ongeschikt voor de ondergrondse en die alleen maar toekwamen aan huiswerk voor het Frankrijk van de toekomst!' (Nathalie Sarraute[37]) – de namen hebben willen voorhouden van Georges Chazelas aan de ene kant, en Yvonne Picart en Alfred Péron aan de andere kant: de eerste moest zes maanden zitten toen de Duitse politie hem oppakte bij het aanplakken van affiches die hij samen met Sartre ontworpen had, en voor hetzelfde geld was Sartre daar, met hem of in zijn plaats, aan het aanplakken geweest, affiches, let wel, die ertoe opriepen de aanslagen met granaten en de sabotage op te voeren; en wat de twee anderen betreft, leden van wat het literaire dorp van die tijd nooit anders dan de 'groep Sartre' noemde, zij hebben niet meer en niet minder gedaan dan Sartre zelf; maar zij werden wel, eind 1941, op het moment dat het netwerk van het Musée de l'Homme werd ontmanteld, gearresteerd en daarop gedeporteerd – de een stierf in het concentratiekamp, de ander bezweek bij zijn terugkeer aan de gevolgen van zijn deportatie.

Dan de kwestie rond de fietstocht in de zomer van 1941 in de zuidelijke zone. Een evergreen van het antisartrisme. Het is sinds decennia de aanleiding tot dikke pret en begrijpende lachjes. Denk je eens in! Intellectuelen op de fiets... Zon en vakantie... Slapen in hooibergen... Festijnen met kaas en appeltaart... Is het niet om je te bescheuren het tafereel van deze twee leraren die midden op de dag met een lantaarntje op zoek gaan naar het Verzet? Werkt het niet op je lachspieren, de gedachte aan dat mannetje met twee linkerhanden dat constant boven zijn theewater is, type-verzorgde-vakantie, en die nu een slaapplaats en zijn natje en droogje moet zien te vinden in de vrije natuur? Het vervelende is dat de lachers zich de vraag stellen wat nu eigenlijk het doel van de onderneming was en waarnaar Sartre en de Beauvoir op zoek waren gedurende de twee maanden die zij tussen Roanne, Lyon, de Cévennes, Montélimar, Marseille en de Côte d'Azur doorbrachten. Hadden zij die vraag gesteld, hadden zij bijvoorbeeld navraag gedaan naar de precieze tocht van de beide trekkers, dan waren zij erachter gekomen dat het plan was Gide op te zoeken, in Cabris, om hem zover te krijgen steun te betuigen aan 'Socialisme et Liberté' – maar Gide was niet aanspreekbaar... Vervolgens, in Grenoble, Daniel Mayer, sinds de arrestatie van Léon Blum het geweten van humanistisch links – maar ook hij heeft geen animo en kan tijdens de twee uur van het gesprek maar over één ding praten: Léon zit gevangen, Léon moet post krijgen... En dan nog Malraux, de grote Malraux, die zij gaan opzoeken in zijn villa in Cap-d'Ail, waar hij drie weken daarvoor, met dezelfde 'gebraden kip op zijn Amerikaans' op tafel, de peetoom van zijn zoontje, Pierre Drieu La Rochelle, ontving – maar ook daar vangen zij bot: 'Verzet? Nu? Kijk eens! Denk na! Jullie zijn aardig en sympathiek, maar zo naïef! Er valt niets van betekenis te beginnen voor de tussenkomst van de Russische tanks en de Amerikaanse vliegtuigen en daarom werk ik de eerste tijd liever aan mijn denkbeeldige Museum!' Misschien heeft Malraux gelijk. Misschien is de tijd inderdaad niet rijp. En misschien is het tafereel van de kleine Sartre die afgepoeierd wordt door Malraux en door de knappe Jolie, die vindt dat hij haar tapijten smerig maakt en minder tafelmanieren heeft dan Drieu, eerder pathetisch dan fraai. Maar ook hier is ernst op zijn plaats. Een mogelijkerwijs juiste strategische analyse is één ding. Een andere zaak is de reactie van Sartre. En het feit ligt er dat wanneer alle 'groten', terecht of ten onrechte, in koele berekening een afwachtende houding aannemen, wanneer de 'coronel' van de Spaanse burgeroorlog, de oudgediende van de comités van Thälmann en Dimitrov, vindt dat Frankrijk buitenspel staat en dat er voor het ogenblik niets, te doen valt, er een kleine man is die Sartre heet, die denkt dat er altijd iets te doen valt en die de senioren in zijn métier daarvan probeert te overtuigen... Is dat zo lachwekkend? En dat het hem niet lukt, pleit dat tegen hem of tegen degenen die hem afschepen?

Dan de betrekkingen met de communisten. Dat is natuurlijk de kwestie die speelt ten tijde van de ontbinding van 'Socialisme et Liberté', eind 1941, wanneer het binnenlands verzet eindelijk vorm krijgt en zich opdeelt in twee grote stromingen, gaullisten en communisten, tegenpolen en verbondenen tegelijk. Sartre is bepaald geen gaullist. Maar zeker ook geen communist. Maar als puntje bij paaltje komt staat hij toch dichter bij de communisten dan bij de gaullisten. En in het besef dat er nauwelijks toekomst meer is voor kleine geïsoleerde groepen als de zijne, zet hij begin 1942 de eerste stappen om tot toenadering te komen. De eerste keer: officieuze missie van Paulhan die wordt afgepoeierd door Jacques Decour – 'die Sartre van u is een duistere figuur... er wordt beweerd dat hij een Duitse spion is... Nizan trouwens... was hij in zijn jeugd niet bevriend met de verrader Nizan en is die vriendschap niet verdacht?' Tweede bedrijf: nu zijn het de communisten die na de dood van Jacques Decour en nota bene meteen na Stalingrad hun democratische draai maken en het contact weer willen opnemen – 'zijn jullie besodemieterd', is Sartres eerste antwoord, 'hoe kunnen we samenwerken als ik het pamflet lees, geredigeerd door Jean Marcenac, dat in de zuidzone verspreid wordt en waarin ik, zogenaamd omdat ik Heidegger lees, wordt afgeschilderd als een verachtelijke nazi?'. De chef-redacteur van de *Lettres françaises*, Claude Morgana, sust het geval. Hij komt met verontschuldigingen van de partij en weet te sussen. En zo zet Sartre zich aan het schrijven voor het blad, treedt hij toe tot het Nationaal Comité van Schrijvers (Comité national des écrivains, CNE) en neemt hij met aan zijn zij Guéhenno, Leiris, Mauriac, Debû-Bridel, deel aan de bijeenkomsten die gehouden worden in de rue Pierre-Nicole, bij Edith Thomas. Is het niet zo dat Sartre in dit tweede deel van de oorlog minder heeft gedaan dan in het eerste? En wordt hij niet méér in beslag genomen door het schrijven van *Les Mouches* en *Huis clos*, en door de beslommeringen om ze opgevoerd te krijgen, dan door directe actie? Dat klopt. Maar, zo wil ik vooropstellen, deze weg is mij liever dan die andere – liever iemand die er heel vroeg bij is, die paraat is als anderen er niet zijn, dan de man die zich te elfder ure op de barricade vertoont wanneer het geen verdienste meer is daar te zijn. En verder staat 'minder' niet gelijk met 'niets' – wat moge blijken uit een laatste episode, die weinig bekend maar wel heel bijzonder is en die door Annie Cohen-Solal aan het licht is gebracht: de episode Pierre Kaan[38].

Wie is Pierre Kaan? Het is een schoolkameraad van de Ecole Normale, die een van de leiders is geworden van het Verzet in Midden-Frankrijk, en met wie Sartre op aanraden van Cavaillès het contact al ten tijde van de veelbesproken fietstocht had vernieuwd, in zijn huisje in Etienne-de-Lugdarès. Kaan is gaandeweg opgeklommen in het Nationaal Comité van het Verzet, en werkt samen met Jean Moulin. En hij is het die, in mei 1943, in Parijs aankomt met de opdracht 'technische actiegroepen' op te richten, die zich toeleggen op sabotage tegen de infrastructuur en de logistieke basis van de Bezetter. En wie ontmoet hij dan, met wie stelt hij zich in verbinding, op de vooravond van deze beslissende en zoals spoedig blijkt dolzinnig riskante militaire missie? Wetenschappers afkomstig van de Ecole Normale, heethoofden, verwant aan Cavaillès of Roger Wybot. Vertegenwoordigers van de studentenvrijkorpsen 'Liberté'. Professionals die zich al onderscheiden hebben door bijzonder spectaculaire aanslagen en die nu voorzien moeten worden van middelen om hun acties op te voeren. Maar in het kader van deze contacten, in het hart van deze onderneming die niets heeft uit te staan met Café de Flore of met het zuiver intellectuele debat, wanneer het erop aankomt het middel te vinden om persoonlijkheden als Pierre Brossolette te beschermen of de stuw van Vernon op te blazen, neemt hij de moeite om, niet eenmaal maar bij herhaling, de schrijver van *L'Être et le néant* op te zoeken en te spreken. 'De tijd voor actie is daar,' zegt deze… 'Ik heb contact opgenomen met vrienden die aanzienlijke wapenvoorraden hebben in de steengroeven van Villejuif en Arcueil… Zodra we de middelen hebben kunnen we nieuwe terroristische acties ontplooien, wagens opblazen, ik heb daar veel ideeën over...' Jawel, het is Sartre die hier aan het woord is. Sartre als militair. Sartre als springstofspecialist. Een Sartre die een metamorfose heeft ondergaan en die hoe gek het mag klinken, op deze dag en zonder dat de voornaamste belanghebbenden, te weten de bommenleggers van Jean Moulin, zich er een seconde over verbazen, de rol van Orestes en de directe actie op zich neemt. Maar het plan mislukt toch? Inderdaad. Het is het drama van de fusillade van de 41 studenten van de 'Liberté'-vrijcorpsen. Met de arrestatie en deportatie van Kaan, en ook hij zal niet terugkeren. Met de ontmanteling van het netwerk, voordat het goed en wel functioneert. Maar wat wil men? Wil men Sartre *ook dat* aanwrijven? Gaat men hem aanrekenen dat het martelaarschap van de anderen hem niet de tijd heeft gelaten om zijn eigen rol te kunnen voleinden? En haalt men er dan bij dat zo veel kameraden van hem met hun leven hebben betaald voor een inzet die hem welbeschouwd niets heeft gekost, en dat hemzelf het afschuwelijke ballet van spookvrienden voor de geest zweeft (Kaan dus; Cavaillès, de 'onbekende nummer 5' van het massagraf van de citadel van Arras; Politzer, met wie hij samen studeerde, die gruwelijk gemarteld is; Charles Le Cœur, medeleerling van de rue d'Ulm, die gesneuveld is, in Italië, in juli 1944, aan het hoofd van zijn Marokkaanse artillerie-eenheid; André Déléage, zijn kameraad van het voorbereidend jaar, officier bij de FFI die gesneuveld is, in de Elzas, op kerstdag; Jacques Monod, nog iemand uit het voorbereidend jaar, die al net zo gevallen is, in hetzelfde jaar, met het wapen in de hand; Yvonne Picart, Bourla, Péron), en dat hij net als Gary, in Brazzaville, ten overstaan van generaal de Gaulle, net als Malraux in alle behaaglijkheid van zijn eerste ministerie, geneigd is te zeggen: 'de besten gaan het eerst' – kort en goed, heeft men de euvele moed hem voor te houden: 'uw fout is dat u er nog bent, terwijl de anderen er niet meer zijn, uw grote fout is dat u het hebt overleefd'? Is het eigenlijk niet in de grond van de zaak schunnig iemand op deze manier te verwijten dat hij geen held is geweest?

5

Sartre nu

Maar ik ga een laatste keer terug naar het denken van de 'jonge' Sartre. Dat wil ik voor de laatste keer inkaderen, isoleren. Natuurlijk zonder de band met de rest van Sartres leven door te snijden, zonder er een abstractie van te maken en al helemaal geen absolutum, wil ik het als een zelfstandigheid bekijken, als een volwaardig denken, met zijn eigen wetten, zijn eigen logica, zijn manier om zijn eigen weg te zoeken, zijn theorema's, zijn coherentie. Er wordt toch altijd gedaan alsof er maar één Sartre was? Er wordt altijd gedaan alsof het Sartre-denken iets was wat je in zijn geheel aanvaardt of verwerpt, zonder nuances, zonder commentaar, alsof de eerste Sartre slechts een kladversie van de latere Sartre was, een onvolgroeide voorafschaduwing, de proeve in klei. De waarheid is dat het er twee zijn, echt twee, duidelijk gescheiden, geleid door verschillende principes. De waarheid is dat, hoewel er bruggetjes tussen de twee zijn, hoewel er bij de eerste Sartre ambigue, dubbelzinnige thema's zijn, hoewel de ontmanteling van het subject, het ideaal van de transparantie en de afschaffing van de grens tussen 'buiten' en 'binnen' – een grens die, althans volgens Benjamin Constant, een voorwaarde voor democratie is – deze zich later hebben kunnen combineren met het totalitaire project, die eerste Sartre die desondanks een eigen bestaan, en bestendigheid heeft. En dat eerste denken, dat Sartre-denken van het voorseizoen, die filosofie van de vrije mens, die wil ik beter belichten om te laten zien wat ze ons nog steeds te zeggen heeft, hier en nu, bij het aanbreken van de nieuwe eeuw.

Wat is een antipétainist?

Vichy. Ik weet niet wat dat woord – Vichy – nog zal betekenen voor de mannen en vrouwen van morgen. Misschien wel niets meer. Misschien wordt de bladzijde eindelijk omgeslagen en is de 'duistere en ijzige nachtmerrie' waarvan Roland Barthes nog niet zo lang geleden sprak, eindelijk voorgoed voorbij. Of misschien blijft het Franse fascisme juist wel bestaan, met behulp van een paar nationalistische republikeinen, en andere roodbruinen. Eén ding is in ieder geval zeker. De schrijver van *Les Mouches* en *La Nausée*, de man die, terwijl de Bezetting in volle gang is, scherpe kritiek uit op de ideologie van de boetedoening en die van de naturalistische visies, de theoreticus van het 'project', de radicale wereldburger die niets moet hebben van de verering van wortels en naties, of van de *aarde-die-niet-liegt*, of van de wet van het bloed en de soort, en die vlak voor zijn dood, met onthutsende naïveteit maar trouw aan zijn fantastische jonge jaren, tegen Benny Lévy kan zeggen dat de ruimte voor hem 'nooit gesloten' is, dat hem alleen het reizen en het 'dwalen' trekt, dat hij droomt van een toekomstige mensheid die non-stop over de wereld trekt – zoveel is dus zeker: die man is een van onze allerbeste bondgenoten in de strijd tegen de terugkeer van de Franse demonen.

Maurras. Barrès. Ranzig christendom. Nog veel ranziger antichristendom. Patriottistisch communisme. Sociaal personalisme. Natuurlijk Péguy. Altijd Péguy. De 'tweede' Péguy, zeggen ze. Die van op het laatst. De dichter-patriot, de schrijver-soldaat, dronken van bitterheid en haat, die niets liever zou willen dan Jaurès op de kar der veroordeelden zien, begeleid door het geroffel van de dodentrom en die Halévy schreef dat hij zich alleen een moraal tussen naasten kan voorstellen, tussen mensen die in dezelfde aarde geworteld zijn en dezelfde doden gedenken: 'een mens, dat is zijn komaf' of: 'je kunt alleen vrienden zijn als je dezelfde geboortegrond hebt'. Een heel programma. Een heel Frankrijk. Het beschimmelde Frankrijk, zei Sollers. En ik noemde het ooit 'de Franse ideologie'. Maar is dat wel zo zeker, dat er, op het laatst, twee Péguy's zijn? Dragen die twee, de oude en de jonge Péguy, de opstandeling, de Dreyfus-aanhanger, de vriend van Bernard Lazarre, niet allebei dezelfde 'analfabete' metafysica in zich, die vijandig staat tegenover 'letter' en 'recht', 'intelligentie' 'intellectuelen', 'democratie'? Ik ben er wel zeker van dat er twee Sartres zijn. Want tussen die twee loopt de messcherpe scheidslijn tussen een metafysica en een omkering van die metafysica. Over de optimistische, dus totalitaire Sartre komen we nog te spreken, geduld. En deze Sartre, de jonge of niet meer zo heel jonge Sartre, de pessimistische en vrolijke Sartre, wanhopig maar nooit terneergeslagen, de Sartre die geen oplossing ziet voor de diaspora der zielen en die daarom het anti-Frankrijk is, het anti-*dit*-Frankrijk, is een godsgeschenk voor hen die graag deel willen uitmaken van een Frankrijk dat inderdaad de bladzijde van Maurras, Barrès, Péguy, Vichy en de rest heeft omgeslagen.

Drie teksten dus.

Drie teksten, of reeksen teksten, die op het juiste moment kwamen, maar die niet nalaten ons, met onze gevoeligheden, aan te spreken.

Het mooie artikel, midden in de oorlog gepubliceerd in het ondergrondse tijdschrift *Les Lettres françaises*, over het geval Drieu. Zelfhaat. Identiteitscrisis van de leerling-fascist. De 'merkwaardige metaforen die de verhoudingen tussen Frankrijk en Duitsland voorstellen als een seksuele verbintenis waarbij Frankrijk de rol van de vrouw speelt'. Het staat er allemaal in. Het is er allemaal. Een van de sterkste analyses van die seksuele bodem die onder alle vormen van fascisme ligt en het Franse fascisme in het bijzonder. Alleen Drieu? Nee natuurlijk. Duizend anderen voor hem, die op hem lijken en bekende gezichten hebben.

L'Enfance d'un chef dat het spoor van de geest richting fascisme volgt, in bewoordingen waaraan, noch voor zijn tijd, noch voor de onze en voor de eventuele toekomstige navolgers het autoritaire baasje dat Sartre ons voorschotelt, veel aan toe te voegen valt. Fleuriers verwarring tegenover de beproeving, die zijn vrijheid is. De ontzetting als hij begrijpt dat hij die zelf moet maken, steeds weer opnieuw. De grote kleerkast dus waar al zijn verkleedkleren hangen. En tussen die verkleedkleren, tussen die morele en politieke uitdragerij, het zo geruststellende pak van de harde, autoritaire baas, verankerd in zijn identiteit, in zijn ras – wat een geruststelling!

Qu'est-ce qu'un collaborateur? Die tekst is vijftig jaar oud. Hij is, net als de andere, geschreven voor de Geschiedenis en in het vuur van de Geschiedenis. Ook hier ken ik nauwelijks een sterkere, trefzekerder analyse van wat de geest van Vichy, de tegenstrijdigheden die er doorheen lopen, de paradoxen en dus, wellicht, de nalatenschap, werkelijk waren. 'Collaborateurs', niet te 'verwarren met fascisten'. 'Notoire fascisten' die, omdat ze van mening waren dat de omstandigheden van het 'verzwakte en bezette Frankrijk' niet de 'allergunstigste' waren voor de opkomst van een fascisme Franse stijl, 'ervan afzagen het met de vijand aan te leggen'. 'Oudgedienden van de fascistenclub Cagoule, die verzetslieden geworden waren'. Die 'socialisten of pacifisten' die 'de Bezetting' beschouwden 'als een onbeduidend kwaad' en 'goed met de Duitsers konden opschieten'. Ook hier is het allemaal gezegd. Geen repliek is zo helder, zo goed geïnformeerd geweest en vooral zo op de zaken vooruitlopend, op alle verhalen die in 1945 de ronde deden. Pétain een schild? De honderdduizend gefusilleerden? De menigte gaullistische verzetsmensen? Het geïmporteerde fascisme, zonder echte nationale wortels? De collaboratie, geen vichysme? Het bezette Frankrijk, fascistisch omdat het bezet was en alleen omdat het bezet was? Lees Sartre. Ik heb Sartre gelezen. Ik had er niet veel aan toe te voegen, toen ik 35 jaar later mijn boek *L'Idéologie française* schreef.

En dan nog een heleboel bladzijden handelend over een filosofie van de 'vuile handen', koren op de molen voor iedereen die een bres wil slaan in die 'ideologie van zuiverheid' of die 'wil tot zuiverheid', waarin elk geforceerd integratiedenken – vormen van fascisme en communisme incluis – zijn wortels vindt. Het idee van de zuivere aarde. Sommigen zeggen heilige aarde. Natuurlijk is dat niet hetzelfde, 'zuiver' en 'heilig'. Maar is niet de beste manier om een stuk grond zuiveren, beginnen met het heilig te verklaren? Mystieke heiligverklaring door de aanhangers van Groot-Israël. Wereldlijke, of schijnbaar wereldlijke, heiligverklaring door degenen die, nog niet zo lang geleden, geloofden in het vaderland (USSR, China...) van de wereldrevolutie. Heiligverklaring op historische gronden, bij wijze van gedenkteken, van hen (Serviërs, in Kosovo...) die precies in die morgens land of stenen de wieg van hun natie zien. Zelfs de republiek kan heilig verklaard worden, zoals we kortgeleden nog zagen (de zelfverheerlijking, van Jules Ferry tot Jean-Pierre Chevènement, van Frankrijk als land en geboortegrond van de mensenrechten)... Tegen al deze verschillende, maar weinig afwijkende, vormen van dezelfde verheerlijking van de plek, tegen al die mensen die van die verheerlijking het protocol van hun uitsluitingen maken, tegen die verafgoding van een 'plek' waarvan men, de hele twintigste eeuw lang, de aanbeden voren vol heeft laten stromen met onzuiver bloed, tegen dat alles is er een filosofie, die van de eerste Sartre, die zich er uit alle macht tegen verzet. Een lichaam kan heilig zijn. Is dat wezenlijk ook vanaf het moment dat het door een ziel bewoond wordt. Maar van het lichaam overgaan op de plaats of van de ziel op de plek, zeggen van een plek, van een stuk land, van een hoop stenen of modder, dat het bewoond wordt door herinneringen of volksaard – wat een heiligschennis! Dat het idee van heilige grond onzin is, dat het 'heilig' verklaren van een plek, waar je, na vele anderen, geboren bent, rare afgoderij is, dat heeft hij steeds weer, tot het eind toe, herhaald, in zijn uitspraken over Israël – en hij doet dat met des te meer overtuiging omdat zijn steun aan de Staat die, daar op die grond, na de Shoah, opgericht is, nooit of bijna nooit verflauwd is.

Ik weet natuurlijk ook wel wat een dergelijk verlangen naar ont*aard*ing *ook* kan betekenen voor een freudiaans oor. Iedereen weet, of vermoedt, van welk soort neurose dat verlangen naar atopie (niet-plaats) getuigt wanneer het zich meester maakt van een subject dat zogenaamd van 'alle' bindingen bevrijd is. Bodemloos, wordt er dan gezegd. Zonder wortels en zonder baarmoeder. Maar wat betekent dat... Zonder baarmoeder of zonder moeder? Zonder moeder of geheel op eigen kracht geboren? En de Vader? De naam van de Vader? Geen God geen Vader? God zonder vader? Vader zonder God? Te veel Vader? Je erft niet van de Vader, zal Sartre hier tegen inbrengen. Alleen dode vaders zijn goede vaders. Als hij in *Les Mots* zegt dat hij zichzelf altijd waargenomen heeft als meester en oorsprong van wat hij was, als hij zegt dat hij altijd zijn eigen oorzaak wilde zijn en dat nog steeds wil zijn, door zichzelf – *per se* – geschapen en voortgezet, waarom zou je in dat 'per se' dan niet de echo van een andere ontkenning horen: 'Perseus' (Persée in het Frans), zoon van Danaë, ook zoon van een maagd en van alleen moederlijke 'werken'? Maar dat doet er hier niet toe. Het is één ding 'zich niets wijs te maken'. Maar iets anders zou het zijn het politieke voordeel, voor ieder, van deze neurose van de hand te wijzen. Sartre zonder vast domicilie. Sartre dakloos, wetteloos. Sartre grenzeloos. Oneindige vrijheid, wederom, in het sartriaanse handelen. De goede verstaander...

Racisme. Ik twijfel er niet aan dat die waan zal blijven bestaan. Ik twijfel er niet aan dat in Frankrijk, maar ook elders, een begoocheling die in de eerste plaats een begoocheling van de eigen identiteit is (de ander haten om de eigenliefde te bevestigen) altijd zal blijven bestaan en iedere keer weer de kop zal kunnen opsteken als de grote traditionele identiteiten in gevaar dreigen te raken (eenwording van Europa, massale immigratie – al die narcistische krenkingen die, volgens de laatste berichten, de oude gemeenschappen zouden bedreigen: het 'Fransen eerst', of het 'Ík ben Frans, meneer', uit de mond van iemand die letterlijk *anders niets is*...). Over dit onderwerp bestaat er een fantastisch boek, *Portrait du colonisé*, van Memmi. En er bestaat vooral, dit boek onderstrepend, een denkwijze die, omdat hij niet alleen de essentie van zogenaamde gemeenschappen ontkent maar ook de essentie van de personen zelf die geacht worden die gemeenschappen te vormen, omdat hij het idee afwijst dat een mens ooit terug te brengen is tot een collectieve of individuele essentie, kortom, omdat hij ervan uitgaat dat ik eerder een verzameling handelingen ben dan een bijeengeraapte hoeveelheid kenmerken, eerder een zelfstandigheid dan vertegenwoordiger van een soort of een groep, niet anders kan dan dat reduceren van de persoon tot zijn zwart-, Arabisch-, Belgisch- of Frans-zijn, verwerpen.

Een racist is iemand die de wereld ziet als een mozaïek van groepen of stammen die niet een visie op de mens of een opvatting over de sociale verhoudingen met elkaar gemeen hebben, maar een huidskleur, wortels in dezelfde grond, afkomst, erfelijkheid. Een racist is iemand die op grond daarvan zegt: mensen zijn schatplichtig aan die stammen; gevangenen van afstamming en erfelijkheid; niet hun eigenheid maar de kleur van hun huid, de vorm van hun neus, hun genen bepalen hen het meest adequaat. En een racist is iemand die, als hij de mensen eenmaal zo gedefinieerd heeft, als hij ze eenmaal tegenover elkaar gesteld heeft als even zovele vertegenwoordigers van veronderstelde natuurlijke soorten, burgerrecht gaat verlenen aan de tegenstelling en haar dus gaat vereeuwigen, veranderen in een haast theologische en dus onvergeeflijke confrontatie, wat, daarvóór, slechts een machts- of belangenstrijd was. Dat alles is voor Sartre totaal betekenisloos. Sartre is, vermoed ik, de filosoof in de twintigste eeuw voor wie die codificatie van de essenties, die reductie van eenieder tot die veronderstelde essenties en dan de vereeuwiging van die reductie en de projectie ervan naar een hiernamaals van de Geschiedenis het minst betekenis hebben gehad.

Je kunt van oordeel zijn dat het racisme niet het eerste en niet het meest dringende probleem is waarmee de éénentwintigste eeuw zal worden geconfronteerd. Maar als je dat niet denkt, als je gelooft, en ik doe dat, dat het juist een van de vormen, en misschien wel dé vorm, van haat is met de grootst mogelijke kwaadaardigheid, dan moet je wel concluderen dat er geen beter tegenvuur is, en vooralsnog zal zijn, tegen die haat dan terugkeren naar een argumentatie die kan worden teruggebracht tot de volgende drie dingen. Primo: existentie gaat aan essentie vooraf; essentie heeft geen existentie; hoe kun je spreken van een veronderstelde essentie van een *beur* (Algerijnse tweedegeneratie-immigrant), een neger, een Amerikaan,waartoe het subject te reduceren zou zijn, als het enige wezenlijke van het subject is geen essentie te hebben en als 'ras' niet bestaat? Secundo: maar stel nu dat ze wel bestaan; laten we, zij het voor even, aannemen dat er algemene kenmerken bestaan die soorten bevolkingsgroepen bepalen; die zouden dan toch niet zo belangrijk zijn als men wel denkt; zij zouden dan toch absoluut niet de subjecten bepalen; het zou een belachelijk plan zijn de uiterste eigenheid van een individu, zijn ongrijpbaar en onophoudelijk opduiken, terug te brengen tot het getto van een soort of van een stam. Tertio: alles is Geschiedenis, uiteindelijk; alles is situatie, en dus Geschiedenis; en dat betekent dat er geen confrontaties – individuele of collectieve – zijn waarvan de onvermijdelijke verflauwing niet valt te voorzien; er zijn geen vijanden van geslacht op geslacht; geen eeuwigdurende oorlogen; het zijn allemaal conflicten waarbij men de rake aanbeveling van Kant en de Verlichten ter harte kan nemen: haat elkaar; bestrijd elkaar zoveel je wilt; maar doe het zo alsof je op een goeie dag de bondgenoot moet zijn van degene die je haat...

Wil dat zeggen dat deze Sartre ons tijden van eeuwige vrede aankondigt? Wil dat zeggen dat door dat antiracisme en deze visie op conflicten als tijdgebonden verschijnselen, de oude dromen van een gepacificeerde mensheid terugkeren, een mensheid zonder één enkel conflict – dromen, zo weten wij, die gelieerd zijn aan de wens tot zuiverheid en dus aan de misdaad? Nee. Want daar ligt nu juist de kracht van die eerste Sartre. Dat is zijn extreme originaliteit en de onschatbare waarde van zijn manier van denken. Hij historiseert de conflicten, wat goed is. Hij relativeert ze, wat essentieel is. Hij slaagt er, beter dan Foucault, in, en precies op het moment dat Foucault zwicht voor de troebele fascinatie van het gepraat over de 'rassenoorlog' à la Boulainvilliers, zich te ontdoen van de bezwerende betovering van alle naturalistische, racistische en dus op uitroeiing gerichte gedachtewereld. Maar hij doet dat zonder het oude liedje van een idyllisch naturalisme, in de trant van: 'Goed nieuws! Verzoening zit eraan te komen! Nog een schepje erbovenop en er zal een nieuwe wereld ontstaan waarin alle conflicten overwonnen zijn!' Of, anders gezegd, hij denkt die twee theses samen, waarvan je zou denken dat ze tegenstrijdig zijn, terwijl ze bij hem juist complementair zijn. Ten eerste: haat en conflict zijn zo oud als de mensheid en zijn niet ontstaan met een bepaald soort maatschappij. En die overtuiging vrijwaart ons van de nostalgie naar vroeger tijden, de fascinatie van de goede samenleving, de naturalistische stompzinnigheid van het thema van de goede, verborgen oorsprong. Ten tweede: conflict is één ding, de vormen die het aanneemt, een ander. Dat het principe van het conflict van alle tijden is, betekent nog niet, juist helemaal niet, dat de vorm die het heeft aangenomen, deze of een andere, dat ook is. En het is juist dat voortdurend veranderde gezicht van conflicten, de oneindige opeenvolging ervan, het aflopen van het ene en de verschijning van het andere, dat ons, in plaats van hoop te bieden op een tijd dat er helemaal geen conflicten meer zullen zijn, de zekerheid geeft van de eeuwige terugkeer van de twist, en dus van een permanent antiracisme als antwoord.

Ik beweer niet dat Sartre dat antiracisme zelf altijd trouw is. Ook op dit punt stapt hij zeker hier en daar van zijn eigen overtuigingen af: *Orphée noir*, het voorwoord van *Les Damnés de la terre* of ook het gedeelte van de *Critique de la raison dialectique*, waarin hij een analyse van kolonisatie geeft.[1] Maar goed, het principe is er. Er is een Sartre, de eerste, die de fundamenten van dat antiracisme grondig heeft doordacht. Er bestaat een Sartre, die jonge Sartre, die ons de wapenen verschaft voor de antiracistische gevechten die in het verschiet liggen. Dat sartriaanse antiracisme is niet gebaseerd op verdraagzaamheid. En ook niet op liefde voor de menselijke soort. Het heeft niets te maken – en gelukkig maar! – met Joost mag weten wat voor kleffe saamhorigheid die groepen mensen voorschrijft dat ze elkaar moeten leren kennen en van elkaar moeten houden. Hij neemt – in wezen, net als Freud – als vertrekpunt dat haat en niet liefde mensen met elkaar verbindt en uit dat postulaat trekt hij alle conclusies. Het is een antiracisme dat wortelt in een beginsel. Het is, zoals Canguilhem van Cavaillès zei dat hij op logische gronden antifascist was, een logisch antiracisme gebaseerd op een definitie van mens en maatschappij. En daarom is het van grote waarde en probaat bij uitstek.

Sartre en de joden: overdenkingen over het Sartre-vraagstuk

Antisemitisme. Op een bepaalde manier, het tegenovergestelde. Is het niet zo dat racisme in de ander het meest zichtbare verschil (zinloos maar zichtbaar) haat, terwijl de antisemiet juist beducht is voor het onzichtbare verschil (des te geniepiger, gevaarlijker omdat het geen duidelijk aangrijpingspunt heeft en in staat is, zou je denken, de wereld sluipend te vergiftigen – Jankélévitch weer, in een commentaar op Freud: racisme is 'de ander haten' en antisemitisme is 'de onwaarneembare ander haten'), het achtervolgt, en als het in zijn macht ligt, in de kraag vat en elimineert? Ook op dit front blijft Sartre een goede metgezel in strijd en denken. En wel omdat hij de schrijver is van het boek *Réflexions sur la question juive*, waar wij nog lang niet alle lessen uit getrokken hebben.

Je kunt die 'overdenkingen' natuurlijk overhaast vinden.

Je kunt – en velen hebben dat gedaan – het betreuren dat Auschwitz er helemaal niet in genoemd wordt (maar is dat zo gek, als je bedenkt dat het boek eind 1944 geschreven werd? En is het niet al heel wat dat hij de gaskamers van Maidanek noemt?).

Je kunt – en hij zal de eerste zijn om het te zeggen, al is het pas in de gesprekken met Pierre Victor – het betreuren dat ze 'in één ruk' geschreven zijn, in grote onwetendheid over het 'lot' en het 'geheim' van het bijbelse volk, zonder 'documentatie', zonder 'een joods boek gelezen te hebben' ('Waar baseerde je je dan op' vraagt Victor? 'Nergens op, op het antisemitisme dat ik wilde bestrijden').[2]

Naast die onwetendheid, of misschien juist daardoor ontstaan, kun je ook de enorme hoeveelheid vooroordelen betreuren waar die Sartre, uit de tijd van de *Réflexions*, en dus van *Les Chemins de la liberté*, duidelijk aan ten prooi is. Is niet de eerste jood uit *L'Age de raison* een 'aborteur'? Is Sarah, 'met haar ongekamde haren en haar uiterlijk van ongezonde goedheid', niet de karikatuur van een jodin à la Chardonne of Pierre Benoit? En in *Le Sursis*[3] het onverdraaglijke portret van de diamantair Birnenschatz, die zich lovend uitlaat over de schoonheid van zijn dochter ('een echt Frans gezicht') of zich juist opwindt over de onderdanigheid van Weiss, zijn bediende, die afscheid van hem komt nemen ('hij had niet zo veel sympathie voor Weiss, omdat dat er nu zo één was van wie het noodlot van zijn gezicht af te lezen was'). Toen zijn dochter Arlette Elkaïm en zijn vriend Ely Ben Gal hem aan het einde van zijn leven die teksten voorlegden, hem dwongen het portret van Mevrouw Birnenschatz en 'haar grote bange en berustende ogen' te herlezen, hem lieten zien dat dat soort karikaturen tot in de *Réflexions* sterk aanwezig waren, beriep Sartre zich naar het schijnt 'mopperend' op het 'platte' en 'weke' antisemitisme van de familie Schweitzer[4] en voerde ter verdediging aan dat 'je niet als antiracist wordt geboren, maar dat wordt'.

Want met welke erfenis de tijd waarin iemand leeft hem opscheept, dat is inderdaad een punt; het is inderdaad een punt dat Sartre ook hier een man van de jaren dertig was, gevangen in de stereotypen van de jaren dertig, overigens net als Nizan (vgl. het portret van Brunschvicq in *Aden Arabie*), in de ergste vooroordelen uit die jaren. Maar een ander punt is wat die iemand met die erfenis doet, de manier waarop hij hem beheert en waarin hij hem verandert. En een derde punt is nog wat de volgende generaties concreet kunnen aanvangen met de erfenis van die erfenis – en in dat opzicht is Sartre bewonderenswaardig en waardevol tegelijk.

Wat Sartre betreft moeten we toch steeds weer de extreme moed toejuichen van een boek dat, in een tijd dat niemand geïnteresseerd was in de bijzonderheden van de jodendeportatie en het voor iedereen makkelijker, of liever, aangenamer was het lot van de joden over één kam te scheren met dat van de andere slachtoffers van het nazisme, onder te brengen in dezelfde, schandalig vage categorie 'gevallenen voor Frankrijk' of 'patriotten', in een tijd dat hun naam zelfs onuitspreekbaar was geworden – om nog maar te zwijgen van hun martelaarschap en de redenen voor dat martelaarschap! – en in een tijd dat de beste christenen, degenen met de beste bedoelingen, niet verder kwamen dan de Shoah als een nieuw Golgotha te zien, een replica van de Passie, een soort joods, gruwelijk en zaligmakend, Mysterie, dat een offer is en in zekere zin troostrijk (het 'alles is genade' van Mauriac in zijn voorwoord bij *La Nuit* van Elie Wiesel) – moeten we dus het boek toejuichen dat als eerste het taboe durfde te doorbreken en de gruwel in het gezicht durfde te kijken.

Is er dan niemand te vinden, zo vroegen Sartre en Aron zich af, die de joden bij hun terugkeer in de nationale gemeenschap een schriftelijk welkom bereidde? Is er dan niet één artikel waarin die merkwaardige stilte over de allergrootste catastrofe, de allergrootste misdaad in de geschiedenis van de mensheid verbroken wordt?[5] Ja. Dat is er. En Sartre is de auteur. Het is om precies te zijn eerst een artikel, *La République du silence*, waarin hij waagt te schrijven: 'wij werden massaal gedeporteerd, als arbeiders, joden of politieke gevangenen' – Ah! De kracht van dat woord 'joden', dat men eindelijk durft uit te spreken! En het empatische 'wij' dat tegelijkertijd ook zo vreemd is! En daarna een boek, dat boek, de *Réflexions sur la question juive*, die het vraagstuk van meet af aan uitdiepen en die meteen al durven zeggen dat het antisemitisme niet een 'mening' is ('ik weiger mening te zeggen, wat in feite een leer is die nadrukkelijk op bepaalde personen betrekking heeft en die eropuit is hun hun rechten te ontnemen en hen uit te roeien').

En zelfs als die *Réflexions* alleen dat maar waren, alleen maar die donderslag in een Frankrijk dat vier jaar lang zonder zijn joden leefde en daar heel graag niet aan herinnerd wilde worden, zelfs al was hun enige boodschap: 'er zijn in dit land mannen en vrouwen, die jullie joden noemen en die daarom en daarom alleen in groten getale vernietigd zijn', zelfs al hadden ze alleen maar de Fransen, alle Fransen, met hun neus op hun schuld gedrukt voor al 'dat joodse bloed dat de nazi's vergoten' en dat 'op onze hoofden neergutst',[6] dan zijn we ze nog heel veel dank verschuldigd dat ze geschreven zijn en bestaan.

Het Frankrijk uit die jaren is een raar land dat, om niet te hoeven toegeven dat men de gedeporteerden niet wenst te horen, op de proppen komt met het sprookje van hun zwijgen en hun onzegbaar lijden. Een land dat, als men van vijftien slachtoffers van het nazisme de stoffelijke resten bijeen wil brengen die, rondom de vlam voor de onbekende soldaat, de nationale eer ten deel zal vallen, er zorgvuldig op toeziet dat zich onder die resten niet het stoffelijk overschot bevindt van een op raciale gronden gedeporteerde. Een land dat, ten slotte, uit een vreemde mengeling van valse schaamte, hypocrisie en ook verkapt antisemitisme, bevestigt wat aan de 'Endlösung' het 'meest definitief' was, namelijk 'het idee van een perfecte misdaad, die geen sporen of herinnering achterlaat, gelijk een vadermoord waarbij het niet genoeg is de daad te begaan maar waarbij ook iedere vingerafdruk, ieder spoor, tot in de herinnering uitgewist dient te worden – de ss deed alles wat men kon om de slachtingen te verhullen en te verbergen, de democraten van 1945 zetten in zekere zin hun euveldaden voort in hun poging, op hun beurt, te vergeten dat zij hadden plaatsgevonden. En wat tot slot te zeggen van zo'n Jean Paulhan die, al in 1941, Marcel Jouhandeau deze merkwaardige belofte deed: 'Eén ding beloof ik je op voorhand; als de joden, na de val van Duitsland, op hun beurt bloed zullen laten vloeien, dan zal ik ze net zo intensief haten als ik nu hun beulen haat'? En wat van die andere existentialist, Gabriel Marcel die, omdat hij vindt dat men de overlevenden nog te veel hoort en dat ze onrust zaaien, het zich in april 1946, in een artikel in *Le Figaro* en later nog één in het tijdschrift *Témoignage chrétien*, veroorlooft hun hooghartigheid te hekelen, hen tot grotere discretie te manen en te dreigen met een 'dam' die de centrale macht en de beroepscorporaties, in het belang van de Fransen, moeten opwerpen tegen 'een overduidelijke wil de touwtjes in handen te krijgen'?[7] Sartre wrijft dat Frankrijk zout in de wonden. In zo'n tweehonderd bladzijden veegt hij de vloer aan met dat allegaartje van schijnheiligheden en niet-authentieke gevoelens van medelijden. En voor alle joden uit die tijd, Claude Lanzmann, Jean Daniel, Robert Misrahi, Bernard Frank, was dat een bevrijding, als keerde de 'levenslust' terug: er was, zo schrijft Lanzmann bewonderend, 'op deze aarde ten minste één man dicht bij ons, die ons had begrepen.'[8]

Voor mij, voor de joden die, net als ik, na de Shoah en na het boek geboren zijn, was dat boek, en dat geldt eigenlijk nog steeds, in drie opzichten van belang.

Het schetste het portret van een antisemiet dat, wat je er ook van mag vinden, zelfs als het meer weg heeft van Édouard Drumont dan van Robert Faurisson en zelfs als de schrijver voornamelijk de bedoeling had zijn pijlen op het maurrassisme te richten, en niet zozeer op het nazisme, na vijftig jaar niets aan kracht heeft ingeboet. Antisemitisme als 'hartstocht' en als 'geloof'. Antisemitisme tegen alle 'vanzelfsprekendheid' in en tegen alle 'rede'. Hebben we het echt achter ons gelaten? Is het niet eerder zo dat we die krankzinnige hartstocht, letterlijk dat *geloof*, ook al ziet het er nu anders uit, gebruikt het andere woorden, vindt het plaats op andere breedtegraden, nog steeds het hoofd moeten bieden? En sterkt het boek ons niet juist door de bloeddorstige precisie en de humor waarmee het het antisemitisme omschrijft, in ons verlangen, in onze kracht en woede om het te bestrijden (Benny Lévy, in 1982: '*Réflexions sur la question juive* sterkte me in mijn strijd tegen het antisemitische Frankrijk'[9])? 'Er is geen zwart probleem in de Verenigde Staten, er is alleen een wit probleem,' zei Richard Wright. En dat is mutatis mutandis ook Sartres mening. En zo schetst hij, voor de laatste keer teruggrijpend op het heideggeriaanse onderscheid tussen authentiek en niet-authentiek, zoals twee jaar daarvoor *L'Être et le néant* dat beproefd had, het portret van die befaamde 'stereotiepe' jood die door de blik van de antisemiet geschapen wordt en die geen andere keus heeft dan die blik te aanvaarden of te ontvluchten: die jood, die jood die alleen jood is omdat de anderen hem als zodanig beschouwen, die jood die de naam Jeruzalem van Racine kent, niet uit de bijbel of de talmoed, die jood die als kind moest huilen bij het verhaal van de slag bij Waterloo maar niet bij het verhaal van de verwoesting van de Tempel, die jood die nooit aan zichzelf dacht als jood voordat ze tegen hem zeiden 'jij bent joods', die jood die, zoals Sartre heel veel later tegen Arlette Elkaïm[10] zal zeggen, 'een willekeurig iemand' is 'met als extra een joodse naam', welke moderne jood heeft zich daar op een bepaald moment in zijn leven niet in herkend? Wat een opluchting, wat een gevoel van bevrijding, voor de joodse jongeling of het joodse kind dat in de jaren vijftig en zestig nog, geconfronteerd met de idiote verwijzing naar een onderscheid, waarvan het, vaak genoeg, niks afwist, kon lezen: 'jood zijn is geworpen zijn, achtergelaten zijn, in de joodse situatie' of 'een jood is iemand die door de anderen voor jood gehouden wordt, dat is de simpele waarheid waar men van moet uitgaan!' – wat een bevrijding, dus!

En dan bevat het boek nog een derde coup de force, minder bekend, ja zelfs bedolven onder de bibliotheken vullende commentaren die ons nu al vijftig jaar aan de kop zaniken dat Sartre, met zijn theorie van jood-in-de-blik-van-de-ander, 'de positieve dimensie van het judaïsme' gemist zou hebben en dus bijgedragen heeft aan de 'geestelijke liquidatie' ervan. Nu, dit kleine boekwerkje heeft helemaal niks gemist. In het tweede hoofdstuk althans, richt het zich, na van leer te zijn getrokken tegen het vastpinnen van joden van vlees en bloed op een denkbeeldig 'joods anders-zijn', op dat tweede, andere front, schijnbaar tegengesteld aan het eerste, maar in feite samen daarmee de grondslag vormend van de hele ambivalentie van het 'joodse lot' na Auschwitz. Frankrijk is vol, zo zegt hij, met mensen die bereid zijn de joden weer op te nemen maar op voorwaarde dat zij vergeten dat ze joods zijn. In dit merkwaardige land willen we graag, zoals de eerwaarde Grégoire in 1789, de joden in Frankrijk als Fransen alles geven, maar als joden niets. Ik, Sartre, antwoord daarop dat de Mens op zich niet bestaat, en dus ook de Fransman op zich niet, maar dat er mensen bestaan wiens situatie het is, en we moeten proberen dat goed op ons te laten inwerken en te accepteren, *joden in Frankrijk* te zijn. Sartre tegen het republikeinse model van assimilatie en opgaan in de maatschappij. Sartre tegen een abstract universalisme dat de 'mensenrechten' aanvoert om toch, zij het via andere wegen, een wereld zonder joden voor te bereiden. Deze Sartre kan tot twee tellen, zoals hij weer eens laat zien waar hij zich het recht voorbehoudt tegen zichzelf te denken in één en hetzelfde boek, constant in zijn eeuwige logica van ontrouw aan zichzelf en zijn eerdere denken. Deze Sartre weigert de begrippen 'situatie' en 'anders-zijn' over één kam te scheren en neemt afstand van beide tweelingen die hij in het onderhavige geval ziet in de 'antisemiet' (die de jood reduceert tot zijn anders-zijn en tot incarnatie van die reductie) en de 'democraat' (die van hem verlangt zijn situatie, dat wil zeggen zijn singulariteit te offeren op het altaar van het Universele), en zegt grosso modo: joods zijn betekent niet noodzakelijkerwijs een redelijk wezen of een beeld zijn; dat de antisemieten die positiviteit van het joodszijn vervalst hebben door het juist een natuur toe te dichten, dat ze de kenmerken ervan hebben samengevoegd tot een afschuwelijke synthese, belet niet dat die positiviteit bestaat, dat hij een vorm heeft en een geschiedenis en dat hij niet het werk is van de antisemieten maar van de joden. Nu, het mag dan zo zijn dat het kleine boekwerkje 'slecht gedocumenteerd' is, het mag dan zo zijn dat het niet veel weet van die joodse positiviteit die het vermoedt maar niet benoemt, en waar het dus ook een karikatuur van blijft maken, net zo goed. Maar het zou iets anders en betreurenswaardig zijn als het op zijn beurt tot karikatuur gemaakt werd en eraan voorbij gegaan werd wat een geweldige openbaring het is geweest. Wat mijzelf betreft, is het heel eenvoudig. Zo ongelovig en atheïst, en Schweitzer, als deze Sartre is, zo vreemd zijn denken mij is over dat enorme gebied dat gevormd wordt door de bijbel, de talmoed, Buber, de kabbala, Mendelssohn, Rosenzweig,[11] zo ver als hij van mij af staat als hij, zoals hij later zal doen, in zijn gesprekken met Lévy-Victor, zich uitspreekt over het 'metafysische karakter van de jood' of over de rol van het judaïsme, teneinde 'een punt te zetten achter die Geschiedenis die Hegel ons heeft willen opleggen', toch moest ik weer aan hem en aan het tweede gedeelte van de *Réflexions sur la question juive* denken, toen ik aan het eind van de jaren zeventig, onder invloed van Levinas, een filosofie en een ethiek van het verzet wilde grondvesten op de bijbel.[12]

Moet ik hier aan toevoegen dat Sartres band met het jodendom tot het einde toe gekenmerkt werd door buitengewoon grote sympathie?

Moet ik het verslag van Benny Lévy in herinnering roepen van dat gesprek waarin hij hem gezegd zou hebben dat 'zijn beschrijving van de jood een zelfportret was' omdat hij een lotsverbondenheid zag tussen de figuur van de 'jood' en die van de intellectueel 'die in zijn schrijven leeft'?[13]

De jood Sartre.

Een droom-Sartre...

Het totalitarisme ten slotte...

En dan met name het stalinisme dat met de nederlaag van het nazisme en de Russische overwinning plotseling dé vorm van totalitarisme in Europa wordt.

'Als de stalinisten in de Russische overwinning de noodzaak hebben gezien zich te onderwerpen aan het gezag van Moskou, dan lag daar een diep en oorspronkelijk besluit aan ten grondslag, dat het wezenlijke van hun persoonlijkheid vormde, namelijk zich te onderwerpen aan welk voldongen feit dan ook.

Die grondtrek, die de stalinisten zelf met een fraai woord "realisme" noemden, heeft diepe wortels in de ideologie van onze tijd. Zij lijden aan de intellectuele kwaal die we wel het historicisme noemen en die het voldongen feit goedkeurt stomweg omdat het voldongen is. Ze hebben die geschiedenisfilosofie weer van stal gehaald. Voor hen gaat de heerschappij van het feit gepaard met een vaag geloof in de vooruitgang, met een onderworpenheid aan een toekomst die ze niet zelf willen smeden maar slechts voorspellen.

Natuurlijk doet hier een verkeerd begrepen hegelianisme een duit in het zakje. Geweld wordt aanvaard omdat alle grote veranderingen gebaseerd zijn op geweld en aan kracht wordt een duistere morele deugd toegekend. Zo plaatst de stalinist zich, om zijn handelingen te beoordelen, in de meest verre toekomst. Hoewel hij in onze eeuw leeft, beoordeelt hij hem vanuit het gezichtspunt van komende eeuwen, precies zoals de historicus de politiek van Frederik II beoordeelt.

Die manier om gebeurtenissen in het licht van de toekomst te beoordelen is voor alle stalinisten een verleiding. Door een paar eeuwen vooruit te springen en zich dan naar het heden om te draaien om het van ver gade te slaan en in de geschiedenis te plaatsen, veranderen ze het heden in verleden en maskeren ze dat het onverdraaglijk is. Die keuze voor de historicistische houding, dat voortdurend tot-verleden-maken van het heden is kenmerkend voor het stalinisme. Door zo te buigen voor de feiten zet de stalinist de moraal op zijn kop. In plaats van het feit te beoordelen in het licht van het recht, baseert hij het recht op het feit. Zijn impliciete metafysica stelt zijn en moeten-zijn aan elkaar gelijk. Alles wat is, is goed. Goed is, wat is. Hij ontleent aan Descartes de uitspraak: "Liever proberen jezelf te bedwingen dan de wereld te bedwingen", en denkt daarmee dat de onderwerping aan de feiten een school van moed en mannelijke hardheid is.

Voor hem is alles wat niet zijn uitgangspunt vindt in een objectieve beoordeling van de situatie, slechts sentimentele mijmerij. Hij ziet in de weerstand tegen het stalinisme niet de bevestiging van een waarde maar een anachronistische verknochtheid aan dode zeden en een dode ideologie.'

Deze korte maar zo treffende tekst, doortrokken van morele gestrengheid en scherpzinnigheid, die regels die de drijfveren van het stalinisme, niet in Moskou, maar in Parijs, ontleden, die paar woorden waarin alles gezegd wordt, niet direct over het communisme, maar over die misschien nog veel raadselachtiger instemming met het communisme, zijn van Sartre. Het is zelfs bijna letterlijk de Sartre van *Qu'est-ce qu'un collaborateur?* waar al zo uitvoerig uit geciteerd werd. Met één klein verschil waardoor natuurlijk alles verandert. Ik heb hier namelijk systematisch 'collaborateur' vervangen door 'stalinist'...

Waarmee ik twee dingen wil zeggen.

In 1944, op het toppunt van verscheurdheid, misschien zelfs van waanzin, is die Sartre bezig zelf de stalinist te worden die hij beschrijft. Hij is bezig, in weerwil van zijn eigen principes, en zich naar voren dringend tot de eerste rijen van de kleine groep die, net als in de jaren twintig, licht aan de oostelijke horizon begint te zien, samen met anderen, vorm te geven aan de nieuwe collaborationistische gezindheid die zich over Europa gaat uitbreiden.

Maar het wonderlijke is dat zijn werk tegelijkertijd de hele conceptuele uitrusting bevat – althans bijna, en stellig in bepaalde opzichten – waarmee hij het nieuwe fascisme had kunnen of moeten zien aankomen, het als geen ander had kunnen of moeten doordenken en er verzet tegen had moeten of kunnen bieden; in een flits, dat wil zeggen een tekst, een heel korte tekst, zo aangrijpend en zo raak, creëerde hij – en al vergat hij het weer, dan liet hij het ons toch na – in essentie een perspectief vanwaaruit, minstens zo goed als vanuit datgene wat tezelfdertijd door bijvoorbeeld Camus werd geleverd, de verschrikking te begrijpen viel die op komst was en die zou reiken tot het einde van de eeuw...

De affaire Camus

Ik heb het probleem tot nu toe omzeild.

Ik wilde er niet aan, omdat het een van de allermoeilijkste vragen is, de vraag naar wat er werkelijk is gebeurd.

En toch...

Eerst de feiten.

Camus is 'vermoedelijk m'n laatste goede vriend geweest', zei Sartre eens tegen Michel Contat.[14]

Misschien was hij niet alleen de laatste, maar de enige echte 'maat' van de man die alleen echt gesteld was op het gezelschap van vrouwen.

Misschien had hij met Camus wat hij niet had met Nizan en Aron: broederlijke kameraadschap, eten bij la Palette of bij Lipp, meiden, zuippartijen, verhitte discussies in de Bar du Pont Royal, avondjes in Schubert waar op de chansons van Charles Trenet de slowfox werd gedanst of avondjes uit met z'n vieren met Francine en Simone de Beauvoir – 'je kon vreselijk met 'm lachen, we hadden veel plezier samen: hij was vreselijk grof in de mond, en ik trouwens ook, we sloegen smerige taal uit en zijn vrouw en Simone de Beauvoir deden dan net of ze gechoqueerd waren...'.[15]

En dan was er ook de achting. De ontegenzeggelijke bewondering die Sartre, die normaal niet zo scheutig was met complimentjes aan zijn rivalen en tijdgenoten, had voor het werk van zijn jongere vakgenoot.

Heeft hij het niet over Camus als hij in 1945 in New York bij zijn eerste grote lezing spreekt over die schrijvers die 'omdat ze, vaak onder gevaarlijke omstandigheden, veel illegale artikelen publiceren', 'niet beter weten' dan dat 'schrijven handelen is', en 'zo doende de smaak te pakken hebben gekregen'?

Heeft hij het ook niet over hem als hij tegen de generatie van Gide, Anouilh, Giraudoux, de jonge helden ten tonele voert die in het bewustzijn leven dat 'er geen regel geschreven kan worden zonder het leven van de schrijver in gevaar te brengen'?

Wat een hommage, wat een groet, wat een prachtig gebaar van solidariteit binnen dezelfde generatie en wat een ruimhartigheid, als hij zich, enige tijd later, met dezelfde orakelstem, tot een publiek richt dat er al van droomde de twee rijzende sterren met elkaar op de vuist te zien gaan: ik zie 'in het sombere en zuivere werk van Camus, de hoofdlijnen van de toekomstige Franse literatuur – in dat werk ligt de belofte besloten van een klassieke literatuur, zonder illusies, maar vol vertrouwen in de grootsheid van de mensheid'!

En als hij, ten slotte, in *Réponse à Albert Camus* in 1951, midden in de polemiek dus, als de tijd is gekomen om de rekeningen te vereffenen en zijn hoofd, zo lijkt het, uitsluitend staat naar de meest dodelijke hatelijkheden, voor de laatste keer schetst wat Camus, niet alleen voor hem, maar voor zijn hele generatie betekend heeft, en schrijft: 'toen het oorlog geworden was, ben je zonder voorbehoud bij het Verzet gegaan' en 'je hebt' dat moment 'dieper en totaler beleefd dan velen onder ons (waaronder ikzelf)' – wat een eerbetoon is dat dan!

Een sterke band, kortom.

Echte broederschap, plechtig betuigd, die zich niet zomaar reduceren laat tot het uitwisselen van beleefdheden tussen schrijvers.

Broederschap gevestigd op de twee pijlers van extreme kameraadschap, respect maar ook een gezamenlijk gevoerde politieke strijd, het Verzet – op welk vlak Sartre, ik zeg het weer, Camus, net als overigens Malraux, altijd een bepaalde mate van superioriteit heeft toegekend.

Wat is er dus gebeurd?

Wat heeft er kunnen geschieden dat die sterke, zo luid van de daken geschreeuwde band stuk ging?

Sartre heeft in een interview[16] zijn kant van de zaak uiteengezet: Camus was 'grappig', ja; voor geen meter 'serieus'; hij was het schoolvoorbeeld van de goeie maat met wie je vreselijk kon lachen als hij smerige moppen vertelde of met Koestler deed wie het snelst place Saint-Michel over kon steken op handen en voeten; maar dan komt het succes van *L'Etranger* en vindt de sympathieke 'Algerijnse straatjongen' – sic – het nodig 'Merleau-Ponty aan te vallen', vindt hij zichzelf 'een zeer serieuze filosoof' en stapt hij uit de rol van sympathieke amateur waarin de groep van *Les Temps modernes* hem nu juist graag had gehouden.

De vrouwen – Olga en ook Janine Gallimard[17] en natuurlijk Castor, aan wie Camus net zo'n hartgrondige hekel had als aan het feminisme – deden hun duit in het zakje: Sartre was 'jaloers'; gewoon en stomweg jaloers; want Camus was 'veranderd', oké; hij was 'serieus' en 'pompeus' geworden; maar dat was nooit zo erg geweest als daar niet het probleem van de vrouwen bij gekomen was, van het succes van Camus bij de vrouwen en dan vooral van zijn succes bij een van hen, namelijk Olga's zuster Wanda, van wie Sartre erg gecharmeerd was en die Camus bijna 'voor z'n neus weggekaapt' had en die hij slechts door vlot ingrijpen van Olga voor zich behouden kon. 'Wat denkt ze wel, zo achter Camus aan te lopen, zal hij later, hevig teleurgesteld, bitter en achterdochtig nog, aan de Beauvoir[18] vragen. Wat zag ze nou in hem? Ik was toch veel beter? En aardiger? Ze moet uitkijken.'

En dan is er de filosofie. Het wezenlijk filosofische meningsverschil. Wat Sartre ook zegt en wat voor verwarring de waan van de dag, de banaliteiten van de tijdgeest ook mogen stichten over een zogenaamd 'existentialisme', waaronder gemakshalve alle nieuwe denkers van dat moment geschaard worden, het conflict sluimert al langer, eigenlijk van meet af aan, en zet de schrijver van *Noces* tegenover die van *La Nausée*, de filosofie van 'het Absurde' tegenover die van de 'Contingentie': heeft Camus niet zelf gezegd, bij de verschijning van *La Nausée*, dat het grote verschil tussen hem en Sartre is dat hij, Camus, het Absurde aan het begin zet maar erop rekent het aan het einde niet meer tegen te komen?[19] Heeft hij niet vaak zijn bedenkingen geuit over de hem al te rigide voorkomende sartriaanse tegenstelling tussen het op-zich en het voor-zich? Zou Sartre omgekeerd geen reden gehad hebben hem verwijten te maken van zijn hang naar continuïteit, zijn dwangmatig zoeken naar analogieën en verbanden, zijn wantrouwen tegenover breuken, die hijzelf juist tot religie verheven had? Als Camus al een tijdgenoot heeft, een echte, als er al iemand is met wie hij in de geest het meest verwant is, dan is dat toch eerder Merleau-Ponty dan Sartre?

En dan ten slotte nog de kern van de zaak: de politiek. Want Olga heeft mooi praten. Je kunt in het leven van intellectuelen in het algemeen en in dat van Sartre in het bijzonder, het specifieke gewicht van botsende ideeën relativeren zoveel je wilt. Je kunt zeggen en blijven zeggen: 'ideeën, in discussies waarin het om ideeën gaat, doen er veel minder toe dan je denkt; aan het begin staat die andere oorlog, die van de visies op de wereld, lichamen, stijlen; de ideeën volgen; zij verklanken wat de lichamen reeds gezegd hebben'. In dit geval wordt de strijd echter óók in dat andere theater, namelijk het politieke theater, gevoerd, waar, in de discussie over het bestaan, het regime en de aard van de Russische concentratiekampen, in de tegenstelling tussen aan de ene kant *L'Homme révolté* en, daartegenover, een Sartre-denken dat liever zijn eigen intuïties smoorde, zijn eigen reflexen onderdrukte, zich vernederde, de beslissende slag werd geleverd: het ging om meer dan een strijd tussen intellectuelen, om meer dan 'de' grote theoretische discussie van die tijd, hier ging het om het leven, de dood en de waardigheid van tientallen miljoenen mannen en vrouwen.

Eerste scène. 12 December 1946. Rue du Faubourg-Poissonnière, bij het echtpaar Vian. Bost, Astruc, Queneau, Pontalis, Pouillon, Merleau-Ponty, Simone de Beauvoir zijn aanwezig. Camus is later gekomen. Hij is somber, in zichzelf gekeerd. Het hoofd van de kleine Algerijnse straatjongen staat die avond niet naar grappen en grollen. Maar dan opeens komt er leven in hem. Hij vaart uit tegen Merleau, die net aan *Les Temps modernes* een eerste schets, met de titel 'Le Yogi et le proletaire' heeft gegeven, van wat het jaar daarop *Humanisme et terreur* zal worden en wat, volgens Camus, 'de processen rechtvaardigt'. Hij sommeert hem tekst en uitleg te geven. Sommigen zeggen zelfs dat hij hem in de kraag greep en wilde uithalen. Dan, als het gezelschap tussenbeide komt, en Merleau, zoals Sartre later bloemrijk opmerkt, 'zich de weelde van het geweld ontzegt',[20] ziet hij het belachelijke van de situatie in, laat Merleau los en vertrekt, lijkbleek en bevend, met slaande deur – maar Sartre en Bost achterhalen hem en proberen hem tot rede te brengen. Zie je wel... ik had het wel gezegd... altijd steekt die Algerijnse kant van hem de kop op... de straatvechter die net als in Bab el-Oued een ideeënstrijd met de vuisten beslecht... onze vriend is onverbeterlijk! 'Ondraaglijke eenzaamheid', schrijft Camus die avond in zijn *Carnets* – die ik niet kan geloven en waar ik me niet bij neer wil leggen! En Sartre[21]: 'Het is geen aangename herinnering; dom van me om m'n goede diensten aan te bieden! Aan m'n linkerkant Merleau, rechts Camus; welke zwartgallige humor gaf mij in, te bemiddelen tussen twee vrienden die mij, enige tijd later, de één na de ander mijn genegenheid voor de communisten zouden komen verwijten en die nu allebei dood zijn, onverzoend?'

Laatste scène, twee jaar later, rue de Condé, als tijdens de befaamde redactievergadering van *Les Temps modernes* de verschijning van *L'Homme révolté* besproken wordt. Mooi boek, is de conclusie van het kleine, selecte gezelschap. Mooie accenten. Die onnavolgbare stem waarin echte gekweldheid doorklinkt, zoals we die kennen van Camus en waar we zo van houden. Maar tegelijk, wat een samenraapseltje! Wat een pseudo-filosofische prietpraat! Waarom houdt hij zich niet aan wat hij goed kan, onze Camus, en dat is mooie, absurde romans schrijven? En dan zoals dat boek ontvangen is... Verontrustend zoals dat boek ontvangen wordt... Is het niet verdacht, zo enthousiast als de pers is? Moet je geen vraagtekens zetten als *Le Figaro* kopt: 'Een van de grootste naoorlogse boeken'? Of Emile Henriot, 'van de Académie française', die de terugkeer in de (moeder)schoot van de grote schrijver in opstand begroet? Of wanneer zelfs *Aspects de la France*, het blad van de Action française, die terugkeer naar de eeuwige waarden van de beschaving en van Frankrijk begroet? Nee, dat ruikt verdacht. En er wordt dus besloten, met handopsteken haast, ten eerste dat de redactievergadering zijn afschuw uitspreekt over het filosofische broddelwerk én de ophef eromheen. Ten tweede dat het, nu vaststaat dat dat het gevoelen van het tijdschrift is, minder beledigend is dat ook te zeggen dan helemaal niets te schrijven. Ten derde dat die taak op de schouders wordt gelegd van de aanwezige apparatsjiks, in dit geval Francis Jeanson, die naar men weet politiek van onbesproken gedrag is (in de oorlog aan de goeie kant gevochten... op twintigjarige leeftijd bij de Strijdkrachten van de Vrije Fransen in Noord-Afrika), dicht bij Sartre staat (is hij niet de schrijver van een kleine tekst, *Sartre vivant*, die het imprimatur van de meester kreeg?), niet gehinderd wordt door scrupules en gemoedstoestanden (vertelt Simone de Beauvoir niet[22] dat de oorspronkelijke tekst, zoals hij die voorlegde aan de redactie van het tijdschrift, nog veel harder was?) en ten slotte, geheel in de trant van de maffia, geen enkel contact met het 'doelwit' onderhoudt (eerste ontmoeting, jaren later, bij toeval, in de Bar du Pont Royal[23])...

Zo luidt de tekst van Jeanson: 'zou Camus werkelijk de hoop koesteren "de loop van de wereld" tegen te houden door af te zien van alle handelen in de wereld?'; of: 'u staat niet aan de rechterkant, Camus, u zweeft in de lucht'.

Zeer verontwaardigd antwoord van Camus: 'Meneer de directeur... ik begin er een beetje genoeg van te krijgen dat ik, maar vooral ook oud-strijders die in hun tijd geen enkele strijd hebben geschuwd, voortdurend lessen in doeltreffendheid krijgen van de kant van censoren die nooit iets anders hebben gedaan dan hun stoel in de richting van de Geschiedenis draaien...' (toespeling op Sartre, in 1944 belast met het toezicht op de Comédie-Française en teruggevonden, in slaap, in een stoel op de voorste rij).

Antwoord van Sartre die, gepikeerd, zelf de pen ter hand neemt: 'Zeg eens, Camus, hoe raadselachtig is het dat over jouw boeken niet gediscussieerd kan worden zonder de mensheid zijn bestaansredenen af te nemen? Hoe wonderlijk is het dat de bezwaren die tegen je aangedragen worden onmiddellijk in godslasteringen veranderen? Mijn God, Camus, wat ben je serieus en wat ben je, om met je eigen woorden te spreken, frivool! Is het niet zo, dat je je vergist hebt? Laat je boek niet stomweg je filosofische incompetentie zien? Is het niet zo, dat het van haastig bij elkaar geraapte weetjes uit de tweede hand aan elkaar hangt?'

De toenmalige pers, de kranten en roddelbladen, *Samedi soir* net zo goed als *Le Monde*, storten zich op het schandaal, orkestreren het en gooien, vanzelfsprekend, olie op het vuur.

Vanaf dat moment is het over.

Sartre kan dan wel zeggen in *France-Observateur*[24]: 'Ach ruzie stelt toch niets voor – al zou je elkaar nooit meer zien; het is gewoon een andere manier van met elkaar omgaan, zonder elkaar uit het oog te verliezen, in dat kleine enge wereldje dat ons gegeven is.'

Hij kan dan wel, veel later, als wil hij onderstrepen hoe onverbrekelijk de band is, tegen Simone de Beauvoir opmerken: 'Dat nam niet weg dat ik aan hem dacht, zijn blik voelde op de bladzijde van het boek, op de krant die ik las en tegen mezelf zei: "wat vindt hij ervan? Wat vindt hij hier nu van"?'

Camus, totaal van de kaart (Maria Casarès tegen Octavio Paz: 'hij loopt in zijn huis heen en weer als een gewonde stier'), mag dan van zijn kant zijn best doen niet haat op haat te stapelen.

Hij mag dan boosaardigheid met geringschatting beantwoorden en belediging met stilzwijgen (de fameuze scène in de Rhumerie Martiniquaise, waarvan Jean Daniel bericht[25]).

In werkelijkheid is de vriendschap echt over. En de twee mannen spreken alleen nog uit de verte met elkaar. Zoals Breton en Aragon, of Schelling en Hegel, of Husserl en Heidegger, zoals al die schrijvers of filosofen die vóór hen hadden gekozen voor die 'andere manier van met elkaar omgaan, zonder elkaar uit het oog te verliezen': lange dialogen zonder woorden, botsingen der schaduwen, grote weemoed van al die stomme, verstikte woorden en dan aan het einde – het scenario is onveranderlijk – de omhelzing van de overlevende die voor de overledene de wapens neerlegt, of doet alsof, en in het voorbijgaan fluistert dat die vriendschap, welbeschouwd, het beste was wat hij in zijn leven had meegemaakt...

Na de dood van Merleau was het al: 'de droeve genegenheid, door de dood liefdevol opgeroepen, die twee uitgeputte vrienden weer bij elkaar brengt...'; die vrienden 'die zich van elkaar losgescheurd hebben tot ze niets anders gemeen hebben dan hun ruzie, die op zekere dag ophoudt te bestaan bij gebrek aan voeding'.[26]

En nu[27]: 'Het ongeluk dat Camus gedood heeft noem ik schandalig... voor iedereen die van hem gehouden heeft, is er in deze dood een onverdraaglijke absurditeit... je leefde met zijn denken of tegen zijn denken, zoals dat uit zijn boeken sprak – *La Chute*, vooral, het mooiste misschien en het minst begrepen – maar je kon er nooit omheen...'

Liever ongelijk hebben met Sartre dan gelijk hebben met Camus

Menselijkerwijs bezien, als je kijkt naar de energie die ze in hun strijd steken en wat voor temperament ze daarbij aan de dag leggen, is Camus duidelijk het meest sympathiek. Sartre is de schurk. En hij is de schurk omdat, van welke kant je het ook bekijkt, of je nu jaloezie of politiek als invalshoek neemt, of je het nu over het nieuwe misverstand of het aloude misverstand hebt, Sartre zich op dat moment laat leiden door iets wat verdacht veel op minachting lijkt.

De minachting van degene die de Ecole Normale heeft gedaan voor de autodidact. De minachting van de Franse Fransman voor de omhooggeklommen *pied-noir*. De minachting van de grote man, de aristocraat van de cultuur en erfgenaam van de Schweitzers, voor 'de kleine straatjongen uit Algiers, heel lollig, heel boevig' die de filosoof uithangt.[28] De hertog van Rohan laat Voltaire aftuigen door zijn mensen. Sartre laat Camus neerschieten door Jeanson. En dat alleen al maakt het slachtoffer ontzettend sympathiek.

Sartre of Camus? Camus, natuurlijk. Zijn grootmoedigheid. Zijn waardigheid. Zijn manier om zich te wreken op die sektarische killers van links, door, zoals hij zei, 'razend gelukkig' te zijn. En van Sartres kant, die grote heftigheid, dat willen kwetsen en dat weten wat kwetst: zijn *Response à Albert Camus* staat model, niet alleen voor zijn minachting maar ook voor zijn kwade trouw ('...het mag zijn dat u arm was...'), voor zijn valsheid (die naargeestige mateloosheid waarmee u uw innerlijke moeilijkheden maskeert en die u, naar ik meen, mediterrane maat noemt...), voor zijn onverdiende wreedheid ('...ik waag het niet u te wijzen op *L'Être et le néant*, lezing van dit boek zou u onnodig zwaar voorkomen: u houdt immers niet van ingewikkelde gedachten en u haast u te zeggen dat er niets te begrijpen valt, om zo bij voorbaat het verwijt te omzeilen dat u er niets van begrepen hebt...') voor zijn arrogantie van intellectuele mandarijn ('...maar wat is dat voor onhebbelijkheid van u, niet tot de bronnen terug te willen gaan – u weet toch heel goed dat een "rem" alleen van toepassing is op de werkelijke krachten van de wereld...'), voor zijn studentikoze en kwetsende humor ('...net als het kleine meisje dat een teentje in het water steekt en vraagt: "is het warm?" zo kijkt u wantrouwend naar de Geschiedenis, u steekt er een vinger in die u snel weer terugtrekt en u vraagt: "heeft hij een betekenis?"'), voor zijn laagheid, kortom.

Vanuit politiek standpunt bezien, vanuit de politieke stellingen die beide innemen, is er ook geen twijfel mogelijk.

Tegenover het totalitaire schandaal, tegenover de intellectuele opgave het nieuwe gezicht van de barbaarsheid wel of niet te herkennen, staan de geest van de opstand en de eer zonder meer aan de kant van Camus.

Camus, schrijver van *L'Homme révolté*, luistert wél naar de getuigenissen van Arthur Koestler of Margarete Buber-Neumann. Hij biedt wél de helpende hand als in 1951 Czeslaw Milosz het communistische Polen verlaat en de conformisten van officieel links hem als een schurftige hond behandelen. Hij weerstaat de verleiding wél van dat 'historicisme', van die vermenging van feit en recht, van 'het voldongen feit te billijken domweg omdat het voldongen is', waarvan Sartre kort daarvoor had gezegd dat het de kern is van de collaborateursmentaliteit. En die collaborateursmentaliteit, dat 'gemene zaak maken met de beulen', die manier om 'de noodzaak zich aan het feit te onderwerpen' te verwarren met 'een zekere neiging er moreel mee in te stemmen', dat 'hegelianisme', kortom, dat zegt dat 'alle grote veranderingen op geweld gebaseerd zijn' en dat 'het geweld een donkere morele deugd verleent', dat zien we Sartre hier allemaal totaal onverwacht zelf tentoonspreiden: hij vindt de kampen 'ontoelaatbaar' maar vindt 'het gebruik dat de zogenaamd burgerlijke pers er iedere dag van maakt net zo goed ontoelaatbaar'; hij 'veroordeelt' het lot van de 'Turkmenen' – waarom voor de duivel de 'Turkmenen'? – maar in zijn *Réponse à Camus* lijkt zijn grootste inzet toch te zijn, te voorkomen dat 'de ontberingen die de Turkmenen geleden hebben gebruikt worden om het leed dat wij de Malagassiërs hebben aangedaan te vergoelijken'; hij veroordeelt de Goelag, maar zijn 'veroordeling' weerhoudt hem er niet van een paar weken later af te reizen naar het congres van de communistische Vredesbeweging in Wenen; hij heeft een onberispelijke analyse gegeven van de mechanismen van de geest op grond waarvan men instemt met de misdaad, maar dan haalt de Geschiedenis hem in en trapt hij in de val – waarbij hij Camus de onbetwistbare verdienste laat het goed gezien en gezegd te hebben...

Hij weet het trouwens zelf wel. We bevinden ons precies op de grens tussen de twee Sartres. En de eerste Sartre weet dat er een tweede Sartre aankomt die bezig is zich in te dringen en die hem als een virus zal aanvallen en in het ongelijk zal stellen ten opzichte van Camus. Het bewijs dat hij dat weet, het bewijs dat hij weet, of heel snel zal weten, dat Camus, anders dan hijzelf, meteen goed gereageerd heeft, is natuurlijk het in memoriam, dat hij hem, net als bij Merleau, net als bij Nizan, in een van die beroemde 'grafmonumenten voor een overleden vriend' waar hij het patent op had (en waar hij zo veel genoegen aan beleefde), daags na zijn dood opdraagt.[29]

Hulde, zo zegt hij, aan het 'onverzettelijke humanisme, eng en puur, streng en zinnelijk', van de overleden vriend!

Hulde aan de 'menselijke waarden' die hij altijd vast is blijven houden 'in zijn gebalde vuist'!

Hulde aan de manier waarop hij 'in het hart van onze tijd', tegen 'de machiavellisten' en tegen 'het gouden kalf van het realisme' in, bleef vasthouden aan het 'bestaan van de moraal'!

Hulde ook en roem voor die 'erfgenaam' in een 'lange afstammingslijn van moralisten' wiens werk 'tot het origineelste' gerekend kan worden in het landschap van de 'Franse literatuur'!

Hulde aan alles wat Sartre en Jeanson acht jaar daarvoor gehekeld, bespot, belachelijk gemaakt, met modder besmeurd en bezoedeld hadden!

God weet of Camus dat verwacht had, zo veel hulde. God weet of hij erop gehoopt had. Er is een passage in *La Chute* waarin hij, en dat is kort voor zijn dood, Sartre laat spreken door de mond van Clamence en waarin die Sartre-Clamence die vreemde, schokkende – want ingegeven, lijkt het, door precies dat voorgevoel van dat postume eerherstel – zin spreekt: 'Hoezeer bewonderen wij' – het is Clamence-Sartre die hier spreekt, door de pen van een Camus die nog maar een paar draadlengtes van het einde verwijderd is – 'hoezeer bewonderen wij onze leermeesters zodra ze niet meer spreken omdat hun mond vol met aarde zit! Dan betuigen we ze vanzelf de eer waar ze misschien hun hele leven op gewacht hadden...'[30] Daar is hij dus, die eer. Eer die meer is dan dat. Eerder een weergaloze manier om de strijdbijl te begraven, zelfkritiek, haast. Net als hij zich twintig jaar later zal inzetten voor het boycotten van de Olympische Spelen in Moskou. Net als hij met Aron, onder aanvoering van André Glucksmann en Claudie en Jacques Broyelle, op het Elysée-paleis de zaak van de Vietnamese bootvluchtelingen gaat bepleiten die het communistische regime in hun land ontvluchten en in de Chinese Zee verdrinken. Het is Aron niet, die daar op die dag aan zijn zijde staat. Het is Camus. Camus' geest. Velen van ons hebben die dag gefluisterd of geschreeuwd, ja: 'De wraak van Camus!' Velen van ons hebben die dag die boodschap van de laatste Sartre gehoord, die hij al in 1960 verkondigde: 'Eerherstel voor Camus! Het moge duidelijk zijn dat het beter was gelijk te hebben met Camus dan ongelijk met mij!'

En dan is er nog een derde manier om tegen de dingen aan te kijken. Dan is er nog de filosofische kant van de ruzie, het gaat hier immers om filosofen, – dan zijn er nog de verschillende metafysische temperamenten...

Men herinnert zich Julien Gracqs tekst *Préférences* waarin Sartre beschreven wordt als de vertegenwoordiger van een 'gevoel van het nee' dat, naar zijn idee, meer te maken had met zijn gevoelige natuur dan met zijn ideeënsysteem. Nee tegen de natuur, zegt Sartre volgens Gracq. Nee tegen de materie en de eendracht met de materie. Nee tegen de maatschappij. Nee tegen welke maatschappij dan ook. Nee tegen de mensheid. Nee tegen de voortplanting. Nee tegen de anderen en de blik van de anderen, die hel. Nee tegen de kastanjeboom in Bouville. Nee tegen het Humanisme van de Autodidact. Nee tegen Alles. Nee tegen het Nee.

Men herinnert zich ook dat Sartre, in die tekst, de manische jazegger op de korrel neemt, de bezinger bij uitstek van ja op alles, de dichter van het 'globale' ja, zonder 'terughoudendheid', de schrijver van het absolute, euforische, haast begerige ja tegen de schepping in zijn geheel: ja 'tegen God, tegen de schepping, tegen de paus, de maatschappij, Frankrijk, Pétain, de Gaulle, het geld, de carrière met een goed pensioen, het nakomelingschap van de aartsvader, de flinke huishoudster, zoals hij zegt, die hij voor de notaris getrouwd heeft' – men herinnert zich dus dat Sartre Paul Claudel op de korrel neemt.

En je zou in dezelfde tekst heel goed de naam van Claudel kunnen vervangen door Albert Camus. Je zou *Noces* kunnen denken of *Le Mythe de Sisyphe* in plaats van *Connaissance de l'Est*. En de tegenstelling zou op dezelfde manier, woord voor woord, opgaan: satriaans gevoel van het nee, camusiaans gevoel van het ja; het nee van de één tegen de natuur, het ja van de ander tegen de aarde; de zwarte ingevingen van de eerste, de kosmische verrukking van de tweede; aan de ene kant de afschrikwekkende beschrijvingen van een wereld waarvan je op je klompen aanvoelt dat het er nooit helemaal zal kloppen, de fobie voor de objecten, de afkeer van het vlees, een smartelijk en onophoudelijk uitspugen van alle dingen, een allergie voor de wereld en haar obscene woekeringen – aan de andere kant de haast mystieke extase over de onzegbare schoonheid van het Algerijnse landschap, de dialoog met de steen en het vlees al naar gelang zon en seizoen, de sappige vruchten, de aarde en haar voortbrengselen, de eeuwigheid en de schoonheid van de kosmos, de cipressen in plaats van kastanjebomen, de nacht vol tekens en sterren, de Algerijns-Griekse atleet tegen de walging van Roquentin, de van de zon dronken lichamen, het heilige mysterie van het vlees, zijn geuren, zijn kleuren, zijn huwelijk met de geest, droog tegenover kleverig, het roemrijke vlees tegenover het overbodige lichaam en zijn onweerstaanbare lelijkheid, de epicurische Gide tegenover de sartriaanse politieke Gide, de 'reusachtige, oranje kakivruchten waarvan het opengebarsten vruchtvlees een dik stroperig sap vrijgeeft'.

Die kloof kennen we.

We kennen de grote botsing, in het tijdperk van de monotheïsmen, tussen de heidense tradities en de nieuwe joods-christelijke werelden.

We herkennen met name de tweedeling waarvan Alexandre Kojève in zijn *Introduction à la lecture de Hegel* zei dat hij het filosofische veld altijd is blijven opsplitsen: aan de ene kant een traditie die ons zegt dat de natuur goed is, dat we haar maar hoeven te volgen om een goed leven te hebben en dat de mens zich laat omschrijven naar de plaats die hij in de natuur inneemt – en een andere die juist beweert dat de natuur niet eens 'slecht' is maar 'vijandig', dat we tegen haar de krachten moeten richten die zij tegen ons richt en dat er alleen redding te verwachten is van de bekering die ons, door wet of doop, in beide gevallen dus door de beschaving, doet toetreden tot een orde die niet langer die van de 'gedoemde massa' is, die de mensheid volgens Augustinus voor de genade was.

In een bepaald opzicht, dat van de levenskunst en -vreugde, geven we natuurlijk, en altijd, Camus gelijk: geluk, genot, vriendschap met de dingen, harmonie, sensualiteit, welkom zijn in de wereld, behagen in het heden, moraal van het ogenblik – en, daartegenover, bij Sartre, somberheid en verscheurdheid, de augustiniaanse 'bittere krenkingen van het hart', de blik die zich niet los kan maken van de haat en de hebzucht die aan de menselijke verhoudingen ten grondslag liggen en altijd op de loer liggen.

Maar in een ander opzicht, dat van de principes en die andere grondbeginselen van de moraal, en ook van de politiek, namelijk, na de reflexen, de denkbeelden, moet je Sartre wel het woord geven en kies je plotseling zijn kant, tegen zijn vroegere vriend: want wat is dat voor een ethiek die er inderdaad voor pleit dat de mens zich onderwerpt aan de natuur? Sinds wanneer zijn normen en waarden geworteld in het begeren en het begeren in de wereldorde? Is een moraal die meer spreekt over geluk dan over rechtvaardigheid nog wel een moraal en een politiek die er genoegen mee neemt de wereld te bewonderen, welgevallig te bekijken, ermee in te stemmen, er gelukkig mee te zijn, is dat nog wel een politiek?

Dat zo'n contemplatieve politiek het voordeel heeft dat ze de dodelijke overmoed van revolutionaire dus totalitaire politieke systemen ontmoedigt, dat is waar. Maar de strijd tegen deze systemen dan? En de opstand? En dat minimum aan het niet eens zijn met de dingen waardoor men zich toch tegen de moordenaars of stomweg de gevestigde orde durft te verheffen? Als je jezelf zo uitgeeft voor vriend van de wereld, van de dingen, van de zon, als je geen andere wet kent dan die van trouw aan de heilige wet van de natuur en zijn spontane harmonieën, als je uitroept: 'Stem in! Stem in! De deugd aller deugden is het onschuldig instemmen met de schoonheid van de wereld!', als je, net als Nietzsche, maar een andere Nietzsche dan de Nietzsche van Sartre, uitgaat van de 'religieuze beaming van het leven',[31] of van het 'grote gelijk van het lichaam', of de 'bruiloft' met de aarde, de hemel of de zee, als je 'die bewonderenswaardige wil' bezingt 'niets af te scheiden of buiten te sluiten wat altijd het smartelijke hart der mensen met de lente van de wereld verzoend heeft en zal blijven verzoenen',[32] veroordeel je jezelf dan niet tot niets doen? Is dat ook niet, alsof het de gewoonste zaak van de wereld is, een andere baarmoeder van het kwaad? Is dat niet dat blinde geloof in de natuur, die andere grote voedingsbron, na de overmoed of daarvoor, van het totalitarisme en in ieder geval van moord?

En nu we het er toch over hebben, *L'Etranger*... Vertel me eens, Camus, die vreemdeling van je... Dat korte, droge boekje, die roman van een moralist, die ik destijds meteen verwelkomd heb...[33] Gaat dat in wezen niet over een moord? Zeg je niet zelf in *L'Etranger* dat Meursault doodt 'vanwege de zon' en de 'bekken'slagen die deze hem toebrengt op zijn hoofd? Is het niet het 'ja' tegen de zon, tegen het denken van het zuiden, tegen de kosmos, dat van jou die moordenaar maakt? En die Martha van je? Martha ja, de heldin uit *Le Malentendu*, die zuster – nauwelijks minder zwart – van Caligula: zegt ook zij niet dat ze droomt van de 'zon' die de kracht heeft 'alle vragen uit te doven' en 'de zielen' te laten 'sterven'?[34] Is het trouwens niet hetzelfde verhaal, steeds hetzelfde verhaal, sinds die allereerste moord, de moord die Kaïn op zijn broer Abel beging: ook Kaïn dacht dat het voldoende was om er te zijn, zijn bloedverwant te naderen, hem aan te roepen; ook hij zei: 'intersubjectiviteit is een gegeven, daar zijn geen Wetten voor nodig, er is die goeie wet van de goeie natuur en de zon wiens heel oude geboden je slechts te gehoorzamen hebt'; en hup! Dan gaat het allemaal vanzelf! Dat gaat zo snel, zo'n schot! Het gaat zo gemakkelijk, een moord! Moord is altijd aanwezig, dat zegt de bijbel, en dat zeg jij ook, Camus, als je literatuur schrijft, dat wil zeggen goeie ouwe metafysica – moord is altijd aanwezig, hij is onvermijdelijk present als je het, net als Kaïn, of Martha, of Meursault, aan de 'Natuur' en 'de plotselinge uitbarsting van het licht' overlaat de dialoog en de menselijkheid voort te brengen...

Natuurlijk, zo zwart-wit zijn de dingen niet altijd.

En ook dit is niet het laatste woord van dit tweegesprek.

Ten eerste omdat er een andere Sartre zal zijn die, veel meer dan Camus met zijn metafysica van de zon, droomt van een verzoende en van het kwaad bevrijde maatschappij. 'Sartre of het verlangen naar de universele idylle': dat zegt Camus en deze keer heeft hij gelijk.

Ten tweede omdat er, paradoxaal genoeg, een andere Camus is, van wie natuurlijk geanalyseerd dient te worden hoe hij zich verhoudt tot de eerste, maar die waarschijnlijk van alle denkers van de twintigste eeuw het verst gegaan is in zijn drang, niet alleen de gruwel recht in het gezicht te kijken, maar ook de tovenaarsleerlingen te diskwalificeren die het idiote plan bedachten dat stuk Kwaad om zeep te helpen: want dat is precies de misdaad van wat ook hij het historicisme noemt. De zonde van het politieke messianisme dat hij samen met Hannah Arendt te vuur en te zwaard zou bestrijden. En zo geven die gelukkige indamming van de Geschiedenisverheerlijking, die barricade tegen de waanzin van Caligula die 'filosofie in lijken verandert', dat andere verbod om te doden, zijn oproep tot het 'Griekse maathouden' een andere betekenis.[35]

Deze tweede Camus, deze pessimistische en, in eigenlijke zin, duistere Camus, die men naar believen kan bestempelen als aanhanger van Pascal (zijn afwijzing van de hoop), van Dostojevski (het eeuwige 'Waarom' van Ivan Karamazov dat steeds weer klinkt, welke poging ook ondernomen wordt om de eeuwige wanorde der dingen recht te zetten) of van Augustinus ('de enige grote christelijke geest die het probleem van het kwaad recht in het gezicht heeft gekeken'), deze sceptische Camus die de revolutionairen te schande maakt door de onmogelijke verzoening van de wereld met zichzelf te ondernemen, deze Camus wiens kardinale stelling het is dat zelfs als de mensen er, bij toeval, in zouden slagen af te rekenen met de sociale vervreemding, er altijd nog die radicale, metafysische vervreemding over zou blijven die onverbrekelijk bij de menselijke soort hoort en die Bataille de 'vervloeking van de mens door de mens' noemde, die Camus is ook vandaag de dag nog een van de beste tegengiffen tegen de 'slechte' Sartre, tegen Sartre, de fellow-traveller, die overgegaan is tot de Geschiedenisverheerlijking: 'Leven zonder roeping' zegt Camus, 'onverzoend sterven, die eeuwige scheiding tussen de geest die begeert en de wereld die teleurstelt[36]' – alsof *L'Homme révolté* bij voorbaat als antwoord diende op de uitzinnigheid van *On a raison de se révolter*...

Maar kijk. Het gaat hier om een andere Camus. En vooral om een andere Sartre. En die andere Camus kan niet doen vergeten dat *Le Mythe de Sisyphe*[37] eindigt met de woorden dat 'alles goed is', en dat 'men zich Sisyphus moet voorstellen als een gelukkig mens' en dat 'de absurde mens ja zegt'. En die tweede Sartre zal door de wetten van de eerste om te draaien, door op zijn beurt en op zijn manier 'de peilloze diepten van het ja' te onderzoeken, zijn bewonderaars de stuipen op het lijf jagen en absoluut niet de waarheid van de hele Sartre worden. Voor dit moment hebben we te maken met de eerste Sartre. Sartre is net zomin als Camus een massief blok en niemand, zelfs de tweede Sartre niet, kon en kan hem de verdienste ontzeggen dat hij in een heel vroeg stadium en met heel weinig boeken het wezenlijke gezegd heeft.

Als je de woorden serieus neemt, dan vind je bij hem, in *La Nausée* en *L'Être et le néant*, de onmin tussen het bewustzijn en de dingen, dat minimum aan ontrouw, en dus aan lust tot breken en ruziën, die de geest van de opstand vormen.

Als je Kojève aan zijn woord houdt, als je graag aan het filosofische debat in het algemeen en dat van Sartre en Camus in het bijzonder, zijn theologische dimensie wil geven en dus zijn metafysische diepgang, dan vind je bij Sartre de herinnering aan die allereerste bevrijding van de mens van zijn onderworpenheid aan de wet van de moederschoot, de natuur, de wortels, en dan is hij, Sartre, de filosoof van de vrijheid.

Als je, anders gezegd, van het strikt politieke vlak overstapt naar dat van de filosofie, dat wil zeggen van de theologie, als je bereid bent erbij stil te staan dat het probleem van het totalitaire vraagstuk, in de twintigste eeuw en daarvoor, steeds cirkelde rond dezelfde vragen – de Natuur, het Kwaad, de ellende van het schepsel zonder God, zijn val of zijn genade, de zonde –, als je de moeite neemt onder ogen te zien dat er geen antitotalitarisme mogelijk is zonder een antinaturalisme dat zich laaft aan joodse en christelijke bronnen en dat tussen de mens en de wereld een principiële vreemdheid, een afstand, bewaart, en als je ook nog beseft dat het democratische pact dat pact is waarvan je bij uitstek en met zekerheid kunt zeggen: 'er is niets natuurlijks aan de band die het vormt; niets organisch of fataals; het is, integendeel, een kunstmatige band; hij is breekbaar; voor verbetering vatbaar want niet perfect; niet perfect want niet vast verankerd' – dan moet je wel tot de conclusie komen dat, om dat allemaal te doordenken, de sartriaanse filosofie van de contingentie meer te bieden heeft dan de kosmische orgieën of de gelukzalige fluisteringen van *L'Eté*.

III

De waan van het tijdperk

I

Een andere Sartre

(Momentopnamen)

Wenen. December 1952. De Wereldbeweging voor de Vrede, ofwel de stalinistische Internationale, houdt een congres. Het is het donkerste uur van de onderdrukking in Oost-Europa. Het is de tijd dat het sovjetapparaat als een dolleman tekeer gaat in zijn eigen gelederen en de oude leiders van de 'broederpartijen', vaak oudgedienden van de Internationale Brigades of veteranen uit de oorlog tegen de nazi's, de een na de ander elimineert. Het is ook de tijd dat Moskou – evenals Boedapest, Praag en Boekarest – het toneel wordt van een ongekend felle antisemitische repressie, die zogenaamd een 'nationalistisch joods' of 'joods-zionistisch' complot in de kiem smoort. De schertsvertoning van het 'dokterscomplot' zal zich pas een maand later afspelen. Maar het Slansky-proces, een showproces dat bedoeld was om overal in het vrije Europa de verbeelding van fellow-travellers te prikkelen, is net afgelopen: Rudolf Slansky, de secretaris-generaal van de Tsjechische partij, is opgehangen, samen met tien andere beklaagden, bijna allemaal 'van joodse afkomst'; en een paar dagen voor de opening van het congres is hun as verstrooid op een veld in de omgeving van Praag... En Sartre is er. Hij weet het allemaal, maar hij is er. Net als iedereen die zich de processen van Moskou uit de jaren dertig herinnert, kent hij de logica van dit soort voorgekookte processen en dit soort door marteling of chantage afgedwongen bekentenissen, en toch is hij er. Schaamt hij zich? Schijnbaar niet. Het lijkt hem niet eens te storen dat hij in hetzelfde tribunaal zitting moet nemen als Fadejev met zijn treurige faam, dezelfde die hem een paar jaar eerder op een soortgelijke bijeenkomst uitmaakte voor 'dactylografische hyena' en 'met een pen gewapende jakhals'. Hij ziet er vrolijk uit. Stralend. En als na zijn praatje de hele zaal vol apparatsjiks opstaat om hem een staande ovatie te geven, is hij als 'bourgeois'-intellectueel dolverrukt dat gepatenteerde vertegenwoordigers van het wereldproletariaat hem de opmerkelijke eer bewijzen hem als een van de hunnen te erkennen... Het enige probleem is *Les Mains sales*. Want het toeval wil dat *Les Mains sales* op hetzelfde moment in een Weens theater wordt opgevoerd. En *Les Mains sales* heeft het altijd in zich communisten tegen de haren in te strijken, omdat ze een afkeer hebben van de manier waarop de pragmatische, professionele, brute, kortom serieuze militant (Hoederer) wordt afgezet tegen het idealisme van een jonge intellectueel (Hugo) die alleen maar droomt van heroïek, grootse daden en directe actie. Maar ach! Daar is wel een mouw aan te passen! Hij zal die klier van een Hugo niet ongestraft de Hoederers van Wenen laten pesten. Hij zal ze niet laten zeggen dat Hugo de held is, de sympathieke hoofdpersoon. Laat staan dat hij, Sartre, een anticommunistisch stuk heeft geschreven. Dus belt hij zijn uitgevers, zijn agenten, de directie van het theater en de regisseur. Hij beweegt hemel en aarde om gedaan te krijgen dat zijn eigen stuk verboden wordt. En om duidelijkheid te scheppen en te voorkomen dat het incident zich zou kunnen herhalen, maakt hij van de gelegenheid gebruik om een wet uit te vaardigen, een heuse wet waaraan zijn uitgevers zich in het vervolg dienen te houden: nooit meer, horen jullie, nergens en nooit meer mag *Les Mains sales* worden opgevoerd zonder de uitdrukkelijke toestemming van de communistische partij in het desbetreffende land! Het is het donkerste uur, niet alleen van de stalinistische wreedheid, maar ook van de stalinistische idiotie. Het is de tijd dat veel intellectuelen afstand beginnen te nemen. Maar hij legt de weg in omgekeerde richting af. Terwijl hij tot dan toe terughoudender en minder betrokken was dan bijvoorbeeld Merleau-Ponty, kiest hij juist dit moment om standpunten te omhelzen waar Merleau net van terugkomt, en om de wereld te verkondigen dat zijn nieuwe kameraden, zijn fellow-travellers en medestrijders, de mensen die Sartre, erewoord, nooit meer boos zal durven maken, in het vervolg Neruda, Amado, Ehrenburg en ook Gottwald en Joseph Stalin heten. Wie daaraan mocht twijfelen, wie bijvoorbeeld zou veronderstellen dat hij zich heeft laten meeslepen zonder precies te weten wat hij daar deed, wie zich mocht verbeelden – want dat wordt in die tijd gefluisterd – dat hij misschien door Aragon is gemanipuleerd, krijgt ten antwoord dat dit 'Congres van Wenen ondanks de laster een historische gebeurtenis is en zal blijven' en dat hij het van zijn bescheiden kant ervaren zal hebben als 'een van de drie gebeurtenissen die het zwaarst hebben meegeteld in zijn hele mensenleven', even zwaar als – maar liefst! – de 'Bevrijding van Parijs en het Volksfront...'

Zelfhaat

Les Mains sales. Het ongelooflijke aan de *Mains sales*-affaire is dat er een eerste Sartre is die een paar jaar eerder, in 1948, tijdens de schepping van het stuk, iets heel anders betoogde. Theater is een dubbel genre, zei hij. Meeslepend en dubbel. Dat dubbele is grotendeels te danken aan het feit dat het, meer nog dan de roman, evenzeer toebehoort aan degenen die het ondergaan als aan degenen die het bedenken. 'Ik kies geen partij,' zei hij in een interview in *Combat*.[1] Ik kies nadrukkelijk geen partij. Want een goed toneelstuk is er om problemen op te werpen, niet om ze op te lossen. In dat opzicht is het des te beter als Hugo wint. Des te beter als het menselijke, het echte drama waarmee wij ons identificeren, uiteindelijk het zijne is en als Hoederer overkomt als een somberder, negatiever personage. Is het niet de kracht van grote werken dat ze ontsnappen aan hun auteur en korte metten maken met het programma dat men hun te goeder trouw dacht te hebben opgelegd?

Sterker nog, wanneer het stuk een paar maanden later in New York wordt bewerkt onder de titel *Red Gloves*, gaat die eerste Sartre nog verder en neemt hij een krachtiger standpunt in over de betekenis die hijzelf aan zijn tekst toekent, maar zijn gedragslijn is precies tegenovergesteld aan die in Wenen. 'Ik heb een stuk geschreven over een man die Hugo heet,' verklaart hij tegenover de pers. En vervolgens, striemend: 'Het zal u vermoedelijk niet zijn ontgaan dat Hoederer niet de hoofdpersoon is van het stuk dat ik heb geschreven.' En dan, woedend, bijna boosaardig over het feit dat Taradasch, de bewerker, het heeft gewaagd zijn tekst naar links te trekken: 'In de bewerking van Taradasch is er niets, helemaal niets overgebleven van mijn Hugo; de Hugo van Taradasch wint niet meer op het eind zoals de oorspronkelijke (... Hugo doesn't win out in the end the way the original one does...). En als de interviewer, die niet zeker weet of hij het goed begrepen heeft, ten slotte vraagt of we hieruit moeten opmaken dat *Les Mains sales* misschien een aanval was op 'de communistische opvatting van een man die bepaald is door zijn historische milieu' en of het in die zin een 'anticommunistisch stuk' kan worden genoemd, is het antwoord: 'Ja, in die zin is mijn stuk anticommunistisch (yes, in that sense my play is anticommunist).'

Kortom, in vier jaar is alles veranderd. Sartre is fellow-traveller geworden. En deze wonderlijke ommezwaai volvoert hij met een ongehoord aplomb, zonder zich te bekommeren om consequenties of geloofwaardigheid. *Les Mains sales* is een pro-communistisch stuk, beweert hij nu. Ja, daar mag niemand aan twijfelen: het is een stuk van een fellow-traveller, geschreven om de Partij te hulp te komen op een moeilijk moment in haar geschiedenis en het is dus Hoederer, begrijpt u goed, Hoederer de communist, die in mijn ogen altijd de hoofdpersoon is geweest. En nu neemt het stuk de vrijheid om het tegenovergestelde te beweren van wat oorspronkelijk bedoeld was. Zie eens hoe het in Wenen en elders weet los te breken uit het keurslijf van de betekenis die ik eraan heb gegeven. En zie eens hoe dat kreng, om de Partij te beledigen en mij het leven zuur te maken, mij, de geliefde schrijver, zich laat overweldigen en vervolgens laat verleiden door die klier van een Hugo, die mislukte Hamlet, die miniatuur Lorenzaccio. Ha! We kennen ze, die Hamlets! We kennen de valse verleiding van de Lorenzaccio's! Het was duidelijk dat Hugo het tweede personage van het verhaal was en moest blijven...! Maar nee! Hij moet zich zo nodig op de voorgrond dringen! De dekens naar zich toetrekken! Hij moet zo nodig die geweldige tekst naar zich toetrekken, al was die geschreven, ik bezweer het u, heren van de jury, om eer te bewijzen aan de ware communisten, in de zin van het anticommunisme! Welnu, ik straf Hugo. Ik straf *Les Mains sales*. Ik word de beul van de letteren, en in de eerste plaats van mijn eigen letteren. Iedereen moet zijn plaats kennen. En behouden. U, Hugo en Hoederer, maar nu ik toch bezig ben ook Brunet, Boris, Jessica en Mathieu, u bent de marionetten van een veel groter theater, het theater van de wereld en van mijn politieke interventie in die wereld. Als een van u dat vergeet, als een van u het leuk vindt zijn eigen spelletje te spelen, of het mijne, of allebei, ik weet eerlijk gezegd niet meer wie wie is, of wie wiens spelletje speelt in deze nieuwe sarabande die mijn leven nu is geworden – dan dwingt hij mij het werk zelf te herroepen...

Het toppunt van deze waanzin, van dit geweld dat hij zichzelf en het 'bourgeois' vooroordeel van de vrijheid van de personages aandoet, het toppunt van deze nooit eerder vertoonde exercitie in zelfkastijding (want de literatuurgeschiedenis mag dan vol zijn van herroepen, verloochende en zelfs verbrande boeken, wanneer is het ooit vertoond dat een schrijver een van zijn eigen boeken straft, of de betekenis geweld aandoet, of er een andere aan geeft, alsof hij niet de schrijver was?) lijkt mij het interview dat hij in 1964 aan Paolo Caruso gaf, de Italiaanse vertaler van de *Critique de la raison dialectique*, ter gelegenheid van de heropvoering van het stuk in het Teatro Stabile van Turijn. Ik probeer het nog één keer, zegt een Sartre die met de jaren steeds strenger is geworden. Ik laat die vervloekte *Les Mains sales* voor de laatste keer bewijzen dat ze het werk van een 'fellow-traveller' zijn. Maar pas op! 'Mocht het stuk in Turijn als een anticommunistisch werk overkomen, mocht mijn samenwerking met de krachten van links niet verhinderen dat de rechtse pers en de bourgeoisie het anticommunistisch noemen, dan is de kwestie voor eens en voor altijd afgehandeld en zal *Les Mains sales* nooit meer worden opgevoerd.' Voor alle duidelijkheid: 'De laatste kans; ik geef in mijn eindeloze goedheid *Les Mains sales* een allerlaatste kans; maar als het van plan is me te verraden, als het waagt voor de zoveelste keer Hugo tegen Hoederer uit te spelen, dat wil zeggen mij tegen mij, de slechte Sartre (gevoelig, verfijnd, een dandy, een Hamlet) tegen de goede (de wrede, ontzagwekkende militant die ik beslist geworden ben) dan is dat jammer voor het stuk: het zal terugkeren naar het niets, of naar de kerker, waar ik het vandaan heb gehaald...' Je gelooft je oren niet. Maar je hoort het goed. Het is echt Sartre die spreekt. Het is echt de geweldige kunstenaar van *La Nausée* en *Les Chemins de la liberté*. Maar nu in de rol van een licht hallucinerende boeman die in de allereerste plaats de vrije kunstenaar die hij was te grazen zou nemen.

Over het anti-Amerikanisme

Venetië. Juni 1953. Sartre leest in de krant over de executie van Ethel en Julius Rosenberg en grijpt onmiddellijk de telefoon om een ongekend fel artikel te dicteren aan de *Libération*, de krant van Emmanuel d'Astier de la

Vigerie. Het artikel is niet ongegrond. Wat we sindsdien ook over de werkelijke toedracht hebben gehoord geeft Sartre gelijk als hij de executie een 'gelegaliseerde lynchpartij' noemt. Hij heeft gelijk, volkomen gelijk als hij uitroept: 'De zaak Rosenberg is onze zaak; als er onschuldigen ter dood worden gebracht is dat een zaak voor de hele wereld.' En de verontwaardiging aan het slot, in de vorm van een uitval naar het McCarthyisme, vind ik achteraf gezien heel mooi: 'Gelooft u dat we de cultuur van McCarthy willen verdedigen? De vrijheid van McCarthy? De rechtspraak van McCarthy? Dat we van Europa een slagveld zullen maken om die moordzuchtige idioot de gelegenheid te geven alle boeken te verbranden, alle onschuldigen te laten executeren en de rechters die in opstand komen gevangen te zetten?' Maar de tekst bevat twee storende elementen. Ten eerste natuurlijk het feit dat hij geen woord van woede of medeleven wijdt aan andere moordzuchtige idioten, die op hetzelfde moment in het andere 'kamp' die andere onschuldigen, Slansky en zijn medebeklaagden, laten executeren – het feit dat deze onberispelijke filosoof, een man die zich verzette tegen het idee van een 'goed' standpunt van waaruit de aanklacht of het lijden van de mens geëvalueerd kan worden, plotseling zijn doden uitkiest en, in de woorden van Camus, verdachte slachtoffers en bevoorrechte beulen begint aan te wijzen: als Mauriac hem op dit punt aanspreekt en zich verbaast dat hij zo fel is over zo veel onderwerpen maar zo merkwaardig zwijgzaam over het antisemitisme in de Sovjet-Unie, antwoordt Sartre met op zijn zachtst gezegd misplaatste arrogantie dat 'tijdschriften alleen maar zwijgzaam lijken omdat dagbladen te veel kletsen.'[2] En verder komt de ellende voort uit zijn afkeuring van Amerika in het algemeen, niet alleen van McCarthy, en van wat hij de 'American way of death' noemt – en dat is ook de titel van het artikel. De lezer van Dos Passos en Faulkner, de jazzliefhebber, de enthousiaste reiziger die in 1946 verrukt de wolkenkrabbers van New York ontdekte, de man die in 1946, op de beschuldiging van Thierry Maulnier dat *La putain respectueuse* 'anti-Amerikaans' was, zonder een spoortje schaamte antwoordde: 'Ik ben helemaal niet anti-Amerikaans en ik begrijp niet wat anti-Amerikaans betekent' en die twee jaar later, toen de New Yorkse editie van het toneelstuk uitkwam kon herhalen: 'Ik weet niet eens wat dat woord, anti-Amerikaans, betekent,'[3] diezelfde man verklaart nu: 'Amerika is hondsdol geworden. We moeten alle banden met haar doorsnijden, anders worden wij gebeten en besmet,' en elders: 'Er is een Amerikaans virus dat ons binnen de kortste keren zou kunnen besmetten, namelijk het pessimisme van de intellectueel'[4] – en gaandeweg vervalt hij in een primair anti-Amerikanisme dat sinds de jaren dertig een van de kenmerken van extreem-rechts is, en dat weet hij.

'In de Sovjet-Unie heerst volledige vrijheid van kritiek'

1954. Het genre 'terug uit de Sovjet-Unie' is, al was het maar vanwege Gide (en Céline), een literair gesanctioneerd genre geworden. En vanwege de Sovjet-Unie en ook vanwege Gide (en Céline) waagt Sartre zich aan dit genre en dat doet hij door middel van een lange reeks interviews die tussen 15 en 20 juli in de *Libération* verschijnen, dus toen hij net terug was van zijn eerste reis naar de Sovjet-Unie... 'Heeft u de indruk,' vraagt de journalist hem, 'dat er in de Sovjet-Unie een bijzonder type mens bestaat?' Ja, antwoordt Sartre. Natuurlijk. Al was het maar vanwege die aardige 'pionierskampen' waar kinderen 'vanaf hun zevende jaar' geleerd wordt 'te dansen' en 'pret te maken' voor grote 'portretten van Stalin'. Heeft u de indruk dat 'sociale privileges' daar net zo'n heikele kwestie zijn als 'bij ons'? O, nee! Grote goden, nee! Er is maar een heel kleine 'elitekern' die in de verleiding zou kunnen komen zich te 'stratificeren'; en dan nog is die elite ontvankelijk voor 'kritiek'; sterker nog, zij doet 'voortdurend aan zelfkritiek' en is alleszins bereid afstand te doen van haar privileges. Hoe is de relatie met Frankrijk? Hoe denkt u dat dit grote, sterke volk de relatie met ons hele kleine landje ziet? Met welwillendheid, antwoordt Sartre weer; met mildheid en welwillendheid; behalve dat 'rond 1960'... hij corrigeert zichzelf, je merkt dat hij nauwkeurig wil zijn: vóór 1966, indien Frankrijk 'blijft stagneren', 'het gemiddelde levenspeil in de Sovjet-Unie 30 tot 40 procent hoger zal liggen dan bij ons', dat voorspel ik u, ik, Sartre. En de vrijheid van kritiek? Voelen de sovjets zich vrij om commentaar, aanvullingen en zelfs kritiek te leveren op de veranderingen van het Malenkov-tijdperk? Vanzelfsprekend! De sovjetburger heeft 'volledige vrijheid van kritiek.' Hij 'levert vaker en veel doeltreffender kritiek' dan 'de Franse arbeider'. Hij doet dat – het is geweldig! – ook niet 'in een café', maar 'publiekelijk', waarbij hij volledig en vrij zijn 'verantwoordelijkheden' neemt. Kortom – zo luidt de titel van het eerste van de vijf interviews – 'In de Sovjet-Unie heerst volledige vrijheid van kritiek.' En de gecensureerde, geschorste, naar de goelag verbannen schrijvers, en de eerste dissidenten die 'geloosd worden' door de 'reusachtige riolen' (Solzjenitsyn) van de zuiveringsinstallatie van de sovjets, die hebben 'nog steeds de mogelijkheid om te schrijven', zegt hij, en hun wordt 'overigens aangeraden nieuwe boeken te schrijven om zich te rehabiliteren'. Weet Sartre niet dat er op het moment dat hij deze schandelijke opmerking maakt duizenden mensen wegrotten in de cachotten van Moskou, of afgevoerd worden in 'het duistere, stinkende buizenstelsel van het penitentiaire systeem' (nog steeds Solzjenitsyn), en dat ze deze opmerking als een belediging zouden opvatten als ze haar te horen kregen? Weet hij niet dat er ondanks de dood van Stalin naast de schrijvers nog tweeënhalf miljoen gevangenen of vermisten zijn in de ijzige hel van de grote strafkampen van de goelag?[5] Heeft hij niet gehoord van de twee of drie miljoen ‘bijzondere kolonisten’ – vooral Balkaren, Tsjetsjenen, Ingoesjen, Kalmukken, Krim-Tataren en andere ‘gestrafte volkeren’ – die in de Stalinjaren massaal zijn gedeporteerd? Heeft hij tijdens zijn verblijf in mei niets meegekregen van de opstand van de gevangenen in het kamp Kenguir in Kazachstan?[6] Is hij Nizan vergeten, zijn dubbelganger van weleer, zijn vriend, ‘de enige vriend’ die hij had, ‘als adolescent en als jonge man’, zegt hij later, en hoort hij niet het gruwelijke druisen van de laster die uit Moskou opstijgt en hem afschildert als een ‘bourgeois collaborateur’, een ‘smeris’, een figuur die geobsedeerd is door verraad, naar het voorbeeld van Pluvinage in *La Conspiration* en van de infame Patrice Orfilat, de journalist-spion in *Les communistes* van Aragon?[7] Hoe komt het dat hij niet aan Gide en Céline denkt? Waar is de Sartre gebleven die in *Qu'est-ce que la littérature?*[8] schreef: ‘De politiek van het stalinistische communisme is onverenigbaar met de eerlijke uitoefening van het literaire ambacht’, of: ‘Als het in mijn macht lag, zou ik liever de literatuur eigenhandig begraven dan haar de doelen te laten dienen waarvoor [het communisme] haar gebruikt’, of: ‘Nu we nog vrij zijn gaan we ons toch niet aansluiten bij de waakhonden van de communistische partij?’ Weet hij niet, beseft hij niet dat hij met dit soort verklaringen op tragische wijze zijn ogen sluit, niet alleen voor zichzelf en zijn eigen filosofie, niet alleen voor de in januari 1950 door Merleau geschreven, maar door hem mede ondertekende pagina's,[9] waarin hij tegenover Pierre Daix het bestaan erkende van een goelag die bevolkt werd door minimaal ‘tien tot vijftien miljoen gevangenen’ en waarin hij zonder omhaal vaststelde dat ‘er geen sprake is van socialisme als één op de twintig burgers in een kamp zit’ – maar ook, en dat is nog navranter, voor de houding van de sovjetleiders zelf, dus voor Chroesjtsjov en misschien zelfs voor Ehrenburg, de gids die de hele reis lang zijn oppasser is geweest, en natuurlijk voor de opstand die rommelt in Polen en Hongarije? Misschien is hij het zich wel bewust. Misschien zegt hij maar wat en weet hij het. Misschien denkt hij juist aan Gide. Misschien denkt hij zelfs alleen maar aan hem. En omdat hij zich zo nodig moet distantiëren, omdat hij zo graag wil ‘terugkomen’, maar dan anders, heeft hij misschien niet zozeer de ‘tien tot vijftien miljoen gevangenen’ in gedachten als wel *Retour de l'URSS* of *Mea culpa*. ‘Na mijn eerste bezoek aan de Sovjet-Unie in 1954 heb ik gelogen,’ zal hij twintig jaar later zeggen.[10] ‘Nou ja, “gelogen” is misschien een erg groot woord: ik schreef een artikel – dat Cau trouwens heeft afgemaakt omdat ik ziek was – waarin ik over de Sovjet-Unie aardige dingen zei die ik niet meende. Ik deed dat enerzijds omdat ik vond dat je, wanneer je door mensen bent uitgenodigd, geen drek over hen heen kunt gooien zodra je terug bent, en anderzijds omdat ik niet zo goed wist wat ik aan moest met de Sovjet-Unie en met mijn eigen ideeën...’ Wat moeten we denken van zo'n uitleg, van dit mengsel van onoprechtheid en sluwe achteloosheid: pleit het iemand vrij of belast het hem des te meer?

De rede van Chroesjtsjov. In de nacht van 24 op 25 februari 1956 zorgde deze oude stalinistische leider, de paus van het internationale communisme, voor een blikseminslag toen hij tijdens het twintigste congres van de communistische partij van de Sovjet-Unie de tribune beklom en achter gesloten deuren een boekje opendeed over 'het bewind van onderdrukking en willekeur in de Partij', de honderdduizenden 'slachtoffers' van wie 'we nu weten' – sic – dat ze 'onschuldig' waren, die 'oprechte' mannen en vrouwen, 'toegewijd aan de Partij, aan de Revolutie, aan de leninistische zaak van de opbouw van het leninisme en het communisme', wier leven door het communisme is gebroken.[11] De werkelijke bedoelingen, de achterliggende gedachten van deze vertoning doen er weinig toe. Evenmin als het slagersverleden van meneer C. zelf, die jarenlang verantwoordelijk was voor gigantische moordpartijen in de Oekraïne. En het doet er zelfs niet toe dat deze manoeuvre, in het kader van een verbeten strijd om de macht over het apparaat, ook bedoeld is om alle schuld op Stalin te schuiven om zijn opvolgers vrij te pleiten en het systeem te kunnen laten voortbestaan. De rede brengt een verpletterende schok teweeg, zodra de inhoud begin juni 1956 door begint te sijpelen naar het Westen. Voor de intelligentsia in het algemeen en voor de kringen van de fellow-travellers in het bijzonder is het een bevestiging van de ergste beschuldigingen die al jarenlang, soms al direct na oktober 1917, tegen het communistische regime werden geuit. En voor al diegenen die weigerden te luisteren, voor de doven en de blinden die de aanklacht tegen de concentratiekamp-'complexen' van Solovki, Karaganda, Kolyma en Vorkoeta stug bleven zien als een vuige manoeuvre van het imperialisme en de conservatieven, voor degenen die Kravchenko en David Rousset beledigden en belasterden, voor mensen als de lezers van *Les Temps modernes* die Camus en zijn kortzichtige moralisme bespot hebben, is dit het begin van een ontnuchtering die weliswaar tijd zal kosten, maar toch met deze bekentenis uit het heilige der heiligen haar eerste echte aanzet vindt. Maar er is één intellectueel bij wie Chroesjtsjovs rede niets lijkt te ontketenen. En die intellectueel is Sartre, die een halfjaar later, na de sovjetinterventie in Hongarije, in een interview in *L'Express* de euvele moed heeft om te zeggen dat de publicatie van deze rede hem, 'diep in zijn hart de grootste fout' lijkt die het regime ooit heeft begaan, dat 'het gedetailleerde exposé van alle misdaden van een aanbeden persoon die zo lang het regime heeft vertegenwoordigd waanzin is, als een dergelijke openhartigheid niet mogelijk wordt gemaakt door een voorafgaande en aanzienlijke verheffing van het levenspeil van de bevolking' en dat het enige, navrante 'resultaat' van deze affaire zal zijn geweest dat 'de massa de waarheid zal ontdekken zonder er rijp voor te zijn'.[12] Waar is de Sartre gebleven voor wie vrijheid boven alles ging? Waar is de apostel van de transparantie gebleven, de vijand van elke gestaalde en versteende taal? En de andere Sartre, de rebelse Sartre, de anarchistische Sartre, de Sartre die in opstand kwam tegen elke macht en elke gemeenschap, wat zou hij gezegd hebben of zeggen over dit zotte idee dat het overbrengen van de waarheid afhankelijk is van het levenspeil van de bevolking? En hoe kan hij, zonder het gevoel te hebben zichzelf te verloochenen, beweren dat die waarheid te hard aankwam, dat de massa niet rijp was om de schok te incasseren en dat het met andere woorden beter was geweest de schande nog een eeuwigheid te laten voortduren?

Na Boedapest

Hongarije. Voor de gehele Europese intelligentsia, en in elk geval voor de Franse, is dit opnieuw een zware slag. Het toneel van de verstarde geschiedenis van gesovjetiseerd Europa wordt overspoeld door meningen, en volkeren. En iedereen die dacht dat die geschiedenis vast lag en het communisme onomkeerbaar was, moet zijn standpunt herzien. Het is de tijd dat mensen van zich laten horen. Het is de tijd dat de grote denkers zich losmaken en bevrijden. Het is de tijd dat *Le Figaro* petities van linkse intellectuelen publiceert en dat *France-Observateur* en *Preuves* de strijdbijl lijken te begraven. Het is de tijd dat de emoties zo hoog oplopen dat havik Martin-Chauffier, voormalig voorzitter van het CNE (het nationale schrijverscomité) en aanklager van Kravchenko, er niet voor terugdeinst gemene zaak te maken met Rousset tijdens het tribunaal van de Vélodrôme d'Hiver en het is de tijd dat in alle geledingen van de intelligentsia de ene na de andere petitie wordt geschreven waarin een 'socialisme' dat tanks inzet tegen een ongewapend volk wordt aangeklaagd. Kortom, het is een van die zeldzame verschrikkelijke, maar ook fantastische momenten in de geschiedenis van de intellectuelen waarop men, geconfronteerd met de enorme belangen die op het spel staan, geconfronteerd met de gruwelijkheid van de slachtpartij die in koelen bloede wordt aangericht in het kloppende hart van Europa, geconfronteerd met de duizenden slachtoffers en duizenden arrestaties tijdens die novemberdagen van 1956, besluit oppervlakkige verschillen, persoonlijke of burenruzies en schijnbare tegenstellingen even te vergeten en gezamenlijk een front te vormen tegen de schanddaden. Sartre windt zich op, net als de anderen. Hij doet dat eerst door middel van een petitie die is opgesteld door Vercors, maar waarvan hij de meest illustere ondertekenaar is. En een paar dagen later doet hij het nog beter in het interview met *L'Express* waarin ook hij 'de sovjetagressie volledig en zonder enige reserve veroordeelt', en 'met spijt maar volledig alle banden verbreekt met [zijn] vrienden de sovjetschrijvers die de slachting in Hongarije niet veroordelen (of kunnen veroordelen)' en waarin hij over de leiders van de Franse communistische partij zegt dat 'al hun woorden, al hun gebaren het resultaat [zijn] van dertig jaar leugens en verkalking' en dat 'het niet mogelijk is en nooit mogelijk zal zijn de relatie te herstellen' met die leugenaars, die verkalkte figuren. Dat is allemaal heel mooi. In deze afwijzing zit een kracht, een radicaliteit die de schrijver van *Les Communistes et la paix* siert. En we kunnen niet anders dan blij zijn dat de schrijver van *La Nausée*, de grote vrijdenker van voor de oorlog, de vrije man, weer de kop opsteekt en zegeviert over de fanaticus die bezit van hem leek te hebben genomen. Maar helaas liggen de zaken niet zo eenvoudig. Camus en zijn sympathisanten, om een voorbeeld te noemen, benadrukten in hun petitie dat 'de leiders van het Kremlin Moskou weer tot de hoofdstad van de mondiale, absolutistische reactie hebben gemaakt, net als in de tijd van het tsarisme, toen ze hun tanks en hun vliegtuigen op de opstandelingen lieten schieten'. Ze aarzelden niet – net zomin als de ondertekenaars van de petitie van Martinet-Morin-Bourdet[13] – om 'die moordenaars uit de mensheid te verbannen en de communistische leiders van de vrije landen te brandmerken omdat ze, door hun koers niet te wijzigen, hun handen besmeuren met het bloed van het Hongaarse volk'. De petitie van Sartre daarentegen is gematigd. Bijna voorzichtig. En hij is in elk geval veel vager. Hij veroordeelt wel direct na de titel 'het gebruik van kanonnen en tanks om de opstand van het Hongaarse volk en hun verlangen naar onafhankelijkheid neer te slaan'. Maar je krijgt de onaangename indruk dat een groot deel van de verdere tekst bedoeld is om zich tegen rechts in te dekken, om toch vooral de schijn te vermijden dat hij gemene zaak maakt met de bourgeoisie, en om het koor van 'hypocrieten die nu opeens in opstand durven te komen' te veroordelen – niet zo zwaar natuurlijk als de moordenaars, maar toch... En je krijgt vooral het gevoel dat alle politieke activiteiten die Sartre daarna ontplooit, al zijn inspanningen in de weken en maanden die volgen als vrijwel enig doel hebben om die onverschrokkenheid te matigen, die felheid te temperen, om vooral niet de indruk te wekken dat hij 'van kamp veranderd' zou zijn, en in wezen om het misverstand te voorkomen dat de scheiding onherroepelijk zou kunnen zijn, wat hij er ook over heeft gezegd in het interview met *L'Express*. Hij veroordeelt de gewelddaad, maar verklaart hem vanuit 'de dreiging van een totale uitverkoop van de zogeheten socialistische grondslagen van het regime.'[14] Hij breekt met France-URSS maar niet met de vredesbeweging of de CNE en doet het in dat opzicht minder goed dan Vercors.[15] Hij geeft François Fejtö een 'Hongarije-dossier' voor *Les Temps modernes* – maar publiceert in hetzelfde nummer een artikel waarin hij de loftrompet steekt over het sovjetsysteem en het Hongaarse volk afschildert als een 'onrijp' volk. En vervolgens maakt hij in de loop der maanden en jaren beetje bij beetje steeds meer symbolische gebaren van normalisatie of verzoening: hij knoopt de banden met Ehrenburg weer aan; hij gaat naar de Russische ambassade om de cocktailparty ter ere van Chroesjtsjov met zijn aanwezigheid op te luisteren; hij geeft toestemming om *Nekrassov*, *Les Séquestrés d'Altona* en *Les Mains sales* in Moskou op te voeren; hij vindt het zelfs goed dat het einde van *La Putain respectueuse* wordt herschreven om het 'optimistischer' te maken; en als hij opnieuw wordt geïnterviewd door Michel-Antoine Burnier[16] over de 'Boedapest-schok' antwoordt hij met een uitgestreken gezicht: 'Het is voor ons geen aanleiding geweest om demonstratief te breken met de communisten; wij vonden dat het hier niet ging om opzet of economische noodzaak; er was sprake van een uit de situatie voortgekomen dwang, een soort ongeluk van de Revolutie; dat deed niets af aan het socialisme.' En vervolgens diezelfde dag in hetzelfde interview, terwijl de Russische tanks nog in Boedapest staan: 'We kunnen ons heel goed voorstellen dat aan de basis van de opbouw van het socialisme een wisselend en langdurig schrikbewind lag.' Zodat geleidelijk aan, van kleine stap naar grote verloochening, gebeurt wat moest gebeuren: de man die 'met tegenzin maar volledig' alle banden met de Sovjet-Unie had verbroken, de aartsengel van de vrijheid die trots had verkondigd dat het 'nooit meer mogelijk zal zijn de relatie te herstellen', die man gaat aan het begin van de zomer van 1962, vervolgens nog een keer in juli en daarna nog zeven keer – dus negen keer in totaal tot 1966 – naar een Moskou waar niets fundamenteel veranderd is maar waar hij zich weer thuis voelt. In 1963, als de oorlog in Algerije, de toekenning van de bijzondere bevoegdheden aan Mollet, en de op zijn minst kleinzielige houding van de PCF ten opzichte van de opstand alweer verleden tijd zijn, schrijft hij vanuit een vreemd soort loyaliteit dat de Sovjet-Unie 'het enige grote land [is] waar het woord vooruitgang betekenis heeft'. En als Tsjechische studenten hem datzelfde jaar onder het voorwendsel van een symposium over Kafka uitnodigen om op de Karelsuniversiteit te komen spreken, ontdekken ze tot hun verbijstering dat deze filosoof van de vrijheid, deze paus van een existentialisme dat zij van een afstand aanzagen voor een rebelse filosofie, deze messias, deze profeet, deze pleitbezorger van de opstand wiens *Les Chemins de la liberté* zij jarenlang met de hand hadden gekopieerd en naar wie ze die dag met duizenden zijn komen luisteren, zonder zich iets aan te trekken van de censuur en politieversperringen, alleen gekomen is om hen toe te spreken over de *Critique de la raison dialectique* en de mogelijke manieren om het existentialisme te verzoenen met een marxisme dat in hun ogen natuurlijk alleen maar synoniem is aan stupiditeit en onderdrukking![17] 'Die Sartre van jou kruipt voor de autoriteiten,' zeggen ze tegen hun docent. 'Die Sartre van jou is objectief en subjectief een handlanger van de granieten mannen die ons regeren.' En ook al moeten we eerlijk toegeven dat hij zich aan het eind van het jaar ietwat rehabiliteert tijdens een debat, georganiseerd door het tijdschrift *Plamen*, waar hij preciseert dat hij 'voornamelijk door het lezen van Freud, Kafka en Joyce tot het marxisme is gekomen' en daarom niet kan 'aanvaarden' dat die schrijvers 'decadent' worden genoemd, toch hebben die studenten natuurlijk gelijk. Als er nog maar één fellow-traveller over is, zal hij dat zijn, Jean-Paul Sartre.

Toen Sartre Solzjenitsyn beledigde

Laten we niet stil blijven staan bij deze eerste periode, ook al loopt die tot 1968 en de Russische interventie in Tsjechoslowakije. Laten we niet stil blijven staan bij de tijd vanaf de eerste tegenstanders van het systeem tot aan Margarete Buber-Neumann, Rousset, Silone en vele anderen. Laten we niet stil blijven staan bij die lange periode waarin Sartre eindelijk, maar dan vrij snel, zijn illusies laat varen over de ware aard van het sovjet-'socialisme', maar waarin hij nog beheerst wordt door het klimaat en de gewoontes van de koude oorlog, de herinnering aan de echte oorlog, de hardnekkige mythe van 75.000 gefusilleerden, het spook van Stalingrad, en ook door het idee dat deze gewelddadigheid afgewogen moet worden tegen de 'beoogde doelen', zoals Castor[18] schreef, en dat het grote verschil tussen nazisme en stalinisme is dat het eerste de vernedering van de mens wilde terwijl het tweede zijn oorspronkelijke ideaal nooit helemaal uit het oog is verloren. Laten we niet stil blijven staan bij deze drogreden van het doel en de middelen die een hele generatie tekende en deze verschrikkelijke en langdurige toegeeflijkheid verklaart, uiteraard zonder hem te rechtvaardigen. Maar de daaropvolgende periode? Hoe reageert Sartre in een periode waarin niemand, zelfs hij niet, nog gelooft dat er in de Sovjet-Unie een spoor over is van de wens om een nieuwe wereld te bouwen? En de marxistische of naar het marxisme neigende Sartre, die van de *Critique de la raison dialectique* en *Les Mots*, de Sartre die, zoals we zullen zien, ten slotte hegeliaan is geworden, hoe schikt die zich in het nieuwe klimaat dat zal heersen vanaf de tijd rond de coup in Praag en mei 1968? En vooral, hoe verwelkomt hij de dissidenten uit de laatste periode die naar Frankrijk zijn gekomen, en met name Solzjenitsyn? Het is 1974. De maoïsten hebben zelf flink bijgedragen aan het in diskrediet raken van de sovjetideologie, al was het alleen maar met hun kritiek op het stalinistische 'revisionisme', dat wil zeggen met het idee dat de P'C'F – aanhalingstekens in de tekst – een behoudende macht is geworden die vijandig staat tegenover het ontketenen van een revolutie in Frankrijk. En Sartre heeft, in de voetsporen van de maoïsten, eindelijk afstand genomen: 'De Communistische Partij verkeerde in een positie van objectieve medeplichtigheid met de Gaulle... de westerse communistische partijen, vooral de Franse Communistische Partij, zijn door het stalinisme gedrild om niet de macht te grijpen...'[19] Maar nu vindt hij de maoïsten tegenover zich. Nu is er Philippe Gavi die in *On a raison de se révolter*[20] de naam Solzjenitsyn noemt en Sartre vraagt of hij hem niet zou moeten 'steunen', gezien zijn huidige standpunt ten opzichte van de Sovjet-Unie en gezien het feit dat 'daar nergens vrijheid bestaat, zelfs niet bij de leiders'. Verzet deze man zich ten slotte ook niet tegen 'het bureaucratische socialisme of het non-socialisme in de Sovjet-Unie'? Zoekt hij niet de vrijheid 'ook al zijn we het niet eens met wat hij zegt'? En zijn we dus niet 'objectief gezien' met elkaar verbonden? Daarop zegt Sartre: 'Solzjenitsyn is een figuur met negentiende-eeuwse ideeën, zijn ideeën zijn niet aangepast aan een hedendaagse maatschappij; hij is dus een schadelijk element voor de ontwikkeling...' En vervolgens: 'Het is duidelijk dat het ware oppositiedenken zal ontstaan in belangrijker omstandigheden dan het simpele bestaan van een individu als Solzjenitsyn.' En ten slotte, om dit op z'n zachtst gezegd voortvarende standpunt te rechtvaardigen, om te verklaren dat wat Solzjenitsyn te zeggen heeft van nul en generlei waarde is en zeker niet geschikt om de gedachten van de filosoof te voeden: 'Hij heeft de kampen meegemaakt en de invloed van de sovjetideologie dus volledig ondergaan.' Laten we dat eens transponeren. Primo Levi heeft ons niets te vertellen over het nazisme, want hij heeft de vernietigingskampen meegemaakt en dus de invloed van de nazi-ideologie volledig ondergaan. Robert Antelme heeft ons niets te vertellen over het nazisme want ook hij heeft de kampen meegemaakt en de invloed van de nazi-ideologie volledig ondergaan. We staan wederom versteld van zo veel botte stompzinnigheid. We zijn verbijsterd over de hardnekkigheid van iets wat ontaardt in een onbegrijpelijke verblinding. Sartre geeft het maar moeilijk op. Hij blijft de mensen die 'dissidenten' genoemd worden nog lang met datzelfde mengsel van neerbuigendheid, cynisme en minachting tegemoet treden. En hij blijft nog lang, bijna tot aan het einde toe, een restje sympathie, of althans welwillendheid, houden voor het land, het systeem en de ideologie die vanaf 1917 samenspanden om deze mensen te verpletteren. Hij neemt wel degelijk afstand. Hij doet dat in de loop der jaren zelfs steeds duidelijker. Hij schrijft artikelen of petities voor Kasek Karel (1975), Plyoesjtsj (1975), Michaïl Stern en Edoeard Koeznetsov (1976), hij protesteert tegen de komst van Brezjnev naar Parijs in 1977, hij verklaart in 1978 tegenover Juan Goytisolo dat deze Solzjenitsyn 'wiens meningen en doelen men niet kan aanvaarden', een 'wezenlijke getuigenis over de goelag' levert.[21] En elke stap in de richting van de maoïsten is duidelijk weer een etappe in deze langzame terugtocht. Maar een terugtocht, vooral als die zo voorzichtig is en nooit als zodanig erkend, is nog geen bekering. De Sartre van de overgang naar het stalinisme, de man die zei dat hij was als Orestes en dat een knipoog voor hem evenveel waard was als een bekering, zal nooit werkelijk de omgekeerde weg afleggen en zal zich nooit meer helemaal herbekeren. Hoewel hij in 1970 in zijn mooie voorwoord bij *Trois générations* van Antonin Liehm schrijft dat 'de machine niet meer gerepareerd kan worden' en dat 'de volkeren hem moeten oppakken en op de schroothoop gooien', hoewel hij net als de maoïsten denkt dat 'de linkse Unie niet veel beter is dan de gaullisten' en dat de communisten al bij al misschien erger zijn geworden dan de kapitalisten,[22] verkondigt hij tien jaar later toch nog tegen Ivan Levaï, die hem eind januari 1980 op Europa 1 interviewt over zijn handtekening onder een petitie om de Olympische Spelen in Moskou te boycotten: 'Ik beschouw de Sovjet-Unie niet als een fascistisch land.' En wanneer ten slotte de beweging van de zogenaamde 'nieuwe filosofen' ontstaat, met als stokpaardje en misschien enige punt van overeenkomst de steun aan de dissidenten, komen de slechtste reflexen uit zijn slechtste stalinistische periode boven en beschuldigt hij ons in een interview met *Lotta continua* ervan CIA-agenten te zijn! Ik zie nog voor me hoe het bericht die dag op de achterpagina van *Le Monde* verschijnt. Ik zit met Jean-Marie Benoist in de Twickenham-bar, destijds het hoofdkwartier van ons kringetje. Mijn consternatie. De zijne. Ons ongeloof ook. Moeten we erom lachen? Ons ongerust maken? Kwaad worden? Thierry Lévy bellen? Een proces aanspannen? We besloten het geval te nemen voor wat het was: een zware belediging, een beetje stom, en eigenlijk onbelangrijk – wat achteraf misschien aangeeft hoezeer Sartre in die tijd bij jonge intellectuelen in ongenade was gevallen. Ik had maar één echte zorg. In de gunst blijven bij Jacques, de barman, die toen dienstdeed als mijn Sganarelle, maar die, omdat hij tot zijn trots 'vroeger' Sartre in La Palette had bediend, plotseling gemangeld werd tussen twee tegenstrijdige loyaliteiten waartussen ik hem moest helpen kiezen...

Een gul mens

Sartre en gulheid. Sartre is de gulheid zelve. Hij is het in zijn leven: zijn vrienden weten daar alles van, en zijn vrouwen, en de oude Simone Jollivet om wie hij zich tot aan haar dood bekommert, en de kranten die hij steunt, en de onbekenden die hij ontvangt en aanmoedigt, voor wie hij borg staat, en dan nog het geld, het geld dat overvloedig stroomt, dat gaat naar wie het maar wil, vrienden, vleiers, allerlei revolutionaire bewegingen, comités, opnieuw vrouwen, ex-vrouwen, splintergroepjes. Hij is het in zijn werk: in zijn biografieën bijvoorbeeld, dat inlevingsvermogen (een intellectuele vorm van gulheid) waardoor hij in het hoofd van Baudelaire kan kruipen, de impulsen van Mallarmés bewustzijn – of stemspleet! – kan reconstrueren, iets terug kan vinden van de onzinnige gedachtegangen waarmee Genet zijn situatie afwijst, aanvaardt, weer afwijst en vervolgens tart; en Flaubert! De 2300 bladzijden van *L'Idiot*, de tien jaar die hij besteedde aan het verkennen van de dromen, de onmacht, de dwaasheden, de impasses, de 'passieve activiteit', de 'convulsies' en de 'aanstellerij' van het onbeminde, onderbeminde, ongerechtvaardigde of onnodige kind, dat het 'kind-Gustave' was, zijn die niet een voorbeeld van discursieve broederschap en dus van gulheid? En zijn voorwoorden! Zijn liefde voor voorwoorden en de bijzondere toewijding aan een tekst of personage die inherent is aan het voorwoordschrijven, waarin hij ook een meester is geworden! In voorwoorden bestaan twee doctrines: aan de ene kant de doctrine van Flaubert ('Hij had zich liever opgehangen dan een voorwoord te schrijven...') of Breton (op zijn deur: 'geen voorwoorden!...') en aan de andere kant de categorie van

Malcolm Lowry ('Ik houd van voorwoorden, ik lees ze, enz...'); Sartre is ontegenzeglijk van de Lowry-partij; ook wat dat betreft staat hij altijd klaar om door te dringen in het werk van een ander en er een dialoog, conflict of verbinding mee aan te gaan; met andere woorden, hij is altijd bereid om ons, de lezers, mee te voeren naar de drempel van de betoverde woning; en ook dat is ontegenzeglijk een teken van gulheid. Sartre is zelfs op een bepaalde manier politiek gul: ja zeker, daar blijf ik bij; zijn tekst voor de Rosenbergs heeft iets grootmoedigs en guls; de manier waarop hij op het moment van *Les Damnés de la terre* uit principe de slachtoffers van een eeuwenoude vernedering te hulp schiet, heeft iets grootmoedigs en guls; zijn inzet tegen de oorlog in Algerije heeft iets grootmoedigs en guls; evenals zijn fraaie hommage aan de Spaanse republikeinen die, net als de 'Duitse joden', en vervolgens de 'Oostenrijkers', en vervolgens de 'Tsjechen' en de 'Polen' – maar pas op! die van vóór de oorlog, toen hun vijand nog geen Stalin maar Hitler heette – 'de een na de ander zijn gestorven': de 'laatste roepers' zijn gestorven... maar wat blijft is 'een boek'... wat blijft zijn 'gedrukte woorden om ons, die onze 'oren dichtstopten', eraan te herinneren hoe 'je het eind van de hoop uitroept'.[23] Sartre is uiteindelijk iemand die over deze gulheid heeft nagedacht en zo elegant – zo gul – is geweest om dat zonder zelfingenomenheid te doen: zie de bladzijden in *L'Être et le néant* waarin hij uitlegt dat geven in wezen een vorm van machtswellust en zelfs een verlangen om te onderwerpen is; en zie de analyses waarin hij aantoont dat we niet zouden 'geven' als het gegeven voorwerp ons niet 'toebehoorde', zodat geven de hoogste vorm van 'bezit' is... Kortom, Sartre is de gulheid zelve. Hij is de gulheid in al haar vormen en al haar gedaanten. Maar zie. Er is een moment dat de bron van die gulheid lijkt op te drogen. En dat moment is merkwaardigerwijs het moment dat het beeld, of het spookbeeld, of eenvoudigweg de woorden van de slachtoffers van het communisme zich aan zijn bewustzijn opdringen, net als bij Simone de Beauvoir. Solzjenitsyn dus. De weigering om de stem van Solzjenitsyn te waarderen of zelfs maar te horen. De extreme wreedheid waarmee hij het lot van de dissidenten beziet, elke keer als hun probleem ter sprake komt. Of, veel eerder: 'Ik ben een fascinerend boek over Rusland aan het lezen,' schrijft Simone de Beauvoir aan Sartre in maart 1947, 'het is van Kravchenko die op de Russische ambassade in Washington zat en die een paar jaar geleden uit de Partij is gestapt; hij vertelt over zijn ervaringen die precies overeenkomen met de verhalen van Koestler en ik geloof eerlijk dat stukken ervan in de *TM* zouden moeten verschijnen'. Maar wanneer Kravchenko 'de vrijheid heeft gekozen' en in Parijs belandt, wanneer hij geconfronteerd wordt met het onvoorstelbare geweld van de communistische laster, wanneer hij moet bewijzen dat hij geen oplichter, geen Hitler-adept en zelfs geen CIA-agent is, staat hij helemaal alleen, zonder steun van Sartre of de Beauvoir.[24] Deze mensen hebben hun leven lang sommigen gesteund, voor anderen partij gekozen. Ze hebben zich tot taak gesteld, er bijna hun beroep van gemaakt, hun deur stelselmatig open te zetten voor alle vervolgden van de planeet. Maar dan komt er iemand uit die hoek van de wereld waar de vervolgingsmethoden zo ongeveer de meest onmenselijke zijn van de hele eeuw. Dan valt de hele progressieve pers over hem heen: 'Wat is dat voor mannetje dat, terwijl sovjetsoldaten de nazi-legers versloegen, tweedracht zaaide onder de geallieerden en Hitler en Göring in de kaart speelde?' En tegen dit onrecht, tegen deze door laster opgeklopte vervolging hebben ze niets te zeggen, niets te schrijven – geen regeltje van Sartre, geen regeltje van de Beauvoir ter verdediging van Kravchenko...

Verbeelding

Vlak na de executie van Pierre Pucheu, op het moment dat onder de Parijse intelligentsia de discussie gaande was of deze hoge ambtenaar van de Vichy-regering, minister van Binnenlandse Zaken van Pétain, die, voor hij naar Algerije kwam om tamelijk laat zijn diensten aan de voorlopige regering aan te bieden, een ontelbaar aantal verzetslieden en gijzelaars de dood in had gestuurd, nu wel of niet terecht was gefusilleerd, schreef Camus, ter rechtvaardiging van een executie die bij hem merkwaardigerwijs 'geen haat' maar ook 'geen compassie' opriep, in een mooie tekst, gepubliceerd door *Les Lettres françaises*, dat de werkelijke misdaad van Pucheu, de fout die in zijn ogen inderdaad de dood verdiende, eigenlijk niet was dat hij al die mannen en vrouwen de dood in had gejaagd en evenmin dat hij had 'verraden', of 'gecollaboreerd', of nauw met de vijand had samengewerkt, maar dat hij dat had gedaan vanuit de bescherming van een 'comfortabel en anoniem kantoor', dat hij niet had gezien of voorzien dat de decreten die hij afwezig en misschien vermoeid ondertekende 'veranderden in een dageraad vol doodsangst voor de onschuldige Fransen die hun dood tegemoet gingen', dat hij de 'lichamen' die hij de dood in stuurde, niet had 'benaderd met de ogen van het lichaam' en 'het fysieke begrip van rechtvaardigheid' – zijn grootste misdaad, zijn meest onvergeeflijke misdaad was, in één woord, zijn gebrek aan *verbeelding*. De tekst wekte in eerste instantie verbazing. De redactie van *Les Lettres françaises* vond het zelfs nodig hem vergezeld te laten gaan van een besmuikte kanttekening, ongetwijfeld van de hand van Eluard, waarin men afstand nam van dat zotte idee om 'gebrek aan verbeelding' de grootste misdaad van een collaborateur te noemen... En toch... Had Camus die dag niet precies de vinger gelegd op iets wat later witteboordencriminaliteit zou worden genoemd? Heeft hij niet precies gezegd wat we mensen als Eichmann en Bousquet of Papon eigenlijk kunnen verwijten? En heeft hij niet ook, zonder het te willen, zonder het te weten, maar beter dan welk polemisch artikel of welk 'Weerwoord tegen meneer de directeur van *Les Temps modernes*' dan ook, de vinger gelegd op de wezenlijke fout van de eerwaarde Sartre in zijn verhouding tot dat universum zonder beelden – dat daarom uitsluitend voor te stellen is met een ware krachttoer van de verbeelding – namelijk de wereld van het concentratiekamp? Het eerste boek van Sartre was een *Fenomenologische psychologie van de verbeelding*. Vervolgens is hij de auteur van een *Imaginaire* waarvan hij zijn proefschrift had kunnen maken. Hij is de onbetwiste specialist van de 'theorie van de emoties' en vooral van de 'emotie' die 'verbeelding' heet. En toch. Toen hij naar de Sovjet-Unie ging, toen hij zich letterlijk liet meeslepen door zijn begeleiders in burger en toen hij de idyllische beelden die hem werden voorgeschoteld of die regelrecht voor hem in scène werden gezet tijdens zijn reis door de Oekraïne of door Siberië, voor zoete koek aannam, kennelijk zonder een moment stil te staan bij de keerzijde van het decor dat hem geboden werd, had hij doodeenvoudig, net als Pucheu, te weinig verbeelding. Omdat hij niet nieuwsgierig is naar de ander? Omdat de wereld hem minder interesseert dan ideeën, zoals vaak wordt beweerd? Omdat hij – volgens Jean Cau[25] – 'geen enkel gevoel' heeft en 'alle zichtbare sentimentaliteit, alle ongecontroleerde gevoeligheid uit zijn leven heeft verbannen'? Omdat hij – nog steeds volgens Cau – 'zich met een soort intellectuele hypertrofie' volkomen zou hebben 'schoongeschrobd' van elke vorm van sentimentaliteit, en zijn 'gulheid' zou hebben omgevormd tot een 'verstandelijke' gulheid die 'uitsluitend reageert op morele tekenen, op codes die in de hersenen zijn uitgewerkt'? Geen lezer van zijn teksten over Tintoretto of Venetië, of zelfs over China, geen lezer van zijn prachtige, talrijke en echt stendhaliaanse 'Italiaanse kronieken' kan Sartre ook maar een seconde verwijten dat hij niet voldoende nieuwsgierigheid toont. Maar waarom dán? Dat moet verduidelijkt worden. Dat is ook het grote mysterie dat Sartre heet.

Zijn vriend Castro

Cuba. De waanzinnige, onbegrijpelijke teksten die volgen op zijn reis naar Cuba. Het is de lente van 1960. Het nieuwe regime is pas twee jaar oud. Maar door een onafwendbaar automatisme, waaraan men Sartre overigens vanaf zijn allereerste reportages herkent, het klassieke automatisme van een toenemende radicalisering[26], vertoont het reeds de belangrijkste tekortkomingen van de Midden- en Oost-Europese socialistische regimes: bijzondere rechtbanken, muilkorven van de pers, massale executies zonder vorm van proces in de gevangenissen van Havana en Santa Clara, concentratiekampen, schervengerichten waarbij tot hysterie gedreven massa's, net als in het oude Rome, verdachten ter dood veroordelen door hun duim naar de grond te laten wijzen, de arrestatie van Hubert Matos, de marginalisatie of liquidatie van alle democratische of gewoon Fidel-vijandige leiders, kortom, de ineenstorting van de democratische façade die de eerste maanden van het regime de totalitaire tendensen camoufleerde. En Sartre staat weer op de barricades, zwerft met Simone de Beauvoir drie dagen in gezelschap van Castro over het eiland en doet als hij terug is in zestien artikelen voor *France-Soir* verslag van zijn wonderbare avontuur: Castro overdag... Castro 's avonds... de revolutie overdag en 's avonds, zonder rust of respijt... kom vroeg, om middernacht... het jaar 1 van het nieuwe decennium en de wereldrevolutie... De Castro van de stad en de Castro van het boerenland... Castro aan het stuur van zijn jeep... Castro in zijn 'barbudo'-uniform... Castro en de landbouwhervorming... Castro, vriend van het volk... Castro op zijn hurken in het stof om een koelkast te repareren of het ontwerp voor een huis te tekenen... Castro de strijder en de boer... de heilige Castro, de komediant... en Sartre, en Castor, die alles pikken, alles slikken, voortdurend verrukt zijn over de wonderbaarlijke populariteit van hun gastheer – internationale uilskuikens, hogepriesters van het nieuwe geloof: 'Ik groet in u het humanisme,' herhaalt Sartre onveranderlijk tegen zijn gesprekspartners! En zij klapt uitgelaten in haar handen en geeft haar kameraad opgewonden stompjes: 'Het bestaat! We kunnen zeggen dat het bestaat!' En hij hervindt – maar maakt er helaas een karikatuur van! – de inspiratie voor zijn prachtige teksten over de noodzaak van het 'tegen zichzelf denken' en zich 'de botten [van het hoofd] breken': 'de revolutie is een paardenmiddel', het is de beweging die maakt dat 'een maatschappij met hamerslagen zijn eigen botten breekt, zijn structuren verwoest'. Geweld? Die revolutie is een 'extreme remedie' die 'met geweld opgelegd moet worden' ook al leidt dat tot de 'uitroeiing van de tegenstander' (die boodschap is goed overgekomen bij het regime dat er prat op kan gaan vanaf zijn ontstaan 15.000 tot 17.000 zogenaamde 'tegenstanders' te hebben gefusilleerd en er 100.000 naar kampen, gevangenissen of 'open fronten' te hebben verbannen[27]). Het communisme? 'De Cubanen, dat kan niet vaak genoeg worden herhaald, zijn geen communisten en hebben nooit overwogen Russische raketbases op hun grondgebied te installeren' (waarop genoemde Cubanen zich in de armen van de sovjets storten en een paar maanden later de zogenaamde raketcrisis uitbreekt). Fidel dan? Fidel is een engel... Fidel is 'de man van het geheel en van het detail...' Fidel 'is tegelijkertijd het eiland, de mensen, het vee, de planten en de grond, hij is het hele eiland...' Ik heb Fidel gezien te midden van 'zijn' Cubanen – 'de Cubanen waren de een na de ander in slaap gevallen maar Castro verenigde hen in één slapeloze nacht: de nationale nacht, *zijn* nacht...' En dan ten slotte die aanbidding van de jeugd – zo verrukt als hij is, tegen een achtergrond van 'salsa', over deze jonge titanen die hem met hun revolutionaire felheid zelfs doen denken aan 'de energie waar Stendhal zo van hield'[28] en die de hemel bestormen: 'Geen oude mensen aan de macht! Ik heb er niet één gezien onder de leidende figuren; al rondreizend op het eiland ben ik op alle verantwoordelijke posten en op de hele maatschappelijke ladder, als ik het zo mag zeggen, mijn zoons tegengekomen...' Dit is dezelfde man die twee jaar eerder, in een serie artikelen in *L'Express* waarin hij Gallische kikkertjes op zoek naar een koning hekelde, de oorlog verklaarde aan de gaullistische persoonlijkheidscultus. Dit is dezelfde onverzettelijke figuur die in het voorwoord van *Les Damnés de la terre* de spot zal drijven met de 'haviken van slap links' die 'ons opgezadeld hebben met een Grote Tovenaar die ons koste wat kost in onwetendheid wil houden'. Wat is er gebeurd? Wat voor Parijs geldt, geldt niet voor Havana? Zou de afgoderij van de Grote Tovenaar daarginds deugden hebben die ze hier niet bezat – en waarom?

Geweld, een nieuw idee?

De democratie van de massa. In *Les Communistes et la paix*[29] zet Sartre de 'democratie van de massa' af tegen de 'democratie van de bourgeoisie'. Wat zijn daar de kenmerken van? Waarin verschilt de ene van de andere? De 'unanimiteit'. De noodzakelijke 'unanimiteit'. Een unanimiteit, zegt hij, die 'onophoudelijk hersteld wordt door het uitschakelen van tegenstanders'. En als ze zich verzetten? Sartre aarzelt niet. 'Dan moet met geweld tegen hen worden opgetreden.' Want 'in de ogen van de groep,' schrijft hij, 'is de dissident een misdadiger.'

Een hond. 'Een anticommunist is een hond, daar blijf ik bij, daar zal ik altijd bij blijven.'[30] We kunnen ons voorstellen dat Sartre bij het uitspreken van deze vreselijke woorden nog denkt aan de 'waakhonden' van zijn vriend Nizan. Door ze weer in hun context te plaatsen, kunnen we ons vooral herinneren dat ze paradoxaal genoeg afkomstig zijn uit een van de teksten – *Merleau-Ponty vivant* – waarin deze Sartre-tweede-stijl weer enige afstand begint te nemen van het marxisme-leninisme en de PCF. Maar dan nog! Een hond... Hij heeft echt hond gezegd... Sartre die beter dan wie ook weet wat de verdierlijking van de politiek betekent, Sartre, die net in zijn voorwoord bij *Les Damnés de la terre* heeft geschreven dat deze verdierlijking een van de slechtste eigenschappen van het kolonialisme is en een van de onmiskenbare tekenen waaraan je het kunt herkennen, ziet er desondanks geen been in zijn anticommunistische tegenstanders voor honden uit te maken. Weer lijkt het erop dat er een dubbele Sartre is. Lijkt het erop dat er twee Sartres zijn, ja, die met elkaar in discussie zijn, bijna op voet van oorlog. En lijkt het erop dat een van de twee niet bang is om te spreken als Lenin (wanneer die, direct na de verovering van het Winterpaleis, overweegt om 'de schadelijke insecten' of 'schorpioenen' of 'bloedzuigers' van de bourgeoisie uit te roeien) of als Gorki ('het is vanzelfsprekend dat de arbeiders- en boerenpartij zijn vijanden uitroeit als 'luizen') of als die voormalige Franse commissaris van jodenzaken (die in 1978 in het nieuws kwam met zijn opmerking dat in Auschwitz alleen 'luizen vergast waren...').

Les Damnés de la terre. Nogmaals, de gedachte om een voorwoord te schrijven bij het boek van Frantz Fanon was op zich niet verwerpelijk. En dit project om zijn stem te lenen aan de stemlozen van de oude imperia en zich uit principe aan de zijde van de naamlozen, de veronachtzaamden uit de derde wereld te scharen – deze gewoonte om zich te belasten met 'de wraak der volkeren', zoals Chateaubriand het noemde, en er een boek aan te wijden en misschien nog meer boeken en misschien een groot gedeelte van zijn leven, dat alles was als gebaar niet gespeend van allure, niet a priori onverenigbaar met de waardigheid van het intellectuele metier en stelde in elk geval meer voor dan de gezapige onverschilligheid van heren als Homais de Bouville, die, overigens juist onder de paraplu van 'respect voor het recht' en 'eerbewijs aan het beste van het morele erfgoed van Europa', hun onverschilligheid en minachting meesmokkelden. Maar was het nodig zich in dit vertoon van zelfverachting te storten? Was het nodig verder te gaan dan Fanon zelf en die vreemde oproep tot moord te doen? En wie is deze Sartre die in opperste razernij uitroept: 'Europa heeft haar poten op onze continenten gezet, we moeten erin hakken tot zij ze terugtrekt' of: 'Wie een Europeaan doodschiet, slaat twee vliegen in één klap, laat tegelijkertijd een onderdrukker en een onderdrukte verdwijnen: wat overblijft zijn een dode en een vrij mens'? Zou hij dat geschreven hebben in de tijd van *La Nausée*? Wat overheerst in dit soort tekst, zelfhaat of pure waanzin? Een *bezeten* Sartre.

Lofzang op het terrorisme

De maoïsten ten slotte. Er bestaat een vreemde en hardnekkige legende over de houding van de maoïsten ten opzichte van geweld. Die legende wil dat ze in de verleiding waren geweest om geweld te gebruiken. Ze zouden vooral op het moment van de oprichting van het 'Nieuwe Volksverzet' serieus hebben overwogen hun toevlucht te nemen tot terrorisme als uiterste wapen tegen de gaullistische staat. En het zou te danken zijn geweest aan de grote 'democratische' intellectuelen die hen vergezelden in het avontuur – Clavel, Foucault en natuurlijk Sartre – dat ze op tijd halt hielden op een hellend vlak waar op hetzelfde moment hun Italiaanse of Duitse evenknieën vrolijk afgleden. Het is een mooie legende. Maar helaas slaat hij nergens op. Misschien Clavel... Misschien ook Foucault (hoewel zijn teksten uit de laatste periode over het verwarrende en fascinerende geweld van de Geschiedenis, het bloed van de veldslagen, de rassenoorlog, et cetera, nauwelijks pleiten voor de these van een gematigde en democratische Foucault die zijn kameraden op de gevaren van de directe actie wijst...). Maar wat Sartre betreft is de legende niet alleen dubieus, maar zelfs een aperte leugen. En ik voer als bewijs onder andere een tekst aan die werd gepubliceerd in *La Cause du peuple* vlak nadat elf Israëlische atleten tijdens de Olympische Spelen in München door de PLO waren afgeslacht. Ik vind het 'ronduit schandalig,' schrijft hij, 'dat de aanslag in München door de Franse pers en een deel van de publieke opinie veroordeeld wordt als een onaanvaardbaar schandaal'.[31] Israël en de Palestijnen verkeren in 'staat van oorlog' en het 'enige wapen' waarover de Palestijnen beschikken 'in deze oorlog' is het 'terrorisme'; dit 'in de steek gelaten, verraden, verbannen' volk kan 'zijn moed en de omvang van zijn haat slechts tonen door dodelijke aanslagen te organiseren'; deze aanslagen zijn legitiem en 'de Fransen die het terrorisme van de FLN goedkeurden toen dat zich tegen Fransen richtte, zouden nu ook de terroristische actie van de Palestijnen moeten goedkeuren'. Terrorisme is 'een verschrikkelijk wapen', geeft hij toe. Maar 'de onderdrukte armen hebben niets anders'. En omdat de aanslag bovendien de verdienste had 'plaats te vinden tijdens internationale wedstrijden waarvoor honderden journalisten uit alle landen bij elkaar waren', heeft hij 'aan iedereen op historische wijze de wanhoop van de Palestijnse strijders en de verschrikkelijke moed die de wanhoop hun geeft onthuld...' Als ik heel eerlijk ben moet ik erbij zeggen dat Sartre als hij deze regels schrijft nog gelooft dat de terroristen van plan waren de atleten te gijzelen en mee te nemen naar een bevriend land. Hij is er met andere woorden van overtuigd dat de politie van München, mede dankzij de slechte communicatie met de federale politie, hen tijdens de bestorming heeft gedood. En de tekst neemt overigens de dubbele voorzorg – niet onbelangrijk, gezien het klimaat, de context en vooral de zeer bijzondere 'steun' die het orgaan van proletarisch links betekent – eerst te zeggen dat Israël 'een soevereine staat' is en vervolgens dat je je zou kunnen 'afvragen of de belangrijkste vijanden van de Palestijnen niet de feodale dictaturen zijn die hen vaak met woorden hebben ondersteund terwijl ze hen tegelijkertijd probeerden af te slachten', met andere woorden: de Arabische staten. Maar dan nog. Het is maar zelden voorgekomen dat een intellectueel met zo veel dialectisch aplomb dit soort terrorisme goedpraatte. Is dát de schrijver van de *Réflexions*? En hoe, door welke aberratie, welke sluwheid, welke gespletenheid misschien, kan deze vriend van het joodse volk goedkeuren dat 'het probleem van Palestina' op deze manier aan de orde wordt gesteld?

Keel de bazen als varkens!

Blijft u 'voorstander van de doodstraf om politieke redenen'? vragen Burnier en Bizot hem op kerstavond 1972. Antwoord: 'Ja; in een revolutionair land waar de bourgeoisie uit de macht is ontzet, verdient de bourgeois die een opstand of complot beraamt de doodstraf.' En verder: 'Een revolutionair regime moet zich ontdoen van een aantal individuen door wie het bedreigd wordt en ik zie geen ander middel dan de dood; er is altijd een manier om uit een gevangenis te komen; de revolutionairen van 1793 hebben waarschijnlijk niet genoeg gemoord.'

Zijn teleurstelling, in 1977, toen Serge July en Michel Le Bris in *Libération* 'Van Tillon tot Baader' publiceerden;[32] zijn woede bij het idee dat maoïsten, mensen die net als hij het idee van het 'Nieuwe Volksverzet' hebben omhelsd, als een blad aan de boom kunnen omdraaien en zonder onderscheid, zonder rekening te houden met de verschillende situaties, met de Geschiedenis en vooral met de geschiedenis van het terrorisme, revolutionair geweld veroordelen: 'enfin! Het waren de nazi's die, om de bevolking te terroriseren, verzetsstrijders "terroristen" noemden!'

Dit interview met P. Bénichou, gepubliceerd in *Esquire*, en bij mijn weten nooit herroepen: ja, de bazen mogen gevangen worden genomen; ja, de bazen mogen gedwongen worden in de laden van hun bureaus te pissen; geen bezwaar tegen het verbranden van hoogleraren, want sommigen van hen zijn misdadigers ('burning professors, because some of them are criminals...)[33] Om nog maar te zwijgen van de toon in *La Cause du peuple* waarover hij, sinds het meinummer van 1970, officieel de leiding heeft en waarin hij kolom na kolom oproept om 'bazen te kelen', 'op te hangen aan hun ballen', levend te 'verschroeien' als 'varkens, want dat zijn ze'; om kamerleden te 'lynchen', 'directeurtjes' te 'temmen', om tegen gevangengenomen bazen, als ze vragen 'of ze mogen pissen', te zeggen: 'pis maar in je broek! Jij weet niet wat het is als je onderbroek aan je lijf plakt van het zweet, zo leer je tenminste hoe dat is, een natte kont...'[34]

Steeds weer dat geweld. De wreedheid, ook weer in *La Cause du peuple*, van de communiqués van 'opstandige arbeidsters' die tegen hun bazin brullen: 'Pas op! Je kunt niet een heel leven dezelfde mensen slaan! De dag komt dat we het hele ras van vulles waar jij bij hoort zullen uitroeien.'[35] De barbaarsheid van andere teksten in een krant waarover hij nog steeds officieel de leiding heeft, al weten we niet of hij zich er inmiddels van heeft gedistantieerd: 'Die baas, ze zouden hem zijn kinderen moeten afpakken, als hij die heeft, tot de eisen zijn ingewilligd...'[36] De karikatuur – die hem evenmin lijkt te schokken – van Dreyfus, destijds de baas van het staatsbedrijf Renault, afgebeeld als hond die bezig is een andere hond te bespringen, waarmee 'het vakbondsgajes' van Billancourt wordt bedoeld. Het beroemde nummer van *Les Temps modernes* – zijn tijdschrift dit keer, zijn echte tijdschrift – waarvan de hoofdredactie aan de maoïsten is toevertrouwd en waarin de een juicht over de septembermoorden en de ander een rechtspraak aanprijst die een eind zou kunnen maken aan een bourgeois formalisme dat tot in de rolverdeling tussen rechters, advocaten enzovoort merkbaar is, terwijl de derde zich in een ongenuanceerde verdediging van lynchpartijen stort. En als de 'nieuwe partizanen' het ten slotte beu zijn nog langer te wachten op een opstand die niet komt en besluiten ten strijde te trekken tegen de ongelukkige notaris van Bruay-en-Artois, die schuldig wordt geacht, hoe kan het ook anders, aan de moord op de dochter van een arbeider, als *La Cause du peuple* de spreekbuis wordt voor de woede van een 'proletariaat' dat ervan droomt het recht in eigen hand te nemen en als je daar kunt lezen: 'Laten ze hem aan ons geven, we zullen hem in stukken snijden met een scheermes... Ik zou hem achter mijn auto binden en met honderd kilometer per uur door Bruay sleuren...', of dit: 'We moeten hem lang laten lijden... Laten ze die wolf vijf minuten aan ons overlaten... dan zou er snel recht gedaan zijn want wij zijn geen lammetjes...', roept hij de waanzin weliswaar een halt toe; 'laat hij merken,' volgens Benny Lévy, de leider van proletarisch links, dat hij die meningen een beetje 'maf' vindt[37]; geeft hij aan *Le Monde*[38] een verklaring waarin hij herinnert aan het oude principe dat 'elke beklaagde onschuldig is tot hij schuldig is bevonden'; benadrukt hij dat dit principe een 'volksverworvenheid [is] van de Franse revolutie' en dat een 'volksrechtspraak' die die naam waardig is 'daar geen afstand van mag doen, maar het hoog moet houden en zich eigen maken'; toch vindt hij deze 'haatreactie' er niet minder 'legitiem' om; en in plaats van zich af te wenden van zijn kameraden, in plaats van dit te onderstrepen of zich te distantiëren, geeft hij hun weer een tekst[39] waarin hij weliswaar kritiek uit op de 'slechte gewoonten' – sic – die ze zich hebben aangewend en die hij terugbrengt tot het feit dat ze niet genoeg 'rekening houden met de Vijand' – met andere woorden: de vijand zal misbruik maken van traktaten of verklaringen die hoofdzakelijk uit tactische onhandigheid de plank misslaan – maar opnieuw bevestigt, 'in overeenstemming met de gehele redactie', dat hij geen seconde twijfelt aan de schuld van de ongelukkige notaris Leroy. Weer een andere Sartre. Duidelijk een andere Sartre. Een krankzinnige, verontrustende Sartre, die naar keuze ontzetting, verbijstering of afkeer inboezemt – en die in elk geval onbegrijpelijker is dan ooit.

Gemengde tinten

Dit zijn dus de feiten.

Dit zijn een paar – niet meer dan een paar – van de ergste stukken.

Betekent dit dat Sartre in de tweede helft van zijn leven alleen maar fouten heeft begaan? Betekent dit dat hij in zijn stalinistische en daarna in zijn maoïstische periode niets anders heeft gedaan dan de schanddaden en de grote verdwazingen van de eeuw met zijn naam en enorme autoriteit bemantelen?

Natuurlijk niet. De zaken liggen ook hier niet zo eenvoudig. En we zouden uit diezelfde periode vrijwel evenveel voorbeelden kunnen opsommen waarin we de grote Sartre terugvinden, de gulle, stralende vriend van de nederigen en veronachtzaamden, die zich inzet voor rechtvaardigheid en recht, voor vrijheid en broederschap, de zonne-Sartre, die altijd kon ontvlammen voor de onderdrukten en die ook werkelijk ontvlamde als de tijd, zoals zo vaak, in egoïsme bleef steken.

Het is de Sartre van de Algerijnse oorlog bijvoorbeeld.

Het is de Sartre die onmiddellijk reageert wanneer Francis Jeanson, die hij na Hongarije uit het oog was verloren en die was overgegaan op illegale actie voor de Franse sectie van de FLN, hem in 1959 te hulp roept.

Het is de Sartre die, hoewel hij ongelijk had, en niet zo'n beetje ook, tegen Camus en Aron, in zijn begrip van het totalitaire fenomeen, een tijd later weer gelijk heeft in de koloniale kwestie, want hij (en niet Camus) is degene die, zonder dralen, tegen respectvol links zegt dat de Algerijnen recht hebben op onafhankelijkheid en hij is het (en niet Aron – die ook voor de onafhankelijkheid was, maar dan omdat Frankrijk volgens hem in wezen niet meer de middelen had voor die ambitie en omdat het in haar belang was, hij zegt inderdaad haar belang, zich van haar imperium te bevrijden) die beweert, en hoe! dat de dekolonisatie geen kwestie van politiek is, maar van waardigheid, rechtvaardigheid en moraal.

Het is de Sartre die, drie maanden na zijn treurige symposium op de Karelsuniversiteit, toch in opstand komt tegen de intocht van de Russische tanks in Praag.

Het is de Sartre die, bijna als enige, tot de laatste dag van zijn leven partij kiest in de Koerdische en de Armeense kwestie, en hij is degene die het in 1966 opneemt voor de Biafranen.[40]

Het is de Castro-adept die aan Castro schrijft dat deze 'een van de weinige mensen' was voor wie hij een 'gevoel van respect' koesterde, maar die tien jaar later de petitie ondertekent voor Padilla, die tijdens een Moskouproces in de tropen, waar stupiditeit wedijverde met waanzin, veroordeeld werd wegens homoseksualiteit.

Het is de Sartre van de onvoorwaardelijke steun aan Israël. Het is de Sartre die in 1974 met Aron, Ionesco en anderen fel protesteert tegen de antizionistische houding van de UNESCO[41] en een jaar later, samen met François Mitterrand, Pierre Mendès France en André Malraux, een petitie ondertekent tegen de VN omdat die zionisme gelijkstellen aan racisme.[42] Het is de Sartre die twee jaar later naar de Israëlische ambassade in Parijs gaat om een van de zeldzame onderscheidingen in ontvangst te nemen die hij ooit heeft geaccepteerd, en die hij terecht krijgt vanwege zijn vriendschap voor Israël en zijn constante strijd tegen het antisemitisme: een eredoctoraat aan de universiteit van Jeruzalem.[43] Het is de Sartre die bevriend is met Claude Lanzmann, de maker van *Shoah*, aan wie hij de sleutels van *Les Temps modernes* overdraagt. Het is de Sartre die tijdens de zesdaagse oorlog, maar ook, verrassend genoeg, tijdens de Jom Kippoeroorlog tot groot ongenoegen van zijn vrienden van extreem-links, hartstochtelijk partij kiest voor 'het verzet van drie miljoen mensen tegen honderd miljoen,' die ziet hoe 'de verwoesting van Israël' zich 'aftekent aan de horizon', en dus als een van de weinige grote intellectuelen de zorgen, de standpunten en zelfs de retoriek van de joodse staat omarmt.[44] Het is ook de Sartre die, ondanks zijn radicale of, zoals we net zagen, extreem gewelddadige standpunt ten gunste van de Palestijnen, ondanks zijn betrokkenheid bij de vorming van een Palestijnse staat naast de joodse staat, nooit de overlevenden van de shoah het recht op een land en een staat zal ontzeggen: die verschrikkelijke tekst van *La Cause du peuple* bijvoorbeeld, die tekst waarin hij zelfs de moord op de Israëlische atleten in München rechtvaardigde, bevat ook de wil (de krachttoer!), zagen we, om de maoïsten eraan te herinneren dat de ware vijanden van de Palestijnen, de krachten die er echt op gebrand zijn het onrecht dat hun is aangedaan voort te laten duren, zich niet zozeer in Israël bevinden als wel in de zogenaamd 'progressieve' Arabische landen; in *On a raison de se révolter* bijvoorbeeld,[45] dat dwaze, woedende boekje, waarin de afkeer van filosofie om voorrang strijdt met de afkeer van democratie, maar waarin, op het moment dat een van zijn gesprekspartners, Philippe Gavi, het beeld oproept van een toekomst wanneer eindelijk de oeroude scheiding tussen hoofd- en handwerk zal zijn opgeheven – en nog voordat de andere gesprekspartner, Pierre Victor, vervolgt met de opmerking dat er een land bestaat, de volksrepubliek China, waar dat programma al gerealiseerd wordt – Sartre antwoordt: 'Ik zal u een voorbeeld geven dat u niet zal aanstaan gezien uw houding ten opzichte van Israël': het is het voorbeeld van de 'kibboets' waar 'ik voor het eerst het type van de hand- en hoofdarbeider ben tegengekomen' en waar het niet ongebruikelijk is dat 'een herder' leest, schrijft en nadenkt 'tijdens het schapen hoeden'.

Kortom, de zaken zijn niet zwart-wit. Ze lopen door elkaar. Je hebt niet de 'goede', kreukloze Sartre, en – van hem gescheiden door een soort ijzeren chronologie – de slechte Sartre, de verdwaalde Sartre, een totaal waardeloze Sartre die zich voortdurend vergist en zijn tijdgenoten meesleurt in zijn dwaling. Of, om preciezer te zijn, er zijn wel twee Sartres. We kunnen wel spreken van 'de eerste' en 'de tweede', omdat het grosso modo klopt en er inderdaad een dunne, veranderlijke, steeds verschuivende lijn is die zijn leven en zijn werk in tweeën deelt. We kunnen zelfs, zoals ik tot nu toe heb gedaan, blijven spreken van 'de jonge' Sartre (in grote lijnen: die van *La Nausée, L'Être et le néant*, desnoods van *Saint Genet* en van *Qu'est-ce que la littérature?*) en 'de andere', of 'de tweede' Sartre (de fellow-traveller van de Sovjet-Unie en de communistische partij – de man van *Les Communistes et la paix*, *Les Damnés de la terre*, en *Critique de la raison dialectique*). Maar de twee perioden overlappen elkaar. Ze grijpen voortdurend in elkaar. Het lijkt of de twee Sartres elkaar blijven aantasten, besmetten en teisteren. Het lijkt of er twee programma's zijn die elkaar storen, twee zingevende zenders, tegenstrijdig maar wel gelijktijdig, die elkaar voortdurend doorkruisen en dus vertroebelen. En net zo goed als de eerste Sartre trekken vertoonde die voorboden van de tweede leken, net zo goed als de voorliefde voor helderheid, of de weigering zelfkritiek uit te oefenen, of de erg Nizanachtige oproep om terug te keren naar het concrete, of naar de dingen, al verwezen naar het fanatisme van de tweede, of naar zijn gewelddadigheid of zijn minachting voor het subject (tot en met de schitterende formulering: 'ik had botten in mijn hoofd, niet zonder pijn liet ik ze kraken' waarmee ten slotte de bekering tot het marxisme werd geïllustreerd...), net zo goed als het zeker raadzaam zou zijn om een paar trekken aan de eerste Sartre te ontlenen, wanneer we het portret van die tweede, de totalitaire Sartre moeten schetsen, net zo goed als, bijvoorbeeld, de hele beschrijving van het opzich, in *L'Être et le néant*, als louter verval en viscositeit, natuurlijk niet los te denken is van de apologie, in *La Réponse à Claude Lefort*, van een Partij die als enige in staat is om dat andere 'op-zich', die 'moleculaire maalstroom'[46] van de 'massa', te transformeren tot een klasse – net zo goed is het omgekeerde waar: dat we, om het portret van de eerste Sartre te schetsen, de grenzen van de zuivere chronologie moesten overschrijden, dat we onophoudelijk zelfs de portretten van Nizan of Merleau-Ponty, zelfs de teksten over Tintoretto of *La Reine Albemarle* in aanmerking moesten nemen, dat we tot de periode van *Les Mots* en *L'Idiot de la famille* konden en moesten teruggaan, komt doordat er in die tweede Sartre gevoelens van spijt of nostalgie zitten, of in elk geval verleidingen die we niet anders kunnen interpreteren dan als noodsignalen van de eerste Sartre, van Sartre de jongere, van de absoluut rebelse en onmaatschappelijke Sartre die, zij het in rudimentaire vorm, in de totalitaire Sartre zou blijven voortbestaan.

De verleiding van de avonturier

Eerst de verleiding van de avonturier. Het is 1950. We staan dus op de drempel van de tweede periode. Op dit scharnierpunt, waarover Sartre in *Merleau-Ponty vivant* zal zeggen dat het samenvalt met het langdurige 'gepieker' dat hem tot het communisme heeft gebracht. Hij zit er in zekere zin al in, in het communisme. Hij is, wat hij er ook over zegt, in wezen al de gedisciplineerde militant geworden, de marxist. Als bewijs daarvoor noem ik onder andere het ellenlange voorwoord bij het boek van Louis Dalmas, *Le Communisme yougoslave*, waarin het alleen maar gaat over 'sovjetbastion', 'revolutionaire massa's' en 'proletariaat als subject van de Geschiedenis', over 'opkomende' en 'neergaande' klassen, over 'objectiviteit van het historische proces', over het begrip 'politiek echec' volgens *Humanisme et terreur*, over de vergelijkende theorieën van de 'machtsgreep' volgens Rosa Luxemburg en Lenin, kortom, over een visie op de Geschiedenis die dan al de visie is van de militant die hij een paar maanden later officieel zal worden. En dan vraagt Roger Stéphane, vriend van Malraux, verzetsman, toekomstig oprichter van *France-Observateur* en, voorshands, schrijver van een boekje, *Portrait de l'aventurier*, hem ook om een voorwoord. Zoals gewoonlijk stemt Sartre toe. En zoals gewoonlijk maakt hij van de gelegenheid gebruik om een van zijn geliefde 'grote discussies' neer te zetten, over een thema bovendien dat naar zijn idee centraal zal staan in de periode die voor hem ligt: de discussie tussen twee belangrijke rivaliserende personages, namelijk 'de avonturier' en 'de militant'. Officieel gaat zijn hart het meest uit naar de militant. De tekst is hoofdzakelijk gewijd aan de verheerlijking van de nederige grootheid van deze man die 'weet dat hij deel uitmaakt van een klasse en een partij die geschiedenis maken' en die zich ervan bewust is dat hij wordt 'gedefinieerd door duidelijk omschreven taken en grote verwachtingen'. De militant, benadrukt hij, heeft 'op alle punten gelijk'. De avonturier daarentegen is de 'parasiet' van de militant. Ach! De pathetiek van 'desperado's' zoals Lawrence of Malraux, die strijden voor een maatschappij waarin, als puntje bij paaltje komt, helemaal geen plaats voor hen zal zijn en 'zelfs hun herinnering zal worden vergeten'. Och! Het meelijwekkende lot van de grote avonturiers, veroordeeld door de geschiedenis en nauw verwant aan 'de bourgeois' die hij beschrijft als een 'gek', een 'wild en verwaarloosd beest', een 'wirwar van woekerende planten'. Op dit eerste leesniveau is hij hoogstens bereid te pleiten voor een diplomatieke synthese tussen de twee figuren – waarbij de militant als goede prins 'het erfgoed van deugden van de avonturier' ten eigen bate aanwendt en de 'discipline' van de eerste wijselijk de rusteloze 'negativiteit' van de tweede inlijft...

Alleen kan de tekst ook precies andersom gelezen worden. De tekst in zijn geheel, als we hem tenminste laten praten en vooral als we ons laten meeslepen door de beweging, het ritme, de stijleffecten, het theater, het melodrama, zou ik bijna zeggen, is, net als *Les Mains sales*, en misschien tegen wil en dank, een verheerlijking van de avonturier. Er zal misschien geen plaats meer zijn voor die avonturier in de 'socialistische maatschappij'. Hij heeft misschien alle 'slechte eigenschappen van de bourgeoisie', van 'egoïsme' tot 'trots' en 'kwade trouw'. Maar op deze paar bladzijden klinken een toon en een accent door die niet bedriegen en uiteindelijk ligt de voorkeur, de sympathie van de auteur overduidelijk bij hem, bij zijn 'magnifieke liberaliteit'. Sartre staat op de rand van de bekering. Hij staat aan de vooravond van de definitieve en, denkt hij, onomkeerbare duik in de wereld van het militantisme. Hij heeft besloten – en zegt het hier, in deze tekst – dat hij zich toch nog, maar dertig jaar later, aansluit bij zijn kameraad Georges Politzer en afstand doet van zijn eigen wil om zich in dienst van de Partij te stellen. En hij kiest dit moment en deze tekst om voor het laatst, zonder daar ook in het minst toe gedwongen te zijn, de loftrompet te steken voor dit bizarre, absurde personage, deze koning van het 'niet-zijn', 'vol van zijn toekomstige begrafenis', die hij beurtelings 'held' of 'avonturier' noemt. Luister maar: misschien heeft de avonturier 'ongelijk'; maar, 'na de zege van de militant te hebben toegejuicht', is hij, de avonturier, toch degene die 'ik zal volgen in zijn eenzaamheid'. Vervolgens: 'ik zie hem weglopen, overwonnene en overwinnaar, nu al vergeten in deze staat waar voor hem geen plaats is, en ik denk dat hij tegelijkertijd van het absolute bestaan van de mens en van zijn absolute onmogelijkheid getuigt.' En verderop: 'een socialistische staat waar toekomstige Lawrences radicaal onmogelijk zouden zijn, zou me steriel lijken; en ook al was Lawrence in de ogen van socialisten het Kwaad zelve, ik ben van mening dat het doel niet moet zijn het Kwaad te onderdrukken maar het te bewaren in het Goede...'

De liefde voor Italië

De verleiding van Rome en Venetië. Zoals ik al zei, is hij in Venetië wanneer hij zijn artikel over de Rosenbergs, 'Hondsdolle dieren', dicteert. Hij is niet in Venetië, maar wel in Italië, wanneer hij over 'de arrestatie van Duclos, de diefstal van diens aantekeningen en de klucht van de postduiven' hoort en aan de eerste versie van *Les communistes et la paix* begint. Vanuit Italië dicteert hij ook, in juli 1954, zijn 'Antwoord aan Hélène et Pierre Lazareff' die vrijwel tegelijk met hem in de Sovjet-Unie waren maar er totaal tegenovergestelde indrukken opdeden. Hij is ook in Italië wanneer in de herfst van 1956 de opstand in Hongarije uitbreekt, aanleiding voor zijn eerste, abrupte breuk met de Partij. Ook in Venetië begint hij zijn kruistocht voor Tarkovski en in een mooie brief aan *L'Unita*, waarin hij de verdediging van *De jeugd van Ivan* op zich neemt, laat hij zich verleiden – het is 1963! – tot de opmerking dat de Sovjet-Unie 'het enige grote land [is] waar het woord vooruitgang betekenis heeft'. In Rome schrijft hij in de zomer van 1958 'De regering van de minachting', het eerste van een reeks ongelooflijk felle, polemische artikelen tegen de Gaulle. In Rome hoort hij op 12 juli 1964 van de dood van Maurice Thorez en vanuit Rome dicteert hij, als eerbetoon aan de overledene, een van de meest verstokte teksten die hij ooit heeft gepresteerd: '...een van de grote personages van de internationale arbeidersbeweging... zijn intelligentie, zijn energie, zijn moed en zijn doorzettingsvermogen... vooral dankzij hem is de PCF de eerste partij in Frankrijk geworden...'[47] En hij is ook in Rome als in 1968 de coup in Praag plaatsvindt en de Italiaanse pers – *Paese Sera*, de communistische avondkrant – krijgt zijn allereerste reactie: 'In mijn ogen gaat het hier om echte agressie, om wat volgens internationaal recht een oorlogsmisdaad heet...' Uit deze reeks toevalligheden kunnen verscheidene geldige conclusies worden getrokken, naar believen allemaal samen of los van elkaar. De eerste: Sartre brengt gewoon veel tijd in Italië door; na Stendhal is hij de meest Italiaans georiënteerde Franse schrijver; hij praat er overigens prachtig over; hij praat als geen ander over Rome, maar vooral over Venetië, en hij is een van de zeer weinige schrijvers die het een vrolijke stad vinden; 'een van de vrolijkste,' zegt hij, 'een van de weinige vrolijke van Italië'; een levende stad, een glimlachende stad; het tegenovergestelde van het conventionele beeld van Venetië, dat van Musset, Mann, Toergenjev en Loti:[48] dood in Venetië, vervloekte geliefden, zwarte gondels voor nachten van doodsnood, trieste lagunes, stervensadem, droom van steen en water, sarcofagen en moerassen, balseming, ijzige tombe, sombere geneugten, Venetië zien om er, zoals Barrès,[49] met wantrouwend hart en afkeurende mond, je koortsen, je lucide wanen, je afmattende neerslachtigheden te voeden – weg met dat alles! Wat een rust! De tweede: zou het één niet verband houden met het ander? Zou er geen relatie van oorzaak en gevolg zijn tussen het feit dat hij in Italië was en de radicaliteit van zijn politieke stellingname, in welke richting ook? Zou hij ooit zo fel, verontwaardigd en radicaal zijn geweest, zou hij ooit zozeer het beroemde gevoel van 'verstikking' hebben gehad dat hem dreef tot *Les Communistes et la paix*, als hij niet de geest had gekregen in het Teatro La Fenice of op de trappen van het Piazza Spagnola? Zou het niet gaan om het betalen van tol? Zou het niet zo zijn dat de tienden voor de politiek zo zwaar telden omdat hij het gevoel had een deserteur te zijn? En dat de Romeinse of Venetiaanse geneugten hem elke keer besmetten met het verschrikkelijke virus van schuldgevoel, en dus van verplichte felheid, van het overbieden? En dan de derde: er zitten twee 'kanten' aan Sartre; er is de Moskou-kant en de Rome- en Venetië-kant; er is Moskou dat hij ontvlucht in Venetië, en Venetië waar hij wordt ingehaald door Moskou; er is de verleiding van Moskou (of Cuba of Peking), dat wil zeggen van de ernst die hij zo fel hekelde in *La Nausée* en die zich, in zekere zin, heeft gewroken, en er is het geluk in Venetië (of Rome of Bologna), er is dat betoverde Venetië waar hij elk jaar heen gaat, tot aan het bittere einde, als hij geen ogen meer heeft om te zien, geen benen meer om hem te dragen, maar dat geeft niets, hij is er, en Venetië ook, hij zit alleen in zijn kamertje in Casa Frollo, en luistert naar het gemurmel van de kanalen van Venetië, en hij voelt, als hij mee naar buiten wordt genomen, de substantie van dat licht waarover hij vroeger schreef dat het uitbundiger is in Venetië dan in Tunis of Palermo; de spiegels van Venetië; de kanalen van Venetië die samenvloeien met de hemel en de lagune; de archipel van Venetië, bemerkt hij, lijkt op die andere archipel waarvan hij in zijn jeugd zei dat hij precies de vorm van zijn geest had; kortom, hij is thuis; hij is in zichzelf; het is het andere postulaat van zijn ziel; de politiek tegen Italië, maar Italië tegen de politiek; eindigde Stendhal zijn voorwoord bij *Rome, Naples et Florence* niet al met: 'dat is het ongelukkige gesternte van onze eeuw, de schrijver wilde zich slechts vermaken en uiteindelijk raakt zijn tableau verduisterd door de trieste tinten van de politiek'?

Flaubert schrijven en dan sterven?

Als laatste de verleiding van Flaubert. Waarom, vragen zijn maoïstische vrienden hem, dat enorme boek over Flaubert? Waarom zo'n bourgeois, zo'n conservatieve schrijver, aanhanger van 'l'art pour l'art', door zijn stilzwijgen verantwoordelijk voor het bloedbad van de Commune, terwijl je zelf hebt gezegd, zelf hebt geschreven, heb je dat niet zelf geschreven, dat je

'Flaubert en Goncourt verantwoordelijk [achtte] voor de repressie die op de Commune volgde, omdat ze niet één regel hebben geschreven om deze te voorkomen'? Als je dat geschreven hebt, waarom sluit je je dan dagen- en nachtenlang op met als enige gezelschap die nutteloze, contrarevolutionaire, misdadige schrijver? Waarom Flaubert en niet de militante pers? Waarom Flaubert en niet een volksroman? Of een toneelstuk? Ja, ja, dat is een idee! Je hebt vroeger toch toneel gemaakt! Je hebt toch *Bariona* geschreven voor je kameraden in gevangenschap! Waarom zou je geen nieuwe *Bariona* schrijven voor je nieuwe kameraden, de proletariërs? Waarom geen *Bariona* om Billancourt hoop te geven? Sartre verontschuldigt zich elke keer: 'Ik ben oud... begrijp me, ik ben zo oud... als ik vijftig was, wie weet... maar ik ben vijfenzestig... jullie gaan me toch niet nu, op mijn vijfenzestigste, dwingen te veranderen... dat boek is als een kruk... of een heel oude gewoonte... of zelfs, wie weet, een ziekte... dat is het... er zijn oude mensen die verlamd eindigen... bij mij is het omgekeerd... ik lijd aan de ziekte van de dolle hand... de sint-vitusdans van de pen... het is sterker dan ik... het houdt maar niet op... gaan jullie me met geweld tegenhouden? Me het papier uit handen rukken? Dat zou onmenselijk zijn... het zou mijn dood zijn...' Maar je merkt dat hij niet de hele waarheid spreekt. Tegen niemand, behalve tegen Castor, zou die uitgesproken kunnen worden. Dat hij zijn 'Flaubert' niet loslaat, komt doordat hij het inderdaad niet kan. En dat hij het niet kan, komt doordat de literatuur even onmisbaar voor hem blijft als de geur van Venetië, of de avonturiersgeest, als de lucht die hij ademt en die hem in staat stelt te leven. Er zijn weer twee Sartres. Niet meer echt twee postulaten, maar twee inspiraties, bijna twee snelheden van de ziel. Zegt hij niet op een dag dat stijl altijd een kwestie van 'snelheid' is?[50] Nou dan. Dan zijn we er. Er is de snelheid in de teksten voor *La Cause du peuple* – de woede... de bliksem... de pen als een zwaard... of een hamer... de stem van de haat en de bezetenheid... een stem zonder adempauzes die, in zekere zin, de adem afsnijdt... En dan is er de andere, geheimere, intiemere snelheid, in disharmonie met het tempo van de wereld, die niet is veranderd sinds *La Nausée*: dat is de snelheid die hem, als de nacht is gevallen, als de maoïstische vrienden zijn vertrokken en hij weer alleen is, in harmonie met zijn geest en zijn hand, meevoert naar een wereld waar de tijd beurtelings krimpt en uitrekt en waar, in een verwarring van alle perioden, Joyce weer een dialoog aangaat – maar was hij daar ooit mee opgehouden? – met Freud, de filosofie met de roman, de onoverwonnen dromen van Pardaillan met die van het kind Gustave – dat alles voor een boek waarover hij dus tegen Castor, en alleen tegen Castor, zal bekennen dat het zijn beste bijdrage is, het laatste van zijn grote boeken, en dat de verschijning ervan hem evenveel plezier heeft gedaan als die van *La Nausée* toen hij nog jong was.[51] Poulou is niet dood. Sartre ook niet. Een plotseling herculische Sartre. Atleet van het dubbelspel en de dubbele stem. Te oud om te veranderen? Laat me niet lachen! Hij is nog nooit zo sterk geweest! Want er is verschrikkelijk veel kracht voor nodig om zo openlijk dit illegale dubbelleven te leiden: proustiaanse nachten en militante dagen – het beroemde 'hij was nog slechts een hand die schreef' van Mauriac over de stervende Proust en het dagbewustzijn dat, zoals we zullen zien, maakt dat hij zijn zuiver literaire kant de rug toekeert.

We kunnen het natuurlijk schizofrenie noemen. We kunnen verrukt of verbaasd zijn of ons eraan ergeren. We kunnen ons voorhouden dat schrijvers in een andere tijd leven, in een andere chronologie dan de mens in het algemeen, en dat dat niet aanvaardbaar is. We kunnen die verdubbeling van Sartre, die vermenigvuldiging van Sartres zien als een vorm van literair peetmoederschap, even raadselachtig en fascinerend als de andere. We kunnen denken aan het vreemde verhaal in *Les Mots* dat al over 'het koningskind' opmerkte: 'Ik dacht twee stemmen te hebben waarvan de ene – die nauwelijks van mij was en niet afhankelijk was van mijn wil – de andere zijn woorden dicteerde. Ik besloot dat ik dubbel was. Deze lichte problemen duurden tot de zomer: ze putten me uit, maakten me boos en uiteindelijk werd ik bang. "Het praat in mijn hoofd," zei ik tegen mijn moeder, die zich gelukkig niet ongerust maakte...' We kunnen in het geval-Sartre ook stof zien tot nadenken over de verschillende manieren waarop grote kunstenaars veranderen, dubbel zijn, hun levens vermenigvuldigen. Er zijn er die in de loop der tijd veranderen: metamorfoses, opeenvolgende oeuvres, seizoenen, roze perioden en blauwe perioden, vrijmoedige breuken, sombere cesuren: Malraux, Picasso, het nieuwe leven van Mondriaan. Maar er zijn er ook die binnen dezelfde tijd veranderen, op hetzelfde moment dubbel zijn, en die dan ook veranderen zonder werkelijk te veranderen of, in elk geval, zonder te berusten in de breuk: het is Rousseau als rechter van Jean-Jacques; Emile Ajar ook en Romain Gary; en het is dus, paradoxaal genoeg, Sartre – het is de dubbele stem van Sartre, het is Jean-Paul als rechter van Sartre, en Jean tegenover Paul, en Paul tegenover Jean; ik bekeer me in een handomdraai? Ahum! Reken daar maar niet op! Of, in elk geval, niet altijd! Er is een andere Sartre die juist het prototype is van deze bekeringen zonder breuk, van deze eeuwig dubbele blik of deze visie met dubbel focus, die nooit uit het oog verliest dat het ten koste van jezelf gaat als je de ambiguïteit laat varen...

Moeten we deze mensen dubbelhartig noemen? Moeten we hen zien als tweespannen van dolgeworden paarden? Zou er een fenomenologie te maken zijn van de vloek, of de voordelen, van een dubbele voornaam: Jean-Paul Sartre, Jean-Jacques Rousseau of zelfs Pierre-Félix Guattari, over wie Deleuze in een beroemde tekst heeft gezegd dat hij heen en weer bleef zwalken tussen de depressieve zwaarte van de 'steen' (*pierre*) en de huppelende 'gelukzaligheid' (*félicité*) van de gezegenden? Zou er in het geval van Sartre (net als natuurlijk in het geval van die *andere* Jean-Paul, Johannes

Paulus) iets verklaard kunnen worden uit zijn specifieke dubbele voornaam: Johannes de rebel en Paulus de bouwer... Johannes van de apocalyps en Paulus de stichter van de Kerk... De destructieve eschatologie aan de ene kant, het droombeeld van het einde der tijden – de tijd van de wederopbouw aan de andere...? En kent de kleine Schweitzer, achterkleinzoon van een dominee, doordrenkt van protestantisme, eigenlijk de bladzijden van Fichte, de auteur van de lezingen uit 1804-1805 over 'Die Grundzüge des gegenwärtigen Zeitalters'[52], waarin Fichte het portret van Luther poogt te schetsen door 'twee uitermate verschillende vormen van christendom' tegenover elkaar te stellen, namelijk de 'primaire en oorspronkelijke godsdienst' van Johannes en het 'gnosticisme' van Paulus, een 'oorspronkelijke afwijking' van de Christusboodschap, 'fundament van de ontbinding van het christendom' en in die hoedanigheid voorbode van het protestantisme?

Ziedaar inderdaad een tweede Sartre die de eerste ontvoert, kannibaliseert en vampiriseert zonder hem ooit helemaal uit te wissen en die, net als Paulus, de weg van de nieuwe Kerk kiest. Het is meer dan ooit onmogelijk om de vraag uit de weg te gaan. Onmogelijk om niet op zoek te gaan naar de diepere redenen voor deze gespletenheid. We moeten proberen te begrijpen wat zich heeft afgespeeld in het leven en in het hoofd van deze man, waardoor een tweede Sartre zo in de eerste heeft kunnen binnendringen en er zijn machine voor het programmeren van dwalingen en monsterlijke vergissingen heeft kunnen installeren. Wat heeft hij gezien? Opgevangen? Wat heeft hij begrepen, niet in Moskou, Cuba, of Peking, maar hier, in zichzelf, dat hij in staat is zich deze gedachtewereld eigen te maken en zo radicaal van stijl te veranderen? Wie is deze Paulus, en waar is zijn Damascus?

2

Over de plaats van de misvatting in het leven van een intellectueel

Wat is, om te beginnen, een 'misvatting'? Wat zeggen we precies als we van een intellectueel, en in dit geval van Sartre, zeggen dat hij zich heeft 'vergist'? Is het voldoende om te roepen: 'Sartre heeft zich vergist! Sartre heeft zich vergist!' Is het voldoende om te wijzen op zijn meest aanstootgevende teksten of zijn onzinnigste stellingnames? Want met welk recht roepen we dat eigenlijk? Volgens welke maatstaf veroordeel ik hem eigenlijk, deze zich voortdurend vergissende intellectueel? Voor welke rechtbank? Volgens welke procedures? Wat zijn ze waard, de tribunalen van het denken die voor de eeuwigheid zitting hebben, voor de eeuwigheid uitspraak doen en met hun grieven, hun belastende getuigenissen, hun onweerlegbare aanwijzingen, hun corpora delicti, hun bewijzen, en ten slotte met hun vonnissen zwaaien als evenzovele geopenbaarde waarheden? Laten we daarom de teksten nog eens onder de loep nemen. Alle teksten. En, hoeveel afgrijzen ze ook oproepen, proberen ze te doorgronden, hun genealogie na te gaan, misschien hun geheim te achterhalen. Laten we op zoek gaan, zoals bij Heidegger of Céline of een ander, naar die minuscule implosies of die korte, duizelingwekkende momenten die de zinnen splijten of scheuren of aan het wankelen brengen. Maar eerst over de methode.

Over het begrip 'situatie' in de ideeëngeschiedenis

Men doet altijd alsof intellectuelen binnen een eenvoudige, doorzichtige wereld denken en handelen.

Men doet alsof de wereld een missaal is, te lezen als een open boek, zonneklaar, en alsof willen en zien en wat toewijding aan de dag leggen voldoende zijn om de juiste betekenis eruit te halen.

Anders gezegd, men gaat uit van het principe dat intellectuelen min of meer rationeel handelen, maar opereren in een volmaakt rationele wereld, waarin Goed en Kwaad, Waar en Onwaar zich helder en vanzelfsprekend aandienen.

Dat is natuurlijk absoluut niet het geval. Intellectuelen hebben, net als iedereen, te maken met een ondoorzichtige, raadselachtige, duistere wereld. De wereld van de historische handeling – Sartre noemde het de praxis – is een soort struikgewas of kreupelhout, vol min of meer bleke schaduwen, tegenstrijdige tekenen en boodschappen, leugens, luchtspiegelingen, flarden waarheid, vervloeiende lijnen, allerlei obstakels die de voortgang van het logisch denken verhinderen.

En voordat we een intellectueel veroordelen of zelfs maar beoordelen, moeten we ons eerst afvragen, moeten we eerst onderzoeken, met welk soort struikgewas of kreupelhout hij te maken heeft gehad. Iedereen in het duister, het zij zo; maar ieder zijn eigen duister; wat was precies het duister van de een? Het duister van de ander? Hoe dicht was de nevel waar hij specifiek mee te maken kreeg en wie heeft bepaald wat voor hem onzichtbaar en zichtbaar was, onhoorbaar en hoorbaar en dus, in zeker opzicht, zegbaar en onmogelijk of moeilijk te zeggen?

Dat is wat Sartre zelf suggereert met zijn concept 'situatie'. Dat is wat hij zegt in *Ecrire pour son époque*, waarin hij een tijdperk definieert aan de hand van de 'fysieke en levende dichtheid' en waarin hij uitlegt dat mensen dat tijdperk 'op de tast, met woede, angst en enthousiasme' beleven[1]. Is het dan niet redelijk en billijk om dit bij uitstek sartriaanse principe op Sartre zelf toe te passen, op de tweede Sartre, en bij deze tweede Sartre op de voorraad teksten die tot zijn zuiver stalinistische periode behoren? We kunnen en moeten die teksten veroordelen. We kunnen en moeten het aanstootgevend en weerzinwekkend vinden dat de schrijver van *L'Être et le néant* een politiek aanhangt die de levende ontkenning is van alles wat hij tot dan toe heeft gezegd en gedacht. Maar tegelijk met die veroordeling en zonder het ergste soort proces aan te spannen, dat wil zeggen een proces met terugwerkende kracht, en zonder de ergste vorm van rechtspraak erop toe te passen, namelijk een showrechtspraak van het denken, moeten we proberen te begrijpen, en om te begrijpen moeten we pogen dat duister binnen te gaan, of die schaduw, de plek waar hij heeft gelopen en waar hij dus verdwaald is. Geschiedenis of legende? Begrip van de eeuw of heksenproces? Als we geschiedenis willen, is er geen keuze: dan moeten we beslist pas op de plaats maken om te proberen inzicht te krijgen in het volume, en bijna in de dikte, van de nevel die is opgelost en een schitterend weids landschap onthulde, maar die voor de verdoolde indertijd wel degelijk een nevel was die de contouren van de dingen verdoezelde, de juiste weg ondoordringbaar maakte en dus een gedeeltelijke verklaring is voor een aantal van zijn misvattingen. Wijsheid uit de mist.

Neem bijvoorbeeld het gerucht dat in 1952-1953, aan het begin van de Koreaanse oorlog, de ronde doet, namelijk dat de Verenigde Staten in Korea bacteriologische wapens gebruiken. We weten tegenwoordig dat het niet waar was. We weten dat we daar te maken hadden met een van die enorme machinaties waar de sovjetinstanties in gespecialiseerd waren en die achteraf lachwekkend lijken. Maar in die tijd zijn er maar weinig mensen die dat weten. Zijn er in elk geval maar weinig mensen die er een eed op durven doen. We hebben weliswaar geen duidelijke geschiedenis van dat gerucht. We hebben geen uitputtende analyse van de pers in die weken en dus geen precieze evaluatie van de schade die deze fabel bij de intelligentsia, de pers en de politieke leiders van het moment heeft aangericht. Maar het weinige dat we ervan weten duidt erop dat veel, heel veel mensen, net als Sartre, en ook al eerder dan hij, in de val waren gelopen en in de onwrikbare overtuiging leefden dat de Amerikanen wapens gebruikten die alleen de nazi's hadden toegepast. Dat is nog geen excuus. En als er één man is van wie je zou verwachten dat hij zo'n gerucht voorzichtig en argwanend zou bekijken, als er één intellectueel is, één enkele, van wie je met recht mocht hopen dat hij zijn best zou doen om het te verifiëren of te laten verifiëren, of om een hele ploeg van *Les Temps modernes* op het dossier te zetten, en in afwachting daarvan de dwaze en verhitte gevoelens die zich van links meester hadden gemaakt te sussen, dan was het Sartre wel. Maar het feit ligt er. Dat is wat hij in zijn hoofd heeft als hij zich in zijn wilde anti-Amerikacampagne stort. Dat is precies wat hij bedoelt wanneer hij met ongekende felheid ten strijde trekt tegen 'Ridgway-de-pest', de opperbevelhebber van de troepen in Korea. En als we de samengebalde waanzin vergeten, de nevel dus, die ook de waanzin en nevel van het moment zijn, zullen we niets begrijpen van de toon van die woede, zullen we volledig over het hoofd zien wat hij echt bedoelt als hij uitschreeuwt, in termen die achteraf gezien alleen maar waanzinnig, onverklaarbaar of absurd lijken, dat Amerika 'hondsdol' is. Ook wat wij zeggen behoort tot de feiten. Ook geruchten zijn dingen die wij zeggen. Er ligt daar een feit waarin het gerucht een ruim aandeel heeft, een nevelig feit, waar een ideeëngeschiedenis die werkelijk de materialiteit van een 'situatie' wil reconstrueren en afwegen, rekening mee zal moeten houden.

De morele ellende van de tijd. En vooral van het politieke bestel. Het was al niet briljant in de jaren dertig, dat Franse politieke bestel. Het was al onderworpen aan een vrijwel algemene afkeuring die zeker zal hebben bijgedragen aan de massale aansluiting bij het communisme en het fascisme. Maar het minste wat je kunt zeggen is dat het niet volwassener uit de oorlog te voorschijn is gekomen en zeker niet uit het Vichy-seizoen. Wat is er terechtgekomen van de dromen van het Verzet? Wat is er gebeurd met alle prachtige plannen die in de jaren van strijd waren gesmeed? En als je hebt gedroomd van een nieuwe Republiek en in de schaduw van 'Socialisme en Vrijheid' fenomenale projecten hebt uitgedacht voor een grondwet waarin, ik noem maar wat, de basis werd gelegd voor een nieuwe buitenlandse politiek, een nieuwe munt, een ongekende afstemming tussen wetgeving, bestuur en rechtspraak – zelfs het principe van de onafhankelijkheid van de rechterlijke macht is niet meer heilig –, en je bent weggedroomd bij 'een sociaal en ethisch politiek perspectief op de lange termijn voor een Frankrijk dat bevrijd is van de nazi-ketenen'[2], hoe kun je je dan schikken in dit teleurstellende, vaak treurige beleid, dat zo ver afstaat van wat je hoopte? Gestolde beloften. Het karakteristieke kleurenspectrum van een ster. De rode schaduw van het socialisme, die stilaan vervaagt. En in je buik de ongezonde honger naar een ochtendgloren dat je niet hebt kunnen omhelzen. Stel je een Frankrijk voor waar de voorzitter van de ministerraad, Antoine Pinay, een nauwelijks bijgedraaide aanhanger van Pétain is. Stel je een Republiek voor waar iedereen weet dat de president, René Coty, in juli 1940 voor Pétain heeft gestemd.[3] Stel je een angstig en huichelachtig Frankrijk voor, dat leeft met het schrikbeeld van een 'sovjetinvasie', al verzetsgroepen opricht in het 'Bretonse reduit', en dat de zeeman Henri Martin tot vijf jaar gevangenis veroordeelt omdat hij de oorlog in Indochina aan de kaak heeft gesteld. Stel je het 'molletisme' voor – het weerzinwekkende en werkelijk wanhopige gezicht dat een hele generatie, en dus ook Sartre, te zien krijgt in de persoon van Guy Mollet, die erfgenaam van Jaurès, van Blum, en van het Front Populaire, wiens enige bijdrage aan de geschiedenis van links Frankrijk zal bestaan in een onbeteugeld marxistisch dogmatisme gepaard aan het abjecte cynisme van een vredespolitiek met vlammenwerpers in Algerije – 'Monsieur Mollet heeft zich in het verraad gestort, hij spartelt daar doodgemoedereerd rond, ik ken niemand in de geschiedenis die zo veel mensen tegelijk heeft verraden.'[4] We moeten Sartre geloven wanneer hij over zijn 'overhaaste terugkeer naar Parijs' in de lente van 1952 vertelt en zegt: 'Ik walg van die smerige kinderachtigheden', 'ik moet schrijven anders zou ik stikken'. We moeten proberen ons een beeld te vormen van dat gevoel van verstikking, letterlijk van onderdrukking, dat hij dan zegt te ervaren en dat hem die hoogst bizarre tekst, *Les Communistes et la paix*, dicteert. En dat is wat je hoort, daar ben ik van overtuigd, in die hijgerige, van woede verstikte bladzijden, waarin hij later zijn gal uitstort over 'de stank van het kadaver van de bourgeoisie' of de 'haviken van slap links', of 'links', dat 'kadaver', dat 'grote stinkende lijk dat op zijn rug ligt'. Dat is nog steeds geen excuus. En de onbeduidendheid van die periode verklaart des te minder dat provocerende geweld omdat het andere links, waar hij zich nu bij aansluit en waarheen dus automatisch de verloren eer van links Frankrijk zou moeten terugvloeien, kortom de communistische partij, op een gegeven moment Mollet de volledige macht geeft, een politiek van onderdrukking in Algerije aanhangt, Fernand Yveton in de steek laat en dus ook de voornaamste fouten van de haviken van slap links bekrachtigt... Maar ja... Dat is nu eenmaal het klimaat van de tijd. Dat is de nevel, het duister van de tijd, tenminste zoals hij het ervaart, en waarin hij rondtast, wankelt en verdwaalt.

Het geweld. Het feit dat die onbeduidende mensen ook nog gewelddadig zijn, om niet te zeggen moordenaars, en dat ze met Algerije een enorm podium hebben om die moorddadige driften de vrije loop te laten. Laten we de teksten over Fanon eens bekijken. Laten we deze teksten herlezen die, achteraf gezien, letterlijk rabiaat lijken. Nogmaals, niets is een excuus voor de oproep tot moord. Niets, geen enkele omstandigheid, verzacht ooit de fout die hij heeft begaan door met die tekst een ware bijbel te bieden voor generaties rationele moordenaars. En ten minste in één geval heb ik met eigen ogen kunnen zien wat er concreet gebeurt wanneer zo'n tekst in handen valt van vertegenwoordigers, of zelfverklaarde vertegenwoordigers, van de ware 'verworpenen der aarde'. Het was aan het begin van de jaren zeventig in de streek rond Calcutta, in de tijd dat de twee Bengalens, net als overigens het zuidelijker Kerala, het strijdtoneel waren geworden van een buitengewoon bloeddorstige maoïstische guerrillabeweging, die gespecialiseerd was in standrechtelijke executies, een kogel in het hoofd van mensen die 'landlords' werden genoemd, vaak niet meer dan bescheiden landeigenaren die in China tot de 'gemiddelde armen' gerekend werden. Ik had een ontmoeting met een van de twee historische leiders van de beweging, Mohamed Toha, vlak over de grens van Bangladesh, waar hij zich schuilhield in de bush. Ik herinner me een kleine man met het uiterlijk van een wijze; westers gekleed, als een notaris uit de provincie. Ik herinner me een ambtenaar van de revolutie die achteloos vertelde hoe ze de vorige week kaderleden van de rivaliserende beweging van Abdul Motin levend hadden begraven in ongebluste kalk. Maar ik herinner me vooral een erg zieke man, waarschijnlijk astmatisch, met ingevallen ogen en mond, die bijna onverstaanbaar sprak, zich indertijd uitsluitend nog verplaatste als een African Queen – op de rug gedragen door zijn mensen – en het merendeel van zijn rustpauzes, omringd door zijn kleine Rode-Khmergarde avant la lettre, doorbracht in een zuurstoftent die onweerstaanbaar deed denken aan de tent waarin, volgens getuigen, Frantz Fanon de laatste maanden van zijn leven doorbracht. Kende hij Frantz Fanon? Had hij hem gelezen? Nou en of! Ik zie nog hoe hij zich oprichtte op het veldbedje bij de ingang van de tent, onder een boom, waar hij waarschijnlijk werd geïnstalleerd als hij bezoek kreeg. En ik zie nog hoe het leven in hem terugkeerde en zijn ogen en gezicht begonnen te gloeien, terwijl hij met een heel andere stem, plotseling krachtig, alleen af en toe onderbroken door gorgelende geluiden, geduldig, zonder zich te haasten, alsof hij de seconden telde zoals beginnende acteurs doen, in een grappig soort Engels, soms blaffend, soms fluisterend, soms, als hij voelde dat de adem hem ontbrak, versneld en merkwaardig kakelend, hele zinnen uit de *Verworpenen* begon voor te dragen en daarna, omdat ik Fransman was, zinnen uit het voorwoord van Sartre – 'Europa heeft haar poten op onze continenten gezet, we moeten erin hakken tot het ze terugtrekt...' of: 'Wie een Europeaan doodschiet, slaat twee vliegen in één klap, et cetera et cetera...' Sartre, de grote Sartre, de schrijver van *La Nausée* en *Saint Genet*, die in de eenzaamheid van de Bengaalse jungle werd uitgebraakt door deze smerige mond, deze stervende maar geëxalteerde moordenaar die droomde van fantastische slachtingen, wat een waanzin, is het niet? Ja zeker. Wat een ellende en wat een waanzin. Maar daar kunnen we het niet bij laten. We mogen een tekst nog steeds niet terugbrengen tot zijn effecten, al zijn die bewezen. Het proces, als er sprake moet zijn van een proces, is pas rechtmatig wanneer we óók in staat zijn de tekst te begrijpen als een onzinnige reactie op de onzinnige situatie waarin Frankrijk zich bevond op het hoogtepunt van de Algerijnse oorlog.[5] Er is sprake van een miljoen doden. Van twee miljoen ontheemden. Er is sprake van verschrikkelijke martelingen. De republiek Frankrijk, een generatie na het nazisme, heeft de noodwetten in ere hersteld en opnieuw de interneringskampen uitgevonden die, terecht of ten onrechte, aan concentratiekampen doen denken. Om nog maar te zwijgen van de honderden doden die op 17 oktober 1961 in de Seine werden geworpen onder omstandigheden die, tientallen jaren na dato, nog steeds niet zijn opgehelderd, maar waarvan iedereen zal toegeven dat ze indertijd diepe indruk maakten. Daar reageert Sartre allemaal op. Dat is het echte geweld waarop het verbale geweld van zijn voorwoord reageert. We kunnen die woorden letterlijk niet verstaan als we niet proberen te luisteren naar de achtergrondgeluiden: de laatste klacht van de verdronkenen van 22 oktober, het grommen van de bommenwerpers, het gejammer van de gemartelden in de Noord-Afrikaanse bergen, de vette lach van de folteraars – maar alleen naar de stem van Mohamed Toha.

Het marxisme. Voor ons is het een uitgemaakte zaak. Voor ons, kinderen van de voltooide eeuw, getuigen of griffiers van de bloedige eindbalans, voor ons die inmiddels alle stukken van deze macabere boekhouding in bezit hebben, is de tijd van de illusie gelukkig voorbij. Stalin zat in Lenin. Lenin zat in Marx. En het marxistische gedachtegoed was geen filosofie van insubordinatie of wanorde, spoorde de mensen niet aan zich tegen meesters en goden te verzetten, en moest, anders dan de belangrijkste antimarxistische denkers, dat wil zeggen de aanhangers van Aron, lang hebben gezegd, niet worden veroordeeld omdat het ongehoorzaamheid preekte en zei: 'Je hebt een goede reden om je te verzetten, wie zich verzet, heeft altijd een goede reden,' maar het moest en moet nog steeds veroordeeld worden omdat het juist het tegenovergestelde preekte: 'Er is altijd een goede reden om je te onderwerpen, hier is een nieuwe reden, duizend goede nieuwe redenen om de knoet, de kerkers, de terreur en de blinde liefde voor de meesters te aanvaarden' – en omdat er sinds de uitvinding van het concept door La Boétie nooit iets beters is uitgevonden om de drijfveren tot 'vrijwillige onderworpenheid' in het hart van de mens te planten. Maar nogmaals: en Sartre dan? Wat bezielt Sartre als hij marxist wordt? Tegen welk achtergrondgeluid heeft deze overstap naar het marxisme zich afgespeeld, zich afgetekend? Moeten we aan het subject of aan de groep denken? Aan de Geschiedenis of aan de huidige staat van het kapitaal? Is het een revolutionair of een beleidsmatig marxisme? Pessimistisch of optimistisch? Schone handen of vuile handen? Wil hij, net als Marx, het volk aansporen in opstand te komen of wil hij vrede? Gaat het om rebellie of om discipline? Gaat het erom het befaamde 'specifiek menselijke' te vinden of gaat het erom de smerige beesten, wat concrete mensen ook zijn, te temmen? Komt Marx in de plaats van Bergson of Husserl? Van Heidegger? Na de herontdekking van Hegel? Open vragen. Nevelige vragen. De nevel van Sartres marxisme.

Het revolutionaire idee ten slotte. Het echte probleem, weten we inmiddels, is het idee van revolutie zelf. En als er al een les te trekken valt uit de twintigste eeuw, als er een erfenis is die de moeite waard is om te worden onthouden en die maakt dat de vorige eeuw niet helemaal een verloren eeuw was, dan is het de teloorgang en vervolgens het bankroet van het revolutionaire idee. Maar hoe is dat allemaal verlopen? En voor wie geïnteresseerd is in de geschiedenis, niet de ideale of gedroomde of vervalste, maar de echte geschiedenis van het hedendaagse denken: hoe is de ontgoocheling concreet teweeggebracht? Er zijn natuurlijk tal van manieren geweest om die ontgoocheling, dat verval, te beleven. En er zijn vooral intelligente mensen die dat helemaal niet hoefden te beleven, omdat ze nooit begoocheld zijn geweest – er zijn massa's mensen, en intellectuelen, die het idool dat ze niet hadden aanbeden niet hoefden te verbranden. Maar de anderen? Degenen die ontvankelijk waren voor de Geschiedenis van deze geschiedenis? De volgelingen van de stam die geleerd had te denken, bijna te praten, in een taal die gedomineerd werd door de herinnering aan 1789, de mythe van de progressiviteit, het idee de mens te veranderen, de socialistische droom, de stralende toekomst, Saint-Just en Che Guevara? Voor hen, voor de aanhangers van dat esperanto, voor allen die min of meer bewust bij die politieke taal hoorden, zoals je bij een land hoort of bij een kindertijd, voor hen die daar zijn terechtgekomen (en je kiest je politieke geboorte net zomin als de andere; je kunt, net als bij de andere, de kwalijke nevels verjagen en rampzalige vertroebelingen bezweren, maar je kiest nooit...), voor hen dus die daar hun politieke alfabetisering vonden, is de grote les van de eeuw, namelijk het idee dat het revolutionaire ideaal een misdadig en barbaars ideaal is, niet uit de lucht komen vallen. Het hangt samen met een belangrijke gebeurtenis. Het is, om preciezer te zijn, voortgekomen uit die dubbele gebeurtenis van twee verwante revoluties, de Chinese en vervolgens de Cambodjaanse. Dat waren mensen die kwamen vertellen: 'Alle revolutionairen vóór ons hebben het fout aangepakt; ze hebben radicaal ingegrepen in het productiestelsel; en soms in de productieverhoudingen; en soms zelfs in de structuur van de staatsmacht met zijn wildgroei aan privileges en misbruik; maar de werkelijke bronnen van het ongeluk, de ware redenen die maken dat een mens zich onderwerpt aan een ander mens waren veel dieper geworteld in de harten en de lichamen, omdat het de regelgeving van hun verlangen was, de structuur van de talen die we spreken, de manier waarop zij de ruimte bezetten en het feit dat, bijvoorbeeld, stad en land zijn gescheiden of het handwerk van het hoofdwerk; deze ultieme middelen van de dienstbaarheid, deze ware bases van de oude wereld, die had geen enkele revolutionair vóór ons kunnen of durven aanvallen; we zijn de eersten die dat doen; wij zijn de eersten die niet halverwege stoppen; en wij doen het door de steden te ontvolken, door huwelijk en seksualiteit te reglementeren, door de Chinese en de Cambodjaanse taal te hervormen, door ons elke keer op het andere toneel van de Geschiedenis te installeren.' Dat waren mensen die de daad bij het woord voegden, en toen ze begonnen aan de eerste radicale revolutie, die als het ware chemisch gezuiverd is van de geschiedenis van de mensheid, leverden ze het bewijs dat daar de schoen wringt, dat daar het ergste ontstaat – en deze revolutie, die 'de geschiedenis van de wereld in tweeën hakte', zoals de Chinese leuzen zeiden, leidde tot de ergste barbaarsheden sinds Hitler. De revolutie was mogelijk. Het was mogelijk – je hoefde alleen maar te durven! – diep in ieders ziel de bronnen van het kwaad op te sporen. Maar deze operatie bevrijdde de mensen allerminst, liet hen in het geheel niet binnentreden in het rijk van voorspoed en welzijn, maar stortte hen in de zwartste hel en bevestigde zo de wetmatigheid – het theorema bijna – die wederom een van de ware verworvenheden van de twintigste eeuw is: de meest barbaarse revoluties zijn niet de mislukte revoluties maar de tot het einde toe doorgevoerde revoluties; hoe geslaagder een revolutie, des te funester en misdadiger... Kortom, Sartre weet daar per definitie niets van. Niemand van de tijdgenoten van Sartre heeft enig idee van die problematiek of beschikt over het doorslaggevende, in feite het enige, bewijs van de intrinsieke schadelijkheid van het idee revolutie. De linkse intelligentsia is in die tijd verdeeld in optimisten die de revolutie mogelijk achten en sceptici die haar onmogelijk achten. Ofwel in opgewonden standjes die geneigd zijn te geloven dat zij nakende is en luie zielen die geloven of willen dat zij nog ver weg is, ver in het verschiet. Ofwel in mensen als Garaudy, en Sartre helaas, die geloven dat de USSR op weg is naar het socialisme en mensen als de trotskisten of neotrotskisten van *Socialisme ou barbarie*, die menen dat de revolutie in de USSR verraden en verdwaald is en dat zij weer op het rechte pad moet worden gebracht om gered te worden. Ofwel in Simone de Beauvoir die zegt: we zijn nergens zeker van; maar dat de revolutie onderweg is, dat in Moskou en binnenkort in Cuba de basis is gelegd voor een regime dat 'een immense massa mensen een lotsverbetering bezorgt' daar valt niet aan te twijfelen, en we moeten 'het aandeel in misdadige gewelddadigheid dat de stalinistische politiek voor zijn rekening heeft genomen' beoordelen en aanvaarden in het kader van dat 'nagestreefde doel', met die 'betekenis', met die 'reden'[6] – en Camus die antwoordt: 'De revolutie is waarschijnlijk mogelijk; misschien zal er uiteindelijk een klassenloze en dus gelukkige maatschappij ontstaan; maar ik ben er niet zeker van; ik ben er evenmin zeker van wanneer die zal komen; daarom, vanwege die twijfel, weiger ik de gigantische offers te aanvaarden die u ons uit naam van dat eenvoudige vooruitzicht meent te kunnen opleggen.' Maar de echte vraag, de vraag of revolutie als principe goed is, of het een gelukkig idee is om de mens te veranderen, om zijn geschiedenis opnieuw te laten beginnen op een soort blanco pagina, en het echte debat, het debat waarin je je niet afvraagt of de revolutie mogelijk of ophanden is, maar of zij wenselijk is en of zij niet een noodzakelijke en verschrikkelijke barbarij meebrengt, dat is wat niemand, of bijna niemand onder ogen ziet, want daarvoor moesten de laatste hindernissen zijn weggenomen – moest minstens één revolutie het emancipatorische project tot het einde toe hebben doorgevoerd en moesten we in de ogen van degenen die er geweest zijn het absolute bewijs hebben gelezen dat precies daar het uiterste punt is bereikt en het ergste begint. Aan het eind van het licht is het duister. Aan het eind van de emancipatorische droom zijn de massagraven. Dat is de moraal van die twee 'culturele' en dus 'radicale' revoluties, de Chinese en de Cambodjaanse. Dat is het geluid, de stank die wij in ons hoofd hebben. Maar Sartre? Maar de sartrianen? Maar die tijd?

Over de status van de waarheid in het leven van de ideeën

Laten we uitgaan van een ideeëngeschiedenis die weer zorgt voor nevel in plaats van helderheid.

Laten we ervan uitgaan dat er een beschrijving bestaat van het duister waarin Sartre, Beauvoir, Merleau-Ponty en Jeanson zich een weg moesten zoeken, en verdwaalden.

Dan blijft een andere illusie over, die lastiger te verdrijven en hardnekkiger is, en die niet de structuur van de wereld betreft maar het subject dat er doolt.

We doen alsof het een simpel avontuur is om subject te zijn.

We doen alsof het vanzelfsprekend is uitspraken te doen en te onderscheiden wat onder die uitspraken ware en onware uitspraken zijn.

We vertellen het avontuur van Sartre, of het avontuur van Aragon, of willekeurig welk van die in nevelen gehulde avonturen, alsof we deelnemen aan een geweldig spel, een wedstrijd van waarheid en vergissing – er wordt geapplaudisseerd, gejoeld en gejouwd, er worden goede en slechte cijfers uitgedeeld, er wordt met de voeten gestampt, naar de een geschreeuwd dat hij warm is en naar de ander dat hij ijskoud is, soms gaan we de geschiedenis binnen, achter de schermen, begeven we ons onder de personages, worden we even enthousiast, begeleiden we hen, maken we hen tot figuranten of ledenpoppen van ons eigen innerlijke theater.

Kortom, we overzien deze geschiedenis in volmaakte onwetendheid, niet meer van de nevel, maar van de zielen en van wat zich afspeelt in een ziel die de waarheid zoekt en verdwaalt.

THEOREMA VAN SPINOZA. De 'geleerde' ziet net als de 'onwetende' de zon 'groot als een vuist'. Hij heeft een 'echt idee' extra; hij heeft niet een 'verkeerd idee' minder. Hij vormt zich een adequaat idee van de vorm van de zon; maar dat neemt niet weg dat zijn lichaam, en dus zijn ziel, geraakt blijven, zij het in een ander verband, door de aanwezigheid en door het beeld van dat andere lichaam, de zon. Eindigheid van het subject. Onvolkomenheid van vermogens, gepaard aan empiriciteit van het eigen lichaam. Beperkingen van een vermogen tot kennen, dat slecht is aangepast aan zijn oneindige wil en gekoppeld is aan zijn feitelijke materialiteit. De geleerde weet meer over de wetten van de fysica of de hemelmechanica – maar dat maakt hem nog niet beter gewapend tegen de bekoringen van een illusie die hem iets 'op tweehonderd voet' laat zien wat zich op 'oneindige' afstand bevindt... Tja, dat geldt ook voor de filosoof. Hij mag dan nog zo veel talent hebben, buiten zijn werkkamer wordt hij weer een gewoon mens, bevattelijk voor de valstrikken, beelden, luchtspiegelingen, hallucinaties, hersenschimmen en passies die hij deelt met zijn gelijken. Hij kan alles over de dood weten en er toch bang voor zijn. Alles weten over neuroses en er toch het slachtoffer van worden. Hij kan beter dan wie ook de wetten van de astronomie kennen, en ook de geschiedenis van dictaturen of van opstanden, of van opstanden die tot dictatuur verworden. Die kennis zal hem nauwelijks baten wanneer hij belaagd wordt door de eenvoudige passies die opstanden genereren of doen ontsporen, of die mensen doen instemmen met de dictatuur die erdoor wordt voortgebracht. Waarom hebben zo veel intelligente mensen zo veel dwaasheden gezegd over de 'nieuwe mens' in Cuba, China of de USSR? Omdat er voorafgaand aan de dwaasheid passie is. Omdat er vóór de vergissing, los van die 'tekortkoming in onze manier van handelen', die tijdelijke 'verduistering' van de geest, die 'verwarring' die volgens Descartes aan elk fout oordeel ten grondslag ligt, passie is, passie voor het nieuwe in het algemeen en voor de nieuwe mens in het bijzonder. Want achter de ingewikkeldste ideologische keuzes, voordat er sprake is van de grote al dan niet geïnventariseerde dwaasheden die ons de kans geven te zeggen dat de intellectuelen zich hebben 'vergist', zitten eenvoudige gevoelens die als het ware de geheime bouwstenen van hun constructie zijn en die ze delen met de niet-intellectuelen, op dezelfde wijze als het onuitroeibare gevoel dat we de zon zo groot als een vuist zien. Het is dus de aantrekkingskracht van de nieuwe mens. Het is de fascinatie van de tabula rasa of het nieuwe begin. Het is de cultus van kracht, de smaak van zuiverheid, het idee dat we moeten streven naar onschuld, en harmonie, transparantie en een volledig vreedzame samenleving, zonder ruzies of conflicten. En de jeugd... Ach! De jeugd... Waarom zou de intellectueel niet even bevattelijk zijn als ieder ander voor die fascinatie voor de jeugd? Waarom zou hij zich niet, net als iedereen, tot de uitspraak laten verleiden dat de jeugd de toekomst van de wereld is? Waarom zou hij meer weerstand hebben dan een ander tegen die onweerstaanbare aantrekkingskracht, al weet hij dat de verheerlijking van de jeugd altijd verbonden is geweest met fascismen en communismen[7]? Die passies zijn de grondtallen van de politieke rede. Ze zijn als het ware het noodlottige abc ervan. De ware principes. De infrapolitieke en dus onuitputtelijke bronnen. Stel dat de totalitarismen, de conservatismen, de fascismen officieel uit het openbare debat verdwijnen. Stel dat zij het doelwit worden van een totale, radicale, algemene afkeuring. Dan zullen ze toch weer opduiken zodra een menigte, uit wanhoop of uit overtuiging, weer de zoete droom van een zuivere, doorzichtige, jonge maatschappij gaat koesteren; en in de voorhoede of het kielzog van deze menigte, met dezelfde verschrikkelijke en onschuldige droom in het hoofd, zullen er als altijd intellectuelen zijn die theoretiseren over deze uitbarstingen en zich dus vergissen, hetzij omdat ze de lessen van de Geschiedenis zijn vergeten, hetzij omdat je een passie nooit zult kunnen overwinnen uitsluitend door de principes van het verstand of de regels voor de oriëntering van de geest beter op elkaar af te stemmen.

THEOREMA VAN NIETZSCHE (OF VAN MERLEAU-PONTY). Er is niet één waarheid, er zijn er meerdere. Een onherleidbare veelheid van waarheden.[8] En zelfs als we daar een oplossing voor zouden vinden, zelfs als we, uit angst voor dit perspectivisme en voor het relativisme dat daarin besloten kan liggen, zouden proberen – wat Sartre overigens doet in zijn debat met Merleau ('...ik heb altijd gevonden, ik vind nog steeds, dat de Waarheid één is... Merleau-Ponty aan de andere kant vond zekerheid in de veelvoud van perspectieven...'[9]) – een hypothese te vormen van een Waarheid die in de verte gloort, aan de horizon van onze onwetendheid en die, zo goed en zo kwaad als het gaat, de stappen van de verdwaalde leidt, dan zouden we toch op twee problemen stuiten. Ten eerste zou deze Waarheid, net als het Zijn, nog steeds voor meerdere uitleg vatbaar zijn; en dat niet alleen, er zouden met name evenveel *toegangen* tot die waarheid zijn als denkende wezens, lichamen in denkende staat, intellectuele krachtlijnen; de mens, elke mens, dus ook elke intellectueel, zou, zoals de sofisten zeggen, de maat van die waarheid zijn en er zou nergens, nooit, een vorm van waarheid bestaan die geacht wordt voor iedereen geldig te zijn, de non-conformist de kaarten uit handen te slaan en, zonder het gevaar zich te vergissen, de ontsporing van de een of de ander te bestraffen. Ten tweede zou deze waarheid inderdaad een horizon zijn; een idee; misschien zelfs, zo nodig, een regel om de geest te sturen; maar op de manier van een verdichtsel, of een ontoegankelijke luchtspiegeling, of een redelijk wezen – zeker niet als een betwist goed, een plek om te bezetten, een gevangen en bedwongen bron; ach, wat zou alles eenvoudig zijn als er, in plaats van die gekunstelde elementen, waarheidsmeesters zouden zijn, die zich zouden wijden aan de zuivere, onbewogen contemplatie van de waarheid! Wat zou alles snel en goed gaan als er in plaats van die pluraliteit, die dubbelzinnigheid van een waarheid die nooit in al zijn heerlijkheid verscheen, één waarheid werd opgelegd, verborgen voor de blik van het gemene volk, moeilijk te ontcijferen, maar toch: we komen er wel, we zetten ons in, het is de taak van de intellectuelen om ernaar te luisteren, zij zijn de zoekers naar het goud van de tijd, de avonturiers van de verloren ark van de waarheid. Nietzsche dus, maar ook Kant. Kant, niet meer met de Sade, maar met de schrijver van *Zur Genealogie der Moral*, de Griekse sofisten en ook *Merleau-Ponty vivant* van Sartre. Hebben we dan alles gezien? Alles. Intellectuelen vergissen zich omdat de waarheid niet 'een' is, niet beweert 'alles' te zijn en in wezen niet 'van deze wereld' is. Intellectuelen verdwalen omdat de weg van de waarheid een onduidelijke weg is, zonder bakens en zonder einde, waar volgens Protagoras 'nergens superioriteit in wijsheid is, noch van individu tot individu, noch van stad tot stad' en waar volgens Gorgias, een andere sofist die door Plato wordt opgevoerd en door Nietzsche bewonderd, niemand zich er a priori op kan laten voorstaan 'meer te weten dan de anderen' over de 'afstand' tot de Waarheid.[10] Sartre zou in wezen kunnen zeggen: Ik heb me vergist omdat de 'Universaliën' niet bestaan en slechts specifieke gevallen van het Specifieke zijn.[11] Ik zeg, waarbij ik zijn woorden behoud, maar niet zijn relativisme of situationisme: hij heeft zich vergist omdat de Universaliën bestaan, maar ver weg, in een onherleidbare en onbereikbare transcendentie – hij heeft zich vergist, hij heeft zich voortdurend vergist, omdat de waarheid over het castrisme, of over de doelen en middelen van de dekolonisatie, of zelfs over de wettigheid, in 1961, van een oproep tot steun aan de FLN, hetgeen indertijd een antipatriottisch gebaar en zelfs verraad kon lijken, geen geopenbaarde waarheid was, maar de inzet van een debat, van een vrije confrontatie van standpunten en dus van een meningenstrijd met een even onzekere uitkomst als welke democratische veldslag dan ook. Laten we Sartre vergeten. Wisten ze eigenlijk zeker dat ze zich *absoluut niet* vergisten, de mensen die aan het begin van de jaren tachtig het Afghaanse volk, de radicale moslims incluis, verdedigden tegen de bezetting van het land door het Rode Leger? Waren wij ervan overtuigd dat we *absoluut* gelijk hadden toen we vijftien jaar later merkten dat de volkeren die het voormalige Joegoslavië vormden zich wilden afscheiden en we, uit naam van de rechten van de mens en in elk geval van hun recht niet te worden afgeslacht, iets goedkeurden wat ook gezien kon worden als een opkomst van naties in de grensgewesten van twee rijken die het kosmopolitisme zelve waren? We wisten niets zeker. We beleefden de waarheid als een avontuur, niet als een wiskundige vergelijking. Maar als we het over zouden moeten doen, dan waren er dezelfde verbijstering, hetzelfde geloof, dezelfde kalme overtuiging dat je het risico moest nemen je te vergissen.

THEOREMA VAN SOCRATES (OF HEIDEGGER). Dit is het logische vervolg van het vorige. 'Schoon is het gevaar en groot de hoop,' zegt Socrates. En Heidegger: 'Wie groots denkt moet groots dwalen'. Wat dit derde theorema zegt, is dat de kans om je te vergissen natuurlijk groter is wanneer je het lot uitdaagt dan wanneer je je neerlegt bij de gewone gang van zaken; groter wanneer je risico's neemt in het denken dan wanneer je die vermijdt of bezweert; groter wanneer je hoog spel speelt dan wanneer je helemaal niet speelt; groter wanneer je je nek uitsteekt dan wanneer je je schikt; groter wanneer je gokt op hoop dan wanneer je genoegen neemt met de verworvenheden van ervaring of wijsheid – kortom, groter wanneer je denkt dan wanneer je niet denkt. Wat het ook zegt, is dat het denken, het echte denken, geen toestand is maar een proces, geen stase maar een beweging, en dat de werkelijke stappen, zoals de sofisten al zeiden, de gevaarlijke stappen zijn, buiten de gebaande paden, onzekere stappen en om die reden vatbaar voor dwaling in de dubbele betekenis van avontuur en vergissing, van vage omzwerving en ontsporing – twee dingen die met elkaar verbonden zijn als de twee zijden van een munt. Het denken als een weg, ja. Dus letterlijk als een methode. Dus als een exodus. En dus als een heikele tocht, met overal hinderlagen en zijpaden, nu eens vast op koers, dan weer stuurloos, voorwaarts, achterwaarts, zwemmen of verzuipen, en ook nog het duister, altijd het duister, geen mogelijkheid om je aan dat duister en zijn obligate dwaalwegen te onttrekken! Denk niet dat ik hier bezig ben excuses voor Sartre te zoeken. En al helemaal niet voor Heidegger. Maar een groot denker is altijd een denkavontuur. Wanneer het denken aan een van die avonturen wordt gekoppeld, is het een onvermijdelijk risico, een sprong in het ongewisse, een proefneming, een gok die nooit het toeval of het gevaar om nergens te komen en te verdwalen uitsluit. En dat avontuur is des te onstuimiger, wilder en tragischer wanneer de tijdsomstandigheden dat ook zijn en wanneer de denker met die onstuimigheid en die stormen probeert te leven. 'De generatie waartoe ik behoor is woelig,' zegt Bataille in het voorwoord van *La Littérature et le mal*. 'In geen enkele tijd heeft de historische ervaring zwaarder op de ideeën gedrukt,' voegt Levinas eraan toe aan het begin van *Difficile liberté*. En Debord later, in *In girum*: 'Zo is langzamerhand een nieuwe tijd van branden ontvlamd waarvan niemand die op dit moment leeft het einde zal meemaken.' En Sartre zelf zegt, ondanks de 'gunstige wind' die zogenaamd over de vriendschappelijke debatten waait waarin hij vlak na de oorlog tegenover Merleau en anderen staat: de 'deining' die ons in die jaren 'met de koppen tegen elkaar sloeg en meteen daarna ieder van ons lijnrecht tegenover de antipoden van de ander deed staan...' Je kunt natuurlijk verkiezen beschutting te zoeken voor die deining. Je kunt je anker uitwerpen in de vaste grond van het gezonde verstand, de voorzichtigheid, de wetenschap. Je kunt de kalmere, minder woelige navigatie verkiezen van iemand als Aron. Of je kunt de kant kiezen van de filosofie die, als de vogel van Minerva, nooit zou wegvliegen voordat de nacht is gevallen en het vuur van de gebeurtenis gedoofd. Maar je kunt ook de storm verkiezen boven de windstilte. Je kunt net als Paulus de denkers proberen te volgen in 'zwaar weer, schipbreuken, en allerlei kwellingen', de prijs die betaald moet worden voor gewaagde navigatie. Je kunt, met andere woorden, proberen het denkavontuur te omhelzen dat de naam van Sartre draagt en dat, zoals alle grote denkavonturen, het beste en het slechtste in zich draagt – de opperste helderheid, de eer, de edelmoedigheid, de moed en dan plotseling, zonder waarschuwing vooraf, de gruwelijke ontkenningen, de extreme compromissen, de blindheid: Castro en anti-Castro; instinctieve afwijzing van collaboratieve ideeën en valkuilen van het sovjetsysteem; totale, onvoorwaardelijke trouw aan Israël en de teksten uit de tijd van *La Cause du peuple*; en natuurlijk het onvermogen om te schiften; het onvermogen om het goede te nemen en het slechte weg te laten; alles of niets; gedwongen keus; de sartriaanse revolutie is nog steeds geen gesloten geheel, maar, zoals alle revoluties in het schrijven en denken, een ambigu avontuur. Is het beter ongelijk te hebben met Sartre dan gelijk met Aron? Nee, natuurlijk niet. Maar je moest, en moet nog steeds, de ambiguïteit accepteren die inherent is aan elk krachtig denken. Je moest, en moet nog steeds, zoals Aron overigens zelf ook deed in zijn *Introduction à la philosophie de l'histoire*, toegeven dat verdwalen onvermijdelijk is als de teerling van het denken eenmaal geworpen is.

TWEEDE THEOREMA VAN SPINOZA. Ook een gek kan om twaalf uur 's middags zeggen dat het dag is. De gek en een verstandig mens kunnen dezelfde opmerkingen maken, dezelfde tekst uitspreken, ze kunnen een ogenschijnlijk identiek verhaal houden. Maar dat betekent nog niet dat ze hetzelfde zeggen en ook niet dat we ze achter de vlag van dezelfde waarheid kunnen scharen. Voorbeeld: Aron en Sartre, inderdaad. De twee 'kleine kameraden' hebben hun leven lang van mening verschild. Vanaf Arons vertrek bij *Les Temps modernes* zijn ze het over vrijwel niets eens geweest. Totdat de oorlog in Algerije uitbreekt en ze overeen lijken te stemmen in hun veroordeling van Frankrijk en hun wens dat de kolonie onafhankelijk wordt. Zijn ze het echt eens? En kunnen we echt zomaar, zonder meer zeggen: 'Sartre en Aron waren het eens... Sartre en Aron stonden, die ene keer, op hetzelfde standpunt... Met het oog op de urgentie van de zaak besluiten Sartre en Aron, zoals ze dat op de trappen van het Elysée-paleis twintig jaar later nog een keer zullen doen voor de Vietnamese bootvluchtelingen, een stilte te laten vallen in de storm, of juist het tegenovergestelde...?' Nee dus. Want aan de oppervlakte is er dan wel overeenstemming. Uiterlijk is er gedachtewisseling en het feit dat zo op het eerste gehoor inderdaad dezelfde woorden worden uitgesproken. Maar wie beter luistert, wie de eerste laag van wat gezegd wordt afkrabt, merkt dat de betekenis die aan de woorden gegeven wordt bijna tegengesteld is. Aron mag dan voor onafhankelijkheid zijn, hij is het om drie redenen die niet alleen niets te maken hebben met Sartres redenen, maar die de schrijver van het voorwoord bij *La Question* van Henri Alleg zelfs weerzinwekkend moeten voorkomen en die de twee voormalige studiegenoten bijna nog meer van elkaar verwijderen dan wanneer ze openlijk van mening hadden verschild. 1. De onafhankelijkheid is onontkoombaar en hij, Aron de pragmaticus, wil niet tegen het onontkoombare ingaan: Moraal? Rechtvaardigheid? Is onafhankelijkheid rechtvaardiger of minder rechtvaardig dan onderwerping? Dat is zijn zorg niet; dat is nooit, of bijna nooit, de vraag die volgens hem gesteld moet worden; zijn probleem is de loop van de Geschiedenis; de onafhankelijkheid volgt volgens hem de loop van de Geschiedenis en hij wil en kan niet tegen de onafhankelijkheid ingaan. 2. De oorlog zou 'met tegenzin' en dus 'zonder overtuiging' worden gevoerd en een oorlog die 'met tegenzin' wordt gevoerd heeft weinig 'kans van slagen' – de verantwoordelijkheid voor voornoemde oorlog? Het lijden dat erdoor ontstaat? De manier waarop? De martelingen? Zijn er rechtvaardige en onrechtvaardige oorlogen? Dat is allemaal nog steeds niet Arons zaak; als hij zeker zou zijn van 'de afloop', niet zou twijfelen aan het 'slagen' van de vredesoperaties, een gunstiger idee zou hebben over het moreel, zowel van de troepen als van de achterban, dan zou hij zijn standpunt herzien en zich erbij neerleggen dat de oorlog werd beklonken en gewonnen; wanneer het schandaal van het 'Appel des 121' losbarst (een verklaring van 121 intellectuelen dat men het recht heeft dienst te weigeren in de Algerijnse oorlog), bewaart hij voorlopig zijn giftigste pijlen voor de 'kofferdragers' (de Franse medestanders van de FLN) in een artikel met de veelbetekenende titel *Over het verraad*[12]. 3. De 'demografische groei' is zo 'verschillend' aan 'de twee zijden van de Middellandse Zee' dat (hier is nog steeds Aron aan het woord) 'deze volkeren van een ander ras, met een andere godsdienst, geen deel uit kunnen maken van dezelfde gemeenschap': wat wil hij daar nu weer mee zeggen? In welk opzicht zou het verschil in 'demografische groei' voor onafhankelijkheid pleiten? En wat een vreemde filosofie die een gemeenschap, samengesteld uit 'volkeren van een ander ras, met een andere godsdienst', onleefbaar acht! Het is in elk geval niet Sartres filosofie; het zijn niet zijn woorden en niet zijn opvattingen; wat betreft opvattingen, in principieel en metafysisch opzicht, staat hij welbeschouwd bijna dichter bij de voorstanders van een Frans Algerije die, net als Jacques Soustelle – oud-lid van het Comité van Waakzaamheid van antifascistische intellectuelen – Aron verwijten een knieval te maken 'voor de moloch van de historische fataliteit' en pleiten voor een groot, moedig 'universalistisch' en 'kosmopolitisch' Frankrijk dat mohammedaanse en Arabische Fransen dezelfde rechten zou geven als de bewoners van het moederland; is Soustelle een van de leiders van de OAS? Is hij de bondgenoot, sterker nog, de aanvoerder van mensen die tot twee keer toe, in 1961 en 1962, bommen leggen bij het appartement of het kantoor van Sartre en nog een paar anderen? Ja zeker; maar zo gaat het met de geschiedenis van het denken, zo gaat het met het ritme en de specifieke tijdgebondenheid van een bepaalde inzet, dat je denkbeelden dichter bij die van een tegenstander dan bij die van een bondgenoot kunnen staan (en als ik zeg 'denkbeelden' bedoel ik de bijzondere vertrouwdheid die voortkomt uit het feit dat je dezelfde taal spreekt, uit dezelfde woordenschat put en dezelfde syntaxis gebruikt voor uitspraken die uiteindelijk sterk uiteenlopen). Wie is er hier gek? Wie heeft het mis als hij om twaalf uur 's middags zegt dat het dag is? Laat ieder zijn keuze maken. Of zijn conclusies trekken. Het staat in elk geval vast dat je het mis kunt hebben als je de waarheid spreekt. Of juist gelijk kunt hebben als je, letterlijk genomen, een onwaarheid zegt.

THEOREMA VAN CANGUILHEM. De van Bachelard overgenomen theorie dat rechtgezette dwalingen de weg, de voorwaarde en het verplichte doorgangspunt van de waarheid vormen. 'Eeuwigheid' van het ware, zei het positivisme. 'Omnitemporaliteit' van de waarheid, herhaalde Husserl. En andere, modernere filosofen: 'epistemologische coupure' die voor eeuwig de prehistorie (dat wil zeggen de dwaling) scheidt van de wetenschap (dat wil zeggen de waarheid). Waarop Canguilhem en Bachelard – die in tegenstelling tot wat beweerd wordt zelf nooit over 'epistemologische coupure' hebben gesproken – antwoorden: er is een geschiedenis van de wetenschap; dus heeft de waarheid, in de wetenschap, een historiciteit; dus is er een continuïteit, of op zijn minst een weg, hoe kronkelig, verscholen of onzichtbaar ook, die van de dwaling naar de waarheid leidt; dus is er geen waarheid die niet letterlijk langs dwalingen voert; iemand die helemaal niet dwaalt en uitgaat van een parcours dat op geen enkele manier een dwaaltocht zou zijn, houdt geen rekening met de voortgang van de kennis en veroordeelt zichzelf daarmee tot het nooit bereiken van de waarheid. Dat gaat op voor de wetenschap. Dat gaat op, zegt Canguilhem, als je de reflex, de celtheorie of het concept van negatieve massa wilt formuleren. Maar in de politiek? Wie zegt dat in de politiek dezelfde regels moeten gelden als in de wetenschap? Eigenlijk niemand. En ik zie heel goed wat voor – zeg maar 'positivistische' – illusie, van het regime van de waarheid in de biologie of de scheikunde, beslissend zou kunnen zijn voor het regime dat in overheidszaken geldt. Maar de ene illusie of de andere, we moeten kiezen. Want de andere oplossing is in dit geval het idee – dat ook, en hoezeer! een illusie is – van een transcendente waarheid die gehoorzaamt aan de wet van alles of niets, zich onttrekt aan de wet van de historiciteit en dus aan die van het debat, en zich in voorkomende gevallen opdringt met de strengheid van een geopenbaard of platonisch idee. Zelf prefereer ik het eerste. Ik prefereer het positivistische risico boven een waarheid die buiten de Geschiedenis staat. Ik gok over het algemeen op een waarheid die nooit vaststaat, die aan een openbaar of privé-debat onderworpen wordt en niet wordt opgelegd voordat hij lang en breed besproken is, en daardoor aan een logica gehoorzaamt die in wezen niet verschilt van de geleidelijk aangescherpte logica die in de wetenschap opgeld doet. Dat is in elk geval de mening van Sartre. En het is de betekenis van dat interviewfragment waarin hij, die zelden de behoefte heeft gevoeld zijn dwalingen te rechtvaardigen of zelfkritiek uit te oefenen, in antwoord op vragen van Contat over het vroegtijdige antistalinisme van *Socialisme ou barbarie* en dus met name dat van Claude Lefort, zegt: 'De waarheden zijn "geworden" en wat telt is de weg die erheen voert, het werk dat we zelf en met de anderen verrichten om er te komen – zonder dat werk kan een waarheid niet meer dan een ware dwaling zijn.'[13] Dat idee van 'geworden' waarheden komt vaak in zijn werk terug. Het komt met name terug in *Gide vivant*, naar aanleiding van het feit dat de schrijver van *Corydon* atheïstisch werd. En wat het betekent is het volgende: de dwaling is de geschiedenis, de beweging zelf van de waarheid; om tot het ware te komen is 'het werk, de pijn, het geduld van het negatieve' nodig, zoals Hegel het noemde; zonder dat geduld, zonder die pijn, zonder dat foutieve 'traject' naar de waarheid, zonder die 'langzame rijping' van een waarheid die, net als het atheïsme van Gide 'langzaam wordt verworven, als bekroning van een zoektocht van een halve eeuw', kortom, zonder die 'opeenvolging van noodzakelijke dwalingen die gecorrigeerd worden, en van gedeeltelijke inzichten die aangevuld en verruimd worden', is er geen waarheid – of misschien wel een waarheid, maar dat is dan weer de waarheid van de gek van Spinoza die bij toeval om twaalf uur 's middags zegt dat het dag is...

THEOREMA VAN HEGEL, PRECIES. De geradicaliseerde versie van het vorige theorema. De waarheid is nooit een 'doel', zegt de schrijver van de *Phänomenologie des Geistes*, en nooit een 'resultaat', maar een heel lange, heel complexe beweging waarin een 'waar', dat geen 'subject' meer is maar 'substantie', uit zichzelf treedt, zich in zijn ander herovert en, door zich zowel in zichzelf als in het anderszijn te weerspiegelen, een levende waarheid wordt, rijk door zijn achterhaalde andersheden, concreet. Die 'andersheden' vergeten, net doen of we ze terugwerpen in wie weet wat voor prehistorie van het afgeronde weten, om ons alleen te concentreren op de 'doelen' en 'resultaten', in één woord, proberen de waarheid te 'witten' door er de kwade etter uit te laten druipen die het gevolg is van de lange tocht door het land van dwaling, en de biografie van de waarheidzoeker herschrijven om te proberen, zoals voor een oude bandiet, bijna op het laatste moment de sporen uit te wissen die zijn achtergelaten door dat onvermijdelijke schipperen met benaderingen of onwaarheden, dat alles is een methode die hoort 'bij de uitvindingen bestemd om het ding zelf te omzeilen' – deze praktijk die 'de schijn van strengheid en de pogingen die zijn aangewend om het te bereiken' combineert met het feit dat we ons daar aan de andere kant 'volkomen aan onttrekken'[14], maakt dat we alleen maar met een wrak, een abstractie blijven zitten. Hegel noemt dat een 'kadaverwaarheid'. De dwaling is daarom niet alleen de weg van het ware, niet alleen de afgelegde etappe die hij, als het eindpunt bereikt is, zelfgenoegzaam of geëmotioneerd maar op afstand zou kunnen bekijken. Ze is zelfs niet meer die gelukkige fout, die positieve en vruchtbare dwaling, die nodig is omdat anders, net als in de pastorie, het werk van het woord onderbroken zou worden en dientengevolge dat van de waarheid zou zijn gestopt. Nee. Ze is er. Ze is er altijd. Ze vormt een eenheid met de waarheid. Ze is in de waarheid vervat. Er is een waar worden van het ware dat niet alleen door de dwalingen wordt 'achterhaald', maar dat ze ook vereeuwigt, bewaart, in het vlees van het ware graveert en maakt dat het vlees geen kadavervlees is. Een waarheid die haar dwalingen vergeet is een bloedeloze waarheid. Een waarheid die losstaat van haar lange 'ontplooiing' tijdens de dwaling, is een gedesincarneerde waarheid. Een waarheid die sterker denkt te worden door, direct nadat ze is gevormd, op het lichaam van de propositie zelf elk spoor uit te wissen van de dwalingen die zij heeft moeten ondergaan en overwinnen, zou het tegengestelde resultaat bereiken en zou het gewicht, de massa en de diepte waaruit haar autoriteit is opgebouwd verliezen. Hiervan geeft Sartre ook twee voorbeelden. Hij schaart zich ondubbelzinnig achter Hegel als hij twee in het oog springende gevallen van deze fatale desincarnatie aanhaalt. Dat van Gide, dus: het beroemde 'atheïsme'. Als hij daar 'op zijn twintigste abstract toe was overgegaan' zou het gewoon 'fout' zijn geweest, want abstract. Maar vooral dat van de Rede van Chroesjtsjov waar hij veertien jaar later op terugkomt in zijn voorwoord bij het boek van Antonin Liehm, *Trois générations*[15] en waarover hij probeert uit te leggen waarom hij hem in eerste instantie zo enorm terughoudend had ontvangen: het was 'waar', zei hij, 'dat Stalin het bevel had gegeven tot massamoorden en het land van de socialistische revolutie had omgevormd tot een politiestaat.' Maar omdat die waarheid een 'vergunning' had, omdat ze de sovjetburgers als een 'klap van een knuppel' of een 'bliksemschicht' had getroffen, omdat zij niet werd begeleid door enige 'analyses' of 'pogingen tot interpretatie' die haar historiciteit' vormden en ervoor hadden gezorgd dat ze, tenminste in het hoofd van de mensen die haar uitdroegen, was 'geworden' wat zij was, kortom omdat zij zich voordeed als een geopenbaarde waarheid, die kant en klaar aan het brein van Chroesjtsjov was ontsproten, zonder een woord te wijden aan de lange gemeenschappelijke dwaling die het stalinisme was geweest, was zij, hoe 'waar' ook, niet meer dan 'een leugen gestaafd door feiten' en kon zij plotseling een list lijken van een slimmerik, of een bende slimmeriken, die zich er niet zozeer om bekommerden het 'ware' te produceren als wel om een uitgeholde 'macht' weer rechtvaardiging te geven en die nieuwe macht te rechtvaardigen door 'een hinderlijke dode te elimineren, zoals de oude macht de levenden had geëlimineerd...' Laten we voorbijgaan aan de kwade trouw die duidelijk in het spel is. Laten we voorbijgaan aan de nogal kwalijke lucht die opstijgt uit deze reconstructie achteraf van iets wat in eerste instantie een slechte reflex was. Niets, geen enkele casuïstiek, kan het naakte feit uitwissen dat hij aanvankelijk zelfs de publicatie van de 'Rede van Chroesjtsjov' betreurde, ja zeker. Dat gezegd hebbende, heeft de redenering zijn logica. Het is waar dat een waarheid zonder gebruiksaanwijzing niet meer dan een dogma of een losstaand feit kan zijn. Het is waar dat er levende waarheden zijn en dode waarheden en dat het herschrijven van de tekst om het zoekende gedeelte uit te wissen de beste manier is om de waarheid de das om te doen. Het is waar dat het idee van een waarheid zonder dwaling niet meer betekenis heeft dan dat van een lichaam zonder antilichaam, van eenzelfde zonder ander, van een uitwisseling zonder anderszijn of van een licht zonder bijbehorende schaduw.

TEN SLOTTE, HET THEOREMA VAN SARTRE. Ik kom terug op de uitspraak van Sartre over *Socialisme ou barbarie*. Ik kom terug op dat vreemde moment van gesproken filosofie, dat veel langer heeft geduurd dan die ene geciteerde uitspraak en waarin we zien hoe de oude filosoof worstelt met het stuk verleden dat Contat hem onder zijn neus houdt. Waarom die polemiek met *Socialisme ou barbarie*, vraagt hij. Als u zegt dat u toenadering heeft gezocht tot de communisten bij gebrek aan beter en dat u zich 'onmiddellijk zou hebben aangesloten', als er 'na de oorlog een linkse beweging' had bestaan, waarom heeft u dan niet onmiddellijk het hoofdstuk *Socialisme ou barbarie* afgehandeld? Had Lefort achteraf niet een beetje gelijk? Heeft u nu niet ongelijk als u weigert eindelijk toe te geven dat hij en zijn vrienden 'niet zo erg ongelijk hadden'? Uw beroemde 'libertaire socialisme' bijvoorbeeld...? Dat libertaire socialisme 'waar u zich weer op beroept', bevond zich dat achteraf gezien niet 'eerder bij hen dan bij u'? Je voelt de verlegenheid van Sartre. Je voelt tegenover de verbetenheid van Contat de irritatie van een man die inderdaad nooit erg van zelfkritiek heeft gehouden. Maar hij heeft er ook nooit een hekel aan gehad. Hij gaf over het algemeen grif de spijtbetuigingen die gevraagd werden, omdat spijt hebben uit principe voor hem geen betekenis had. Toch geeft hij hier niets. Geeft hij niets toe. Je voelt dat hij nog liever doodgaat dan ook maar een centimeter van zijn oude standpunt te wijken. Je voelt ook verbittering, zelfs een vleugje jaloezie, wat helemaal niets voor hem is, als Contat het waagt te zeggen: Maar toch... Lefort... heeft hij mensen als Cohn-Bendit of Pierre Victor niet een hoop tijd bespaard... Je voelt ook rancune. Wanneer hij moppert dat *Socialisme ou barbarie* niet meer was dan een 'kliekje' of 'een gedoe van niks', klinkt een echo door van iets wat op wrok lijkt. En wanneer hij ten slotte uitbarst dat de ideeën van Lefort in het licht van de huidige tijd 'juister kunnen lijken dan toen hij ze in 1952 formuleerde', maar dat ze het op dat moment niet waren' en dat ze het niet waren omdat 'hun uitgangspunt verkeerd was', kost het moeite niet te zeggen (en dat is overigens wat Contat min of meer doet): 'daar gaan we weer! De dodelijke opmerking! Jullie hadden ten onrechte gelijk en ik had terecht ongelijk... jullie hebben intellectueel ongelijk omdat jullie politiek in de oppositie zijn... van waaruit sprak Lefort, hè? Vanuit welke positie, dus vanuit welk standpunt praatte hij? En wiens belangen diende hij toen hij zich, objectief gezien, bij het kamp van de reactionairen, van de contrarevolutie, van de hitleriaanse trotskisten enzovoort schaarde?' Zuiver stalinistische retoriek... Een schoolvoorbeeld van redenaties waar intellectuelen zich voor moesten schamen en die je achteraf niet zonder huiver terughoort... Alleen is er opnieuw een andere interpretatie van deze tekst mogelijk. Een lastige kwestie, zeker. De hardnekkigheid van een oude stijfkop die geen duimbreed zal wijken, dat staat vast. En misschien is die ruzie met Lefort, meer dan de polemieken met Aron, Camus of zelfs Merleau-Ponty, achteraf in zijn herinnering blijven hangen als zijn grote, nooit bijgelegde ruzie, zijn open wond, zijn echte spijt. Maar hij zegt onderweg ook een paar raadselachtige, betwistbare dingen, die alweer niet helemaal zuiver op de graat zijn, maar die toch niet totaal genegeerd mogen worden. 1. De mensen van *Socialisme ou barbarie* hadden niet per se 'iets begrepen wat ik zelf nog niet begrepen had'; ze hadden niet meer dan ik, bijvoorbeeld, het geheim van het stalinisme doorgrond; en het echte verschil tussen ons had minder te maken met de inhoud van wat we dachten dan met de 'redenen' die wij hadden om het te denken en met de 'standpunten' die wij innamen in de politieke en intellectuele oorlog van het moment. 2. Het is waar dat iemand als Cohn-Bendit Lefort heeft 'gelezen'; maar weet Contat wel zo 'zeker' dat hij door Lefort te lezen 'tijd heeft gewonnen'? We kunnen tijd verliezen, terwijl we denken tijd te winnen; we kunnen tijd winnen terwijl we denken tijd te verliezen; en dat is mij, Sartre, overkomen, in de 'drie of vier' jaar van de 'omweg' die ik als fellow-traveller heb gemaakt, en waarin ik, terwijl ik mijn tijd en volgens sommigen zelfs mijn ziel verloor, misschien informatie verzamelde die op een gegeven dag zou bijdragen aan mijn inzicht. 3. Waarheid – zie boven – is werk; zij is niet los te maken van het werk dat je, voor jezelf en met anderen, hebt verricht om de bewoordingen te formuleren; en de ware vraag die je je moet stellen naar aanleiding van de polemiek *Socialisme ou barbarie* en Lefort is niet zozeer 'wie heeft wat gezegd en wanneer?' maar 'waar kwamen we vandaan, waar zijn we langsgekomen, welk duister, welke laag en aaneenrijging van dwalingen hebben we allemaal moeten doorlopen voordat we onze waarheden formuleerden'? Sartre vat het werk van de waarheid kennelijk op zoals christenen de passie van Christus of marxisten die van het proletariaat. Onder zijn opvatting over de historiciteit van de waarheid schuilt een restant van het christelijke en protestante vooroordeel dat het licht pas echt helder is als het door het donker is gegaan. De heiligheid pas echt zuiver als hij in afgronden van infamie ondergedompeld is geweest. De glorie – die van de Heer, die van de mens – pas echt luisterrijk als zij bijna is verdronken in de diepten van de schande. Zodat het verwijt dat hij Lefort en de zijnen maakt praktisch neerkomt op: 'Ja, ze vertelden de waarheid; maar ze wisten niet wat ze zeiden toen ze die waarheid vertelden; ze hadden zich niet genoeg vergist om te weten in hoeverre hun waarheid waar was' – terwijl hij, Sartre, niet zo veel aanmoediging nodig heeft om te zeggen: 'Ik ben communist en stalinist geweest, ik heb Castro verdedigd, ik heb de bombardementen op Vietnam 'genocide' genoemd, ik heb geschreven dat er volledige vrijheid van kritiek was in de USSR, dat de dissidenten leugenaars waren en de Rede van Chroesjtsjov een flater; ik heb onverdedigbare dictaturen verdedigd, ik heb gezegd dat een anticommunist een hond was, ik heb David Rousset en Camus beledigd – maar deze aaneenrijging van dwalingen, deze onderdompeling in imbeciliteit en smaad, deze langdurige vertrouwdheid met het beest hebben er juist voor gezorgd dat ik, als ik er afstand van neem, weet wat ik zeg en waarover ik praat wanneer ik het zeg.' Maar tegelijkertijd... Is het zo belachelijk? Zit er niet een zekere wijsheid in die manier om de structuur van het ware te zien? En is het niet sowieso de beste manier om te breken met de hypocriete of onnozele mythe van een onweerstaanbare en lichtende aantrekkingskracht van het Ware? De dwaling te goeder trouw is de onvergeeflijkste van alle, zei Lacan.[16] Sartre draait in wezen de formule om – en het gebaar is voor deze keer niet oninteressant. Het is de waarheid te goeder trouw die voor hem onvergeeflijk is. En wat hij de mensen van *Socialisme ou barbarie* echt verwijt, is dat ze genoegen namen, en nog steeds genoegen nemen, met een zuivere, onbeladen waarheid die niet zou zijn gesmeed en bewerkt door de oneerlijkheid of de verdoemde kant van het zelf. Ik overdrijf. Maar niet eens zo erg. Want dit is het laatste theorema: de waarheid is nooit een bewijs of index van zichzelf; de mate van waarheid van een waarheid wordt afgemeten aan de hoeveelheid dwalingen die zij heeft moeten doorstaan, bestrijden, overwinnen en op het allerlaatst, behouden; een waarheid die zich dat bespaard zou hebben, niet alleen die weg maar ook dat behouden, een waarheid die niet veranderd zou zijn in een museum van haar eigen dwalingen en tegenstrijdigheden, een waarheid die, in één woord, slechts zou stralen van positiviteit, als soevereine en plotseling gekomen waarheid, die waarheid zou een kwetsbare waarheid zijn die zich niet kan verdedigen, zoals een lichaam dat geen weerstand meer heeft en door de kleinste aanval besmet raakt – het zou een fragiele, ziekelijke, letterlijk zwakke en vooral weerloze waarheid zijn in het geval van een, niet denkbeeldige, tegenaanval van de dwaling.

En toch is dat het ook niet.

We kunnen niet volstaan met te zeggen dat de Geschiedenis duisternis, nevel enzovoort is en dat Sartre en de Beauvoir alleen maar verdwaald zijn in die duisternis.

We kunnen niet alles verklaren op grond van de ondoorzichtigheid van de omstandigheden, het noodzakelijke aarzelen en het subject dat blind is voor zijn eigen beweegredenen, voor zijn handelingen of voor de context waarbinnen hij handelt.

En als we dat niet kunnen, als dat soort verklaring, in dit geval en andere gevallen, altijd wat pover aandoet en elke keer dezelfde nare smaak achterlaat en, bijvoorbeeld in de polemiek met Lefort, een vermoeden van kwade trouw; als we heel goed voelen dat geen van de grote dwalingen van Sartre – en datzelfde geldt voor de dwalingen van Aragon of Drieu – *volledig* te rechtvaardigen valt door die uitleg van de context, kortom als iedereen heel goed aanvoelt dat Sartre, net als Drieu, ondanks alles laakbaar blijft, dan komt dat doordat er in alle, of bijna alle omstandigheden mensen zijn die wél de algemene norm logenstraffen, de ondoorzichtigheid overwinnen en helder zien.

De zeelieden van Ile de Sein tijdens de eerste dagen van het Franse verzet.

De weinige mannen en vrouwen die – op het moment dat niet alleen Drieu, maar heel Frankrijk de nederlaag, de collaboratie en de onderwerping aan Vichy voor onontkoombaar houdt – discreet, bijna in stilte en met een vanzelfsprekendheid, een overtuiging en een plichtsbesef die ons achteraf verbazen, de weg kiezen naar Stephen's House, en Carlton Gardens, om zich bij generaal de Gaulle te voegen.

Jacques Mansion, de eerste agent van vrij Frankrijk die in de zomer van 1940 op de kust van Bretagne landt.

Gilbert Renault, bijgenaamd kolonel Rémy, die vrouw en kinderen verlaat om, tegen alle redelijkheid in, het ruime sop te kiezen en naar Londen te gaan.

Bourdet, Garreau-Dombasle, Passy, d'Astier de la Vigerie, Moulin en tal van anderen, notabelen en eenvoudige lieden, mensen uit alle hoeken van het land, gelovigen van alle gezindten, die op een mooie ochtend, zonder dat we precies weten waarom, zonder dat zij overigens zelf op dat moment altijd weten waarom of hun gebaar willen uitleggen, uit het gelid treden en nee zeggen.

Maar ook de mensen die vanaf de jaren twintig, in een tijd dat de hele wereld het felle schijnsel dat in het Oosten gloort verwelkomt, in een tijd dat een groot deel van de 'liberale' of 'bourgeois' intelligentsia verrukt raakt van deze nieuwe dageraad, in een tijd dat Rolland, Barbusse, Nizan, en op een dag Sartre, hun eigen wil en hun kwade geweten van bourgeois op het altaar van de nieuwe proletarische godsdienst offeren, begrijpen dat dit schijnsel voortkomt uit een angstaanjagende wereldbrand en het voorspel is van duisternis.

Victor Serge, bolsjewiek van het eerste uur, ogendienaar van het oorlogscommunisme en Lenin, die heel snel de mechanismen van de rode Terreur doorziet en veroordeelt: Het is middernacht in de eeuw! Ik heb de nacht zien vallen over Moskou en na Moskou over de wereld! En die schitterende hoop, die morgenstond waarin ik heb geloofd en die me de vervulling leek van het 'God noch gebod' uit mijn jeugd, is niet meer dan een enorme leugen die in stand wordt gehouden – het is 1929... – door een bende cynische strebers en corrupte apparatsjiks.

Boris Souvarine, voormalig lid van het uitvoerend comité van de Komintern, oud-hoofdredacteur van *L'Humanité* en derhalve een van de ingewijden: niemand kan zeggen 'O Souvarine, die is rechts' of 'Souvarine weet er niets van, hij weet niet wat hij zegt of waar hij het over heeft'; deze man schrijft in 1935 met zijn *Staline* een geschiedenis van het bolsjewisme waar wij, drie generaties en honderden getuigenissen later, niets aan toe te voegen hebben; hij is dat levende wonder – al zou een sartriaan kunnen tegenwerpen dat we hier juist te maken hebben met een duidelijke illustratie van de sartriaanse 'theorema's' en dat Souvarine niets anders heeft gedaan dan totaal verdwalen en dat hij door tot het einde te gaan, door de geur en het bulderen van het Beest te leren kennen enzovoort – hij is dus dat wonder, een man die onmiddellijk alles begrepen heeft en die twintig jaar voordat Sartre verklaart dat de 'klassenstrijd' in de 'USSR is opgeheven'[17], de omvang van hun extreme en verdubbelde wreedheid heeft gezien.

André Breton, surrealist en revolutionair, surrealist ofschoon revolutionair, die zich niet laat inlijven, zoals Eluard of Aragon, die zijn oude huis behoudt, en niet toegeeft aan intimidatie of overreding. 'Stel voor ons een rapportje op over de olie-industrie in Italië... Wat? U verzet zich? Kom nou! Hoe kan iemand surrealist blijven wanneer wij nota bene een totale revolutie aanbieden, totaal, hoort u mij! Lichaam en ziel, geest want materie! Het leven veranderen omdat we eerst de wereld veranderd zullen hebben en de intellectuelen geleerd zullen hebben de strijd aan te gaan met de werkelijkheid, de materie, de harde andersheid van de dingen! – Precies, moppert Breton... precies... er zit me iets dwars in uw verheerlijking van het werkelijke en de dingen... ik vermoed in dat communisme een ruwheid die me onherstelbaar vijandig lijkt aan de waarden van de cultuur en de geest...' En wanneer in 1935 het Congres ter Verdediging van de Cultuur wordt gehouden, vestigt hij op deze manier de aandacht van het forum op de grote Italiaanse professor Gaetano Salvemini, die door Mussolini was verbannen: 'Ik zou niet vinden dat ik het recht had te protesteren tegen de Gestapo en tegen de fascistische OVRA als ik mijn best deed te vergeten dat er een politieke politie is in de Sovjet-Unie: in Duitsland zijn concentratiekampen, in

Italië zijn strafeilanden, en in Rusland is Siberië...' Petje af voor André Breton.

Gide die in 1936, in zijn *Retour de l'URSS*, 'twijfelt of in enig land tegenwoordig, met uitzondering misschien van het Duitsland van Hitler, de geest minder vrij is, en meer onderworpen, angstig (geterroriseerd) en geknecht'.[18]

Ante Ciliga. Panait Istrati. Orwell. Het zijn mensen die schreeuwen: de repressie begint al in 1918! Lenin is de eerste die op 9 augustus van het jaar 1 van de sovjetrevolutie eist dat in de streek van Penza 'een meedogenloze massaterreur tegen de koelakken, popes en witte gardes' wordt uitgeoefend! Hij is het die de opdracht geeft: 'sluit verdachten op in concentratiekampen buiten de stad!'[19] Er bestaat geen goed leninisme. De revolutie op zich was pervers en misdadig...

De Franse intellectuelen, tijdgenoten van Sartre, die gevangenzitten in hetzelfde duister als hij of zelfs, zoals Merleau-Ponty, hebben bijgedragen aan de verdichting van het duister, maar die zich tegen zichzelf keren en zien wat hij niet ziet, horen wat hij niet hoort.

De antifascisten van het eerste uur, zoals Koestler of Silone of Jaspers, die in Berlijn bijeenkomen om bij de aanvang van de Koreaanse oorlog aan de wereld uit te leggen dat het antitotalitarisme het antifascisme van deze tijd is. Wij verloochenen onszelf niet, zeggen ze, we spreken onszelf niet tegen en zweren de geleverde strijd niet af. Het is juist uit trouw aan die strijd, als volmaakte voortzetting van de antifascistische cultuur die de jaren dertig tot eer strekte en waaraan we actief hebben deelgenomen, dat we het Congres voor de vrijheid van de cultuur scheppen en van plan zijn daarmee te strijden tegen de andere collaboratie.

Kortom, een menigte mannen en vrouwen die verdwaald waren in hetzelfde duister, in principe gevangenen waren van dezelfde vooroordelen, en die er toch in slagen, tegen elke rede in, ondanks alle wetten en theorema's, zich eraan te onttrekken.

Waarom? Hoe? Hoe komt het dat sommigen een helder inzicht hebben waar anderen dat niet hebben? Hoe komt het dat sommigen het juiste gebaar maken terwijl anderen, in dezelfde context, hoewel ze over dezelfde informatie beschikken, in de leugen en de verkeerde beweging verstrikt raken? (Ik gebruik die formulering niet bij toeval; hij komt van Sartre zelf, in zijn *Merleau-Ponty vivant*: '...verkeerde ideeën zijn even misdadig als verkeerde bewegingen...')[20] Hoe komt het, kortom, dat Victor Serge in 1928 begrijpt wat Sartre pas aan het eind van de jaren zeventig zal toegeven – en dan nog! Hoe komt het dat Sartre, als Serge wanhopig opmerkt dat het 'middernacht in de eeuw is', antwoordt dat 'het overal donker is waar de bliksem niet inslaat': bedoelt hij dat de 'bliksem' voor hem de inslag van de *blijvende* bekering tot het communisme is? Hoe komt het dat Breton of Bataille zich eigenlijk nauwelijks vergist hebben?

Soms krijg je zin om, zoals in het geval van Cavaillès, te zeggen: de logica, de wetenschap; er zijn een logica en een wetenschap van de onderdrukking en er zijn een logica en een wetenschap van het verzet; juist doordat hij er veel van wist heeft Serge zich verzet; juist doordat ze van dichtbij de lauwe adem van het Beest hebben gevoeld zijn Serge en Souvarine in opstand gekomen toen Sartre zich onderwierp; en wat te denken van Pierre Kaan die op het moment dat hij, met de wapens in de hand, in de laatste fase van het verzet tegen Hitler en helaas ook van zijn leven, het sovjetisme als het andere kompas van de grote totalitaire machinerie ziet?[21] Wat te denken van Elie Halévy die in 1936, tegenover de Société française de philosophie opmerkt dat het 'sovjetisme in wezen een soort fascisme' is en dat 'het oude woord fascisme' weliswaar Italiaans is, maar toch het beste woord om 'het gemeenschappelijke karakter van de twee regimes' en hun gemeenschappelijke 'deductie' aan te duiden?[22] Wat te denken van Marcel Mauss die Halévy en zijn 'deductie' te hulp schiet met een gedenkwaardige brief, aan diezelfde Société française de philosophie, waarin hij schrijft over een 'communistische partij die zich in Rusland heeft ingegraven, net zoals de fascistische partij en de Hitler-partij zich hebben ingegraven, zonder artillerie en zonder vloot, maar met het hele politiesysteem'?[23] Wat te denken van die tekst uit 1923, waarin dezelfde Mauss – misschien alleen al vanwege Georges Sorel, de 'zure en ijdele grijsaard' die de verbinding vormt tussen de twee universa – al de stille verwantschap voorvoelt tussen het fascisme van Mussolini en het bolsjewisme?[24] Wat te denken van Claude Lefort die niet volstaat met een aanklacht tegen de stalinistische terreur en al in 1956, in *Le totalitarisme sans Staline*,[25] een diagnose geeft van de onoverkomelijke tegenstellingen die het communisme teisteren en bij uitstek kwetsbaar maken?

Soms krijg je juist zin om te zeggen: welnee, zo is het niet; de echte verzetsstrijders weten er vaak niet zoveel van; het zijn overigens net zo goed eenvoudige mensen als geleerden; het is die schare intellectuelen, professoren en schrijvers, maar het zijn ook willekeurige mensen, mensen die allemaal evenveel waard zijn en niet minder waard dan ieder van ons; het zijn dus de zeelieden van Ile de Sein, die onmiddellijk begrijpen dat Pétain een schande is en het zijn de Franse arbeiders die, net als Nizan, zien dat het Duits-Russische pact neerkomt op de ondertekening van een misdaad. Zij verzetten zich instinctmatig. Zij verzetten zich in een reflex. De verzetsgeest is bij hen niet iets waarover gepraat wordt, die spreekt vanzelf. Het is als een scheur in het beton van de dagen. Een helder moment in de nacht van de wereld. Het is misschien een deductie, maar dan wel 'verpletterend', volgens Clavel, ondoorzichtig, zonder woorden, zonder echte redenen terwijl we 'van buiten alleen de flikkering zien'. Ik herinner me van Clavel, niet naar aanleiding van het 'grote' Verzet maar naar aanleiding van het 'andere', het volgende, dat zich vanaf de jaren vijftig tegen het sovjetsysteem keerde, de opmerking dat er twee soorten mensen waren: degenen, eigenlijk de meerderheid, die de tweedeling van Europa en het feit dat de oostelijke helft in gevangenschap, onder de laars leeft, onontkoombaar blijven vinden; en de anderen die nee zeggen. Ze weten niet waarom ze nee zeggen, het is alsof ze zijn gegrepen, aan de haren meegesleept, maar ze zeggen nee. In het begin is er de naakte afwijzing, zei hij. Het begrip volgt. Dat is er niet aan het begin, dat komt altijd later, in dienst van die eerste afwijzing.

Wetenschap of instinct, het feit ligt er. Wat de uitleg ook moge zijn, in beide gevallen ligt het er. Er is die werkelijkheid van de 'situatie' van het 'duister', van de 'nevel', van de tocht door mijn donkere bos. Maar er is ook die andere werkelijkheid, die niet minder werkelijk is dan de eerste, waar we niet minder rekening mee moeten houden als we ons bekommeren om de werkelijke omstandigheden van het denken, en die wordt gevormd door de uitspraken van de Rechtvaardigen. Het feit alleen al dat ze bestaan, deze Rechtvaardigen, de mogelijkheid, voor iemand als Gide, om vóór de oorlog al te schrijven: 'Die slachtoffers zie ik, hoor ik, voel ik om me heen – het zijn hun geknevelde kreten die me vannacht wakker hebben gemaakt, het is hun stilte die me vandaag deze regels dicteert;'[26] het feit dat iemand als Mauriac, wat de aard van zijn deductie ook moge zijn, al in 1938 in staat is de twee verwante totalitarismen één pot nat te noemen, de communisten af te schilderen als 'moordenaars' die eveneens 'om vrije naties, dochters van God heen sluipen', en uit te roepen: 'in Moskou zien we wat na twintig jaar revolutie de bewonderaars van de mensheid met de menselijkheid doen...';[27] het feit dat iemand als Camus zijn kreet van afschuw kan slaken als hij wordt geconfronteerd met de bewijzen van de rode kampen, of dat Orwell, de man van *Homage to Catalonia*, een onverdachte antifascist en een van de eersten die zijn leven op het spel zette om de opmars van het nazisme te stuiten, in 1945 in staat was de corruptie van de geest, de cultuur en de eer door de totalitaire machten van het Oosten aan de kaak te stellen, of zijn uitbarsting nu transcendentaal was, zoals bij Cavaillès of bliksemend zoals bij Clavel; en de enige 'mist' waar Orwell over spreekt en waarin hij zich gedompeld voelt, is de mist van 'leugens en valse informatie die onderwerpen als de hongersnood in de Oekraïne, de oorlog in Spanje, de Russische politiek in Polen enzovoort aan het oog onttrekt',[28] – dat alles pleit tegen Sartre, dat alles veroordeelt hem en dwingt hem om de analyse te herzien.

Wat is er dan gebeurd? Wat heeft er kunnen gebeuren dat hij daar waar anderen het licht zagen de weg is kwijtgeraakt? We moeten weer van voor af aan beginnen. We moeten beginnen in het hoofd van de 'grote intellectueel' en proberen te begrijpen wat daar beraamd en uitgevoerd heeft kunnen worden. We moeten reconstrueren wat hij heeft gezien, beleefd, gegist en gehoord waardoor het kon gebeuren dat hij niet in staat was om de 'andere ramp van de twintigste eeuw' te zien en te horen – wat, voor een intellectueel, de grootste uitdaging zal blijven. Filosofisch onderzoek, vervolg en einde.

3

De bekentenis

Wat is er eigenlijk gebeurd? Wat voor afgronden is hij nu weer genaderd? Welke beproeving heeft hij moeten doorstaan? Is hij bang geweest, maar waarvoor dan? Heeft hij de bodem geraakt, maar welke? Is er bij Sartre sprake van een equivalent, maar dan in politieke zin, van een 'nacht' van Pascal of van de uren waarin Franz Rosenzweig in een kerk in Berlijn besluit zich te bekeren tot het christendom, om vervolgens, zonder dat niemand ooit heeft geweten waarom, terug te keren tot het jodendom en *Der Stern der Erlösung* te schrijven? Heeft hij, zij het verdund door de tijd, iets soortgelijks meegemaakt als de crisis van Flaubert, waar hij zelf zo mooi over heeft verteld, hoe in de klauwen van de epilepsie de toekomst van de schrijver van *Madame Bovary* werd bepaald? Wat is er gebeurd, wat heeft er kúnnen gebeuren, in zijn werk, in zijn leven, misschien op het snijpunt van zijn werk en zijn leven, in de vaag omlijnde orde van deze 'gextes' waarvan niemand weet of het *gestes* of *textes* zijn, dat deze vrije man, deze rebel, dit flamboyante personage, deze dandy, deze resolute en overtuigde antitotalitair, die ik de 'eerste Sartre' heb genoemd, alles wat zijn charme vormde de rug toekeert en deze totaal ontspoorde man wordt, een handlanger van de ergste stalinisten, die van Wenen tot Moskou of van Havana tot Peking standpunten inneemt en teksten spuit waar noch de nevel noch de theorema's van dwaling en waarheid een verklaring voor kunnen geven? Dat is de moeilijkste vraag. Dat is het ondoorgrondelijkste want in beginsel het best beschermde geheim. Een kleine verspreking hier. Een halve confidentie daar. Een flard informatie verdwaald in een tekst of een interview, in de ongerichte klanken van de jaren vijftig en zestig. Dat moet het uitgangspunt zijn. Die schaarse bekentenissen zijn de enige draad met een beetje houvast die we absoluut moeten volgen. Vanwege Sartre. Vanwege de eeuw. Vanwege die hele warreling van beelden – obscure rampen, stukken van het opgegeven geloof, gek geworden menigten, voorliefde voor de omwenteling, zal de revolutie radicaal zijn of niet, wat vermag de literatuur, China – die aan hem vraten en die ons achtervolgen. Vanwege deze *homme-siècle*, de vertegenwoordiger van de eeuw, die hij tot aan, en misschien vooral tijdens, die enorme waanzin is gebleven.

Sartre zegt natuurlijk niet: er is een gebeurtenis, en wel deze, die mij heeft veranderd in een antidemocraat en een schoft.

Hij bekent niet: ik was een radicale antifascist; ik bezat elke vorm van metafysische immuniteit die de twintigste-eeuwse mens in staat stelde het opkomen van de verleiding te bezweren – en kijk eens hoe die immuniteit in elkaar is gestort.

Maar hij zegt wel dat hij veranderd is.

Hij zegt, en hij is de eerste om dat toe te geven, dat er inderdaad een gebeurtenis is die zowel zijn leven als zijn werk raakte en die het uitgangspunt is geweest van een 'bekering', van een 'metamorfose', of, zoals zijn voormalige meester Heidegger het noemde: van een 'grote wending' (Kehre).

Hij zegt herhaaldelijk, en met een volharding die op het laatst gaat intrigeren, dat hij een schok heeft ondergaan; dat die schok waarschijnlijk niet meteen alles heeft veranderd; dat de effecten niet direct voelbaar werden; maar dat het als een diepe trilling was, een tijdbom, een langzaam werkend vergif dat zijn aderen en zijn gedachten is binnengedruppeld.

Die gebeurtenis is het jaar 1940.

En in dat jaar niet het nazisme, of de nederlaag van Frankrijk en de massale vlucht, of de gele ster in de straten van het bezette Parijs en zelfs niet het verzet met zijn gevaar, opwinding en gemis, maar veel prozaïscher en vooral veel vreemder, de zeven maanden die hij doorbracht in de heuvels van Trier, in Stalag XII D.

Hoor wat hij John Gerassi toevertrouwt[1]: 'In het kamp heb ik een vorm van collectief leven hervonden die ik niet meer had meegemaakt sinds de École Normale'; wat ik prettig vond 'in het kamp' was 'het gevoel deel uit te maken van een massa'; en ik mag wel zeggen dat ik er 'al bij al gelukkig' ben geweest.

Hoor wat hij zegt hij in *Les Mots* – op die beroemde en licht nostalgische bladzijde over 'het egalitaire gebrek aan comfort' van de zaaltjes van een buurtbioscoop waar hij, alleen met zijn moeder die nog niet mevrouw Mancy was, heeft leren genieten van die onderdompeling in een anonieme, klamme, warme 'menigte': die 'naaktheid' en dat 'obscure besef van het gevaar een mens te zijn' heb ik 'nooit teruggevonden' tot 'in 1940 in Stalag XII D'.[2]

Hoor wat hij veel later zegt in zijn interviews met Victor en Gavi, niet alleen over de gevangenschap, maar over de hele oorlog: 'Wat betreft dat keurige atoompje dat ik dacht te zijn', hadden zich 'machtige krachten' van hem meester gemaakt die hem 'naar het front stuurden met de anderen zonder hem zijn mening te vragen'; de oorlog en later de gevangenschap boden 'mij de gelegenheid tot een langdurige onderdompeling in de massa waar ik niet meer bij dacht te horen, maar die ik in wezen nooit verlaten had'; de beproeving heeft me 'de ogen geopend'.[3]

Hoor hoe hij in 1975, in zijn *Autoportrait à soixante-dix ans*,[4] misschien niet expliciet naar het kamp verwijst, maar wel naar de 'mobilisatie', de 'oorlog', de 'kazerne in Nancy', al die duizenden 'kerels' die hij niet 'kende' maar die net zo 'stuurloos' waren als hij en zijn lot deelden: de gebeurtenis 'heeft mijn leven echt in tweeën gedeeld'; op dat moment 'ben ik van het individualisme en het zuivere individu van voor de oorlog overgestapt naar het sociale, naar het socialisme'; het is 'de echte wending in mijn leven: ervoor en erna'; het is de scheidslijn tussen het werk van ervoor, zoals '*La Nausée*, waarin het verband met de maatschappij metafysisch was' en het werk van 'erna', zoals de *Critique de la raison dialectique*, waar ik 'langzaam heen gevoerd' werd.

Hoor wat Simone de Beauvoir zegt in haar *Mémoires*: 'Zijn ervaringen als gevangene lieten een diepe indruk achter' en 'leerden hem wat solidariteit is'; hij voelde zich absoluut niet 'gepest' en 'deed opgewekt mee aan het gemeenschapsleven'; hij leed absoluut niet onder de vlooien en luizen, voelde zich absoluut niet vernederd door het fouilleren of de ontluizingen, de wc's zonder slot, het corvee, de beestenwagen, de schoppen onder zijn kont, en het 'gaf hem een geweldige voldoening' 'op [te gaan] in de massa, als nummer onder nummers' en 'vanuit het niets met succes iets op te bouwen'; hij 'won vrienden'; hij 'wist zijn ideeën door te voeren'; hij 'mobiliseerde het hele kamp om met Kerstmis *Bariona*, het stuk dat hij tegen de Duitsers had geschreven, op te voeren en toe te juichen'; 'de wreedheid en de warmte van de kameraadschap bevrijdden hem uit de conflicten van zijn antihumanisme'.[5]

En ten slotte wat hij zelf in 1946 tijdens een lezing in New York zegt, een van de zeldzame teksten die pas veel later in het Frans zijn uitgegeven, en waarin hij expliciet verwijst naar het schrijven en scheppen van *Bariona*, het kerstverhaal dus dat in de kerstnacht van 1940 in het kamp werd geschreven en opgevoerd:[6] 'Bij die gelegenheid, toen ik me over het voetlicht heen tot mijn kameraden richtte, tegen hen over hun gevangenschap praatte, toen ik zag hoe opmerkelijk stil en aandachtig ze plotseling werden, begreep ik wat theater moest zijn: een groot collectief en religieus fenomeen.'

Deze citaten zijn een beetje lang. Maar ik moest ze allemaal gebruiken. Want juist door hun nadruk krijgen ze betekenis. Ik zal nog terugkomen op het theater, die kunst van de aanwezigheid, die literatuur zonder afstand of tussenkomst, dat ondergeschikte en tegelijk zo magische genre waarvan iedereen zich herinnert hoezeer het, vanwege dat fantastische vermogen om de schrijver dichter bij zijn lezers en de lezers dichter bij elkaar te brengen, na de oorlog het militante genre bij uitstek zal worden, het medium voor Sartres ideeën, dé strategische plek waar de ideeënstrijd gevoerd zal worden: daar droomde hij al van sinds zijn kindertijd; hij zag zichzelf in het theater sinds zijn poppenkastvoorstellingen in de Jardin du Luxembourg, verborgen achter een stoel, om kleine meisjes te verleiden; maar hij had de stap nooit durven wagen; hij had niet de gelegenheid of de moed gehad zijn verlangen in daden om te zetten; en we leren dus dat hij hier, in het kamp, uit behoefte zijn medegevangenen af te leiden, de kans kreeg of gedwongen werd tot daden over te gaan – we leren dat Sartre, en wij erbij, het te danken hebben aan die kerstnacht, toen een paar honderd uitgehongerde, verkleumde mensen bij elkaar zaten te luisteren naar een tekst die hij geschreven had, dat hij *Les Mouches* en *Huis clos* heeft geschreven, *Kean* heeft bewerkt en zich in het avontuur van *Nekrassov* heeft gestort, kortom, dat hij de grote toneelschrijver is geworden die over de hele wereld gespeeld is en toneel gebruikte als een verbazingwekkend medium om zijn ideeën over te brengen. Het belangrijkste is voorlopig dat hij mede dankzij het theater – net als Beauvoir – over 'opgewektheid' spreekt. Het belangrijkste, het bijzondere is dat hij, volgens hen beiden, 'gelukkig' zou zijn geweest in het kamp, dat hij zich daar zou hebben ontplooid, ontwikkeld, en zichzelf en zijn ware verlangens zou hebben ontdekt. Ze zeggen – en je zou andere teksten kunnen aanhalen, veel andere teksten, te beginnen met het interview in de *New Left Review* – dat deze tweehonderd dagen van slavernij, deze lange periode van ellende, van opperste nood, van vernedering, dat seizoen dat hij deze keer letterlijk 'onder de laars' van het Duitse leger heeft doorgebracht, voor hem een verrijkende beproeving is geweest. En als dat zo is, als de beproeving op zijn minst evenzeer een bron van vreugde als van ellende is geweest, en als Sartre van dat seizoen, dat iedereen in zijn plaats als een nachtmerrie zou hebben ervaren en dat in zekere zin ook een nachtmerrie was, tot op het laatst alleen maar beelden van geluk en vrede, stralende herinneringen heeft overgehouden, dan komt dat doordat hij er een gevoel heeft leren kennen dat hij nog niet kende en dat hem betovert: de onderdompeling in de groep; de duik in de schoot van de kleffe, warme menigte; de geur van collectiviteit die je omhult en beschermt; kom op! laten we het woord durven gebruiken: de smaak, het gevoel en de mooie kanten van broederschap.

We moeten goed beseffen wat daar gezegd wordt.

Sartre was als individualist het kamp in gegaan.

Voor we hem achterlieten was hij anarchist, dandy, stendhaliaan.

De menigte was voor hem niets anders dan een vormeloze, vrij weerzinwekkende massa die hij liefst van veraf zag, vanaf de veilige afstand van Bouville of Le Havre.

Het collectief, zelfs het idee van het collectief, diende volgens hem alleen als verderfelijke machine om mensen te knechten en te ontmoedigen in opstand te komen.

Het nieuwe is dat deze jonge nietzscheaan, deze man van het overzicht en de argwaan, zwaar gekant tegen de wet van het aantal en het mededogen, deze radicale individualist die achter alle groepen, en vooral achter groepen die beweren dat ze gelukkig zijn, het grote despotische en dodelijke dier rook, nu zijn nietzscheaanse houding afzweert en het 'socialisme' en de 'solidariteit' beweert te ontdekken – de gebeurtenis (en we begrijpen dat hij het over een bekering heeft, over een in tweeën gesneden leven, over een voor en een na, enzovoort) houdt in dat hij uit dat armzalige, gedegradeerde leven in het krijgsgevangenkamp, uit deze duik in een collectief dat evenveel van een kudde als van een maatschappij had, uit deze dagen van vernedering en slechte behandeling, te voorschijn komt als aanhanger van gemeenschapswaarden, anders kunnen we het niet noemen.

Zijn eigen Autodidact worden

Bij nauwkeurige lezing is er met dit bekeringsverhaal iets bijzonders aan de hand dat de betere commentatoren, en met name Denis Hollier, niet is ontgaan.[7]

Het is natuurlijk bizar. Paradoxaal. Het vertelt van een ervaring – een man, zo vrij als een mens maar kan zijn, ontdekt zijn waarheid in een gevangenkamp – die buitenissig genoeg is om hem met recht uniek te noemen. Alleen is hij dat nu juist niet. We hebben het elders al gelezen. En we hebben het zelfs gelezen in Sartres bekendste boek, namelijk *La Nausée*.

Hoe was het ook weer.

Een smerig en verrukkelijk 'gevangenkamp'.

In het kamp een houten barak waar ze 'met tweehonderd man op elkaar gepakt' zaten.

Tweehonderd gevangenen ja, 'opeengeperst' in het 'vrijwel volledige duister', waar de verteller bijna flauwvalt van genot door 'de geur' en het 'geluid van ademhalen'.

En daar, in de vuiligheid van die barak, in die overvolle ruimte, met het gevoel te stikken, zwelt zijn borst van 'een hevige vreugde' die in hem oprijst en hem bedwelmt: 'Ik hield van die mannen als van broers, ik had ze allemaal willen omhelzen.'

Het is niet hetzelfde kamp, dat is waar.

En het is ook niet dezelfde oorlog, want in *La Nausée* gaat het over de oorlog van 1914.

Maar het zijn dezelfde beelden. Bijna hetzelfde decor. Tot en met de uitdrukking 'concentratiekamp' die de verteller in kwestie gebruikt voor dit krijgsgevangenkamp waar hij, die altijd zo 'alleen' is geweest, leert – ik citeer nog steeds – 'in mensen te geloven' en van hen te 'houden'.

Met andere woorden, het is dezelfde ontdekking, van dezelfde gemeenschap onder dezelfde omstandigheden van gevangenschap.

En het is de ervaring van een personage dat dertig jaar eerder dan Sartre, in een roman, dezelfde bedwelming en gemeenschapsextase zou hebben ervaren en dat, zoals we ons herinneren, 'de Autodidact' heet.

Ten opzichte van deze bijzondere ontmoeting, deze bijna letterlijke overeenkomst tussen fictie en werkelijkheid, deze romanbladzij waarin Sartre dus van tevoren beschrijft wat hem twee jaar later zal overkomen, heeft de lezer de keuze tussen twee soorten interpretatie.

Hij kan zich natuurlijk verwonderen over zo veel voorkennis. Hij kan in de hallucinerende overeenkomst van situaties, en van woorden om ze uit te drukken, een nieuw voorbeeld zien van de wet van Oscar Wilde die zegt dat het leven eerder de kunst imiteert dan de kunst het leven. Hij kan roepen dat de roman, de schrijver en het leven geniaal zijn. Hij kan nog verder gaan, een paar jaar overslaan en opmerken dat Sartre hetzelfde met het grootste gemak vaker doet: heeft hij niet in 1964, in *Les Mots*, beschreven hoe het is om blind te zijn, tien jaar voordat het hem zelf overkwam? Is er niet een bladzij, ja, in *Les Mots*, waarin we Anne-Marie de kamer binnen zien stormen waar haar Poulou, in het duister, schrijft: 'Wat is het donker!' roept ze, 'mijn schatje bederft zijn ogen!' – en hij verder schrijft en voor 'het jaar drieduizend' zijn 'toekomstige handicap' aankondigt? Is het niet zo dat deze Sartre uit 1964, die, zoals we weten, op dat moment nauwelijks reden heeft zich door deze handicap meer bedreigd te voelen dan door een andere, zover gaat dat hij zich nog later, aan het echte eind van zijn leven, 'blinder – sic – dan Beethoven doof was' voorstelt, 'op de tast' bezig met het redigeren van het 'allerlaatste werk' waarvan men op een dag 'het manuscript tussen zijn papieren' zal vinden – en waarover zijn 'achterachterneefjes' als ze het uiteindelijk ontcijferd hebben zullen uitroepen: 'Het is echt waar dat hij in het pikkedonker heeft geschreven!'?

Maar we kunnen de zaken ook afstandelijker bekijken en ons minder romantisch (hoewel...) herinneren dat deze Autodidact het belachelijkste personage uit *La Nausée* was, de kop van jut van Roquentin en dus van Sartre. We kunnen ons de bladzijden die direct hierop volgen voor de geest halen, met de grappige en woeste opsomming van humanismen in alle soorten en maten waarvan hij, de Autodidact, met een pathetische en idiote toewijding de belichaming was. We kunnen, we moeten ons de woede van Roquentin herinneren wanneer hij hem blozend, smekend, onderdanig en bevend van alle emotie die weer bovenkomt, hoort vertellen dat zijn liefde voor menigten zo hevig is dat hij zich er niet van kan weerhouden om 'tussen hen in te schuiven' als hij 'een groep mensen' ziet, en dat het hem zelfs is overkomen 'de begrafenis van een onbekende' te volgen. En dan de verschrikkelijke scène in restaurant Bottanet, waar de getergde woordvoerder van de schrijver zich voorstelt hoe hij zijn kaasmes laat neerkomen in het vochtige, van tederheid overstromende oog van deze man die hem vertelt dat hij gelukkig is geweest in zijn eigen Stalag en dat hij er ondanks de gruwelen, ondanks de vuiligheid, ondanks het gedrang en het gevoel te stikken een soort extase heeft beleefd. En dan moeten we concluderen dat Sartre in 1940 de verbijsterende stap heeft genomen zich te bekeren tot de ideologie die hij in zijn meest getalenteerde boek had bespot – moeten we toegeven dat de belangrijkste gebeurtenis in zijn leven, de schok of de grote wending die de geboorte van een nieuwe Sartre markeert en, bekent hij zelf, de koers van zijn filosofie na *L'Être et le néant* zal veranderen, was dat hij aansloot bij het gedachtegoed van dat groteske wezen, zijn Bouvard, zijn Pécuchet, de incarnatie van de humanistische dwaasheid waar hij altijd een verklaard tegenstander van is geweest en waarvan hij in de vorm van deze persoon een treurig portret heeft geschilderd.

Maar hij is niet de eerste die zo'n ommezwaai heeft gemaakt.

En in de intellectuele geschiedenis van de twintigste eeuw zijn er ontelbaar veel voorbeelden van dit type bekeringen – hartverscheurend, suïcidaal en klaarblijkelijk abnormaal.

Barrès, de vijand van de wet, de dandy, de felle individualist van de *Jardin sur l'Oronte*, die zich tegen het einde aansluit bij een achterlijk nationalisme – nachtegaal van de bloedbaden, groot mededogen met de kerken van Frankrijk, vaderland, vooruitgang.

Gide, de tweede Gide, van de *Nouvelles nourritures*, die Nathanaël 'kameraad' noemt en van wie je merkt dat hij bereid is om de waarden van Ménalque en Lafcadio te verkwanselen en om zijn gekoesterde individualisme op het altaar van het nieuwe stalinistische vaderland te offeren.

De anglofiele Drieu, vriend van Aragon en Malraux, echtgenoot van Colette Jeramec, die wegzinkt in een antisemitisme waar niets hem toe voorbestemd leek te hebben en waarmee hij welbewust zijn sociale en vooral geestelijke ondergang tekent.

Rolland, die zich als een van de eersten bekeert tot het communisme, die van de ene dag op de andere zijn moraal van intellectueel 'boven de massa' verruilt voor een onbegrijpelijke bevlieging voor het rode schrikbewind.

Aragon ten slotte, de jonge Aragon, die in zijn surrealistische tijd 'de tapir Maurras en het kindse Moskou' aan dezelfde schandpaal nagelde en de sovjetrevolutie durfde te zien als een verwaarloosbare gebeurtenis, op de schaal van ideeën nauwelijks belangrijker dan een vage ministeriële crisis – en die in 1930 naar Charkov vliegt met de missie daar de standpunten van de surrealistische groep te verdedigen om er onverwacht, op mysterieuze wijze totaal geïndoctrineerd vandaan te komen: Ik was als een zwaar zieke, zal hij bekennen, ik was als de misdadigers die ter heropvoeding opgesloten worden in de strafkolonie Bielomorstroï; daar, in dat Bielomorstroï van de geest (ook weer, net als bij Sartre, het kamp als uitverkoren plek voor de bekering), heb ik mezelf gevonden, verwezenlijkt, voltooid – daar ben ik genezen van mijn eenzaamheid en heb ik me losgerukt uit de surrealistische 'onderwereld': 'Ik voel me nu een herboren mens, gewapend met nieuwe energie; de man die ik geweest ben komt me voor als een wezen uit het schaduwrijk.'[8]

Alleen is het geval Sartre beslist het spectaculairste in dit genre.

Waarschijnlijk zal hij nooit, zoals Aragon, de auteur van *Pour un réalis-*

me socialiste, schrijven: 'Als mijn geliefde vrouw mij een kind schenkt, zal het eerste woord dat ik het leer Stalin zijn.' Maar ook voor hem is het niet voldoende om van ideologie te veranderen. Voor hem is het niet voldoende om, zoals de helden van *Les cloches de Bâle*, gegrepen te worden door de gratie van een stoet stakers, of door het onbedwingbare gevoel van opstandigheid dat ons overvalt wanneer onder onze ogen een arbeider wordt vermoord. Hij sluit zich aan bij een ideologie die hij heeft bespot, vertrapt en vernietigd. Hij omhelst een wereldbeeld waartegen hij juist zijn belangrijkste en mooiste boek heeft geschreven. IJskoud, zich volledig bewust van wat hij doet, maakt hij zich op om de tweede helft van zijn leven door te brengen in het gezelschap van een filosofie die hij in eerste instantie met ongekende wreedheid door het slijk heeft gehaald en bespot. Er wordt dus een andere Sartre geboren, verfoeilijk in de ogen van de vorige, kennelijk vergeten wie hij was, belachelijk, en die de eerste Sartre zou wegvagen, fusilleren of op z'n minst de keel afsnijden met het kaasmes uit restaurant Bottanet, als het in zijn macht lag.

Het is een waanzinnige daad. En vooral uniek. We kennen eigenlijk maar één precedent – en wat voor een! Plato, die in *De wetten* een wetgeving voorstelt op grond waarvan hij zijn dialogen had moeten verbranden en de terdoodveroordeling van Socrates had moeten goedkeuren. Sartres tijdgenoten laten zich overigens niet misleiden. Ze zien heel goed hoe bizar de situatie is. En van hun ongeloof, hun ontsteltenis soms, bestaan ten minste drie getuigenissen.

Simone de Beauvoir, die als eerste opmerkte dat Sartre was 'vertrokken als Roquentin', en terugkwam als 'autodidact'.[9]

Etiemble, oudgediende van *Les Temps modernes,* maar verstoten na een artikel over *Les Deux Etendards* van Rebatet:[10] 'Door te breken met Camus, met Lefort en met mij, heeft u gedacht Jean-Paul Sartre zelf te verbannen, de prins van een jeugd die u in het vervolg slechts wantrouwen kan overbrengen, de verwijderde prins, de verre prins.'

En vooral de eerder aangehaalde passage waarin Tournier melding maakt van de verbijstering van het groepje waar hij met Gilles Deleuze en een paar anderen toe behoorde, toen ze ontdekten dat de meester 'in de vuilnisbak grabbelde' waarin ze naar zijn voorbeeld 'die versleten, naar zweet en bedorven lucht stinkende oude sok', waar 'het Humanisme' toe was verworden, hadden begraven: een van ons, vertelt hij, 'dacht de sleutel tot alles gevonden te hebben in een roman uit 1938, *La Nausée*; en inderdaad kwam in die roman een 'belachelijk personage' voor dat door de verteller 'de Autodidact' werd genoemd en dat zich niet alleen 'op het humanisme beriep' maar bekende dat hij 'in de warme samenleving van een krijgsgevangenkamp in 1914-1918 de onzegbare waarde van het eeuwig menselijke heeft ontdekt'. Ja, besluit Tournier; 'alles was duidelijk; na zijn gevangenschap in 1940 kwam Sartre getransformeerd tot autodidact bij ons terug...'

Maar het wordt nog mooier.

Sartre heeft niet alleen gezegd: 'Zo, ik ben van mening veranderd, misschien ben ik beter, toleranter geworden – maar ik vind hem eigenlijk zo kwaad nog niet, de Autodidact.'

Het is voor hem niet voldoende zich te bekeren tot de collectiviteit, de liefde voor de menselijke soort, het humanisme – waarbij de rest, de hele rest, de andere grote concepten van zijn filosofie om zo te zeggen in de oude staat bleven.

De bekering verandert alles.

Dringt overal in door, neemt alles mee.

Zoals alle echte bekeringen neemt hij bezit van het hele wezen, van het totale filosofische systeem, en gooit dat volledig overhoop.

Als bewijs neem ik *Bariona*, het beroemde kerstverhaal dat hij voor het kamp schreef en waarvan hij zei dat de opvoering samenviel met deze schokkende ontdekking – als bewijs volg ik de weg van Sartres ziel die zich aftekent na het minutieus, stap voor stap herlezen van deze uiterst vreemde, aangrijpende tekst, die volgens mij niet altijd de plaats heeft gekregen waar hij recht op zou hebben en die ik verdeel in zeven momenten of delen; niet de zeven 'tableaus' van het stuk, maar onderdelen die overeenkomen met de grote interpuncties van Sartres onzekerheid, besluiteloosheid en ten slotte metamorfose: een soort man-tegen-mangevecht, in de tekst en door de tekst heen, tussen de eerste en de tweede Sartre...

Eerste deel. Redevoering van Bariona. Ten overstaan van Laelius, de bevelhebber van de Romeinse bezettingstroepen en ten overstaan van het koor der Wijzen van Beth-Zur, het dorp in Judea waarvan hij hoofdman is, schildert Bariona een zwart, verschrikkelijk wanhopig wereldbeeld dat in grote trekken overeenkomt met dat van *La Nausée*. 'De wereld is niets dan een oneindige en willoze neergang; de wereld is niets dan een kluit aarde die maar blijft vallen...' En vervolgens: 'Het leven is een nederlaag, niemand wint en iedereen wordt verslagen; alles is altijd heel slecht verlopen en de grootste dwaasheid ter aarde is de hoop.' En vervolgens tegen Sarah, zijn vrouw, die hem vertelt dat ze een kind verwacht: 'We denken altijd dat er een kans voor ons is weggelegd; elke keer dat we een kind op de wereld zetten, denken we dat het een kans heeft maar dat is niet waar; de teerling is al geworpen; de ellende, de wanhoop, de dood, wachten hem op bij het kruispunt.' Het is dus een pessimistische Bariona. Somber. Het is een Bariona die net als de eerste Sartre van mening is dat het leven een verloren zaak is, de mens een mislukte soort. Hij is een verre neef van Roquentin die ook, zoals we ons herinneren, niet graag zijn dosis ellende en tegenslag aan de wereld toevoegde: 'Er zou een gebaar gemaakt moeten worden, een overbodig voorval in het leven worden geroepen – het zou te veel zijn, er zijn al genoeg dingen die zomaar bestaan.' En het is een Bariona die, met een typisch Roquentin-gebaar zo ver gaat in zijn pessimisme – en de wens geen enkele concessie te doen aan de Romeinen – dat hij zijn totale geboortestaking ontketent. Aan de ene kant Laelius, de vertegenwoordiger van de Bezetter, die wanhopig een 'natalistisch' standpunt verdedigt: u kunt een dergelijke beslissing niet nemen zonder 'eerst het belang van de Maatschappij in overweging te nemen'; het zou betreurenswaardig zijn 'als de zegenrijke oorlogen van Rome moesten ophouden bij gebrek aan soldaten.' Aan de andere kant Bariona – een kathaar avant la lettre, net als die Volmaakten die, nadat ze het Consolamentum hadden ontvangen, de 'endura' praktiseerden, het vasten tot de dood erop volgt, of seksuele abstinentie, ook tot de uiterste consequentie, het uitsterven van de soort – die zijn 'genofobische' standpunt verdedigt: Ik wil niet, zegt hij, 'de eindeloze doodsstrijd van de wereld met nieuwe mensen meer voedsel geven'; ik wil dat de Romeinen veroordeeld zijn te regeren over niets dan 'verlaten steden'; weg met het natalisme dus; weg met het infantilisme en met de cultus van de jeugd; het kind zal niet meer, mag niet meer de toekomst zijn van de wereld die bezongen wordt door de bezetters. Je kunt op dit eerste moment goed merken waar de sympathie van de schrijver ligt. Je ziet vooral goed dat Bariona een standpunt huldigt dat letterlijk hetzelfde is als dat van Roquentin, of van de Mathieu in *Les Chemins de la liberté*. De toneelpersonages zijn, in tegenstelling tot de romanpersonages, bij Sartre woordvoerders. Met zijn pessimisme en zijn verzet, met zijn op pessimisme gefundeerde verzet, is Bariona in dit eerste deel de woordvoerder van de eerste Sartre. Voorlopig nog geen 'bekering'.

Tweede deel. Redevoering van de herders. We zijn op de berg boven Beth-Zur, waar Paulus, Petrus, Simon en Kajafas bezoek krijgen van de Voorbijganger, en vervolgens van de Engel die hun een mysterieuze geboorte in Bethlehem aankondigt. Vervolgens zijn we vroeg in de ochtend op het plein van Beth-Zur, waar zij, ontroerd, bijna bevend, de dorpelingen komen vertellen wat hun op de berg is verkondigd door de Engel. Een lofzang op de Natuur: 'Het kraakte, het neuriede, het ritselde alom [...] het leek of er knoppen groeiden aan onzichtbare bomen, het leek of de natuur die verlaten, ijzige vlakten had gekozen om alleen voor zichzelf, in een winternacht, het prachtige feest van de lente te vieren.' Een lofzang op de Hoop, de pure en schitterende hoop, die gewekt wordt door de Annunciatie: 'Er zijn nachten als deze,' zegt Paulus, 'waarvan je denkt dat ze op het punt staan te bevallen van iets, zo zwaar zijn ze en dan komt er uiteindelijk alleen een briesje bij zonsopgang.' Een lofzang, een liefdeslied op de Kindertijd – de Kindertijd op zich en vervolgens de Kindertijd van dit kind, het kind Jezus dat net geboren is: 'Ziedaar,' zegt de Engel! 'Hij is geboren! Zijn oneindige en heilige geest is gevangen in een kletsnat kinderlichaam en verbaast zich dat hij lijdt en onwetend is; ziedaar, onze meester is niets meer dan een kind...' Een lofzang op de vreugde ten slotte, op de wedergeboorte, op het rondgaan van de hemellichamen en de wereld – de tekst zegt, om precies te zijn, op de gouden tijd: 'Dorpelingen en herders, laten we zingen en dansen want de gouden tijd is teruggekeerd.' De Natuur... De Kindertijd... De Hoop... De Gouden Tijd... Meer hoeft niet gezegd te worden om te zien dat het landschap is veranderd, en ook de kijk op de wereld. Het is de anti-Bariona. Het is de anti-eerste Sartre. Het is, in de mond van deze nieuwe personages, een opvatting van de Geschiedenis die door de oordeelkundige toeschouwer wordt herkend als het absoluut tegenovergestelde van het eerste deel en vooral van de opvatting die de Sartre van *La Nausée* aan de dag had gelegd. Denken tegen denken. Visie tegen visie. De tweede Sartre tegenover de eerste?

Derde deel. Bariona weer. Een Bariona die als reactie op de 'fratsen' van de herders, zoals hij het noemt, zijn standpunt in heel zijn draagwijdte ontwikkelt en weer de overhand krijgt. Een geïrriteerde Bariona: 'Arme dwazen! Arme blinden!' Een onverzettelijke Bariona, die vasthoudt aan zijn principes: 'Als een zuil van onrecht wil ik me oprichten tegen de hemel; ik zal eenzaam en onverzoend sterven.' Een atheïstische, definitief atheïstische Bariona, uitdaging aan de Hemel, provocatie, Don Juan-syndroom: 'Zelfs als de Eeuwige me zijn gezicht had getoond tussen de wolken zou ik nog weigeren hem te horen, want ik ben vrij; hij kan me verpulveren of aansteken als een fakkel, hij kan me doen kronkelen van pijn zoals de wijnrank in het vuur, maar hij kan niets beginnen tegen die ijzeren zuil, tegen die onbuigzame pilaar: de vrijheid van de mens.' Een joodse, definitief joodse, dus definitief pessimistische Bariona: 'De Messias is niet gekomen en zal ik u eens wat zeggen, hij zal nooit komen; de wereld is een eindeloze neergang; de Messias zou iemand zijn die die neergang zou stoppen, plotseling de loop der dingen zou omkeren en de wereld weer de lucht in zou laten stuiteren als een bal'; hij gaat er stilzwijgend van uit dat deze hypothese zowel absurd als schofterig zou zijn en medeplichtig aan de ergste onderdrukking. Een Bariona ten slotte die niet in de Messias gelooft, geen seconde het idee van een individuele, geïncarneerde, persoonlijke Messias in overweging wil nemen, en daarom maar één aanbeveling heeft voor de dorpelingen: 'Zie uw ongeluk in het gezicht, want de waardigheid van de mens ligt in zijn wanhoop' – en dat doet denken aan de grote moderne joodse denkers: Buber, Scholem, Emmanuel Levinas; dat doet vooral, meer dan ooit, denken aan de 'antitotalitaire theorema's' van de eerste Sartre; en we zijn weer ver verwijderd van de beroemde 'bekering' waar het krijgsgevangenkamp en, in dat kamp, de ontdekking van het theater de aanleiding toe zou zijn geweest.

Vierde deel. Daar wordt het ingewikkeld. En daar valt voor het eerst de schaduw van de twijfel over de tot dan toe volkomen orthodoxe vertelling. We zijn bij het tweede bedrijf, scène 5. Laelius en Bariona zijn alleen en staan tegenover elkaar in het verlaten dorp nadat de dorpelingen in optocht naar Bethlehem zijn vertrokken om het goddelijke kind te verwelkomen. 'Hoofdman,' aan de ene kant; 'Meneer de Superresident,' aan de andere... 'Ik ben blij u te zien, hoofdman,' zegt de Romein tegen de jood; Het genoegen is aan mijn kant, antwoordt de jood de Romein... 'U zult moeten lachen,' zegt de eerste; en in de regieaanwijzingen staat inderdaad: 'Bariona lacht...' 'Dit alles,' vraagt hij nog, 'wat vindt u van dit alles?' en Bariona zegt: 'Ik wilde u hetzelfde vragen...' Je voelt dat het twee gekwelde zielen zijn die door het verlaten dorp dwalen en elkaar tijdens hun dwaaltocht eindelijk leren kennen. Het lijkt een stilzwijgende, onuitgesproken overeenkomst, die toch tussen de regels door klinkt en de oude misverstanden van tafel veegt. Bariona als handlanger van Laelius? Een soort heilig verbond tussen de joodse hoofdman en de Romeinse legaat tegen de dwaasheid en het geloof van de dorpelingen die naar de kribbe zijn vertrokken? Mogelijk. Plausibel. Er wordt natuurlijk niets met zo veel woorden gezegd. Maar het wordt opeens gesuggereerd door de dialoog. En er doemt het hinderlijke beeld op van een Sartre die voorzichtig van koers verandert, misschien van doctrine, en naar de denkwijze van de herders overhelt. Bariona was zijn woordvoerder. Het historische pessimisme en de wanhopige metafysica van Bariona leken de uitdrukking van zijn diepste gedachten. Nu staat alles op losse schroeven en wordt die metafysica overgeheveld naar het kamp van de Bezetter. Het historisch pessimisme, gedisciplineerde filosofie? De misselijkmakende visie van de 'mislukte soort', van het leven als 'nederlaag', van de wereld beleefd als een 'oneindige en willoze neergang', minder radicaal dan we dachten? En aan de andere kant – messianisme, optimisme, gouden tijd en de hele heisa – de ware adem van de vrijheid en de opstand? Misschien wel. In dit stadium van de dramaturgie is alles weer mogelijk. De ideologische ondergang van de eerste Sartre incluis.

Vijfde deel. Nieuwe invalshoek. Het standpunt en de onaangename indruk worden bijgesteld. Dit keer spreekt 'de tovenaar'. Het is een stokoude tovenaar die niet meer op zijn stokoude benen kan staan en aan Laelius en Bariona, die nog steeds alleen in het dorp zijn, voorspelt wat er zal worden van het goddelijke kind en van de bizarre sekte die rond zijn kribbe bezig is te ontstaan. Hij zal opgroeien, voorspelt hij. Arm worden. Water in wijn veranderen. Een zekere Lazarus doen verrijzen. Andere kleine wonderen verrichten. Hij zal ten slotte worden gearresteerd, gegeseld en gekruisigd, en hij zal verrijzen. En vooral, vooral dit, zegt hij, als antwoord op de vragen van Laelius, twee belangrijke inlichtingen die de kaarten opnieuw zullen schudden. Ten eerste, opstand? Zal deze figuur echt opstand prediken? Zal hij werkelijk de fakkel van de rebellie uit Bariona's zwakke handen overnemen? Antwoord: Ja, maar een rebellie van een bijzondere soort, met het principe 'de keizer te geven wat des keizers is' – en dat 'bevalt' de Romein in eerste instantie zeer. En de wereld? Zal hij echt de wereld willen veranderen? Is hij zo iemand die de rijken en machtigen gaat tegenwerken? Antwoord: Ja, maar later, in het paradijs, want 'het koninkrijk van zijn Vader is niet hierbeneden' – ook dat spreekt Laelius aan en treft doel. De toeschouwer had zich vergist. Hij had te snel zijn conclusie getrokken en de werkelijke inzet van de bondgenootschappen niet goed ingeschat. Hij had vooral niet begrepen dat het nieuwe geloof de profane macht van de keizer helemaal niet in gevaar zou brengen. Dat zegt Bariona overigens. Hij zegt het expliciet, zo grof mogelijk en je voelt duidelijk dat hij wederom degene is die het standpunt van de schrijver verwoordt: 'Kom, zeg het nu maar eerlijk: hij is een van de uwen, die Messias, hij wordt betaald door Rome!' De teerling lijkt opnieuw geworpen. Bariona heeft weer de overhand. Omdat het gedachtegoed van de herders, en dus het messianisme, de sentimentele naïveteit en het optimisme, duidelijk bestemd zijn om de Bezetter in de kaart te spelen, slaan voor de tweede keer niet alleen het diepere gedachtegoed van de schrijver maar ook de sympathie van de toeschouwer door naar zijn pessimisme.

Zesde deel. Zelfde geval. Het gedachtegoed van Bariona, ofwel van de eerste Sartre, wordt een laatste keer herbevestigd in al zijn kracht en felheid. En het gedachtegoed van de herders, dat wil zeggen het historisch optimisme en het humanisme, al evenzeer in diskrediet gebracht. De trots van de krijgsheer die droomt van 'een man met een onverdraaglijke blik, geheel gepantserd in fonkelend ijzer' die hij zou volgen 'in het krijgsgewoel' en die 'de Romeinse hoofden' zou laten 'springen' zoals je 'klaprozen' onthoofdt – in plaats van deze castrerende Messias die je opdraagt het hoofd te buigen wanneer je 'een mannenwoede' in je voelt opkomen, wanneer je 'een klap' krijgt of 'een schop'. De vastberaden genofobie van een echte sartriaanse held die opnieuw, net als Roquentin en de toekomstige Mathieu, weigert zich te verlagen tot de idiotie van de cultus van de kindertijd: hij gaat ook naar Bethlehem; hij rent erheen; zo hard dat hij er zelfs eerder is dan zijn arme dorpelingen; maar hij doet dat, legt hij uit aan Laelius die er opeens op zijn tenen vandoor sluipt, om 'het broze nekje' van dat kind om te draaien, om bij gebrek aan zijn 'eigen kind' dat groteske en heilige kind met zijn blote handen te doden – 'een paars lijkje in het stro', dat zal ik ervan maken; 'laat ze maar knielen' daarna; als ze dat zo graag willen, laat ze maar het 'ingebakerde lijkje' aanbidden dat ik voor hen heb achtergelaten; dan heb ik tenminste 'die mooie preken over berusting en opofferingsgezindheid' in de kiem gesmoord. En vervolgens, op enige afstand van de menigte dorpelingen die eindelijk is aangekomen, zijn gezicht verborgen achter een pand van zijn grote mantel, te midden van kerstliederen en deerniswekkende hosanna's, een laatste monoloog die eindigt met twee zinnen waarin alles gezegd wordt: 'Is het mijn fout, Heer, dat u me hebt geschapen als een nachtdier en dat u in mijn vlees dit vreselijke geheim hebt gekerfd: er zal nooit een ochtend zijn' – en vervolgens: 'Is het mijn schuld dat ik weet dat uw Messias een armoedzaaier is die zal creperen aan het kruis, dat ik weet dat Jeruzalem altijd in gevangenschap zal verkeren.' Dat had het eind van het stuk kunnen zijn. Dat had de moraal kunnen zijn. Want juist de afwijzing van eschatologieën en alle definitieve oplossingen, juist die overtuiging van eeuwige gevangenschap, en zoals Deuteronomium zegt, van 'armoede' die nooit van het aardoppervlak zal verdwijnen, was Sartres credo vóór zijn bekering en lijkt nog steeds dat van de schrijver van *Bariona*.

Zevende en laatste deel. Hier komt de onverwachte wending. Hier komt in een paar dialogen, die van het einde van de zesde scène doorlopen in de zevende, de definitieve ommekeer – des te spectaculairder omdat de hele dramaturgie precies de andere kant uit leek te gaan. Bariona zwicht ten slotte. Hij staat klaar om toe te springen bij de deur van de stal waar de kribbe staat. Hij ziet het kind niet. En van de moeder ziet hij eigenlijk alleen het silhouet. Maar hij ziet wel de man die net als hij in het donker staat. En bij de zachte blik die deze op zijn kind werpt, bij de gedachte alleen al aan de onnoembare schrik die deze twee ogen 'helder als afwezigheden' zou overspoelen als hij zijn moordplannen ten uitvoer brengt, zwicht hij en besluit het kind niet te doden. Dan komt Balthazar op. Dan komt een van de wijzen die hem, in gelukzalige onwetendheid van het innerlijke drama dat zich zojuist in hem heeft afgespeeld, een uiteenzetting geeft van de verdiensten van het ware geloof dat in dit kleine lichaam is geïncarneerd: dat het kind geboren is voor alle kinderen van de wereld... dat de kindertijd in het vervolg heilig zal zijn en dat Christus zal herleven in elk kind dat geboren wordt... dat er vreugde is voor allen... dat de mens niet meer noodzakelijkerwijs dat overbodige wezen is waar de sombere metafysici hem voor aanzien... dat het kwaad op zich niets is... dat het is wat men wil dat het is... kortom, dat het pessimisme overwonnen is en dat er op deze wereld altijd een bepaald punt is waar het kwaad in een vrolijke vermomming verschijnt... En in plaats van hem te slaan en het zwijgen op te leggen, in plaats van hem te antwoorden dat hij gelooft dat er geen morgen zal zijn, dat er nooit een is geweest en dat Jeruzalem gevangen zal blijven, hoort Bariona hem aan en smelt van emotie. Wanneer de dorpelingen, die intussen gehoord hebben dat de Romeinse legioenen tegen Bethlehem optrekken en de stad 'in een bankschroef' houden, op het toneel verschijnen en roepen: 'Je had gelijk, Bariona! Dat kind is vervloekt! Ons volk is vervloekt! We hadden naar je moeten luisteren en nooit naar de stad moeten gaan!' neemt hij weer het woord en hekelt vriendelijk, met een veranderde stem, tot verbijstering van iedereen, de mensen met hun geringe geloof die eerst hem verraden hebben voor de Messias en die nu, bij de eerste tegenwind, de Messias verraden. Ben ik nog steeds jullie hoofdman? Ja! Zullen jullie blind bevelen opvolgen? Ja, ja. Luister dan naar wat ik jullie opdraag. We zullen de Romeinen opwachten. We zullen een borstwering maken van onze lichamen. We zullen sterven, ja, maar in vreugde, in God, en om de Messias te redden. De sombere en gepijnigde hoofdman, de Roquentin van Judea die met hart en ziel de wereld afwees en de naakte opstand propageerde, is de lofzanger van de nieuwe religie geworden.

Dat is *Bariona*.

Dat is de betekenis, niet de politieke maar de metafysische betekenis, van het weinig bekende, nooit opgevoerde, maar essentiële stuk.

Ik blijf erbij dat de tekst geen politieke ambiguïteit vertoont. Er is nog steeds geen reden om er ook maar de geringste toegeeflijkheid, het geringste compromis ten opzichte van de nazi's in te zien. En zowel van de ene als van de andere kant, zowel door de oproep tot geboortestaking als door de uiteindelijk oproep tot de strijd, kon het in het klimaat van die tijd en het kamp, alleen maar klinken als een oproep tot moed en misschien tot verzet.

Het probleem zit hem in de filosofie.

Want op deze plaats vindt niet alleen de 'bekering' plaats, maar wordt ook de hele betekenis ervan uitgedrukt en uitgelegd.

In 1940 stapt Sartre niet alleen over op het humanisme en de liefde voor de gemeenschap. Hij verzoent zich in een opwelling van wroeging of sympathie, wie zal het zeggen, met zijn arme 'Autodidact'. Hij wordt in een moeite door optimistisch, historistisch, messianistisch, kortom *progressief*.

Aragon, Drieu, Rolland en consorten: terug naar de jaren dertig

Om het helemaal duidelijk te krijgen zouden we natuurlijk nog dieper in de ziel moeten duiken, en dan niet in die van Bariona maar in die van Sartre zelf.

Er bestaat natuurlijk geen psychologisch onderzoek dat ons kan leren wat zich in deze man heeft afgespeeld, verder in de diepte, in de coulissen van zijn bewustzijn, waardoor hij nu, in het krijgsgevangenkamp en in het stuk dat daar wordt opgevoerd, partij kiest voor koning Balthazar, de Autodidact rehabiliteert en zich solidair betoont met de aanhangers van het optimisme, het humanisme en bovenal van de gemeenschapscultus waar hij in *La Nausée* zo de spot mee dreef.

Hypothese. Een te broos bewustzijn dat zich gemakkelijk liet buigen, liet breken. De definitie die hij zelf van het subject had gegeven – instabiliteit, oneigenlijkheid, bijna-vloeibaarheid... – en die het avontuur van de subjectivering onvermijdelijk broos, dus hachelijk en onzeker (waardevol maar onzeker...) maakte. Eindigde *L'Être et le néant* niet met het beeld van een vrij, autonoom subject, in zekere zin zegevierend maar tegelijkertijd ondermijnd door het kwade zuur van het 'ongelukkige bewustzijn', terwijl het er alleen maar van droomt zich te ontlasten, te bevrijden bijna, door 'ding' te worden of 'op-zich'?

Hypothese. Een onrustig, gekweld individualisme, bevolkt door vreemde dromen (krabben, parapluvissen, angstaanjagende hallucinaties, inktvissen...). Een angstig individualisme, aangevreten door de vrees, en tegelijkertijd het verlangen, terug te keren naar de materie en naar het op-zich. Moeten we *Les Mots* geloven, als daarin onthuld wordt dat het individualisme van Sartre altijd geplaagd zal worden door het tegendeel: het kind Poulou dat gefascineerd is door de duistere stoffelijkheid van menigten en tot duizelens toe bezeten van de angst, maar ook van de verleiding erin te verdwijnen? Moeten we luisteren naar wat *Des rats et des hommes* ons tussen de regels door vertelt: een gespleten, haast geplaagde subjectiviteit, bezeten door 'het gekrijs van de menigte', galmend van echo's en allerlei soorten spoken? Moeten we veronderstellen dat het kamp Sartre daarvan heeft verlost, dat het de stemmen tot zwijgen heeft gebracht, dat het hem heeft genezen van zijn kwellingen? Heeft Sartre – althans een gedeelte van Sartre – in het kamp tegen zichzelf gezegd: 'Afgelopen met de krabbentijd! Vergeet het walgelijke visioen van de wortels van de kastanjeboom in Bouville en de walging die me sindsdien achtervolgde'?

Nog een hypothese. De ondraaglijke lichtheid van het ik. De last van de vrijheid. 'Mijn vrijheid?' zal Mathieu uitroepen.[11] 'Die weegt me zwaar: ik ben nu al jaren voor niets vrij.' En een stukje terug: 'Laat me op adem komen, zei hij tegen Brunet die hem aanspoorde partij te kiezen; en Brunet: 'adem, adem, maar haast je, morgen ben je te oud, dan ben je de slaaf van je vrijheid.'[12] En weer een stukje terug:[13] 'Je hebt overal van afgezien om vrij te zijn; ga nog een stap verder en zie af van je vrijheid zelf...' Hoe kun je een slaaf van vrijheid zijn? Hoe kan vrijheid zwaar wegen? Het is weer de ervaring van Aragon. Het is de ervaring van Drieu als hij zich bij Doriot voegt. Het is, zei Camus, de ervaring van alle vermoeide zielen die, het 'geluk van stenen' hebben verkozen boven de last van vrijheid, de pijnlijke last van verantwoordelijkheid. Misschien is het de ervaring van Sartre. Misschien heeft hij daar geleerd, doordat hij onder dwang in de groep moest opgaan, doordat hij werd veranderd in een nummer, een van de vele nummers die allemaal evenveel waard zijn, wat een bitterzoet genoegen het kan zijn om eindelijk de last van je eigen wil af te werpen...

Hypothese, de incarnatie.[14] De kwelling, door zijn hele oeuvre heen, van een incarnatie die afwisselend werd ondergaan, gewild, gewenst en bezworen; 'U heeft het mis wanneer u denkt dat ik me incarneer' in Hugo, want 'ik incarneer me in Hoederer'[15]... het 'reële' socialisme als 'incarnatie' van de Idee 'in een bepaald land'... ook de politieke vertegenwoordiging als incarnatie – maar dan fout, verkwistend, ten koste van realiteit ('Ik vind dat het begrip vertegenwoordiging in een echte maatschappij zou moeten verdwijnen'[16])... het vlees zelf, tegelijkertijd gevreesd en geliefd... en dan, bij aankomst, de dronkenschap en de ellende van de 'gedesincarneerde' intellectueel... kortom de oude, oorspronkelijk religieuze discussie, de Schweitzerdiscussie, de oeroude, diepe aarzeling in hem, erfenis van zijn protestantse achtergrond, tussen het afwijzen van het vlees (*L'Être et le néant*) en zijn heimwee (*Critique de la raison dialectique*).

Hypothese, heimwee naar de werkelijkheid – naar de 'werkelijke wereld' zou Aragon zeggen, waar het 'de moeite waard is te leven en te sterven', als tegenpool van het lege universum van de verscheurde subjectiviteit, van zijn anemische romans, van zijn woordenkraam.[17] De verleiding ook, die in de loop van de hele twintigste eeuw steeds weer opduikt – en die blijft zeggen dat moraal, ideeën, kunst en cultuur kattenpis zijn vergeleken met de mooie, ongetemde hardheid van een strijd om het bestaan, of een staking of een oorlog. Brunet weer (maar het zou ook Hoederer kunnen zijn): 'Een man met krachtige, wat stramme spieren'; een man die, vanwege die spieren, 'in korte, harde waarheden denkt'; een 'rechtschapen, gesloten, zelfverzekerde, aardse' man, 'ongevoelig voor de hemelse verleidingen van de kunst en de psychologie'; een man die 'bestaat, heel reëel, met een echte smaak van tabak in zijn mond', en in zijn ogen 'echtere en intensere' beelden dan Mathieu ooit zal zien – een man dus! een echte man! Mathieu is bij hem vergeleken 'besluiteloos, niet echt ouder of rijper geworden, ten prooi aan alle verwarringen van het onmenselijke', en denkt beschaamd en larmoyant: 'Ik zie er niet uit als een man...'[18] We kunnen nooit genoeg nadruk leggen op de homoseksuele component bij alle totalitarismen van de twintigste eeuw.

Nog een hypothese, zelfhaat. De haat, op zich, jegens de geletterde met de veel te blanke handen die naar de levensschool gaat. De zelfkastijding van de beschaamde, nutteloze mandarijn die vandaag door het krijgsgevangenkamp, morgen door de eenwording met het proletariaat, en overmorgen door de aanstelling in een fabriek de kans krijgt zich te rehabiliteren. De intellectuelen van 'na de oorlog' zijn 'gecrepeerd aan denkmisbruik', zei hij[19] – waarom geen denkmisdaad? Ze hebben de fout begaan zichzelf 'boven de sociale werkelijkheid' te plaatsen – 'in de wolken' zou een aanhanger van Maurras hebben gezegd. Zodat hij niet uitsluit dat de 'toekomstige samenleving op een dag zonder intellectuelen' kan komen te zitten, 'omdat iedereen het intellectuele werk voor eigen rekening neemt'.[20] Sartre en zijn eeuw, ook daar. Sartre of de eeuw zelf. Hebben de liefhebbers van intertekstualiteit er ooit aan gedacht *Les Chemins* te vergelijken met andere romans van fellow-travellers – en vooral met de eerste van het genre, die van Romain Rolland, die oudere Clérambault die zijn tanende energie al kwam laven aan de fontein van het proletarische verlangen? 'Woestijn' van het individualisme, zegt Rolland – en dat is ook de conclusie van Sartre in het kamp... Timon, de communistische commissarissen uit *L'ame enchantée* en de man die Assia verleidt en bekeert: die ruwe personages, zonder enige subtiliteit of affectie, die krachtige en energieke barbaren, die vrijbuiters, zijn dat niet de voorbeelden voor Brunet? En als de jonge Marc aarzelt zich te bekeren, als hij protesteert, 'mijn geest is van mij',[21] en van Assia het grove antwoord krijgt: 'Wat heb je aan je vrije geest?' dan hoor je als het ware de dialoog van Brunet en Mathieu: 'Vrij voor niets... slaaf van de vrijheid...'

Kortom, opnieuw dezelfde vraag. Wat is er echt gebeurd? Welk duister gebrek heeft hij in het kamp bij zichzelf ontdekt waarvan hij zou zijn genezen door de onderdompeling in het collectief? Heeft hij in het collectief een niet minder duistere deugd vermoed die hem zou genezen van een slecht geheim? Hoe ontstaat de indruk van een gekooid wezen dat bevrijd wordt, een verstikte die weer adem kan halen, als hij vertelt over zijn vrijlating uit het kamp? Daar stuiten we meer dan ooit op het onpeilbare mysterie van de mens. En de onderzoeker moet zich tevredenstellen met hypothesen, gissingen. Maar het meest plausibele is toch dat mengsel van geloof in de jeugd, piëtisme, cultus van de realiteit, duister schuldgevoel, verlangen naar puurheid, boetedoening zonder misdaad en enthousiasme dat het ware ontstekingsmechanisme van de twintigste eeuw is geweest en dat Sartre waarschijnlijk tot zijn extreme staat van concentratie heeft gevoerd.

Wat in elk geval vaststaat is dat de nieuwe Sartre wis en zeker daar geboren is. Net als een virus dat zich lang verscholen houdt in een lichaam voordat het besluit, dat te verwoesten zou ik niet willen zeggen, maar zich te manifesteren, duurt het even voordat het effect krijgt op de teksten. Maar hij is eindelijk geboren. Hij wordt, eerst voorzichtig, bijna onmerkbaar en dan opvallender, vanaf *Les Communistes et la paix*, de blijvende begeleider van de eerste, zijn rivaal. Er is vanaf dat moment een soort nieuwe zingevende bron die, anders dan bij de twee Plato's bijvoorbeeld, de andere beslist niet zal vernietigen, dat herhaal ik nog maar eens, en ook niet aan het oog zal onttrekken, maar ernaast zal bestaan. Een tweede ziel in hetzelfde lichaam. Een tweede oeuvre gepubliceerd onder dezelfde naam. Alsof Sartre in het vervolg op twee frequenties uitzond, of op een dubbele golflengte, waarbij de ene de andere stoorde, voortdurend op hem parasiteerde, soms verstikt werd, soms zelf verstikte, en dat tot het einde aan toe...

De afzwering

We zouden het hele tweede deel van het werk door deze bril kunnen lezen.

We kunnen – moeten – de politieke teksten uit de jaren vijftig, de *Critique* en zelfs, zullen we zien, *Les Mots*, in het schijnsel van deze nieuwe lichtbron herlezen.

Het humanisme bijvoorbeeld. Sartre blijft antihumanist. Om precies te zijn, er zal steeds een Sartre zijn die tot het einde toe min of meer trouw blijft aan het jeugdige antihumanisme waar Roquentin blijk van gaf in zijn haat jegens de Autodidact. Al zijn er toch ook andere teksten, in het verlengde van het kampeffect en het *Bariona*-effect, die, in flagrante tegenspraak met de letter en de geest van de filosofie van *L'Être et le néant*, nu het tegenovergestelde zeggen. 'Ja, goed dan, het humanisme... Zo vrijpostig mag je het niet behandelen... Je hebt het recht niet om, zoals *La Nausée* heeft gedaan, de arme Guéhenno belachelijk te maken... Het is overigens vrij eenvoudig...' Ik zal om het goed te maken de laatste woorden uit *Les Mots* citeren, 'een volledig mens, gemaakt uit alle mensen en die evenveel waard is als iedereen', enzovoort – een herinnering aan het 'banale zinnetje' dat Guéhenno uitsprak aan het eind van zijn imaginaire toespraak tegen Barrès in zijn tekst over Venetië uit 1921: is bij u 'nooit de gedachte opgekomen dat de ene ziel niet minder waard is dan de andere'? Ja toch! 'De ene ziel is niet minder waard dan de andere!' Want 'er blijft niets braak liggen in het domein van de zielen'[22]... Ten slotte is het existentialisme een vorm van humanisme... Er is een poëzie van ellende... Een roman van zweet en latrines... Het heeft iets geweldigs, ja ik zeg inderdaad geweldig, zoals twee zielen gezamenlijk, in consensus, hun smerige vermengde geuren opsnuiven... En de schop onder je kont! Hè, wie zal het zeggen, niet het sonnet van het aarsgat maar de poëzie van de schop onder je kont, gekregen in extase en verrukking, op de drempel van een slaapzaal waar goede kameraden wachten? Sartre, de antihumanist én de humanist. Sartre de pessimist die ooit wanhopig was maar nu meent dat een arbeider, louter door het feit dat hij 'vervreemd' is en 'voor hem en voor allen de vrijheid opeist', de menselijke soort zal zijn.[23]

De gemeenschap. De verschrikking van gemeenschappen. Het idee dat de goede gemeenschap een illusie is, een achterlijke en misdadige droom, en de bron bij uitstek van alle totalitarismen. Iets van dat idee is nog te vinden in *Saint Genet*. En ook in *L'Idiot*. En in alle teksten eigenlijk waarin de literaire bekommering of de zorg omtrent de literatuur aan het roer blijft. Maar hier is weer een andere Sartre. Hier is een Sartre die, omdat hij nooit de verrukkelijke nestwarmte van de gevangenenbarak is vergeten, omdat hij zich net als de Autodidact herinnert hoe hij 'flauwviel' van geluk, 'van extase' bijna, toen hij 'één werd' met zijn medegevangenen, en omdat er dat onvergetelijke moment van versmelting van zielen was tijdens de beroemde nacht van *Bariona*, de gemeenschapskwestie weer helemaal oppakt en als onderwerp gebruikt voor een filosofische zoektocht die begint met *La Réponse à Claude Lefort*, en via *Baudelaire* zijn voltooiing vindt in *Critique de la raison dialectique*. Sartre als denker over de gemeenschap. Sartre als liefhebber van groepen en collectiviteit. Sartre die slechts oog had voor de breuk, het schisma, de uitbarstingen van het unieke, het verpulveren van het bewustzijn, Sartre die de antisemitische meute en hun moordzuchtige verbond een 'versmeltende groep' noemde, en die hier ineens het concept of liever gezegd het woord weer oppakt en als kernbegrip gebruikt voor de *Critique de la raison dialectique*, met name in zijn analyse van de Franse Revolutie en van 14 juli 1789. Weg met het geatomiseerde bewustzijn, zegt deze tweede Sartre. Weg met het afzonderlijke individu dat niets anders is en zal zijn dan een 'idioot', en niet alleen in de etymologische betekenis. Weg met de idioten van de familie, weg met de heilige familie van idioten – Flaubert, Faulkner en zelfs Baudelaire... – die altijd bereid zijn om te accepteren dat maatschappelijke relaties en echte seksuele relaties niet bestaan. Weg ook met de seriële groep, die namaakgroep, die idioten op een rij waarvan het algemeen kiesrecht niet alleen de expressie, maar zelfs de maker en bijna het cement is: 'door de geheime stemming', zegt hij, lang voor het beruchte artikel 'Elections pièges à cons' ('Verkiezingen boerenbedrog'), 'vallen de massa's weer uit elkaar, net als vroeger; eenieder geeft in zijn eenzaamheid uitsluitend uiting aan wat hij zelf denkt, omdat hij niet weet wat hij *in een groep* zou denken; straks, op de vergadering of in de werkplaats enzovoort...'[24] En dus lang leve de versmeltende groep waarin de individuen hun laatste identiteit verliezen en waarin alleen nog maar de broederschapsterreur geldt, zoals tijdens de bestorming van de Bastille of, in mindere mate, de bevrijding van Parijs die Sartre beschrijft in zijn reportages voor *Combat* in augustus 1944. Aron – een van de weinige commentatoren, dat mag wel eens gezegd worden, die deze scheiding tussen de twee Sartres hebben gezien, deze splitsing tussen enerzijds 'de man alleen' tegenover 'de afwezigheid van God', en anderzijds de 'Wij' van de *Critique de la raison dialectique*,[25] – Aron dus heeft over die tweede Sartre geschreven dat hij 'de eerste filosoof in het Westen [was] die onvoorwaardelijk zijn bewondering heeft getoond voor de revolutionaire massa, met het gespietste hoofd van de directeur van een bijna ongebruikte gevangenis'. Hij is de eerste, benadrukt hij, die het heeft gewaagd 'de versmeltende groep te begroeten als mogelijkheid voor het individu om tot authentieke menselijkheid te komen' zonder zich er rekenschap van te geven dat een 'fascistische filosoof' die goedkeuring van wreedheid, die keuze voor 'broederschapsterreur' 'zou onderschrijven'.[26] Dat is waar. De diagnose is helaas smetteloos. Op één detail na, dat Aron weer niet ziet: dat dat fascistisch worden een rechtstreeks gevolg is van het autodidact worden en van het humanisme.

De subjectiviteit weer. De kwestie van het 'subject' en het subject als kwestie. Van de schitterende deconstructie-reconstructie die *L'Être et le néant* of de eerste 'fenomenologische' manifesten hebben uitgevoerd is nog iets te vinden in *Baudelaire*, in *Saint Genet* en misschien zelfs hier en daar in zijn steunbetuiging aan de afvallige politiek van Tito, waar hij opmerkt dat 'de Joegoslavische leiders' het vermoedelijk vruchtbare avontuur van de 'herontdekking van het subjectieve' aangaan.[27] Van de hardnekkige poging om tegen Heidegger, tegen de filosofische moderniteit, tegen zijn eigen ontologische intuïtie en, in zekere zin, tegen alle redelijkheid in, een kern van subjectiviteit te redden die tevens een bolwerk van verzet is, blijft alleen de herinnering over als hij, onhandig, zonder hen goed gelezen te hebben, in de interviews van de allerlaatste periode bijvoorbeeld, de structuralisten aanvalt. En zo heb ik voor mijn portret van de eerste Sartre – als het erom ging aan te tonen dat hij de enige moderne denker is geweest die een verbinding wist te leggen tussen de lijn van het antihumanisme en de lijn van het volhardende bewustzijn dat onontbeerlijk is omdat anders de verzetsgeest en het recht of de rechten van de mens een dode letter blijven – evenzeer kunnen putten uit het tweede deel van het werk als uit het eerste. Maar dan komen de grote politieke teksten uit de jaren vijftig. En waar het antihumanisme gelijke tred hield met een behoud van het bewustzijn als transcendentie en inzet, waar de minachting voor het Menselijke samenhing met de redding van de zuivere singulariteit en van subjecten als singuliere wezens – ontdekken we dat het humanisme, of eigenlijk het vooroordeel van de Mens tegen de mensen, het omgekeerde resultaat bereikt. Als Sartre de autodidact, de gemeenschapsmens, kortom, de humanist, in die jaren vijftig over 'subjectiviteit' spreekt, doet hij dat met het bijvoeglijk naamwoord 'bourgeois'. De Sartre die zweert bij de versmeltende groep en hoopt de seriële collectiviteit te zien versmelten in de warmte van die groepen, vindt inmiddels de zogenaamde 'eenzaamheid' van het subject verdacht, een list van de bourgeoisie, bedoeld om de 'fabrieken beter te laten draaien', en roemt zelfs Marx omdat die de afgezonderde, inerte, ofwel solitaire arbeider een 'ondermens' heeft genoemd.[28] De progressieve Sartre, kortom, die zijn bijdrage zou willen leveren aan het breken van de eeuwenoude ketenen van het proletariaat, de revolutionaire geletterde die boet voor zijn nutteloosheid als nietzscheaanse kunstenaar, ziet in de rechten van de individuele mens, dat wil zeggen in de rechten van de mens an sich, en om nog preciezer te zijn, in het 'habeas corpus', het 'stemrecht', ja zelfs in de 'vrijheid van denken' en de 'tolerantie', evenzovele 'formele vrijheden die het proletariaat nog meer zullen vervreemden'.[29] Alles wordt gezegd op die bladzij van een van zijn allerlaatste teksten, *On a raison de se révolter*[30], waarop hij deze woorden uit zijn pen weet te krijgen, een zuivere filosofische rechtvaardiging van de Terreur: 'Ik denk dat een individu in de groep, zelfs als hij een beetje geterroriseerd wordt, toch beter af is dan een individu dat alleen is en aan afscheiding denkt' – Ach! Dat subtiele 'een beetje geterroriseerd'... En alles wordt ook al helemaal aan het begin van deze periode gezegd, in het *Portrait de l'aventurier*, waar Sartre, zoals we ons herinneren, nog aarzelde tussen de twee standpunten, maar waar we toch dat portret van de 'militant' vinden zoals het begin jaren vijftig al geschetst werd in het voorwoord bij het portret van de avonturier:[31] 'Het is niet waar dat er van u gevraagd wordt uw Ik af te zweren: het zou al te veel zijn een Ik te hebben om af te zweren; het toetreden tot de Partij moet precies overeenkomen met het mensenrijk; uw Ik wordt u niet ontnomen maar juist gegeven; dat zeg ik zonder ironie: het is in elk geval heerlijk zichzelf te ontdekken in de broederogen van de anderen.'

De gemeenschap weer. Er was een terrein – dat van de filosofie – waar volgens Sartre altijd de wet van de subjectiviteit moest overheersen en de mens helemaal alleen het eerste en het laatste woord moest hebben. Edoch, de tweede Sartre is een andere mening toegedaan. Ook hier wijst hij op de gevaren van de op hol geslagen subjectiviteit. De man die, zoals we weten, nooit discussieert of antwoordt, de man die altijd heeft beweerd dat hij liever over koetjes en kalfjes praatte met een mooie vrouw dan over filosofie met Aron, de man die in 1975 nog tegen Contat zei dat hij in zijn jeugd 'veel [had] gediscussieerd met Aron of Politzer', maar dat dat 'nergens goed voor was geweest' en dat hij sowieso altijd 'een hekel' heeft gehad aan 'discussies over ideeën tussen intellectuelen' omdat je 'altijd onder je niveau' praat en 'grote nonsens' debiteert,[32] die man heeft de euvele moed om te zeggen dat hij altijd van mening is geweest – ja, altijd! – dat 'denken in een groep beter is dan afzonderlijk denken' – hij heeft de euvele moed om te zeggen, op grond van het precedent van de 'secties' van 1793, dat 'het ware denken een denken is van mensen die het seriële hebben verlaten om groepen te worden'[33]... Alsof hier herhaald moest worden dat het alleenstaande individu voor eens en altijd een 'idioot' is. Alsof elke gelegenheid te baat moest worden genomen om ons eraan te herinneren dat het afzonderlijke individu de keuze voor het seriële en dus voor het niet-denken is. En alsof het erom ging, ook op dit gebied, zowel bij het denken als bij de revolutie of de opstand, uit de foute menigte, de foute groep, de foute intrige te stappen – die ochlos, die massa, dat gepeupel, die verzameling op een hoop gegooide individuen die hij uit de chaos wil wegrukken om hen tot oproerige gisting te brengen. Weer Paulus tegenover Johannes... Het geloof van Paulus waarover Fichte in de reeds geciteerde korte tekst zei dat het een geloof van de 'discussie' is, een doctrine van de 'redekavelende redenering' – terwijl het solipsisme van Johannes spreekt van een God van pure genade 'in wie wij allen zijn, in wie wij allen leven en gelukzalig kunnen zijn'.

Het marxisme. Ik heb het tot nu toe nauwelijks over het marxisme van Sartre gehad. Dat komt doordat Sartre, de eerste Sartre, dat niet was, marxist. Hij had geen behoefte of redenen om het te zijn, omdat hij zich toen alleen voor het avontuur van het subject interesseerde. En het is overigens algemeen aanvaard dat deze eerste Sartre, die van 'de alleenstaande mens', de Sartre van *La Nausée*, van *L'Enfance d'un chef*, van *Les Carnets de la drôle de guerre* en van *L'Être et le néant*, de Sartre die Husserl en Heidegger ontdekte, Nietzsche verslond, zich losmaakte van Bergson, ja, het is algemeen aanvaard dat hij een van de zeldzame denkers van zijn generatie is die niet de behoefte heeft gehad voor Marx te buigen. Maar hier is dan de menigte. Hier is dit nieuwe object waar hij op stuit, in het kamp, en nu hij het heeft meegemaakt, zal hij moeten proberen zijn gedachten daarover te vormen. Husserl? Prima om na te denken over de terugkeer naar het beroemde 'wezen der dingen', om ze hun 'charme' terug te geven, hun 'wildheid', hun 'verschrikking' enzovoort – maar nul komma nul voor wat betreft de menigte. Heidegger? Denken over het Zijn, de Oorsprong, de Epoche, dus de Geschiedenis – maar pas op als het heideggerianisme zich meester maakt van de kwestie van 'het samen-zijn', dan is de 'grote dwaasheid' van het nazisme niet ver meer. En over Nietzsche moeten we het maar helemaal niet hebben: die vertegenwoordigt juist wat vergeten, zelfs vernietigd moet worden, wil een authentiek denken over de menigte zijn waardigheid hervinden. Blijft over Marx. Dan is er eigenlijk alleen Marx die hij zal moeten lezen, of voorwenden te lezen, om het nieuwe lastenkohier dat hij aan zijn verblijf in het kamp heeft overgehouden te vullen. Een kritische Marx natuurlijk. Een Marx die vooral blind is voor de kwestie van de singulariteit, en 'absoluut niet meer aanvoelt wat een mens is'[34] (vandaar de *Questions de méthode*, vandaar *L'Idiot de la famille*, als 'aanvullingen' op de marxistische wetenschap...). Maar toch Marx. Marx om te begrijpen hoe het staat, niet met de Mens, of met de Geschiedenis, maar met de Maatschappij. Marx, zijn Spinoza. Een Marx die hij nooit gelezen zou hebben als hij niet geconfronteerd was met de nieuwe uitdaging te begrijpen hoe het zit met een maatschappelijke band.

De genofobie. Dat was een van de meest gewaagde – en obsessieve – thema's van de eerste Sartre. En de manier waarop hij, net als Baudelaire, de religie van de kindertijd, het moederschap en de voortplanting ontwijdde beviel me wel. Maar nu is met *Bariona* de tegengestelde beweging ingezet. En nu, tien jaar later, zijn er hallucinerende teksten waarin de genofoob van *La Nausée*, de provocateur die in 1944 een hele roman rond een abortus durfde op te bouwen, de iconoclast die zei dat het idee voortplanting alleen al hem tegenstond, plotseling de bourgeoisie verwijt dat zij het volk verhindert kinderen te krijgen en het steriliseert om het beter te kunnen serialiseren. 'Van crimineel is onze bourgeoisie engeltjesmaker geworden.' Of: 'Ze zorgen dat er geen proletariërs geboren worden die ze in de huidige tijdgeest niet meer op straat mogen afslachten.'[35] Stalinisme? Eventueel. Er waren ten slotte in de glorietijd van de Sovjet-Unie cineasten, en niet de minsten, die de vruchtbaarheid verheerlijkten. Maar wat in dit geval essentieel is, wat het stalinisme voortbrengt, wat in *Les Communistes et la paix* aanleiding geeft tot dit soort navrante en, als woorden iets betekenen, tegelijkertijd zuiver reactionaire argumenten, is voor de zoveelste keer de liefde voor de mens, de voorkeur voor de Mens boven de mensen, de keuze voor de soort tegenover het kleine individu, kortom, en kort door de bocht, de lijn Hugo tegenover de as Baudelaire. *Baudelaire* dateert uit 1946. Dus zes jaar voor *Les Communistes et la paix*. En stel dat het in dat bizarre boek óók daarover ging? En stel dat een Sartre spontaan, dat wil zeggen metafysisch baudelairiaans, een heel boek had geschreven om zich te bevrijden van dat baudelairisme, om de Baudelaire in zich te doden en zich dus weer bij het humanisme aan te sluiten?

We zouden een hele tijd door kunnen gaan. We zouden nog talloze voorbeelden kunnen geven van deze algemene omkering van tekenen die voortkomt uit de herontdekking van de waarden van het humanisme, het historisch optimisme en de gemeenschap.

De kwestie Amerika: fatterige liefde, wandelingen door New York zoals Stendhal in Rome of Florence – en vervolgens die afschuw als hij vaststelt dat het óók, bij uitstek, de stad is van de serialiteit en de alleenstaande mens.

De kwestie Natuur: was de 'goede' Sartre, de eerste Sartre, niet hét voorbeeld van een consequent antinaturalisme? Deed hij niet al het mogelijke – want hij wist dat de menselijke vrijheid dat eiste – om het subject te denatureren? De jaren gaan voorbij en in *Critique de la raison dialectique* schrijft hij: 'De geschiedenis van de mens is een avontuur van de natuur', en dat niet alleen omdat 'de mens een materieel organisme met materiële behoeften' is, maar omdat 'de bewerkte materie, als exteriorisatie van de innerlijkheid, de mens produceert, die haar produceert of gebruikt voorzover hij, in de totaliserende beweging van de multipliciteit die hij totaliseert, gedwongen is de uiterlijkheid van zijn product weer te verinnerlijken'.[36]

Ten slotte het probleem vrijheid. Het eerste en het laatste woord van *L'Être et le néant*... Het 'voor-zich' dat altijd zegeviert over het 'op-zich'... 'We zijn nooit vrijer geweest dan onder de Duitse bezetting...' En dan, opeens, na het kamp: waar haalde ik die dwaasheid vandaan? Hoe durfde ik? Facticiteit is de regel en vrijheid de uitzondering; de vraag is niet meer: 'gegeven mijn facticiteit, hoe kan ik me daarvan bevrijden en ondanks alles steeds vrijer zijn?' – maar: 'gegeven een singulariteit, hoe kan ik die achter me laten en er een solidariteit, een maatschappij uit doen oprijzen?'

Humanist, dus fascist?

Begrijp me goed.

Ik zeg hier niet dat alle ontsporingen van Sartre gegrond zijn op de ontroerende ontdekking van de waarden van de gemeenschap.

Ik beweer niet dat Sartre in het tweede deel van zijn leven zo veel fouten heeft kunnen maken omdát hij zijn eigen autodidact is geworden, omdát hij heeft genoten van het gevoel van broederschap in het kamp.

Maar aan de andere kant is het beslist een van de gronden van die ontsporing – hier hebben we, dat staat vast, een van de biografische-filosofische gebeurtenissen waardoor hij, dankzij een voorspelbare en onverbiddelijke samenloop van omstandigheden, heeft kunnen schrijven dat er totale vrijheid van kritiek was in de USSR of dat Castro een bewonderenswaardig mens was.

Opnieuw drie voorbeelden.

Drie andere series teksten, die uit vele andere in het corpus van deze tweede Sartre zijn gelicht, of er op hun beurt hun bijdrage aan leveren, zullen het overtuigende bewijs leveren, hoop ik.

1. De transparantie. Sartre is altijd een apostel van de transparantie geweest en zal dat altijd blijven. En in *Les Carnets de la drôle de guerre*, ofwel in zijn jonge jaren, vlak voor de bekering, hebben we over die kwestie de vurigste geloofsbelijdenissen kunnen lezen: 'In mijn geest heerste een meedogenloze helderheid, het was een operatiekamer, hygiënisch, zonder schaduwen, zonder hoekjes, zonder microben, met kil licht.'[37] Ware het niet, ten eerste, dat dezelfde passage uit de *Carnets* onmiddellijk dit gebod van transparantie relativeerde: 'aangezien intimiteit nooit volledig uitgebannen kan worden' behield ik 'een soort kwade trouw die helemaal van mij was, die mij was, niet zozeer in het feit dat ik geheimen bewaarde als wel in de manier waarop ik juist die oprechtheid vermeed en er niet aan toe gaf...' In de tweede plaats verhinderde deze principiële transparantie niet de feitelijke ondoorzichtigheden, integendeel: Sartre erkende in de praktijk ieders onaantastbare recht op geheimen, op verschil van mening en een schaduwkant – het weerhield hem er niet van om, zoals alle schrijvers met een ingewikkeld leven, zijn dubbele, driedubbele, vierdubbele leven af te schermen, te ontkennen en ondoorzichtig te maken, en bijvoorbeeld, op het moment dat de *Critique* bij de drukker lag, aan Gallimard te vragen om in het geheim een paar exemplaren voor hem te maken met een opdracht aan een andere vrouw dan de officiële begunstigde, Simone de Beauvoir. En vervolgens, in de derde plaats, werd deze transparantie expliciet gepresenteerd als een transparantie voor zichzelf, ingegeven door zijn idee van een 'zich', oftewel, in zijn taal, een 'voor-zich': ik ben moreel verplicht in mijn eigen ogen transparant te zijn, zei hij; en in feite was die transparantie misschien niets anders dan een ander woord voor lucidi teit. Nu is het wat anders. En in het felle schijnsel van de hervonden gemeenschap, in het trillende maar schaduwloze licht van alle krijgsgevangenkampen van de ziel die hij in het tweede gedeelte van dit bestaan zal leren kennen, verandert het gebod tot transparantie volkomen van betekenis. Het is in het vervolg een politiek, en ideologisch, en moreel gebod. Het is een verplichting aan iedereen alles te zeggen, alles te tonen, zodat niets ontsnapt aan het bewustzijn en de waakzaamheid van de gemeenschap. Het is, met andere woorden, de wil om de schaduwen te verjagen, alle schaduwen die de eensgezindheid, de broederschap en de versmelting tussen het ene en het andere microbewustzijn zouden kunnen vertroebelen. Niet meer transparantie voor zichzelf maar voor de anderen. Niet meer transparantie voor God (de talmoed gaf de mens

twee gezichten, een van voren en een van achteren, zodat hij in de ogen van God leesbaar zou zijn als een open boek, van alle kanten, en geen enkel geweten zijn goddelijk licht zou weerstaan) maar voor die andere God, die jaloerser, veeleisender, bezitteriger is, namelijk de God van de sacrosancte gemeenschap. We hebben het gehad over mijn privé-leven, zei hij tegen Michel Contat,[38] 'alsof het losstaat van de rest'. Welnu, 'dat onderscheid tussen privé-leven en openbaar leven bestaat niet'. Ik 'kan geen aanspraak maken op een privé-leven, dat wil zeggen een verborgen, geheim leven'. Want 'iemands bestaan vormt een geheel', 'de binnen- en de buitenkant, het subjectieve en het objectieve, het persoonlijke en het politieke hebben noodzakelijkerwijs hun weerklank in elkaar' en 'zijn aspecten van eenzelfde totaliteit'. En als 'iedereen ten opzichte van de ander iets verborgen houdt, geheimhoudt, bederft dat de verhoudingen tussen mensen'. We huiveren. We zien hoe Sartre, door de grens tussen het 'eigen' en het 'gemeenschappelijke' uit te wissen, door het bewustzijn van de een in een oneindig spel van doorzichtige spiegels te openen voor dat van de ander, datgene terugbrengt tussen de mensen wat de Grieken *hypopsia* noemden, de verschrikkelijke 'blik van onderaf', of 'argwaan'[39], die misschien het ware begin is van totalitarisme tussen zielen. Maar wat we vooral zien, is dat deze cultuur van argwaan, deze transparantie die wordt opgevat als de mogelijkheid voor iedereen om zich met ieder ander te verbinden en dus, of we willen of niet, om hem te straffen, ook weer voortkomt uit dat smetteloze, onvoorwaardelijke gemeenschapsideaal dat is ontstaan tijdens het seizoen in het kamp: het is de gemeenschapskant, het idee dat de gemeenschap goed is en dat er goede gemeenschappen zijn, die de Transparantie haar vreselijke veeleisendheid geven.

2. Het eigene van de mens. De eerste Sartre, de antihumanistische Sartre, geloofde zoals we ons herinneren niet in dat idee van een eigenheid (*un propre*) van de mens. De mens was wat hij was. Hij bestond alleen in zijn contingentie, zijn vergankelijkheid, zijn eigenaardigheid. Hij was onvolmaakt. Mislukt. Hij was, zoals Bariona zei – de eerste Bariona, die van vóór Bethlehem en vóór de Messiaanse ontknoping –, noodzakelijkerwijs mislukt, definitief en volmaakt onvolmaakt. Er was – er is – met andere woorden een Sartre die de stelling aanhing dat de mens definiëren, hem een substantie, een waarheid, kortom een 'eigenheid' geven, en hem vervolgens toewijzen aan die 'eigenheid', hem helpen zich erbij te voegen of het zich weer eigen te maken, in de eerste plaats onzinnig was en in de tweede plaats gevaarlijk. Er was – er is – een Sartre die wist dat je een verschrikkelijke machinerie in werking zet wanneer je aan concrete mensen de waarheid toekent van een Mens van wie zij slechts het klad zijn, wanneer je zegt: 'Deze mens is niet de Mens, hij heeft nog een lange weg te gaan om de Mens te worden die hij desondanks is, uit roeping'. Een machinerie die de concrete

mens zal zuiveren om hem dichter bij de ideale mens te brengen, die de huidige mens zal opofferen voor een nieuwe mens die een stapje dichter bij deze eigenheid is, en deze nieuwe mens zal kneden uit het vlees en het bloed en de as van de eerste. Nu is hij humanist. Hu-ma-nist. Dat wil zeggen dat hij nu wel gelooft in de eigenheid van de mens. Hij gelooft dat de mens een waarheid heeft of er in elk geval een zou moeten hebben. Hij gelooft dat de mensen die hij kent en om zich heen observeert in verhouding tot deze Idee tragisch incompleet, onaf zijn. Hij gelooft, met andere woorden, dat hun mislukking te herstellen is. En omdat hij dat gelooft, omdat hij gelooft dat een mooi, een onberispelijk Idee van de mens onder handbereik ligt, doet hij geheel vanzelfsprekend een oproep om het te realiseren; om de Mens te maken en hermaken zodat hij zich aan kan passen – stelt hij zich 'een andere mens van betere kwaliteit' voor, die 'de toekomst van de mens zoals wij hem kennen' zal zijn en baseert hij zich daarvoor op concrete mensen die, gezien hun situatie, de onderdrukking waarvan zij het slachtoffer zijn en soms gezien hun martelaarschap, in zijn ogen het dichtst bij die echte mens van betere kwaliteit lijken te staan. Dat leidt tot de teksten over de USSR: 'Ik heb daar een nieuw soort mensen ontmoet.'[40] De teksten over Cuba: 'Een lucide praktijk heeft op Cuba zelfs de aard van de mens veranderd.' Het voorwoord bij *Les Damnés de la terre*, waarin hij wel weer 'de striptease van ons humanisme' hekelt, deze 'leugenachtige ideologie' die zich eindelijk in zijn ware gedaante laat zien: 'de uitgelezen rechtvaardiging voor plundering'[41] – maar dan gaat het om het verkeerde, om het slechte humanisme en hij stelt er het geslaagde humanisme van de gekoloniseerde tegenover, het humanisme dat de wereld ingrijpend zal veranderen en de eigenheid van de mens zal verwezenlijken. We kennen allemaal de vreselijke pagina's waarin Sartre de terroristische misdaad verheerlijkt. We herinneren ons allemaal de gruwelijke zinnen waarin gesproken wordt van het 'hakken' in de smerige handen van de Europeanen. Die zinnen waren ondenkbaar in de tijd van de kunstzinnige, nietzscheaanse, stendhaliaanse Sartre. Ze hebben geen betekenis, ze kunnen pas uitgesproken worden na de neohumanistische geloofsbelijdenis – en de politieke, ethische en sociale eugenetica die daaruit voortvloeit.

3. Ten slotte de essentie van de mens. De 'goede' Sartre geloofde dat existentie voorafgaat aan essentie. Hij had een hekel aan het idee van een essentie van de mens waar de Autodidact in zwolg. Zoals hij zich verzette tegen het idee van een Idee, of Ideaal, dat de toekomstige waarheid van subjecten zou zijn, zo verzette hij zich ook tegen het idee van een Fundament, dus van een substantie, waar het subject zijn stabiliteit aan zou ontlenen. Hij zag hem vrij. Hij wilde zelf vrij zijn. Zichzelf noemde hij een 'wezen van wind', buiten bereik, 'solidair met niets, niet eens met mijzelf'.[42] Wanneer hij het bijvoorbeeld over de joden had, wanneer hij in de *Réflexions* verwees

naar de positiviteit van hun 'joodszijn' was dat een toevallige, omkeerbare positiviteit, waar ze heel goed van konden afzien en die zich in elk geval niet aan hen opdrong als een noodzakelijkheid. En in die afkeer, in het idee dat een mens is wat hij doet voordat hij is wat hij is, zit een echte vrijwaring tegen de verleiding van het racisme. Maar hier is nog een keer de andere filosofie. Hier is de tweede Sartre, de 'humanist' die, wanneer hij 'humanist' wordt, gaat pleiten voor een gemeenschappelijke achtergrond voor alle mensen; en hij belast daarmee het subject, dat tot dan toe zonder bindingen ronddobberde, maakt van zijn situatie een natuur, van zijn contingentie een lotsbestemming en sluit zich, bijvoorbeeld in zijn benadering van nationalismen of regionalismen, aan bij een ideologie van geworteldheid waar hij altijd van gruwde – ziedaar de grote Sartre die waar het om wortels ging alleen de wortels van de kastanje uit *La Nausée* kende, maar die in het voorwoord bij een dichtbundel van Senghor, dat hij de titel *Orphée noir* meegeeft, geheel onverwacht de wortels van zwarte volkeren blijkt te verheerlijken... Het is een prachtige tekst. Heel lyrisch. De eerste regels – 'Wat verwachtte u eigenlijk toen u de muilband aflegde die de zwarte monden knevelde?' – zijn van de grote Sartre. De uiteenzettingen over deze 'opgestane mensen die naar ons kijken', 'de schrik om gezien te worden', onze eigen blik die, onder druk van die 'zwarte toortsen' 'teruggekaatst wordt in onze ogen', zijn van de echte Sartre, die van *L'Être et le néant* en van de omkeerbaarheid van blikken. Maar al heel snel slaat de tekst om. En de variatie op de Orpheus-mythe leidt tot merkwaardige overwegingen die van een heel andere Sartre zijn. Net zoals Orpheus op zoek is naar Euridyce, zo zoeken de Zwarten de zwarte ziel. Net zoals Orpheus met zijn ogen dicht, achterwaarts, diep in de grot afdaalt, zo besluit de zwarte mens te sterven voor de blanke cultuur om in de trance, de poëzie, de magie, herboren te worden voor de mystiek van zijn 'afkomst'. Het is waar dat Sartre in de laatste regels zegt dat die ziel 'geen toestand is', maar een 'zuivere zelfoverwinning'. Het is waar dat hij zorgvuldig benadrukt dat 'negritude dialectisch is' en 'niet enkel of voornamelijk het opbloeien van atavistische instincten', en dat 'het particularisme tot het einde toe moet worden uitgeleefd om er de dageraad van het universele te vinden'. Het is waar dat hij, nog duidelijker, uitroept dat 'het antiracistische racisme de enige weg is die kan leiden tot de afschaffing van de rassenverschillen'. Maar de woorden staan er. Sartre bezingt de 'voorvaderlijke waarden' van de zwarte mens. Hij spreekt van 'het ontdekken van de zwarte Essentie in het diepst van zijn hart'. De tekst, de hele tekst is geschreven om ons te vertellen dat er diep weggestopt een 'zwarte ziel' is, een 'negeressentie', een goede natuur van de gekoloniseerde, en dat het opgraven ervan niet langer uitsluitend een moment van een bevrijdingsstrijd is, een dialectische etappe, een fase. Het is niet langer jezelf bevrijden maar jezelf wortelen. Niet langer jezelf uitvinden maar jezelf vinden. Niet langer jezelf losrukken van je oorsprong, uit het keurslijf, maar je er weer bij aansluiten en er letterlijk mee versmelten. Zij is hervonden. Wat? De 'negritude'? En dat leidt tot zeer merkwaardige formuleringen waar we heel voorzichtig van kunnen zeggen dat we mijlen verwijderd zijn van het grootse 'existentie gaat vooraf aan essentie': de negritude is voor de 'neger' als het ware zijn 'begraven jeugd', de 'jeugd van zijn ras en de roep van de aarde', de 'zuivere erfenis van zijn voorouders', de 'overvloed aan instincten' en 'de onscheidbare eenvoud van de Natuur' – of ook: 'aangezien hij onderdrukt wordt in zijn ras en vanwege zijn ras, moet hij zich allereerst bewust worden van zijn ras.' Een 'racistische' Sartre? Nee. Maar wel een Sartre die door zijn humanisme, zijn geloof in een wezen van de mens dat hem in alle eeuwigheid zou ondersteunen, op zijn minst in de richting van de identiteitslogica wordt gestuurd.

Gered door de literatuur

Moet hier nog eens herhaald worden dat de scheidslijn niet zo scherp en vooral niet zo onoverschrijdbaar is? En moet hier opnieuw benadrukt worden wat het onderscheid is tussen een *dubbel brandpunt* (dubbel in de zin van een dubbele emissie en natuurlijk ook van een dubbele blik...) en een *coupure* (rigide, dogmatisch – een slechte herinnering aan de epistemologische coupures van weleer...)?

Ten eerste zijn er de gevallen waarbij de twee inspiraties in dezelfde tekst samenkomen en elkaar lijken te bespotten. Een voorbeeld, *Qu'est-ce que la littérature?*, waarvan ik heb aangetoond hoe het in wezen het negatieve beeld ontzenuwde dat men ervan heeft bewaard, maar waarin desondanks hier en daar vreemde zinnen te lezen zijn: de literatuur 'zal pas aan haar volle essentie toekomen in een klassenloze maatschappij...' de schrijver zal pas echt zichzelf zijn in een 'collectiviteit zonder tegenstellingen...' en nog meer, weliswaar niet zoveel, bijna verschrijvingen – maar ze zijn er toch maar, ze knipperen als verkeerslichten, als doffe lichtschijnsels, wat wil je, de goddelijke humanist is geboren, kondigt zich aan. Een andere, *Qu'est-ce qu'un collaborateur?*, die prachtige tekst, portret van het Franse fascisme. Alles klopt in die tekst. Vijftig jaar later hoeft er niets of bijna niets aan gecorrigeerd te worden. Behalve dat plotseling de taal uitglijdt. En die glijdt uit omdat de letter de geest is en de felle geest van Sartre twee enormiteiten debiteert. 'Het merendeel van de collaborateurs, dat is een feit, kwam voort uit de gegoede burgerij' terwijl 'alle arbeiders, bijna alle boeren in het verzet hebben gezeten': waarom? Omdat de aarde niet liegt? En vervolgens het feit dat 'het ultramontanisme de collaborerende houding van bepaalde leden van de hoge geestelijkheid' zou verklaren terwijl 'de lagere geestelijkheid, die stevig geworteld in de aarde, gallicaans en ver van Rome is, in zijn geheel fel verzet heeft gepleegd': de stelling is historisch onjuist en bovendien onzinnig, want de eerste verzetsstrijders in de zomer van 1940, de periode dat ze om het fascisme te blijven bestrijden gedwongen waren Frankrijk te verlaten en naar Londen te vertrekken, moesten juist de metafysische krachttoer verrichten de natie van haar aarde te scheiden, de liefde voor het vaderland van de hartstocht voor de grond en de wortels, met andere woorden het vaderland mee te nemen onder hun schoenzolen; en de gedachte dringt zich op dat Sartre (de antifascist), door een 'stevige geworteldheid' uit te roepen tot de voorwaarde voor 'fel verzet' wijkt, zij het kortstondig, voor Sartre (de gewortelde, de identiteitsdenker); het pétainisme bestrijden met pétainisme, expres? of misschien een spookobject, een geïnfiltreerde agent, een parasiet?

Er zijn vervolgens teksten waarin, vóór het kamp, vóór de 'bekering', die nog nergens wordt aangekondigd, iets doorschemert van een voorgevoel van de identiteitslogica die pas na de oorlog bevestigd zal worden. Een voorbeeld: de kritiek uit 1939 op de roman *Wanhoop* van Nabokov, waarover hij schrijft dat het boek 'niet belangrijk is omdat de schrijver vreemdeling is in het land waar hij het heeft geschreven'[43] – Barrès had het niet beter kunnen zeggen! Een ander, bekender voorbeeld: zijn kritiek op *L'Etranger* van Camus, die weliswaar lovend was, maar waarin toch het begrip 'situatie', het idee dat de schrijver noodzakelijkerwijs 'betrokken' is, niet ver af staat van een pleidooi voor identiteit van de schrijver en zijn milieu. Of het gesprek in 1936 met Colette Audry, die zegt dat, mocht Hitler naar Frankrijk komen, voor mensen als zij altijd de mogelijkheid blijft bestaan om 'in ballingschap te gaan'; nee, antwoordt de filosoof van de 'situaties', nee, 'het is niet wenselijk voor een schrijver om in ballingschap te gaan', hij moet 'in contact blijven met zijn werkelijkheid, zijn nationale werkelijkheid, de werkelijkheid waarin hij is'[44]; alsof een 'situatie' een 'nationale werkelijkheid' zou zijn... alsof het hele sartriaans denken niet tot doel had de twee concepten situatie en wortels goed van elkaar te onderscheiden... maar kijk... een ogenblik van onoplettendheid... een aarzeling... en het is als een kleine misstap, een moment van afwezigheid, het zijn weer Barrès, Péguy en de jaren dertig, het begin van de eeuw, alles waarvan hij zich heeft losgerukt, of los zal rukken, dat hem weer inhaalt, dat stiekem zijn neus laat zien en weer weggaat... een spook waart rond Sartre – het spook van de toekomstige Sartre.

En dan is er ten slotte nog het tegenovergestelde. Er zal in het diepst van de duistere tijden altijd een Sartre zijn die Sartre de schrijver is en die, omdat hij schrijver is, de tweede Sartre in zichzelf de nek omdraait. Vandaar 'Flaubert' – ik kom er niet op terug. Vandaar Garcin, in *Huis clos*: 'de hel, dat zijn de anderen' – een formulering die, als de woorden iets beduiden, een striemende afkeuring is van alle apostelen van de versmelting, van de goede gemeenschap enzovoort, en dus van Sartre zelf voorzover hij een van die apostelen is. Vandaar ook 'La Dernière Chance', dat vierde deel van *Les Chemins de la liberté* dat, tegen de achtergrond van de strijd van het Verzet en de Bevrijding, ook het scherpe individualisme van *La Nausée* uit moest wissen, de lof moest zingen van mensen met elkaar en – meer nog dan in *Le sursis* dat was blijven steken in het experiment met de fragmentatie van subjectiviteiten – duidelijk moest maken wat hij nu de 'versmeltende groep' noemt: het is 1945; vlak na de bekering; de roman komt er niet; hij wordt niet geschreven; het is alsof de literaire materie zich verzet tegen zijn opdracht; en in de paar fragmenten die hij heeft weten te produceren, bijvoorbeeld de passage 'Drôle d'amitié' waarin Brunet, de 'communist' uit de roman, een grotere 'idioot' lijkt dan ooit, aangevreten door 'twijfel', dronken van 'schandalen' en 'eenzaamheid', is de enige steekhoudende 'versmelting' die van zijn hervonden 'subjectiviteit' en het lijk van Vicarios, de afvallige communist die doet denken aan Nizan – 'ik heb lak aan de partij, jij bent mijn enige vriend.'

4

Het echec van Sartre

Ik heb tot nu toe nauwelijks Hegel geciteerd. Ik heb Husserl geciteerd. En Nietzsche. En Heidegger. Ik heb Descartes geciteerd, de explosiedenker. En Spinoza, theoreticus, van de vreugde, en van de veelheid. En Bergson, het ontkende en uiteindelijk verloochende voorbeeld. Maar Hegel heb ik nauwelijks geciteerd, behalve om aan te geven dat Sartre het schema van de bikkelharde strijd om erkenning voor een deel aan hem heeft ontleend, of zelfs zijn 'geniale intuïtie' – sic – van 'het voor zich zijn dat slechts voor zich is door een ander…'[1]

Maar zoals al zijn tijdgenoten heeft Sartre onvermijdelijk met Hegel te maken gehad.

De ware dialoog, de echt beslissende en ten slotte gefnuikte confrontatie is hij met Hegel aangegaan.

Ik geloof vooral dat hij uit deze confrontatie, uit deze koortsachtige en in wezen wanhopige poging om zich niet alleen met Hegel maar ook met de vragen die Hegel heeft opgeworpen te meten, ten slotte als verliezer te voorschijn is gekomen.

En ik denk dat deze nederlaag de tweede grote gebeurtenis is, een filosofische ditmaal, die beslissend was voor de geboorte van de tweede Sartre en, in combinatie met het autodidact worden, de schipbreuk zal bespoedigen.

Is het echt zo gegaan?

Is er een moment geweest waarop Sartre, net als bij de kampervaring, tegen zichzelf heeft gezegd: 'De tegenstander, dat is Hegel, de grote ontmoeting, dat is Hegel – Hegel is degene met wie je je hoort te meten halverwege de twintigste eeuw en halverwege het leven'; en een ander moment waarop hij zich zou hebben bedacht en zich gewonnen zou hebben gegeven: 'Hegel is de sterkste; ik kan me niet met Hegel meten; ik heb geprobeerd de uitdaging van Hegel aan te nemen, maar zoals vele anderen voor mij heb ik verloren en had ik op het laatst geen andere keus dan de wapens neer te leggen en te zwijgen.'

Misschien niet. Misschien is het een 'fabeltje'. En misschien is het met die fabel net zo gesteld als met de fabels die hij zelf verzon over zijn jeugd, zijn ziekte of het lot van Flaubert en waarover hij toegaf: 'Niets bewijst dat het echt zo was.' Maar dat doet er niet toe. Dit fabeltje bevalt me wel. En ik zie, zowel in die periode als in het bestaan van Sartre, voldoende zichtbare tekenen om mezelf het recht toe te kennen hieraan vast te houden.

Hegel, Kojève en de eeuw

Hegel dus. De kwestie-Hegel in die periode. We zullen nooit uitgepraat raken over de buitengewone fascinatie die Hegel heeft uitgeoefend op zijn tijdgenoten, en ook op zijn opvolgers, dus op Sartres tijdgenoten. We zullen nooit uitgepraat raken over de mate waarin de grote thema's van het hegelianisme het denken hebben beïnvloed, vanaf het moment dat de eerste fragmenten begonnen te circuleren – de vertalingen door pater Fessard of Lefebvre en Guterman en vervolgens de artikelen van Jean Wahl, Georges Gurvitch en Emmanuel Levinas – met andere woorden vanaf het moment dat de onderwijsinstellingen het cordon sanitaire ophieven dat rond de verspreiding van de *Phänomenologie des Geistes* en de 'Grote' *Logik* was opgeworpen (lange tijd was er alleen het artikel van Lucien Herr in de *Grande Encyclopédie* van Berthelot beschikbaar). En we kunnen vooral ook nooit genoeg nadruk leggen op de buitengewone uitstraling van de colleges door Koyré, in 1933-1934, aan de faculteit 'religieuze wetenschappen' van de Ecole Pratique des Hautes Etudes, en een jaar later, de colleges van Alexandre Kojève, die gewoon de *Phänomenologie* bij de kop neemt en hem zes jaar lang, paragraaf voor paragraaf, regel voor regel becommentarieert – allebei, maar vooral Kojève, laten ze een verbluft publiek wennen aan Hegels thema dat zo vreemd en verwarrend is met zijn bittere, angstaanjagend apocalyptische geur van het 'einde van de Geschiedenis'.

Heeft Hegel ooit echt over het 'einde van de Geschiedenis' gesproken?

Wat Kojève er ook van zegt, Koyré oppert die hypothese, maar inderdaad als hypothese: 'Het is mogelijk (hij herhaalt meerdere keren 'mogelijk') dat Hegel dat heeft geloofd'; 'het zou kunnen (hij legt de nadruk op 'zou kunnen...') dat hij niet alleen heeft gedacht dat het 'de essentiële conditie van het systeem' was, maar ook 'dat die essentiële conditie al verwezenlijkt was', dat 'de geschiedenis inderdaad voltooid was...'[2]

De zeldzame gevallen dat die formulering bij Hegel zelf voorkomt zijn te vinden in *Die Vernunft in der Geschichte* ('De wereldgeschiedenis loopt van Oost naar West, want Europa is in wezen het einde van deze geschiedenis en Azië het begin')[3], of in de *Vorlesungen über die Philosophie der Weltgeschichte* ('Het principe is vervuld en daarom is het einde der tijden gekomen')[4], dat wil zeggen in teksten die, zoals we weten, aan de hand van aantekeningen van studenten werden samengesteld.

Dat is allemaal waar. Hegel heeft 'het einde van de Geschiedenis' nooit aangekondigd, net zomin als hij die andere plechtige formule heeft uitgesproken, die tot misselijkmakens toe is herkauwd en voor alle haastige hegelianen ter wereld vaak voldoende is om hem samen te vatten: 'Al wat werkelijk is, is rationeel, al wat rationeel is, is werkelijk.' Wanneer hij zich in eigen persoon uitspreekt, met zijn eigen stem, bijvoorbeeld in het voorwoord bij de *Phänomenologie des Geistes*, is hij zelfs eerder geneigd om het tegenovergestelde standpunt in te nemen: 'Het is niet moeilijk te zien dat onze tijd een tijd van geboorte en overgang naar een nieuwe periode is', want 'de geest rust nooit, hij is in een immer voortschrijdende beweging geconcipieerd'. En misschien is dat idee van het 'einde van de Geschiedenis' uiteindelijk wel verzonnen door Kojève, een geniale commentator, maar in de ogen van de meeste mensen een fantast of zelfs een schertsfiguur – 'getikt' of 'patafysisch', zegt Derrida.[5] En in elk geval, hoe 'verlicht' Alexandre Kojève ook was, geeft hij niet zelf toe dat hij op een goede dag wakker werd met het gevoel dat de *Phänomenologie* een boek in geheimschrift was en, net als alle boeken in geheimschrift, tussen de regels door gelezen moest worden? En dat, als men het zo zou lezen, als men zou besluiten vooral het einde van hoofdstuk 6 als een esoterische tekst te behandelen, er dan een naam zou verschijnen, de naam van Napoleon, die er niet letterlijk in voorkwam maar die als hypothese teksten die tot dan toe raadselachtig waren gebleven in een nieuw daglicht zou stellen...[6] 'Napoleon' en de 'Universele en homogene staat...' de 'slag bij Jena' als het 'einde van de eigenlijke Geschiedenis...' De komst van het 'absolute weten' dat daardoor in het kielzog van Jena als het 'einde van de tijd, van de geschiedenis en van de mens' werd opgevat... De verschijning van de Wijze die sindsdien de 'laatste historische gebeurtenis' is geworden, waarna de Geschiedenis stilstaat en de Filosofie verdwijnt... De aanvang, met dit 'stilstaan van de Filosofie en de Geschiedenis', van 'een soort postgeschiedenis' waarin 'de Mens in leven blijft als dier', maar waarin 'de eigenlijke Mens', die kent, handelt, ervaringen negeert, zich vergist, oorlogen voert en aanzet tot bloedige revoluties, op een 'definitieve vernietiging' afstevent...[7] En ten slotte het feit dat dit einde van de Geschiedenis allesbehalve een 'kosmische catastrofe' is, want indien dat de 'verdwijning van de filosofie' inhoudt, is er helemaal geen reden om wat dan ook te veranderen aan 'de hele rest', dat wil zeggen aan 'de kunst, de liefde, het spel enzovoort...' Hier spreekt Kojève, ja, in deze teksten.[8] Het is niet Hegel, het is Kojève, tegen de verblufte toehoorders die zich van 1933 tot 1939 verdringen in het zaaltje van de Ecole pratique des Hautes Etudes waar hij zijn mis opdraagt. En het is helemaal niet zeker dat de schrijver van de *Phänomenologie* zichzelf verantwoordelijk zou achten voor deze elliptische, soms obscure formuleringen, met hun dubbele stempel van wetenschappelijke strengheid en vaaglijk aanstellerig profetisme. Maar in dit geval gaat het niet zozeer om wat Hegel zegt, maar om wat men zegt dat hij zegt. Het gaat erom dat deze interpretatie van Kojève, hoe dwaas, fantastisch en gemystificeerd die ook moge zijn, desalniettemin voor Breton en Bataille, voor Henry Corbin en Jacques Lacan, voor Eric

Weil, voor Jean Hyppolite, voor Raymond Queneau, voor Merleau-Ponty, voor pater Fessard en voor Jean-Toussaint Desanti, voor Raymond Aron en voor Roger Caillois, voor Georges Gurvitch, voor Robert Marjolin, voor vele anderen, en dus indirect ook voor Sartre, dé *doxa* is over de kwestie, de absolute Vulgaat. En het gaat ook om de andere Hegel, die van de 'Grote' *Logik*, waar de *Phänomenologie* ten slotte alleen maar de proloog van was en die niet meer over 'de Geschiedenis', of 'de Natuur' en nog minder 'de Mens' handelt, maar over de 'Logos': is het niet Hegel zelf die in dit geval zijn boek tot 'die Darstellung Gottes' wil maken, de uitbeelding van het begrip God 'zoals hij was voor de schepping van de wereld'?[9] Is hij niet degene die ons in deze tekst zegt dat de 'Logos', heel wat meer dan de Staat of de Geschiedenis, de plek wordt waar het universele zelfbewustzijn of de absolute Geest zich manifesteren? Is hij niet ook degene die beweert, zonder tussenkomst of machtsmisbruik van iemand als Kojève, dat hij met die 'logica van de logos' een totaalbeeld wil geven van alles wat de mens zich in de loop der eeuwen heeft kunnen voorstellen en alles wat hij in de toekomst mogelijk zou kunnen bedenken en denken? Is er, kortom, niet een 'oorspronkelijk' hegelianisme, het hegelianisme van de *Logik*, dat zonder ambiguïteit of overinterpretatie, zonder extrapolatie of beroep op het gevoel, een echt, uitputtend en gesloten systeem biedt, dat ten principale een opsomming bevat van alle verrichtingen van de geest en het hart, alle ideeën, alle gevoelens, alle bekende of onbekende dwalingen, alle geziene waarheden en dus ook alle denkbare standpunten voor en na hem?

Deze Hegel spreekt misschien niet over het einde van de Geschiedenis, maar wel over het 'einde van de filosofie'.

Hij zegt misschien niet meer: 'Dit is de wereld, dit is wat hij zal zijn en hij zal bovendien niet meer veranderen,' maar: 'Zo werd hij gezien en zo zal hij gezien worden – hier is een systeem van het weten dat, door de subjectieve vrijheid te verzoenen met de substantiële totaliteit, een globale topologie biedt waar alle doctrines, niet alleen de vroegere, maar alle denkbare, een plaats kunnen vinden.'

Hij beweert niet meer een 'betere' filosofie te bieden, maar 'de enige' of in elk geval 'de laatste' filosofie, omdat hij zich in staat acht om voor het eerst in de geschiedenis van de wereld over alle grote pogingen uit het verleden te zeggen: Ik heb de maat genomen van uw inspanning, van uw deel van de waarheid maar ook van uw onvermijdelijke beperking...

Wat valt er nog te zeggen als je de kans hebt zo'n 'orgaan' te erven?

Wat valt er nog te doen als je, na Hegel, beschikt over een waarheidsschema dat de ambitie van de categorieënleer van Aristoteles en Kant overneemt, ja overtreft, en dat hem belooft te verwezenlijken?

We kunnen hem alleen herhalen, zegt Kojève in grote lijnen.

We kunnen alleen doen wat Hegel zelf deed toen hij aan het eind van zijn leven, als oude zegenaar zonder esprit (maar wat moet je met inspiratie als je weet dat je alles hebt gezegd?), dezelfde colleges herkauwde of, om de tijd te doden, de krant las en kaartspeelde.

We kunnen alleen doen wat Kojève doet wanneer hij in zijn 'Lessen' aan de Hautes Etudes oneindig, duizelingwekkend commentaar levert op het 'historische' proces of het proces van de 'Geest' dat 'de Wijze' heeft begrepen en voltooid, met als doel de 'diepe waarheid' ervan bevattelijk te maken.

We kunnen alleen het Boek lezen, herlezen en heroverwegen, en dat tot in de eeuwigheid zoals met gewijde boeken gebeurt:[10] 'Het is mogelijk, schrijft hij na de oorlog nog, dat 'de toekomst van de wereld en dus de richting van het heden en de betekenis van het verleden in laatste instantie afhankelijk zijn van de manier waarop de geschriften van Hegel tegenwoordig worden geïnterpreteerd'[11], en we moeten dus toegeven dat 'alle termijnen verlopen zijn', zoals de profeet zei, dat het Boek alles 'begrepen' heeft en dat het 'alle mogelijkheden van het denken heeft uitgeput', dat we 'er geen enkel gedachtespoor tegenover kunnen stellen dat er niet al deel van uitmaakt'[12] en dat niets zinlozer, absurder of platter zou zijn dan te pretenderen een volkomen nieuwe conceptuele figuur of een nooit ontwaarde waarheid of een ongekende doctrine te bedenken...

Het is zo'n beetje wat Blanchot zegt wanneer hij in *L'Entretien infini* bekent: 'Voor allen is de Geschiedenis, in de een of andere vorm, een aflopende zaak'; we 'leven allemaal min of meer in het perspectief van de geëindigde Geschiedenis, we zitten al aan de oever van de stervende en herlevende rivier, tevreden met een tevredenheid zoals die van het universum zou moeten zijn, God dus, vanwege de gelukzaligheid en de kennis.'

Het is wat Althusser zegt als hij in een jeugdtekst van vóór zijn bekering tot het marxisme uitlegt dat Hegel 'onze wereld' is geworden, dat hij onder ons is, 'niet alleen als waarheid maar ook als werkelijkheid' en dat 'het hedendaagse denken', of het zich nu wel of niet bewust is van zijn schuld, of het nu wel of niet zijn 'afhankelijkheid' van die 'moeder-waarheid', het hegelianisme, op waarde schat, volledig, tot aan de ontkenning, de onwetendheid of 'de ondankbaarheid' toe gevormd is in wat hij schitterend 'de teloorgang van Hegel' noemt.[13]

Het is de diepe overtuiging van Foucault wanneer hij, nadat hij net als alweer Hegel en Kojève[14] 'de dood van de Mens' heeft aangekondigd, de rest van zijn leven wijdt aan het classificeren van de 'gedachtepatronen' (discoursen), het uitsnijden van de *epistèmès*, het doorlopen van de 'kennisvelden', het grijpen van de 'uitingen' in 'de beperktheid en bijzonderheid' van hun 'gebeuren', het identificeren van 'de uitingsvormen' die ze uitsluiten, kortom het vervangen van de filosofie door een bescheiden, geduldige en gepassioneerde archeologie: hij kan wel weigeren toe te geven dat hij 'de Geschiedenis heeft ontkend';[15] hij kan wel aanvoeren dat hij uitsluitend 'de algemene en lege categorie van de verandering open heeft gelaten om transformaties van verschillende niveaus aan het licht te laten komen'; maar ook hij heeft de hegeliaanse afzondering geconstateerd en het is overigens de hele betekenis van het project 'zijnsleer van de actualiteit' – ook wel 'zijnsleer van onszelf' of 'zijnsleer van het heden' genoemd – dat hij de laatste jaren van zijn leven formuleert in zijn commentaar op Kants boekje, *Was ist Aufklärung*.

Het is wat Lacan doet met zijn grafen, zijn knopen en zijn vertoon van cirkels, krommen en rechten.

En Lévi-Strauss, als hij, zwijgend, alleen al de mogelijkheid van de filosofie ontkent.

En zelfs, in zekere zin, Derrida of althans de eerste Derrida, degene die de geschiedenis van de metafysica afgesloten verklaart en zich opsluit – zij het om hem te deconstrueren – in die gesloten en schijnbaar verzadigde ruimte: 'We geloven doodeenvoudig in het absolute weten als *afsluiting* ofwel als einde van de geschiedenis...'[16]

Het is wat in wezen alle 'structuralisten' doen die, onder het voorwendsel antihistorici te zijn, doorgingen voor antihegelianen terwijl het de eerste generatie is die, zonder echt te weten of zij trouw waren aan Hegel of aan Kojève, aan Christus of aan zijn evangelist, juist dat einde hebben geconstateerd, misschien niet van de Geschiedenis maar dan toch wel van de filosofie, en geoordeeld hebben dat de tijd van de Idee voorbij was, dat we historicus, genealoog, deconstructeur, archeoloog van het verleden of het heden, geoloog, tekstomaan, geïnspireerd archivaris, onstuimig semioticus, topograaf, epistemoloog van de systemen, of socioloog moesten worden: alle hypotheses waren evenveel waard, allemaal, vooropgesteld dat we zeker wisten dat we zouden ontsnappen aan de metafysische naïveteit die naar onze overtuiging – ik zeg 'onze' want het betrof hier mijn meesters, en dus mijn generatie – met Hegel was gestorven en door Heidegger was begraven...

Wat de 'joden-van-Hegel' zijn

Maar ik leg de nadruk op die 'openbarings'-kant van het hegelianisme.

Ik leg de nadruk op de Christusachtige verleiding van Hegel zelf en op de apostolische roeping van zijn eerste commentatoren.

Verwachtte u de Messias? vragen Kojève en Koyré grosso modo. Vond u dat de filosofie stamelde, op haar verlosser wachtte na Plato, Aristoteles, Descartes, Spinoza, na alle meesters die, eeuw na eeuw, van de ene taal op de andere, dezelfde onoplosbare vragen rondjes lieten draaien, als vogels in een kooi? Welnu. Het is zover. Ze heeft haar grote en kleine profeten gehad. Haar engelen van de aankondiging. Ze heeft in de persoon van Kant of Fichte haar bewonderenswaardige Johannes-de-Dopers gehad, die het goede nieuws voorbereidden. Maar hier is dan de Aangekondigde. Hier is de

Messias, de opperste Redder, God tot mens gemaakt, zoon van God. Hier is de nieuwe Christus die eveneens een nieuw tijdperk van de Geest inluidt, in de stilte van de ware eschatologieën, in een typische sfeer van zich herhalende wonderen (komt Napoleon niet langs zijn raam precies op het moment dat hij het woord 'einde' schreef op de laatste regel van de laatste bladzijde van de *Phänomenologie*? En ik, Kojève, zijn evangelist, anderhalve eeuw later, heb ik niet mijn commentaar afgerond op dezelfde dag dat Hitler uiterst doortrapt Frankrijk de oorlog verklaart?). En hier is, beter nog dan de *Phänomenologie*, die, laten we dat vooropstellen, nooit meer was dan een kroniek van het gebeuren, de roman van de grote momenten die de komst van deze gebeurtenis hebben bewerkstelligd, zijn gedetailleerde epos, zijn odyssee, hier is de 'Grote' *Logik* die u uiteenzet wat er precies is gebeurd: bijbel van de mensheid, evangelie, derde testament, de 'universele en homogene Staat' die – sic – 'de effectieve werkelijkheid van het koninkrijk der hemelen' is...[17]

Tegenover zo'n openbaring, tegenover deze speculatieve donderslag die overal waar hij is waargenomen het bewustzijn schokt, het waarnemingssysteem totaal in de war brengt, het regime van het denken, ja zelfs van de imaginairen, aan het wankelen brengt, zijn er natuurlijk mensen die zich buigen, het vonnis aanvaarden, aanbidden – maar zijn er anderen die zich vanzelfsprekend tegen het nieuws verzetten en dat ook zeggen.

Zoals altijd, zoals elke keer bij de komst van een messias en in elk geval zoals in de tijd van Christus zelf, zijn er getrouwen, vromen – maar zijn er ook opstandigen, zeloten, muiters, die de waarheid niet aanvaarden, of gewoon sceptici die zich schrap zetten tegen deze bizarre pretentie om het Einde te voorspellen en te belichamen.

En het is een hele populatie van mensen die protesteren, verzet plegen, ongelovigen van diverse pluimage, niet-gezagsgetrouwe geesten die, als het eerste moment van verbijstering voorbij is, een andere stem laten horen – die van het denken dat niet gelooft aan de 'stralende dageraad', dat zich niet laat voorstaan op de 'effectieve kennis' of op 'de verheffing' tot de rang van 'wetenschap' van hun weten en van de tijd, en gewoon doorgaat met denken.

Ik stel voor om hen de 'joden-van-Hegel' te noemen.

Ik stel, vrij logisch, voor om ze de 'joden-van-Hegel' te noemen, die sceptici, of die rebellen die zeggen: 'Nee, nee, Hegel is niet de messias! Hij is een profeet te midden van andere profeten, misschien een heel grote profeet, maar zeker niet de messias!'

Ik noem ze de 'joden-van-Hegel', de mensen die, uit melancholie of woede, uit onzekerheid en geloof, met de vlag van het verzet zwaaien en die, al komt het hun te staan op hun aanzien, op de beschuldiging van onwetendheid en naïveteit, en zelfs op het gevoel de weg terug te gaan, soms tot vóór de tegenstrijdigheden of conflicten die het hegelianisme voorgoed had beslecht, besluiten de strijd van de filosofie voort te zetten.

Er zijn drie families van 'joden-van-Hegel'.

In de eerste plaats zijn er de mensen die zeggen: 'Inderdaad, waarom geen messias? Maar moet je die kop van die uitverkorene van jullie zien! Geloven jullie echt dat je de mensheid kunt vragen zich ter aarde te werpen voor een man die aan het einde van zijn leven de Pruisische staat bewonderde? We moeten dus verder; we moeten verder zoeken en doorgaan; we willen wel dat de Geest een soort verborgen geheim is in de Geschiedenis, maar we geloven niet dat Hegel het geheim heeft ontsluierd.'

Ik noem die Jonghegelianen, die direct na de dood van de meester verontwaardigd zijn dat mensen in het stof van de Staten die uit de nederlaag van het Keizerrijk zijn ontstaan de substantiële vereniging van werkelijkheid, waarheid en vrijheid kunnen zien.

Ik noem Feuerbach, die opmerkt dat de redenering op zich niet slecht is, maar dat de conclusies niet kloppen: laten we de dialectiek 'omkeren' roept hij uit, laten we hem weer op zijn voeten zetten! Om te zorgen dat het schema werkt, hoeven we alleen maar 'Mens' te zeggen in plaats van 'Idee'; hoeven we alleen maar toe te geven dat de 'absolute geest' de 'Mens' was, alleen de Mens.

En ik kan die andere Jonghegeliaan noemen, Karl Marx, die evenmin iets heeft in te brengen tegen het principe van een Messiaanse voltooiing van de universele Geschiedenis, maar die weigert om de gestalte te herkennen in het meelijwekkende gezicht dat hem geboden wordt: 'Een messias ja, dat is best... maar Napoleon! Of de Duitse opvolgers van Napoleon! Is dit een grap? Een provocatie? Zijn we echt bezig om van de moderne bureaucratische staat het roemrijke lichaam van de Geschiedenis te maken, de verwezenlijking van de goddelijke Idee, de ziel van de wereld?'

Dus 'ja' tegen het eschatologische perspectief, maar 'nee' tegen de voorgestelde tijdrekening. 'Ja' tegen het idee dat er een messias zal komen en dat de mens op die dag, in het 'geestelijke licht van de aanwezigheid', eindelijk thuis zal zijn, gerechtvaardigd in zijn wezen, vrij; maar Hegel is niet die messias. Akkoord, het idee van een eindstaat, een einde van de Geschiedenis, enzovoort; maar het is aan anderen – aan mij, droomt Marx... – om dat uit te denken en te bewerkstelligen.

In de tweede plaats zijn er de mensen die in opstand komen: 'Niks messias; het idee alleen al van een messias moet afgewezen worden; hoe kun je als filosoof toegeven dat de geschiedenis van de filosofie zijn laatste woord heeft gezegd? Hoe kun je je als dienaar van de Idee neerleggen bij het idee dat het werk van de waarheid, dus van de Geschiedenis, zijn totaliteit kan hebben bereikt en ophoudt?'

Nietzsche is in deze tweede betekenis jood-van-Hegel wanneer hij zich in de *Unzeitgemässe Betrachtungen*[18] vrolijk maakt over de belachelijke arrogantie van de Professor die ervan overtuigd is dat 'het hoogtepunt en het eindpunt van het universele proces samen zouden vallen met zijn eigen bestaan in Berlijn', waarbij hij ons in één moeite door opscheept met dat messianisme voor tijden van nihilisme, die godsdienst zonder verwachting of twijfel, die mystiek van de laatste mens, die uitgeputte filosofie.

Jood-van-Hegel Kierkegaard, filosoof van de verborgen innerlijkheid, van het verbrokkelde en lijdende ik, van de subjectiviteit die zich niet laat reduceren tot de schandelijke hegeliaanse totalisatie: ironie, scepsis, filosofische kruimel, groen van de gouden levensboom, wanhoop – misschien heeft Hegel gelijk wat betreft het 'systeem', maar hij heeft ongelijk wat betreft het 'subject'; misschien heeft hij gelijk als hij praat over de 'logica', maar er is geen 'systeem van het bestaan'; niets wordt 'geweten' dat niet is 'beleefd in de ervaring' en dat niet is 'verbonden aan het zeker zijn van jezelf' en het is dat zeker zijn van je zelf, het is die onwrikbare, verleidelijke, absolute subjectiviteit die het overtuigende bewijs levert dat het hegeliaanse systeem niet werkt...[19]

Jood-van-Hegel Bataille die, zo vertelt Queneau, 'de confrontatie met Hegel is aangegaan, of liever gezegd met de verschillende Hegels die het filosofische publiek in Frankrijk beurtelings ontdekte', en die, in deze 'twintigjarige' dialoog, in dit geestelijke en vreselijk 'smartelijke' gevecht van man tegen man uiteindelijk zichzelf leerde kennen 'als een radicale niet-hegeliaan, al wist hij dat deze zelfkennis pas tot stand kon komen ná de kennis van een doctrine die volgens hem nergens mee te vergelijken is, zodat hij zichzelf gemediatiseerd maar niet gereduceerd terugvindt'[20]; jood-van-Hegel Bataille die (beweert hij zelf) in Kojève 'de grootste filosoof van het moment'[21] ziet, zegt te zijn 'gebroken, verpletterd, tien keer gedood, verstikt en vastgenageld' door het effect van zijn 'maandagen', maar moet toch tot de conclusie te komen dat een deel van zijn wezen zich verzet tegen deze totale rationalisatie. 'Ik aanvaard,' schrijft hij aan de 'grootste filosoof van het moment' dat 'vanaf nu de Geschiedenis is voltooid, op de ontknoping na'. Ik aanvaard het 'als een aannemelijke veronderstelling' en omdat u het zegt. Maar loopt dit soort gedachte niet tegelijkertijd het risico 'de uiterste term de rug toe te keren'? Zouden we over een denker die zo denkt niet beter kunnen zeggen dat 'de smeekbede in hem dood is' en dat hem binnenkort niet meer zal resten dan de 'steel van een spade'? En zie 'mijn leven', zie de 'open wond van mijn leven', de 'negativiteit zonder functie' die voldoende is om 'me te definiëren', dit 'falen' van elke dag, die 'heilige ontucht' – vormt dit alles niet een levende, brandende 'ontkenning' van het 'gesloten systeem van Hegel'?[22]

Jood-van-Hegel Schopenhauer.

Jood-van-Hegel Adorno die in het hegeliaanse Universele iets diagnosticeert wat hij het 'niet-ware' noemt en in het idealisme ervan een 'razernij' tegen het werkelijke.

Ook een jood-van-Hegel, maar dan gewiekster, de Derrida van de deconstructie: het absolute Weten? Vooruit; we kunnen inderdaad aanvaarden dat Hegel ons de wet van het absolute weten heeft nagelaten; maar is er niets na het absolute weten? Zijn er aan de andere kant van de onzichtbare grens geen gedachten of woorden die met de grens hebben gespeeld, hem hebben vervaagd of in gevaar gebracht, en die door de deconstructeur moeten worden verkend?

Joden-van-Hegel, op enig moment, alle levende denkers van deze eeuw. Jood-van-Hegel, het verzet van het levende tegen het dode, de durf van de levende gedachte tegen een filosofie op hoge leeftijd. Het 'einde van de Geschiedenis'? Nietzsche had gelijk. De doctrine van een bejaarde. Verstarring van het bewustzijn bij het idee dat de wereld na hem kan doorgaan. Menselijke, te menselijke angst van de ziel die in de doodsstrijd tegen zichzelf zegt dat zich nog ongekende dingen kunnen voordoen. Niet 'na mij de zondvloed' maar 'vooral geen zondvloed!' Ofwel: de zondvloed, ja, maar in mijn tijd, wanneer ik hem aankondig, van commentaar voorzie, begeleid – en daarna, droefgeestige passaatwinden...

En dan zijn er in de derde plaats zij – nog steeds joden-van-Hegel – die kijken naar de Geschiedenis die zich afspeelt, de Geschiedenis van vlees en bloed, de treurige en tragische Geschiedenis van de twintigste eeuw, en die, geconfronteerd met de verschrikkingen, geconfronteerd met de onbecijferbare hecatombe die haar bestemming lijkt te zijn, uitroepen: 'Hoe kan iemand in die opeenvolging van bloedbaden en dat duister welke vervulling dan ook zien, vooral die van de Geschiedenis en de Rede?'

Jood-van-Hegel Renan, die in een stille dialoog met deze man, die hij alleen van horen zeggen of uit de *Souvenirs d'Allemagne* van Victor Cousin kende, opmerkte dat de Geschiedenis niet voortschrijdt, dat de Rede niet zegeviert, en dat het Werkelijke in genen dele de kant opgaat of ooit is opgegaan van een groeiende rationaliteit of onweerstaanbare vervulling: Athene overwonnen door Macedonië, Griekenland veroverd door de Romeinen, China verpletterd door de Mantsjoe-dynastieën; is het niet elke keer het superieure dat ten prooi valt aan het inferieure, de geletterde aan de barbaarsere – zodat de Verlichting het onderspit delft?

Jood-van-Hegel Franz Rosenzweig, schrijver van *Der Stern der Erlösung*, die in 1916, vanuit zijn loopgraaf aan het Balkanfront, de wereld in de Apocalyps ziet verzinken. Echt het einde van de Geschiedenis? De oprukkende rationaliteit en de vervulling van de mensheid? En de hegeliaanse theorie van de oorlog... Hun theorie dat de oorlog, hoe vreselijk ook, desondanks de verdienste heeft het subject los te rukken van zijn 'begraven zijn in het gevoelige, het vulgaire en het bijzondere-van-het-geval...' En zijn ze altijd even overtuigd? Houden ze vol, na deze oorlog, die de totale oorlog uitvindt, dat de oorlog de deugd heeft de 'particularismen', de 'idiotieën' van de menselijke soort door elkaar te schudden en de mens naar een hoger 'ethisch stadium' te leiden? De schrijver van *Der Stern* hoort de schreeuw van de soldaat die 'als een worm in de plooien van de naakte aarde verschanst zit'. Hij ziet de mannen die, dronken van de verschrikkingen, hun hart en lichaam bezield van doodsangst, naar het slachthuis gaan. En wat de verheffing van het individu naar het 'ethische stadium' betreft, ziet hij in wezen niets dan de oneindige wanhoop van het levende beest, de flarden hersens vermengd met het bloed en de modder, de stank van het bloedbad – de terugkeer naar het dierlijke, zelfs plantaardige en het nulpunt van de mensheid. Na 1914 kan niemand nog hegeliaan zijn. Kan niemand volhouden dat de Geschiedenis ten einde is, of dat de werkelijkheid rationeel is. Het is het begrip van het Menselijke – dat zegt jood-van-Hegel Rosenzweig – dat weer ter discussie staat in de verlatenheid van de loopgraaf...

En dan nog de latere joden-van-Hegel, de filosofen of denkers die in de tijd van Auschwitz leven en overleven. Wat een vreemde misdaad! zeggen ze. Wat een monsterlijke, abjecte, maar ook vreemde misdaad, totaal verwarrend en, in heel wat opzichten, ongekend! Is er ooit een volk geweest dat zo over het hele aardoppervlak is opgejaagd? Is er ooit een Staat geweest die, om de jacht in goede banen te leiden, zulke middelen, zo'n schat aan verbeelding en wetenschap, zo'n industrie heeft ingezet? Kon iemand zich een land in oorlog voorstellen dat op de rand van de nederlaag voorrang gaf aan treinen van gedeporteerden boven het transport van troepen of wapens, dat hele bataljons politie en soldaten mobiliseerde om jacht te maken op kinderen? In de ogen van Primo Levi, Jankélévitch, Levinas, maar ook voor de Leo Strauss van *On Tyranny*, valt aan de conclusie niet te twijfelen. Primo. We hebben hier in de eerste plaats te maken met een geval van extreme en radicaal onmenselijke barbarij: niet de postgeschiedenis van de hegelianen, maar een protogeschiedenis, of een diergeschiedenis – de mensheid net als in 1914, maar erger nog, teruggebracht tot het dierlijkste dierenrijk. Secundo. Die misdaden zijn waanzinnig, geen enkele rede ter wereld zou hierover verantwoording kunnen afleggen: ontologische misdaden, zeggen zij; metafysische genocide; absolute obsceniteit – Claude Lanzmann – zelfs van het streven om het te begrijpen. Tertio, je kunt hier niet meer spreken van een of andere etappe in de komst van een Goed of een Betekenis die hierin hun weg zouden zoeken: nog grotere obsceniteit van elke lekentheodicee; het failliet van alle duidelijk of heimelijk in de voorzienigheid gelovende denkramen die, 'van Ionië tot Jena', geprobeerd hebben een betekenis te geven aan iets wat er geen heeft, en de Geschiedenis voor te stellen als een goddelijke komedie, in scène gezet door een waanzinnige, of perverse, of sluwe God – de definitie van God door Hegel zelf. Ten vierde, die kaart van de theodicee uitspelen, op de een of andere manier binnen het kader van de filosofie van de Geschiedenis blijven denken, dat wil zeggen van haar einde, betekende jezelf ertoe veroordelen, als het zover zou komen, niets te zien, niets te begrijpen – en jezelf ertoe veroordelen, als zij bij toeval terugkwam, om er nog steeds niets van te begrijpen: 'Toen we werden geconfronteerd met de tirannie,' schrijft Leo Strauss[23], – 'een tirannie die alles overtrof wat de machtigste denkers vroeger in hun meest stoutmoedige momenten hadden kunnen verzinnen – heeft onze politieke wetenschap die niet herkend.' Ten vijfde, en hier gaat het om, is dit een ongekende vorm van barbarij en dat ongekende is duidelijk het bewijs dat de Geschiedenis niet ten einde is: vandaar, en in tegenstelling hiermee, de uiterste terughoudendheid van Lévi-Strauss om te aanvaarden dat de shoah een echte uitzondering is op de schaal van de algemene geschiedenis van massamoorden, in deze duizenden jaren oude kroniek van bloedbaden waar ik, antropoloog, kennis van heb; vandaar, en op dezelfde wijze, de opvatting van Michel Foucault tegen het einde van zijn leven – maar is het niet een noodzakelijk vervolg van zijn denken?[24] – dat de nazi-staat een racistische staat was te midden van andere, dat hij alleen maar 'tot in de hoogste graad' machtsvormen doorvoerde die sinds de achttiende eeuw waren ingevoerd, dat er overigens geen wezenlijk verschil was tussen de Endlösung en de decreten van maart en april 1945 die bevel gaven tot de verwoesting van de Duitse infrastructuur en dat de massamoord op de joden geen echt specifiek karakter heeft op de schaal van een politieke geschiedenis waarvan het intelligibele beginsel gezocht moet worden 'in het bloed en de modder van de slagvelden', in de klachten van de 'onschuldigen in doodsstrijd als de dag aanbreekt'; alsof de kwestie van het specifieke karakter, de uitzonderlijkheid, het uniek-zijn van de shoah de gevaarlijkste, want de meest onweerlegbare ontkenning zou zijn van de theorieën over het einde van de Geschiedenis; alsof we, om ons van dat einde van de Geschiedenis te verzekeren, de Geschiedenis van de nazi-misdaden moesten banaliseren, neutraliseren, reviseren...

Aantekening bij de kwestie-Foucault. Ik wil hier natuurlijk niet zeggen dat Foucault 'revisionist' was. Ik vergeet ook niet dat hij bewust heeft geleefd als een onvoorwaardelijke antihegeliaan en dus, op zijn manier, als een jood-van-Hegel. Ik heb overigens de bladzijde voor me van *Les Mots et les choses* waarin hij het Marx aanrekent dat hij heeft meegewerkt aan 'de grote dromerij van een voltooiing van de Geschiedenis', die 'eenduidige, positieve en eschatologische' gedachtegang waarin de mens verschijnt 'als een beperkte maar tegelijk beloofde waarheid' en dat iedereen die zich erbij aansluit rangschikt bij het naïeve 'evolutionisme' van de negentiende eeuw.[25] En ook het mooie artikel[26] waarin hij uitlegt dat de vraag 'Hoe helemaal geen hegeliaan meer te zijn', de enige echte vraag is die 'in honderdvijftig jaar' aan de filosofie is gesteld en in dat verband verwijst naar 'die voortvluchtigen, die slachtoffers, die eeuwig gecorrigeerde dissidenten, kortom, die bloedende hoofden en andere witte vormen die Hegel uit de nacht van de wereld wilde wissen' – in feite een toespeling op de beroemde tekst van Hegel: 'Rondom is het donker: hier steekt een bloedend hoofd op;

daar een andere witte vorm; en ze verdwijnen even plotseling; het is het donker dat men ziet als men een mens in de ogen kijkt...' Ik zeg twee dingen. Het eerste: de onderneming van Foucault, zijn archeologische en zelfs archivistische standpunt, dit zelfportret van de filosoof als notaris of als inspecteur van tekstmonumenten, niets van dat alles is denkbaar, wat Foucault er zelf ook over zegt, zonder Kojèves idee van een Geschiedenis die haar einde heeft bereikt en daarom geen andere taak overlaat dan tot in het oneindige, als een nieuwe Mérimée, oneindige hoeveelheden bedrukt papier beheren. En dan dit nog: dat idee van een geëindigde Geschiedenis stuit, als op haar principiële grens, op die kwestie van de shoah – en daar komen natuurlijk, net zoals in het geval van Lévi-Strauss, al die vreemde teksten over het einde vandaan, waarin de schrijver van *Il faut défendre la société* het nazisme in grote lijnen terugbrengt tot een wending in de oneindige rassenoorlog zoals het met name door Boulainvilliers is voorgesteld...

Dat is het debat.

Dat is het algemene beeld van een eeuw die tot het laatst in de slagschaduw van het hegelianisme zal hebben geleefd.

Misschien is hij niets anders geweest, die eeuw, dan een lang en beredeneerd protest van de joden-van-Hegel tegen Hegel.

Misschien is het wel zo dat men in de twintigste eeuw niets anders heeft gedaan dan een gevecht aangaan met de alternatieve stellingen van een twistgesprek dat, ook al lijkt het ons, achteraf gezien, vreemd of kleinzielig, onze voorgangers in zijn ban hield.

En ik ken in feite geen enkele denker die ontkomen is aan dit klimaat en niet heeft gemeend dat filosoof of dichter zijn inhield je met Hegel meten, het fenomeen Hegel op waarde schatten, de vragen die Hegel zich heeft gesteld doornemen, of Hegel zelf tot vraagstuk maken: tot en met Sartre, alias Poulou, alias Pardaillan, alias Fracasse, koning der joden en prins van de filosofen, die zo niet de grootste dan toch de laatste van deze joden-van-Hegel is...

Nogmaals de filosofie, of hoe kom je uit de betoverde kring van het hegelianisme

Zoals ik al heb gezegd heeft Sartre de colleges van Kojève niet bijgewoond.

Net zomin als hij is gaan luisteren naar de lezingen van Husserl aan de Sorbonne of, in *Bifur*, de eerste bladzijden van de vertaling van Heidegger door Corbin heeft gelezen.

En het is niet het eerste noch het laatste voorbeeld van die grote gemiste ontmoetingen die, zoals we zagen, zijn leven bepaalden, zowel op filosofisch als op politiek niveau.

Maar hij kende ze wel.

Ik kan me niet voorstellen dat hij is ontkomen aan de tijdgeest die in die periode het stempel draagt van Hegel of Kojève, of beiden.

Ik kan niet geloven dat hij niet heeft horen praten over het Séminaire des hautes études, ten minste via Merleau-Ponty, die er een geregelde bezoeker was of via Yvonne Picard, die jonge studente aan de Ecole Normale – later verantwoordelijk voor 'Socialisme et Liberté', gedeporteerd en martelares – van wie vaststaat dat ze voorlopig een trouwe volgelinge was, zowel van Sartre als van de hoogmissen van Kojève.

We weten overigens uit zijn eigen mond[27] dat zijn echte ontmoeting met de *Phänomenologie* dateert van de vertaling en het commentaar van Hyppolite, dus van vlak na de oorlog, al had hij 'tegen 1939', door osmose, of van horen zeggen of uit fragmenten die hij her en der had opgepikt 'veel dingen van Hegel geassimileerd'.

En het lijkt erop dat hij misschien niet zozeer zou proberen om eraan te ontsnappen, uit de betoverde kring te stappen, een stap opzij of naar achteren of naar voren te doen, als wel – interessanter en in filosofisch opzicht gevaarlijker – om zich in de kring te installeren, het vuur van de woorden en de codes te stelen en de uitdaging, die de verschrikkelijke eindigheidsgedachte aan zijn tijd stelt, van binnenuit aan te pakken.

We herinneren ons Sartre als denker van het uitschot, het afval, het absolute kwaad – al een overtuigend antihegelianisme.

We herinneren ons Sartre als bijna-aanhanger van Bataille, als atheïst, die er zijn filosofische eer in legde het Kwaad recht in het gezicht te zien en zich dus te verzetten tegen het idee om het negatieve te transfigureren, het zinloze lijden om te zetten in zinnig lijden, een betekenis te geven aan iets wat er geen heeft – nog steeds antihegeliaans.

En we herinneren ons vooral de politiek waarvan ik de voornaamste 'theorema's' heb aangegeven: deze politiek maakte van de eerste Sartre een onverzettelijk denker van het Tragische, afkerig van het idee van het beroemde gericht van de Geschiedenis, dat wil zeggen van het oude idee dat het, om het Kwaad te accepteren en je eraan te onderwerpen, voldoende zou zijn het goede standpunt in te nemen, namelijk dat van de gearbitreerde Geschiedenis – is dat niet, opnieuw, het principe van de meest radicale vormen van antihegelianisme?

Maar hier is nu de filosoof, de echte, die zijn eerste grote boek, *L'Être et le néant*, gebruikt om de twee kwesties – het einde van de Geschiedenis en het einde van de filosofie – die door het hegelianisme zijn nagelaten rechtstreeks aan te pakken en dat doet door middel van een van die lange en subtiele omtrekkende bewegingen waar deze krijger, zoals we hebben gezien, van houdt en het geheim van kent.

Eerste bedrijf. Hij speelt Hegel. Om beter begrepen te worden laat hij zijn tijdgenoten weten dat ook hij een zoon, of kleinzoon van de grote Hegel is. Hij gedraagt zich keurig. Hij bewijst eer aan een intelligentsia die de verwijzing naar het hegelianisme voor een uiterlijk teken van filosofische rijkdom houdt. Het is de camouflage-Sartre. Het is de liefhebber van pastiches en namaak. Het is de Sartre die Céline of Dos Passos speelde en die nu heel zijn buitengewone talent van komediespeler en *normalien* inzet om Hegel te spelen.

Net als Hegel verkondigt hij een 'fenomenologie'.

Net als Hegel zorgt hij ervoor – al meteen in de ondertitel van het boek – dat deze fenomenologie wordt aangevuld en gesteund door een 'ontologie'.

Net als Hegel, ten slotte – en in tegenspraak met Descartes, met Leibniz en zelfs met Spinoza – geeft hij de 'ontkenning' een logische, maar bovendien actieve, effectieve rol in een beweging die ook hij 'dialectisch' noemt en die immanent is aan de substantie.

Deed Kojève in zijn commentaar geen beroep op de 'dualistische ontologie' die volgens hem vervat lag in dat systeem van het absolute weten en die de epigonen van de Wijze alleen nog maar hoefden op te schrijven? Hij vervult het programma van Kojève. Hij redigeert het boek dat door Hegel niet was afgemaakt. Er is een eerste leesniveau dat van *L'Être et le néant* een soort pastiche of vervolg op de *Phänomenologie des Geistes* maakt. Het kan gelezen worden als een braaf, orthodox boek dat nederig respect betuigt aan het grote gedachtegoed van de eeuw.

De inhoudsopgave. De ondertitel. Die pagina, desnoods 'op de wijze van', waarin hij de 'menselijke werkelijkheid' definieert als de 'onvoltooide som van ontkenningen' voorzover, en alleen voorzover 'zij verder reikt dan een concrete ontkenning die zij moet zijn als ware aanwezigheid van het zijn...'[28] De 'oplossing' van Hegel hier. 'De geniale intuïtie van Hegel' daar. Klinkt dat allemaal niet superhegeliaans? Kan iemand hegeliaanser zijn dan deze bijzondere fenomenoloog die zegt: als we bereid zijn niet het standpunt van de 'chronologische volgorde', maar dat 'van een soort tijdloze dialectiek' in te nemen, dan vormt de 'oplossing' die Hegel, 'in het eerste deel van de *Phänomenologie des Geistes*', biedt voor het probleem van het 'solipsisme', en de noodzakelijke 'weerlegging' ervan, een 'belangrijke vooruitgang vergeleken met de oplossing die Husserl voorstaat'[29]?

Tweede bedrijf. Het hegelianisme bedotten. Een kind-van-Hegel maken, zo mogelijk een ondergeschoven kind. Hem van binnenuit bestrijden. Hem vernietigen. Dit is de andere Sartre. Dit is de gemene, ruwe, sluwe Sartre, de guerrillero van de waarheid. Het is dezelfde krijgshaftige Sartre – maar nu hij binnen is, nu hij de waakzaamheid van de tegenstander heeft doen verslappen, maakt hij zich meester van diens concepten om ze beter te kunnen vervormen, zelfs tegen hem te keren en ze zich in ieder geval toe te eigenen en te verdraaien. We hebben hem bezig gezien met Husserl. Heidegger. We hebben gezien hoe hij, letterlijk, de grote ideeën van zijn tijd plunderde. Hij doet hetzelfde met Hegel. Hij speelt Heidegger uit tegen

Hegel. Dan opnieuw Husserl. Dan Descartes en zijn cogito. Daar staat hij, tegenover Hegel, bezig hem te besmetten met het goede sartriaanse virus...

Het boek begint met een oorlogsverklaring aan Hegel, discreet, maar des te duidelijker omdat hij zich bedient van een expliciete verwijzing naar het kantianisme: de hele derde sectie van het eerste hoofdstuk van het eerste deel ('de dialectische opvatting van het niet') waarin hij de vloer aanveegt met de hegeliaanse opvatting van het zijn en het niet, beide opgevat als lege abstracties omdat Hegel aanvoerde dat men van 'het zuivere zijn, zonder enige determinatie', waarmee de *Wissenschaft der Logik* begint, 'niets' kon zeggen en dat het 'hetzelfde' was als het 'niet'. Fout! werpt Sartre tegen, grove fout; 'wat we hier tegen Hegel in herinnering moeten brengen is dat het zijn *is* en dat het niet *niet is*'; wat we moeten opmerken tegen Hegel, en met Kant, is dat dit niet dat 'niet is' zijn kleine beetje zijn ontleent aan het zijn en dat als het zijn bij toeval kwam te verdwijnen, die 'totale verdwijning van het zijn niet de komst zou betekenen van het rijk van het niet-zijn, maar integendeel de begeleidende ineenstorting van het niet'.

Het boek eindigt (vierde deel, hoofdstuk II, sectie II en III) met een lofzang op 'spel', op 'sport', of zelfs op 'skiën', allemaal bij uitstek 'gratuite' of 'niet-ernstige' activiteiten, en het bevorderen ervan tot belangrijk filosofisch object kon alleen maar klinken als een provocatie in de oren van een kojévisme waarvan het sleutelwoord nu juist altijd ernst is geweest ('de Geschiedenis ernstig opvatten...' 'een gebeurtenis waarbij geen doden vallen is geen ernstige gebeurtenis' et cetera) – temeer omdat de lof in kwestie algauw uitloopt (het zijn de allerlaatste woorden van het boek) op het portret van een speelse, nog gratuite vrijheid, zonder doel of consequentie, een 'vrijheid die vrijheid wil zijn', die 'zichzelf voor waarde houdt, als bron van alle waarde', kortom een vrijheid die, opgevat als een handelen zonder doen, of een finaliteit zonder doel, of een praxis die onbelast zou zijn en niet meer zou worden geplaagd door transcendentie of uiterlijkheid, veel dichter bij het esthetische genot van Kant of zelfs bij de ironie van Kierkegaard staat dan de behoeftige vrijheid, gericht op arbeid, inspanning, transformatie van het object, de praxis, die centraal stond in de *Phänomenologie*.

En tussen die twee, tussen die proloog en dat einde, tussen die twee antihegeliaanse aanvallen waarin we zien hoe Sartre, louter door het feit dat hij Kant speelt, het maximum aan antihegelianisme dat in die tijd beschikbaar is mobiliseert, liggen zeshonderd bladzijden grote filosofie die op zijn minst drie inkervingen achterlaten op de wapening van het systeem van het 'absolute weten'.

1. De verwijzing naar Kierkegaard, inderdaad, aan het begin van sectie III van het hoofdstuk over 'het bestaan van de ander': tegenover Hegel, zegt Sartre, 'moeten we hier, net als overal elders, Kierkegaard stellen die de eisen van het individu als zodanig vertegenwoordigt'; tegenover Hegel moeten we het individu stellen dat vraagt om 'de erkenning van zijn concrete

zijn en niet om de explicitering van een universele structuur'; hij verwijst naar Kierkegaard, inderdaad, als radicaalste 'jood-van-Hegel' – de man die beweert dat het Universele 'geen betekenis zou hebben als het niet bestond *omwille van* het individuele'.[30]

2. De 'dubbele beschuldiging van optimisme', gaat Sartre verder in hetzelfde hoofdstuk over 'het bestaan van de ander', tegen een Hegel die schuldig is aan 'het assimileren van het zijn met de kennis'. Epistemologisch optimisme, het minst erge: 'er kan geen enkele universele kennis worden geput uit de relatie van de bewustzijnen', en 'tussen het object-ander en het ik-subject' is er niet meer 'gezamenlijke maat' dan 'tussen het bewustzijn van zichzelf en het bewustzijn van de ander'. Ontologisch optimisme dat 'fundamenteler is', want dat is het wat, met zijn pretentie 'het schandaal van de veelheid aan bewustzijnen te doen ophouden', het hegeliaanse 'standpunt' tot een 'totalitair [sic] standpunt' maakt: het goocheltrucje bestaat erin 'aan het begin' de 'overschrijding' van de 'veelheid' naar de 'totaliteit' te kiezen om dus 'de apodictische zekerheid van het cogito' te laten vallen en vanaf het begin te bevestigen dat 'de waarheid waarheid van het Al is'.[31]

3. De kritiek op het concept 'ontkenning van de ontkenning' dat de zenuw van de hegeliaanse oorlog is, zoals hij heel goed weet. Hij gelooft in de ontkenning, maar niet in de ontkenning van de ontkenning. En hij herhaalt het, en herhaalt het steeds weer, in lange uiteenzettingen die moeten vastleggen dat in de eerste plaats 'het zijn dat het object vormt van het verlangen van het voor-zich een op-zich is dat voor zichzelf zijn eigen fundering zou zijn', dat vervolgens 'het voor-zich, als ontkenning van het op-zich, niet zou kunnen verlangen naar de simpele terugkeer tot het op-zich' en dat daarom het idee ontkenning van de ontkenning zelf zijn betekenis en functionaliteit verliest. De dialectiek dan? Sartre heeft zijn eigen dialectiek, weten we nog. Die is 'onthoofd'. 'Zonder synthese.' Die functioneert niet door middel van 'vooruitgang' maar door 'tourniquets' en heeft vanwege die spiraalvorm de dubbele eigenschap, meerdere keren, en zelfs tot in het oneindige, langs hetzelfde punt te komen – en daarnaast, zo'n gebeurtenis de kans te geven zijn bron of uitweg niet in de voorafgaande gebeurtenis, en zelfs niet in een nabije gebeurtenis te vinden, maar in gebeurtenissen die misschien heel ver weg liggen, maar die de onthoofde dialectiek mee laat resoneren. Deze dialectiek heeft alleen nog maar de naam gemeen met de lineaire, progressieve dialectiek van Hegel. Het is echt een andere dialectiek. Een, in epistemologisch en ontologisch opzicht, heel ander model van dialectische beweging van de Geschiedenis. Maar Sartre twijfelt geen seconde aan zijn vermogen om tegen de ander in te gaan. Hij twijfelt niet aan de superioriteit van zijn model boven dat van zijn voorganger. *L'Être et le néant* is een *Phänomenologie des Geistes* – maar dan beter.

En dan het derde bedrijf – en de derde onderneming. Opnieuw filosofie maken. Maar op de ouderwetse manier. Alsof Hegel en Kojève nooit hadden bestaan. Alsof je ondanks hen bij nul kon en moest beginnen. En alsof hij helemaal niet meer geloofde in die immanente rationaliteit van een Systeem dat door hun toedoen nu definitief een gesloten cirkel is. Geen filosofie meer, zeggen de 'Wijzen'? Nooit meer? En onder het voorwendsel dat Napoleon in Jena onder het raam van een van hen was langsgekomen, zou een denkoefening zich voortaan moeten beperken tot commentaar op de gewijde teksten of op hen die ze verkondigd hebben? Dat idee wijs ik af, zegt Sartre. Maar ik verwerp het metterdaad. En daarom werp ik u dit dikke filosofieboek toe waarin weer helemaal opnieuw wordt ingegaan op de traditioneelste vragen die uit de gratie waren in de Vulgaat van Kojève en Hegel: zijn en tijd, een en veelvuldig, metafysische schetsen, transcendentie, het leven en de dood, de tijd, de wereld, de oorsprong van het niet, de leugen en de waarheid, de Idee, de ontologie en de moraal, het lijden en het verlangen, het lichaam, de seks, de kennis, God, ja God, de eeuwige kwestie van God die ik op mijn manier aanpak door aan te tonen dat het niets anders is dan 'het ideaal van een bewustzijn dat de fundering van zijn eigen zijn-op-zich zou zijn...'[32]

Het zou niet 'zo moeilijk [moeten zijn] om het niveau van Hegel te bereiken' voorspelde hij tegenover Raymond Aron tijdens hun studententijd, in een gesprek op de hoek van de boulevard Saint-Germain en de rue du Bac.[33] Missie vervuld. Deze Sartre is meer dan een 'jood-van-Hegel', hij is een schaamteloze, brutale, speelse afvallige van het hegelianisme die het taboe kort en goed heeft geschonden. Hij kondigt het einde van het einde van de filosofie aan. Hij proclameert en toont aan dat het mogelijk is te ontsnappen aan de treurige nostalgie waarin de toenmalige filosofie is getoonzet. Hij verkondigt, en staaft met feiten, dat de filosofie iets anders kan worden dan de zuiver academische of museale oefening waar zij zich, ook tegenwoordig nog, vaak toe beperkt.

De geschiedenis van de filosofie, dondert hij, is niet de enige vorm van filosofie die ons rest. Filosofen, benadrukt hij, zijn niet allemaal verplicht professor in de filosofie. Merleau-Ponty en Aron zijn professor. Husserl, Heidegger en Hegel waren ook al professor. Foucault, Althusser en Derrida zijn ook professor. Hij, Sartre, is lyceumprofessor geweest maar is dat niet meer. Hij is de eerste filosoof sinds lange tijd, en voor lange tijd, die zegt dat hij geen professor meer is, en dat zijn filosofie geen professorenfilosofie meer is en ook nooit meer zal zijn. Zijn hele techniek zal er weliswaar in bestaan om die grote teksten te herlezen, om ze te gebruiken, te plunderen, te herschrijven, af te krabben en uit te persen – maar met als enig doel ze tot leven te brengen en ermee terug te keren tot die befaamde grote vraagstukken die ieder zich stelt en die de filosofen hadden laten liggen.

Dat is de charme van *L'Être et le néant*.

Dat is, in de ogen van de postsartrianen zelf, een van de redenen voor de buitengewone geestdrift waarmee de aankondiging van de onderneming onmiddellijk werd begroet.[34]

Er zit iets heel moois en ontroerends in dit soort theoretische euforie, of geleerde onschuld, die het klimaat van dit eerste sartriaanse denken bepalen.

Sartre is, dat voelt iedereen, de nieuwste – de laatste? – van de grote Europese filosofen.

De filosofen krijgen er flink van langs

Alleen lukt het Sartre helaas niet.

Of om precies te zijn: hij slaagt aanvankelijk wel. Hij slaagt zelfs met vlag en wimpel, want *L'Être et le néant* is er, briljant, weelderig, een geniaal carnaval van de Geest, een vermorzelende droom, een groots boek. Maar het lijkt erop dat hij zelf afgeschrikt of geïntimideerd is door dit onwaarschijnlijke succes – het lijkt erop dat iets in hem is gaan duizelen bij die indruk van vrijheid die dit eerste boek uitstraalt en hij zal het de rest van zijn leven verloochenen en vergeten en hij zal, voorzover mogelijk, de sporen ervan in de rest van zijn oeuvre uitwissen...

Wilde de operatie een complete overwinning zijn, dan moest er in de eerste plaats een vervolg zijn. Een echt vervolg. Dat wil zeggen het befaamde 'volgende werk' dat in de laatste regel van het boek wordt aangekondigd en dat de kwestie 'vrijheid' weer zou oppakken waar hij die had laten liggen. Maar het vervolg komt niet. En zal er nooit komen. En we weten dat hij aan het eind van zijn leven, wanneer zijn laatste interviewers hem vragen de balans op te maken van zijn levensloop en zijn oeuvre, het liefst zegt dat *L'Être et le néant* 'niets voorstelt', dat bijvoorbeeld de these dat de mens vrij zou zijn, altijd vrij, 'ongeacht de omstandigheden', zelfs 'onder de Duitse bezetting'[35], hem achteraf bezien 'absurd', zelfs 'schandalig' in de oren klinkt en dat hij daarom met opzet zijn grote filosofische werk niet heeft afgemaakt.

Het punt is overigens dat hij in plaats van dit aangekondigde vervolg, in plaats van deze filosofie van de vrijheid, of van deze moraal, die de logische voortzetting zouden zijn geweest van het boek, de 'aantekeningen voor een moraal' geeft, of liever gezegd *vasthoudt*: deze enorme, overladen, in veel opzichten fascinerende tekst, die echter in de eerste plaats fragmentarisch en onvolledig blijft en vooral lijkt te zijn ingehaald door de grote hegeliaanse kwesties waarvan we dachten dat hij ze had beslecht en achter zich gelaten – en die weer als een gemiste kans, of een blok aan het been, door de nieuwe pagina's waren. Zeker, hij houdt hierin vol dat 'het existentialisme tegen de Geschiedenis' is, al was het maar als 'bevestiging van de onverzettelijke individualiteit van de persoon.'[36] Zeker, hij herhaalt zijn standpunt ten gunste van Kierkegaard, wiens definitie van het subject als zuivere negativiteit, slecht geweten et cetera tegengesteld blijft aan een hegeliaans 'universele, dat absurd is in zijn verwarring' en vooral in het feit dat hij de dood en de eindigheid door elkaar haalt.[37] En wanneer hij het nazi-raadsel aansnijdt, wanneer hij bijvoorbeeld de massamoord in Oradour in herinnering brengt, dan doet hij dat om nog eens krachtig te zeggen – en daar klinkt hij als Levinas of Camus, of als zichzelf, de eerste Sartre van *Qu'est-ce qu'un collaborateur*? en van de weigering toe te geven dat de Geschiedenis heer en meester is van onze lotsbestemming – dat een Geschiedenis die 'het lijden van de kinderen van Oradour niet kan voorkomen' een Geschiedenis is die 'geen betekenis' heeft.[38] Maar we lezen ook, een paar alinea's verder: 'Als er een Geschiedenis is, dan is het die van Hegel' en: 'Er kan geen andere zijn'.[39] Ofwel: 'De filosofie onderscheidt zich niet van de mens die bezig is de wereld te veranderen en 'de totaliteit van de handelende mens is de filosofie'[40] – een zin die de quasi-hegeliaan Marx mede zou kunnen ondertekenen ('de mensen hebben lange tijd de wereld geïnterpreteerd, nu moet hij worden veranderd...' dat in hetzelfde fragment wordt geciteerd). Of ten slotte die lange, nog verwarrender aantekening, die klinkt als een bekentenis, of een terugtrekkende beweging, een koersverandering: 'Hegel op het hoogtepunt van de filosofie; Marx draagt bij wat hij niet helemaal gegeven had (thematisering van de arbeid) maar het ontbreekt hem aan veel van de grote hegeliaanse ideeën. Inferieur. Vervolgens marxistische ontaarding. Posthegeliaanse Duitse ontaarding. Heidegger en Husserl, kleine filosofen. Franse filosofie niets waard. Grove neorealistische filosofie. Waarom zou de antithese (Marx: antithese materialistisch, neorealistisch: antithese uiterlijke betrekkingen, innerlijke betrekkingen) noodzakelijkerwijs superieur zijn aan de these? Waarom zou hij de these verhullen?'[41]

En dan is er de *Critique de la raison dialectique*, 'dat barokke, verpletterende en bijna monsterlijke monument'[42] waar Raymond Aron het over had – dat sombere, duistere boek; zo opgewekt als *L'Être et le néant* was, zo neerslachtig was dit: andere stem, troebele verhalen, wilde galoppades, gemaakt vrolijke toon en, eigenlijk, afgemat. Omdat dit zijn boek is dat de overgang naar het marxisme markeert? Waarschijnlijk. En er zit waarschijnlijk een kern van waarheid in de klassieke analyse van een Sartre die in de oorlog tot ieders verrassing 'husserliaan' blijkt, vervolgens Heidegger gebruikt om na te denken over 'de historiciteit' waar hij, vanwege die oorlog en later vanwege het Kamp, door overweldigd dreigt te raken, maar die, wanneer Heidegger hem afvalt, zich liever op Marx werpt en *Sein und Zeit* inruilt voor dat andere handboek van de historiciteit, van samenhang met de concrete wereld, van goed gebruik van de dingen, de lichamen en de werkelijkheid, Het Communistisch Manifest... Maar toch geloof ik dat er iets anders aan de hand is. Ik geloof dat zijn aansluiting bij het marxisme de slagschaduw van een veel wezenlijker fenomeen is. Ik geloof, om precies te zijn, dat we de opmerking 'vervolgens marxistische ontaarding' uit de *Cahiers pour une morale* serieus moeten nemen. En ik ben er eerlijk gezegd van overtuigd dat de *Critique*, hoewel het zo'n zware tekst is, hoewel de auteur zo voortdurend het gevoel geeft dat hij in zijn eigen intuïties verzandt, en hoewel er zo'n merkwaardige mengeling van verveling en opwinding om niets, van verbittering en ingehouden neerslachtigheid van uitgaat, het toneel is van een fenomeen waar in de geschiedenis van de hedendaagse filosofie weinig voorbeelden van te vinden zijn: alsof Sartre overstapt van het 'verlangen' naar de 'noodzaak', van het 'Dasein' naar de 'praxis', van het 'vernietende bewustzijn' naar de toetreding tot de 'sociale en materiële wereld', van het idee dat geweld inherent is aan 'de blik van de ander' naar het idee van een ander soort geweld, veroorzaakt door de 'schaarste', of van het idee 'de hel dat zijn de anderen' naar het idee de hel dat zijn 'de werktuigen, of de objecten of het willoze uit de praktijk', en daarmee de basis legde voor een nieuwe ontologie, zoals Aron overigens ook al had gezien; en alsof hij op die manier, toen hij dus de metafysica van *L'Être et le néant* verliet om een andere te omhelzen, plotseling zijn eigen intuïtie begon af te wijzen en bij het merendeel van de wezenlijke kwesties, van de beste theses van zijn eerste denken, het tegenovergestelde begon te beweren, alsof hij, kortom, die cirkel van het hegelianisme waar hij zo briljant uit was gestapt, herstelde en de prachtige weg die hij had doorlopen opnieuw aflegde, maar nu in omgekeerde richting…

Voorbeeld. De filosofie. De definitie van de filosofie, die plotseling gekarakteriseerd wordt als 'de totalisatie van het hedendaagse weten'. Ze 'bewerkstelligt', volgens de *Critique*[43], 'de unificatie van alle soorten kennis door zich te richten op bepaalde sturende schema's die de houdingen en technieken van de *stijgende klasse* ten aanzien van haar tijd en de wereld vertalen.' Of, elders: 'Er is geen reden om een levende filosofie aan te passen aan de gang van de wereld; zij past zich vanzelf aan met duizend initiatieven, duizend eigen onderzoeken, want zij is één met de beweging van de maatschappij.' En in dezelfde tekst, even verder: weg met de grote ambities! Naar de hel met de grote constructies! De filosoof zal er genoegen mee nemen voortaan een 'relatief mens' te zijn die 'nog slecht gekende gebieden ordent, enige gebouwen opricht, soms interne veranderingen aanbrengt' maar 'niets fundamenteel vernieuwt'. Zijn we hier zo ver van het 'absolute Weten van Hegel waarin niets 'fundamenteel nieuws' geacht werd te gebeuren? En wat is het verschil tussen die piepkleine 'ordeningen' en 'de aanpassing van de provincies van het rijk' waartoe Kojève de gebeurtenissen die zich voordoen na het 'einde van de Geschiedenis' terugbracht?

Voorbeeld. Het existentialisme. Kunnen we, vraagt hij zich in dezelfde tekst *Questions de méthode* af, nog van existentialisme spreken in dit stadium van mijn leven en mijn werk? 'Iedereen zal begrijpen,' antwoordt hij, dat ik het als 'een ideologie' beschouw. Wat is een ideologie? gaat hij verder. Hoe functioneert die? Het is 'een parasitair systeem dat in de marge van het Weten leeft, dat zich er eerst tegen heeft verzet en tegenwoordig probeert erin te integreren...' Verschrikkelijk, daar ook. Overweldigend. Zelfs als de context preciseert dat hij hier in de eerste plaats doelt op de 'christelijke', dat wil zeggen 'weke en achterbakse' versie van het existentialisme, 'genre Jaspers', zelfs als hij zorgvuldig preciseert dat hij zich 'beroept' op 'een ander existentialisme dat zich heeft ontwikkeld in de marge van het marxisme en niet als verzet ertegen', wordt hij verraden door zijn retoriek. Wanneer hij het existentialisme in de trant van Jaspers een 'overblijfsel' noemt, is dat duidelijk een hegeliaanse opvatting van de geschiedenis van de filosofie. Wanneer hij concludeert dat 'het niet meer, zoals bij Kierkegaard, om terecht verzet tegen het rationele idealisme van Hegel gaat', zien we goed waarnaar voortaan misschien niet zijn hart, maar in elk geval zijn verstand uitgaat.

Het conflict Hegel-Kierkegaard, inderdaad. Het was het onoplosbare conflict van *L'Être et le néant*. Het was de – radicale[44] – dichotomie tussen het panlogisme en het 'systeem' aan de ene kant, en het 'bestaan', het 'ding zelf', de zuivere 'gebeurtenis' die 'het feit van bestaan' is aan de andere kant.[45] Welnu, dat conflict 'vindt zijn oplossing', zegt Sartre nu. En die vindt hij in het feit dat de mens noch 'signifié' noch 'signifiant' is, maar net als 'het absolute-subject' van Hegel, zij het in een andere betekenis, tegelijk 'signifié-signifiant' en 'signifiant-signifié'.[46] Hij mag dan afstand nemen, hij mag dan, zoals altijd wanneer hij de naam Hegel uitspreekt, omzichtig te werk gaan, maar het is lang niet de enorme afstand van *L'Être et le néant*. We zijn ver van de tijd waarin het voldoende was de naam Kierkegaard uit te spreken om de absolute afstand ten opzichte van het hegelianisme en die hersenschim van de totaliteit aan te geven. We zijn zelfs ver van de *Cahiers pour une morale* waarin de verwijzing naar 'de Deen' diende om het subject te definiëren als een hegeliaans 'eeuwig hiernamaals van het universele', een zuivere 'negativiteit' die alle vormen doorbreekt waarin men hem probeerde vast te leggen. We zijn mijlenver van *Saint Genet*[47] waarin eer werd betuigd aan de schrijver van *Notre-Dame-des-Fleurs* door zijn 'ondenkbare', dat wil zeggen 'unieke' en 'onuitsprekelijke' subjectiviteit ten tonele te voeren, door een 'singulier Ik' te roemen dat 'geen overeenkomst met het universele en het persoonlijke' zou hebben, en ver van een opleving van het antihegeliaanse gebaar van Kierkegaard. We zijn daarentegen vlak bij een radicale afwijzing: verwijt Sartre Kierkegaard in het vervolg niet dat hij buiten het systeem is gebleven, zich heeft verschanst in zijn eeuwig herhaalde 'autodafe', opgesloten in zijn 'irrationele singulariteit', en zonder meer een voorbeeld van de lege subjectiviteit van een puriteins en misleid kleinburgerdom is geworden?[48] En zegt hij niet, in een interview met Madeleine Chapsal, kort voor de publicatie van de *Critique de la raison dialectique*, dat 'met Hegel de geschiedenis als tragedie de filosofie is binnengedrongen' terwijl 'met Kierkegaard de biografie als klucht of als drama' is binnengedrongen?

Kierkegaard nog even. Er is een lange tekst van Sartre over Kierkegaard.[49] Hij dateert van kort na de *Critique* want het is de transcriptie van een lezing die hij in 1966 voor de UNESCO heeft gehouden tijdens de dag van de 'levende Kierkegaard'. Maar hij is nog duidelijker. Sartre hamert weliswaar op de onwrikbare 'singulariteit' van het lot van 'Søren'. Hij laat goed zien hoe hij is 'voorzien door het systeem', al verschijnt hij niet 'op de plaats die de meester voor hem heeft bestemd', maar 'als overlevende van het systeem en de profeet', met andere woorden, als een enorme 'jood-van-Hegel'. Maar deze tekst zegt tegelijkertijd dat juist door middel van die 'onherstelbare singulariteit' 'het universele in de wereld komt'. Hij laat zien hoe de 'ridder van de subjectiviteit, opgejaagd, gevangen in het licht van de hegeliaanse projector', 'wat hij ook doet' ertoe veroordeeld is om zich 'binnen de grenzen van het ongelukkige-bewustzijn' te bewegen en alleen 'de complexe dialectiek van het eindige en oneindige' kan realiseren. En hij sluit af met deze woorden, die onmogelijk anders kunnen worden opgevat dan als een postuum verwijt aan de auteur van de *Filosofische kruimels* en andersom als een buiging voor die van de *Phänomenologie*: 'Uit halsstarrigheid tegen Hegel was hij er te veel op gespitst het menselijk avontuur zijn institutionele contingentie terug te geven'; zijn grote fout is dat hij 'de praxis van de rationaliteit heeft verwaarloosd'; en het is de taak van ons, erfgenamen van die twee takken, om 'de kierkegaardiaanse immanentie in de historische dialectiek' te integreren, om de 'Geschiedenis' en het 'transhistorische', de 'transcendente noodzaak van het historische proces' en 'de vrije immanentie van een steeds opnieuw begonnen historisering' in één denken te gieten, kort en goed om 'Kierkegaard en Marx' te verzoenen – hetgeen, voor de duidelijkheid, wil zeggen de eerste weer in de ruimte van het absolute te plaatsen en dus Hegel voorgoed gelijk te geven tegenover hem.

Het pessimisme van *L'Être et le néant*. Die extreme scepsis wat betreft het 'einde' van de Geschiedenis, maar ook van de Mens, die *L'Être et le néant* zo radicaal van het hegelianisme scheidde. In de *Critique*, verandering van programma. De vervreemding bijvoorbeeld. Die was ons tot dan toe voorgesteld als het onvermijdelijke effect van het duel van twee blikken die elkaar kruisen en bedwingen. En hij was de structurele, en dus gedwongen, consequentie van de helse relatie tussen een voor-zich en een voor-de-ander die elkaar per definitie nooit begrepen. Hier is een nieuw concept dat daar rekenschap van geeft: het concept 'schaarste'. En omdat schaarste een achterhaalbaar, contingent fenomeen is, is het geoorloofd te denken dat het op een dag zal verdwijnen en, dat wij dan, althans in theorie, een glimp zullen kunnen opvangen van wat in *L'Être et le néant* volkomen ondenkbaar was, namelijk een situatie waarin 'genoeg voor allen' zou zijn, waarin alle subjecten zouden samenwerken in overvloed en waarin de dialectiek van de objectivering niet meer zijn vreselijke effecten zou hebben. 'Ik beweer niet,' waarschuwt *Questions de méthode*, 'dat de relatie van wederkerigheid bij de mens ooit heeft bestaan vóór de relatie van schaarste, want de mens is het historische product van de schaarste' (dat is Sartre anti Rousseau). Maar hij voegt eraan toe: 'Ik zeg dat zonder deze menselijke relatie van wederkerigheid de onmenselijke relatie van schaarste niet zou bestaan...'[50] En hij preciseert, met name in de late tekst *Autoportrait à soixante-dix ans*: de 'sociale eensgezindheid' is misschien 'vandaag niet te verwezenlijken', maar zal dat wel zijn 'als de economische, culturele en affectieve relaties tussen mensen veranderd zijn, in de eerste plaats door het opheffen van de materiële schaarste die volgens mij, zoals ik in de *Critique de la raison dialectique* heb laten zien, de basis vormt van alle vroegere en bestaande antagonismen tussen mensen' – en het is het teken dat hij, vanaf de *Critique*, onder invloed van een hegelianisme waarvan hij voortaan het happy end aanvaardt, en in tegenspraak opnieuw met alle hypothesen van *L'Être et le néant*, wel degelijk inzet op een betoverde wereld waarin de vervreemding verdwenen zou zijn.

Nogmaals pessimisme. Optimist worden van het vruchtbare pessimisme van de eerste Sartre. Ik voer hiervoor weer als bewijs aan wat er in de *Critique* met het concept 'Revolutie' gebeurt. In *L'Être et le néant* was het idee voorzien van een overduidelijk negatief voorteken. De figuur van de 'revolutionair' – die trieste figuur waarover hij niet schroomde te zeggen dat hij 'zichzelf het bestaan van een rots heeft gegeven, de consistentie, de inertie, de ondoorzichtigheid van het midden-in-de-wereld-zijn' – werd evengoed als de figuur van de 'bezitter' afgewezen.[51] En niet zonder een zekere voorkennis, een voorgevoel, wederom, van de deflatie die, na China, na Cambodja, en misschien na Iran, alleen al het verlangen naar revolutie bij zijn opvolgers zal ondergaan, verwees hij die tweelingfiguren naar de beroemde 'ernstige geest' die door Roquentin wordt gehekeld in *La Nausée*. Maar hier wankelt alles. Hier is de revolutie, de gewelddadige revolutie, die ons nu wordt gepresenteerd als een werktuig, en de plek waar de meest dramatische tegenstrijdigheden van een maatschappij of een tijdperk tot ontknoping komen. O! Dat is niet overal het geval. En de ambivalentie van de jonge Sartre zal hier en daar wel overleven – bijvoorbeeld in het voorwoord bij *Portrait de l'aventurier* van Roger Stéphane, waarin we hebben gezien dat zijn hart niet uitging naar de militant, maar naar de speler, de eeuwige buitenstaander, de verrader van iedereen en dus van zichzelf, ofwel de avonturier. De *Critique de la raison dialectique* slaat door naar de andere kant. Het zijn de beroemde bladzijden over de verovering van de Bastille en het ontstaan van de versmeltende groep. Het is de lofzang – de eerste in zijn genre, zegt Aron – op de gelegitimeerde moord en, au fond, op het lynchen. Het is vooral de opvatting van de groep die hij voortaan zal aanhangen. Hij mag dan zeggen dat 'het geweten als apodictische zekerheid van zichzelf' zijn 'epistemologische uitgangspunt' blijft.[52] Hij mag dan in de loop van zijn betoog zeggen dat een collectiviteit nooit een 'organisme' is en nooit het soort eenheid zal bereiken die bijvoorbeeld een lichaam kenmerkt. Hij mag dan onderscheid maken tussen 'totaliteiten' als zodanig en eenvoudige 'totalisaties', en waarschuwen voor een, oppervlakkig gezien, 'apocalyptische' interpretatie van het ontstaan van de 'ongedifferentieerde totaliteit'.[53] Maar de sartriaanse ondertoon in die jaren is apocalyptisch (bijvoorbeeld in een interview in de *New Left Review* uit 1970: 'Het idee van een permanente apocalyps is natuurlijk heel verleidelijk'[54]). Want deze Sartre, de Sartre van de theorie van de 'praktische eenheden', zingt ongegeneerd de lof van de collectiviteit als uitgelezen plek om de mens te verheffen tot wat Hegel het ethische stadium noemt; hij zingt de lof van de 'terreur' of, zoals hij het noemt, de 'broederschap-terreur', de 'dictatuur van de vrijheid' die een van de theoretische grondslagen van zijn toenadering tot de maoïsten zal zijn; en het is overduidelijk dat hij dat alleen kan doen, het is te zien dat hij deze theoretische ommekeer en deze strategische toenadering alleen kan maken, doordat hij in de eerste plaats weer hegeliaan is geworden.

Het marxisme ten slotte. Het is juist dat de *Critique de la raison dialectique* het moment markeert dat Sartre zich bij het marxisme aansluit. Maar we kunnen die aansluiting niet goed begrijpen, we kunnen de draagwijdte noch de aard ervan begrijpen, als we er niet twee dingen bij halen. In de eerste plaats is het marxisme waar hij zich bij aansluit een hegeliaans marxisme, gezien, gelezen en weergegeven in de categorieën van het hegelianisme: we denken aan het marxisme van Lukács in *Geschichte und Klassenbewusstsein* (1923); we denken, daar kunnen we niet omheen, aan dat 'humanistische', dat wil zeggen hegeliaanse, marxisme waartegen Althusser zich begin jaren zestig teweer stelde, maar waarvan hij vanaf 1956 een schitterend 'onverkend gebied' maakte, vol onbekende epistemologische bronnen;[55] wanneer we, tussen duizend voorbeelden, lezen dat 'marxist' zijn voor deze tweede Sartre inhoudt dat 'de pluraliteit van de betekenissen van de Geschiedenis alleen ontdekt en geïdentificeerd kan worden tegen de achtergrond van een toekomstige totalisatie, in samenhang en in tegenspraak daarmee', wanneer we horen zeggen dat het onze 'theoretische en praktische opdracht', onze 'historische taak binnen deze polyvalente wereld' is, die 'totalisatie elke dag dichterbij te brengen' en 'het moment naderbij te brengen waarop de Geschiedenis nog maar één betekenis zal hebben en waarop ze uiteen zal vallen in de concrete mensen die haar gezamenlijk maken,'[56] dan kunnen we niet om de gedachte heen dat hij 'Marx' zegt terwijl hij eigenlijk diep in zichzelf en in zijn taal natuurlijk 'Hegel' denkt. En overigens, het naakte feit van de aansluiting en de manier waarop hij dat feit en de noodzaak ervan presenteert, kortom de beroemde formule over het marxisme als 'niet-te-passeren filosofie van onze tijd', getuigen, of we het willen of niet, van een positieve grondhouding ten opzichte de hegeliaanse manier om de ideeëngeschiedenis te vertellen: de formule heeft ongetwijfeld een subtielere betekenis dan er gewoonlijk aan wordt toegekend en Sartre heeft altijd benadrukt dat Marx niet meer of minder gepasseerd kon worden dan Descartes en Locke in hun tijd, omdat er altijd, in elke tijd, een gedachte is die de 'humus van elke privé-gedachte' en de 'horizon van elke cultuur' wordt, en dat zij die horizon zal blijven, dat zij die rol van heersende en niet-te-passeren filosofie zal behouden, 'zolang het historische moment' waar zij 'de uitdrukking' van is nog niet is 'gepasseerd';[57] maar dat idee van een heersende filosofie, de hypothese die zegt dat er in elke tijd een dominerende filosofie zou zijn waarin de debatten worden samengevat, waarin het merendeel van de vraagstukken is vervat, kortom waarin de 'geest' van die tijd wordt uitgedrukt, is dat niet bij uitstek de hegeliaanse hypothese? Is dat niet juist het bewijs dat Sartre alleen nog als hegeliaan redeneert, uitgaande van de categorieën en periodiseringen van het hegelianisme? En dan het cartesianisme... zijn het cartesianisme en het marxisme echt te vergelijken? Heeft het eerste ooit, zoals het tweede, gepretendeerd met zijn komst de filosofieën die hem voorgingen overbodig te maken? Heeft iemand ooit over welke filosofie dan ook gezegd wat Sartre over het marxisme zegt, namelijk dat de ideeën van het 'vijandelijke denken', dat wil zeggen van de 'bourgeoisie' in dit geval, 'door de aanraking' van het marxisme en 'zonder dat de marxisten er een vinger voor hoeven uit te steken', oplossen en 'sterven'?[58] En wanneer hij in het zelden geciteerde vervolg van de zin het existentialisme zelf 'een enclave in het marxisme' noemt, wanneer hij, nog steeds op dezelfde bladzijde, schrijft dat hij 'vaak heeft geconstateerd' dat 'een "antimarxistisch" argument niet meer was dan de verjonging van een premarxistisch idee',[59] wanneer hij de nadruk legt op het feit dat het zogenaamde 'passeren' van het marxisme nooit meer zal zijn dan een terugkeer naar het 'premarxisme', wanneer hij, weer elders[60], over het marxisme zegt dat het 'het klimaat van onze ideeën is, het milieu waar zij zich voeden', wanneer hij zegt dat het 'helemaal in zijn eentje de Cultuur is omdat het als enige de mogelijkheid biedt de mensen, de werken en de gebeurtenissen te begrijpen', of wanneer hij, met een expliciet citaat van Hegel, zegt dat het 'de ware stroming is van wat Hegel de Objectieve Geest noemde', kent hij het marxisme dan niet een privilege toe dat hij aan geen enkel ander denken zou toekennen en dat, in feite, hetzelfde is dat Kojève het hegelianisme bood?

Vreemde zaak eigenlijk, die geschiedenis van het 'marxisme' dat als 'niet-te-passeren horizon' van het tijdperk wordt voorgesteld. In de eerste plaats de bizarre formule; het duidelijk pleonastische karakter; is een horizon niet per definitie niet-te-passeren? Zeggen wij niet horizon tegen een lijn die terugwijkt als we hem naderen, waardoor hij letterlijk niet-te-passeren is? En vervolgens de gematigdheid, men heeft in deze uitspraak altijd een van de duidelijkste tekenen van sartriaans fanatisme gezien; maar wat mij opvalt is eerder de voorzichtigheid, de terughoudendheid zelfs; want Sartre had ten slotte ook kunnen zeggen: 'het marxisme is ons niet-te-passeren heden'; hij had kunnen drammen: 'het marxisme is onze dagelijkse verplichting, ons dagelijks gebed en onze dagelijkse taak'; maar nee, hij zegt: onze 'horizon'; hij zegt: het marxisme zal overwinnen, maar 'aan de horizon', dat wil zeggen op den duur; en het is onmogelijk om in dit subtiele en misschien onbewuste 'Geduld! Het is er nog niet direct' niet een soort uiterste voorzichtigheid, of scrupule, of laatste oprisping van de eerste Sartre te horen, op het moment van de duik in het nieuwe universum van de tweede (Beckett, in *Eindspel*: 'Maar wat wil je dat er is aan de horizon?'). En dan, in dat geval, als die dubbele nuance eenmaal vaststaat, blijft ten slotte de essentie: de formule is een bekentenis; en wat Sartre daar bekent is dat hij instemt met een periodisering van de ideeëngeschiedenis die precies overeenkomt met de periodisering van de lineaire Geschiedenis van de hegelianen. De eerste Sartre, die van de tourniquets en de onthoofde dialectiek, degene die er een eer in stelde te geloven in een oneindige en grotendeels waanzinnige Geschiedenis, heeft zich geschikt in een soort absoluut Weten dat hij in het onderhavige geval marxisme noemt en dat, net als het absolute Weten van de hegelianen, alle tegengestelde, of rivaliserende, of gewoon onbekende, of oude denkwijzen ertoe veroordeelt binnen zijn ruimte te blijven, als enclaves of reservaten.

We zouden de passage kunnen citeren waarin hij zegt dat 'de geschiedenis van de mens een avontuur van de natuur is'.

Of een andere waarin hij zegt dat 'de dialectische kennis van de mens na Hegel en Marx een nieuwe rationaliteit vereist' en dat wij, 'als we verzuimen die rationaliteit te construeren', onszelf tot het volgende zullen veroordelen: 'elke zin, elk woord zal een grove fout zijn.'

Of een andere waarin hij stelt dat 'de werkelijke relatie tussen mensen noodzakelijkerwijs drieledig is' – een manier om te bevestigen dat zijn 'tweeledige' dialectiek, met twee termen, nooit drie, gebaseerd op een eeuwige afwisseling, of een duel, tussen de twee subjecten, of het subject en het object, plaatsmaakt voor een klassieke dialectiek met drie termen.

Of nog een andere waarin hij, met de stelling dat 'het weten ons geheel en al doordringt en ons situeert alvorens ons te ontbinden' en dat 'wij in de uiterste totalisatie *levend* worden *geïntegreerd* – in de tekst onderstreept –, bijna woord voor woord het totalitaire theorema hervindt waarvan hij zich als persoon had weten los te maken: 'onze verscheurde momenten, de tegenstrijdigheden waaronder wij lijden, zijn bedoeld om gepasseerd te worden...'; het 'zuivere beleven van een tragische ervaring, van een lijden dat tot de dood leidt, wordt geabsorbeerd door het systeem...'

En verder, op dezelfde pagina, in een noot, de wat schuchtere maar heldere bekentenis: 'het lijdt geen twijfel dat we Hegel naar de kant van het existentialisme kunnen trekken...'[61]

Zou Hegel de duivel zijn?

Zou er een duistere bekoring uitgaan van het hegelianisme, een toverkracht?

Is het een val die onvermijdelijk dichtslaat op degene die beweert hem buiten werking te stellen?

En moeten we geloven dat Sartre gelijk had toen hij in de eerder geciteerde noot uit de *Cahiers*, in een moment van ongekende helderheid opmerkte dat Hegel 'de sterkste' was en dat de Franse filosofie na hem alleen nog maar 'waardeloos' kon zijn?

Het feit ligt er.

Hij is gecapituleerd voor Hegel.

Hij heeft Hegel echt gelezen, zegt hij. Hij heeft eindelijk begrepen wat de ware dialectiek inhield. En hij is door het hegelianisme ingehaald.

Hij is niet alleen uitgegaan van een filosofie van de vrijheid, maar ook van de wens om zich die filosofie in een frontale relatie met Hegel voor te stellen (logica tegen logica... systeem tegen systeem... in wezen met Hegel omgaan als met de Gaulle: van macht tot macht...) ook daar bevindt hij zich weer, elke keer, in een strikt hegeliaanse positie.

Een linkse Kojève

Wat gebeurt er vanaf dat moment?

Wat doet iemand die voelt dat hij wordt ingehaald door de schaduw waar hij zijn leven lang voor is gevlucht?

Wat doet iemand die gedwongen wordt toe te geven dat, in tegenstelling tot wat hij altijd wilde geloven, al het zegbare is gezegd, al het denkbare is gedacht, en dat er geen filosofie mogelijk is na Hegel?

Kijk, in de eerste plaatst zwijgt hij.

Hij heeft verloren, dus zwijgt hij.

Hij is aan het avontuur begonnen, heeft het zo ver doorgevoerd als maar mogelijk was, maar weet nu dat het tevergeefs was en blaast daarom de aftocht.

Dat is wat Foucault zegt in het al eerder geciteerde interview waarin hij de 'jaren 1950-1955' het moment noemt waarop Sartre 'afziet' van de 'eigenlijke filosofische speculaties' en al zijn 'energie herinvesteert' in 'een gedrag' dat 'een politiek gedrag' is.

Maar het is vooral wat hij zelf zal zeggen, helemaal aan het eind, wanneer hij in zijn dialoog met Benny Lévy niet zonder enige bitterheid opmerkt: 'ik heb geen sensationeel oeuvre gemaakt, in het genre van Shakespeare of Hegel, en dus is het, gemeten naar wat ik had gewild, een echec'[62] en het is wat hij eerder al heeft gezegd in een andere, zeer opmerkelijke tekst, deze keer afkomstig uit een interview met Madeleine Chapsal, een paar dagen voor het verschijnen van de *Critique*.

Sartre is bezig zijn interviewster de vreemde werking van zijn denken uit te leggen.

Hij is haar aan het vertellen over die waanzin van het schrijven, die ongeregelde woekering van woorden, ideeën, afdwalingen en breuken, die zijn normale manier van denken vormt, zoals we hebben gezien.

En daar, midden in zijn uiteenzetting, misschien om te overdrijven, en wie weet ook om te verleiden ('over koetjes en kalfjes praten met een mooie vrouw of over filosofie met Aron'... wat gebeurt er wanneer de mooie vrouw hem uitnodigt over filosofie te praten?) belaagt hij zijn gesprekspartner met een reeks ongelooflijke beweringen.

Ten eerste, zegt hij, is die woekering een ziekte. Het is zelfs, om precies te zijn, een 'kankergezwel'. Ik lijd, jawel, aan een vorm van kanker en die kanker is mijn filosofische schrijven.

Vervolgens is het de verdienste van het dikke boek dat net af is – en dat op het moment dat hij praat nog bij de drukker ligt – dat het mij 'genezen' heeft van die kanker. Ik voel me goed, zegt hij. Ik heb me nog nooit zo goed gevoeld. Ik weet dat ik voortaan 'niet meer de behoefte zal voelen om uitweidingen te houden in mijn boeken alsof ik voortdurend achter mijn filosofie aanhol'.

Het bewijs, ten slotte, van deze genezing, het teken van dit welzijn dat hem voor het eerst in die mate overvalt, is dat hij zich 'helemaal leeg en rustig' voelt. Mijn filosofie is er, zegt hij. Is er nog steeds. Maar hemelzijdank beweegt zij niet meer. 'Zij zal bezinken in kleine doodkisten' waar zij voor de eeuwigheid zal rusten...

Kleine doodkisten... dat is wonderlijk genoeg ook de formulering die hij gebruikte aan het begin van *Qu'est-ce que la littérature?* om het muffe, vergane, grafachtige universum waar volgens hem de 'critici' van die tijd zich lekker in voelden te beschrijven – en belachelijk te maken: 'de lastpakken zijn verdwenen, er zijn alleen nog kleine doodkisten die we op planken aan de muur zetten, als urnen van een columbarium.'[63]

Kleine doodkisten... Sartre zegt hier dat hij een levend denken had. Aangetast door kanker maar levend. Maar dan is er een boek, de *Critique*, dat hem van zijn kanker geneest en dat hem met die genezing doodt of, om preciezer te zijn, in hem het plezier, het talent en de middelen om te filosoferen doodt.

Het doet denken aan de uitspraak van Nietzsche die zijn tijd opriep 'te genezen van de ziekte van Plato': maar Sartre geneest zichzelf niet alleen van Plato maar ook van zichzelf.

Het doet denken aan de uitspraak van Mallarmé over Rimbaud die, toen hij naar Harrar vertrok, 'levend de poëzie uit zichzelf had weggesneden': Sartre zou op dezelfde manier de filosofie bij zichzelf hebben weggesneden; de *Critique* zou zijn Harrar zijn; en inderdaad zwijgt hij na de *Critique* – omdat het voor hem blijkbaar een vaststaand feit is dat zijn filosofische avontuur dood is, begraven in kleine doodkisten.

Mijn 'ideeën' zijn 'dood', zegt hij in een noot van de *Critique*, op dezelfde bladzijde waarop hij de noodzaak uitlegt om 'na Marx en Hegel' een 'nieuwe rationaliteit te construeren'. Mijn ideeën zijn dus dood. 'Er zijn er met een lijkengeur en andere die schone skeletjes zijn.' Inderdaad...

En dan, nu er gezwegen wordt, in die nieuwe, definitieve en lugubere stilte die het lijkwadedenken doordrenkt, moet hij zichzelf bezighouden, de weinige tijd die over is zo nuttig mogelijk besteden – moet hij er vooral voor zorgen dat deze voortaan zo vredige waarheid, deze niet-te-passeren en zekere filosofie inderdaad niet-te-passeren en zeker zal zijn, niet alleen in theorie maar ook in de praktijk.

Nu moet hij ze alleen nog in werking stellen.

Nu moet hij ervoor zorgen dat de realiteit in de pas loopt met de rationaliteit.

Nu moet hij doen als Kojève, die commentaar leveren op canonieke teksten niet voldoende vond en de tweede helft van zijn leven, na de oorlog, verbonden was aan grote internationale organisaties, waarin hij werkte aan 'het op één lijn brengen van de provincies van het rijk', zoals hij het noemde, wat in gewone woorden betekent, het verbeteren van de planeet uitgaande van de grote hegeliaanse principes.

En dat is nu precies wat Sartre, op zijn manier, zal gaan doen.

Zoals Kojève uit het einde van de filosofie opmaakte dat hij zich nu moest gaan bezighouden met het vrije verkeer tussen de landen van de OESO, de hulp aan ontwikkelingslanden, het Marshallplan of de toetreding van Engeland tot de EEG, zoals hij al zijn *filosofische* intelligentie in dit tweede leven zal inzetten om een theorie over de prijzen van grondstoffen op te stellen of achter de schermen aan de akkoorden van Evian over Algerije te werken, zo zal Sartre zich melancholiek en een beetje droevig in dienst stellen van de communisten, en vervolgens van de maoïsten en aan hun zijde werken om in deze wereld de niet-te-passeren filosofie van onze tijd te realiseren...

Sartre wordt na de *Critique*, en waarschijnlijk al na de *Cahiers*, een soort linkse Kojève.

Deze jood-van-Hegel transformeert zich net als Kojève in een functionaris van een Universaliteit die niet meer het gezicht van Robert Schumann of Raymond Barre heeft, maar dat van Thorez, Chroesjtsjov, Castro en ten slotte Benny Lévy...

En hij, die zich de hele jaren dertig niet in het openbare debat had gemengd; hij die, volgens naasten en vooral volgens zijn secretaris Jean Cau, nog in de jaren vijftig de politiek als een 'corvee', 'dodelijke verveling' en een onuitputtelijke bron van 'walging' zag en zelfs geen kranten las,[64] of ze met tegenzin las, deze absolute kunstenaar die, als hij in 1970 geïnterviewd wordt over zijn plannen, nog antwoordt: 'wat ik zou willen laten zien is hoe een mens tot de politiek komt, hoe hij erdoor gegrepen wordt, hoe hij erdoor verandert' en daaraan toevoegt: 'want u zult zich wel herinneren dat ik niet bestemd was voor de politiek en dat de politiek me toch zozeer heeft veranderd dat ik op het laatst gedwongen was mee te doen',[65] deze man dus gaat in harmonie leven met een actualiteit die hem, in een steeds koortsachtiger ritme, dwingt tot zijn aandeel aan stellingnames, noodzakelijke of zinloze demonstraties, heet van de naald gegeven commentaar, noodzakelijke of zinloze provocaties en pamfletten: 'een zondvloed van woorden over een woestijn van ideeën' (Voltaire), een petitiekampioen (van de 488 geïnventariseerde manifesten, alle kwesties bij elkaar, alleen al in de periode 1958-1969, tekent hij er zelf tegen de honderd, dat wil zeggen drie keer zoveel als de voorzitter van de Liga voor de mensenrechten, Daniel Mayer)[66] – een treurige en gekwetste Sartre die een soort pavlov-activist wordt, van de ene megafoon naar de andere holt, van de ene tribune naar de andere, om het woord van het nieuwe Russische, Cubaanse, Chinese, maoïstische, roept u maar... geloof te verbreiden.

Wilt u dat we wat over literatuur praten? vraagt Castor in een van hun laatste gesprekken die samen *La cérémonie des adieux* vormen. U heeft de laatste tijd zoveel over politiek gesproken! De mensen stellen u voortdurend dezelfde vragen en het zijn altijd politieke vragen! En hij, melancholiek: nee, nee, dat is best; laten wij ook maar over politiek praten; want de politiek heeft ten slotte 'iets vertegenwoordigd dat ik niet heb kunnen vermijden'; en ik ben geen 'politicus' geweest, dat is waar; maar ik heb 'politieke reacties' gehad; ik ben 'ondergedompeld' geweest in de politiek; 'zodat de conditie van politicus, in ruime zin, dat wil zeggen van een man die is geraakt door de politiek, doordrongen van politiek, iets is dat me kenmerkt.'

Een andere vraag: waarom zo laat? Waarom zo lang gedraald om de man te worden die 'is geraakt door de politiek, doordrongen van politiek', enzovoort? Sartre antwoordt, nog steeds in de *Cérémonie* (en het is het antwoord dat zijn vrienden vaak gegeven hebben, om te beginnen Claude Lanzmann): 'zo is het nu eenmaal; geen speciale verklaring; het leven van de mens moet – hij zegt echt *moet* – zo verlopen; in het begin ben je niet politiek en dan, als je tegen de vijftig loopt, word je uiteindelijk politiek; kijk naar Zola; en Gide; en Victor Hugo; zo heb ik mijn leven altijd gezien; ik heb altijd gedacht dat ik zou uitgaan van de literatuur en uitkomen bij de politiek.'[67] Het zij zo. Maar ik herinner me de eerste Sartre. Ik herinner me het plezier van het schrijven, en het filosoferen, van de eerste Sartre. Ik herinner me het vriendelijke dandyisme, de opmerkelijke vrijheid van doen en denken, die zich in die tijd absoluut niet bekommerde om Hugo of Zola. En ik zou niet weten, echt niet, of die dandy en kunstenaar Sartre, de Sartre van *La Nausée* en *L'Être et le néant* 'zijn leven altijd zo heeft gezien': er moest beslist een andere reden voor zijn; om hem politiek te laten worden moest met de filosofie worden afgedaan; om het voor hem acceptabel te maken dat hij zijn leven, of een belangrijk deel van zijn verdere leven, zou wijden aan het becommentariëren van de suikeroogsten op Cuba, het overtroeven van de propaganda van Malraux in Brazilië, het uitwisselen van diplomatieke onbenulligheden met Tito, Nasser of Leevi Eshkol, het leiden van *La Cause du peuple*, het oprichten van de *Libération*, het voorzitten van het Russell Tribunaal voor de Amerikaanse misdaden in Vietnam of het aanvaarden van de rol van aanklager in het 'volks'proces tegen de leiding van de mijnen in Lens, om zich te kunnen voegen in deze rol van professionele fellow-traveller, moest hij eerst buigen voor de theoretici van het einde, zo niet van de Geschiedenis dan toch van de filosofie.

Arme Sartre.

Arme oude Sartre, die walgt van zichzelf en van zijn eigen roem.

Ik zie hem in Havana, in februari 1960, tegenover Castro – een angstvallig, wat dwaas glimlachje, het gezicht geheven naar de aanbedene, overlopend van respect; en de ander, blakend van gezondheid, met zichtbare minachting voor het kleine mannetje en alles wat hij kan vertegenwoordigen: het is een eer mij te mogen benaderen en een nog grotere eer met mij te mogen praten.

Ik kijk naar hem op de beroemde foto, het cliché, ik weet dat het verschrikkelijk is om teruggebracht te zijn tot een cliché, maar wat kan ik eraan doen dat die foto zo veelzeggend is. Ik kijk dus naar hem op de foto, hoog op zijn ton, tegenover de fabriek – hij zegt: de 'bajes' – van Renault in Billancourt. Hij draagt een lammycoat in de trant van Céline. Hij ziet er even gebutst uit als de ton. Hij heeft een hand in zijn zak alsof hij volkser of flinker wil lijken. Met een microfoon in de hand, zijn gezicht wonderlijk vertrokken, lijkt hij een soort militante Diogenes. Hij is de nieuwe 'vriend van het volk' die bezig is zijn wereld toe te spreken. Alleen tja, dat komt slecht uit, zien we geen mensen op de foto: vaag een paar silhouetten van wie je vermoedt dat ze sceptisch of sarcastisch zijn; en voor het overige journalisten die hem ongeïnteresseerd een microfoon voorhouden. De 'openbare filosoof' wordt belachelijk en pathetisch. De man die smoorverliefd was op het licht, de schitterende held van Corneille die de wereld trakteerde op zijn kunsten is een trieste clown geworden die predikt voor een spookpubliek. Het is niet meer Pardaillan, het is Matamore. Het is niet meer de Cid, of Dorante, het is de Leugenaar. Hij weet dat overigens. Zoals gewoonlijk bedriegt de foto niet. We zien heel duidelijk dat hij zich niet meer laat verlakken door zijn geleuter: de helft van het gezicht is aanwezig, sceptisch, met een vage blik, de andere helft lijkt al elders.

Ik luister naar een radio-uitzending waarin hij uitgebreid vertelt dat hij niets te vertellen heeft, echt niets, dat hij gewoon een schrijver is die gegrepen is door de journalistiek en dat de hele rest, zijn oeuvre, zijn boeken, 'een stoffig luchtje' lijkt te hebben, 'een beetje oud' lijkt te zijn en dat hij zich daar 'los' van voelt...[68] Plotseling de te scherpe stem... De lege, mechanische manier van praten... De politieke bidmolen die oneindig zijn orakeluitspraken en devoties uitkraamt... Het was echt de moeite waard voor ons het nummer op te voeren van de ober die de klucht van de ober speelt!

Dat niet alle standpunten die hij in die jaren inneemt gelijkwaardig zijn, ligt voor de hand.

Dat dit bijvoorbeeld het moment is van zijn strijd voor de onafhankelijkheid van Algerije en dat die strijd moedig is geweest, heb ik al gezegd en herhaal ik hier.

En dan het maoïstische moment... Moet ook herhaald worden dat ik tot de mensen behoor die in het maoïstische moment niet méér zien dan een radicalere of exotischer heruitgave van de grote stalinistische waanzin uit de jaren dertig tot vijftig?

Wat toch opvalt in de periode na en tijdens de *Critique* is de triestheid van Sartre. De geur van verbittering die uit zijn bijdragen opstijgt. Wat opvalt is het kraken van zijn stem, die ooit zo zuiver was en nu toonloos en schor is, uitgedoofd lijkt door de metamorfose, zelfs niet meer erg brutaal, of dan weer met een dorre, stereotiepe brutaliteit, om te zeggen hoezeer hij zich tegenover de 'jeugd' van de opstandelingen van mei plotseling 'laf, uitgeput, moe en slap' voelt.[69] Wat indruk maakt is opnieuw de uitputting en de verloren blik, en de smartelijke glimlach wanneer hij op 20 mei in het grote auditorium van de Sorbonne zijn nieuwe loyaliteit verkondigt: 'Ik ga u nu verlaten, want ik begin een beetje moe te worden; als ik doorga uw vragen te beantwoorden ga ik stommiteiten verkondigen; dus kan ik maar beter weggaan...'[70] Hij was altijd zo vrolijk! Zo opgewekt! Hij leefde zo fel! Er zat zo veel euforie, zo veel uitgelatenheid in dat gezicht en in die stem, en in die manier van luidkeels denken, in de tijd dat hij filosoof was!

Daar is hij nog maar een schim van zichzelf. Schuim van wat hij geweest is. Een spook. En er is niets triesters dan de schrijver van *L'Être et le néant* die is ingehaald door zijn droeve passies en door het idee dat hij zichzelf, nu de Geschiedenis is afgelopen, alleen nog maar 'als intellectueel op kan heffen', om zich 'beschikbaar te houden voor elke rechtvaardige politieke taak waar hij voor gevraagd zou worden',[71] kortom, om dat aangekondigde einde te vervullen, om het einde tot een goed einde te brengen – niets is beklagenswaardiger dan die ouder wordende Sartre, geïsoleerd in zijn eigen woestijn, die voor de camera's wordt gesleept, tijdens demonstraties, weer op de Sorbonne, op het Palais de la Mutualité, alsof hij eindeloos achter de mogelijke incarnatie van zijn concrete Universele bleef aanrennen.

Ik ben hier natuurlijk niet bezig om Sartre te 'verontschuldigen'.

En al zeker niet om het deuntje van 'de schuld van Rousseau' te vervangen door dat van een denkbeeldige 'schuld van Kojève'.

Ik probeer verslag te doen van een avontuur en een teloorgang, niet alleen van Sartre, maar van de hele eeuw.

Ik probeer het ontstaan van een gekte en van een haat jegens de filosofie, die bij die eeuw hoorden en waaraan weinig, zeer weinig intellectuelen zich wisten te onttrekken, te begrijpen en te beschrijven.

Sartre is niet van filosofie veranderd doordat hij van politiek is veranderd. Hij heeft niet tegen zichzelf gezegd: 'die nieuwe politiek; of fellow-traveller worden van de communisten en vervolgens van de maoïsten; hoe kan ik die keuze rationaliseren? uitdenken? en wat is de filosofie die daar het beste rekenschap van zal kunnen geven?' Maar doordat hij van filosofie is veranderd, doordat hij van een actieve, vrolijke, speelse en bevestigende filosofie is overgestapt op een nihilistische en doodse filosofie die voor het einde koos, is hij die fellow-traveller, die maoïst en tot slot die totalitair geworden.

5

Graftombe voor de literatuur

Op 10 januari 1964 verschijnt bij Gallimard onder de eenvoudige titel *Les Mots* een dun boekje van Sartre dat enthousiast wordt ontvangen. De literaire clerus applaudisseert. De critici zijn verrukt. Iedereen bejubelt om het hardst dit door en door Franse moment, waarmee de virtuoos op de top van zijn kunnen eindelijk zijn meesterwerk voltooit. En zelfs de tegenstanders, dezelfden die vlak daarvoor de duivelse Sartre nog verbeten door de modder hadden gesleurd, eren de terugkeer van de verloren zoon. Ach! Wat is het toch een schrijver! Wat een man en wat een schrijver! De politiek, daar hebben we het niet over... Maar dit, petje af... Mooi proza... Roman met een hart... Emancipatie van een dichter, ja zeker, een dichter, die zijn middelvinger opsteekt naar de 'grote doelen' die hem gevangen hielden. Sartre, bedankt. In naam van Frankrijk en van de Franse taal, bedankt.[1] Ach! Besloot u maar vaker uw pen in deze wonderbaarlijke inkt te dopen! Wilde u ons maar vaker zulke gevoelige, zulke diep ontroerende, zulke mooie boeken geven! De wereld is betoverd. De verzoeken om interviews en de vertaalcontracten stromen toe uit alle hoeken van de aarde. Hij krijgt zelfs de Nobelprijs voor zijn moeite. Dit verfijnde boekje, deze terugkeer in de schoot van de literatuur, dit boek van een schrijver in hart en nieren die eindelijk zijn engagement loslaat, levert hem de hoogste onderscheiding op. Dit alles, deze regen van complimenten en eerbetuigingen, terwijl niemand merkt, of lijkt te merken, dat we hier te maken hebben met een van de grootste misverstanden van de hedendaagse literatuurgeschiedenis. Dit alles, dit grote moment van conformisme en volgzaamheid, deze verrukte maar ook opgeluchte zucht van de sartrianen van het elfde uur die blij zijn dat de vijandige tong feitelijk is ingetoomd, terwijl niemand zich schijnt te realiseren dat het tegenovergestelde gezegd zou moeten worden: de publicatie van deze tekst is de derde en misschien meest doorslaggevende van de gebeurtenissen die de metamorfose van Sartre in een stroomversnelling hebben gebracht en hem, of we willen of niet, in de armen van de barbaren hebben gejaagd.

Een valse autobiografie

Want wat is *Les Mots* eigenlijk?

Wat vertelt dit inderdaad prachtige, geciseleerde boek, dat bij nadere beschouwing heel wat vreemder is dan het lijkt?

Op het eerste gezicht is het een autobiografie, ja.

Het is zelfs een ouderwetse beschrijving van een jeugd, met oefeningen in introspectie, nostalgie, primitieve scènes, vurige of aangrijpende bekentenissen, Oedipus- en Anchisescomplexen, een te vroeg gestorven vader, een te lang aanbeden moeder, grootvader en grootmoeder, de beslissende ontdekking van lelijkheid, die 'ongebluste kalk waarin het prachtige kind is opgelost' en zelfs, tussen de regels door, de verleiding van incest.

Het zijn prachtige 'confessies' waarvan sommige bladzijden in de anthologieën voortleven: natuurlijk de passage over de 'pijpenkrullen', de mooie blonde krullen die, zolang ze er nog waren en om zijn oren dansten, de lelijkheid verborgen en die, op de dag dat grootvader Schweitzer genoeg had van het meisjeshoofdje van zijn kleinzoon en besloot ze af te laten knippen, de lelijkheid in al zijn verschrikking onthulden... het gedresseerde aapje dat zijn *Bananenkoopman* of *Voor een vlinder* schreef onder de verblinde blikken van zijn mooie mama – 'Ssst! kom binnen, maar op je tenen! Mijn lieve genie, mijn wonderkind, mijn Mozart zit te schrijven...' de scène met de marionetten... de cinemascoop... de portretten van Barrault (de onderwijzer wiens slechte adem hem een gevoel van 'verrukkelijke gêne' gaf, maar ook het bewijs leek van zijn uitmuntendheid en zijn deugden), van Simonnot ('de vijftigjarige met de meisjeswangen die zijn snor pommadeerde en zijn toupet verfde' over wie Charles Schweitzer had gezegd: 'Er ontbreekt hier iemand, en wel Simonnot'), van mevrouw Picard (de huisvriendin die als eerste over de leesvraatzucht van het kind zei: 'Een boek kan nooit kwaad als het goed geschreven is' en die hem, om hem aan te moedigen en zijn jeugdige hang naar exotisme te voeden, een 'wereldkaart' schonk) en ten slotte de grootvader, die fraaie figuur, een protestantse Elzasser, liberaal en geletterd, de dwaas die net als Hugo zichzelf voor Victor Hugo hield en die bij ontstentenis van een vader de opvoeding van zijn Poulou ter hand neemt (en hem in het voorbijgaan met het schrijfvirus besmet, zoals we zullen zien...).

Kortom, Sartre heeft eindelijk zijn *L'Age d'homme* afgeleverd, compleet met stierenhoorn, doodssteek van zichzelf en alles wat erbij hoort, dat is wat gezegd wordt. Hoewel hij er wel de tijd voor heeft genomen. Tien jaar werkte hij eraan, want in 1953 schijnt hij het al aan Castor te hebben bekend, in Straatsburg, de bewuste dag dat hij met lange tanden een bord zuurkool zat te verorberen en een beetje afwezig mopperend de merkwaardige opmerking maakte: 'literatuur is rotzooi'; hij zou er datzelfde jaar iets over hebben losgelaten tegen Michelle Vian in Italië, waar hij naartoe was gegaan om uit te rusten en waar hij begonnen lijkt te zijn met schrijven; een jaar later kondigde hij het bijna officieel aan in een interview over 'de affaire Henri Martin'; hij stelde het toen meer voor als een 'politiek' getinte tekst waarin hij zichzelf zou portretteren als 'lid van de generatie die de Eerste Wereldoorlog, het interbellum, de bezetting en de naoorlogse periode heeft meegemaakt'.[2] En dan is er nog de vreemde bekentenis die hij een jaar eerder deed via zijn 'Antwoord' aan Camus – op dat moment besteedde niemand er aandacht aan, maar tussen de regels schemert *Les Mots* al door: 'Als u me wreed vindt, wees dan niet bang: ik zal binnenkort over mezelf praten, op dezelfde toon; u zult vergeefs proberen me te raken; maar u kunt me geloven, ik zorg dat ik voor dit alles zal boeten.'[3] Een boek van verzoening dus, met een lange adem. Van al zijn werk het boek waar hij het langst mee heeft rondgelopen voordat hij besloot het te schrijven. Maar de meest gerijpte liederen zijn altijd verreweg de mooiste. Heeft hij niet vaak gezegd dat hij grote bewondering had voor Leiris, ondanks diens rijkdom en het feit dat hij deel uitmaakte van een in principe verachte bourgeoisie? Heeft Castor niet altijd gezegd dat Sartre en zij, toen ze in 1944 voor het eerst bij de familie Leiris aan de Quai des Grands-Augustins binnen kwamen, de avond van de opvoering van *Le Diable attrapé par la queue*, het gevoel hadden eindelijk midden in de wondere wereld van de roem te staan? Beschouwden ze niet allebei *L'Age d'homme* als een meesterwerk, niet alleen van de autobiografische literatuur, maar van de literatuur in het algemeen? Was de titel *L'Age de raison* bovendien niet al een knipoog naar *L'Age d'homme* en een manier om, twintig jaar voor *Les Mots*, zijn schatplichtigheid te tonen? Kijk aan. We zijn er. We zijn weer beland bij een van die vertraagde effecten waar Sartre het patent op had: twintig jaar na Leiris, terwijl Leiris zelf al sinds de bevrijding afstand heeft genomen van zijn eigen boek, en de eerste is om te spotten met de manier waarop hij indertijd deed alsof hij zichzelf in gevaar bracht, alsof hij enorme risico's nam, zich blootstelde aan 'de scherpe hoorn van de stier', toen hij het genadeloze zelfportret schreef, terwijl de heersende kritiek, die van Blanchot, de neiging heeft om in dat boek, in die oefening in literair stierenvechten, een getuigenis te zien van een 'Ik' die niet uitgesproken wordt, die naar de achtergrond verdwijnt en beetje bij beetje zijn plaats afstaat aan 'het monumentale standbeeld, zonder blik, zonder gezicht en zonder naam' van de 'Hij' van de 'soevereine Dood'; en dan is daar opeens Sartre die op het verkeerde moment voor Leiris speelt, in de voetsporen van Leiris treedt en op zijn beurt het verheven en betoverende risico van de literaire introspectie neemt...

Dat is dus de officiële stelling.

Dat is als het verschijnt de meest gangbare interpretatie van het boek.

Dat is ook nu nog de consensus wat betreft deze 'verbijsterende' tekst waarin 'zijn intelligentie vrij ademt' (Blondin)[4] – deze pure 'betovering', deze 'grote literaire prestatie', deze 'volmaakt klassieke stijl die aansluit bij de literaire traditie van echte bourgeois schrijvers' (Rouart)[5].

Maar helaas, bij nadere beschouwing, met name wanneer je de illusie die door de virtuoze stijl wordt opgewekt van je af probeert te zetten, vooral wanneer je erin slaagt je niet te laten meeslepen door het verteltalent van een Sartre die sinds de *Carnets de la drôle de guerre* niet meer met zo veel plezier verhalen heeft verteld waarin hij de lezer blijft boeien en misschien ook op het verkeerde spoor zet, dan valt op den duur een reeks grilligheden op, in vorm en inhoud, die ontegenzeglijk afwijken van het canonieke genre van het zelfportret.

Om te beginnen: in tegenstelling tot het boek van Leiris, in tegenstelling tot *Les Mémoires d'outre-tombe*, of de *Confessions* van Rousseau, of de *Confessiones* van de heilige Augustinus of, om bij de modernen te blijven, *Si le grain ne meurt?* van Gide, in tegenstelling tot alle meesterwerken van een genre dat bedoeld is om een bestaan, of op z'n minst een lotsbestemming, in zijn geheel te reconstrueren, eindigt het verhaal zonder duidelijke reden bij het elfde jaar, aan het einde van de kindertijd en dus op het moment dat de serieuze dingen zouden moeten beginnen.

In tegenstelling tot de verhalen van hetzelfde genre, in tegenstelling tot alle schrijversautobiografieën die, hoe barok ze ook zijn, op z'n minst wat de feiten betreft een soort coherentie en orde handhaven, is dit werk in zijn opbouw al doorspekt met duizenden narratieve afwijkingen, herhalingen, schijnbare constructiefouten, verkeerde of vervalste herinneringen, chronologische aberraties, leugens, pesterijtjes, onwaarschijnlijkheden, allerlei soorten tegenstrijdigheden,[6] uitglijders, abrupte projecties in de toekomst, ongegronde terugblikken – en dat alles verteld op klinische, soms cynisch humoristische toon en, op een paar uitzonderingen na (de verhouding met Anne-Marie...), zonder enige zelfvoldaanheid of echte emotie die het verhaal kleurt, waardoor het meer weg heeft van een pastiche of een parodie op het genre, dan van de uitdrukking van een of ander innerlijk duister dat lang als zodanig is gekoesterd, als een schat of geheim is bewaard, diep weggestopt, en dat hij plotseling besloten heeft aan het licht te brengen.

En dan is er ten derde het mysterie van het slot, het beroemde 'een volledig mens, gemaakt uit alle mensen en die evenveel waard is als iedereen, en iedereen is evenveel waard als hij': schitterend natuurlijk; sartriaanser kan het niet; twintig jaar na dato een echo van de achternaam van Mathieu, de held uit *Les Chemins de la liberté*, die niet voor niets Delarue, de man van de straat, heette, de absoluut willekeurige mens, een dubbelganger van Sartre natuurlijk, maar net als hij gemaakt uit alle mensen, evenveel waard, enzovoort; maar is het niet weer precies het tegenovergestelde van wat we zouden verwachten aan het slot van een bekentenis? Staat dit niet haaks op een genre dat nooit zozeer zichzelf is als wanneer het een gekwelde, angstige, zo mogelijk verscheurde en in elk geval onverzettelijk unieke subjectiviteit aan de dag legt – het moment, als dat nog niet is gebeurd, om van jezelf een zuiver onvervangbaar wezen te maken, zoals Gide en ook Henry Brulard zeiden? Kortom, de autobiografische toon, de juiste tonaliteit om de innerlijke stem van de held weer te geven en tegelijkertijd de intense belangstelling van de lezer te wekken, vinden we die niet eerder in de even beroemde eerste zin van Rousseaus *Confessions*, de zin die zo fraai de nadruk legde op de bijna wanstaltige uniciteit van de verteller: 'Ziehier het enige portret van een mens die' enzovoort?

Dan is er, ten vierde, wat het boek zegt, wat het echt, expliciet, zegt – er is het echte onderwerp, dat nu eens nadrukkelijk wordt onderstreept, dan weer wordt gesuggereerd. En het is bijna niet te geloven dat zo veel commentatoren het halsstarrig negeren, vanaf het begin en nog steeds: literatuur is een hersenschim, een kinderdroom, een luchtspiegeling; literatuur is een valkuil waar ik rond mijn achtste jaar in ben gevallen, door de schuld van mijn grootvader, bijgestaan door Anne-Marie en enkele anderen; de reden dat ik dit boek schrijf, ertoe heb besloten – hoewel ik me vast had voorgenomen nooit toe te geven aan de verleiding om net als iedereen mijn smerige pakketje geheimen te etaleren – is om die valkuil te beschrijven, de geboorte van die luchtspiegeling te vertellen, de 'vooronderstellingen' of 'investeringen' die er een ereplaats hebben terug te vinden, en vooral om te proberen me ervan te bevrijden, de betovering te verbreken, eraan te ontsnappen – 'ik verzoek iedereen, benadrukt hij, dit boekje te nemen voor wat het is: een poging tot demystificatie.'[7]

De boodschap van *Les Mots*

Laten we dat toelichten. Laten we de tekst onder de loep nemen en toelichten. In welk opzicht is literatuur een luchtspiegeling? Wat bedoelt Sartre precies wanneer hij het schrijven voorstelt als één lange hersenschim die al dertig jaar aan hem vreet? Welke concrete verwijten en grieven heeft hij tegen het beroep van schrijver, waaraan hij zo veel energie heeft gewijd sinds de tijd, lang geleden, dat hij, als Rastignac, op roem zat te wachten in de cafés van Le Havre? Kortom, waarin, waaraan is de literatuur schuldig?

Eerste grief. Het was geen roeping, geen roep uit zijn diepste wezen, het was zeker niet, zoals de meeste schrijvers luidkeels verkondigen en zoals hij ook lang heeft gedacht, een in vrijheid gekozen of juist dwingende missie; het was zeker niet zo'n mandaat dat degene die zich erop beroept tot een soort held maakt, tot een apostel van een vrijheid die des te dapperder wordt verdedigd omdat daar de grondslag van zijn eigen beslissing zou liggen; nee, de behoefte om te schrijven, merkt hij, is van buitenaf gekomen; het is het antwoord, in hem, op de roep van die 'heel oude dode', zijn beroemde grootvader Charles Schweitzer, die hij ook wel 'Karl' noemt; het is de echo, in zijn stem, van een stem die niet de zijne is maar de 'vastgelegde' stem van de man die hem heeft opgevoed en hem deze wil om boeken te maken heeft ingeblazen, zonder er zelf echt in te geloven. Kinderen, heeft hij vaak gezegd, zijn 'monsters' die door volwassenen 'uit hun schuldgevoelens worden gefabriceerd'. Het zijn, zoals hij eerder uitlegde in het portret van Nizan dat hij in dezelfde periode schreef en dat vier jaar voor *Les Mots* uitkwam, zielige kneusjes die door de generatie van de vaders 'worden bezet als door een vreemde mogendheid' en 'geïnfecteerd' met hun smerige plannen. En in hem werkt de literatuur mee aan dat infecteren. De literatuur is, in zijn verlangen, het effect van het verlangen van de Ander, niet zijn vader maar zijn grootvader. Karl is degene die in zijn ziel 'genesteld' zat en 'met zijn vinger' – ook nog na zijn dood – naar zijn toekomstige 'ster' van zegevierend literator wees. Hém hoorde hij, het was zíjn stem die hem wakker schudde en 'naar zijn tafel' sloeg, elke keer dat hij toen en later begon te schrijven. Ik had nooit, concludeert hij, 'zo veel dagen en zo veel nachten verspild, zo veel blaadjes met mijn inkt bedekt, zo veel boeken op de markt gegooid waar niemand om had gevraagd' zonder 'de unieke en dwaze hoop mijn grootvader te behagen'. Een bezeten Sartre. Een Sartre beroofd van zichzelf en van wat hij als zijn grootste schat beschouwde. Hij dacht dat hij vrij was. Hij dacht dat de liefde voor woorden het levende bewijs van zijn vrijheid was. Hij dacht, net als zijn duistere dubbelganger Jean Genet, dat hij bewust had gekozen voor een leven in een fictieve wereld die zijn 'uitweg' en zijn 'plan' is geworden.[8] En dertig jaar lang zal hij dit teken, dit martelaarschap aanvoeren ter illustratie van de stelling dat, wat hem aangaat, een mens, ongeacht de omstandigheden, nooit helemaal vervreemd is. Dat was een vergissing. In werkelijkheid was hem het gebod om te schrijven 'onder de huid genaaid'. In zijn hersenen was 'onder zegel' het valse mandaat om te schrijven gedeponeerd. Als hij een dag de pen niet opnam – en opneemt – dan schrijnt het litteken. En de stem die men voor de zijne houdt, de stem die hem gelast te schrijven en die bepaalt wat hij moet zien, horen en vertellen, is de verinnerlijkte vorm van de stem van de grote Ander die zijn voorhoofd aanraakte en zei: 'Dit kind heeft een literatuurknobbel'. Sartre de buikspreker. Een Sartre die begrijpt dat het schrijverschap in zijn geval juist vervreemding betekent.

Bovendien, schrijft hij onmiddellijk, al in de eerste regels, had de 'dode oude man' in kwestie ook nog de ongunstige eigenschap *een intellectueel* te zijn, iets anders kun je het niet noemen. Hij was, net als de vader van Baudelaire – nog een overeenkomst tussen die twee biografieën! – voorbestemd voor het kerkelijk ambt door een familie van onderwijzers en, recenter, kruideniers. Maar in tegenstelling tot hem ontsnapt hij aan dat lot. In tegenstelling tot François Baudelaire, die de gelofte aflegt, het habijt aantrekt en pas op latere leeftijd weer uittrekt zodat de schrijver van *Les Fleurs du Mal* geboren kan worden, ziet Charles Schweitzer af van het noviciaat of liever gezegd, door te besluiten Duits te gaan doceren en vervolgens zijn proefschrift te schrijven over de zestiende-eeuwse Duitse dichter en musicus Hans Sachs, en vervolgens zijn lesmethode van het Duits via de 'directe methode' te bedenken en uit te geven, vindt hij wereldse substituten voor het kerkelijk ambt waar hij afstand van doet. Maar de analogie is er niet minder opvallend om. Sartre doet overigens merkwaardig genoeg twee keer alsof Charles uiteindelijk toch geestelijke is geweest. Twee keer verschrijft hij zich en noemt zichzelf merkwaardig genoeg, in weerwil van de biografische waarheid, de 'kleinzoon van een priester'. En zo gek is dat niet: want Charles heeft op de keper beschouwd nooit anders gedaan dan zijn hele sacerdotale libido in zijn 'prelatenhumanisme' investeren; hij heeft het Goddelijke 'bewaard', maar 'om het in de Cultuur te gieten'; hij is de 'Heilige Geest' trouw gebleven, maar dan opgevat als schutspatroon 'van kunsten en letteren, van dode of levende talen, en van de Directe Methode'; zodat hij van die gedwarsboomde roeping, van die onderdrukte catechismus, van dat tot wetenschap en de kunst van de overdracht omgeschoolde geloof, een assimilatie van Kennis en Schone Letteren met heiligheid heeft overgehouden die hij door kon geven aan zijn kleinzoon. Sartre is daar nooit van losgekomen – en dat vergeeft hij zichzelf niet. Hij heeft, tot *Les Mots*, altijd gedacht dat 'grote anonieme en gewijde krachten' hem zijn mandaat garandeerden en zijn leven van groot schrijver beheersten. Vanaf zijn eerste jeugdteksten tot aan zijn echte boeken van volleerd denker heeft hij zich altijd aan het idee vastgeklampt dat een bibliotheek 'een tempel' was waar de religie van het boek werd gevierd en het evangelie van het boek gepredikt. Hij was een 'geestelijke', benadrukt hij. Hij had, 'vanaf zijn jeugd', een idiote 'priesterlijke opgeruimdheid'. Deze scepticus, dit mengsel van katholiek (via zijn vader) en protestant (via zijn moeder), deze mix van 'geest van onderworpenheid' en 'kritische geest' (maar al heel vroeg, al was het alleen door het luchtige, voltairiaanse katholicisme van zijn moeder, geneigd tot kritiek en de traditie van het vrije onderzoek), deze ongelovige kortom, die meende dat hij aan zijn dubbele erfenis een ingeboren wantrouwen jegens elke vorm van religiositeit te danken had, deze sterke geest die zich, 'zolang je ze bij hun naam noemde', beschermd voelde tegen het geloof in de engelen, in de Maagd en ten slotte in God, ziet nu ineens die overtuigingen terugkomen in nieuwe 'vermommingen' en loopt in de val. Hij dacht dat hij scepticus was, maar blijkt mysticus te zijn. Hij dacht dat hij immuun was voor bijgeloof maar literatuur wordt de grote devotie van zijn leven. Hij dacht, zoals hij in zijn hommage aan Gide schreef, dat hij het grote avontuur van de dood van God en het atheïsme had voltooid, hij was ervan overtuigd dat hij alles had gezegd toen hij in een van zijn eerste teksten besliste dat 'God', net zomin als François Mauriac, 'een kunstenaar is' – en daar keert hij ineens terug 'in het gelid' en verwart 'literatuur met bidden'. Boeken? De hoogste vorm van het Gewijde. Een schrijver? Een surrogaatchristen. Ik, Sartre, schrijver? Een van de laatste pastoors van het tijdperk. Dat is de tweede grief. Niet gering voor een atheïst.

Derde grief. Wat is een pastoor? De vertegenwoordiger van God op aarde. De bewaker van de relieken van het ware geloof. Een bemiddelaar tussen aarde en hemel, tussen de mensen en het gewijde. Maar vooral, zegt *Les Mots* weer, iemand die, terecht of ten onrechte, denkt dat hij belast is met de geduchte en belachelijke taak om bij te dragen aan het heil van zijn naasten, door 'de zorg voor hen op zich te nemen'. En dat is precies wat Sartre doet. Het is, dat beseft hij heel goed, het aangename maar verfoeilijke voornemen dat hem bezielde bij zijn eerste stappen op het schrijverspad en dat hem helaas blijft vervullen. Hetzij een 'species', gewijd aan 'de dierlijkheid', dacht het 'namaakkind' Poulou. Hetzij het 'plebs' dat zich staande houdt onder smerige, meelijwekkende omstandigheden. Er zijn twee manieren, en meer niet, om hen te ontrukken aan dit akelige lot. De 'relieken, doeken, boeken, standbeelden – van dode intellectuelen – moesten bewaard worden: dat was een zaak voor musea en bibliotheken. Er moest 'minstens één intellectueel in leven blijven om de zaak voort te zetten en toekomstige relieken te vervaardigen': dat wordt de taak van Poulou, de intellectueel die leeft ten overstaan van God, de laatste der mohikanen en der getuigen van het genre – hij zal die intellectueel zijn, zweert hij; hij zal die redder van een verdoemde en weerloze mensheid zijn; hij zal een 'voorbeeldig leven' leiden, waarmee hij niet alleen het ellendige volk zal 'stichten', maar het ook 'tegen zichzelf en zijn vijanden zal beschermen'; hij zal zijn boeken opvatten als een 'heilige mis', en over de mensen 'de zegen' afroepen van een Hemel waarvan hij de goede afgezant zal zijn. 'Men schrijft voor zijn naasten of voor God', staat in *Les Mots*. Sartre heeft het al heel vroeg op zich genomen 'voor God te schrijven om zijn naasten te redden'. En zo heeft hij, vanaf zijn eerste pogingen, met het idee geleefd dat het niet zijn taak was om zijn boeken te verkopen maar om zijn 'pen' aan de 'verlossing' van zijn menselijke 'broeders te wijden'; niet om hen te vermaken, hen aan het denken te zetten, gelezen te worden, maar om hen te 'redden' uit hun metafysische ontreddering en morele nood. Hij was zo gek, zo manisch en vooral zo trots dat hij 'elke ochtend', wanneer hij zijn ogen opende en 'naar het raam rende en op straat heren en dames' zag 'langskomen die nog leefden', de gedachte niet kon onderdrukken dat dat te danken was aan het feit dat 'een werker in de slaapkamer – hijzelf – van de avondschemering tot het ochtendgloren had geworsteld om een onsterfelijke pagina te schrijven die hun dit uitstel van een dag had bezorgd'. Literatuur als *hubris*. Literatuur als waanzin. Literatuur als uiterste stadium van paranoia en trots. Met als toegift de manie van het vogelperspectief, de neiging om dingen en mensen letterlijk van bovenaf te bekijken, kortom de oefening in minachting die hij al hekelde in *Qu'est-ce que la littérature?* maar waarvan hij in *Les Mots* de historische genealogie schildert. Alles begint op de zesde verdieping van de rue Le Goff, bij de Schweitzers, in het appartement 'met uitzicht op de daken' waar het verheerlijkte lichaam van het wonderkind toefde. Alles eindigt in Montparnasse, op de tiende verdieping van dat nieuwe gebouw, met uitzicht op het kerkhof, waar hij een halve eeuw later, als spottende oude serafijn, het manuscript van zijn boek corrigeert. Daartussenin, de hardnekkige gewoonte domicilie te kiezen in de hoogte, in de kruin van een 'heilige boom' die het teken en de zetel van zijn gruwelijke neerbuigendheid is. Ik kon doen wat ik wilde, zei hij. Ik kon zo 'ijverig als ik wilde omlaag glijden' en daarvoor de 'schoenen met loden zolen van de grote duikers aantrekken'. Mijn 'hoogtemeter' is 'ontregeld geraakt'. Ik 'woon uit gewoonte in de lucht' en 'snuffel beneden zonder al te veel hoop rond'. Als het waar is dat een mens niet het resultaat is van zijn jeugd maar van de plek van die jeugd, dan is die plek voor Sartre een 'roeststok', een 'duiventil', een gouden 'kooi' waar hij, op de grenzen van het zijn en het niet, hoog in de ether troont, als een wachter die in zijn eentje over twee miljard mensen waakt. De schrijver en het 'plebs'. De schrijver en de 'molshoop'. Hoogmoed. Minachting. Ultieme avatar van een gesmade aristocratie, en dat is dus de ware positie, de passie van de schrijver.

Dit is natuurlijk het moment om stil te staan bij het nietzscheanisme van Sartre. Dit is het moment om ons te herinneren dat er in hem, des te opdringeriger omdat hij het nooit heeft erkend of ontkend, een heel oude nietzscheaanse kern zit, die dateert uit de tijd van de Ecole Normale, van zijn gesprekken met Nizan, van hun gemeenschappelijke periode van 'incubatie in de bovenmenselijkheid', van hun nachtelijke uitstapjes naar de Sacré-Coeur en zelfs van het schrijven van *La Nausée*. Want ga maar na... Deze genealogie van de schrijver... Deze bespiegelingen over het prelatenhumanisme... Dit proces van een kaste van lekenpriesters, die het waanidee koesteren dat ze voorbestemd zijn om hun naasten te redden... De hemel, als achterwereld van de aarde met al zijn misselijke, miezerige eigenbaat... En de eeuwigheid en de oneerlijke verdeling van 'hoog' en 'laag'... En het omgekeerde leven dat het echte leven de rug toekeert... Dit alles klinkt nietzscheaans. Dit alles doet onvermijdelijk denken aan het proces van 'het priesterlijke ideaal', zoals Nietzsche het noemde. Overigens neemt Sartre de formule bijna rechtstreeks over. Om dit ideaal te hekelen vindt hij accenten, uit *Zur Genealogie der Moral* en *Menschliches, Allzumenschliches*, die vergeten zijn sinds *Herostratos*, maar als een oude cadens terugkomen. En omdat de woorden niet alleen een geschiedenis hebben maar ook een logica, is het net alsof deze terugkeer van het Nietzsche-tijdperk, deze restanten van een nietzscheanisme dat naar ons idee begraven lag onder de duizenden pagina's van zijn militante werk, een ander facet van het boek verlichtten en er, in het verlengde van de voorgaande grieven, een vierde grief aan toevoegden. De literaire religie, zegt de tekst, is een 'meedogenloze religie'; zij voedt zich met het mengsel van 'rancune' en 'verbittering' dat eigen is aan lage zielen; zij 'vergiftigt' de mensen; zij 'infecteert' ze – ziedaar de hele nietzscheaanse kritiek van de *wrok*. De schrijver wil een 'vriend van de menselijke soort' zijn; hij beweert dat hij alleen in de literatuur is gestapt uit 'liefde' voor zijn naasten; maar het derde oor van Sartre, zijn genealogische en materialistische oor, het oor dat zich tegenwoordig aan de 'demystificatie' van 'woorden' wijdt, onderscheidt onder dat 'masker' van liefde, achter dat met de mond beleden 'humanisme' van de zogenaamd geëngageerde schrijver, het bijna onhoorbare maar helaas heel echte gepiep van een soort haat of in elk geval onverschilligheid ten opzichte van echte mensen – altruïsme? Laat me niet lachen! Goedheid? Wat een huichelarij! Gepatenteerd redder van de massa's? Wat een farce! Net als de priester van Nietzsche is de schrijver een vervalser die de mond vol heeft van het heil van anderen, terwijl hij alleen zijn eigen heil voor ogen heeft – hij is de 'bedrieger' die voor zielendokter speelt terwijl hij, zoals iedereen, alleen maar 'heimelijk – op de koop toe, zouden de jezuïeten zeggen – voor zijn eigen heil wil zorgen'! En dan, ten slotte, de fascinatie voor de dood – de lugubere grafstem die hij meent te horen (het lijkt wel *Morgenröthe* of *Ecce Homo*) in de kern van elke poging tot literatuur, inclusief de zijne: 'honger naar schrijven' en 'weigering om te leven...' 'de dood was mijn bedwelming, want ik hield niet van leven...' 'de waanzinnige schrijfpogingen om me te verontschuldigen voor mijn bestaan...' 'als ik terugga naar de oorsprong zie ik daar een vlucht naar voren, een zelfmoord in de trant van Gribouille; ik zocht geen heldendom of martelaarschap, ik zocht de dood...' We kunnen deze leuzen achter elkaar zetten. We kunnen andere citeren. We zijn nog steeds bij Nietzsche. We zijn bij de nietzscheaanse kritiek op het nihilisme, op het verlangen naar het niet, naar het 'vermoeide' bestaan van de 'laatste mens'. We staan hier voor de ontdekking – de vierde – dat ook in de literatuur de dood zegeviert.

Maar dan is er – nog steeds in het corpus van de tekst, nog steeds als we die onder de loep houden – de laatste en misschien ergste grief die hij denkt te moeten koesteren tegen de 'keuze voor de verbeelding'. Dat is de ware misdaad van de literatuur, de bron van andere zonden en de ernstigste reden om ervan af te zien. Literatuur is een valstrik, want een leugen. En literatuur is een leugen die maakt dat we woorden voor dingen aanzien, en beelden van de werkelijkheid, nabootsing van de werkelijkheid, voor de werkelijkheid zelf. Dat idee komt minstens vijf keer in het boek voor. Naar aanleiding van zijn eerste strooptochten in de bibliotheek aan de rue Le Goff, toen hij nog niet kon lezen maar hoopte dat het voldoende was de boeken te openen om 'de gedroogde stemmen in hun kleine herbaria' die zijn grootvader met één blik tot leven wist te wekken, te horen: later, vertelt hij, veel later, heb ik 'antisemieten de joden wel honderd keer horen verwijten dat ze doof zijn voor de lessen en stilten van de natuur'; welnu, ik was, en ben nog steeds, 'joodser dan zij' want ook ik heb de wereld uit boeken leren kennen – die boeken zijn 'mijn vogels en mijn nesten geweest, mijn huisdieren, mijn stal en mijn platteland'. Een paar bladzijden verder, de reizen door de delen van de Grand Larousse, langs de prenten, de prachtige gravures die voor hem 'alles vertegenwoordigden': 'het waren mensen en dieren, *in levenden lijve*'; het waren 'echte vogels', 'echte vlinders' en 'echte bloemen'; het waren apen die 'meer aap' waren dan de apen uit de dierentuin; het waren mensen die 'meer mens' waren dan de mensen die ik tegenkwam in het Luxembourg; 'als oprecht platonicus' vond het kind dat ik was 'in het idee meer werkelijkheid dan in het ding zelf'; hij 'ontmoette het universum' in boeken voordat hij het herkende in voorwerpen, hij verwarde de 'onrust' van een 'boekenervaring' met 'het hachelijke verloop van echte gebeurtenissen'. Verderop, de geschiedenis van zijn eerste stappen als schrijvertje dat pompeus met paarse inkt 'Romanschrift' op het omslag van zijn eerste schrift zette: zo groot was mijn 'bedrog' benadrukt hij, dat ik tekens krabbelde, die onder het oog van mijn verbeelding vlees werden; zo groot was mijn waanzin dat ik hanenpoten vormde en zag hoe 'hun dwaallichtschijnsel' onder mijn ogen de 'matte consistentie van de materie' aannam; ik noemde een bedoeïen, een leeuw, een negentiende-eeuwse kapitein, een jonge atletische onderzoeker op weg naar de bronnen van de Amazone, en zij kwamen in levende lijve uit mijn 'stalen snavel' te voorschijn zodat 'ik wederom woorden voor de kwintessens van dingen aanzag'; ik dacht dat het noodzakelijk en voldoende was de dingen een naam te geven, ze aan te roepen en te dopen, om ze 'de eetkamer' van de grootouders Schweitzer, 'Karlemami, te zien binnenkomen'. En dan is er de notitie aan het einde, als de ontnuchterde volwassene de 'verzachtende omstandigheden' opsomt die het mogelijk maken dit 'intellectuelenidealisme' te begrijpen, waar het kind Poulou zijn gekte aan te danken had: 'doordat ik de wereld via de taal had ontdekt, zag ik heel lang de taal voor de wereld aan'; bestaan betekende – betekent nog steeds? – in mijn ogen 'een gewaarmerkte benaming bezitten, ergens op de oneindige Tafelen van het Woord'. En ten slotte, op de allerlaatste bladzijden, op het moment dat het boek met zijn waarheid samenvalt: 'Ik verwarde de dingen met hun namen: dat is geloven'; met andere woorden: schrijvers zijn niet alleen bezeten en bijgelovig, in hun hart pastoors, mensen die niet door het leven maar door de dood worden bewoond, het zijn ook (en dat is hun grootste fout, en het is een grote schande) mensen die in de irreële wereld van tekens leven, die denken toegang te hebben tot de dingen terwijl ze slechts schaduwen betasten – een definitieve verstoring van de waarneming die maakt dat het subject rechtstreeks afstevent op de ultieme en tragische ontregeling die in *L'Idiot de la famille* 'afstomping' wordt genoemd, die hij naar aanleiding van het geval Flaubert zal analyseren en die erop neerkomt – wat geldt voor alle belangrijke geesteszieken – dat we deze schaduwen voor dingen aanzien en de woorden die ons vormen voor vreemde, vijandige en bedreigende lichamen.

Kortom, literatuur is meer dan een hersenschim, het is een neurose.

Het is meer dan een neurose, het is een ongezonde toestand – die net als alle echte ziektes behandeld dient te worden.

Sartre heeft lang gedacht dat literatuur het antwoord op de ziekte was, de behandeling en de remedie. In *La Nausée* schreef hij zelfs: 'Ik ben genezen, ik zie af van schrijven.' Of: 'Ik geloof dat ik walging voel opkomen en heb de indruk dat ik die kan uitstellen door te schrijven.' Hij gelooft er niet meer in. Hij gelooft zelfs het tegenovergestelde. Hij gelooft, kortom, dat literatuur 'een lange, bittere en zachte waanzin' is waarvan hij nog maar net de symptomen begint te inventariseren en waarvan hij dringend moet genezen.

Hij schrijft *Les Mots* tegen de woorden.

Les Mots heet *Les Mots* naar aanleiding van Shakespeares 'Words, words, words!' – het zijn slechts woorden... we moeten ons bevrijden van de absurde fascinatie voor deze onbeduidendheden, voor woorden...

We horen in *Les Mots* ook de echo van een opmerking van Hugo tegen Hoederer die hem net vanuit zijn verheven autoriteit als heel 'gewichtig', heel 'echt', 'waarachtig levende', heeft toegevoegd: 'Jij hebt ook talent... je hebt talent voor schrijven' – we horen de machteloze woede van Hugo, de edele ziel: 'woorden! altijd maar woorden!'

Les Mots is niet zomaar het wonderbare verhaal over de beginjaren van een schrijver, niet zomaar een onschuldige oefening in zelfverdichting, ofwel egohistorie, een uiting van inkeer van de meester die is teruggekeerd van zijn te lange verblijf in de politiek om ons de ware roman over een Franse jeugd te schenken; het is in de eerste plaats een aanval op de uitoefening van het literaire metier, dat wordt vergeleken met een dwaling, een perversie van de ziel, een misdaad tegen het leven en de geest, een misdaad zonder meer.

Les Mots is als gebaar niet te bevatten, de betekenis en misschien de ware schoonheid ervan ontgaan ons, en het valt evenmin te begrijpen waarom het schrijven de auteur zoveel gekost heeft – minstens tien jaar van twijfel, scrupules, momenten van verlamming en angst, en voor het eerst, lijkt het, lange perioden van schrijfonmacht – als we niet horen wat er verbloemd, of in de epiloog onverbloemd, wordt gezegd: het is afgelopen met de literatuur – ik heb dit boek geschreven om onherroepelijk afscheid te nemen van de literatuur.

Afscheid van de letteren: een Franse traditie

In principe is er niets nieuws aan dit gebaar.

Het is zelfs in zekere zin een klassieker van schmierende komedie en duizelkunst in de letteren.

En we zouden rustig kunnen stellen dat het afscheid van de literatuur, in categorieën die onderscheiden zouden moeten worden, als zodanig een zelfstandig literair genre is waar *Les Mots* bij zou kunnen horen.

Er zou het tragische afscheid zijn: Rimbaud.

Het mysterieuze afscheid: Racine.

Het luie afscheid, dat nauwelijks de moeite neemt zich te verwoorden: Constant.

Er zou het rijke afscheid zijn: Leiris, Alexis Léger, Roussel.

Het beschaamde: Malraux die ermee ophoudt zonder het ooit te zeggen, door tot in het oneindige de kaarten van zijn oude boeken te schudden, om de schijn op te houden.

Er zou aan de andere kant ook het afscheid zijn van de oude toneelspeler (Romain Gary) die niet ophoudt met ophouden en aankondigen dat hij het toneel vaarwel zegt, terwijl hij doorgaat met het produceren van prachtige boeken.

Er zou het autodafeachtige afscheid zijn van Aragon, die op het parket van een Madrileens hotel de vijftienhonderd bladzijden van *Défense de l'Infini* verbrandt, voor de ogen van een 'onbeweeglijke en verstarde' Nancy Cunard, zoals hij later schrijft.

Er zou het nuchtere, laconieke afscheid zijn van Valéry: geen woord, geen gebaar, alleen zwijgen, nauwelijks lezen – en toch stilte, althans tot aan *La Jeune Parque*.

Het afscheid dat een avontuur is, bijna een oeuvre, een moment in het oeuvre in elk geval, een zelfstandige literaire gebeurtenis: Valéry inderdaad – maar nog meer Mallarmé, die bouwer van een stilte waarin de cultuur, de sculptuur bijna, van het niet-gezegde centraal stond.

Er zou het afscheid zijn dat alleen maar afscheid neemt, dat echt het avontuur afsluit en uitsluitend de weerzin tegen het schrijven en het verlangen om er een punt achter te zetten verwoordt: Salinger na *The Catcher in the Rye*; en er zou het afscheid zijn dat een schrijver juist tot iets meer dan een schrijver moet maken: hij is rakelings langs afgronden gegaan, heeft het metafysische en de afschuw aangeraakt – door ermee op te houden is de literatuur boven zichzelf uitgestegen, naar zijn waarheid (opnieuw Rimbaud).

Er zijn mensen die afhaken omdat ze niets meer te zeggen hebben (Paul Bowles na de dood van Jane) en er zijn er die het doen omdat ze juist te veel te zeggen zouden hebben en dit teveel niet gezegd kan worden (geen poëzie meer mogelijk na Auschwitz).

Er zijn mensen die de neiging hebben te zwijgen omdat hun woorden duister zouden zijn en men helder moet zijn (Wittgenstein, *Tractatus*, propositie 7: 'waarvan men niet kan spreken, daarover moet men zwijgen') en er zijn er die weten dat hun woorden helder zouden zijn, te helder, en dat de waarheid duister moet blijven (Lacan en zijn *mi-dire*, zijn half-zeggen).

Er zijn welsprekende stiltes (Lacan opnieuw: '*taceo* is niet *sileo*'), en woorden die niets zeggen (Heidegger: het oeverloos herkauwen van woorden zonder inhoud, van clichés).

Er zijn mensen die begrepen hebben dat woorden stilte zijn, die zwijgen terwijl ze spreken en denken zo beter te zwijgen dan wanneer ze niets zeggen: Blanchot; en er zijn er die, uitgaande van hetzelfde principe, dat stilte en woorden onafscheidelijk met elkaar verbonden zijn, dat stilte het hoogste stadium of de subtielste vorm daarvan is, de tegengestelde weg volgen en spreken door te zwijgen: Mallarmé weer, de stomme die niet ophoudt met praten, de welbespraakte die zegt en herhaalt dat een stilte 'scheppen niet minder mooi' is dan een versregel scheppen.

Er is het woeste afscheid: Bataille die in 1945 verkondigt dat hij 'niets zo gehaat heeft als de poëzie', dat hij een gruwelijke hekel heeft aan de 'poëtische onnozelheid', en dat hij in het vervolg 'tegen de poëtische dubbelzinnigheid' schrijft.

Het afscheid als van Odysseus: de naoorlogse Caillois die zich stevig vastbindt aan de mast van zijn principes en zijn nieuwe haat jegens fictie om er zeker van te zijn dat hij niet meer voor de sirenen bezwijkt.

Het ontgoochelde: Pasolini, wanneer hij overstapt naar de film – 'zo is de waardering voor de poëzie gedaald'; zo is het bewijs geleverd dat 'het daar nooit om gaat'; zo wordt gezegd dat 'de taal van de handeling oneindig veel fascinerender' is en dat 'het beroep van dichter als zodanig steeds nietszeggender wordt'.[9]

Het profetische: Borges' 'Ik weet niet of muziek de hoop op muziek kan opgeven, en marmer de hoop op marmer, maar literatuur is een kunst die in staat is het moment te voorspellen waarop ze stom zal zijn geworden, haar eigen deugden verwoed aan te vallen, zich sterk aangetrokken te voelen door haar verval en haar einde na te jagen.'[10]

Er is zelfs het afscheid op staande voet – schrijvers die als eerste woord zeggen dat ze het nooit zullen zeggen en dat er daarom zelfs geen laatste woord zal zijn: overdreven aanstellerij van onbelangrijke surrealisten of van baanbrekers als Arthur Cravan, de deserteur van zeventien naties die op een goede dag in de Golf van Mexico verdween, en zich nooit van het idee zal laten afbrengen dat hij boksen een veel hogere kunstvorm vindt dan literatuur.

Er zijn schrijvers die, zonder echt te zwijgen of afscheid te nemen, hun leven lang blijven fluisteren dat het niet is omdat ze er geen zin in hebben – er zijn grote romanciers die, tegen het pathos van de conventie, tegen het romantische of neoromantische thema van boeken die je schrijft omdat je zou sterven als je ze niet had geschreven, tegen wat je, opnieuw, de 'lijn van Proust' zou kunnen noemen (literatuur als opdracht, als moreel en vanzelfsprekend gebod) of van Bataille (noodzakelijke romans zijn de romans die ons zouden verstikken als ze niet geschreven werden), hebben besloten dat boeken maken niet het eerste noch het laatste woord van hun leven was

– Balzac: 'Als ik een goede zakenman was geweest had ik de *Comédie humaine* niet geschreven...' Stendhal: 'Als ik geluk in de liefde had gehad...' Céline: 'In ruil voor een levenslang jaargeld zou ik onmiddellijk het veld ruimen...' Flaubert zelf: 'Literatuur is voor mij niet meer dan een verschrikkelijke dildo waardoor ik genaaid word en waarvan ik niet eens klaarkom.'

Kortom, je zou *Les Mots* zo kunnen lezen dat het aansluit bij deze traditie – die een vaste plek heeft, ook in de ogen van Sartre en in zijn persoonlijke pantheon – van mensen die om de ene of de andere reden, meer of minder serieus en consequent, op een badinerende, provocerende of dramatische toon hebben willen verkondigen dat literatuur – net als Kunst, volgens Hegel – dood en begraven is.

Alleen liggen de zaken weer eens niet zo eenvoudig.

En dit afscheid van Sartre bevat van al deze soorten afscheid een paar beslissende vormkenmerken; voldoende om het te onderscheiden van het Literaire Afscheid, net zo goed als het, zoals we daarnet zagen, afweek van de canonieke autobiografie.

Ten eerste is het een prachtig afscheid. Heel doorwrocht en uitzonderlijk mooi. En ik geloof niet dat iemand ooit zo veel moeite heeft gedaan of zo'n vuurwerk van woorden heeft afgestoken om te zeggen dat woorden slechts woorden zijn en niet zo veel zorg verdienen. Een tot ziens, maar in schoonheid. Het ontsluieren van de literaire illusie, maar dan door de literatuur zelf. Het doden van de schrijver in zich, maar dan in een soort hoogtepunt, een hoge vlucht, je zou bijna zeggen een carnaval of een apotheose waarvan je niet weet of ze een teken van arrogantie zijn of van opperste ironie, van wroeging, heimwee, of van strategie – maar die duidelijk niets bekends oproepen. Een afscheidsceremonie. Een weelde aan beelden en effecten. Een kermis, een laatste parade, een revue, een slotstuk, een jongleeract, een vreugdevuur, een fanfare. Sartre – daar zijn alle getuigen het over eens – heeft nog nooit zoveel aan een tekst geschaafd. Hij heeft nog nooit zijn proza met zo veel geduld en hartstocht bewerkt. 'Een object dat zichzelf bestrijdt moet zo goed mogelijk geschreven zijn,' zegt hij tegen Contat en Rybalka.[11] En in de film van Contat en Astruc: 'Ik wilde dat het uitdagend was, dit boek; ik wilde dat het een afscheid van de literatuur was, maar mooi geschreven.'[12] En ten slotte tegen Simone de Beauvoir[13]: Ik wilde dat dit boek 'literairder zou zijn dan de andere, omdat ik meende dat het in zekere zin een afscheid betekende van een bepaalde literatuur...' Het zij zo. Maar beseft hij, als hij dat zegt, hoe onlogisch dat is? Weet hij dat hij met *Les Mots* het welsprekendste en vooral het weelderigste afscheid heeft geboden uit de hedendaagse literatuur?

Ten tweede is het erg radicaal. Erg sterk en erg radicaal. En wat in dit boek opvalt, wat in het oog springt, is de gewelddadigheid, de haat bijna, en vooral de zelfhaat die hem lijkt te beheersen. Sartre heeft altijd wantrouwend gestaan tegenover 'stijl', de 'raadselachtige deugd' die zijn grootvader 'Stendhal betwistte en Renan toekende'. Hij zei al in *Qu'est-ce que la littérature?* dat geëngageerde kunst, dat wil zeggen kunst zonder meer, zich moest hoeden voor wat Stendhal met recht 'stijlplichtplegingen' noemde – woorden die branden en zich branden, overbodige perfecties, dichterlijke dichtkunst, paskwillen. Hij heeft een voorwoord geschreven bij Gorz' boek *Le Traître*, dat een aanvalswapen wilde zijn tegen mensen die 'schoonheid boven alles stellen' en dus tegen 'stijl', 'dat grote waarmerk van de hovaardige', dat synoniem voor de 'dood'. Hij heeft het gepresteerd – en dat werd hem kwalijk genomen, vooral door Leiris – een essay aan Baudelaire te wijden zonder een woord te zeggen over zijn poëzie, dus over zijn stijl. En de vijfhonderd voor het grootste deel verloren gegane bladzijden die hij aan Mallarmé wijdde, waren bedoeld om via hem een aanval te doen op de cultus van het teken, de idolatrie van de pure vorm, de waanzinnige chemicus die de wereld wilde doden met zinnen, en alleen van de kleur, de glinstering, de tinteling en de klank van die zinnen hield – de vurige 'syntaxiër' die zocht naar woorden die maar één keer dienst zouden doen, die het theater zag als hét voorbeeld van een productie die nooit twee keer op dezelfde manier wordt herhaald, en daarom inderdaad literatuur maakte zoals je theater maakt: typografie als mise en scène; de bladzijde getransformeerd tot podium en de lezer tot toeschouwer; de obsessie voor opera, mime en ballet; portret van de kunstenaar als lichttechnicus, toneelmeester, grimeur en kleedster van woorden; het boek is een gebeurtenis; echte gebeurtenissen worden niet herhaald... Kortom, Sartre heeft vanaf zijn eerste teksten altijd strijd gevoerd tegen deze stijl, al wist hij best dat die een wezenlijk deel van hemzelf uitmaakte, wat voor hem reden te meer was om de verleiding onder controle te houden. Maar hoe fel dat wantrouwen ook was, hoe ruw deze strijd ook was bedoeld en hoe zorgvuldig in het hele oeuvre ook werd gestreefd naar een vorm die, tenminste in de prozateksten, nooit de overhand mocht krijgen over de 'ideeën' of de 'inhoud', Sartre bleef een schrijver, hij bleef gek op woorden en, in zijn ergste terroristische perioden, in zijn meest politieke teksten en momenten – bijvoorbeeld *Les Communistes et la paix* –, had hij er nooit aan getwijfeld dat het literaire metier zijn burgerrecht behield in het wrange universum van de geëngageerde literatuur, zolang het tegen de vijand was gericht, zolang het in een aanvalswapen werd veranderd, met andere woorden zolang het werd toegepast op de manier van een schermwedstrijd ('ik heb mijn pen heel lang als een zwaard beschouwd'[14] – een echo van 'we houden de pen in de ene hand en het zwaard in de andere'[15] uit *La Vie de Henry Brulard*) – of van een bokswedstrijd (*Critique de la raison dialectique*). Vanaf *Les Mots* denkt hij daar anders over. Hij praat zoals we hebben gezien over 'woeste religie'. Hij praat over 'smerige flauwiteiten'. Hij ziet in de aandacht voor stijl, voor retorische effecten en beelden, alleen nog maar een obscene sijpeling van 'oude gal' die je zou moeten kunnen afsponzen. Hij bedenkt metaforen van een ongekende klinische heftigheid voor het beschrijven van de 'karakterneurose' die zijn 'hoofd' heeft verlaten om 'door de botten te stromen'. En zijn haat is zo groot, zijn wil om pijn te doen en zichzelf pijn te doen is zo groot, dat hij om dat allemaal uit te drukken een toon vindt die van heel ver komt en die het schrijver worden in het algemeen en het zijne in het bijzonder lijkt te richten naar het model van de abjecte Lucien Fleurier, die antisemiet, die arabierenrammer, die onvervalste schoft, die antiheld van *L'Enfance d'un chef*. Denk maar weer aan de platonische veroordeling van de poëzie. Denk aan de manier waarop Plato de dichters uit de stad verwijderde, officieel omdat ze doof waren voor de dialectiek en voor zijn discursieve methode om de waarheid te benaderen – maar in werkelijkheid omdat poëzie een dimensie van zijn talent is, een deel van zijn wezen, en hij heeft besloten dat deel, die dichter in zichzelf, in een weergaloos gebaar van haat en zelfkastijding voor altijd de nek om te draaien. Hetzelfde geldt voor Sartre. Hetzelfde geldt voor de meedogenloze zelfverminking van Sartre in *Les Mots*. Hetzelfde geldt, na *Les Mots*, voor een hele reeks teksten, vaak interviews, waarin een oude Sartre aan eenieder die het nog horen wil bedroefd en vermoeid zijn treurige theorie uiteenzet over een proza zonder stijl, zonder schoonheid, zonder effect, in wezen helemaal zonder literatuur, een proza dat niet dankzij maar ondanks de woorden functioneert.

En bovendien is *Les Mots* op de keper beschouwd een politiek boek. Door en door politiek. Sartre zegt: 'dwaasheid, karakterneurose, hersenschim.' Hij verwijt de literatuur afgesneden te zijn van de 'werkelijkheid' en de 'wereld'. Maar de achterliggende gedachte, de stilzwijgende boodschap van het boek, die in het corpus van de tekst alleen tussen de regels valt te lezen, maar die in de paratekst, in de interviews ter gelegenheid van de verschijning, veel openlijker naar voren komt, is dat schrijvers zich zouden moeten schikken naar dezelfde wet waar Sartre ten tijde van *Qu'est-ce que la littérature?* geen goed woord voor over had, zoals we ons herinneren, een wet die voorschrijft dat zij hun werk onderwerpen, dienstbaar maken aan de politieke geboden van het moment. De mensheid lijdt, zegt hij van nu af aan. Om ons heen sterven kinderen van de honger. En 'tegenover een kind dat sterft van de honger houdt *La Nausée* geen stand'.[16] *Les Mots... La Nausée...* Ik heb altijd het gevoel gehad dat daar de grote scheidslijn lag, de grote breuk in het Sartre-gebergte. Ik heb altijd gedacht dat er in wezen twee families van Sartre-lezers waren: de kant van *Les Mots*, zijn Guermantes, en de kant van *La Nausée*, zijn Méséglise – de kant van de kunstenaar en de kant die, om metafysische, literaire of politieke redenen, heeft besloten de kunstenaar in hem te doden. En Sartre onderkent dat. Hij zegt dat hij *Les Mots* uit haat tegen *La Nausée* heeft geschreven. Hij onthult ondubbelzinnig dat *Les Mots* een boek is waarin hij *La Nausée* achteraf aan een politiek proces onderwerpt. Hij bevestigt in *Les Mots* de hypothese van de twee momenten: de opkomst op het toneel van de literatuur; flamboyant, geniaal, onverschillig voor maatschappelijke dwang, opstandig tegen maatschappelijke verplichtingen – sterven er kinderen van de honger? Ja, maar daar kan de literatuur niets aan doen en daar valt ook niets aan te doen; en dan het vertrek, met *Les Mots*, waarin hij zich bekeert tot de ernst, tot het revolutionaire humanisme, tot de liefde voor de menselijke soort, maar wel de echte, niet die van de valse profeten die de mensheid van bovenaf bekijken, en waarin hij dus *La Nausée* veroordeelt omdat het 'geen standhoudt', al zegt hij nog steeds[17] dat het, 'vanuit zuiver literair oogpunt' het 'beste' is dat hij geschreven heeft...

De moderne tijd had sinds Flaubert de keuze tussen twee vormen van Heil. Het tijdperk van de dood van God, het tijdperk van Nietzsche, maar ook van Gide en zijn radicale atheïsme dat hij als uitgangspunt aan Sartre heeft overgedragen, aarzelde tussen het heil door de Kunst en het heil door de politiek. Nu eens maakten mensen als Flaubert of Mallarmé, of de mannen rond *Athenäum* in het Jena van de romantiek, met hun dromen over de 'onzichtbare Kerk', van de Kunst een permanente verschijning, een schim van de gebeurtenis en, in wezen, een absolute: wat wil een gedicht zeggen? Niets! Het zegt niets, het doet! Het drukt niet uit, het voert uit! De enige vraag die je moet stellen is niet: waarover heeft het gesproken? maar: wat is er precies gebeurd? Elk gedicht is een Christus; het boek is het absolute van de atheïstische bourgeois. Dan weer was men er juist van overtuigd dat er voor het denken alleen in de dingen plek was, in de echte dingen, in de politieke dimensie van de dingen en in het feit ze te veranderen: zoals Marx dus, en zoals Hegel, en zoals al degenen die met hen hebben geroepen dat de intellectuelen de wereld genoeg hebben 'geïnterpreteerd' en dat het tijd is om hem te 'veranderen'; er was geen sprake van dat het Woord het einde was van alle dingen – dat het in den beginne was geweest, het zij zo; maar dat aan het einde der einden de keuze, niet voor de dingen maar voor het Woord triomfeert, is onaanvaardbaar. Sartre kiest het tweede standpunt. Hij had het eerste gekozen. Hij hoort bij degenen die lang hebben geloofd dat Kunst iets absoluuts was – ab-soluut zoals ab-solvere, los van elke contingentie en van de wereld. En hij had zelfs even geprobeerd, net als Malraux, maar ook als Barrès, de pionier, om zijn leven, en zijn heil, te toonzetten in het dubbele register van een liefde voor boeken en een verlangen naar revolutie. Maar nu heeft hij de knoop doorgehakt. Het wordt de revolutie tegen de Kunst. Het wordt de revolutie in plaats van de Kunst. En het wordt zelfs de Kunst in dienst van de revolutie – ook een mogelijkheid waartegen hij zich verzette in de tijd van *Qu'est-ce que la littérature?* en die maakt dat *Les Mots* een regressief boek lijkt ten opzichte van het beruchte *Qu'est-ce que la littérature?* Waarom heeft Sartre nooit de 'politieke autobiografie' geschreven die een vervolg moest zijn op *Les Mots* en die hij onophoudelijk heeft aangekondigd, onder andere in het voorwoord van de Russische vertaling van het boek? Omdat het geen zin had. Omdat het dubbelop zou zijn geweest. Omdat *Les Mots*, achter het vertederende en lieflijke uiterlijk, al een volkomen politiek boek was. Omdat dit het boek is waarin Sartre de echte roman van zijn bekering ontdekt en vertelt: hoe hij de politiek heeft gekozen tegen de Kunst – voor altijd.

Nizan, Breton, Politzer en enkele anderen

Maar ja... Waar denkt Sartre eigenlijk aan als hij dat bedrieglijke en in wezen zo sombere boekje schrijft?

Wat heeft hij werkelijk voor ogen? Want het is niet meer die goeie ouwe traditie van het 'Afscheid van de letteren', als hij zo onheilspellend en ijzig afscheid neemt van *La Nausée* en *Les Chemins*, en de literatuur die hem lief was.

Wanneer we *Les Mots* herlezen en het deze keer lezen in het licht dat teksten uit dezelfde periode uitstralen – en met name van *Nizan*, dat zoals we weten geschreven werd in de gloed van dezelfde manier van schrijven en afkomstig is uit dezelfde affectieve en morele grondlaag – begrijpen we al snel dat de namen die hij in gedachten heeft, die hem achtervolgen en hem helpen om te durven schrijven, niet zozeer die van Mallarmé, Valéry, Borges, Constant en Alexis Léger zijn – dat zijn ten slotte luxe afvalligen, schijn- of nepdeserteurs – als wel die van een andere, radicalere en vooral nabijere cohort, want het zijn de 'angry young men' uit zijn jeugd.

Hij denkt natuurlijk aan Nizan. Hij denkt aan deze jonge geletterde die al op de Ecole Normale zei dat 'literatuur hem verveelde' en dat hij 'filmoperateur' wilde worden. Hij denkt aan deze geestelijke dissident, die vaak zei 'dat hij een hekel had gekregen aan woorden doordat hij er te veel had gelezen en geschreven, en dat hij invloed wilde uitoefenen op dingen, ze zwijgend wilde transformeren met zijn handen'. En Sartre denkt aan zijn verbijstering toen hij Nizan met zijn dunne, ijzige stem hoorde verkondigen dat hij stikte in die gevangenis van woorden, die kooi, en daarom naar Aden vertrok. Later, veel later, zal hij ronduit toegeven:[18] 'Ik had net als Nizan lid moeten worden van de Partij, om er net als hij in 1939 uit te stappen en me niet kapot te laten maken...'

Hij denkt aan Politzer, die andere 'levend gevilde',[19] die in zijn essays uit de jaren dertig de vloer aanveegt met de bergsonianen, cryptofreudianen en andere idealistische volgelingen van Brunschvicq en hen er afwisselend van beschuldigt reactie te verkiezen boven beweging, onechte beweging boven echte beweging, filosofie boven actie, en weer, woorden boven dingen. Wat heeft hij zijn strengheid bewonderd. En vervolgens, tijdens de bezetting, zijn moed. Hij heeft zelfs zijn mooie, flamboyante kapsel van voor de oorlog gebruikt om het aan Roquentin te geven. Nu denkt hij terug aan zijn woedeaanvallen. Hij ziet alsof het gisteren was de fosforescentie van zijn afwijzingen. Hij hoort weer zijn zinnen, droog als granaten, die de vriendelijke student Sartre verrasten omdat hij ze niet goed begreep. Hij herinnert zich de dag dat Politzer dromerig voor zich uit zei: 'De robuuste Russische zeelui die hun sigaretten uitdrukken op de Franse wandtapijten van het Kremlin'.[20] Hij herinnert zich zijn geleerde barbaarsheid. Zijn barbaarse onthechting. Hij ziet hem weer op de Ecole Normale, ook iemand die 'het woord heeft afgezworen' – een barbaar, ja, maar een denkende barbaar, die brak maar nooit boog. Als Politzer nog leefde, zou hij dan zijn tijd hebben verspild aan het schrijven van een boek over Flaubert?

Hij denkt aan Gide. Ik ben ervan overtuigd dat hij denkt aan de piepjonge Gide, degene van de *Caves du Vatican*, die zijn meester, of antimeester, of bezworen meester was, maar die, daar bestaat geen twijfel over, als eerste, vóór Nizan, vóór Politzer, zijn minachting uitte voor de zuivere literatuur, zijn heimwee naar de irrationele handeling en het handelen an sich, zijn voorkeur voor een leven waarin je 'net als bij schaken', en in tegenstelling tot wat in het lachwekkende leven in boeken gebeurt, 'je zet niet ongedaan kan maken'. Het is grappig, dat beeld van Gide als quasi-academicus... Het is grappig, die reputatie van meelijwekkende en kouwelijke ouwe sok die hij heeft gekregen... Hij, Sartre, trapt daar niet in... Hij weet waartoe de jonge Gide in staat was... Hij herinnert zich de verdediger van de inconsequentie, de prins van de jeugd, die hij toch heeft moeten onttronen om te kunnen bestaan... En als hij ergens spijt van heeft, is het dat hij deze ongeëvenaarde oproerkraaier, die echt leek te denken dat de moord op Fleurissoire opwoog tegen alle verhandelingen over stijl, niet eerder serieus heeft genomen.

Hij denkt aan Malraux. Er bestaat een as Sartre-Malraux, dat is zeker. Er bestaat een echte relatie, gevormd uit haat, uit onuitgesproken of openlijke haat, maar ook uit onopvallende verwantschap, uit heimelijke verstandhouding, uit onvriendschappelijk maar diep begrip tussen de schrijver-staatsdienaar en degene die dienaar van de verdoemden zou willen zijn. Wat bedoelt Sartre als hij verklaart: 'Ik houd niet van Malraux, hij staat te dicht bij me'?[21] Waaraan, aan wie, denkt op zijn beurt Malraux als hij, midden in de Algerijnse oorlog, gevangen in zijn rol van bard van het gaullisme, van institutionele en geknevelde intellectueel, ten slotte toch in opstand komt tegen de 'republikeinse' martelingen? En wanneer hij, nog later, aan het begin van *Les Antimémoires*, verklaart: 'Bijna alle schrijvers die ik ken houden van hun jeugd, ik verafschuw de mijne,'[22] kunnen we ons niet voorstellen dat hij die regels heeft kunnen optekenen zonder te denken aan zijn rivaal die in *Les Mots* verkondigde:[23] 'Ik verafschuw mijn jeugd en alles wat daarvan over is'. Voorlopig is het de eerste die denkt aan de tweede. Op dat moment – 1964... het afscheid van de woorden, die met losse flodders geladen wapens... – is Sartre degene die, opgeschrikt uit zijn retorische slaap, denkt aan de personages uit *L'espoir* die een welgemikt schot op een geslaagde bladzij plaatsten. Hij is er bijna, zegt hij tegen zichzelf. Hij is, als hij er goed over nadenkt, bijna op hetzelfde punt beland als Manuel, de musicus, en Scali, de kunsthistoricus, wanneer ze merken dat het moment gekomen is om de Kunst af te zweren, als ze deze oorlog willen voeren en winnen. Beter nog: hij zit in de huid van Malraux zelf – althans dat zou hij willen – maar pas op, de jonge Malraux, degene die voor het eerst zijn oeuvre opgeeft, niet om minister, maar om rode *coronel* in Spanje te worden, en vervolgens 'kolonel Berger' in Elzas-Lotharingen. Want dat is de wet. Dat is wat het theorema van Malraux zou moeten heten, als die formulering hem niet zou tegenstaan: actie of kunst, je moet de knoop doorhakken; mannen van de daad, de echte, zijn altijd kunstenaars die de kunst hebben afgezworen; waar komen de inspiratie en het buitengewone overwicht van de eerste helden van Malraux en van Malraux zelf vandaan? Het zijn altijd, let wel, kunstenaars die een hoge opvatting van hun kunst hadden, maar die de kunst in gemoede hebben opgeofferd...[24] Roquentin zei het al: 'Je moet kiezen: leven of vertellen.' Hij koos voor vertellen. Sartre koos, net als Malraux, en net als zijn helden, voor leven.

Hij denkt aan de surrealisten, die andere helden uit zijn jeugd. Hij is nooit surrealist geweest? Dat is waar. Hij is zestien als *Les Champs magnétiques* verschijnt. En hij is de enige student in Frankrijk die het fenomeen naast zich neerlegt. Hij besteedt er niet eens aandacht aan op de manier van zijn kameraad Nizan, die er tenminste nog in opdracht heen gaat, wanneer de Partij hem beveelt in de bende van Place Blanche te infiltreren. En als hij de herauten van de beweging ontmoet, als zijn schrijversblik de blik van André Breton kruist, dan maakt hij van hem in *L'Enfance d'un chef* een karikatuur met de groteske trekken van Achille Bergère! Maar juist daarom. Reden te meer. Hij begrijpt het nu. Hij begrijpt en grijpt zijn kans. Het geweld. De beledigingen. De oproep tot directe actie. De geesten geselen tot je op hoofden kunt beuken. Jarry. Lautréamont. Heeft u al eens een dode geslagen? Zet de gevangenissen open. Ontsla de legers. Je afkeer in het gezicht van elke priester uitbraken. Rode woede. Wraakzuchtig libido en seksueel cynisme. Laat de Minotaurus vrij. Wij zijn de defaitisten van Europa. Wij zullen altijd de vijand een hand geven. Ouders, vertel je dromen aan je kinderen. De geest is gekooid, we moeten de kooi opblazen. Het terrorisme met woorden en op een dag misschien zonder woorden. Woorden die gummetjes moeten zijn om de menselijke smerigheid uit te vlakken of, bij gebrek daaraan, de moed moeten hebben zichzelf uit te vlakken. Zie hoe droog de aarde is, geschikt voor alle soorten brand: die branden zijn haar ware licht. De deugden van de onrijpheid. Een snor op de Mona Lisa. Kozakken op Place de la Concorde. 'We moeten', jawel, 'de tijd van de haat, van het onbevredigde verlangen, van de vernietiging terug zien te halen, de tijd dat André Breton, die nauwelijks ouder was dan wij, kozakken hun paarden wilde zien drenken in de fontein op Place de la Concorde'.[25] Nou? Politzer of Breton? Doet er niet toe. Grote woorden hebben geen schrijver. En 'het kenmerk van het surrealisme', zeiden de surrealisten zelf, is dat het staat voor 'de totale gelijkheid van allen' ten opzichte van de poëzie, gelijke toegang voor eenieder tot een 'gemeenschappelijk erfgoed' dat 'zeer binnenkort niet meer als het erfdeel van de enkelen beschouwd mag worden'.[26] Het lijkt het slot van *Les Mots* wel. Het is in zekere zin ook het slot van *Les Mots*. Alsof *Les Mots* niet anders had gedaan dan de eenvoudigste én de ingewikkeldste gebaren van het surrealisme plagiëren; alsof Sartre plotseling, dertig jaar na dato, iets terugvond van dat verzet waar hij indertijd niets van had begrepen; alsof hij achteraf, altijd achteraf – maar over achteraf gesproken, het is in feite deze verlate reactie die het frappantst lijkt, heel wat meer dan de verlate reactie op Leiris en *L'Age d'homme*, heel wat meer dan het verlate autobiografische inzicht van daarnet – alsof hij dus via een terugkeer naar Nizan en Politzer, maar ook naar Breton, de jonge Aragon en Dada, een verlate adolescentiecrisis doormaakte en enorm veel verloren tijd inhaalde...

Ach! Zo'n veel te brave jeugd...

Die al te zeer beminde en gekoesterde kinderen die zich in de loop der tijd gaan afvragen of ze niet een onstuimigheid zijn kwijtgeraakt door het feit dat ze te veel hebben gekregen – dat ze als een 'geschenk uit de hemel, zeer gewenst' zijn geboren, zegt *Les Mots*.

Gezegende kinderen... Gespaarde kinderen... Die gespaarde gezegenden van een verwende jeugd die de leeftijd des onderscheids bereiken in 'de zekerheid uitverkoren te zijn', al had die uitverkiezing misschien als gevolg, denken ze, dat hen een soort grilligheid, afstand, ongeduld, woestheid ontzegd is – het essay over Nizan zegt: een 'verdoemdheid...'

De eerste Sartre was, zoals we ons herinneren, duidelijk 'woest'.

De jonge Sartre, de schrijver van *La Nausée*, was op zijn manier een grote 'zot' die, gouden jeugd of niet, van niemand iets hoefde te leren over Tragiek en opstandigheid.

Kijk eens aan. Hij heeft het gelukkige-kindcomplex.

Een deel van hem zegt tegen zichzelf dat er ander, zwaarder verzet bestaat, waarbij men beeft van een andere koorts dan bij zijn kleinburgerlijke rebellietjes.

In zekere zin zou hij het bijna betreuren dat hij niet, een beetje, een van die verloren kinderen is geweest, of een van die vervloekte en verminkte adolescenten, die aan de volwassene de 'heilige prikkelbaarheid' doorgeven.

Omdat hij geen vader heeft gehad, is hij ervan overtuigd dat hij geen superego heeft gehad: maar heeft het feit dat hij geen superego had, dus geen Wet om de draak mee te steken en geen gebod om te overtreden, hem er niet toe veroordeeld ook de roep van de ware rebellie niet te kennen? En wat kan hij in zijn schaamte en afkeer van zichzelf anders tegen zichzelf zeggen dan dat zijn haat en woedeaanvallen, vergeleken bij het 'zuivere goud' van de haat van 'slechte individuen', tot nu toe nooit meer dan 'vals geld' zijn geweest?[27]

Dus haalt hij de schade in.

Hij stort zich als een ijverige leerling op de woede.

Op zijn vijftigste doet hij versneld wat de enfants terribles van de twintigste eeuw op hun twintigste hebben gedaan.

Hij was een braaf kind, hij zal een angstaanjagende grijsaard zijn.

Hij was een conformistische student, hij zal des te opstandiger zijn.

Als adolescent heeft hij de 'weigering' en de 'naakte opstand' die 'aan alles ten grondslag liggen' gemist, dat denkt hij althans – aan het einde zal hij ze terugvinden.

Omdat hij meent dat het grote ongeduld van zijn jeugd aan hem voorbij is gegaan, maar dat het nooit te laat is om opnieuw te beginnen en om er helemaal tegenaan te gaan, verhardt de serafijn zich, vervloekt de gezegende zich, probeert hij uit alle macht de geest van die jaren terug te vinden; jaren die hij heeft gesleten zonder ze te beleven en die in zijn mond de bittere nasmaak van onafheid hebben achtergelaten.

Ook dat is de betekenis van *Les Mots*.

Dat is wat door middel van het te mooie, te gelikte proza gebeurt.

Door dat rimpelloze boek lijkt een zwarte draad te lopen die Sartre verbindt met zijn gevallen en luisterrijke broeders – Nizan, Politzer en ook Jean Genet – die gegroeid zijn omdat ze niet geliefd waren, engelen van het ongeluk en van de oproer.

Spreekt daar Caliban? Nee. Kaïn. De duistere stem van Kaïn die net als Nizan 'zijn loden bal meesleept'.[28] Je voelt bij deze Abel heimwee naar de Kaïn die hij niet is geweest maar die hem als personage – daar getuigen alle kladversies van *Les Mots* van – obsedeert en fascineert.

Hij doet aan surrealisme après la lettre.

Hij speelt Malraux of Politzer in vredestijd.

Hij speelt, zelfs in de snoeverige, erg postpuberale en beledigende toon van de bravourestukjes uit *Les Mots*, en van de politieke teksten en traktaten uit de Mao-tijd, precies de muziek van de vorige generatie.

Met één verschil – maar daarvan vindt hij dat het in zijn voordeel is: ook al hebben ze de literatuur verdoemd, ze zijn er altijd naar teruggekeerd; ook al hebben ze, zoals de surrealisten, uitentreuren gezegd dat boeken nutteloos waren, we moeten constateren dat ze er nooit lang van hebben afgezien en dat ze die sombere afwijzing altijd maar weer in boeken meenden te moeten uitdrukken; nou, Sartre doet het wel; hij zal het anathema doorvoeren, hij zal de afwijzing doorvoeren; al is hij laat in de kring gekomen en nog maar net bekeerd tot de haat jegens de cultuur en de oude wereld, hij zal tenminste de verdienste hebben dat hij het mes durft te zetten in de literaire wond die zij merkwaardig genoeg open hebben laten liggen; weg met de literaire antiliteratuur, lijkt hij te zeggen; vanaf nu – *Les Mots*, mijn laatste show – weg met de hypocrisie van schrijvers die in fraaie taal het schrijven aan de schandpaal nagelen; weg met de moeraskoortsen, ja, ja, moeraskoortsen, zoals de *Paludes (Moerassen)* van Gide! zoals de koloniale koortsen van de eerste avonturiers! zoals Nizan zelf, die naar Aden vertrok omdat hij stikte in zijn gevangenis van woorden, maar die een jaar later terugkwam, koortsig weliswaar, en stormachtig, maar vastbesloten om eindelijk het schrijversinstrument te redden, door het te 'deconditioneren' en het 'tegen de vijand te richten'[29]! En zo kan het gebeuren, aan het slot van die logische opstand en die pubertijd van een vijftigjarige, dat deze geboren schrijver, deze literatuuraanbidder, deze man die, na *La Nausée*, alleen maar door en voor boeken leeft, deze woordenman, deze boekenman, deze man die aan Madeleine Chapsal[30] nog uitlegt dat 'in een cel zitten' en net als Franz uit *Les Séquestrés d'Altona* 'rustig kunnen schrijven tot aan de dood' een van zijn liefste wensen, of grootste gemis, is – zo kan het gebeuren dat deze man, als hij de literatuur schuldig verklaart, als hij benadrukt dat zij dat noodzakelijkerwijs en van nature is, als hij, met andere woorden, zichzelf uitroept tot de radicaalste surrealist aller tijden, daarmee zichzelf de oorlog verklaart, spuugt op het kostbaarste wat hij heeft, zelf zijn grootste vijand wordt en een hele lange periode van penitentie begint die pas eindigt bij zijn blindheid.

Hij had de filosofie al uit zich weggesneden.

Nu snijdt hij de literatuur weg.

Hij is teruggeschakeld naar de jaren dertig, maar door de woede van die jaren op te rakelen en de inzet te verhogen, heeft hij zichzelf dubbel geamputeerd.

Les Mots, een maoïstisch boek

Natuurlijk lukt hem dat maar half.

En is het duidelijk dat dit afscheid van de literatuur gedeeltelijk dode letter zal blijven.

Ten eerste is er wat hij zelf zegt, helemaal aan het einde van *Les Mots*: 'Mijn bedrog is ook mijn karakter, een neurose raak je kwijt, van jezelf kun je niet genezen.'

Er is die laatste melancholieke bekentenis: 'Ik schrijf nog steeds, wat moet ik anders? Het is mijn gewoonte en bovendien is het mijn beroep' – een echo van: 'Ik zal waarschijnlijk mijn leven eindigen zoals ik het begonnen ben, tussen de boeken,' op de eerste bladzijden.

En dan is er vooral dat laatste boek, 'Flaubert', waar hij mee verdergaat, waar hij vijftien jaar mee heeft rondgelopen en zich direct na *Les Mots* aan wijdt.

Al roept hij nog zo hard dat *L'Idiot* geen eerbetoon maar een haatbetoon aan Flaubert is; al roept hij nog zo hard dat Flaubert zijn 'tegendeel' is, precies 'het tegenovergestelde' van zijn 'eigen' opvatting van wat een schrijver is, de incarnatie van een 'vormideaal' dat hij verafschuwt, haaks op wat hijzelf is; al roept hij nog zo hard: het is een vervolg op *Les Mots*, een enorme maar noodzakelijke epiloog; Poulou die hem achtervolgt en van wie hij helemaal moet genezen; dezelfde 'heel ingrijpende en heel oude rekening' die vereffend moet worden met het abjecte literaire ideaal, 'binnen de literatuur' maar ook binnen 'hemzelf'; de voortzetting van dezelfde oorlog; het demonteren van de marionet, de stukjes een voor een breken en vertrappen; het feit blijft dat hij het schrijft. En dat het een prachtig boek is. En dat het zelfs in veel opzichten zijn meesterwerk is, de conjunctie van zijn talenten, Marx en Freud dooreen, de hervonden Proust, zijn eindelijk gegeven Moraal, zijn Politiek, zijn poëtische Kunst, zijn meest geslaagde roman.

Al roept hij nog zo hard, en al roept iedereen het hem nog zo hard na, dat dit boek een poging tot innerlijke hygiëne is, een oefening in diëtetiek; al roept hij nog zo hard dat hij het zonder enthousiasme schrijft, als een verplichting, een morele schuld, een zuivering, toch voel je dat het holle woorden zijn. En dat hij het tegenovergestelde denkt. En dat het hem bijna pijn doet om het los te laten, wanneer hij het af heeft. En dat hij het meent als hij in 1971 aan Contat en Rybalka bekent dat hij in de sombere levensfase die voor hem ligt 'nog maar één aangename opdracht' heeft: '*Flaubert* voltooien'. En je voelt, en ziet vooral goed, dat er in dit kolossale boek – dat buiten het zicht van zijn maoïstische vrienden is geschreven, bijna heimelijk, zogenaamd zonder plezier, zonder zich te bekommeren om een mooie vorm – prachtige bladzijden zitten, geschreven in een vrij vlakke stijl, schijnbaar ongepolijst, ontdaan van nutteloos perfectionisme; je hoort er zijn naakte stem in, zijn zwakke stem, maar wat een stem! wat een muziek, zelfs op deze momenten dat het hem, zogenaamd, allemaal niets meer kan schelen!

Kortom, ik vraag me zelfs wel eens af of dit niet in wezen het geheime doel van het spel is, en of deze laatste Sartre, met een nieuwe wenteling van de spiraal, na een laatste en, deze keer, heel verrassende list van de literaire ratio, niet expres de omstandigheden heeft gecreëerd waarin hij heimelijk, in het geniep kan genieten van dat ongeneeslijke schrijfplezier, het kan beleven als een verrukkelijke overtreding, een exquise zonde, des te zoeter omdat hij er niet voor uit kan komen. 'Die orde', zei hij in *Nizan*, die 'gevestigde' orde die mijn vriend wilde 'verstoren', daar hield ik van, want ik hield van het idee er 'bommetjes' naar te gooien en dat die bommetjes 'woorden' waren.[31] Sartre spreekt in de verleden tijd, dat is waar. Hij spreekt over de tijd in zijn jeugd toen de woorden 'jong en hard' waren en je het gevoel had dat je ze gebruikte om er burgermanswetten mee op te blazen. En in principe is hij streng ten opzichte van deze houding die hij, sinds

Qu'est-ce que la littérature?,[32] niet meer als kenmerk zag van de 'revolutionair', maar als kenmerk van de 'opstandige' die de bourgeoisie 'nodig' heeft om 'zijn esthetica van oppositie en wrok te rechtvaardigen' en zich ten opzichte van zijn 'maatschappelijke stand', een 'permanente vreemdeling' te voelen. Maar als het nu eens niet alléén om het verleden ging? Als een deel van hem nog steeds (of opnieuw) verzot was op het idee van een wet, louter om hem te schenden, een verbod als doelwit voor zijn woordenbommetjes? Als de politieke wet, de maoïstische wet en, daarvoor, de wet van onvoorwaardelijke trouw aan een imbeciele communistische partij die in de jaren vijftig en zestig van een ware haat jegens intellectuelen was vervuld, op het laatst die rol vervulde? Als deze wet, die de keuze voor de verbeelding verwierp en, mede in zijn eigen stem, decreteerde dat zo'n onderneming niet alleen ijdel maar ook misdadig was, nu eens de subtiele verdienste had Sartre in een positie te brengen dat hij daar behagen in schepte, maar dan stiekem? Het is een dwaze hypothese. Maar niet veel dwazer dan dit hele verhaal, dit hele avontuur, die hele reeks bekeringen – nu eens openbaar, luidkeels, met de wereld als getuige, de hele planeet als een enorme klankkast, en dan weer, waarom niet, stilzwijgend en, zoals hier, gesmoord. En bovendien krijgen we dezelfde hypothese te horen van Benny Lévy, de leider van proletarisch links, die zijn secretaris is geworden, tijdens een van hun laatste interviews aan het eind van Sartres leven, wanneer Lévy hem ondervraagt over het 'systeem van dubbel denken' dat hij tijdens zijn maoïstische jaren aanhing. 'Laten we terugkomen op je discussie met de revolutionairen,' zegt hij. 'Je zei dat je hun doelen deelde; maar je bleef eigenlijk wantrouwend: als ze die doelen maar niet bereiken...'[33] Sartre zou zich op die manier aansluiten bij tijdgenoten die, min of meer op hetzelfde moment, jubelen over een 'terreur' die zich vooral onderscheidde door het afkeuren, het aanstootgevend en zondig verklaren van de literatuur, die daardoor des te riskanter, sterker en kostbaarder werd. Hij zou het achteraf eens zijn met zijn oude tegenstander, de serieuste, taaiste en misschien wel geduchtste van allemaal: Georges Bataille, die in *La Littérature et le mal* pleit voor een communisme dat – te vergelijken met de 'vaderlijke invloedssfeer' van Kafka – boeken de kans zou geven hun betekenis en hun invloed te hervinden door ze opnieuw schuldig te verklaren. En het schokkendste aspect van dat moment in *Les Mots* zou zijn dat we daar, in het voorlaatste uur, in extremis, weer een andere, nog nachtelijker, mysterieuzere Sartre geboren zien worden; een Sartre die, op het moment dat hij beweert zich van zijn oude gekte te bevrijden, en zich ook daadwerkelijk bevrijdt, tegelijk met dat afscheid en dat afstand nemen, zonder dat er voor zijn momentane geestesoog enige twijfel bestaat over zijn wezenlijke oprechtheid, zijn kunstopvatting radicaal zou veranderen: gisteren een opvatting van de literatuur die hij eigenlijk altijd al heeft aangehangen, als 'sociale functie', in overeenstemming met eenvoudige doelstellingen, en morgen, misschien, met de gerealiseerde socialistische maatschappij; vandaag, het zoveel verhevener en verwarrender idee van een literatuur buiten de wet...

Blijft de essentie... Geslaagd of niet, half of helemaal, de operatie heeft plaatsgevonden, er is wel degelijk de oorlog verklaard aan de literatuur – en dat alles is niet zonder invloed op de algemene betekenis van het avontuur.

Iedereen, Sartre voorop,[34] heeft altijd gedaan alsof de grote vraag van zijn leven, die hij onophoudelijk tussen de regels zou hebben gesteld in zijn biografieën van Baudelaire, Mallarmé, Genet en Flaubert, die hij zou stellen in *Les Mots*, en daarvóór ook in al zijn indirecte pogingen tot een autobiografie, de volgende was: wat is een schrijver? Wat zijn op de keper beschouwd de echte 'motieven om te schrijven' in plaats van 'bokskampioen' te worden 'of admiraal of astronaut'?[35] Voordien was dat misschien waar. Daarna niet meer. En we moeten erkennen dat de vraag nu, na *Les Mots*, wordt omgekeerd – of, om preciezer te zijn, dat de schrijver van *Les Mots* de draad weer opneemt van een andere, tegengestelde vraag die hij in *Les Chemins* had aangestipt, bij monde van het personage Mathieu, de schrijver die niet schreef, of, in *L'Enfance d'un chef*, over de mislukte schrijver Lucien Fleurier: wat is een niet-schrijver? Wat zijn uiteindelijk de redenen om niet te schrijven? Wat is een schrijver die ontdekt dat de literatuur, net als de moraal in *Les Chiens de garde*, geen moer voorstelt – en hoe moet je dan in jezelf de literaire vezel, snaar, zenuw laten afsterven?

Iedereen, ik voorop, heeft altijd gedaan alsof Sartre de laatste 'grote schrijver' was. Men zegt: de laatste reus! De laatste dinosaurus van de letteren! Het laatste exemplaar van die oer-Franse species, de grote schrijver in volle glorie! Toen was het nog waar. Nu niet meer. Want *L'Idiot* of niet, deze tweede Sartre is geen schrijver meer. Hij wil het niet meer zijn. Niet alleen in *Les Mots* en vervolgens in *L'Idiot*, maar in zijn leven, in zijn ziel, in de voorstelling die hij van zichzelf vormt en gedeeltelijk van zichzelf verlangt, breekt hij met die mythe van de grote schrijver: Voltaire, Hugo, geweten van de mensheid, mijn dromen zijn mooier dan de uwe, Chateaubriand of niets, Stendhal en Spinoza, ik zal pissen op uw graf, Gide doden of sterven. En overigens is dat waarschijnlijk de andere, de ware reden, belangrijker dan die verhalen over Venezolaans verzet, trouw aan het Oostblok en angst om zich weer te laten inlijven door het systeem, voor zijn weigering van de Nobelprijs. De Nobelprijs waarvoor, zegt u? En voor welk boek precies? Ach nee, arme vrienden. Misverstand. Niets aan te doen. U geeft me de prijs, juist op het moment, en voor het boek, waarin ik me bevrijd verklaar van mijn literaire verplichtingen. Houd hem maar. Houd alles maar. Als u mijn boeken niet verbrandt, verbrand dan op z'n minst uw diploma. Ik ben geen nationaal bezit. Ik ben een kleine kladderaar.

Keer op keer wordt gezegd dat hij niet alleen de laatste schrijver is, maar ook de laatste intellectueel, dat wil zeggen, om precies te zijn, de laatste schrijver die in zijn functie van schrijver, gesteund door de roem die hij heeft verworven met zijn schrijversboeken, af en toe zijn pen neerlegt om een weduwe, een wees of een onschuldig vervolgde te hulp te schieten – er wordt ook gezegd (Lyotard)[36] dat hij de ongewijzigde verantwoordelijkheid om de wereld te verlossen heeft overgeheveld van de 'schrijver' naar de 'intellectueel'. Ook dat is niet meer waar. En ook hier markeert *Les Mots* een grens. Want wie intellectueel zegt, zegt dus in de eerste plaats schrijver die als het hem uitkomt zijn persoonlijkheid aan de onschuldig vervolgde schenkt: maar hij is die schrijver niet meer; hij heeft niets meer te schenken; en heel het oude mechanisme, gebaseerd op het ingewikkelde spel van schenking, genade en interruptie, wordt noodzakelijkerwijs stopgezet. Wie intellectueel zegt, roept een hemel aan universele waarden op, die hij als zelfverklaard bemiddelaar aan concrete mensen zal overbrengen: maar het begrip 'Universeel', het idee dat er iets zou kunnen bestaan als Rechtvaardig, Waar of Goed dat op alle plaatsen, in alle tijden, onafhankelijk van de situatie, als vaststaande essentie geldig is, is een idee waar hij al zeker sinds *Qu'est-ce que la littérature?* niet meer in gelooft – en die figuur van de bemiddelaar, het beeld van de intellectueel die zorgt voor de verbintenis tussen de wereldlijke orde en de orde van de principes, het idee van een mediatie tussen een hemel van waarden en een aardse stad, dat is nou precies wat hij onder vuur heeft genomen in *Les Mots*: het volk stichten? Verlichten? Het vuur van een gedeelde cultuur brengen? Hoe zou hij daarin kunnen blijven geloven – hoe zou hij nog kunnen beweren dat hij de mensen licht brengt, terwijl hij alleen nog maar geobsedeerd is door de gedachte het in zijn eigen hersenen te doven? Hij is niet de laatste intellectueel – maar de eerste die het niet meer is. Hij is niet de laatste in de lijn, of van de keten – maar de eerste van een andere keten, het begin van een andere lijn, de lijn van 'een nieuw type intellectueel', zegt hij. Hij is niet de laatste der dreyfusards, die de schone strijd van de intellectuelen voor Vrijheid en Waarheid voortzetten – hij belichaamt het eind van dat dreyfusardische moment in het optreden van de Franse intellectuelen. Niet de genoegdoening, maar de echte dood van Dreyfus. Niet de verwezenlijking, de apotheose en ten slotte de begrafenis van het dreyfusisme: de begrafenis heeft al plaatsgevonden, en het graf, dat is *Les Mots*.

Keer op keer is gezegd dat in de laatste, de gewelddadigste, de bezetenste periode, die van de oproep tot moord in *La Cause du peuple*, die van de rechtvaardiging van het afslachten van Israëlische atleten in München, die van de andere Dreyfus – de man van Renault – gekarikaturiseerd als een hond die door de vakbonden wordt besprongen, Sartre degene is die naar de maoïsten is gegaan, en niet andersom. Men zegt, en het komt steeds terug in het commentaar op Sartre, dat we te maken hadden met een teleurgestelde filosoof, afgedankt door het structuralisme en de nieuwe meesters die het de studenten van Frankrijk gaf, verbitterd, buitenspel gezet; iemand die, zoals beloofd, niets meer had gepubliceerd sinds *Les Mots*, die op de maoïstische trein is gesprongen zoals je een verjongingsbad neemt. En ik meen me een stokoude heer te herinneren die, in het besef dat hij in ongenade was gevallen en met een zekere nederigheid die ons toch nog voor hem zou kunnen innemen, aan de leiband liep van jonge woestelingen die in zijn ogen de belichaming waren van een uiterst wenselijke mengeling van hang naar illegaliteit, opstandigheid, moralisme en gebrek aan respect. Alleen is er nog steeds *Les Mots*. Er is dat boekje, teruggetrokken in zijn mysteries, en ik zie daarin dat niet zozeer de stellingen als wel de mentaliteit, de hele mentaliteit en in de eerste plaats natuurlijk de kritiek op de literaire religie, de afwijzing van de Dreyfus-mystiek en die uitvinding van 'een nieuw type intellectueel', al vooruitliepen op het maoïstische gedachtegoed. Want wat is dat 'nieuwe type intellectueel' nou eigenlijk voor iemand? Hoe karakteriseert Sartre hem? De ideeën over intellectuelen zijn in Frankrijk altijd schatplichtig geweest aan een theorie – expliciet of niet, maar met een sterk metafysische teneur – over de relatie tussen lichaam en ziel. Nu eens oefent de ziel gezag uit over het lichaam; zij zit in het lichaam als de stuurman in zijn vaartuig, zoals bij Descartes; en dat is de grondslag van elke politieke praktijk – de leninistische bijvoorbeeld, of die van Sartre zelf in zijn reactie op Claude Lefort – waar de intellectueel gezag uitoefent over het volk, het verlicht met zijn inzichten, het van bovenaf het beroemde klassenbewustzijn bijbrengt en er in feite de avant-garde van uitmaakt. Dan weer is er het lichaam dat gezag uitoefent over de ziel, zoals bij Epicurus of bij de achttiende-eeuwse materialisten; die ziel is niets anders dan een uitwaseming, een bloeding, een lichaamssap; en het is het fundament van elke – zogenaamd populistische – politieke praktijk waarin gezegd wordt dat de waarheid van de massa komt, altijd van de massa, maar dat het aan de avant-garde is om die waarheid te verzamelen, te formuleren en te verspreiden. Maar Sartre lanceert iets nieuws. De laatste Sartre, die van de terugkeer naar Politzer en Nizan, formuleert een derde theorie die de eerste twee in het ongelijk stelt. Niet meer de ziel en het lichaam. Niet meer de uiterlijkheid van de twee substanties onder het gezag van de een of van de ander. Maar de ziel in het lichaam. De ziel versmolten met het lichaam van het lichaam. De theorie, deze keer van Spinoza – nog steeds Nizan… – die een lichaam en een ziel beschrijft die hetzelfde zijn, dezelfde substantie, met evenveel recht te zien vanuit de invalshoek van de uitgebreidheid als vanuit die van het denken. En een politieke praktijk die van de intellectueel niet meer de stuurman op zijn schip maakt, of de grote roerganger aan de helmstok, of de goede apostel die naar het volk gaat om het gestamelde heilige woord ervan te verspreiden, maar een broos wezen, waarover hij – vanaf het interview met Marcuse tot aan de dialoog met Gavi en Victor – herhaaldelijk zegt dat het de plicht heeft zich te verloochenen; zijn uiterlijkheid af te leggen; naar het volk te gaan, ja, maar om er te blijven; af te dalen in de straat, ja zeker, maar zonder terugkeer naar de duiventil; kortom, af te dalen, zich van ballast te voorzien, lood aan de zolen te plakken, te genezen van de ondraaglijke lichtheid en, als een vis in het water, stil in de diepte te verzinken in een lichaam dat zich voortaan zonder hem zal uitdrukken. Is dat niet precies wat de Franse maoïsten *établissement* noemden? Is dat niet het theoretische model van alle beroemde leuzen die onze jeugd heeft gescandeerd: de positie van de intellectueel opheffen... arm van geest worden... de kloof dichten die in het Westen hoog van laag scheidt, hoofdwerkers van handwerkers... boeken zijn de herinnering aan het ongeluk... culturele revolutie... en, in de eerste plaats, de oude mens in jezelf doden, hem diep vanbinnen veranderen, recht op zijn ziel mikken? Misschien hadden we Sartre niet gelezen. En ik heb de gelegenheid gehad te vertellen hoe ikzelf, door een onwaarschijnlijk toeval, begin jaren zeventig in Calcutta voor het eerst op een exemplaar van *Les Mots* ben gestuit.[37] Maar herinneringen zijn één ding en de Geschiedenis een ander. Als je aan ideeëngeschiedenis doet, als je je voorneemt die andere temporaliteit te volgen waarin, ongeacht het geheugenverlies van de een of de vertekende herinneringen van de ander – vergelijk *Les Mots* – de reële orde van de ideeën logisch verloopt, dan is het bewijs geleverd: Sartre is degene die met *Les Mots* voor één keer op de gebeurtenissen vooruitloopt...

Ik zocht dus de redenen voor zijn ontsporingen. Ik zocht de intieme maar beslissende gebeurtenissen waardoor deze man, die immuun was voor alle totalitaire verleidingen, medeplichtig kon worden – vanaf zijn inzet voor de USSR en vervolgens voor Cuba in de jaren zestig tot dit pro-Chinese moment – aan de waanzin van de tweede helft van de twintigste eeuw. Dit dan is de laatste van deze gebeurtenissen. Dit is, na de ontdekking van de gemeenschap, en vervolgens het filosofische echec, de derde fatale beslissing: de schrijver in zichzelf te doden. Want achter die moord, of liever gezegd, die zelfmoordpoging, achter die kritiek op de literaire religie en in tweede instantie op de oude Dreyfus-mystiek, ligt een complete politieke logica die het individuele geval Sartre verre overstijgt en die helaas maar al te bekend is. De Sartre van *Les Mots*, de Sartre die schimpt op de groteske schrijver die 'met moeite zijn grote knorrige hoofd draagt', is rijp voor de haat tegen het denken: elk willekeurig pamflet, hoe hatelijk ook, van elke willekeurige arbeider die beschikt over zijn eigen woorden, is in zijn ogen meer waard dan een uitspraak van een intellectueel. De Sartre van *Les Mots*, degene die alleen nog maar bij instantbekeringen zweert en die in de beweging, in de traagheid die eigen is aan het schrijven, niet meer de tijd ziet die het ware nodig heeft om waar te zijn, maar een vergeefse tijd, een verloren tijd, een tijd waarin je eigenlijk het leven ontvlucht en de dood zoekt, die Sartre dus, is rijp voor een verering van de jeugd die hij in die jaren opgewekt in de praktijk zal brengen: deze 'jonge mensen', zegt hij (in een interview[38], kort voor mei 1968, waarin hij de spot drijft met de mythe van de 'depolitisering van de jeugd', dat moeten we hem nageven) deze jonge mensen 'staan in politiek opzicht vaak op hetzelfde punt als ik, ze komen geen les nemen maar discussiëren op voet van gelijkheid'; en later, midden tijdens de opstand van mei 1968, vertelt hij op de radio[39] over zijn wonderbaarlijke ontmoeting met Cohn-Bendit: 'We waren laffe mensen, uitgeput, moe en futloos door totale gehoorzaamheid.' Deze Sartre is niet alleen klaar voor, maar ook gegadigde bij uitstek voor een andere praktijk die in hoog aanzien staat bij totalitaire types, de moraliserende politieke zelfkritiek: die had hij tot dan toe zorgvuldig vermeden; hij had zich totaal onverschillig getoond voor dat soort verzoenende of zelfpijnigende ceremonie; nu hoeft hij maar een jonge interviewer tegenover zich te vinden, nu hoeft hij maar te praten met Burnier of Yves Buin, of we zien hem weer schuld bekennen, zijn hoofd met as bestrooien en herhalen dat zijn filosofie en zijn literatuur niets voorstellen, en uitleggen dat de tijd zal komen dat een vernieuwde mensheid niet meer geïnteresseerd zal zijn – gelukkig maar! – in de oude ranzige gal van de gebroeders Goncourt en Flaubert, en opeens bijna opgewekt verklaren dat hij, als hij vijftien jaar jonger was geweest, het manuscript van *L'Idiot* in de prullenmand zou hebben gegooid. En bovenal, bovenal, we zien niet hoe dit vurige verlangen om te versmelten, die bestrijding van alles wat Poulou heeft kunnen kenmerken en wat, nu nog, zijn erfgenaam als uniek wezen zou kunnen onderscheiden, we zien niet hoe de betuigingen van onschuld, dat wil zeggen van alledaagsheid, uit de beroemde eindzin ('een volledig mens, gemaakt uit alle mensen en die evenveel waard is enz.'), we zien niet hoe dat alles te rijmen viel met de grote hypothese van de eerste Sartre, de hypothese die, zoals we ons herinneren, zo ongeveer het kruisbeeld van zijn afwijzingen was, het grondbeginsel, waar hij maar mee hoefde te dreigen om het gevaar af te wenden: echt een onvermurwbare singulariteit; een atoom van subjectiviteit; een bewustzijn dat weliswaar gebroken was, gehavend, zonder identiteit of stabiliteit, maar toch een bewustzijn dat het onverstoorbare havenhoofd van al zijn verzet was en dat hij nu prijsgeeft. Aan de wortel van het sartriaanse totalitarisme, dit laatste kenmerk: de haat jegens de literatuur en jegens zichzelf.

Epiloog
(De blinde filosoof)

Er zijn soorten blindheid – Borges – die je *een beetje* kunt zien aankomen: een vader... een grootvader... het is bijna een voordeel om in een familie van blinden geboren te worden... je weet wat je te wachten staat... je bereidt je voor... je oefent je in het donker te zien, met de schaduwen te leven... je verdeelt je krachten... je zorgt ervoor de vijf zintuigen gelijkelijk te benutten, zolang ze er nog zijn, en er vooral niet één te bevoorrechten... je sluit een subtiel pact tussen het zintuig dat binnenkort aangetast zal zijn en de zintuigen die je versterkt... je went je aan de nacht, je laat hem zachtjes komen en wanneer hij er echt is, wanneer hij eindelijk gevallen is, heb je je er zo goed aan aangepast, heb je je zo systematisch geoefend dat er altijd voldoende licht overblijft...

Sartre heeft zich in de tegenovergestelde positie gemanoeuvreerd.

Niet dat hij niets heeft zien aankomen of dat zijn kwaal hem bij verrassing heeft overvallen: we herinneren ons de scène in *Les Mots* waarin Poulou zich voorstelt hoe hij in het donker, even blind als Beethoven doof was, toch zijn laatste meesterwerk schrijft – en hoe zijn achterkleinkinderen zouden uitroepen: 'Dat heeft hij in de duisternis geschreven!'; we herinneren ons ook de minstens even aangrijpende passage uit *Carnets de la drôle de guerre*, waarin de jonge soldaat aan zijn Castor schrijft: 'Ik houd er voor vandaag mee op; ik kan niet meer denken want mijn ogen doen pijn; ik heb nog nooit zo scherp gevoeld dat ik met mijn ogen denk.' Maar tussen een voorgevoel en een verwachting ligt een wereld van verschil. We kunnen een kwaad voorvoelen en het met heel onze ziel afwijzen. We kunnen het zien aankomen en doen alsof het ons nooit zal inhalen. En dat is precies wat er gebeurt bij Sartre. Alles verloopt alsof de schrijver van *L'Être et le néant* en de *Critique* er een boosaardig genoegen in schept om zijn leven, zijn werk en zijn opvatting van het schrijven in het teken te plaatsen van het enige zintuig dat hij is voorbestemd te verliezen.

Hij heeft een filosofie van de blik gemaakt.

Hij heeft filosofisch vastgesteld dat we met de blik toegang krijgen tot de wereld, hem bezitten.

Hij heeft geloofd en aangetoond dat subject-zijn zien betekent, of in het uiterste geval gezien worden, en dat er zonder dit dubbele zien, zonder het oog van het zelf dat op de dingen is gericht of het oog van anderen dat op jezelf is gericht, helemaal geen subjectiviteit, zelfs bijna geen menselijkheid bestaat.

In zijn dagelijks leven, in zijn bestaan als man en schrijver, en vooral door zijn hang naar transparantie en roem, heeft hij van zichzelf een soort lichtmens gemaakt, iemand die uitsluitend bestaat voorzover hij zich blootstelt aan de bewondering, de haat, de nieuwsgierigheid, de indiscretie, het verweer, de kwaadsprekerij ook, het geroddel, kortom aan de blik van zijn tijdgenoten.

Sterker nog, hij heeft zoals we weten een genadeloze strijd geleverd tegen het idee van een innerlijk leven – hij heeft zijn totale oorlog gevoerd tegen de 'krachten van het innerlijke' die niet alleen in Proust of Bergson, maar ook in de schijnbaar groteske Théodule Ribot zijn geïntegreerd, en heeft al zijn kaarten gezet op een 'uiterlijkheid' die het enige thema is geworden van die 'geschifte' filosofie, zijn 'fenomenologie'.[1]

Beter, of erger nog: zijn opvatting van het denken zelf, zijn gewoonte om te zeggen dat we denken zoals we schrijven omdat 'de handeling van het schrijven, van het maken van letters, bovenvlag neerhaal, ophaal, de *vorm* van het denken is',[2] zijn gewoonte om het lot van het denken, dus van het woord, te verbinden aan die andere 'metafysica van de aanwezigheid', namelijk de praktijk van het schrijven, dat alles maakt hem, nu de winter in aantocht is, berooider dan de allerarmsten: als denken schrijven is, wat blijft er dan over van het denken als je niet meer genoeg ziet om te schrijven? Als de verbeelding alleen kan werken via aaneenrijgingen van tekens en lijnen die met zorg op papier worden gezet, dan moet je wel tot de conclusie komen dat 'de werkelijke activiteit van het denken in zeker opzicht onderdrukt wordt' als de zichtbare aaneenrijging 'onmogelijk is geworden'.[3]

Hij is de laatste westerse filosoof die de platonische voorrang van de blik heeft bevestigd.

Hij is de laatste die, net als Plato, heeft gezegd dat zien en denken hetzelfde is en dat een en hetzelfde woord – 'idein' – zowel duidt op het kijken als op het hebben van een idee.

Hij was, hij is een, weliswaar ongelukkige, hegeliaan die gelooft dat 'denken en bespiegelen aan het voorhoofd gebonden zijn' en dat het beste van dat denken 'in de ogen geconcentreerd is'.[4]

Er waren waarschijnlijk andere keuzen mogelijk geweest. Er bestonden waarschijnlijk andere uitwegen uit deze situatie die hij, ik herhaal het nog maar eens, voorvoelde. Hij had net als Gide het zien kunnen zien als 'het treurigste van onze zintuigen' en bijvoorbeeld kunnen opteren voor 'de tastzin'. Of net als Heidegger kunnen breken met dat oude voortrekken van het oog, die verwarring van het zijn en het zijnde in de sfeer van het geziene, en kunnen denken zonder de duizendjarige garantie van het licht. Maar nee. Hij heeft gebroken met Gide. Hij heeft een stukje opgelopen met

Heidegger, maar is al snel een andere weg ingeslagen. Het lijkt of hij alles heeft gedaan, maar dan ook alles, om te zorgen dat er, als het zover was, gezegd werd dat hij op de blik heeft gegokt, louter en alleen op de blik – dat hij als het ware alleen het gezag van de blik heeft aanvaard.

'Er zijn zo veel dingen die we kunnen doen zonder licht,' zei die andere grote blinde, Borges, eens tegen me in Milaan. Er zijn zo veel dingen die evengoed in het duister gedaan kunnen worden als in het licht. Uw Sartre heeft zich in een onmogelijke positie gemanoeuvreerd. Hij heeft het innerlijke in zich gedood. Hij heeft, in een soort vooruitziende zelfmoord, de zichtbare wereld uitgespeeld tegen de tastbare of verinnerlijkte wereld. En daarom is zijn blindheid voor hem een vernietiging van de ziel geweest.

Dat is de tijd waarin ik zelf Sartre heb ontmoet: opgeblazen gezicht; klein, broos lichaam; zijn gewoonte om een bezoeker de grote leunstoel te geven en zelf wankel op een gammel krukje te gaan zitten; en toen al – het was 1974 – de overdreven oplettende blik terwijl er in de stem een zwakte zat die niet bij hem paste en die hem verhinderde de woorden het juiste timbre te geven.

Dat is de tijd dat je hem geregeld rond het middaguur kon tegenkomen als hij de boulevard Montparnasse af liep naar La Coupole, ingepakt in zijn lammycoat; voorzichtige stapjes; soms onvast; soms daarentegen kaarsrecht, stram, alsof hij bang was te vallen; begeleid door een vrouw, vaak jong nog, die hem bij de arm houdt, hem ondersteunt als hij zijn evenwicht verliest en in het restaurant het vlees voor hem snijdt, zijn fruit schilt en partjes bloedsinaasappel pelt die ze tussen zijn lippen laat glijden; en vooral wanneer er een bewonderaar nadert of een andere jonge vrouw, de veel te zelfverzekerde glimlach, de lege blik van schijnnieuwsgierigheid die nog maar een flauwe schaduw is van de fenomenologische blik van vroeger.

Men zegt dat hij zijn dagen slijt met dromen, televisiekijken en dommelen.

Hij heeft last van duizelingen en Baudelaire-achtige convulsies die zijn vrouwen en vrienden de stuipen op het lijf jagen.

Als hij toch nog naar Venetië gaat, blijft hij het grootste deel van de dag alleen, wat verdwaasd op zijn kamer, en luistert naar de geluiden die opstijgen van het kanaal.

Hij gaat naar Portugal op het moment van de Anjerrevolutie, met Castor, Pierre Victor en, een gedeelte van de reis, Serge July. Maar hij heeft maar één vraag – die niets te maken heeft met de actie van de kapiteins of de factieruzies tussen Spinola, majoor Antunes en Otelo de Carvalho: 'Zal ik Lissabon *zien*?'

Hij die in *Les Mots* had gezegd dat hij zijn leven zou eindigen zoals hij het begonnen was: te midden van de boeken; hij die deed alsof hij zich beklaagde over het lot dat hem aan de wereld van fabels, dromen en verzinsels gekluisterd hield, kan duidelijk geen regel meer lezen.

Sartre is zeventig.

Zeventig is in principe niet zo oud.

Aron bijvoorbeeld, is precies even oud, en ziet er beter uit dan ooit. Hij is zwierig. Elegant. In zijn randgebied van de maatschappij verzamelt hij prijzen en eerbewijzen waar hij in zijn jeugd nooit op had durven hopen. En zie hem eens staan op de treden van het Elysée-paleis waar ze samen komen pleiten voor de zaak van de Vietnamese bootvluchtelingen, zie hoe hij zijn kleine, wankele kameraad een behulpzame arm toesteekt!

Maar ja. Komt het door de overmaat aan peppillen, alchohol en tabak? Komt het doordat hij altijd het leven tot op de bodem heeft geleefd? Wist hij wat hij zei toen hij beweerde: 'Ik geef er de voorkeur aan de *Critique de la raison dialectique* te hebben geschreven en een beetje gehavender dood te gaan?' Sartre is op. Hij is een wrak. Een vod. Het is een zielig lichaam dat het af laat weten, dat hem in de steek laat en dat letterlijk, vertelt Simone de Beauvoir in *La Cérémonie des adieux*, aan alle kanten leegloopt. En in die chaos, die grote leegte, die afgrond, die verwarring misschien, die verdoving, duikt iemand op die zich onmisbaar maakt, iemand die hij al kende sinds de tijd dat hij onder het pseudoniem Pierre Victor over proletarisch links heerste – maar wiens verheffing tot de functie van officiële 'secretaris' van de grote man, zoals naar behoren was vastgelegd in de grondwet van de kleine sartriaanse natie, in korte tijd alles zal veranderen.

De ontmoeting met Benny Lévy

Ik kende Pierre Victor oppervlakkig in die jaren.

Ik heb elders verteld hoe ik op een dag – toen mijn vader aan Jean-Pierre Vernant had gevraagd mij voor te stellen aan een *tapir*, een bijlesleraar, die doorkneed was in de humaniora en Vernant me door had gestuurd naar Althusser – in zijn kantoor oog in oog kwam te staan met die broodmagere, woeste, 'angstaanjagende jongeman' met zijn samenzweerdersuiterlijk, die ik onmiddellijk benijdde om zijn adelaarsprofiel, de licht opgetrokken schouders als bij een worstelaar die klaarstaat om in de aanval te gaan, de te lange grijsgroene parka en het spottende voorkomen omdat hij filosofieles moest geven aan een groentje, al kwam hij dan van Althusser.

Ik heb verteld over de vreemde invloed die hij in die jaren uitoefende op een hele generatie 'normaliens', deze man zonder werkelijke charme, die niet mooi of briljant was, die niet zoals Régis Debray in Camiri in de gevangenis had gezeten, die weinig en niet zo best sprak en in elk geval niets had van de joviale welbespraaktheid van de grote studentenleiders van mei 1968. Maar er ging een scherpe kracht, iets bliksemends van hem uit; hij straalde iets uit (een zeldzame combinatie, die we sindsdien bij niemand anders hebben gezien) van een bezieling zonder aanwijsbare oorzaak, een absolute, geen enkele tegenspraak duldende autoriteit, waarvan de bron verborgen bleef maar die daar alleen maar sterker door werd.

En ik moet zeggen dat ik me na al die jaren – hoewel hij zelf iemand anders is geworden en hoewel hij, na een bekering die hij nooit echt heeft uitgelegd, op een mooie ochtend, net als Nizan eertijds, maar dan zonder terug te komen, is vertrokken naar een yeshiva (orthodoxe rabbijnenschool) in het oosten van Frankrijk en vervolgens naar Jeruzalem, waar hij volgens de laatste berichten zou leven in nauw contact met de begraven geschriften van de bijbel, de talmoed, de teksten van Philo van Alexandrië of de denkwereld van Emmanuel Levinas – nog steeds niet kan onttrekken aan een vreemde fascinatie voor die raadselachtige en wijze, laconieke en heftige woesteling van toen, met zijn liefde, maar ook minachting voor grote eruditie; de man die tussen de boeken leefde al beweerde hij, net als Freud, dat het 'de kinderen van het ongeluk' waren en dat, als het erop aankwam, geen bibliotheek ter wereld kon opwegen tegen de woeste schoonheid van de witte bladzijde van de hernieuwde Geschiedenis...

Was dat het wat Sartre verleidde?

Heeft hij echt, zoals wij allemaal, en zoals hij meermalen zal verklaren, in hem het prototype van de nieuwe intellectueel gezien?

Is hij, net als anderen, gezwicht voor de fascinatie van de 'chef', sommigen zouden zeggen 'de man in het zadel', die tot aan de ontbinding van Gauche proletarienne de marxistische Socrates was – vol moralisme en ongelooflijk autoritair – en die de maoïstische kringen in zijn ban had?

Of heeft hij juist de onrustige ziel op weg naar iets anders voorvoeld – heeft hij in deze 'chef', die de mond vol had van 'de mens recht in zijn ziel raken' en hem 'veranderen in zijn diepste wezen', de mogelijke bekeerling vermoed die al op weg was van Mao naar Mozes en van de mythologieën van de vooravond van de revolutie naar de heilige woorden van de talmoed?

Was het zijn joodszijn dat hem fascineerde?

Was hij, na Aron, Lanzmann en natuurlijk Arlette Elkaïm, het vierde joodse personage in het leven van Jean-Paul Sartre?

Arlette Elkaïm, ja, dat is die jonge jodin uit Constantine die hij halverwege de jaren zestig tot ieders verbazing besloot te adopteren: deze man was nooit getrouwd; hij had nooit maar dan ook nooit kinderen gewild; waarom dan dit meisje? Waar heeft ze die uitverkiezing aan te danken? Voelt hij zich schuldig ten opzichte van haar? Welke schuld? Welke rekeningen vereffent hij met dit gebaar? Wat betekent zij in zijn libidineuze en symbolische huishouding? Inderdaad het jodendom? Geslaagde incest? Iets anders? Het feit blijft dat hij van deze minnares zijn dochter besluit te maken; het feit blijft dat zij de enige ter wereld is met wie deze man, die zich zijn hele leven niet heeft willen binden, ooit een wettelijke band wenste vast te leggen; en we kunnen niet om de vraag heen: houdt het één geen verband met het ander? Weten we zeker dat we om dat betekenisvolle 'joods' heen kunnen als we deze twee even onwaarschijnlijke relaties willen verklaren? Is het toeval dat hij besluit Arlette te adopteren, dat wil zeggen haar zijn naam te geven, een paar jaar voordat hij met Victor die opmerkelijke band aanknoopt en hem aanspoort – en helpt – zijn echte naam, Benny Lévy, weer aan te nemen, zodra die band een feit is?

Of, om het van een heel andere kant te benaderen: zou hij gevoelig zijn geweest, zoals hij een keer in een zeer vreemde tekst heeft gezegd, voor de 'vrouwelijke kwaliteiten' van de jonge man? Zou hij zonder 'homoseksueel' te zijn – benadrukt hijzelf – in de dialoog met deze 'chef' die ook een 'kerel' was, het plezier hebben hervonden van het soort gesprekken die hij 'graag met vrouwen heeft' en die altijd 'over belevenissen' gaan, iets wat 'bij mannen zelden gebeurt'?[5]

Al die hypothesen zijn toelaatbaar. Ze zijn overigens niet per se tegenstrijdig, maar eerder complementair. Maar het feit blijft daar – schokkend, verbluffend en voor de oude sartrianen waarschijnlijk uiterst pijnlijk.

Deze man zonder echte vrienden, deze vrouwenman die altijd het 'geklets van Sagan' (Bernard Frank) had verkozen boven een discussie met Aron of Pouillon, deze atheïst in zaken van het hart, deze ongelovige die de verheerlijking van de vriendschap aan Camus overliet en die eigenlijk altijd aan de kant van Proust (en Kafka) had gestaan, tegenover die van Berl (en Blanchot), deze Sartre die, net als Proust, altijd had gevonden dat vriendschap iets belachelijks was, een leugen, tijdverspilling, tijdverdrijf, en die bovendien, net als Kafka, altijd het gevoel had dat er een element van verloochende, beschaamde homoseksualiteit school in te luide verheerlijking van die vriendschapscultus, deze man raakt bezeten van zijn secretaris, hecht zich aan hem, laat hem niet meer los – tot de 'familie' uit wanhoop, omdat ze zien dat hij hun ontglipt en vooral omdat hij nooit meer deelneemt aan de gewijde redactiebijeenkomsten van *Les Temps modernes*, overweegt deze Pierre Victor, die hij opdraagt zich voortaan Benny Lévy te noemen, als lokmiddel uit te nodigen...

Erger nog. Deze filosoof van het denken in je eentje, deze man die altijd heeft gezegd dat je slechts kunt denken als je alleen bent met jezelf, in het schrijven, de eenzame en stille bespiegeling, deze polemist die nooit een kans voorbij heeft laten gaan om tegen zijn tijdgenoten aan te schoppen, en hard ook, maar op voorwaarde dat hij zelf begon, op voorwaarde dat hij niet de indruk wekte te reageren op Camus, Merleau, Mauriac, Lévi-Strauss (waar was reageren goed voor? vroeg hij. Je bent in een debat zo inferieur aan jezelf! Een denker reageert op niemand, je denkt tegen jezelf, nooit tegen de anderen...) – deze filosoof dus, laat het aan die ogen over om voor hem te zien, legt dat hoofd de taak op met hem mee te denken, en stort zich in een lang, tweestemmig woordenspel dat op een dag moet uitmonden in een nieuw boek.

Een noodsprong, dat boek? Een schijnboek? Een tijdverdrijf voor het moment, en de allerlaatste oplossing om zich te dwingen tot lezen en nadenken, om niet meer te slapen? Dat is niet wat hij erover zegt. Helemaal niet. Integendeel: 'Ze zullen anders over me spreken als we dit boek uitgeven,' bekent hij aan Lévy.[6] En aan Sicard: 'Ik schrijf een werk dat alles wat ik in de filosofie heb gedacht totaal transformeert' en dat, als ik het voltooi, 'niets overeind zal laten van *L'Être et le néant* en van de *Critique de la raison dialectique*.'[7] En ook, aan diezelfde Sicard, met een sprankje enthousiasme dat hij lang niet meer vertoond had: het is een 'nieuwe vorm', een echte filosofische dialoog, maar weer sterk verschillend van de dialogen van bijvoorbeeld Hume; 'als ik het af krijg', zal het de befaamde 'moraal' zijn die ik in *L'Être et le néant* heb aangekondigd en die ik – o, ironie van de geschiedenis – misschien eindelijk aan het schrijven ben.

Je voelt de ziel die zich de veren schudt.

Je ziet – de 'familie' ziet – het verstand dat weer tot leven komt.

Deze levende dode – 'de dode man dat was ik echt...' het is 'niet helemaal een levende meer' die in dit boek spreekt... dit boek is een boek 'aan gene zijde van de geschreven dingen...'[8] – deze bijna dode komt terug tot het denken en dus tot het leven.

Hij is kalmer geworden. Bijna sereen. Simone de Beauvoir constateert, half bitter, half blij, dat hij de middagen die zijn secretaris haar nog gunt weer alert is en niet wegzakt wanneer zij voorleest.

En zo komt het dat de lezers van de *Nouvel Observateur* in maart 1980, een paar weken voor zijn dood – maar niemand had daar een vermoeden van, zo fit leek hij plotseling, misschien niet meer meester van zijn lichaam, maar nog wel van zijn geest – tot hun verbijstering de eerste uittreksels zien verschijnen van de dialoog die vijf jaar eerder begonnen is: 25 gecomprimeerde, compacte pagina's, verspreid over drie weken, die onder de titel *L'espoir maintenant* getuigen van een Sartre die inderdaad is ontwaakt – maar op de manier van Lacan wanneer hij zijn School ontbindt of van Mao tijdens de culturele revolutie: door het hoofdkwartier van *Les Temps modernes* te laten aanvallen door de Franse ex-kornuit van de rode garde, of misschien de oude rode gardist in hem die nooit is afgetreden; door de vlakte van alle sartriaanse kennis die in tientallen jaren is vergaard in vuur en vlam te zetten; door in zijn eigen werk een reeks hartverscheurende herzieningen aan te brengen, zonder dat iemand zou kunnen zeggen wat hem ertoe dwingt of inspireert – haat of zelfrespect, zelfvernietigende razernij of liefde voor het denken, levenslust of doodsverlangen, verlangen naar de schone lei of passie voor de opstand tot en met die tegen zichzelf...

Schandaal bij de sartrianen

Ik heb nooit 'levensangst' gekend, slingert hij bijvoorbeeld zijn verbouwereerde vrienden in het gezicht. Het was gewoon een van de 'sleutelbegrippen van de filosofie tussen 1930 en 1940'. Ik heb me achter het 'sleutelbegrip' geschaard.

Of: 'Ik ben nooit wanhopig geweest'; ik heb nooit 'van dichtbij of van veraf de wanhoop gezien als een eigenschap die bij me kon horen'; het was 'flauwekul'; opschepperij; ik praatte erover 'omdat iedereen erover praatte, omdat het in de mode was', maar zonder het echt te voelen; ik praatte erover omdat dat het moment was dat iedereen 'Kierkegaard las' en erover praatte.

Of: 'Mijn boeken zijn een mislukking; ik heb niet gezegd wat ik wilde zeggen, en ook niet op de manier waarop ik het wilde zeggen.'

Ofwel, als antwoord aan Lévy die hem ondervraagt over onsterflijkheid en over het onderscheid tussen het 'verlangen naar onsterflijkheid' van de Sartre van 'het bestaansverlangen van de ober' in *L'Être et le néant*: 'Mijn werk werd niet gedreven door de wil onsterflijk te zijn' – een klassiek antwoord; maar direct daarna, minder klassiek en reden voor nog grotere verbijstering in de rangen van de oude sartriaanse garde; 'Ik denk dat onsterflijkheid bestaat, maar niet op die manier'; en, even verderop, echt verbluffend, de zinnen waarin hij de joodse visie van de wederopstanding van de lichamen na de dood ter sprake brengt met de woorden dat die hem 'bevalt' – hij zegt echt de lichamen, hij heeft het echt over het moment waarop de lichamen 'als levenden in die nieuwe wereld wedergeboren zullen worden', met andere woorden, hij heeft heel goed begrepen, en herhaalt dat hij het prachtig vindt, dat het grote mysterie van het jodendom niet de onsterfelijkheid van de ziel is (elk willekeurig boeddhisme of heidendom, elke theorie van zielsverhuizing zou voldoen als het alleen om de ziel ging) maar de vreselijke, verwarrende, bijna ondenkbare wederopstanding van het vlees!

En het vreemdste, het onbegrijpelijkste en voor degenen die hem goed kennen, het ware teken dat hij bezig is zijn filosofie 'volledig te veranderen' en niets 'overeind te laten' van de architectuur van de *Critique* of *L'Être et le néant*, zoals hij aan Sicard verkondigde: na die knallende zinnen, na die kwestie van de wederopstanding van de lichamen die ten slotte een terloopse opmerking had kunnen zijn, een provocatie, een gril, een proefballonnetje, is daar het laatste deel van de tekst, helemaal gewijd aan zijn ontdekking van het joodse denken.

Dat is niet nieuw? De schrijver van de *Réflexions* had al lang geleden verteld hoeveel belangstelling hij had voor die kwestie? Dat is waar. Alleen gaat het hier juist niet meer om de joodse 'kwestie'. Laat staan om het antisemitisme, om de blik die hij laat vallen op het joodse wezen en die van iemand een jood maakt. Het gaat om het jodendom zelf. Het gaat om de positiviteit, de genialiteit, de roem van het jodendom als zodanig. Hij denkt na over het lot van een volk waarvan hij niet schroomt te zeggen dat het altijd geleefd heeft en 'metafysisch' nog leeft: een formulering waarin het derde, intertekstuele oor onvermijdelijk de echo hoort, gedempt weliswaar, maar toch overduidelijk, wat alles nog raadselachtiger maakt, van Heideggers uitspraak over het volk – een ander volk... – dat 'bij uitstek metafysisch' is. Kortom, wat Sartre de verbaasde lezers van de *Nouvel Observateur* verkondigt, is dat er voor een filosoof evenveel te denken valt in de bijbel als in Plato, in rabbijn Akiva als in Hegel of Husserl en dat het laten samenvloeien van de twee bronnen, de twee moralen en de twee religies, het verbinden van de bijbelse en de Griekse denkwijze, en van de suggestief-profetische en de nuchter-beschouwelijke taal, als God hem tijd van leven geeft, zijn dringendste taak zal zijn in de periode die hem rest.

Voeg daarbij de losse, bijna familiaire toon die in dit vreemde document klinkt.

Voeg daarbij het verplichte tutoyeren, sinds *La Cause du peuple*, tussen Sartre en zijn maoïstische vrienden (en dat terwijl hij intimi vaak met u aanspreekt – om te beginnen Castor).

Voeg daarbij de uitweidingen over de voordelen van deze debatvorm die hij niet toepast om ervan af te zijn of als reservemanier om het denken op gang te brengen, maar die hij zich werkelijk eigen lijkt te willen maken: 'Tot nu toe heb ik nooit anders dan alleen gewerkt, gezeten aan een tafel met pen en papier voor me – terwijl we nu samen gedachten vormen.'

'Samen gedachten...'

Even verderop: gedachten 'die met zijn tweeën worden gevormd...'

En verder: 'Meervoudige gedachten die we samen hebben gevormd en die me onophoudelijk iets nieuws brengen.'

Elders, als antwoord op Lévy die hem eraan herinnert dat hij altijd heeft verkondigd dat 'denken alleen denken is'[9]: ideeën 'die naar het ons toe komen.'

Weer elders: 'ik hou wel van' die dialogen met Victor want 'we schelden elkaar de huid vol', hij 'schudt me wakker', en dat is wat ik van een dialoog, een echte dialoog verwacht – dat hij me wakker schudt en aan het wankelen brengt.[10]

Is Sartre op het laatst gek geworden? Of Spinoza-aanhanger? Of talmoedist? Zouden er dialogen en dialogen zijn? De goede (talmoedistische) dialoog tegenover de slechte (platonische) dialoog? Is hij bezig te zeggen dat hij besloten heeft in de huid, het hoofd van een rabbijn te sterven?

We kunnen ons de verbijstering van de 'familie' voorstellen.

We kunnen ons hun ongeloof, ergernis en woede voorstellen.

De een – Olivier Todd – spreekt over het 'misbruik van overjarigen'.[11]

De ander – Simone de Beauvoir – zal in *La Cérémonie* spreken over een bijna-misbruik van het denken en schrijft, dronken van woede en vast ook van verdriet, dat de voormalige leider van de maoïsten de oude man bijna heeft gedwongen tot zijn onzinnige uitspraken.

John Gerassi, die met Sartre jarenlang andere gesprekken voerde en zichzelf ook wel in de rol van officiële gesprekspartner of biograaf zag, zal de grenzen van het fatsoen overschrijden en zegt misschien ook hardop wat sommigen nauwelijks stilletjes durven te denken: Benny Lévy? 'Een fanatieke vechtersbaas'; een 'Egyptische jood', 'niet eens een Fransman', die door middel van 'duivelse manipulatie' een verzwakte Sartre, die niet meer bij zijn volle verstand is, zou hebben gedwongen zijn eigen geschiedenis 'volledig te herschrijven' door denkbeeldige 'joodse wortels' te verzinnen; een soort 'mentor' die 'rabbijn en talmoedist is geworden' en deze vrije geest, deze voltairiaan zou hebben verjoodst.[12]

Kortom, de kern van de 'familie', met als opvallende uitzonderingen Claude Lanzmann en de schrijver van *Rats et des hommes*, Gérard Horst, alias André Gorz, eist het recht tot censuur op en roept, als ze dat niet krijgen, dat het een schande is, een misbruik van filosofisch goed: Sartre is hun ontstolen! Hij is versjacherd, misbruikt, ontaard, vermomd! De grootste levende filosoof is een zielige marionet geworden in de handen van een weinig verfijnde, dogmatische Gepetto!

De beroering, de druk en de macht van kwaadsprekerij zijn zo groot dat de hoofdredacteur van de *Nouvel Observateur*, Jean Daniel, toen hij de tekst ter publicatie had ontvangen, zelf bijna begon te twijfelen, zo niet aan de authenticiteit dan toch aan de geestelijke vermogens van degene die erin aan het woord was. Sartre heeft hem persoonlijk moeten opbellen, heeft met heldere, welluidende stem de controversiële zinnen moeten bevestigen en zelfs moeten voordragen voordat hij besloot tot publicatie over te gaan. 'Heeft u de tekst voor u? – Ik heb hem in mijn hoofd,' antwoordde Sartre. En inderdaad, zegt Daniel, 'hij kende hem uit zijn hoofd...'[13]

Zelfs de eeuwige antisartrianen, met Raymond Aron aan kop, vinden redenen – andere redenen – om te protesteren. Waar moet het heen als intellectuelen zelf hun eigen marionet kapot maken? Wat moet er van ons worden als Sartre antisartriaanser wordt dan de antisartrianen, zijn eigen decor afbreekt, in onze plaats het standbeeld omhaalt? Wat wil hij? Welk spel speelt hij? Is hij wijzer geworden? Gaat hij zijn leven eindigen in schijnheiligheid? En wij, wat moet er van ons worden als hij het in zijn hoofd haalt ons van onze rol te beroven en even redelijk wordt als wij?[14] Dat hij zijn eigen nest bevuilt, vooruit, dat is het probleem van Simone de Beauvoir en des te beter voor haar als zij er ook nog eens literatuur van kan maken; maar dat hij op zichzelf spuugt uitsluitend om het genoegen ons het spuug uit de mond te halen, dat is niet eerlijk, dat is onvergeeflijk – dat is bedrog, een onmetelijke fout, een vooroordeel.

De geruchten zwellen aan. Ze overschrijden de grenzen van de buurt, van Parijs, van het land. Maandenlang staat de wereldpers bol van deze ongelooflijke zaak: de filosofische kraak van de eeuw; de grootste verduistering van ideologisch kapitaal ooit vertoond; de grootste levende filosoof is tot het besluit gekomen – tot het besluit gebracht? – ruim de helft van zijn werk te verscheuren en vermomd als rabbijn te eindigen.

Sartre is voor al die mensen niet alleen oud, maar ook kinds. Hij is niet alleen betoverd door Benny Lévy, maar gegijzeld. Hij is de prooi van een links joods schooiertje dat hem niet heeft wakker geschud, maar hem heeft uitgeschud – en dat hem, nu hij met één been in het graf staat, als een perverse biechtvader zijn verloochening zou hebben afgeperst.

Een joodse Sartre?

Het is uiteraard niet aan mij om Benny Lévy te 'verdedigen'.

Hij heeft zichzelf heel goed verdedigd, ten eerste in de pers,[15] en vervolgens in het voorwoord bij de volledige uitgave van het gesprek die later is verschenen – dat is het enige excuus van de sartrianen – bij uitgeverij Verdier.

Hij heeft heel goed verwoord hoe hij, 'met stomheid was geslagen' door de passage over de wederopstanding van de lichamen, en heeft geprobeerd die 'eruit te wippen', totdat hij merkte dat Sartre eraan hechtte.

Hij heeft verteld hoe verbouwereerd hij was over de verklaring van het niet-ervaren van de levensangst, de bluf van de walging, en hoe hij samen met Arlette heeft gepoogd de aandacht van de oude man te vestigen op de 'reacties' die deze bekentenis zeker zou uitlokken – totdat hij merkte dat dat juist het deel van het gesprek was waar Sartre de nadruk op wilde leggen.

Arlette Elkaïm, Sartres dochter, is ook op de barricades geklommen. Zij deed dat door middel van een ingezonden brief, die tegelijk heel mooi en heel hard was, gericht aan Castor, een jaar na Sartres dood, toen de ruzie weer was opgelaaid door de publicatie van *La Cérémonie des adieux*.[16] Het was de tijd waarin 'ik probeerde zijn ogen te zijn', vertelt zij; zoals ik al gedaan had met 'andere gesprekken uit diezelfde tijd', heb ik hem de dialoog 'steeds weer voorgelezen'; ik heb met hem 'zin voor zin en dat meerdere keren, tot vervelens toe' doorgenomen; en hij heeft dus alle kans gehad 'toe te voegen en te corrigeren wat hij maar wilde'. En dan meedogenloos: 'hoe dan ook', niets weerhield u ervan hetzelfde te doen; niets of niemand zou u verboden hebben 'naast hem te gaan zitten, met de bladzijden in de hand en hem deelgenoot te maken van uw kritiek'; hijzelf was nog het meest verbaasd dat 'u niets van dien aard deed'; we hadden het prettig gevonden, we zouden het prettig vinden 'u die blote waarheid te vertellen dat Sartre voor zijn dood nog springlevend was: hij zag bijna niets meer, zijn organisme ging achteruit, maar hij hoorde en begreep wel, en u heeft hem behandeld als een dode die de ongepastheid heeft begaan iets van zich te laten horen'. En dan de genadeslag: dat idee van een 'Sartre-tribunaal…' waar haalt u dat idee van een 'Sartre-tribunaal' vandaan? 'Hoe valt te begrijpen dat u tegen hem heeft kunnen zeggen dat u van plan was een "Sartre-tribunaal" op te richten om zijn gesprekken te beoordelen?'

Ik zal me er dus voor hoeden een kant te kiezen in deze ruzie tussen de 'twee families'.

Temeer daar zowel de toon van deze brief als wat her en der gezegd is over de houding van Lévy en Arlette in de dagen na Sartres dood (appartement leeggehaald en afgesloten voordat Castor was geweest, geen voorwerp voor haar, geen snuisterijtje, kleinigheid of boek als herinnering, ruzies om de erfenis, toeëigeningsoorlog rond het lijk en zijn nagedachtenis) aangeven dat, aan beide kanten, alle middelen waren toegestaan.

Maar dan blijven er de feiten. Er zijn de teksten en de feiten, en de teksten die ook feiten zijn. En als we die allemaal nog eens doornemen, als we de stukken van dat opmerkelijke dossier nog eens naast elkaar leggen, zien we toch dat zich een paar duidelijke gegevens aftekenen.

Dit in de eerste plaats. 'Manipulatie' zeggen ze. Sartre zou verschrikkelijk zijn gemanipuleerd door de vuige Benny Lévy. Het zij zo. Maar over manipulatie gesproken, wie manipuleert wie eigenlijk? En zijn we er bij het lezen wel zo zeker van dat de manipulatie altijd één kant uit is gegaan? De jonge revolutionair voert de oude meester mee naar zijn terrein, dat is waar. En wanneer hij bijvoorbeeld de crisis en vervolgens de dood van links analyseert, wanneer hij eraan herinnert hoe *Gauche proletarienne* 'verder terug heeft willen gaan dan het communistische of stalinistische idee van de partij', maar hieraan is bezweken omdat het zich verliet op de herinnering aan de sansculottes en de *Père Duchesne* (een extremistisch tijdschrift ten tijde van de Franse Revolutie); wanneer hij een aanval doet op het 'radicalisme' en op wat hij 'de verticale soevereiniteit' noemt; wanneer hij aan het begin van het laatste deel van de tekst het oeroude joodse 'wantrouwen' ten opzichte van de massa en het idee 'revolutionairen' te berde brengt; wanneer hij spreekt over dat joodse 'voorgevoel' van het voortbestaan van de angsten en emoties van de 'pogrommassa onder de revolutionaire massa', is het Lévy die spreekt terwijl Sartre alleen maar knikt: 'ja...' 'ik zeg geen nee...' 'dat is waar' 'ik denk dat je geen ongelijk hebt...' – de toon van een dialoog van Plato, al vervult Lévy de rol van Socrates en Sartre die van Hermocrates of Critias. Maar de tekst is niet overal van dien aard. Er zijn andere passages waarin Sartre op zijn beurt verklaart dat hij omwille van weerwerk zijn gesprekspartner als sparringpartner gebruikt, bijna als 'boksbal', zegt hij. Er is een bladzijde waar hij onomwonden zegt dat hij zich zijn eigen boeken minder goed herinnert dan deze piepjonge man, deze leerling die er tien jaar geleden, toen hij uit Egypte kwam, het plezier van het filosoferen uit heeft geput – en hij voegt eraan toe: wat is het handig zo'n jongen bij de hand te hebben! Is er een betere manier om de vinger te leggen op eventuele tegenstrijdigheden tussen dingen die we nu zeggen en dingen die we misschien 'in 1950' hebben geschreven? Toen ik me daarvan bewust werd, gaat hij verder, toen ik zag dat je 'de geschiedenis van mijn denken' even goed kende als 'de geschiedenis van de filosofie', toen ik begreep dat je een levend geheugen was van het denken van Sartre en dat ik dankzij onze gesprekken toegang had tot dat vleesgeworden archief, werd je 'voor mij interessant', ik zou zelfs zeggen: 'uiterst nuttig', en als dat cynisch klinkt, jammer dan... Wie gebruikt in dit geval wie? Wordt Victor niet evenzeer een instrument voor Sartre als Sartre een instrument voor Victor was (en evenzeer, dit terzijde, als hij een instrument was voor de 'sartrianen', die al veertig jaar hun leven, hun plannen en soms hun geluk of hun denken in de schaduw van de sartriaanse kathedraal hebben gebouwd)?

En dan nog dit. Sartre die wordt 'getutoyeerd' door Benny Lévy... Sartre die 'grof wordt bejegend' of 'mishandeld'... Sartre als arme oude sloeber die wordt afgeranseld door een schoft en zijn handlangster Elkaïm... Het is vreemd. Maar er bestaat in het oeuvre van Sartre nog een boek dat volgens dit model is geconstrueerd. Er bestaat een eerste boek met gesprekken, dat zes jaar eerder is verschenen, waarin Sartre al gesprekken voert met Benny Lévy (die zich dan nog Pierre Victor laat noemen) en een andere maoïst, de schrijver van een boek over het rode India van de 'naxalieten', Philippe Gavi. In dat boek tutoyeren ze elkaar al. In dat boek wordt hij al 'als gelijke' behandeld door jonge, nogal vrijpostige kameraden die hem niet alleen – sic – 'als rotte vis' behandelen en hem aansporen om, net als zijzelf, 'zich los te rukken van het hele intellectuelenkarkas', en die hem niet alleen 'bij Renault binnensmokkelen in een vrachtwagen' of 'in elkaar laten slaan door smerissen tijdens vaak nutteloze expedities', maar die het ook bestaan, in hun eigen woorden, een 'controlerende macht' over zijn activiteit als schrijver op te eisen. Als er al een tekst bestaat in de sartriaanse bibliografie waarin de jeugd wordt verheerlijkt, als er al een boek is waarin de grote Sartre toestemt zijn hoofd met as te bedekken en voor wie het nog wil horen luidkeels zijn nederigheid van decadente, burgerlijke en nutteloze intellectueel te betuigen ten opzichte van de heldere taal van een gezegende jeugd die mei 1968 heeft bewerkstelligd, 'tegen hem' en tegen mensen zoals hij, dan is dat deze eerste dialoog met de titel *On a raison de se révolter*, een boek dat we achteraf niet zonder huiveren kunnen lezen. Een vraagje. Hoe komt het dat iedereen zo ontdaan reageert als *L'Espoir maintenant* verschijnt? Hoe komt het dat die eerste tekst ongemerkt is gepasseerd en dat deze zo veel stof doet opwaaien? Hoe komt het dat niemand zich heeft opgewonden, of zich tegenwoordig nog opwindt over een boek waarin hij ook nog eens echte onzin uitkraamde en waarin hij vanuit zijn gedweep met de jonge generatie zijn kameraden bijvoorbeeld aanraadde om een 'openlijk illegale organisatie te behouden die altijd in staat is illegale en gewelddadige acties te ondernemen', of het 'algemeen kiesrecht' omschreef als 'een list van de burgerlijke macht om de legitimiteit van volksbewegingen en de directe democratie te vervangen door legaliteit', of zijn mooie 'pessimisme' uit de tijd van *La Nausée* afdeed als 'een pleziertje na het eten' of als een vage 'eigenaardigheid, zoals bretels dragen in plaats van een riem'[17] – en hoe komt het dat we het blijkbaar erger vinden Sartre te horen zeggen dat hij in de bijbel rudimenten van een ontologie, een moraal, een verzetsfilosofie heeft gevonden? Zouden we Pierre Victor tolereren en is het Benny Lévy die het probleem vormt? Bizar.

Daar komt nog bij, we weten dat Sartre hier niet met zijn eerste zelfvernietiging bezig is. Deze specialist in het herroepen, deze meester in trouweloosheid, heeft de verplichting om tegen zichzelf te denken, zich de botten van het hoofd te breken, zo vaak mogelijk de stenen van zijn eigen ideeën te verbrijzelen, altijd tot eerste voorwaarde gemaakt van een denken dat die naam waardig is. We herinneren ons dat hij zijn hele leven niets anders heeft gedaan dan veranderen, zichzelf ontkennen, een deel van zijn werk verscheuren, het koortsachtig vervangen door een ander, opnieuw breken, teleurstellen, zichzelf ontkennen en tegenspreken. Hij heeft al eerder gezegd – in de film van Contat en Astruc, in het interview met Redmond O'Hanlon en zelfs in een fragment van de *Carnets de la drôle de guerre*[18] – dat hij nooit de 'walging ervaren' heeft. Hij heeft al gezegd – tegen Pierre Verstraeten, vijftien jaar eerder – dat 'wij altijd min of meer iets anders zeggen dan we willen zeggen'.[19] Hij heeft talloze keren gezegd dat er in *L'Être et le néant*, 'heel slechte hoofdstukken' staan,[20] en dat hij die, als het kon, het liefst uit zijn volledige werk zou schrappen. Hij heeft de *Critique de la raison dialectique* geschreven uit haat tegen *L'Être et le néant*, en vervolgens *Les Mots* uit haat tegen *L'Être et le néant* én tegen de *Critique* én tegen *La Nausée*. Dezelfde vraag weer: Waarom het recht tot herroepen gisteren en dit feitelijke verbod vandaag? Waarom zijn we hem gevolgd in al die koersveranderingen, die hij overigens nooit uitlegde, en steigeren we daar nu plotseling tegen? We hebben het zijn hele leven geaccepteerd en zelfs geroemd, we beschouwden die gewoonte om overal mee te breken als zijn persoonlijke stijl, hoe komt het dat we er nu ineens aanstoot aan nemen? Hoe komt het dat we dat vermogen tot verzaken, waarin we het bewijs zagen van zijn vitaliteit en misschien zelfs van zijn soevereine en kostbare vrijheid, nu het Lévy en hun gemeenschappelijke beschouwingen over de mystiek, de aard en het metafysische lot van het jodendom betreft, alleen als teken van zijn schipbreuk zien? Bizar... Steeds bizarder.

En dan is er ten slotte de tekst. Er zit een tekst achter dat alles. Een echte tekst. En wat deze tekst aangaat, die door Sartre is gewild, gezegd en, of we willen of niet, gedacht, is het opvallend dat al die mensen die, nu en vroeger, de mond vol hadden van manipulatie, verraad, malversatie, al die mensen die stikten van woede bij het idee alleen al van de kleine Egyptische jood die de grootste Franse filosoof dwingt het ware geloof af te zweren om dat van de bijbel te omhelzen – want dat is waar het in laatste instantie altijd om gaat! – zich niet meer hebben ingespannen om erachter te komen wat hij eigenlijk zei. Ik heb de tekst voor me. Ik heb hem in zijn twee versies: *L'Es-*

poir maintenant, dat in boekvorm *Pouvoir et liberté* is geworden. Het is zonder meer een gesproken filosofische tekst. Het is een onvolmaakte tekst, en in veel opzichten onvoldragen. Hij staat vol herhalingen, schuim, slordigheden, terugblikken, zelfverwijt. En het is inderdaad een tekst die hele muren van het sartriaanse systeem met geweld omverhaalt, alvorens de lof te zingen van de joodse filosofie. Maar hij doet dat niet zomaar. Niet alleen voor de lol van het afbreken. Het is geen oefening in zelfafstraffing, verbrande aarde – een oude schrijver in doodsnood, nukkig en jaloers op zijn scheppingen: 'Met sterven zijn we er niet, mijn systeem moet met mij sterven! Vervloekt zij mijn filosofie als zij mij zou overleven!' Wat interessant is op deze bladzijden, wat het lezen ervan tegelijkertijd verwarrend en boeiend maakt, is dat je rond die, jawel, nieuwe 'joodse' inspiratie, aan weerszijden van de joodse draad die over de afgrond van zijn eigen verwoeste denken is gespannen, andere theses, andere concepten ziet glanzen – niet echt andere 'muren' maar wel 'hoekstenen' van een ander denksysteem. Sartre doet in dit boek niet aan 'politiek'. Hij geeft zijn maoïstische vrienden dit keer geen wapens om te strijden of om de positie van intellectueel in zichzelf te vernietigen, zoals in *On a raison de se révolter*. Hij denkt. Hij begint weer te denken. En dat is wat de oude sartriaanse garde, maar ook de lezers en het merendeel van de commentatoren vreemd genoeg niet hebben willen zien.

Joods als Sartre

Want wat is er eigenlijk aan de hand met dat jodendom?

Wat bedoelt de laatste Sartre precies wanneer hij het joodse volk definieert als een 'metafysisch' volk?

Wat betekent voor hem 'joods' zijn of zich op dat 'joodszijn' beroepen en wat is in zijn denken het concrete effect van die formulering?

In concreto vier dingen.

Ten eerste een nieuwe filosofie, gericht op actie. Sartre en Benny Lévy hebben afstand genomen, zagen we net, van de radicale traditie die van de septembermoorden tot proletarisch links loopt. Ze hebben kritiek geuit, zij het voorzichtig – en vooral Sartre lijkt graag de nadruk te leggen op het feit dat hij het 'nog niet duidelijk ziet' – op het idee, dat wordt uitgewerkt in de *Critique de la raison dialectique*, van de 'broederschapterreur' ofwel een broederschapsband gesmeed in het bloed van terroristische moord. Ze hebben zich afgekeerd van het plan om met geweld 'de fasen over te slaan' die ons verwijderen van 'de eigenlijke mensheid'. Ze zijn het erover eens dat liefde niet op haat kan worden gegrondvest, medemenselijkheid niet op oorlog, voor-de-ander niet op 'het werk dat erin bestaat de vijand te doden'. Ze hebben dus een bom gelegd onder de hele problematiek van het voorwoord bij de *Damnés de la terre*. En vanaf dat moment is hun probleem 'simpel': wat te doen met het idee revolutie? Is die definitief 'verloren'? Moeten ze ervoor kiezen haar 'in de steek te laten'? Of moet er een andere vorm aan worden gegeven? Antwoord: we moeten doorgaan. En wat het mogelijk maakt door te gaan is het concept messianisme, dat in de 'joodse', dat wil zeggen profetische betekenis minstens drie voordelen biedt die evenzovele belangrijke theoretische speerpunten zijn in het spel dat ze van plan zijn te spelen. Het 'einde' dat het de mensen belooft is een einde dat niet alleen economisch of politiek is, maar in de eerste plaats 'moreel': een breuk dus met het marxisme. Daar waar in profane versies van het messianisme het 'wetsidee ongeldig' is en de 'overtreding' het principe van de actie wordt, herstelt dit messianisme 'de Wet' (Lévy) of het 'recht' (Sartre): het is afgelopen met de verleiding van de illegaliteit die ten grondslag lag aan zo veel sartriaanse ontsporingen. Elke revolutionaire ideologie, elk marxisme, leninisme, stalinisme en maoïsme volgde ten slotte slaafs een beeld waarin de geschiedenis werd gezien als een 'aaneenrijging' van productiewijzen waarin de 'stadia' elkaar volgens een bloederige, want onverzoenlijke logica opvolgden tot de beloofde apocalyps: van de joodse Messias wordt zowel gezegd dat zijn komst aanstaande is als dat hij er al is, op elk ogenblik, in de ziel en de gebaren van elk mens vanaf het moment dat hij overeenkomstig de heilige Wet leeft – en het is deze keer niet alleen het einde van het marxistische economisme en de illegaliteit, maar ook van de eschatologische illusie die, door het einde te dateren, door dat op een precies punt in de tijd te situeren ook de hardvochtige wet van de massamoorden als evenzovele uiterste oplossingen zou rechtvaardigen. Het joodse messianisme tegen de progressieve mythologie: dat is een eerste verworvenheid – en een aanzienlijke.

Vervolgens een idee over de gemeenschap. Sartre heeft, zoals we weten, altijd heen en weer gezwalkt tussen het afwijzen (*L'Être et le néant*) en het vereren (kampervaringen, en *Critique de la raison dialectique*) van de gemeenschap. Hij heeft geaarzeld tussen een filosofie van de mens alleen, die zich verzet tegen elke vorm van gemeenschapsdwang, en een filosofie van de mens in de maatschappij, waarbij de subjectiviteit node wordt gemist. Maar hier is een 'verlangen naar de maatschappij', voortgekomen uit het joodse denken, dat hem ineens uit die lange en vervelende aporie lijkt te bevrijden. Hier is, voortgekomen uit de joodse *ervaring*, de zekerheid van een maatschappij die duizenden jaren is blijven bestaan en die hem voor het eerst het gevoel geeft dat hij de twee draden die hij zijn hele leven vergeefs heeft getracht samen te brengen, aan elkaar kan knopen. De God van de joden, legt hij uit, spreekt tot de verzamelde en dus prominent aanwezige menigte, maar ook tot de mens alleen, die naar zijn beeld is gevormd, en die 'al duizenden jaren' in het wonder van het vis-à-vis 'met één enkele God' bestaat: eindelijk een formule van een samenzijn dat de stemmen van de singulariteit niet smoort, maar zich er juist mee voedt, ze doet harmoniëren.

Deze menigte is samengekomen, stelt hij, ze heeft een band en omdat ik dankzij jou, dankzij Arlette, en ook dankzij Lanzmann, die 'voortreffelijke vriend', een beetje heb nagedacht, weet ik over de 'heel bijzondere' relatie van de jood tot zijn enige God, dat zij communiceren door middel van riten, een wet, een Boek – behalve dat die band niet alleen door alle tijden maar ook door alle landen gaat en, heb ik eveneens begrepen, niet is gebaseerd op ras of bloed of bodem of 'het idee van een vaderland': een gemeenschap in diaspora, een luchtige en kosmopolitische gemeenschap, de eerste en misschien enige gemeenschap die in staat is de gemeenschapsellende te bezweren. Deze gemeenschap kent zichzelf eenheidsprincipes toe en heeft zich zelfs nog onlangs herkend in een Staat die de staat Israël is geworden – al valt deze gemeenschap niet samen met die Staat en al zijn er wie weet hoeveel andere vormen van eenheid mogelijk geweest dan die ene vorm die de Staat is: met andere woorden (hier praat Lévy – maar dan als commentaar op de 'schokkende' eenvoud van de sartriaanse intuïtie) het politieke Een is niet de enige 'Eenvorm' en de politieke interpretatie van de wereld is niet het laatste woord van de geschiedenis van de soort. Een joodse Sartre? Nee. Maar wat interessanter is: het joodse denken dat actief is in het sartriaanse denken; het bewijs, via 'het joodse bestaan', dat er andere wegen mogelijk waren dan die van de samensmeltende groep om over het raadsel van het 'voor-de-ander-zijn' te denken; het vermoeden van een gemeenschap die in staat is eindelijk te breken met de haatdragende, slijmerige, giftige verzamelingen waar de eeuw genoegen mee nam.

Een filosofie van de Geschiedenis. Of, om preciezer te zijn, een kritiek op hetgeen door de moderne tijd tot filosofie van de Geschiedenis is gedoopt en dat niets anders is dan hegelianisme. We herinneren ons dat de worsteling met Hegel de grote filosofische kwestie in Sartres leven is geweest. We herinneren ons zijn melancholie toen hij geloofde dat hij alles had geprobeerd, dat hij al zijn krachten, en dan ook allemaal, in de strijd had geworpen, maar dat Hegel de sterkste was en dat hij het onderspit moest delven tegen Hegel. Ook dat is eigenlijk niet waar. Er bleef nog een laatste klap over. Een laatste kaart om uit te spelen. Er bleef een realiteit waar het hegelianisme nooit rekenschap van had weten te geven en die voldoende zou zijn geweest om het systeem te ontregelen, te doen mislukken, als Sartre er wel rekening mee had gehouden. Dit ongedachte van het hegelianisme is het jodendom. Die blinde vlek, die eeuwige ontkenning van elke filosofie die de Geschiedenis uitsluitend opvat als een geschiedenis van 'Staten', met hun 'soevereine politieke realiteit', hun 'land' en ook hun 'verhouding tot andere Staten', is het volk zonder Staat, wat het joodse volk lange tijd is geweest. Het bewijs dat de Geschiedenis niet hegeliaans is, het bewijs, zegt hij om precies te zijn, dat je 'los kunt staan van de filosofie van de Geschiedenis', het bewijs dat Hegel niet altijd gelijk had en dus helemaal nooit gelijk had – want wat zou een hegelianisme zijn dat *soms* gelijk had? – is het voortbestaan van dit kleine, halsstarrige, onhandelbare volk dat zich al duizenden jaren verzet tegen elke poging tot versmelting, absorptie, totalisatie en, volgens de laatste berichten, uitroeiing. Hegel wilde 'zich van de jood afmaken', merkt Benny Lévy op. Ironie van dit alles: het is 'de jood die ons de kans zal geven de geschiedenis die Hegel ons heeft willen opleggen te verlaten'. Dankzij het feit dat het joodse volk 'metafysisch heeft geleefd en nog steeds leeft', kunnen we hopen de bankschroef van Hegel losser te draaien. Sartre is tevreden. Bijna blij. Het is de mooiste overwinning, en tegelijkertijd de meest onverwachte. Het is als het ware een revanche. Een tweede set. Een kans ook voor de filosofie. En ten slotte ook de triomf van de joden-van-Hegel over de aanhangers van Kojève.

De mogelijkheid van de moraal, ten slotte. We weten dat de kwestie van de moraal de andere grote mislukking van Sartres filosofie was. We weten dat het sinds *L'Être et le néant* zijn droom was een 'grote Moraal' te schrijven, en dat hij het weliswaar vaak heeft beloofd en zich vaak heeft aangegord, maar dat hij er elke keer van heeft afgezien – alsof een andere betovering, of dezelfde, hem ervan weerhield verder te gaan. En we herinneren ons ten slotte dat die onmogelijkheid van de ethiek, die onmacht de ander anders te denken dan als ding, de neiging, in elk geval, om de ontmoeting met de ander in het beste geval te zien als een van de empirische vormen van het wegzinken in het Zijn, en in het slechtste geval als een ontologische catastrofe, in de ogen van Merleau-Ponty de bron van haar totalitaire verleidingen waren. Ook wat dat betreft is *Pouvoir et liberté* een breuk. En het is een breuk omdat hij aan het jodendom een woord ontleent, en het concept achter dat woord, dat hij naar eigen zeggen nooit eerder had 'bestudeerd' in zijn 'filosofische werken' (al maakt Lévy hem erop attent dat het al voorkwam in *L'Idiot*), namelijk het concept 'verplichting'. Ik word door de ander verplicht, zegt hij. Ik zocht in mijn jeugd de grondslag van de moraal in 'een bewustzijn zonder wederkerigheid' of, beter nog 'zonder ander'. Ik maakte elk individu 'te onafhankelijk' en als ik hem wel verbond, dan was dat in de 'broederschapsterreur' van de versmeltende groep en de eed. Nu weet ik dat dat geen zin had. Ik weet dat mijn bewustzijn niet alleen verbonden is met het bestaan van de ander, maar ook wordt belast en gevormd door de aanwezigheid of zelfs de afwezigheid van die ander. En die nieuwe zekerheid, dat idee van een bewustzijn vol verplichtingen jegens de ander, die intuïtie van een ziel die eindelijk in staat is om naar believen object of subject te zijn, heb ik misschien wel voorvoeld in *L'Idiot* of in mijn inleidende tekst bij *L'Homme au magnétophone*, maar heb ik wederom pas in de joodse wijsheid gezocht en gevonden.

In *Les Séquestrés d'Altona* kwam op de achtergrond van de intrige, stil maar dwingend, een heel vreemd personage voor, dat door iedereen vergeten leek: het personage van de gekeelde rabbijn. Welnu, Sartre heeft hem niet vergeten. Of beter gezegd, hij herinnert zich hem weer. En met behulp van Benny Lévy[21] buigt hij zich over de lijdende rabbijn, vangt wat hij nog aan adem over heeft en wekt hem in feite weer tot leven.

Sartre met Levinas

Maar er is iets nog wonderlijkers aan de hand.

We zeggen vaak: ideeën zijn van iedereen; concepten ook; we gaan niet lopen zoeken waar, wanneer, hoe en in wiens oeuvre ze zijn geboren. Maar nee dus. Concepten, echte concepten, zijn niet als ideeën. Ze hebben een geboortebewijs. Een doop. Ze hebben een naam, die van hun auteur. Net als boeken, schilderijen of bepaalde meubelen zijn ze gesigneerd.

Wat in al deze bedrijvigheid niemand zegt, of niemand ziet misschien, maar wat van een afstand in het oog springt, is dat de vier concepten, de vier theoretische daden waarmee Sartre zijn oude systeem ondermijnde en een nieuw systeem opbouwde, de hoekstenen die hij om zich heen opstelde alsof ze zijn nieuwe denkgebouw moesten schragen, allemaal de signatuur droegen van een andere filosoof, min of meer een tijdgenoot, zij het weinig bekend bij het grote publiek, een discrete, bijna gesloten man wiens naam ik tot nu toe met opzet bijna niet heb genoemd: Emmanuel Levinas.

Dit geldt zeker voor de moraal van het anderszijn die bijna letterlijk is overgenomen van Levinas' belangrijke idee over de Transcendentie van de ander, over de zorg voor de ander die voorafgaat aan de zorg voor het zelf, over de oeroude bezetting van het zelf door het idee van het oneindige en dus van de ander – kortom over de onbegrensde wens naar rechtvaardigheid die het denkende, handelende subject kenmerkt.

Dit geldt voor het debat rond Hegel en de filosofie van de Geschiedenis, waarin ook Levinas zich niet onbetuigd heeft gelaten, zoals we weten – met dit verschil dat hij al heel vroeg, lang voor Sartre, de inzet precies heeft aangegeven (een 'achterkant van de universele Geschiedenis' uit te denken), de methode heeft vastgelegd (kijk niet meer alleen naar de wereld vanuit het standpunt van de overwinnaars), en het soort tekst heeft bepaald waarop je je moest verlaten (de tekst, altijd in overmaat, buiten de context, met een vanzelfsprekend gezag, van bijbelse profeten): zozeer zelfs dat we opnieuw kunnen zeggen dat hij Sartre en zelfs de gehele moderne filosofie is voorgegaan op dit heikele pad, en dat het daarom gerechtvaardigd is in die laatste interviews bij de dood van Sartre te lezen: 'de herwaardering door een groot filosoof van zijn houding ten opzichte van Hegel'.[22]

Dit geldt bovendien voor de paradoxen van de gemeenschap waar de schrijver van *Difficile liberté* en de *Lectures talmudiques* door geobsedeerd was, zoals mensen die met zijn werk vertrouwd zijn weten.

En hoewel de kwestie van de revolutie, ten slotte, hem als zodanig nooit zo heeft beziggehouden, is het concept messianisme zoals Sartre en Lévy het formuleren, heel verwant aan dat wat Levinas – na Scholem, Rosenzweig en de Maharal van Praag – al aan de horizon van de eschatologie dacht te ontwaren: een messianisme zonder messias of in elk geval zonder persoonlijke messias; een messias zonder geboortedatum of precies moment van verschijnen; een alledaagse messias, die niets te maken heeft met de fabel van de glanzende dag van morgen en die past bij een godsdienst waarin geloof minder telt dan handelen; een messias die de bedelaar aan de poorten van de stad kan zijn, de vorst, de melaatse, u, ik – een messias die opduikt zonder zich voor te stellen, die er is zonder te gebeuren, kortom, die zich heeft weten te ontrukken aan de sombere illusies van het einde, de stralende toekomst, de utopie, het absolute...

Deze laatste Sartre is een volgeling van Levinas.

Hij is het duidelijk, onbetwistbaar, door en door.

Het stempel is zo scherp, de taalovereenkomst zo volledig dat je zou denken aan de twee theologen van Borges die aan het eind van hun leven ontdekken dat ze dezelfde ziel in twee verschillende lichamen waren.

Dit is des te vreemder, en de verwantschap is des te verwarrender en mysterieuzer omdat Sartre zich in zijn voorgaande boeken nauwelijks heeft beroepen op Levinas en omdat hij hier, in het geheel van deze tekst, op deze bladzijden die bijna samen met hem geschreven lijken te zijn, niet één keer zijn naam noemt.

Onkiesheid?

Zijn oude gewoonte, zoals in de tijd van zijn ontdekking van Dos Passos of Heidegger, om te plunderen zonder het ronduit te zeggen?

Het probleem van een gepubliceerd uittreksel – moesten we wachten op de integrale tekst om de naam, en dus de schuldbekentenis te zien verschijnen?

Geïntrigeerd besloot ik de persoon in kwestie op te zoeken.

Het was de tijd dat ik zelf, in een boek dat expliciet in dat teken stond, mijn eigen 'terugkeer' tot het jodendom had volvoerd.

Het was de tijd dat een hele generatie jonge joden via hem en via zijn *Lectures talmudiques* de grote schoonheid van de joodse letteren en de levende, krachtige teksten herontdekte.

Ik ging hem dus opzoeken, zoals ik vaker deed, in het aardige appartement waar hij woonde, in de wijk Auteuil, boven het joodse schooltje, om met hem te praten over mij, over mijn generatie die dankzij hem eindelijk brak met de onwetendheid, maar ook voor één keer over die immense denker die aan het eind van zijn leven, maar zonder het te zeggen, tot algemene verbijstering aan Levinas begon te doen.

Ik zie hem voor me of het gisteren was.

Klein. Bol. Marineblauw double-breasted pak met brede krijtstreep en witte pochet, en een hoog opgetrokken broek die hem nog kleiner maakte. Verzorgde, sierlijke handen. Een rozig gezicht, dat op porselein geschilderd leek. Een strontje op zijn oog dat hem hinderde. Dit uiterlijk van een notabele uit de jaren dertig, nippend aan zijn Cinzano, verdween als door een wonder zodra hij begon te praten: dan, op het ritme van de gejaagde, bijna felle stem, die uitgeput leek te raken door het najagen van een geniale gedachte, kreeg zijn gezicht zijn ware uitdrukking, zijn schoonheid. En toen ik hem eindelijk de vraag stelde die me daarheen had gevoerd, toen ik mijn hypothese formuleerde van een laatste Levinas-incarnatie van Sartre, werd hij bevangen door een bekoorlijke angst, paniek bijna, bij de gedachte alleen al dat hij, een joodje uit Litouwen, invloed zou hebben gehad op de grootste levende Franse schrijver, zoals ik insinueerde, en daarmee aan de wieg zou hebben gestaan van het enorme schandaal dat al enige maanden de gemoederen bezighield: 'Nee, nee, denkt u toch niet... ik heb zeker niet zo veel invloed gehad op de zeer eerwaarde en hoogstaande Franse filosoof... ik zou niet durven... ik zou dat risico nooit genomen hebben...'

Maar stukje bij beetje, en ondanks zijn protesten, reconstrueerden wij ten slotte de geschiedenis, de roman zou je eigenlijk moeten zeggen, van zijn relatie tot Sartre.

Eerste bedrijf: de jaren dertig; zijn boek over Husserl en Heidegger; de overbekende episode van Sartre die bij Gibert het boek in kwestie ging halen en daarin de onthulling vond van wat hij zocht; geen ontmoeting dus, maar een beslissende invloed op de eerste stappen van de filosoof – het beroemde 'ik ben tot de fenomenologie gekomen via Levinas'.

Tweede bedrijf: de hele volgende tijd; de volgende decennia, de volgende halve eeuw, een tijd dat hij zelfs de herinnering aan die eerste betovering lijkt te vergeten; en tijdens die halve eeuw geen enkel contact, rechtstreeks of in teksten, tussen deze twee tijdgenoten die op verschillende planeten lijken te wonen.

En dan tot slot het derde bedrijf, het punt waar we ons nu bevinden: nog steeds geen sprake van contact; nog steeds geen rechtstreekse relatie, noch tussen de twee mannen, noch tussen hun twee oeuvres; maar Benny Lévy die, net als ik, op hetzelfde moment als ik, 'ook geheel onwetend van het jodendom'[23], zijn 'ommekeer' inzet, en dat doet via Levinas, hem leest, hem ontmoet, en net als ik keer op keer de weg naar het kleine appartement in de rue d'Auteuil inslaat; en doordat hij tegen hem over Sartre praat en daarna, de volgende dag, over hem tegen Sartre, en doordat hij hem een paar van Levinas' boeken voorleest, wordt hij, met al dat heen-en-weergeloop, als het ware een levend contact, een vleesgeworden trait-d'union tussen deze twee filosofen, die even groot, even belangrijk zijn, maar nog steeds niet met elkaar praten en zonder hem nog steeds niets van elkaar zouden hebben geweten.

Wist hij wat hij deed? Had hij een vermoeden van de wonderlijke poets die hij de ideeëngeschiedenis bakte? Was hij zich ervan bewust dat hij bezig was het denken van de ene belangrijke denker te enten – er is geen beter woord voor: enten – op het denken van een andere belangrijke denker? Was hij vrolijk? Angstig? Was hij niet bezig om eindelijk, na de dood van het gauchisme, de mislukking van de revolutie, enzovoort zijn laatste daad als grote illegale strijder, als professional van de samenzwering en het geheim te beleven? Hij kende het beroemde beeld – wat had hij daarbij gedroomd! – van Lenin die de Neva oversteekt, op de vooravond van zijn revolutie, de *Phänomenologie* in de ene zak en een browning in de andere. Was hij niet een beetje die Lenin? Had hij sommige middagen als hij de Seine overstak om van de boulevard Edgar-Quinet naar Auteuil te gaan, of andersom, niet het gevoel een soort Lenin-filosoof te zijn die in het diepste geheim zijn vooravond van een denkrevolutie beraamde? Of beleefde hij dit vreemde avontuur met de onschuld van een man die twee vrienden heeft, twee meesters, en die hen gewoon via hem met elkaar laat praten? Dat weet hij alleen. Wat we op dit moment wel kunnen zeggen, zijn twee dingen.

1. We hebben hier te maken met een nooit eerder vertoond 'ontmoetings'patroon tussen tijdgenoten. Ontmoeting zonder contact. Overbrenging op afstand. Een boodschapper – een functie die hij in zijn eentje vervult – die van het ene gebied naar het andere gaat, van het ene denken naar het tweede, en hen met elkaar laat praten, elkaar antwoord laat geven, zonder dat ze elkaar ooit raken. Een soort dubbelspion, een afgevaardigde van de sartriaanse grootmachten bij het denken van Levinas, een geheime afgezant van Levinas bij de heilige stoel van Sartre. Ofwel – ander beeld – een deugdzame besmetting, een soort gezonde drager die het virus zou overbrengen zonder de naam van de ziekte prijs te geven. Maar, zal men zeggen, is dat niet juist wat de sartriaanse familie in zijn woede, hysterie en droefheid ook vaag had aangevoeld? Maar, zal men tegenwerpen, deze spion van grote allure, deze verstokte samenzweerder van een gedroomde partij die eerst was gereduceerd tot een splintergroep, vervolgens tot een fractie van een splintergroep en die daarna uitsluitend nog uit hemzelf bestond, maar desondanks de oude wereld en zijn hokjesdenken bleef bombarderen, is toch niet echt het tegenovergestelde van de duivelse Lévy, de manipulator? Het zij zo. Maar vergeet niet dat het denken in wezen nooit anders heeft gefunctioneerd. En denk niet dat het een sinecure is om op die manier een dialoog op gang te brengen – ook al wordt die alleen in een boek in wording opgevoerd – tussen mensen die hijzelf beschouwt 'als de twee filosofen die met hun onderscheiden uitspraken de laatste veertig jaar hebben gedomineerd.[24]

2. Afgezien van de psychologie, en als we willen toegeven dat wat telt in de filosofie eerder de tekst dan de ziel is, eerder de ziel van de tekst dan het gebabbel van de intellecten, is de ontmoeting goed verlopen. Dit wonderlijk belasterde boek, dit aftandse, treurige boek, dat getuigde van een langzaam verduisterende geest, is desondanks de plek geworden van een van de belangrijkste ontmoetingen – misschien wel dé belangrijkste – in de geschiedenis van de filosofie in de tweede helft van de twintigste eeuw. Er was

Heidegger-Sartre. Of Heidegger-Nietzsche. Of Bergson-Merleau-Ponty. Er was 'Kant met Sade' van Lacan. Hier is, nog onwaarschijnlijker en dwazer, maar misschien nog vruchtbaarder en invloedrijker omdat het bij de meest geachte vertegenwoordiger het moment is van het begin van het einde van die grote profane messianismen die de twintigste eeuw in bloed hebben gedompeld, de botsing, op de ontleedtafel van de tijd, tussen Levinas en Sartre.

Onze jonge man

Ik stel me Sartre voor in die weken.

Melancholiek? Welnee! Integendeel, opgewekt. Bijna vrolijk. Het idee dat hij de sartrianen een loer heeft gedraaid... Het feit, zoals Lévy later zal zeggen, dat hij 'die lui' het kleed onder de voeten heeft weggetrokken... Het gevoel ook dat hij zich voor de zoveelste keer het hoofd heeft gebroken – zijn befaamde steen der ideeën die hij, zoals op al zijn goede momenten, weer eens tot stof heeft geslagen... En dan een vorm van filosofische, ja zeker, filosofische euforie: in één klap heeft hij zijn vier grote belemmeraars van rechtlijnig denken vermorzeld – is dat geen goede reden om uitgelaten te zijn? Je bevrijd te voelen? Verlost? Natuurlijk werd hij gegrepen door een gevoel van dronkenschap, vergelijkbaar met wat hij in zijn jeugd, helemaal aan het begin van zijn filosofische avontuur, voelde toen hij Heidegger, Husserl en de filosofie van de abrikozencocktail ontdekte.

Mensen zijn vreemde wezens. Ze zijn gek op testamenten. Van een laatste boek maken zij altijd, onder het voorwendsel dat de auteur gaat sterven, een laatste woord: *zíj* weten dat hij dood is – *zíj* weten dat hij op het moment dat hij schreef op het punt stond dood te gaan; dus projecteren ze op die laatste woorden de schaduw van de naderende dood en zeggen 'het laatste boek', of 'het laatste woord', of het testament. Maar de schrijver zelf weet het niet. Er zijn er (Vergilius van Hermann Broch...) die min of meer bewust weten dat ze bezig zijn dood te gaan, maar daarnaast zijn er heel veel anderen die niets weten, niets voelen, die in een oneindig respijt leven – ofwel, in het tegenovergestelde geval (maar dat komt op hetzelfde neer...), altijd hebben geleefd onder de dreiging van een dood die ze elk ogenblik verwachten en die daardoor geen betekenis meer heeft. Voor Sartre ligt het in elk geval heel duidelijk: niet alleen dat hij nergens weet van heeft, de vraag zelf heeft ook geen betekenis – is hij niet altijd een ongelovige geweest waar het de dood en het onderbewuste betrof? Heeft hij niet altijd het idee verdedigd (het was een van zijn geheime motieven om met Heidegger te breken) dat de mens geen wezen-voor-de-dood is, dat niets hem ooit tot de dood voorbestemt en dat er, in strikte zin, alleen wilde, bespottelijke, toevallige en dus gewelddadige vormen van de dood bestonden? Zelfs zijn verhouding tot de tijd, zijn 'averechtse' manier van leven, zoals hij het noemde, met het oog op de toekomst gericht en in de overtuiging dat alle grote momenten van zijn leven evenzovele nieuwe geboorten zijn, het idee, zal de Beauvoir zeggen, dat hij geen echte 'identiteit' had met zijn eigen verleden en dat hij dus, in strikte zin, evenmin 'ervaring' had, was dat alles niet een onvervangbaar vrijgeleide tegen de angst en zelfs het besef van zijn eigen dood?[25] En de ouderdom zelf, het idee van zijn sterflijke lichaam en die gewaarwording van zijn sterven door de aftakeling van zijn eigen vlees: heeft hij niet honderd keer gezegd dat hij die niet echt ervaart en dat het, wederom, niets anders is dan de uitwerking van de blik van anderen?

'De hele wereld behandelt me als een oude man,' zegt hij. 'Maar daar lach ik om.' Want 'een oude man voelt zich nooit een oude man'. Hij voelt zich oud in de 'blik' van de 'anderen'. De ouderdom op zich 'is niet iets wat hem iets leert'. En tegen zijn jonge gesprekspartner die weer vraagt hoeveel tijd van leven hij nog denkt te hebben: 'Vijf jaar.' Dan herstelt hij zich – ik verbeeld me dat hij glimlacht, of lacht, en zich herstelt: 'Diep van binnen reken ik op tien. Maar dat durf ik niet te zeggen. Dus zeg ik uit voorzichtigheid vijf.'

Tien of vijf, het maakt weinig uit. Het enige wat hij zich niet voorstelt is dat de dood er al is, dat zij zich al in zijn gezelschap bevindt en dat hij is voorbestemd over luttele weken heen te gaan, een paar dagen na de publicatie van het 'document' in de *Observateur*.

Zodat gezegd moet worden dat hij de bewuste tekst niet als een laatste maar als een soort eerste, of nieuwe eerste ziet, een nieuw begin, een opleving, een toevlucht. Het zijn de laatste woorden van een ander interviewfragment dat drie jaar voor het schandaal in *Libération* verschijnt en waarin hij zonder enige ironie tegen Lévy opmerkt: 'Ik ben als de jonge man over wie jij het had, ik maak mijn eerste boek.'

Dus, herhaal ik nogmaals, hij is monter.

Hij is hooguit woedend op de vervelende kuren van zijn lichaam dat niet meewerkt.

Hij wordt hooguit 's ochtends driftig wanneer hij moeite heeft met opstaan of onder zich een nat laken voelt.

Is er iets treurigers ter wereld, en een grotere aanleiding tot woede, dan die voortdurende ruzie tussen een oud lichaam en een jonge ziel, een lichaam-gevangenis en een vrije ziel – in hetzelfde wezen deze grote levende en deze stervende te zijn?

Maar voor de rest, en dat is het belangrijkste, gaat alles goed. Deze blinde heeft nog nooit zo helder gezien. Deze bijna invalide krachteloze heeft zich nog nooit zo vrij gevoeld. Hij heeft de warboel aan vooroordelen die hem al twintig of dertig jaar op een dwaalspoor brachten opgeruimd. Hij heeft zich bevrijd, niet alleen van 'de' familie, maar van familie, van alle families, en van de behoefte die hij altijd heeft gehad, sinds zijn eerste bekering, in de tijd van het kamp en van zijn rampzalige illuminaties, om families en gemeenschappen te verzinnen.

De maoïsten? Benny Lévy als een familie, in zijn eentje een nieuwe familie die de andere zou hebben vervangen? Welnee. Vrees niet, geliefde brompotten, Castor, vrienden. Ik ben genezen, zeg ik jullie. Echt genezen. En ik ga niet, dat weet Lévy, die vijf of tien jaar verlenging besteden aan het tot in het oneindige herhalen van mijn ontvoogding, mijn vertrek uit de woestijn, mijn genezing.

Een joodse Sartre? De talmoed tot in de eeuwigheid? We zullen zien. Maar niets is zeker. Ik ben al elders. Verder. Het was niet meer dan een bres, dat boek. Een gat in de muur die ik zelf, samen met jullie allemaal, in mijn hoofd had opgericht. Alsof er een grendel was losgeschoten. Alsof een deur, een enorm zware deur, eindelijk meegaf. Wat doe je als een deur meegeeft? Je duwt. Je doet een stap naar voren. En je verkent, eerst met schuchtere passen, met halfgeloken ogen, de nieuwe weg. 'Je begint van voor af aan?' had Benny Lévy me gevraagd aan het eind van ons interview. 'Je begint van voor af aan op je vijfenzeventigste?' Zeker, zei ik. Vijfenzeventig is niet zo oud. Het is de leeftijd om alles weer op te nemen, het paard weer te bestijgen en het denkwerk weer op te vatten. Dankzij jou, dankzij de hoekstenen die we samen hebben verplaatst, is alles weer mogelijk. Ik ben zover, vrienden. Ik ben weer op weg. Alleen, zoals ik het lang niet meer ben geweest. Alleen als Kafka, Levinas maar ook als de jonge Sartre – weten jullie nog? Kom op. Het zal, maar dan in de eigenlijke betekenis, onze laatste revolutie zijn.

Want Sartre heeft op dat moment duizend plannen.

Er is het vierde deel van zijn Flaubert: daar heeft hij in eerste instantie Lévy voor aangetrokken; waarom zou hij er niet weer aan beginnen? Waarom zou hij hem niet proberen te maken, deze materialistische biografie die van onderaf geschreven wordt, vanaf de voeten, de benen, de genitaliën, kortom de andere helft van het lichaam – de 'boeken' zouden pas later komen, 'bovenop', als een 'résumé van het hele lichaam'.[26]

Er is de volksroman waar zijn maoïstische vrienden het al zo lang over hebben en die, zei hij in zijn eerste gesprekken met Lévy, 'niet door ieder in zijn eigen hoekje' maar 'samen' gelezen zou kunnen worden.[27] Als hij daar eens aan begon? Als hij die eens dicteerde?

Er is het theater: hij heeft altijd zo graag theater gemaakt – *Bariona*, zeker... maar ook Parijs... de vleesgeworden teksten... de geur van de actrices en die van het publiek...

Er is de Moraal waar hij nu het principe van beetheeft: die is af – net als *Phèdre* hoeft hij alleen nog maar geschreven te worden.

Er is de televisie: hij zal de Bastille van de televisie weer moeten bestormen; de tijden veranderen; Giscard heeft Victor, die dankzij hem weer Lévy is geworden, genaturaliseerd; het is verwarrend, maar ook duidelijk, en het is een teken dat de tot mislukking gedoemde uitzendingen uit de tijd van Marcel Jullian misschien uit het vergeetboek zullen worden gehaald.

Zijn blindheid… Worden ziekten niet altijd ten gunste aangewend? En heeft die 'gezondheidscomplicatie' hem eigenlijk niet, net zo goed als de filosofie van Levinas, geholpen *Pouvoir et liberté* tot een goed einde te brengen?[28] Zou hij zonder zijn blindheid de onzichtbare essentie, de transcendentie, van het gezicht en dus van zijn anderszijn hebben kunnen horen? Dat is de richting die gevolgd moet worden: niet-zichtbare verschijningen… elliptisch licht zonder glans… dat de essentie van een gezicht niet vorm maar spraak is… dat het duizend keer minder belangrijk is een gezicht te zien dan ernaar te luisteren… en dat het achteraf gezien geen toeval is dat Roquentin in *La Nausée* hele dagen zijn gezicht bestudeert zonder het te begrijpen… Een gezicht is ondoordringbaar, de essentie ervan is onzichtbaar: dat heeft hij begrepen en dat moet hij proberen te zeggen.

De blindheid nog even. Is het eigenlijk niet zo, dat zijn blindheid – door hem weer te ontbloten en te beroven van de meeste van zijn zintuiglijke vreugden en hem te dwingen oud te worden, zoals Goethe aanbeval, door 'zich steeds verder terug te trekken uit de wereld van de verschijnselen' – hem dwingt te doen wat hij altijd geweigerd had: in zichzelf leren kijken? Zit de zaak niet zo, dat de blindheid – door hem ertoe te veroordelen nooit meer Lissabon, of Venetië of de vrouwen in zijn leven of de actrices te zien – hem veroordeelt tot dat innerlijke leven waar hij zijn hele leven voor was gevlucht? De blindheid is zijn trappistenklooster. En in het klooster schrijf je misschien niet *La Vie de rancé*, maar toch minstens echte innerlijke memoires, het vervolg op *Les Mots*, een essay over de psychoanalyse die hij zo heeft toegetakeld dat je erom moet lachen.

Niet dat *Pouvoir et liberté* zijn *Rancé* is natuurlijk.

Of dat Sartre in *Pouvoir et liberté* Chateaubriand is die zijn hoofdwerk aflevert, of Matisse die zijn knipsels maakt, of Kant die zich bevrijdt van zijn principiële starheid om de bewonderenswaardige *Kritik der Urteilskraft* te schrijven, of zelfs Baudelaire, zijn arme Baudelaire, die hij zo slecht heeft behandeld, ook hij, en met wie hij inmiddels zoveel gemeen heeft, tot aan zijn *crénom*, de vloek die ook hem sommige ochtenden op de arme tandeloze lippen ligt – zelfs geen Baudelaire dus, die in *Pauvre Belgique* het materiaal verzamelt voor wat zijn hoofdwerk moest worden, als hij het gedicteerd zou hebben aan zijn leerling, een andere Benny Lévy.

Nee. Dit boek is niet hét hoofdwerk, maar de mogelijkheid tot een toekomstig hoofdwerk. Het is een boek voor andere boeken die zich verdringen als een zwerm dromen, woorden zelfs al, dat voelt hij. Het is het moment van de laatste reprise waarin het sartriaanse denken zich opnieuw zal ontplooien, als de obstakels zijn overwonnen.

Dat hij toch op dat moment overlijdt, dat de ceremonie van de wedergeboorte samenvalt met die van het afscheid geeft een dubbel gevoel.

In de eerste plaats een groot verdriet. Medelijden. Spijt om het spookwerk dat voorgoed virtueel zal blijven. Dit eeuwige voorgeborchte. Bijna van de verloren boeken. Is het niet een van de zijnen, Mallarmé, die vlak voor zijn eigen dood zegt: een jonge schrijver die als slachtoffer van zijn onmacht sterft is 'een berichtje in de krant'; een oude dichter die sterft 'op het moment dat hij langzamerhand al zijn mogelijkheden heeft begrepen en zich klaarmaakt aan zijn oeuvre te beginnen is de *ware tragedie* van de mens'?[29]

En tegelijkertijd vreugde. Want de dood bewijst niets. En verandert niets aan het feit dat het laatste beeld van Sartre niet dat van een kracht in ontbinding zal zijn geweest, maar dat van een denken dat overeind komt, klaar om te springen. De dood neemt niets weg van de luister van de laatste Sartre, van deze feniks, met die nieuwe en wonderlijke levenskracht die hem bezielt en die niets dan ontplooiing zoekt. 'Een jonge man is dood', zegt een oude vriendin voor wie hij chansons had geschreven.[30] En de bevolking van Parijs die zich verdringt bij zijn begrafenis: 'Die oude man was onze jonge man.'

Noten

I DE MAN VAN DE EEUW

1 Sartres roem

1 Simone de Beauvoir (red.), *Lettres au Castor et quelques autres 1940-1963*. Gallimard, Parijs, 1983, t. II, p. 184.

2 *Lettres au Castor*, t. I, p. 308.

3 Ibid., p. 330.

4 *Le potomak 1913-1914*, Stock, Parijs, 1924.

5 *Lettres au Castor*, t. I, p. 188.

6 *Les Carnets de la drôle de guerre*, Gallimard, Parijs, 1986, p. 340-341.

7 Simone de Beauvoir, *La Cérémonie des adieux*, Gallimard, Parijs, 1981, p. 385.

8 *Alger républicain*, 12 maart 1939. Geciteerd in John Gerassi, *Sartre conscience haïe de son siècle*, Editions du Rocher, 1992, p. 223.

9 Bianca Lamblin, *Mémoires d'une jeune fille dérangée*, Balland, Parijs, 1993, p. 40.

10 Alain Buisine, 'Ici Sartre', *Revue des sciences humaines*, LXVI, 195, juli-september 1984.

11 *Lettres au Castor*, t. I, p. 188.

12 Bianca Lamblin, *Mémoires d'une jeune fille dérangée*, op. cit., blz 162.

13 *Lettres au Castor*, I, op. cit., p. 243.

14 *Lettres au Castor*, geciteerd door Serge Doubrovsky, 'Sartre: retouches à un autoportrait', in *Lectures de Sartre*, textes réunis et présentés par Claude Burgelin, Presses universitaires de Lyon, 1986, p. 130-131. *La Cérémonie des Adieux*, op. cit., p. 218.

15 Bianca Lamblin, *Mémoires d'une jeune fille dérangée*, op. cit., p. 54.

16 'Sur *L'Idiot de la famille*', gesprek met Michel Contat en Michel Rybalka, *Le Monde*, 14 mei 1971, opgenomen in *Situations* X, Gallimard, 1976, p. 105.

17 Gesprek met Michel Contat, in *Situations* X, op. cit., p. 141-142.

18 Simone de Beauvoir, *Les Mandarins*, Folio, Gallimard, 1988, deel 2, p. 55. *De mandarijnen*, Ooievaar, Amsterdam, 1975-1996. Vertaling: Ernst van Altena, p. 402. (Hier gebruikt.)

19 Simone de Beauvoir, *La Force de l'âge*, Folio, Gallimard, 1986, blz 76. *De bloei van het leven*, Agathon, Houten, 1974, vertaling: Jan Hardenberg, p.66. (Hier gebruikt.)

20 Simone de Beauvoir, *La Force des choses*, II, Folio, Gallimard, 1972, p. 9-10.

21 Claude Lanzmann, 'Tabula rasa', *Les Temps modernes*, 'Témoins de Sartre II', oktober-december 1990, p. 1252.

22 Claude Lanzmann, 'Témoins de Sartre II', op. cit., p. 1250.
23 Bernard-Henri Lévy, *Les Aventures de la liberté*, Grasset, 1991.
24 Respectievelijk: *L'Express*, 22 mei 1958, *L'Express*, 11 september 1958, *L'Express*, 25 september 1958, *L'Express*, 4 juni 1961.
25 *Les Temps modernes*, speciaal 'Bataille'-nummer, januari-februari 1999, p. 259.
26 'L'alibi', *Le Nouvel Observateur*, 19 november 1964, opgenomen in *Situations* VIII, Gallimard, 1972, p. 142.
27 *Les Mots*, Gallimard, Folio, 1972, p. 169.
28 Geciteerd uit *Lettres au Castor...*, op. cit., p. 9.
29 *Les Mots*, op. cit., p. 133.
30 François Caradec, *Raymond Roussel*, Fayard, 1997, p. 51.
31 *La Force de l'âge*, op. cit.
32 Inleiding bij *Portrait de l'aventurier* van Roger Stéphane, Sagittaire, 1956; opgenomen in *Situations* VI, Gallimard, 1984, p. 15.
33 Geciteerd door Raoul Vaneigem, 'Pourquoi je ne parle pas aux médias', *Le Nouvel Observateur*, 26 augustus 1999.
34 Brief aan James Leo Herlihy, 30 april 1966, geciteerd door Mohamed Choukri, *Le Reclus de Tanger*, Quai Voltaire, 1997.
35 'Merleau-Ponty vivant', *Situations* IV, Gallimard, 1964, p. 211.
36 Passim, *Les Temps modernes*, november 1957, opgenomen in *Situations* IV, op. cit.; 'Saint Georges et le dragon', in *Situations* IX, Gallimard, 1972; 'Saint-Marc et son double', postuum verschenen in *Obliques*, nr. 24-25, o.l.v. Michel Sicard, 1981; 'Les produits finis du Tintoret', *Le Magazine littéraire*, nr. 176, september 1981.
37 *Lettres au Castor*, II, op. cit., p. 39.
38 Georges Bataille, *Oeuvres complètes* VI, Gallimard, p. 90.
39 Maurice Merleau-Ponty, 'Il n'y a pas de bonne façon d'être homme', gesprek met Georges Charbonnier, mei 1959, opgenomen in *Esprit*, juli-augustus 1980, p. 39-41.
40 *Libération*, 'Sartre special', 21 april 1980.
41 *Les Carnets de la drôle de guerre*, op. cit., p. 380.
42 Jean-Jacques Brochier, *Pour Sartre*, Lattès, 1995, p. 15-22; John Gerassi, op. cit., p. 53-56; Jeannette Colombel, *Sartre ou le parti de vivre*, Grasset, 1981, p. 73-74.
43 Geciteerd in *Libération*, 'Sartre special', op. cit.
44 Paul Claudel, *Journal*, deel II, Gallimard, Pléiade, 1969.
45 Geciteerd door Annie Cohen-Solal, *Sartre*, Gallimard, 1985, p. 414.
46 Louis Althusser, *Lettres à Franca*, Stock/Imec, 1998, p. 518.
47 Curzio Malaparte, *Il y a quelque chose de pourri*, Denoël, 1960.
48 Guy Debord, *In girum imus nocte et consumimur igni*, Gallimard, editie 1999, p. 23.
49 Michel Contat, 'Sartre était-il démocrate?' *Florence Gould Lectures*, vol. III, 1994-1995, p. 24-57.
50 'M. François Mauriac et la liberté', NRF, februari 1939. Opgenomen in *Situations* I, Gallimard, 1947, p. 33-52.
51 François Mauriac, *Bloc-Notes*, II, 27 september 1959, Seuil, coll. Points-Essais, 1993, p. 319.
52 *France-Soir*, 28 februari 1969; geciteerd in Michel Contat en Michel Rybalka, *Les Ecrits de Sartre*, Gallimard, 1979, p. 72-73.

53 Ibid., p. 72.
54 *La Table ronde*, 1946.
55 *Les Mots*, op. cit., p. 135.
56 'Témoins de Sartre II', op. cit., p. 1214.
57 Gide, *Journal 1939-1949*, Gallimard, Pléiade, p. 290.
58 Geciteerd in Pierre Lepape, *André Gide, le messager*, Seuil, 1997, p. 459.
59 Ibid., p. 474.
60 'Gide vivant', *Les Temps modernes*, nr. 65, maart 1951; opgenomen in *Situations* IV, op. cit., p. 87.

2 Stendhal en Spinoza

1 Anna Boschetti, *Sartre et 'Les Temps modernes'*, Minuit, 1985, p. 236.
2 Michel Contat, 'Le film *Sartre par lui-même* et l'autobiographie', *Les Temps modernes*, 'Témoins de Sartre II', op. cit., p. 1176.
3 Anna Boschetti, op. cit., p. 257.
4 *Situations* IV, op. cit., p. 189.
5 'La visite à Jean Paul Sartre', in 'Témoins de Sartre II', op. cit., p. 1194-1195.
6 *Qu'est-ce que la littérature?*, Gallimard, Folio, 1985, p. 266.
7 Geciteerd door Annie Cohen-Solal, op. cit., p. 123.
8 Anna Boschetti, op. cit., p. 176-177, 226, 228-229.
9 Vgl. met name 'La Parole "sacrée" van Hölderlin', *Critique*, 7, december 1946; opgenomen in *La Part du feu*, Gallimard, 1949.
10 'Merleau-Ponty vivant', *Situations* IV, op. cit., p. 217.
11 Ibidem, p.197.
12 'L'Ecrivain et sa langue', gesprek met Pierre Verstraeten, *Revue d'esthétique*, juli-december 1965, opgenomen in *Situations* IX, op. cit., p. 81.
13 Inleiding van *Ecrits de jeunesse*, Gallimard, 1990, p. 7-33.
14 Marcel Proust, *Le Temps retrouvé*, Gallimard, Folio, p. 217-218.
15 *La Nausée*, Gallimard, 1938; opgenomen in Folio, p. 33-36.
16 Ibid., p. 239-242.
17 Gabriel d'Aubarède, 'Rencontre avec Jean-Paul Sartre', *Les Nouvelles littéraires*, 1 februari 1956; geciteerd in André Hebdo, *L'Enjeu du discours*, Complexe, 1978.
18 Jean-François Lyotard, 'Un succès de Sartre', *Critique*, nr. 430, 1983, opgenomen in *Lectures d'enfance*, Galilée, 1991, p. 91.
19 Michel Contat, in J.-P. Sartre, *Oeuvres romanesques*, Gallimard, Pléiade, 1981 p. 1967-1969.
20 Manuel de Dieguez, 'Témoins de Sartre I', op. cit., p. 126.
21 Bertrand Saint-Sernin, 'Témoins de Sartre I', op. cit., p. 165.
22 Jacques Lacan, *Le Séminaire*, boek I, *Les Ecrits techniques de Freud*, Seuil, 1975, p. 254.
23 Alain Badiou, *Monde contemporain et désir de philosophie*, Cahier de Noria, nr. 1, 1992.
24 Alian Badiou, *Petit manuel d'inesthétique*, Seuil, 1998, p. 12.
25 'L'Ecrivain et sa langue', *Situations* IX, op. cit., p. 40.
26 *Saint Genet, comédie et martyr*, Gallimard, 1970; teksten geciteerd door Henri Meschon-

nic, 'Situation de Sartre dans le language', *Obliques*, op. cit., p. 160-166.

27 'Sur *L'Idiot de la famille*', gesprek met Michel Contat en Michel Rybalka, op. cit., p. 93.

28 'Sartre par Sartre', interview in de *New Left Review*, gepubliceerd in *Le Nouvel Observateur*, 26 januari 1970, opgenomen in *Situations* IX, op. cit., p. 123.

29 *L'Idiot de la famille*, I, Gallimard, 1971, p. 139.

30 *L'Être et le néant*, Gallimard, 1945, p. 469-477. *Qu'est-ce que la littérature?*, op. cit., p. 218. Suzanne Lilar, *A propos de Sartre et de l'amour*, Grasset, 1967, p. 151-155.

31 Serge Doubrovsky, op. cit., p. 118-119.

32 *La Cérémonie des adieux*, op. cit., p. 166, 184 en 204.

33 *Qu'est-ce que la littérature?*, p. 28-29.

34 Ibid., p. 82-84.

35 Ibid., p. 32-33.

36 Geciteerd in John Ireland, *Sartre un art déloyal*, Jean-Michel Place, 1944, p. 160.

37 Albert Camus, *Théâtre, récits, nouvelles*, Gallimard, Pléiade, 1974, p. 1726.

38 Bertrand Poirot-Delpech, 'Témoins de Sartre II', op. cit., p. 865; Jean-François Lyotard, 'Un succès de Sartre', opgenomen in *Lectures d'enfance*, op. cit., p. 90.

39 *Qu'est-ce que la littérature?*, op. cit., p. 79-82.

40 Ibid., p. 33-34.

41 Ibid., p.132.

42 John Gerassi, *Sartre conscience haïe de son siècle*, Editions du Rocher, 1992, p. 154.

43 Ibid., p. 43.

44 *Situations* X, op. cit., p. 105.

45 Ibid., p. 156.

46 *Situations* IX, op. cit., p. 32.

47 Philippe Gavi, Jean-Paul Sartre, Pierre Victor, *On a raison de se révolter*, Gallimard, 1974, p. 190.

48 Dennis Hollier, *Politique de la prose*, Gallimard, 1982, p. 149.

49 'Présentation des *Temps modernes*', *Situations* II, Gallimard, 1975, p. 14-15.

50 Madeleine Chapsal, *Envoyez la petite musique*, Grasset, 1984, p. 102.

51 *Brieven aan Castor…*, 22 oktober 1939.

52 Madeleine Chapsal, op. cit., p. 95.

53 Guy Debord, *In girum imus nocte et consumimur igni*, op. cit., p. 13 en 14.

54 Marcel Proust, *Contre l'obscurité*, 15 juli 1896.

55 Madeleine Chapsal, op. cit., p. 95. 'Mallarmé', in *Situations* IX, op. cit., p. 191-201.

56 *Mallarmé*, Gallimard, coll. Arcades, 1986, p. 30.

57 *Situations* IX, op. cit., p. 46.

58 Guy Debord, *In girum imus nocte et consumimur igni*, p. 24.

59 Pierre Lepape, *André Gide, le messager*, op. cit., p. 451-452.

60 Jacques Lecarme, in Michel Contat, *Pourquoi et comment Sartre a écrit 'Les Mots'*, PUF, 1996, p. 188.

61 *Qu'est-ce que la littérature?*, op. cit., p. 72 en 75-76.

62 'Présentation des *Temps modernes*', op. cit., p. 15.

3 Afrekenen met Gide

1 *Les Mots*, op. cit., p. 54.
2 Interview met Claire Parnet, gemaakt door Pierre-André Boutang, uitgezonden van 15 januari 1995 tot 4 januari 1997.
3 Jacques Lacan, *Les Ecrits*, Seuil, 1966, p. 739-765. Herbert R. Lottman, *Albert Camus*, Seuil, 1978.
4 Claude Roy, *Moi je*, Gallimard, Folio, 1969, p. 242.
5 Michel Surya, *George Bataille, la mort à l'oeuvre*, Gallimard, 1992, p. 72-73.
6 Maurice Sachs, *Le Sabbat*, Gallimard, L'Imaginaire, 1979, hoofdstuk XIX en XX, p. 169-190.
7 'Gide vivant', *Situations* IV, op. cit., p. 86-87 en 89.
8 'Jean-Paul Sartre, romancier philosophe', gesprekken bijeengebracht door Claudine Chonez, *Marianne*, 23 november 1938.
9 7 december 1975.
10 Jacques Lecarme, in Michel Contat, *Pourquoi et comment...*, op. cit., p. 197.
11 Ibidem, p. 226-228.
12 *L'Idiot de la Famille*, I, op. cit., p. 153.
13 *Journal*, op. cit., p. 1054.
14 *L'Être et le néant*, op. cit., p. 437.
15 'Témoins de Sartre II', op. cit., p. 1162.
16 *Situations* IV, op. cit., p. 10.
17 Gesprekken verzameld door Michel Contat in *Oeuvres romanesques*, op. cit., p. 1726.
18 Simone de Beauvoir, *La Force de l'âge*, op. cit., p. 271.
19 'Portrait de l'antisémite', *Les Temps modernes*, nr. 3, dec. 1945.
20 Dominique de Roux en Michel Beaujour, 'L-F. Céline', *Cahiers de l'Herne*, 1963, opnieuw uitgegeven als Livre de Poche, 1994, p. 507-511.
21 *La Force de l'âge*, op. cit., p. 158.
22 Jacques Lecarme, 'Sartre, Céline: deux violents dans le siècle', *Magazine littéraire*, nr. 282, november 1990.
23 *Céline tel que je l'ai vu*, L'Arche 1951, p. 138.
24 Michel Contat en Michel Rybalka, *Oeuvres romanesques*, op. cit., p. 1666.
25 Geneviève Idt, 'Pastiches et parodies', in *La Nausée*, Hatier, 1971, p. 71-74.
26 Geciteerd door Mohamed Choukri, op. cit., p. 178.
27 Paul Valéry, *Cahiers*, deel 1, Gallimard, Pléiade, 1973, p. 405.
28 Michel Contat en Michel Rybalka, *Oeuvres romanesque*, op. cit., p. 1674-1675.
29 *Les Mots*, op. cit., p. 118, 126.
30 Brieven aan Milton Hindus, 11 juni 1947 en 12 oktober, in *Céline tel que je l'ai vu*, p. 143 en 173.
31 *Mon ami Bardamu*, p. 74.
32 Elisabeth Roudinesco, *Jacques Lacan*, Fayard, 1993, p. 349.
33 Philippe Sollers, *Théorie des exceptions*, Gallimard, 1986.
34 *La Force de l'âge*, op. cit., p. 134.

35 *Bloc-Notes* III, Witte donderdag, april 1961, Seuil, 1993, coll. Points-Essais, p. 55.
36 *Les Carnets de la drôle de guerre*, op. cit., p. 226.
37 *Situations* IV, op. cit., p. 364-386.

4 Een 'Duitse' filosoof

1 Jean Hyppolite, *Figures de la pensée philosophique*, PUF, 1971, p. 232.
2 P. Andreu, 'Bergson et Sorel', in *Les Etudes bergsoniennes*, vol. 3, p. 63-64.
3 Brief aan G. Maire, *Cahiers du Cercle Proudhon*, II, maart-april 1912.
4 Brief van Bergson aan Berth, 14 januari 1936, geciteerd in Philippe Soulez en Frédérique Worms, *Bergson*, 1977, p. 120-121.
5 Georges Politzer, 'Après la mort de M. Bergson', in *Ecrits* I: *La Philosophie et ses mythes*, Editions sociales, 1969, p. 280.
6 *Les Mots*, op. cit., p. 26.
7 *Critique de la raison dialectique*, Gallimard.
8 'Sartre par Sartre', *New Left Review*, 1969, op. cit., p. 108.
9 Erostrate, in *Le Mur*, Gallimard, 1939.
10 *La Nausée*, op. cit., p. 184-185, 138-139, 55-56. *Qu'est-ce que la littérature?*, op. cit., p. 22.
11 Philippe Gavi, Jean-Paul Sartre, Pierre Victor, *On a raison de se révolter*, op. cit., 1974, p. 101.
12 Inleiding van *L'Anthologie de la nouvelle poésie nègre et malgache* van Léopold Sédar Senghor, 1948, *Situations* III, Gallimard, 1976, p. 231-286, passim.
13 Op. cit., p. 220.
14 François George, 'Manes et fabula', *Témoins de Sartre* I, op. cit., p. 41.
15 'Foucault répond à Sartre', interview met Jean-Pierre Elkabbach, *La Quinzaine littéraire*, nr. 46, 1-15 maart 1968.
16 *La Force de l'âge*, Folio, op. cit., p. 157.
17 'Merleau-Ponty vivant', op. cit., p. 192.
18 John Gerassi, op. cit., p. 172.
19 Citaat in Jean-Michel Besnier, *Histoire de la philosophie moderne et contemporaine*, 2, Le Livre de Poche, 1998, p. 738.
20 De 'recueil Corbin' verschenen in 1938 in de reeks 'Essais' van Gallimard, bevat: de lezing van april 1936, 'Hölderlin et l'essence de la poésie', de § 46-53 en 72-76 van *Sein und Zeit*, de § 42-45 van *Kant et le problème de la métaphysique*, de integrale tekst van *Qu'est-ce que la métaphysique?* en van *Ce qui fait l'être-essentiel d'un fondement ou 'raison'*.
21 *Bifur*, 8, Ed. du Carrefour, s.d., geciteerd in Elisabeth Roudinesco, *Jacques Lacan*, op. cit., p. 587.
22 Anna Boschetti, op. cit., p. 91.
23 *Qu'est-ce que la littérature?*, op. cit., p. 45.
24 'Lettre sur l'humanisme', in *Questions* III, Gallimard, 1976, p. 97-98 en 106.
25 'L'Expérience de la pensée', ibid., p. 21.
26 *L'Être et le néant*, op. cit., p. 562.
27 *Frankfurter Allgemeine Zeitung*, 19 januari 1944.
28 *Nietzsche*, II, Gallimard, 1971, p. 384.

29 Frédéric de Towarnicki, *Martin Heidegger, Souvenirs et chroniques*, Bibliothèque Rivages, 1999, p. 85.
30 Hans-Georg Gadamer, 'Das Sein und das Nichts', in Traugott König, *Sartre, ein Kongress*, Rowohlt, 1988, p. 37.
31 Maurice Merleau-Ponty, *Phénoménologie de la perception*, Gallimard, 1945.
32 Alexandre Astruc, 'Heidegger m'a dit...', *Combat*, 5 juli 1946.
33 Jacques Lacan, 'Liminaire', *La Psychanalyse*, 1, 1956, p. VI; 'L'Instance...', *La Psychanalyse*, 3, 1957, p. 528.
34 G. Granel en S. Weber, *Lacan et les philosophes*, p. 52 en 224 (geciteerd door E. Roudinesco, *Jacques Lacan*, op. cit., p. 306).
35 *Critique de la raison dialectique*, op. cit., p. 26.
36 *Situations* IV, op. cit., p. 275.
37 *Situations* IX, op. cit., p. 52.
38 *L'Idiot de la famille*, op. cit., p. 137.
39 Jean Cau, *Croquis de mémoire*, Julliard, 1985, p. 200 en 248.
40 'Merleau-Ponty vivant', in *Situations* IV, op. cit., p. 190.
41 Martin Heidegger, *Que'est-ce qu'une chose?*, Gallimard, 1971, p. 217-218.
42 *L'Être et le néant*, op. cit., p. 77.
43 'Qu'est-ce que la métaphysique?' *Questions* I, 1990, p. 61. (Origineel: *Was ist Metaphysik?* Bonn 1929.)
44 *L'Être et le néant*, op. cit., p. 604.
45 Martin Heidegger, *Sein und Zeit*, Niemeyer, Tübingen 1977, p. 191, 386, 388.
46 *Sartre, le dernier philosophe*, Grasset, 1993.
47 Martin Heidegger, *Schelling. Le traité de 1809 sur l'essence de la liberté humaine*. Franse vertaling van Jean-François Courtine, Gallimard, 1977, p. 32-33 [oorspr. *Schellings Abhandlung über den Wesen der menschlichen Freiheit* (1809), Tübingen 1971].
48 *Critique de la raison dialetique*, op. cit., p. 247.
49 *Saint Genet*, op. cit., p. 387.
50 Jean-François Louette, *Sartre contra Nietzsche*, Presses universitaires de Grenoble, 1996, p. 58.
51 'Aller et retour', *Situations* I, op. cit., p. 217.
52 André Gide, 'Lettre à Angèle', in *Prétextes, suivis de Nouveaux Prétextes*, Mercure de France, 1973, p. 82.
53 Charles Andler, *Nietzsche. Sa vie et sa pensée*, deel III, Gallimard, 1958, p. 227.
54 E. Seillère, *Apollon ou Dionysos, Etude sur Frédéric Nietzsche et l'utilitarisme impérialiste*, Parijs, 1905. P. Lasserre, *La Morale de Nietzsche*, Mercure de France, 1902. Geciteerd in Louis Pinto, *Les Neveux de Zarathoustra, la réception de Nietzsche en France*, Seuil, 1995, p. 60-61.
55 'Le Nietzsche de Jaspers', in *Recherches philosophiques*, vol. VI, 1936-1937.
56 *Introduction à la philosophie allemande depuis Nietzsche*, Stock, 1926.
57 A. Lévy, *Stirner et Nietzsche*, Alcan, 1904. Jean Thorel, 'Les Pères de l'anarchisme: Bakounine, Stirner, Nietzsche', *La Revue bleue*, nr. 51, 1893. Geciteerd in Louis Pinto, op. cit., p. 47.

58 Brief aan Charles Maurras, 25 september 1939, geciteerd in Frédéric Grover, *Drieu La Rochelle*, Gallimard, 1979, p. 130-131.
59 Zeev Sternhell, *Ni droite ni gauche. L'idéologie fasciste en France*, Seuil, 1983, p. 81 et sq.
60 'Un nouveau mystique', in *Situations* I, op. cit., p. 166.
61 *Les Carnets de la drôle de guerre*, op. cit., p. 107.
62 *Situations* IV, op. cit., p. 144.
63 Jean-François Louette, op. cit., p. 30.
64 *L'Idiot de la famille*, t. 3, Gallimard, 1972, p. 264.
65 Denoël, *Méditations*, p. 166, geciteerd in Michel Contat, *Pourquoi et comment...*, op. cit., p 288.
66 Nrs. 260, 261, 262. Opgenomen in *Situations* I, op. cit., p. 133-174.

5 Enige opmerkingen over de kwestie Heidegger

1 *Ecrits*, op. cit., p. 528.
2 *L'Avenir dure longtemps*, Stock/Imec, 1992, p. 168.
3 *L'Introduction aux philosophies de l'existence*, Denoël, Médiations, 1971, p. 20.
4 Emmanuel Levinas, *Totalité et Infini*, Le Livre de Poche, Biblio, p. 38; 'Comme un consentement à l'horrible', *Le Nouvel Observateur*, 22 januari 1988, p. 82.
5 H.W. Petzet, *Auf einen Stern zugehen*, Societäts-Verlag, Frankfurt, 1983, p. 231-232.
6 Victor Farias, *Heidegger et le nazisme*, Verdier, 1987, heruitgave Biblio, 1989, p. 117-124. (Is in het Nederland vertaald.)
7 Jean-Pierre Faye, *Le Piège*, Balland, p. 80.
8 Victor Farias, op. cit., p. 281-283.
9 Karl Löwith, *Ma vie en Allemagne avant et après 1933*, Hachette, 1988, p. 78.
10 Hugo Ott, *Martin Heidegger, éléments pour une biographie*, Payot, 1990, p. 165.
11 Brief aan Constantin von Dietze, 15 december 1945, ibid., p. 338.
12 Victor Farias, op. cit., p. 289.
13 Ibid., p. 153-154.
14 Martin Heidegger, *Réponses et questions sur l'histoire et la politique*, Mercure de France, 1977.
15 Domenico Losurdo, *Heidegger et l'idéologie de la guerre*, PUF, 1998, p. 187.
16 *Les Ecrits de Sartre*, op. cit., p. 654.
17 Geciteerd door Philippe Lacoue-Labarthe, *La fiction du politique*, Christian Bourgois, 1987, p. 150-151.
18 *Tel Quel*, 'Autres Rhumbs', *Oeuvres* II, Gallimard, 1960, p. 685.
19 Martin Heidegger, *Nietzsche* I, Gallimard, 1971; *Qu'est-ce que la métaphysique?* Gallimard; *Les Concepts fondamentaux de la métaphysique*, Gallimard 1992; *Les Hymnes de Hölderlin, la Germanie et le Rhin*, 1988 [oorspr. *Hölderlins Hymnen 'Germanien' und 'der Rhein', 1934-1935*]; Domenico Losurdo, op. cit.; Nicolas Tertulian, *La Quinzaine littéraire*, 15-30 september 1984.
20 Martin Heidegger, 'Textes politiques 1933-1934', *Le Débat*, nr. 48, januari-februari 1988, Franse vertaling François Fédier, p. 176-192.
21 Geciteerd in Nicolas Tertulian, op. cit., p. 23.

22 Martin Heidegger, 'Le Rectorat 1933-1934', Franse vertaling François Fédier, in *Le Débat*, nr. 27, november 1983, p. 86.
23 *Sein und Zeit*, op. cit., p. 267.
24 Martin Heidegger *Chemins qui ne mènent nulle part*, Gallimard, 1980, p. 84 [Oorspr. Duitse uitg. *Holzwege*, 1950.]
25 'Service du travail et université', *Le Débat*, nr. 48, p. 180.
26 Luc Ferry et Alain Renaut, *Heidegger et les modernes*, Grasset, 1988, p. 82-84.

II GERECHTIGHEID VOOR SARTRE

1 Existentialisme is antihumanisme

1 'Mallarmé', *Situations* IX, p. 194.
2 *L'Être et le néant*, Gallimard, 1945, p. 51.
3 'Saint-Marc et son double', gesprek met Michel Sicard, in: *Obliques*, nr. 24-25, 1981.
4 *Les Carnets de la drôle de guerre*, p. 166. Ned. vert. *Schemeroorlog*. De Arbeiderspers, Amsterdam, 1985, p. 175. Vertaling Frans de Haan en Marianne Kaas.
5 *L'Être et le néant*, p. 462.
6 Juliette Simont, *Jean-Paul Sartre. Un demi-siècle de liberté*, De Boeck Université, 1998, p. 17-20 e.v.
7 *L'Être et le néant*, op. cit., p. 30.
8 Ibid., p. 33 en p. 66-71.
9 Claude Lévi-Strauss, Didier Eribon, *De près et de loin.* Seuil, coll. Points, 1991, p. 225-226.
10 Gabrielle Ferrières, *Jean Cavaillès, un philosophe dans la guerre*, Seuil, 1982.
11 Georges Canguilhem, *Vie et mort de Jean Cavaillès*, Les carnets de Baudasser, Villefranche, Pierre Laleur éditeur, 1976, p. 39.
12 Annie Cohen-Solal, *Sartre. 1905-1980*, Gallimard, Parijs, 1985, p. 234; Ned. vert. *Jean-Paul Sartre. Zijn biografie*, Van Gennep, Amsterdam, 1987, p. 188.
13 *Mallarmé*, Gallimard, 1986, p. 137.
14 *Situations* IX, op. cit., p. 245.
15 *Les Carnets de la drôle de guerre*, op. cit., p. 28.
16 Louis Althusser, *Lettres à Franca*, op. cit., p. 301.
17 Ibid., p. 297.
18 'Une idée fondamentale de la phénoménologie de Husserl: l'intentionnalité', in: *Situations* I, op. cit., p. 29-32.
19 John Gerassi, *Sartre. Conscience haïe de son siècle*, op. cit., p. 103. (oorspr. titel *Jean-Paul Sartre: Hated Conscience of His Century*, New York: Oxford University Press, 1987).
20 Françoise Fonteneau, *L'Ethique du silence*, Seuil, 1999, p. 30.
21 Louis Althusser, *Réponse à John Lewis, Maspero*, 1973, p. 43. Geciteerd door Eric Marty, *Louis Althusser. Un sujet sans procès*, Gallimard, 'L'Infini', 1999, p. 120.
22 'Sur L'Idiot de la famille', ín: *Situations* X, op. cit., p. 99-100.
23 Ibid., p. 110.
24 'L'Anthropologie', in: *Cahiers de philosophie*, nr. 2, februari 1966; herdr. in: Jean-Paul Sartre, *Situations* IX, p. 94-98.

25 Jacques Lacan, *Le Séminaire Livre* XI: *Les quatre concepts fondamentaux de la psychanalyse*, Seuil, 1973, p. 79-80.
26 Betty Cannon, *Sartre et la psychanalyse*, PUF, 1993, p. 234.
27 Michel Foucault, *Les Mots et les choses*, Gallimard, 1966, p. 353-354. Ned. vert. (hier aangepast): *De woorden en de dingen*, Ambo, Baarn, 1982, p. 371.
28 'Entretien avec Bernard Pingaud', *L'Arc*, nr. 30, 1966.
29 Michel Foucault, 'La Pensée du dehors', *Critique*, nr. 229, juni 1966. Ned. vert. 'Het denken van het Buiten. Over Maurice Blanchot', in: Michel Foucault, *De verbeelding van de macht. Essays over literatuur*, SUN, Nijmegen, 1986, p. 95-122.
30 Michel Foucault, *Essai sur le sujet et le pouvoir*, Gallimard, 1984, p. 297-298.
31 Daniel Defert, 'Lettre à Claude Lanzmann', in: 'Témoins de Sartre II', speciaalnummer van *Les Temps modernes*, nr. 532, november 1990, p.1201; Claude Mauriac, *Le Temps immobile*, VI, Grasset, p. 77.
32 Herbert L. Dreyfus en Paul Rabinow, *Michel Foucault, un parcours philosophique*, Gallimard, p. 331. Oorspr. titel *Michel Foucault: Beyond Structuralism and Hermeneutics*, University of Chicago Press, Chicago, 1982. Van dezelfde auteurs: 'Entretien avec Michel Foucault', in: *Le Nouvel Observateur*, 1 juni 1984.
33 Gilles Deleuze en Claire Parnet, *Dialogues*, Flammarion, 1977, p. 18-19.
34 Juliette Simont, *Jean-Paul Sartre. Un demi-siècle de liberté*, De Boeck Université, 1998, p. 63-64 et 70-71.
35 'Le langage indirect et les voix du silence', (opgedragen aan Jean-Paul Sartre), in: *Signes*, Gallimard, 1960, p. 89-92.
36 *Situations* IX, op. cit., p. 195.

2 Wat is een monster?

1 *Les Mots*, Gallimard, Folio, 1972, p. 21; Ned. vert. *De woorden*, Bijleveld, Utrecht, 1986. Vert. Pierre H. Dubois.
2 *Les Carnets de la drôle de guerre*, Gallimard, 1986, p. 174-175; Ned. vert. *Schemeroorlog*, De Arbeiderspers, 'Privé Domein', p. 184-185.
3 'Sartre par Sartre', interview in de *New Left Review*, gepubliceerd in *Le Nouvel Observateur*, 26 januari 1970, herdrukt in: *Situations* IX, Gallimard, Parijs, 1976, p. 110.
4 Geciteerd in Gertrud Koch, 'Freud à l'écran', in: 'Témoins de Sartre', in: *Les Temps modernes*, 531, oktober 1990, p. 574.
5 *Les Mots*, op. cit., p. 18-19 en 24. Ned. vert. *De woorden*, Bijleveld, Utrecht, 1986. Vert. Pierre H. Dubois.
6 *Critique de la raison dialectique. Questions de méthode*, Gallimard, 1960, p. 46.
7 'L'Homme au magnétophone', in: *Les Temps modernes*, 274, april 1969, opgenomen in: *Situations* IX, p. 329-358.
8 Thomas Mann, *Freud et la pensée moderne*, rééd. Aubier Flammarion, 1970; geciteerd door Gérard Haddad, *Les Biblioclastes*, Grasset, 1990, p. 230. Oorspr. titel: 'Freud und die Zukunft' (1936).
9 'Sartre par Sartre', in: *Situations* IX, op. cit., p. 105.
10 *Le Scénario Freud*, Voorwoord door J.-B. Pontalis, Gallimard, 1984.

11 *Critique de la raison dialectique. Questions de méthode*, Gallimard, 1960, p. 58; *L'Être et le néant*, op. cit., p. 629.
12 Annie Cohen-Solal, *Sartre. 1905-1980*, Gallimard, 1985, p. 143.
13 *L'Être et le néant*, op. cit., p. 629.
14 Ibid., p. 632.
15 Sigmund Freud, *Aan gene zijde van het lustprincipe*, opgenomen in *Sigmund Freud – Nederlandse Editie, Psychoanalytische Theorie*, dl. 1, Boom, Meppel/Amsterdam, 1985, p. 159 (vert. Thomas Graftdijk).
16 'Sartre par Sartre', in: *Situations* IX, op. cit., p. 105.
17 S. Freud, *Colleges inleiding tot de psychoanalyse*, opgenomen in *Sigmund Freud – Nederlandse Editie, Inleiding tot de psychoanalyse*, dl. 1/2, Boom, Meppel/Amsterdam, 1989, p. 31 (vert. Wilfred Oranje).
18 'Sartre par Sartre', op. cit., p. 105-106.
19 'Merleau-Ponty vivant', op. cit., p. 243.
20 *Situations* X, op. cit., p. 110-111.
21 'Réponse à Sartre par J.-B. Pontalis', *Les Temps modernes*, nr. 274, april 1969, opnieuw opgenomen in *Situations* IX, p. 360.
22 Geciteerd in *Lettres au Castor* I, op. cit., p. 9.
23 'Témoins de Sartre II', op. cit., p. 1246.
24 Voorwoord bij *Mallarmé*, Gallimard, coll. Poésie, 1966, opgenomen in *Situations* IX, p. 201.
25 *Qu'est-ce que la littérature?*, op. cit., p. 134.
26 'Témoins de Sartre II', op. cit., p. 1246.
27 'Sartre par Sartre', *Situations* IX, p. 113.
28 *Les Mots*, op. cit., p. 148.
29 'L'Ecriture et la publication', interview met Michel Sicard, *Obliques*, op. cit., p. 21.
30 La Mettrie, *Textes choisis*, Les classiques du peuple, Editions sociales, 1954, p. 178-179.
31 Jean Cau, 'Croquis de mémoire', in 'Témoins de Sartre II', op. cit., p. 1107-1136.
32 *'Sur L'Idiot de la famille'*, gesprek/interview met Michel Contat et Michel Rybalka, op. cit., p. 93.
33 'L'écrivain et sa langue', gesprek/interview met Pierre Verstraeten, op. cit., p. 75.
34 In Michel Contat, *Pourquoi et comment Sartre a écrit les Mots*, op. cit., p. 465.
35 'Témoins de Sartre II', op. cit., p 1140-1141.
36 Jorge Louis Borges, *Labyrinthes*, trad. Caillois, Gallimard, 1953.
37 'Sur *L'Idiot de la famille*', op. cit., p. 92.
38 *Les Mots*, op. cit., p. 148-149.
39 *Politique de la prose*, op. cit., p. 62-72.
40 Interview met Madeleine Chapsal, op. cit., p. 96.
41 'Je-Tu-Il', voorwoord in *L'Inachevé*, van André Puig, Gallimard, 1970; opgenomen in *Situations* IX, p. 277-315; cf., notamment, p. 286.
42 *Ecrits*, p. 135. Geciteerd in 'L'Inachèvement', *Nouvelle Revue de psychanalyse*, nr. 50, p. 11; vgl. ook Claude Lorin, *L'Inachevé*, Grasset, 1984.
43 'Les peintures de Giacometti', *Les Temps modernes*, nr. 103, juni 1954; opgenomen in *Situations* IV, p. 355.

44 'Merleau-Ponty vivant', *Situations* IV, op. cit., p. 207. Jean Wahl, *Esquisse pour une histoire de l'existentialisme*, L'Arche, 1949, p. 95-96.
45 'Merleau-Ponty vivant', op. cit., p. 208.
46 Geciteerd door Francis Jeanson, *Sartre dans sa vie*, Seuil, p. 232. *Carnets,* op. cit., p. 329.
47 RTL, 1967, in Michel-Antoine Burnier, *Le Testament de Sartre*, Orban, 1980, p. 162.
48 *Celui qui ne m'accompagnait pas*, Gallimard, 1955, opnieuw uitgegeven als'L'imaginaire', 1993, p. 121.
49 'Le socialisme qui venait du froid', 1970, *Situations* IX, op. cit., p. 245.
50 'Merleau-Ponty vivant', *Situations* IV, op. cit., p. 250.
51 Gavi-Sartre-Victor, *On a raison de se révolter*, op. cit., p. 104.
52 René Schérer, *Regards sur Deleuze*, Editions Kimé, 1998, p. 109.
53 'Témoins de Sartre II', op. cit., p. 1139.
54 *L'Espoir*, in *Oeuvres*, Pléiade, p. 558.
55 *Situations* X, op. cit., p. 202.
56 *Carnets de la drôle de guerre*, op. cit., p. 297.
57 Ibid., p. 300.
58 *Qu'est-ce que la littérature?*, op. cit., p. 139.
59 Ibid., p. 133.
60 Michel Contat, *Pourquoi et comment Sartre a écrit 'Les Mots'*, op. cit., p. 10.
61 *Carnets*, op. cit., p. 306.
62 Geciteerd in Mohamed Choukri, op. cit., p. 105.
63 *Carnets*, op. cit., p. 305.
64 John Gerassi, op. cit., p. 55.
65 Geciteerd door Olivier Rolin, 'Ecrivains de 1899', *Le Monde*, 27 augustus 1999.
66 *Situations* X, op. cit., p. 206.
67 *Qu'est-ce que la littérature?*, op. cit., p. 35.
68 Interview met Madeleine Chapsal, op. cit., p. 96.
69 Jean-Jacques Brochier, op. cit., p. 37 e.v.
70 Sartre, 'L'alibi', *Le Nouvel Observateur*, 19 november 1964, opgenomen in *Situations* VIII, op. cit., p. 144.
71 *Le Monde*, 17 april 1980.
72 *L'Être et le néant*, op. cit., p. 164.
73 Ibid., p. 165.
74 Ibid., p. 580.

3 Antifascist in hart en nieren

1 *L'Être et le néant*, op. cit., p. 277.
2 *Libération*, 15 november 1973.
3 *Réflexions sur la question juive*, Gallimard, coll. Idées, 1954; cité in Cl. et J. Broyelle, *Les Illusions retrouvées*, Grasset, 1982, p. 228.
4 'Palmiro Togliatti', *Les Temps modernes*, nr. 221, oktober 1964, repris in *Situations* IX, op. cit., p. 143.
5 *Critique de la raison dialectique*, op. cit., p. 735-738.

6 Schelling, *Leçons d'Erlangen*, trad. Courtine-Martineau, p. 272-274.
7 Philippe Muray, *Le XIXe Siècle à travers les âges*, Denoël, 1984, p. 556.
8 *Histoire et dialectique de la violence*, Gallimard, 1972, p. 212.
9 Louis Aragon, *Défense de l'infini*, Gallimard, 1986, p. 181.
10 Op. cit., p. 247.
11 Gérard Haddad, *Les Biblioclastes*, Grasset, 1990, p. 232.
12 *Saint Genet: comédien et martyr*, op. cit., p. 176 et 182.
13 Ibid., p. 41-42.
14 Jean-François Louette, *Silences de Sartre*, Presses universitaires du Mirail, 1995, p. 53.
15 *Journal*, 12 juni 1951 et 17 mai 1953.
16 *L'Être et le néant*, op. cit., p. 641.
17 Etienne Barilier, *Les Petits camarades*, Julliard-*L'Age d'homme*, 1987, p. 39.
18 *La Cérémonie des adieux*, op. cit., p. 186.
19 *Les Mots*, op. cit., p. 75.
20 'Paul Nizan', *Situations* IV, op. cit., p. 162.
21 *Oeuvres complètes* XI, p. 226.
22 'Préface à Mallarmé', *Situations* IX, op. cit., p. 195.
23 *Cité par Alain Buisine, Laideurs de Sartre*, Presses universitaires de Lille, 1986, p. 54.
24 *Carnets*, op. cit., p. 327.
25 'Sartre parle de l'Espagne', interview door Philippe Gavi, *Libération*, 28 oktober 1975.
26 Akte III, scène 1.
27 Op. cit., p. 97.
28 Maurice Merleau-Ponty, 'Il n'y a pas de bonne façon d'être homme', entretien avec Georges Charbonnier, mei 1959, reproduit dans *Esprit*, juli-augustus 1980, p. 41.
29 *Tyrannie et sagesse*, Gallimard, 1954, p. 252.
30 Gustave Flaubert, *Préface à la vie d'écrivain*, Seuil, p. 90.
31 *Situations* III, Gallimard, 1976, p. 51-56.
32 Op. cit., p. 204, 208.
33 *La Reine Albemarle, ou le dernier touriste*, Gallimard, 1991, p. 133.
34 'Discussion sur la critique à propos de L'enfance d'Ivan', *L'Unita*, 9 oktober 1969; repris in *Situations* VII, p. 332 e.v.
35 *L'Idiot de la famille*, op. cit., p. 657.

4 Aantekening over de kwestie Vichy: een Sartre in verzet

1 'Propos recueillis par Jean-Pierre Barou et Robert Maggiori', *Libération*, 10 juni 1985.
2 *Carnets de la drôle de guerre*, op. cit., p. 100; cité par Jean-François Sirinelli, *Deux intellectuels dans le siècle, Sartre et Aron*, Fayard, 1995, p. 119.
3 *Mémoires d'une jeune fille rangée*, op. cit., p. 271-272.
4 *Lettres au Castor* I, op. cit., p. 63-89.
5 *La Force de l'âge*, op. cit., p. 315.
6 *Annie Cohen-Solal*, op. cit., p. 170-171.
7 *La Force de l'âge*, op. cit., p. 345.
8 Raymond Aron, *Histoire et dialectique de la violence*, op. cit., p. 271.

9 *Situations* x, op. cit., p. 178.
10 *Situations* iv, op. cit., p. 182.
11 *Avec Sartre au Stalag 12D*, Ed. J.P. Delarge, 1980.
12 *Un théâtre de situations*, Folio essais, 1992, p. 266.
13 *Les Ecrits de Sartre*, op. cit.; à paraître dans le volume *Pléiade du Théâtre de Sartre*, une nouvelle version établie par Michel Rybalka.
14 Gilbert Joseph, *Une si douce occupation*, Albin Michel, 1991, p. 265-266.
15 'Oreste et la cité', repris in *Brisées, Mercure de France*, p. 74-78.
16 *Messages*, 1943; repris in Alexandre Astruc, *Du stylo à la caméra et de la caméra au stylo*, L'Archipel, 1992, p. 54.
17 *Les Temps modernes*, 'Témoins de Sartre ii', op. cit., p. 1208.
18 *Notes de théâtre, 1940-1950*, Lardanchet, 1951, p. 124.
19 Ingrid Galster, *Le Théâtre de Jean-Paul Sartre devant ses premiers critiques*, Jean-Michel Place, 1986, p. 70, 218-219.
20 *Jean-François Sirinelli*, op. cit., p. 179. Laurence Bertrand Dorléac, *L'Art de la défaite*, Seuil, 1993, p. 188.
21 Ingrid Galster, 'Simone de Beauvoir and Radio-Vichy: about some rediscovered radio scripts', *Simone de Beauvoir Studies*, volume 13, 1996, p. 103.
22 *Jean-François Sirinelli*, op. cit., p. 177.
23 'Drieu ou la haine de soi', *Les Ecrits de Sartre*, op. cit., p. 1090.
24 Alain et Odette Virmaux, *Jeune Cinéma*, nr. 231, p. 27.
25 Enquête de Jacques Lecarme, *Bulletin d'information du Groupe d'Etudes sartriennes*, nr. 12, juni 1998, annuel, 89, boulevard Auguste-Blanqui, 75013 Paris, p. 94-95.
26 *Gilbert Joseph*, op. cit., p. 187.
27 Jean Guéhenno, *Journal des années noires (1940-1944)*, Gallimard, 1947. Cité in Gilles et Jean-Robert Ragache, *La Vie quotidienne des écrivains et des artistes sous l'occupation*, Hachette, 1988, p. 59.
28 *La Force de l'âge*, op. cit., p. 498.
29 *Lettres au Castor* i, op. cit., p. 369.
30 Jean-Toussaint Desanti, '*L'Être et le néant* a cinquante ans', *Le Monde*, 2 juillet 1993.
31 'Gide vivant', *Situations* iv, op. cit., p. 86.
32 'Sartre par Sartre', *Situations* ix, op. cit., p. 101.
33 'Merleau-Ponty vivant', *Situations* iv, p. 193.
34 Ibid.
35 *Annie Cohen-Solal*, op. cit., p. 233-234; Simone de Beauvoir, *La Force de l'âge*, op. cit., p. 552.
36 *John Gerassi*, op. cit., p. 261.
37 *Arnaud Rykner, Nathalie Sarraute*, Seuil, 1991, p. 174.
38 *Annie Cohen-Solal*, op. cit., p. 266-268.

5 Sartre nu

1 Deel ii, sectie c.
2 Jean-Paul Sartre en Benny Lévy, *L'espoir maintenant*, Verdier, 1991, p. 74.

3 *Le Sursis*, op. cit., p. 814.
4 Ely Ben-Gal, op. cit., p.316; en 'Témoins de Sartre II', op. cit., p. 1285.
5 Maurice Szafran, *Les Juifs dans la politique française*, Flammarion, 1990, p. 55 en verder.
6 *Réflexions*, op. cit., p. 165.
7 Maurice Szafran, op. cit., p. 55.
8 Ibid., p. 58.
9 'Benny Lévy et Sartre', gesprek met Salomon Malka, *Radio communauté*, geciteerd volgens Laurent Dispot, in *Le Matin de Paris*, 16 januari 1982.
10 Ely Ben Gal, op. cit., p. 319.
11 Henri Meschonnic, 'Sartre et la question juive', *Etudes sartriennes* I, 1984, p. 140.
12 *Le Testament de Dieu*, Bernard-Henri Lévy, Grasset, 1979.
13 'Benny Lévy et Sartre', gesprek met Salomon Malka.
14 'Autoportrait à soixante-dix ans', op. cit., p. 196.
15 Ibid.
16 John Gerassi, op. cit., p. 268-269.
17 Herbert R. Lottman, *Albert Camus*, op. cit., p. 518.
18 *Lettres au Castor* II, p. 320.
19 *Alger républicain*, 20 oktober 1938, in *Essais*, Gallimard, Pléiade, 1990, p. 1417.
20 'Merleau-Ponty vivant', op. cit., p. 215.
21 Ibid., p. 216.
22 *La Force des choses*, geciteerd in Lottman, op. cit., p. 510.
23 Herbert R. Lottman, *Albert Camus*, op. cit., p. 521.
24 *France-Observateur*, nr. 505, 7 januari 1960, overgenomen door *Le Nouvel Observateur*, 15 juni 1994 en *Situations* IV, op. cit., p. 126-129.
25 'La visite à Jean-Paul Sartre', 'Témoins de Sartre II', op. cit., p. 1194.
26 'Merleau-Ponty vivant', *Situations* IV, p. 281.
27 Art. cit.
28 *Situations* X, op. cit., p. 96.
29 'Albert Camus', op. cit.
30 Albert Camus, *Théâtre, Récits et Nouvelles*, Gallimard, Pléiade, 1974, p. 1492.
31 Nietzsche, *Der Wille zur Macht*.
32 *L'Eté*, in *Essais*, op. cit., p. 844.
33 'Explication de *L'Etranger*', februari 1943, *Situations* I, op. cit., p 112.
34 *Théâtre, Récits et Nouvelles*, op. cit., p. 1787.
35 Eric Werner, *De la violence au totalitarisme*, Calmann-Lévy, 1972, p. 51-58.
36 *Le Mythe de Sisyphe*, in *Essais*, op. cit., p. 135, 139, 143.
37 Ibid., p. 197-198.

III DE WAAN VAN HET TIJDPERK

1 Een andere Sartre

1 *Combat*, 3 maart 1948.
2 Michel Contat en Michel Rybalka, *Les Ecrits de Sartre*, Gallimard, 1970, p. 263.

3 Jean-François Sirinelli, *Deux intellectuelles dans le siècle. Sartre et Aron*, p. 281.
4 Annie Cohen-Solal, *Jean-Paul Sartre: zijn biografie*. Van Gennep, Amsterdam, 1989. Vertaling: Truus Boot et al.
5 Stéphane Courtois et al., *Le Livre noir du communisme*, Robert Laffont, Bouquins, 1998, p. 278.
6 Stéphane Courtois et al., *Le Livre noir du communisme*, Robert Laffont, Bouquins, 1998, p. 297.
7 John Gerassi, *Sartre conscience haïe de son siècle*, Editions du Rocher, 1992, p. 229.
8 *Situations* II, p. 287. *Wat is literatuur*, De Bezige Bij, Amsterdam, 1968. Vertaler: H.F. Arnold.
9 Maurice Merleau-Ponty en Jean-Paul Sartre, 'Les jours de notre vie', *Les Temps modernes*, januari 1950.
10 Annie Cohen-Solal, *Jean-Paul Sartre: zijn biografie*. Van Gennep, Amsterdam, 1989. Vertaling: Truus Boot et al.
11 Nikita Khrouchtchev, *Souvenirs*, Robert Laffont, 1971, p. 329.
12 'Après Budapest, Sartre parle', in: *L'Express*, 9 november 1956.
13 *France-Observateur*, 8 november 1956.
14 'Après Budapest', in: *L'Express* 9 november 1956.
15 Pierre Grémion, *Intelligence de l'anticommunisme*, Fayard, 1995, p. 260.
16 'Temoins de Sartre II', p. 913.
17 Getuigenis van Ilios Iannakakis, geciteerd door Annie Cohen-Solal, *Jean-Paul Sartre: zijn biografie*, p. 378.
18 *Pour une morale de l'ambiguïté*, Gallimard, coll. Idées, 1974, p. 211.
19 Interview met *Der Spiegel*, in: J.P. Sartre, *Situations* VIII.
20 Philippe Gavi, Jean-Paul Sartre, Pierre Victor, *On a raison de se révolter*, Gallimard, 1974, p. 347-348.
21 Gesprek met Juan Goytisolo, *El Pais*, 11 juni 1978.
22 Interview met *Der Spiegel*, in: J.P. Sartre, *Situations* VIII.
23 Voorwoord bij: Juan Hermanos, *La Fin de l'espoir*, Juillard, 1950, in: *Situations* VI.
24 M.-A. Burnier, 'Temoins de Sartre II', p. 932.
25 Jean Cau, 'Témoins de Sartre II', p. 1125.
26 *Obliques*, p. 295.
27 Stéphane Courtois et al., *Le Livre noir du communisme*, p. 779.
28 Annie Cohen-Solal, *Jean-Paul Sartre: zijn biografie*, p. 427-428.
29 *Situations* VI, op. cit., p. 373-374.
30 'Merleau-Ponty vivant', in: Jean-Paul Sartre, *Situations* IV, p. 249.
31 'A propos de Munich', in: *La Cause du peuple*, nr. 29, 15 oktober 1972, geciteerd in: Nicolas Weil, *Le Monde*, 1 maart 1992.
32 Verslag van Jeannette Colombel, 'Brumes de mémoire', in: *Témoins de Sartre* II, p. 1157.
33 *Esquire*, VIII, nr. 6, december 1970.
34 *J'accuse*, nr. 2, 31 mei 1971.
35 *La Cause du peuple*, nr. 14, 10 december 1969.
36 *J'accuse*, nr. 2, 31 mei 1971.

37 'Benny Lévy et Sartre', gesprek met Salomon Malka.
38 *Le Monde*, 26 mei 1972, p. 10.
39 *La Cause du peuple*, juni 1972.
40 Bernard Kouchner, *Libération*, 'Spécial Sartre', 1980, p. 40.
41 *Le Monde*, 17-18 november 1974.
42 *Le Nouvel Observateur*, 17-22 november 1975.
43 *Cahiers Bernard Lazare*, oktober-november 1976, p. 11.
44 Opmerkingen verzameld door Ely Ben Gal voor *Al Hamishmar*, opgenomen in *Le Monde*, 27 oktober 1973.
45 Philippe Gavi, Jean-Paul Sartre, Pierre Victor, *On a raison de se révolter*, Gallimard, 1974, p. 102-103.
46 *Situations* VI, p. 210.
47 *L'Humanité*, 16 juli 1964.
48 *La Reine Albemarle ou le Dernier Touriste*, p. 64-67.
49 Jean Guéhenno, *Caliban parle*, Grasset, 1972.
50 *L'Idiot de la famille*, I, p. 930-931.
51 Simone de Beauvoir, *La Cérémonie des adieux*, p. 30.
52 Vrin, 1990, p. 108-116.

2 Over de plaats van de misvatting in het leven van een intellectueel

1 Jeannette Colombel, *Sartre ou le parti de vivre,* Grasset, 1981, p. 176.
2 Annie Cohen-Solal, *Jean-Paul Sartre: zijn biografie*. Van Gennep, Amsterdam, 1989. Vertaling: Truus Boot et al.
3 Robert O. Paxton, *La France de Vichy*, Seuil, Points-Histoire, 1974, p. 311.
4 'Le fantôme de Staline', in: *Situations* VII, p. 152.
5 François Maspero, 'Quelqu'un de la famille', interview met Miguel Benasayag, in: *Témoins de Sartre* II, p. 1010-1022.
6 *Pour une morale de l'ambiguïté*, geciteerd door Pierre Rigoulot en Ilios Yannakis, *Une pavé dans l'Histoire*, Laffont, 1998, p. 21.
7 Laurent Dispot, *Manifeste archaïque*, Grasset, 1986, p. 119-120.
8 Bernard Pautrat, *Versions du soleil*, Seuil 1971; Jean Granier, *Problème de la vérité dans la philosophie de Nietzsche*, Seuil, 1966.
9 'Merleau-Ponty vivant', in: *Situations* IV, p. 194.
10 Emmanuel Terray, *La politique dans la caverne*, Seuil, 1990.
11 Juliette Simont, *Un demi-siècle de liberté*, De Boeck Université, 1998, p. 11.
12 Raymond Aron, 'De la trahison', in: *Preuves*, nr. 116, oktober 1960.
13 *Situations* X, p. 183-184.
14 Geciteerd in Franck Fischbach, *Du commencement en philosophie, étude sur Hegel et Schelling*, p. 142.
15 *Situations* IX, p. 252.
16 *Ecrits*, p. 859.
17 *France-URSS*, nr. 90, februari 1953, geciteerd in: Michel Contat en Michel Rybalka, *Les Ecrits de Sartre*, Gallimard, 1970, p. 260.

18 André Gide, *Retour de urss*, Gallimard, 1936, p. 67.
19 Lenin, *Oeuvres complètes*, t. 36, p. 504, geciteerd in: Rigoulot en Yannakis, op. cit., p. 181.
20 'Merleau-Ponty vivant', in: *Situations* IV.
21 François George, 'Pierre Kaan, penseur du totalitarisme', in: *Commentaire*, nummer 82, zomer 1998.
22 Elie Halévy, *L'Ere des tyrannies*, 1938, heruitgave Gallimard, coll. Tel, 1990, p. 215-226.
23 Elie Halévy, *L'Ere des tyrannies*, 1938, heruitgave Gallimard, coll. Tel, 1990, p. 223.
24 Marcel Mauss, *Ecrits politiques*, Fayard, 1997, p. 509.
25 Lefort, *Elements d'une critique de la bureaucratie*, heruitgave Gallimard, coll. Tel, 1979.
26 *Retouches à mon retour de l'URSS*, Gallimard, 1937, p. 66.
27 *Temps présent*, 25 maart en 26 februari 1938.
28 Francóis Furet, *Le passé d'une illusion*, Laffont/Calmant-Lévy, 1995, p. 442. Ned. vert. *Het verleden van een illusie: essay over het communistische gedachtegoed in de twintigste eeuw*. Meulenhoff, Amsterdam 1996.

3 De bekentenis

1 Jean-François Sirinelli, *Deux intellectuels dans le siècle, Sartre et Aron*, Fayard, 1995, p. 168.
2 Geciteerd in Denis Hollier, *Politique de la prose*, p. 265.
3 Philippe Gavi, Jean-Paul Sartre, Pierre Victor, *On a raison de se révolter*, Gallimard, 1974, p. 24.
4 Sartre, *Situations* X, p. 179-180.
5 Simone de Beauvoir, *La Force des choses*.
6 *Pour un théâtre de situations*, p. 57 en 64.
7 Denis Hollier, *Politique de la prose*, p. 265-268.
8 Micheline Tison-Braun, *Le Drame de l'humanité athée*, II, Nizet, p. 293.
9 Denis Hollier, *Politique de la prose*, p. 273.
10 Entiemble, *Littérature dégagée*, Gallimard, 1952, p. 157.
11 *Les Chemins de la liberté*, p. 525.
12 *Les Chemins de la liberté*, p. 522.
13 *Les Chemins de la liberté*, p. 521.
14 François Noudelmann, 'Figures de l'action politique', in: 'Témoins de Sartre II', p. 982-1008. En ook: id. *Sartre, l'incarnations imaginaire*, L'Harmattan, 1996.
15 Michel Contat en Michel Rybalka, *Les Ecrits de Sartre*, Gallimard, 1970, p. 183.
16 Philippe Gavi, Jean-Paul Sartre, Pierre Victor, *On a raison de se révolter*, Gallimard, 1974, p. 306.
17 Louis Aragon, Epiloog op het eerste deel van *Monde réel*.
18 Michel Contat, in: Jean-Paul Sartre, *Oeuvres romanesques*, Gallimard, Pléiade, 1981, p. 522.
19 Philippe Gavi, Jean-Paul Sartre, Pierre Victor, *On a raison de se révolter*, Gallimard, 1974, p. 80.
20 'La gauche, le désespoir et l'espoir', interview met Catherine Clément, *Le Matin*, 10 november 1979.

21 Romain Roland, *L'Ame enchantée, L'Annonciatrice*, Albin Michel, 1933, II, p. 46.
22 Jean Guéhenno, *Caliban parle, suivi de Conversion à l'humain*, Grasset, 1928, heruitg. 1962, p. 151-153.
23 Philippe Gavi, Jean-Paul Sartre, Pierre Victor, *On a raison de se révolter*, Gallimard, 1974, p. 45.
24 'Les communistes et la paix', *Situations* VI, p. 374.
25 Aron, *Marxistes imaginaires*, Gallimard, coll. Idées, 1970, p. 44-45, 168.
26 *Histoire et dialectique de la violence*, p. 128-129.
27 'Faux savants ou faux lièvres', *Situations* VI, p. 55.
28 'Les communistes et la paix', *Situations* VI, p. 208.
29 'Les communistes et la paix', *Situations* VI, p. 125.
30 Philippe Gavi, Jean-Paul Sartre, Pierre Victor, *On a raison de se révolter*, Gallimard, 1974, p. 171.
31 *Situations* VI, p. 8.
32 *Situations* X, p. 190-191.
33 Philippe Gavi, Jean-Paul Sartre, Pierre Victor, *On a raison de se révolter*, Gallimard, 1974, p. 170.
34 Jean-Paul Sartre, *Critique de la raison dialectique*, p. 58.
35 Dennis Hollier, *Politique de la prose*, Gallimard, 1982, p. 291.
36 *Critique de la raison dialectique*, p. 186; François Noudelmann, 'Figures de l'action politique', in:'Témoins de Sartre II', p. 82.
37 *Les Carnets de la drôle de guerre*, p. 329. In Julliette Simont, *Un demi-siècle de liberté*, De Boeck Université, 1998, p. 22 Jean-Paul Sartre, *Schemeroorlog*. De Arbeiderspers, Amsterdam, 1985. Vertaling: Frans de Haan en Marianne Kaas.
38 *Autoportrait à soixante-dix ans.*
39 Thucydide, *Histoire de la guerre du Péloponnèse*, Deel II. Thucydides, *De Peloponnesische oorlog*. Athenaeum-Polak & Van Gennep, Amsterdam, 2001. Vertaling: M.A. Schwartz.
40 *Libération*, 14-20 juli 1954.
41 Sartres voorwoord bij F. Fanon, *Les Damnés de la terre*, Maspero, Cahiers libres, 1961, p. 25.
42 Geciteerd door Francis Jeanson, *Sartre dans sa vie*, Seuil, p. 232. Sartre, *Carnets de la drôle de guerre*, p. 356. Jean-Paul Sartre, *Schemeroorlog*. De Arbeiderspers, Amsterdam, 1985. Vertaling: Frans de Haan en Marianne Kaas.
43 Geciteerd in Denis Hollier, p. 34.
44 John Gerassi, *Sartre conscience haïe de son siècle*, Editions du Rocher, 1992, p. 209.

4 Het echec van Sartre

1 Sartre, *L'Être et le néant*, p. 293.
2 Alexandre Koyré, 'Hegel à Iéna', in *Etudes de l'histoire de la pensée philosophique*, Gallimard, coll. Tel, p. 189.
3 Père Gaston Fessard, 'Attitude ambivalente de Hegel face à l'histoire', *Hegel-Jahrbuch*, 1961, p. 54.
4 Geciteerd door Christophe Bouton, in Jocelyn Benoist en Fabio Merlini, *Après la fin de l'histoire*, Vrin, 1998, p. 98.

5 Jacques Derrida, *Spectres de Marx*, Galilée, 1993, p. 120.
6 Dominique Auffret, *Alexandre Kojève*, Grasset, 1990, p. 237.
7 Dominique Auffret, *Alexandre Kojève*, Grasset, 1990, p. 301.
8 Alexandre Kojève, *Introduction à la lecture de Hegel*, Gallimard, coll. Tel, 1997, p. 434-435.
9 G.W.F. Hegel, *Science de la logique*, Aubier-Montaigne, 1972-1981, vol. 1, p. 19. Oorspr. uitg. *Wissenschaft der Logik*, bekendste ed. die van Lasson, 1923.
10 Alexandre Kojève, *Introduction à la lecture de Hegel*, Gallimard, coll. Tel, 1997, p. 393.
11 Alexandre Kojève, *Critique*, 1946, nr. 2-3, p. 366.
12 Alexandre Kojève, *Introduction à la lecture de Hegel*, p. 469.
13 Louis Althusser, 'Du contenu dans la pensée de G.W.F. Hegel', 1947, herdrukt in *Ecrits philosophiques et politiques*, deel 1, Stock/Imec, 1994, p. 210.
14 Alexandre Kojève, o.c., p. 261.
15 Michel Foucault, *Archéologie du savoir*, Gallimard, 1969, p. 261.
16 Jacques Derrida, *La Voix et le phénomène*, PUF, 1967, p. 115.
17 Alexandre Kojève, *Lettre à Léo Strauss*, 2 november 1936, in *De la tyrannie*, Gallimard, 1997, p. 272.
18 Friedrich Nietzsche, *Seconde intempestive*, Garnier-Flammarion, 1988, p. 118. Oorspr. uitg. *Unzeitgemässe Betrachtungen.*
19 Jean-Michel Besnier, *Histoire de la philosophie moderne et contemporaine* 1, p. 448-449.
20 Raymond Queneau, 'Premières confrontations avec Hegel', *Critique*, september 1963, p. 700-701.
21 'Cinq minutes avec... Georges Bataille', *Le Figaro littéraire*, nr. 117, 17 juli 1948.
22 Georges Bataille, *Lettres à Roger Caillois*, geciteerd in Marc Richir, 'La Fin de l'Histoire', *Textures*, juni 1970.
23 Jocelyn Benoist et Fabio Merlini, op. cit., p. 193.
24 Christian Delacampagne, *De l'indifférance, Essai sur la banalisation du mal*, Editions Odile Jacob, 1998, p. 131-176.
25 Michel Foucault, *Les Mots et les choses*, p. 331. Michel Foucault, *De woorden en de dingen*. Ambo, Baarn, 1982. Vertaling: C.P. Heering-Moorman.
26 Michel Foucault, *Dits et écrits*, t. III, Gallimard, Parijs, 1994, p. 281.
27 Gesprek met Contat en Rybalka, *Situations* X, p. 110.
28 Sartre, *L'Être et le néant*, p. 231.
29 Ibid., p. 291.
30 Ibid., p. 296.
31 Ibid., p. 296-301.
32 Ibid., p. 653.
33 Raymond Aron, 'Mon petit camarade', *L'Express*, 19-25 april 1980.
34 Michel Foucault, gesprek met Jean-Pierre Elkabbach; herdrukt in Michel Foucault, *Dits et écrits*, vol. 1, p. 662.
35 'La République du silence', *Situations* III, Gallimard, 1949, p. 11; *Sartre par lui-même*, script van de film van Alexandre Astruc en Michel Contat, Gallimard, 1977, p. 97.
36 *Obliques*, p. 251.

37 *Cahiers pour une morale*, Gallimard, 1983, p. 77.
38 *Obliques*, p. 255.
39 *Obliques*, p. 251.
40 *Cahiers pour une morale*, Gallimard, 1983, p. 15.
41 Geciteerd en van commentaar voorzien door Jeanette Colombel, op. cit., p. 139.
42 Raymond Aron, *Histoire et dialectique de la violence*, p. 9.
43 Jeanette Colombel, op. cit., p. 190.
44 Georges Gurvitch, geciteerd in Emmanuel Levinas, *Esquisse pour une histoire de l'existentialisme*, L'Arche, 1949, p. 73.
45 Emmanuel Levinas, *Esquisse pour une histoire de l'existentialisme*, L'Arche, 1949, p. 11.
46 Raymond Aron, *Histoire et dialectique de la violence*, p. 23.
47 *Saint Genet*, p. 210-211 en 267.
48 *Saint Genet*, p. 129.
49 'L'Universel singulier', in: Sartre, *Situations* IX.
50 Jeanette Colombel, op. cit., p. 207.
51 *L'Être et le néant*, p. 669.
52 *Critique de la raison dialectique*, Gallimard, 1960, p. 669.
53 Ibid., p. 484.
54 *Situations* IX, p. 125.
55 'Le réformisme et ses fétiches', *Les Temps modernes*, nr. 122, februari 1956, herdrukt in *Situations* VII, p. 111-112.
56 *Critique de la raison dialectique*, Gallimard, 1960, p. 63.
57 Ibid., p. 17.
58 'Le réformisme et ses fétiches', *Les Temps modernes*, nr. 122, februari 1956, herdrukt in *Situations* VII, p. 111.
59 *Critique de la raison dialectique*, Gallimard, 1960, p. 21.
60 'Le réformisme et ses fétiches', *Les Temps modernes*, nr. 122, februari 1956, herdrukt in *Situations* VII, p. 110.
61 *Critique de la raison dialectique*, Gallimard, 1960, p. 22-23, 75, 189.
62 *Pouvoir et liberté*, p. 25.
63 *Qu'est-ce que la littérature?*, p. 33.
64 Jean Cau, 'Témoins de Sartre', p. 1120.
65 'Sartre par Sartre', in: *Situations* IX, p. 134.
66 Jean-François Sirinelli, o.c., p. 336.
67 *La Cérémonie des adieux*, p. 336.
68 *Radioscopie*, gesprek met Jacques Chancel, 7 februari 1973.
69 Michel Contat en Michel Rybalka, Michel Contat en Michel Rybalka, *Les Ecrits de Sartre*, Gallimard, 1970, p. 463.
70 'Sartre à la Sorbonne en Mai 68', *Le Nouvel Observateur*, nr. 1229, 27 mei-2 juni 1988.
71 'Jean-Paul Sartre, l'ami du peuple', gesprek met Jean-Edern Hallier, *L'Idiot International*, herdrukt in *Chaque matin qui se lève est une leçon de courage*, Editions Libres Hallier, 1978, p. 190-202.

5 Graftombe voor de literatuur

1 Alain Bosquet, *Combat*, 30 januari 1964.

2 Michel Contat, *Pourquoi et comment...*, p. 21-22.

3 'Réponse à Albert Camus', *Les Temps modernes*, nr. 82, augustus 1952; herdrukt in *Situations*, IV, p. 122.

4 *Le Quotidien de Paris*, 17 april 1980.

5 *Le Quotidien de Paris*, 17 april 1980.

6 Philippe Lejeune, *Le Pacte biographique*, Seuil, 1975, en *Moi aussi*, Seuil, 1986.

7 Voorwoord bij de Russische vertaling van *Les Mots*; in *Novi Mir*, nr. 10, oktober 1964, geciteerd door Michel Contat, *Pourquoi et comment Sartre a écrit 'Les Mots'*, p. 456.

8 Hoofdstuk 'Caïn' in Sartre, *Saint Genet*.

9 Pier Paolo Pasolini, *Qui je suis*, Arléa, 1999.

10 Jorge Luis Borges, 'De l'éthique superstitieuse du lecteur', *Oeuvres complètes* I, Gallimard, Pléaide, 1993, p. 212.

11 'Sur *L'Idiot de la famille*', gesprek met Michel Contat en Michel Rybalka, *Le Monde*, 14 mei 1971, opgenomen in: *Situations* X. Gallimard, Parijs, 1976, p. 93-94.

12 Geciteerd in Michel Contat, *Pourquoi et comment Sartre a écrit 'Les Mots'*, p. 123.

13 Simone de Beauvoir, *La Cérémonie des adieux*, p. 274-277. Simone de Beauvoir, *Het Afscheid*. Bijleveld, Utrecht, 1982. Vertaler: Frans de Haan.

14 *Les Mots*, p. 205., Ned. vert. *De woorden*, Bijleveld, Utrecht, 1986. Vertaler: Pierre H. Dubois.

15 Stendhal, *Vie de Henry Brulard*, Gallimard, Folio, 1981, p. 383.

16 'Sartre s'explique sur *Les Mots*', interview met Jacqueline Piatier, *Le Monde*, 18 april 1964.

17 *Situations* X, p. 155.

18 Philippe Gavi, Jean-Paul Sartre, Pierre Victor, *On a raison de se révolter*, Gallimard, 1974, p. 81.

19 *Les Mots*, p. 172. Ned. vert. *De woorden*, Bijleveld, Utrecht, 1986. Vertaler: Pierre H. Dubois.

20 John Gerassi, *Sartre conscience haïe de son siècle*, Editions du Rocher, 1992, p. 191.

21 J.-F. Louette, *Sartre contre Nietzsche*, p. 165.

22 André Malraux, *Antimémoires*, 1967, p. 10.

23 *Les Mots*, p. 135. Ned. vert. *De woorden*, Bijleveld, Utrecht, 1986. Vertaler: Pierre H. Dubois.

24 Denis Hollier, op. cit., p. 187.

25 'Paul Nizan', *Situations* IV, p. 141.

26 Geciteerd in Blanchot, *La Part du feu*, Gallimard, 1949, p. 95.

27 'Paul Nizan', *Situations* IV, p. 146.

28 Ibid., p. 157.

29 Ibid., p. 174-175.

30 Ibid., p. 98.

31 Ibid., p. 147.

32 *Qu'est-ce que la littérature?*, p. 140.

33 *L'Espoir maintenant*, p. 30.
34 'Sartre par Sartre', *Situations* IX, p. 134.
35 'Jean-François Sartre s'explique sur *Les Mots*', *Le Monde*, 18 april 1964.
36 Jean-François Lyotard, 'Un succès de Sartre', p. 89.
37 Bernard-Henri Lévy, *Questions de principe* II, Livre de Poche.
38 'L'alibi', p. 130 en 134.
39 RTL, 12 mei 1968, geciteerd in Jean-François Sirinelli, op. cit., p. 340.

Epiloog

1 Levinas, *Noms propres*, Le Livre de Poche, coll. Biblio, 1987, p. 118.
2 *Obliques*, interview met Michel Sicard.
3 *Situations* X.
4 Hegel, *Esthetik*, t. III-1, p. 128, geciteerd in: Sartre, 'Témoins de Sartre I', p. 264.
5 '*Pouvoir et liberté*, actualité de Sartre', interview met Benny Lévy, *Libération*, 6 januari 1977.
6 Ibid.
7 *Obliques*.
8 '*Pouvoir et liberté*, actualité de Sartre', interview met Benny Lévy, *Libération*, 6 januari 1977.
9 Ibid.
10 Brief aan Claude Gallimard, geciteerd in Annie Cohen-Solal, *Jean-Paul Sartre: zijn biografie*, p. 623.
11 Simone de Beauvoir, *Un fils rebelle*, Grasset, 1981, p. 15.
12 John Gerassi, *Sartre conscience haïe de son siècle*, Editions du Rocher, 1992, p. 40-43 en 235.
13 Jean Daniel, *Avec le temps*, Grasset, 1999, p. 102-105.
14 Raymond Aron, 'Sartre à apostrophes', speciaal Sartrenummer, *Libération*, p. 49.
15 'Benny Lévy et Sartre', interview met Salomon Malka.
16 *Libération*, 3 december 1981.
17 Philippe Gavi, Jean-Paul Sartre, Pierre Victor, *On a raison de se révolter*, Gallimard, 1974, p. 82-84, 98, 105, 374.
18 Jean-Pierre Boulé, *Sartre médiatique: la place de l'interview dans son œuvre*, Minard, 1993, p. 209.
19 *Situations* IX, p. 47.
20 'Une vie pour la philosophie', ongepubliceerd interview met Jean-Paul Sartre, *Magazine littéraire*, nr. 182, maart 1982, p. 76.
21 Salomon Malka.
22 *Le Matin*, april-mei 1980, p. 11.
23 'Benny Lévy et Sartre', gesprek met Salomon Malka.
24 Ibid.
25 *La Cérémonie des adieux*, p. 412.
26 *Obliques*, Interview met Michel Sicard, p. 11.
27 Philippe Gavi, Jean-Paul Sartre, Pierre Victor, *On a raison de se révolter*, Gallimard, 1974, p. 72.

28 *'Pouvoir et liberté*: actualité de Sartre'.

29 Voorwoord bij Sartre, *Mallarmé*, Gallimard, coll. Poésie, 1966, opgenomen in: *Situations* IX, p. 199.

30 Juliette Gréco, *Le Monde*, 17 april 1980.

Register